Της Stephenie Meyer

Λυκόφως
Νέα Σελήνη
Έκλειψη

Το σώμα

έκλειψη

STEPHENIE MEYER

μετάφραση Βασιλική Λατσίνου

PLATYPUS

Τίτλος πρωτοτύπου
ECLIPSE
Συγγραφέας
STEPHENIE MEYER

ΠΛΑΤΥΠΟΥΣ ΕΚΔΟΤΙΚΗ
Αρτέμιδος 1β', 15342 Αγ. Παρασκευή, Αθήνα
Τηλ. 210 6002605, Fax 210 6081164
info@platypus.gr, http://www.platypus.gr

Μετάφραση: Βασιλική Λατσίνου
Επιμέλεια: Ελένη Γεωργιάδου

Εκτύπωση: Starprint A.E.

ISBN 978-960-6665-31-8

Στο σύζυγό μου, Πάντσο,
για την υπομονή σου, την αγάπη, τη φιλία, το χιούμορ
και γιατί δέχεσαι να τρώμε έξω.

Κι επίσης στα παιδιά μου, Γκέιμπ, Σεθ και Ίλαϊ,
γιατί μου δώσατε την ευκαιρία να βιώσω την αγάπη εκείνη
για την οποία οι άνθρωποι πεθαίνουν πρόθυμα.

Ευχαριστίες

Θα ήμουν πολύ αμελής, αν δεν ευχαριστούσα τους πολλούς ανθρώπους που με βοήθησαν να αντέξω τη γέννηση ενός ακόμα μυθιστορήματος:

Οι γονείς μου είναι ο βράχος μου˙ δεν ξέρω πώς τα καταφέρνει κανείς χωρίς την καλή συμβουλή του μπαμπά και τον ώμο της μαμάς για να κλάψει πάνω του.

Ο άντρας μου και οι γιοι μου υποφέρουν για απίστευτα πολύ καιρό –οποιοσδήποτε άλλος θα με είχε κλείσει σε άσυλο εδώ και καιρό. Σας ευχαριστώ που με κρατάτε μαζί σας, παιδιά.

Στη δικιά μου Ελίζαμπεθ –την Ελίζαμπεθ Ούλμπεργκ, την εξαιρετική υπεύθυνη των δημοσίων μου σχέσεων– έχει παίξει τεράστιο ρόλο στην πνευματική μου υγεία, τόσο στις περιοδείες, όσο και εκτός περιοδείας. Λίγοι άνθρωποι είναι τόσο τυχεροί, ώστε να συνεργάζονται στενά με την καλύτερή τους φίλη, και θα είμαι αιώνια ευγνώμων στην ευεργετική επίδραση των τυροφάγων κοριτσιών από τα μεσοδυτικά.

Η Τζόντι Ρίμερ συνεχίζει να καθοδηγεί την καριέρα μου με ευφυΐα και επιδεξιότητα. Είναι μεγάλη παρηγοριά να ξέρω ότι είμαι σε τόσο καλά χέρια.

Είναι επίσης υπέροχο να βάζω τα χειρόγραφά μου στα σωστά χέρια. Ευχαριστώ τη Ρεμπέκα Ντέιβις, επειδή είναι τόσο συντονισμένη με την ιστορία που έχω στο κεφάλι μου και με βοηθά να βρίσκω τους καλύτερους τρόπους να την εκφράζω. Ευχαριστώ τη Μέγκαν Τίνγκλεϊ, πρώτον για την ακλόνητη πίστη της στη δουλειά μου και δεύτερον επειδή γυαλίζει αυτή τη δουλειά μέχρι που να λάμπει.

Όλοι στη Little, Brown and Company στο τμήμα Βιβλίων για Νέους Αναγνώστες έχουν φροντίσει τόσο καλά τις δημιουργίες μου. Καταλαβαίνω ότι είναι ένα πραγματικό έργο αγάπης για όλους εσάς, και το εκτιμώ πολύ περισσότερο απ' όσο ξέρετε. Ευχαριστώ τον Κρις Μέρφι, τον Σον Φόστερ, τον Άντριου Σμιθ, τη Στέφανι Βόρος, την Γκέιλ Ντουμπίνιν, την Τίνα Μάκινταϊαρ, την Έιμς Ο' Νηλ και όσους άλλους έχουν κάνει τη σειρά *Λυκόφως* επιτυχία.

Δεν μπορώ να πιστέψω πόσο τυχερή ήμουν που ανακάλυψα τη Λόρι Τζοφς, που με κάποιο τρόπο καταφέρνει να είναι και η πιο γρήγορη και η πιο σχολαστική αναγνώστρια ταυτοχρόνως. Είμαι ενθουσιασμένη που έχω μια φίλη και συνεργό που είναι τόσο διορατική, ταλαντούχα και υπομονετική με την γκρίνια μου.

Ευχαριστώ και πάλι τη Λόρι Τζοφς, μαζί με τους Λόρα Κριστιάνο, Μικαέλα Τσάιλντ και Τεντ Τζοφς που δημιούργησαν και διαχειρίζονται το πιο λαμπρό αστέρι στο διαδικτυακό σύμπαν του *Λυκόφωτος*, το Twilight Lexicon. Πραγματικά εκτιμώ όλη τη σκληρή δουλειά που κάνετε για να προσφέρετε στους φαν μου ένα χαρούμενο μέρος, για να βρίσκονται μεταξύ τους. Ευχαριστώ επίσης τους διεθνείς φίλους μου στην Crepusculo-es.com για έναν ιστότοπο τόσο τρομερό που υπερβαίνει το εμπόδιο της γλώσσας.

Τα εύσημά μου επίσης στην υπέροχη δουλειά της Μπρίτανι Γκάρντενερ στο Twilight και New Moon στο Stephenie Meyer MySpace Group, έναν ιστότοπο τόσο μεγάλο που απλά και μόνο η ιδέα της διαχείρισής του με κάνει να πελαγώνω˙ Μπρίτανι, με έχεις καταπλήξει.

Κέιτι, Όντρεϊ, το Bella Penombra είναι πανέμορφο.

Χέδερ, το Nexus είναι φανταστικό.

Δεν μπορώ να αναφέρω όλους τους εκπληκτικούς ιστότοπους και τους δημιουργούς τους εδώ, αλλά σας ευχαριστώ πάρα πολύ όλους σας.

Πολλές ευχαριστίες στις Λόρα Κριστιάνο, Μισέλ Βιέιρα, Μπρίτζετ Κρέβιστον και Κίμπερλι Πίτερσον για την πρώτη ανάγνωση και την ανεκτίμητη συνεισφορά τους και τον ενθαρρυντικό ενθουσιασμό τους.

Κάθε συγγραφέας χρειάζεται ένα ανεξάρτητο βιβλιοπωλείο για φίλο˙ είμαι τόσο ευγνώμων για τους συμπατριώτες υποστηρικτές μου στο βιβλιοπωλείο Changing Hands στο Τέμπι, της Αριζόνα, και ειδικά στη Φέιθ Χόχαλτερ, που έχει εξαιρετικό γούστο στη λογοτεχνία.

Σας είμαι υπόχρεη, θεοί της ροκ Muse, για ένα ακόμα άλμπουμ που αποτέλεσε πηγή έμπνευσης. Σας ευχαριστώ που συνεχίζετε να δημιουργείτε την αγαπημένη μου μουσική για γράψιμο. Είμαι επίσης ευγνώμων σε όλα τα άλλα συγκροτήματα στο δικό μου πλέι-λιστ, που με βοηθάνε να ξεπερνάω το μπλοκάρισμα του συγγραφέα, καθώς και στις καινούριες μου ανακαλύψεις, τους Ok Go, Placebo, Blue October και τους Jack's Mannequin.

Κυρίως, όμως, οφείλω ένα τεράστιο ευχαριστώ σε όλους τους φαν μου. Πιστεύω ακράδαντα πως οι φαν μου είναι οι πιο γοητευτικοί, έξυπνοι, συναρπαστικοί και αφοσιωμένοι φαν του κόσμου.

Μακάρι να μπορούσα να δώσω στον καθένα χωριστά από μια μεγάλη αγκαλιά και από μια Πόρσε 911 Τούρμπο.

ΠΕΡΙΕΧΟΜΕΝΑ

Φωτιά και Πάγος

Λένε κάποιοι το τέλος του κόσμου απ' τη φωτιά θα 'ρθεί
Κάποιοι άλλοι από τον πάγο.
Απ' όσο γεύτηκα τον πόθο
Είμαι μ' αυτούς που τη φωτιά προκρίνουν.
Αλλά αν έπρεπε δεύτερη φορά ν' αφανιστεί,
Αρκετή γνώση έχω νομίζω κι απ' το μίσος
Για να πω πως για τον όλεθρο
Τρανός κι ο πάγος είναι
Και αρκεί.

Robert Frost

ΠΡΟΛΟΓΟΣ

Όλες μας οι προσπάθειες παραπλάνησης ήταν μάταιες.

Με παγωμένη καρδιά, τον παρακολούθησα να ετοιμάζεται να με υπερασπιστεί. Η έντονη προσήλωσή του δεν πρόδιδε κανένα σημάδι αμφιβολίας, αν και εκείνοι υπερείχαν αριθμητικά. Ήξερα ότι δεν μπορούσαμε να περιμένουμε καμία βοήθεια –αυτή τη στιγμή, οι δικοί του πάλευαν για τη ζωή τους, εξίσου βέβαια όπως κι αυτός πάλευε για τη δική μας.

Θα μάθαινα ποτέ την έκβαση εκείνης της άλλης μάχης; Θα μάθαινα ποιοι ήταν οι νικητές και ποιοι οι χαμένοι; Θα ζούσα αρκετά για να το μάθω αυτό;

Οι πιθανότητες δε φαίνονταν και πολύ μεγάλες.

Μαύρα μάτια, παράφορα από το λυσσαλέο πόθο τους για το θάνατό μου, έψαχναν τη στιγμή που η προσοχή του προστάτη μου θα αποσπόταν. Τη στιγμή που θα πέθαινα σίγουρα.

Κάπου μακριά, πολύ μακριά μέσα στο ψυχρό δάσος ούρλιαξε ένας λύκος.

1. ΤΕΛΕΣΙΓΡΑΦΟ

Μπέλλα

~~Δεν ξέρω γιατί βάζεις τον Τσάρλι να κουβαλάει σημειώματα στον Μπίλι, σαν να είμαστε στη δευτέρα δημοτικού – αν ήθελα να σου μιλήσω θα απαντούσα στα~~

~~Εσύ έκανες την επιλογή σου, εντάξει; Δεν μπορείς να τα θες όλα δικά σου όταν~~

~~Ποιο σημείο του "θανάσιμοι εχθροί" είναι περίπλοκο για να το~~

~~Κοίτα, ξέρω ότι φέρομαι σαν βλάκας, αλλά δεν υπάρχει κανένας τρόπος να~~

~~Δεν μπορούμε να είμαστε φίλοι, όταν περνάς όλο τον καιρό σου με ένα μάτσο~~

~~Είναι χειρότερο όταν σε σκέφτομαι πάρα πολύ~~, ~~γι' αυτό μη μου γράφεις πια~~

Ναι, κι εμένα μου λείπεις. Πολύ. Δεν αλλάζει τίποτα. Συγνώμη.

Τζέικομπ

Χάιδεψα τη σελίδα με τα δάχτυλά μου, νιώθοντας τα σημάδια εκεί που είχε πιέσει το στυλό πάνω στο χαρτί με τόση δύναμη, που το είχε σχεδόν τρυπήσει. Τον φανταζόμουν να το γράφει –μουντζουρώνοντας με τα θυμωμένα ορνιθοσκαλίσματά του το χαρτί, με τον τραχύ γραφικό του χαρακτήρα, σβήνοντας τη μια γραμμή μετά την άλλη, όταν οι λέξεις δεν ήταν σωστές, ίσως ακόμα και σπάζοντας το στυλό μέσα στο υπερβολικά μεγάλο χέρι του˙ έτσι εξηγούνταν οι πιτσιλιές από μελάνι. Μπορούσα να φανταστώ τη σύγχυση που θα έκανε τα μαύρα του φρύδια να σμίγουν και θα τσαλάκωνε το μέτωπό του. Αν ήμουν εκεί, μπορεί να γελούσα. *Μην πάθεις κάνα εγκεφαλικό, Τζέικομπ,* θα του έλεγα. *Απλώς βγάλ' τα από μέσα σου, όπως να 'ναι.*

Το να γελάσω ήταν το τελευταίο πράγμα που είχα τη διάθεση να κάνω τώρα, καθώς διάβαζα ξανά τις λέξεις που είχα ήδη απομνημονεύσει. Η απάντησή του στο παρακλητικό σημείωμά μου –που πέρασε από τον Τσάρλι στον Μπίλι και μετά σ' αυτόν, ακριβώς σαν να ήμασταν στη δευτέρα δημοτικού, όπως είχε επισημάνει– δε μου προκάλεσε έκπληξη. Ήξερα τη γενική ιδέα του τι θα έλεγε πριν την ανοίξω.

Αυτό που μου προκάλεσε έκπληξη ήταν το πόσο κάθε σβησμένη γραμμή με πλήγωνε –λες και οι χαρακτήρες είχαν κοφτερές προεξοχές. Και κυρίως, πίσω από κάθε θυμωμένη αρχή κρυβόταν ένα τεράστιο απόθεμα πόνου˙ ο πόνος του Τζέικομπ με έκοβε πιο βαθιά κι από το δικό μου.

Ενώ συλλογιζόμουν αυτά, μύρισα τη χαρακτηριστική μυρωδιά από κάτι που καιγόταν, προερχόμενη από την κουζίνα. Σε κάποιο άλλο σπίτι, το γεγονός ότι μαγείρευε κάποιος άλλος μπορεί να μην ήταν λόγος πανικού.

Έχωσα το ζαρωμένο χαρτί στην πίσω τσέπη μου κι έτρεξα, προλαβαίνοντας να φτάσω κάτω ακριβώς παρά τρίχα.

Το βαζάκι με τη σάλτσα για μακαρόνια που είχε βάλει ο Τσάρλι στο φούρνο μικροκυμάτων έκανε μόλις την πρώτη του περιστροφή, όταν τράβηξα απότομα την πόρτα και το έβγαλα έξω.

«Τι έκανα λάθος;» απαίτησε να μάθει ο Τσάρλι.

«Πρέπει πρώτα να βγάλεις το καπάκι, μπαμπά. Το μέταλλο δεν είναι καλό για το φούρνο μικροκυμάτων». Γρήγορα έβγαλα το καπάκι, καθώς μιλούσα, έχυσα τη μισή σάλτσα σε ένα μπολ, και μετά έβαλα το μπολ στο φούρνο και το δοχείο πάλι μέσα στο ψυγείο˙ ρύθμισα το χρόνο και πάτησα το κουμπί για να ξεκινήσει.

Ο Τσάρλι παρακολουθούσε τις κινήσεις μου με σουφρωμένα χείλη. «Τα μακαρόνια τα πέτυχα;»

Κοίταξα στο κατσαρολάκι στο μάτι της κουζίνας –την πηγή της μυρωδιάς που με είχε κάνει να ανησυχήσω. «Το ανακάτεμα βοηθάει», είπα ήπια. Βρήκα ένα κουτάλι και προσπάθησα να ξεκολλήσω την πολτώδη μάζα που είχε κολλήσει στον πάτο καμένη.

Ο Τσάρλι αναστέναξε.

«Λοιπόν, γιατί τα κάνεις όλα αυτά;» τον ρώτησα.

Σταύρωσε τα χέρια του στο στήθος του και κοίταξε άγρια έξω από τα πίσω παράθυρα, μέσα στο προπέτασμα της βροχής. «Δεν έχω ιδέα για τι πράγμα μιλάς».

Ήμουν γεμάτη απορία. Ο Τσάρλι μαγείρευε; Και προς τι τα μούτρα; Ο Έντουαρντ δεν είχε έρθει ακόμα˙ συνήθως ο μπαμπάς μου κρατούσε αυτού του είδους τη συμπεριφορά για χάρη του αγοριού μου, κάνοντας ό,τι μπορούσε για να δείξει ξεκάθαρα την έννοια του "ανεπιθύμητου" με κάθε του λέξη και στάση του σώματός του. Οι προσπάθειες του Τσάρλι ήταν περιττές –ο Έντουαρντ ήξερε ακριβώς τι σκεφτόταν ο μπαμπάς μου και χωρίς την παράσταση.

Η λέξη αγόρι με έκανε να μασάω τη μέσα πλευρά του μάγουλού μου με μια οικεία ένταση, ενώ ανακάτευα. Δεν ήταν η σωστή λέξη, καθόλου. Χρειαζόμουν κάτι που να εξέφραζε περισσότερο την αιώνια δέσμευση... Αλλά λέξεις, όπως πεπρωμένο και μοίρα, ακούγονταν σαχλές, όταν χρησιμοποιούνταν σε μια χαλαρή συζήτηση.

Ο Έντουαρντ είχε μια άλλη λέξη υπόψη του, κι αυτή η λέξη ήταν η πηγή της έντασης που ένιωθα. Με έκανε να κάθομαι σε αναμμένα κάρβουνα, όταν τη σκεφτόμουν η ίδια.

Αρραβωνιαστικός. Ωχ! Σταμάτησα να τη σκέφτομαι αναριγώντας.

«Μήπως μου έχει διαφύγει τίποτα; Από πότε αναλαμβάνεις το βραδινό;» ρώτησα τον Τσάρλι. Η άμορφη μάζα των ζυμαρικών χοροπηδούσε μέσα στο νερό που έβραζε, καθώς τη σκάλιζα. «Ή τουλάχιστον προσπαθείς να αναλάβεις το βραδινό, θα έπρεπε να πω».

Ο Τσάρλι ανασήκωσε τους ώμους. «Δεν υπάρχει κανένας νόμος που να λέει ότι απαγορεύεται να μαγειρέψω στο ίδιο μου το σπίτι».

«Εσύ σίγουρα ξέρεις», απάντησα, χαμογελώντας πλατιά, και το μάτι μου έπεσε στο σήμα που ήταν καρφιτσωμένο πάνω στο δερμάτινο μπουφάν του.

«Χα. Καλό». Ανασήκωσε τους ώμους του για να βγάλει το μπουφάν, λες και το βλέμμα μου του θύμισε ότι ακόμα το φορούσε, και το κρέμασε στην κρεμάστρα που την είχαμε αποκλειστικά για τον εξοπλισμό του. Η ζώνη του όπλου του ήταν ήδη κρεμασμένη στη θέση της –δεν είχε νιώσει την ανάγκη να τη φορέσει στο τμήμα εδώ και βδομάδες. Δεν υπήρξαν άλλες ανησυχητικές εξαφανίσεις για να προβληματίσουν τη μικρή πόλη του Φορκς, της πολιτείας της Ουάσινγκτον, ούτε είχε δει κανείς ξανά τους γιγάντιους, μυστηριώδεις λύκους μέσα στα μονίμως βροχερά δάση…

Σκάλιζα τα μακαρόνια σιωπηλά, μαντεύοντας ότι ο Τσάρλι θα έβρισκε με την ησυχία του τον τρόπο να αρχίσει να μιλάει για οτιδήποτε ήταν αυτό που τον απασχολούσε. Ο μπαμπάς μου δεν ήταν από τους άντρες που έλεγαν πολλά λόγια, και από τον κόπο που είχε καταβάλει, για να οργανώσει ένα δείπνο, όπου θα καθόμασταν μαζί, ήταν φανερό ότι είχε ασυνήθιστα πολλά λόγια στο νου του.

Έριξα μια γρήγορη ματιά στο ρολόι από συνήθεια –κάτι που έκανα κάθε λίγα λεπτά όταν πλησίαζε τέτοια ώρα. Έμενε λιγότερη από μισή ώρα τώρα.

Τα απογεύματα ήταν το πιο δύσκολο μέρος της ημέρας για μένα. Από τότε που ο πρώην καλύτερός μου φίλος (και λυκάνθρωπος), ο Τζέικομπ Μπλακ, με είχε μαρτυρήσει ότι οδηγούσα μηχανή κρυφά –μια προδοσία που είχε σχεδιάσει, ώστε να με τιμωρήσει ο μπαμπάς μου και να μη μου επιτρέπει την έξοδο από το σπίτι, για να μην περνάω χρόνο με το αγόρι μου (και βρικόλακα), τον Έντουαρντ Κάλεν– ο Έντουαρντ επιτρεπόταν να με βλέπει μόνο από τις επτά μέχρι τις εννέα και μισή μ.μ., πάντα μέσα στο σπίτι μου και υπό την επιτήρηση του αδιάλειπτου, στριμμένου, άγριου βλέμματος του μπαμπά μου.

Αυτό ήταν μια κλιμάκωση από την προηγούμενη, ελαφρώς λιγότερο αυστηρή τιμωρία, που μου είχε επιβάλει για την ανεξήγητη τριήμερη εξαφάνισή μου κι ένα επεισόδιο κλιφντάιβινγκ .

Φυσικά, και πάλι έβλεπα τον Έντουαρντ στο σχολείο, επειδή δεν υπήρχε τίποτα που να μπορεί να κάνει γι' αυτό ο Τσάρλι. Κι ύστερα, ο Έντουαρντ περνούσε σχεδόν κάθε νύχτα στο δωμάτιό μου, αλλά ο Τσάρλι δεν ήταν ακριβώς ενήμερος γι' αυτό. Η ικανότητα του Έντουαρντ να σκαρφαλώνει εύκολα και αθόρυβα στο παράθυρό μου, στο ύψος του δεύτερου ορόφου, ήταν σχεδόν εξίσου χρήσιμη με την ικανότητά του να διαβάζει το μυαλό του Τσάρλι.

Αν και το απόγευμα ήταν η μόνη στιγμή της ημέρας που περνούσα μακριά από τον Έντουαρντ, ήταν αρκετό για να με κάνει να νιώθω νευρικότητα, και οι ώρες ήδη έμοιαζαν να περνούν πολύ αργά. Και πάλι, υπέφερα την τιμωρία μου, χωρίς να παραπονιέμαι, επειδή –κατά πρώτον– ήξερα ότι την άξιζα, και

–κατά δεύτερον– επειδή δεν άντεχα να πληγώσω τον μπαμπά μου φεύγοντας από το σπίτι τώρα, όταν υπήρχε τόσο κοντά στον ορίζοντα ένας πολύ μονιμότερος αποχωρισμός, που ο Τσάρλι δε διέβλεπε.

Ο μπαμπάς μου κάθισε κάτω στο τραπέζι με ένα στεναγμό και ξεδίπλωσε την υγρή εφημερίδα εκεί˙ μέσα σε δευτερόλεπτα χτυπούσε τη γλώσσα του αποδοκιμαστικά.

«Δεν ξέρω γιατί διαβάζεις τα νέα, μπαμπά. Αφού το μόνο που καταφέρνεις είναι να εκνευρίζεσαι».

Δε μου έδωσε σημασία, γκρινιάζοντας στην εφημερίδα που κρατούσε στα χέρια του. «Γι' αυτό όλοι θέλουν να ζήσουν σε μια μικρή πόλη! Γελοίο!»

«Τι κακό έκαναν οι μεγάλες πόλεις τώρα;»

«Το Σιάτλ βάζει υποψηφιότητα για πρωτεύουσα δολοφονιών στη χώρα. Πέντε ανεξιχνίαστες ανθρωποκτονίες μέσα στις δυο τελευταίες βδομάδες. Φαντάζεσαι να ζεις έτσι;»

«Νομίζω ότι το Φοίνιξ έχει περισσότερες ανθρωποκτονίες, μπαμπά. Έχω ζήσει έτσι».

Και δεν είχα βρεθεί ποτέ κοντά στο να πέσω θύμα δολοφονίας, ούτε κατά διάνοια, μέχρι που μετακόμισα σ' αυτή την ακίνδυνη μικρή πόλη. Στην πραγματικότητα το όνομά μου, ήταν ακόμα σε πολλές λίστες ως υποψήφιο θύμα... Το κουτάλι άρχισε να κουνιέται στα χέρια μου, κάνοντας το νερό να τρέμει.

«Εμένα, πάντως, όσο και να με πλήρωνες, δε θα ζούσα σε τέτοια πόλη», είπε ο Τσάρλι.

Παράτησα την προσπάθεια να σώσω το βραδινό και συμβιβάστηκα με το να το σερβίρω˙ έπρεπε να χρησιμοποιήσω μαχαίρι για κρέας για να κόψω ένα κομμάτι μακαρόνια για τον Τσάρλι και μετά για τον εαυτό μου, ενώ εκείνος παρακολουθούσε με μια συνεσταλμένη έκφραση. Ο Τσάρλι περιέχυσε με σάλτσα τη μερίδα του και όρμησε. Εγώ μεταμφίεσα τη δική μου άμορφη μάζα όσο καλύτερα μπορούσα και ακολούθησα το παράδειγμά του χωρίς μεγάλο ενθουσιασμό. Τρώγαμε σιωπηλά για μια στιγμή. Ο Τσάρλι ακόμα διάβαζε βιαστικά τα νέα, έτσι εγώ άρχισα πάλι να διαβάζω το πολύ φθαρμένο μου αντίτυπο του *Ανεμοδαρμένα Ύψη*, από εκεί που το είχα αφήσει στο πρωινό, και προσπάθησα να χαθώ στην Αγγλία των αρχών του περασμένου αιώνα, ενώ περίμενα να αρχίσει να μιλάει.

Είχα μόλις φτάσει στο σημείο, όπου ο Χίθκλιφ επιστρέφει, όταν ο Τσάρλι καθάρισε το λαιμό του και πέταξε την εφημερίδα στο πάτωμα.

«Έχεις δίκιο», είπε ο Τσάρλι. «Είχα λόγο που το έκανα αυτό». Ανέμισε το πιρούνι του δείχνοντας τον κολλώδη πολτό. «Ήθελα να σου μιλήσω».

Άφησα στην άκρη το βιβλίο˙ το κάλυμμά του ήταν τόσο κατεστραμμένο που σωριάστηκε εντελώς επίπεδο πάνω στο τραπέζι. «Θα μπορούσες απλώς να μου το ζητήσεις».

Κούνησε το κεφάλι του, ενώ τα φρύδια του έσμιξαν. «Ναι. Θα το θυμάμαι την επόμενη φορά. Νόμιζα ότι το να σε απαλλάξω από το βραδινό θα σε μαλάκωνε».

Γέλασα. «Είχε αποτέλεσμα –οι μαγειρικές σου ικανότητες με έχουν μαλακώσει σαν λουκούμι. Τι είναι αυτό που χρειάζεσαι, μπαμπά;»

«Να, σχετικά με τον Τζέικομπ».

Ένιωσα το πρόσωπό μου να σκληραίνει. «Τι έγινε με τον Τζέικομπ;» ρώτησα.

«Ήρεμα, Μπελς. Ξέρω ότι είσαι ακόμα θυμωμένη που σε μαρτύρησε, αλλά ήταν το σωστό. Φέρθηκε υπεύθυνα».

«Υπεύθυνα», επανέλαβα, στριφογυρίζοντας τα μάτια μου. «Καλά, ναι. Λοιπόν, τι έγινε με τον Τζέικομπ;»

Επανέλαβα την απερίσκεπτη ερώτηση μέσα στο κεφάλι μου. Τι έγινε με τον Τζέικομπ; Τι θα έκανα μ' εκείνον; Τον πρώην καλύτερό μου φίλο που τώρα ήταν... τι; Εχθρός μου. Ζάρωσα στη σκέψη.

Το πρόσωπο του Τσάρλι ξαφνικά γέμισε ανησυχία. «Μη

μου θυμώσεις, εντάξει;»

«Να σου θυμώσω;»

«Να, αφορά και τον Έντουαρντ».

Τα μάτια μου ζάρωσαν.

Η φωνή του Τσάρλι ήταν πιο τραχιά. «Τον αφήνω να μπαίνει στο σπίτι μου, δεν τον αφήνω;»

«Ναι», παραδέχτηκα. «Για σύντομα χρονικά διαστήματα. Φυσικά, θα μπορούσες να αφήσεις κι εμένα να βγαίνω έξω για σύντομα χρονικά διαστήματα πού και πού», συνέχισα –μόνο αστειευόμενη˙ ήξερα ότι θα ήμουν υπό περιορισμό για το υπόλοιπο της σχολικής χρονιάς. «Ήμουν πολύ φρόνιμη τώρα τελευταία».

«Λοιπόν, εκεί θα κατέληγα, εδώ που τα λέμε...» Και τότε το πρόσωπο του Τσάρλι τεντώθηκε, για να χαμογελάσει απρόσμενα, τόσο πλατιά, που γέλασαν και τα μάτια του˙ για ένα δευτερόλεπτο έδειχνε είκοσι χρόνια νεότερος.

Είδα μια αμυδρή αναλαμπή πιθανότητας στο χαμόγελο εκείνο, αλλά προχώρησα αργά. «Έχω μπερδευτεί, μπαμπά. Μιλάμε για τον Τζέικομπ, για τον Έντουαρντ ή για την τιμωρία μου;»

Το χαμόγελο άστραψε ξανά. «Κατά κάποιο τρόπο και για τα τρία».

«Και πώς συνδέονται;» ρώτησα γεμάτη περιέργεια.

«Εντάξει». Αναστέναξε σηκώνοντας τα χέρια του σαν να παραδινόταν. «Σκέφτομαι, λοιπόν, ότι ίσως σου αξίζει αναστολή λόγω της καλής διαγωγής σου. Για έφηβη, είσαι απίστευτα καθόλου γκρινιάρα».

Η φωνή μου και τα φρύδια μου τινάχτηκαν ψηλά. «Σοβαρά; Είμαι ελεύθερη;»

Τι το είχε προκαλέσει αυτό; Ήμουν σίγουρη ότι θα ήμουν υπό κατ' οίκον περιορισμό μέχρι να έφευγα από το σπίτι, κι ο Έντουαρντ δεν είχε ακούσει καμία αμφιταλάντευση στις σκέψεις του Τσάρλι...

Ο Τσάρλι σήκωσε το ένα του δάχτυλο. «Υπό έναν όρο».

Ο ενθουσιασμός έσβησε. «Φανταστικά», είπα κι έβγαλα ένα στεναγμό.

«Μπέλλα, αυτό είναι περισσότερο παράκληση παρά απαίτηση, εντάξει; Είσαι ελεύθερη. Αλλά ελπίζω ότι θα χρησιμοποιήσεις αυτή την ελευθερία... με σύνεση».

«Τι σημαίνει αυτό;»

Αναστέναξε ξανά. «Ξέρω ότι είσαι ικανοποιημένη περνώντας όλο σου τον καιρό με τον Έντουαρντ—»

«Περνάω χρόνο και με την Άλις», διέκοψα. Η αδερφή του Έντουαρντ δεν είχε ώρες επισκεπτηρίου˙ ερχόταν κι έφευγε κατά το κέφι της. Ο Τσάρλι ήταν σαν πλαστελίνη στα επιδέξια χέρια της.

«Αυτό είναι αλήθεια», είπε. «Αλλά έχεις κι άλλους φίλους εκτός από τους Κάλεν, Μπέλλα. Ή τουλάχιστον είχες παλιά».

Κοιταχτήκαμε.

«Πότε ήταν η τελευταία φορά που μίλησες με την Άντζελα Ουέμπερ;» με κατηγόρησε.

«Την Παρασκευή στο μεσημεριανό», απάντησα αμέσως.

Πριν την επιστροφή του Έντουαρντ, οι φίλοι μου στο σχολείο είχαν χωριστεί σε δύο ομάδες. Μου άρεσε να θεωρώ εκείνες τις δυο ομάδες σαν τους *καλούς* εναντίον των *κακών*. *Εμείς* εναντίον *εκείνων*, ήταν κι αυτός ένας άλλος τρόπος να το δει κανείς. Οι καλοί ήταν η Άντζελα, το αγόρι της, ο Μπεν Τσένεϊ, κι ο Μάικ Νιούτον˙ οι τρεις αυτοί με είχαν συγχωρήσει πολύ γενναιόδωρα που είχα τρελαθεί, όταν έφυγε ο Έντουαρντ. Η Λόρεν Μάλορι ήταν ο κακός πυρήνας του στρατοπέδου *εκείνων*, και σχεδόν όλοι οι άλλοι, συμπεριλαμβανομένης και της πρώτης μου φίλης στο Φορκς, της Τζέσικα Στάνλεϊ, έμοιαζαν ευχαριστημένοι να ακολουθούν την αντι-Μπέλλα ημερήσια διάταξη.

Με τη επιστροφή του Έντουαρντ στο σχολείο, η διαχωριστική γραμμή είχε γίνει ακόμα πιο εμφανής.

Η επιστροφή του είχε προκαλέσει απώλειες στο θέμα της φιλίας του Μάικ, αλλά η Άντζελα ήταν απαρέγκλιτα πιστή, κι ο Μπεν ακολουθούσε το δικό της παράδειγμα. Παρά τη φυσική αποστροφή που ένιωθαν οι περισσότεροι άνθρωποι απέναντι στους Κάλεν, η Άντζελα καθόταν ευσυνείδητα δίπλα στην Άλις κάθε μέρα στο μεσημεριανό. Μετά από μερικές βδομάδες, η Άντζελα φαινόταν να νιώθει άνετα εκεί. Ήταν δύσκολο να μη σε γοητεύσουν οι Κάλεν –αν τους έδινες την ευκαιρία να είναι γοητευτικοί.

«Εκτός του σχολείου;» ρώτησε ο Τσάρλι, τραβώντας ξανά την προσοχή μου.

«Δεν έχω δει κανέναν εκτός του σχολείου, μπαμπά. Είμαι τιμωρημένη, το θυμάσαι; Κι η Άντζελα έχει αγόρι, επίσης. Είναι πάντα μαζί με τον Μπεν. Αν είμαι στ' αλήθεια ελεύθερη» πρόσθεσα, με έμφαση στην αμφιβολία «ίσως να μπορούσαμε να βγούμε ζευγάρια».

«Εντάξει. Αλλά ύστερα ... » Δίστασε. «Εσύ κι ο Τζέικ ήσασταν αυτοκόλλητοι, και τώρα–»

Τον έκοψα. «Μπορείς να φτάσεις στο κυρίως θέμα, μπαμπά; Ποιος είναι ο όρος σου –ακριβώς;»

«Δε νομίζω ότι είναι καλό να παρατήσεις όλους τους άλλους φίλους σου για το αγόρι σου, Μπέλλα», είπε με αυστηρή φωνή. «Δεν είναι ωραίο, και νομίζω ότι η ζωή σου θα ήταν πιο καλά ισορροπημένη, αν κρατούσες και μερικούς ακόμα ανθρώπους μέσα σ' αυτή. Αυτό που συνέβη τον περασμένο Σεπτέμβρη ... »

Ζάρωσα.

«Λοιπόν», είπε αμυντικά. «Αν είχες ζωή πέρα από τον Έντουαρντ Κάλεν, μπορεί να μην ήταν έτσι».

«Θα ήταν ακριβώς έτσι», μουρμούρισα.

«Ίσως, ίσως όχι».

«Το κυρίως θέμα;» του υπενθύμισα.

«Χρησιμοποίησε την ελευθερία σου για να βλέπεις και τους άλλους σου φίλους. Κράτα μια ισορροπία».

Κούνησα αργά το κεφάλι. «Η ισορροπία είναι καλή. Έχεις κάποιους συγκεκριμένους χρονικούς στόχους που πρέπει να καλύψω;»

Έκανε μια γκριμάτσα, αλλά κούνησε το κεφάλι του. «Δε θέλω να το κάνω πολύπλοκο. Απλώς μην ξεχνάς τους φίλους σου...»

Ήταν ένα δίλημμα με το οποίο πάλευα ακόμα. Οι φίλοι μου. Άνθρωποι που, για τη δική τους ασφάλεια, δε θα μπορούσα να δω ξανά μετά την αποφοίτησή μου.

Ποια ήταν, λοιπόν, η καλύτερη τακτική; Να περνάω χρόνο μαζί τους όσο ακόμα μπορούσα; Ή να αρχίσω τον αποχωρισμό τώρα για να τον κάνω πιο σταδιακό; Τρόμαζα στο ενδεχόμενο της δεύτερης εναλλακτικής.

«... ειδικά τον Τζέικομπ», πρόσθεσε ο Τσάρλι, πριν προλάβω να σκεφτώ περισσότερο.

Ένα μεγαλύτερο δίλημμα από το πρώτο. Μου πήρε μια στιγμή για να βρω τις σωστές λέξεις. «Το θέμα του Τζέικομπ μπορεί να είναι... δύσκολο».

«Οι Μπλακ είναι σχεδόν σαν οικογένειά μας, Μπέλλα», είπε, αυστηρός και πατρικός ξανά. «Κι ο Τζέικομπ ήταν ένας πολύ, πολύ καλός σου φίλος».

«Το ξέρω».

«Δε σου λείπει καθόλου;» ρώτησε ο Τσάρλι απογοητευμένος.

Ένιωθα ξαφνικά το λαιμό μου πρησμένο· έπρεπε να τον καθαρίσω δυο φορές πριν απαντήσω. «Ναι, μου λείπει», παραδέχτηκα, με το βλέμμα ακόμα χαμηλωμένο. «Μου λείπει πολύ».

«Τότε γιατί είναι δύσκολο;»

Δεν ήταν κάτι που είχα το δικαίωμα να του εξηγήσω. Ήταν ενάντια στους κανόνες για τους φυσιολογικούς ανθρώπους

–τους ανθρώπινους ανθρώπους, όπως εμένα και τον Τσάρλι– να γνωρίζουν για το μυστικό κόσμο, γεμάτο μύθους και τέρατα, που υπήρχε κρυφά γύρω μας. Ήξερα τα πάντα για τον κόσμο αυτό –και οι μπελάδες μου δεν ήταν λίγοι, ως αποτέλεσμα. Δε σκόπευα να βάλω τον Τσάρλι στους ίδιους μπελάδες.

«Με τον Τζέικομπ υπάρχει... μια διαφωνία», είπα αργά. «Μια διαφωνία για το θέμα της φιλίας, θέλω να πω. Η φιλία δε φαίνεται να είναι πάντα αρκετή για τον Τζέικ». Έπλεκα τη δικαιολογία μου γύρω από λεπτομέρειες που ήταν αληθινές, αλλά ασήμαντες, σε καμία περίπτωση ζωτικής σημασίας σε σύγκριση με το γεγονός ότι η αγέλη των λυκανθρώπων του Τζέικομπ μισούσε φριχτά την οικογένεια των βρικολάκων του Έντουαρντ –και κατά συνέπεια, κι εμένα επίσης, καθώς είχα την πρόθεση να γίνω μέλος της οικογένειας αυτής, με όλη τη σημασία. Αυτό απλώς δεν ήταν κάτι που θα μπορούσα να λύσω μαζί του μέσα από ένα σημείωμα, κι εκείνος δεν απαντούσε στα τηλεφωνήματά μου. Αλλά το σχέδιό μου να αντιμετωπίσω το λυκάνθρωπο κατά πρόσωπο οπωσδήποτε δεν το έβλεπαν με καλό μάτι οι βρικόλακες.

«Ο Έντουαρντ δε θέλει λίγο υγιή ανταγωνισμό;» Η φωνή του Τσάρλι ήταν σαρκαστική τώρα.

Του έριξα ένα σκοτεινό βλέμμα. «Δεν υπάρχει ανταγωνισμός».

«Πληγώνεις τα αισθήματα του Τζέικ με το να τον αποφεύγεις έτσι. Θα προτιμούσε να ήσασταν φίλοι παρά τίποτα».

Α, τώρα εγώ απέφευγα εκείνον;

«Είμαι σίγουρη ότι ο Τζέικ δε θέλει να είμαστε καθόλου φίλοι». Οι λέξεις έκαιγαν μέσα στο στόμα μου. «Πώς σου ήρθε αυτή η ιδέα, εν πάση περιπτώσει;»

Ο Τσάρλι έδειχνε αμήχανος τώρα. «Το θέμα μπορεί να ήρθε στην κουβέντα σήμερα, όταν ήμουν με τον Μπίλι...»

«Εσύ κι ο Μπίλι είστε σαν γριές κουτσομπόλες», είπα, χώνοντας το πιρούνι μου άγρια στα μακαρόνια, που είχαν στερεοποιηθεί μέσα στο πιάτο μου.

«Ο Μπίλι ανησυχεί για τον Τζέικομπ», είπε ο Τσάρλι. «Ο Τζέικ περνάει πολύ δύσκολες ώρες τώρα... Έχει κατάθλιψη».

Έκανα ένα μορφασμό, αλλά κράτησα τα μάτια μου πάνω στο γρόμπο.

«Κι ύστερα, ήσουν πάντα τόσο χαρούμενη όταν περνούσες τη μέρα μαζί με τον Τζέικ», είπε και αναστέναξε ο Τσάρλι.

«Είμαι χαρούμενη τώρα», είπα μέσα από τα δόντια μου.

Η αντίθεση ανάμεσα στα λόγια μου και τον τόνο μου μείωσε την ένταση. Ο Τσάρλι έσκασε στα γέλια, κι εγώ αναγκάστηκα να ακολουθήσω το παράδειγμά του.

«Εντάξει, εντάξει», συμφώνησα. «Ισορροπία».

«Και μην ξεχνάς τον Τζέικομπ», επέμεινε.

«Θα προσπαθήσω».

«Ωραία. Βρες αυτή την ισορροπία, Μπέλλα. Και, α, ναι, έχεις αλληλογραφία», είπε ο Τσάρλι, κλείνοντας το θέμα χωρίς καμία προσπάθεια να είναι διακριτικός. «Είναι δίπλα στην κουζίνα».

Εγώ δεν κουνήθηκα, οι σκέψεις μου περιστρέφονταν γύρω από το όνομα του Τζέικομπ. Το πιθανότερο ήταν η αλληλογραφία να ήταν τίποτα διαφημιστικά˙ είχα μόλις λάβει ένα δέμα από τη μητέρα μου χθες και δεν περίμενα τίποτα άλλο.

Ο Τσάρλι έσπρωξε την καρέκλα του μακριά από το τραπέζι και τεντώθηκε, καθώς σηκώθηκε όρθιος. Πήγε το πιάτο του στο νεροχύτη, αλλά πριν ανοίξει τη βρύση για να το πλύνει, σταμάτησε για να πετάξει τον παχύ φάκελο σ' εμένα. Το γράμμα γλίστρησε πάνω στο τραπέζι και έπεσε πάνω στον αγκώνα μου, χτυπώντας με ένα βαρύ γδούπο.

«Ε, ευχαριστώ», μουρμούρισα, απορημένη με την πιεστικότητά του. Τότε είδα τη διεύθυνση του αποστολέα [illegible]

Ο Τσάρλι γέλασε πνιχτά.

Γύρισα το φάκελο από την άλλη μεριά και τον κοίταξα άγρια. «Είναι ανοιχτός».

«Ήμουν περίεργος».

«Με σοκάρεις, Αρχηγέ. Αυτό είναι ομοσπονδιακό αδίκημα».

«Ω, απλώς διάβασέ το».

Έβγαλα έξω το γράμμα κι ένα διπλωμένο πρόγραμμα μαθημάτων.

«Συγχαρητήρια», είπε, πριν προλάβω να διαβάσω τίποτα. «Το πρώτο πανεπιστήμιο που σε δέχεται».

«Σ' ευχαριστώ, μπαμπά».

«Πρέπει να μιλήσουμε για τα δίδακτρα. Έχω μερικά χρήματα στην άκρη–»

«Έι, έι, δε θέλω τίποτα. Δε θα αγγίξω τη σύνταξή σου, μπαμπά. Έχω το λογαριασμό μου για το πανεπιστήμιο». Ό,τι είχε απομείνει από αυτόν –και δεν είχε και πολλά χρήματα εξαρχής.

Ο Τσάρλι κατσούφιασε. «Μερικά απ' αυτά τα μέρη είναι πολύ ακριβά, Μπελς. Θέλω να βοηθήσω. Δε χρειάζεται να ξενιτευτείς στην Αλάσκα, απλώς και μόνο επειδή είναι φθηνότερα».

Δεν ήταν καθόλου φθηνότερα. Αλλά ήταν μακριά, και το Τζούνο είχε κατά μέσο όρο τριακόσιες είκοσι μία μέρες συννεφιά το χρόνο. Το πρώτο ήταν δική μου προϋπόθεση, το δεύτερο ήταν του Έντουαρντ.

«Έχω όσα χρειάζονται. Εξάλλου, υπάρχουν πολλοί τρόποι να λάβει κανείς οικονομική βοήθεια. Είναι εύκολο να πάρω δάνειο». Ήλπιζα ότι η μπλόφα μου δε θα ήταν υπερβολικά προφανής. Δεν είχα κάνει και πολλή έρευνα πάνω στο θέμα, στην πραγματικότητα.

[illegible] άρχισε ο Τσάρλι, και μετά σούφρωσε τα χείλη

«Λοιπόν τι;»

«Τίποτα. Απλώς...» Συνοφρυώθηκε. «Απλώς αναρωτιόμουν τι... σχέδια έχει ο Έντουαρντ για την επόμενη χρονιά;»

«Α».

«Λοιπόν;»

Τρία γρήγορα χτυπήματα πάνω στην πόρτα με έσωσαν. Ο Τσάρλι στριφογύρισε τα μάτια του, κι εγώ πετάχτηκα όρθια.

«Έρχομαι!» φώναξα, ενώ ο Τσάρλι μουρμούρισε κάτι που ακούστηκε σαν «Φύγε». Δεν του έδωσα σημασία και πήγα να ανοίξω στον Έντουαρντ.

Τράβηξα απότομα την πόρτα για να φύγει από τη μέση –με γελοίο ενθουσιασμό– και να 'τος, ήταν εκεί το προσωπικό μου θαύμα.

Ο χρόνος δε με είχε κάνει ν' αποκτήσω ανοσία στην τελειότητα του προσώπου του, και ήμουν σίγουρη ότι ποτέ δε θα θεωρούσα δεδομένη καμία πλευρά του. Τα μάτια μου περιπλανήθηκαν στα χλωμά λευκά χαρακτηριστικά του: το σκληρό τετράγωνο πιγούνι του, την πιο μαλακή καμπύλη των γεμάτων χειλιών του –που τώρα ήταν κυρτωμένη προς τα πάνω σχηματίζοντας ένα χαμόγελο, την ίσια γραμμή της μύτης του, την έντονη γωνία των ζυγωματικών του, τη λεία μαρμάρινη έκταση του μετώπου του –που, εν μέρει, επισκιαζόταν από μια μπερδεμένη μάζα χάλκινων μαλλιών, που είχαν σκουρύνει από τη βροχή...

Κράτησα τα μάτια του για το τέλος, γνωρίζοντας ότι όταν κοίταζα μέσα τους, το πιθανότερο ήταν να χάσω τον ειρμό της σκέψης μου. Ήταν μεγάλα, ζεστά, με ένα ρευστό χρυσαφί χρώμα, και πλαισιώνονταν από ένα παχύ περίγραμμα από μαύρες βλεφαρίδες. Το να κοιτάζω μέσα στα μάτια του πάντα με έκανε να νιώθω περίεργα –λες και τα κόκαλά μου γίνονταν σαν σφουγγάρια. Ένιωθα επίσης και λίγο ζαλισμένη, αλλά αυτό μπορεί να οφειλόταν στο ότι ξεχνούσα να αναπνεύσω.

Για άλλη μια φορά.

Ήταν ένα πρόσωπο που οποιοδήποτε μοντέλο στον κόσμο θα έδινε και την ψυχή του για να αποκτήσει. Φυσικά, αυτό ακριβώς μπορεί να ήταν το τίμημα που απαιτείτο: μια ψυχή.

Όχι. Δεν το πίστευα αυτό. Ένιωθα ένοχη έστω και που το σκέφτηκα και χαιρόμουν –όπως χαιρόμουν συχνά– που εγώ ήμουν το μοναδικό άτομο, οι σκέψεις του οποίου ήταν ένα μυστήριο για τον Έντουαρντ.

Άπλωσα το χέρι μου για να πιάσω το δικό του και αναστέναξα, όταν τα κρύα του δάχτυλα ακούμπησαν τα δικά μου. Το άγγιγμά του μου προκαλούσε την πιο παράξενη αίσθηση ανακούφισης –λες και πονούσα, κι ο πόνος σταματούσε ξαφνικά.

«Γεια». Χαμογέλασα λιγάκι με το χαιρετισμό μου, που δε φανέρωνε καμία κορύφωση, το αντίθετο.

Σήκωσε τα μπλεγμένα μας δάχτυλα για να χαϊδέψει ξυστά το μάγουλό μου με την ανάστροφη του χεριού του. «Πώς ήταν το απόγευμά σου;»

«Αργό».

«Το ίδιο και το δικό μου».

Τράβηξε τον καρπό μου στο πρόσωπό του, με τα χέρια μας ακόμα μπλεγμένα. Τα μάτια του έκλεισαν, καθώς η μύτη του πέρασε ξυστά από το δέρμα μου στο σημείο εκείνο, και χαμογέλασε απαλά, χωρίς να τα ανοίξει. Απολάμβανε το άρωμα, ενώ αντιστεκόταν στο κρασί, όπως το είχε θέσει κάποτε.

Ήξερα ότι η μυρωδιά του αίματός μου –τόσο πιο γλυκιά για εκείνον απ' ό,τι το αίμα οποιουδήποτε άλλου ανθρώπου, αληθινά σαν κρασί σε σύγκριση με το νερό για έναν αλκοολικό– του προκαλούσε κυριολεκτικό πόνο, εξαιτίας της δίψας που γεννούσε, που τον έκαιγε. Αλλά δε φαινόταν να αποτραβιέται μακριά της, όπως έκανε παλιότερα. Μόνο αμυδρά μπορούσα να φανταστώ την ηράκλεια προσπάθεια που κρυβόταν πίσω από αυτή την απλή χειρονομία.

Με έθλιβε το γεγονός ότι έπρεπε να προσπαθεί τόσο σκληρά. Παρηγόρησα τον εαυτό μου με τη γνώση ότι δε θα του προκαλούσα τόσο πολύ πόνο για πολύ καιρό ακόμα.

Τότε άκουσα τον Τσάρλι να πλησιάζει, χτυπώντας τα πόδια του με θόρυβο, καθώς ερχόταν, για να εκφράσει τη συνηθισμένη του δυσαρέσκεια με το φιλοξενούμενό μας. Τα μάτια του Έντουαρντ άνοιξαν απότομα κι άφησε τα χέρια μας να πέσουν, διατηρώντας τα μπλεγμένα.

«Καλησπέρα, Τσάρλι». Ο Έντουαρντ ήταν πάντα ευγενέστατος χωρίς κανένα ψεγάδι, αν και ο Τσάρλι δεν το άξιζε.

Ο Τσάρλι γρύλισε και μετά στάθηκε εκεί με τα χέρια του σταυρωμένα στο στήθος του. Τώρα τελευταία το είχε παρακάνει με την ιδέα της γονικής επιτήρησης.

«Έφερα άλλη μια παρτίδα αιτήσεις», μου είπε ο Έντουαρντ τότε, σηκώνοντας ψηλά ένα παραφουσκωμένο φάκελο από χοντρό καφέ χαρτί. Φορούσε μια σειρά γραμματόσημα σαν δαχτυλίδι γύρω από το μικρό του δαχτυλάκι.

Μούγκρισα. Πώς ήταν δυνατόν να έχουν απομείνει κι άλλα πανεπιστήμια, στα οποία δε με είχε ήδη αναγκάσει να κάνω αίτηση; Και πώς έβρισκε συνέχεια αυτά τα παραθυράκια; Ήταν τόσο αργά μέσα στη χρονιά.

Χαμογέλασε σαν να μπορούσε να διαβάσει τις σκέψεις μου· πρέπει να ήταν ολοφάνερες στο πρόσωπό μου. «Υπάρχουν ακόμα μερικές ανοιχτές προθεσμίες. Και μερικά μέρη που είναι πρόθυμα να κάνουν εξαιρέσεις».

Μπορούσα μόνο να φανταστώ τα κίνητρα που υπήρχαν πίσω από τέτοιες εξαιρέσεις. Και τα χρηματικά ποσά που εμπλέκονταν.

Ο Έντουαρντ γέλασε με την έκφρασή μου.

«Πάμε;» ρώτησε τραβώντας με προς το τραπέζι της κουζίνας.

Ο Τσάρλι ξεφύσηξε κι ακολούθησε από πίσω μας, αν και μετά βίας μπορούσε να παραπονεθεί για τη δραστηριότητα του αποψινού προγράμματος. Με έπρηζε να πάρω μια απόφαση για το θέμα του πανεπιστημίου σε καθημερινή βάση.

Άδειασα το τραπέζι γρήγορα, ενώ ο Έντουαρντ τακτοποιούσε ένα τρομακτικό πάκο με αιτήσεις. Όταν έβαλα το *Ανεμοδαρμένα Ύψη* στον πάγκο, ο Έντουαρντ σήκωσε το ένα του φρύδι. Ήξερα τι σκεφτόταν, αλλά ο Τσάρλι διέκοψε, πριν προλάβει να σχολιάσει.

«Μιας και το έφερε η κουβέντα σχετικά με τις αιτήσεις για τα πανεπιστήμια, Έντουαρντ», είπε ο Τσάρλι, με τόνο ακόμα πιο βαρύθυμο –προσπαθούσε να αποφεύγει να απευθύνεται απευθείας στον Έντουαρντ, κι όταν ήταν αναγκασμένος να το κάνει, η κακή του διάθεση χειροτέρευε. «Η Μπέλλα κι εγώ μόλις μιλούσαμε για την επόμενη χρονιά. Εσύ αποφάσισες σε ποιο πανεπιστήμιο θα πας;»

Ο Έντουαρντ σήκωσε το βλέμμα του για να χαμογελάσει στον Τσάρλι, και η φωνή του ήταν φιλική. «Όχι ακόμα. Έχω πάρει μερικές θετικές απαντήσεις, αλλά ακόμα σκέφτομαι τις εναλλακτικές μου».

«Πού σε έχουν δεχτεί;» πίεσε ο Τσάρλι.

«Στο Σιρακιούζ, το Χάρβαρντ, το Ντάρτμουθ... και μόλις με δέχτηκαν σήμερα και στο Πανεπιστήμιο της Αλάσκα». Ο Έντουαρντ γύρισε το πρόσωπό του ελαφρώς στο πλάι για να μου κλείσει το μάτι. Έπνιξα ένα νευρικό γελάκι.

«Το Χάρβαρντ; Το Ντάρτμουθ;» ψέλλισε ο Τσάρλι. «Αυτό είναι αρκετά... αυτό είναι σπουδαίο. Ναι, αλλά το Πανεπιστήμιο της Αλάσκα... δε θα σκεφτείς την πιθανότητα να πας εκεί, ενώ θα μπορούσες να πας στην ελίτ των πανεπιστημίων. Θέλω να πω, ο πατέρας σου θα ήθελε να...»

«Ο Κάρλαϊλ δεν έχει ποτέ πρόβλημα με ό,τι κι αν αποφασίσω να κάνω», απάντησε ο Έντουαρντ γαλήνια.

«Χμμμ».

«Μάντεψε, Έντουαρντ!» είπα με ζωηρή φωνή μπαίνοντας στο παιχνίδι.

«Τι, Μπέλλα;»

Έδειξα προς το χοντρό φάκελο πάνω στον πάγκο. «Μόλις έλαβα *τη δική μου* θετική απάντηση από το Πανεπιστήμιο της Αλάσκα!»

«Συγχαρητήρια!» Χαμογέλασε πλατιά. «Τι σύμπτωση!»

Τα μάτια του Τσάρλι ζάρωσαν, και κοίταξε άγρια μπροςπίσω ανάμεσα στους δυο μας. «Καλά», μουρμούρισε μετά από ένα λεπτό. «Πάω να δω το παιχνίδι, Μπέλλα. Εννέα και μισή».

Αυτή ήταν η συνηθισμένη διαταγή με την οποία μας άφηνε.

«Ε, μπαμπά; Θυμάσαι την πολύ πρόσφατη συζήτηση για την ελευθερία μου…;»

Αναστέναξε. «Σωστά. Εντάξει, δέκα και μισή. Είναι βραδιά σχολείου».

«Η Μπέλλα δεν είναι πια τιμωρημένη;» ρώτησε ο Έντουαρντ. Αν και ήξερα ότι δεν ξαφνιαζόταν πραγματικά, δεν μπορούσα να εντοπίσω κανένα ψεύτικο σημάδι στον ξαφνικό ενθουσιασμό στη φωνή του.

«Υπό όρους», τον διόρθωσε ο Τσάρλι μέσα από τα δόντια του. «Εσένα τι σε νοιάζει;»

Κατσούφιασα στον μπαμπά μου, αλλά εκείνος δεν το είδε.

«Απλώς χαίρομαι που το μαθαίνω», είπε ο Έντουαρντ. «Η Άλις ψοφάει για μια φιλενάδα να πάνε μαζί στα μαγαζιά, και είμαι σίγουρος πως της Μπέλλα θα της άρεσε να δει τα φώτα της πόλης». Μου χαμογέλασε.

Αλλά ο Τσάρλι είπε: «Όχι!» και το πρόσωπό του μελάνιασε ξανά.

«Μπαμπά! Τι πρόβλημα υπάρχει;»

Έκανε μια προσπάθεια να ξεσφίξει τα δόντια του. «Δε θέλω να πας στο Σιάτλ αυτή την περίοδο».

«Ε;»

«Σου είπα γι' αυτή την ιστορία στην εφημερίδα –υπάρχει κάποιου είδους συμμορία στο Σιάτλ που την έχει κυριεύσει δολοφονική μανία, και θέλω να μείνεις μακριά από 'κει, εντάξει;»

Στριφογύρισα τα μάτια μου. «Μπαμπά, υπάρχει μεγαλύτερη πιθανότητα να με χτυπήσει κεραυνός απ' ό,τι τη μία και μοναδική μέρα που θα είμαι εγώ στο Σιάτλ–»

«Όχι, δεν πειράζει, Τσάρλι», είπε ο Έντουαρντ διακόπτοντάς με. «Δεν εννοούσα το Σιάτλ. Για να πω την αλήθεια, σκεφτόμουν το Πόρτλαντ. Δε θα ήθελα ούτε κι εγώ η Μπέλλα να βρεθεί στο Σιάτλ. Φυσικά και όχι».

Τον κοίταξα δύσπιστα, αλλά είχε στα χέρια του την εφημερίδα του Τσάρλι και διάβαζε με προσήλωση την πρώτη σελίδα.

Πρέπει να προσπαθούσε να εξευμενίσει τον πατέρα μου. Η ιδέα ότι θα κινδύνευα έστω κι από τον πιο θανάσιμο άνθρωπο, όσο ήμουν με την Άλις ή τον Έντουαρντ, ήταν εντελώς ξεκαρδιστική.

Είχε αποτέλεσμα. Ο Τσάρλι κοίταξε τον Έντουαρντ για ένα δευτερόλεπτο ακόμα, και μετά ανασήκωσε τους ώμους. «Καλά». Βγήκε καμαρωτός από το δωμάτιο για να πάει στο σαλόνι, κάπως βιαστικά τώρα –μάλλον δεν ήθελε να χάσει την αρχή του παιχνιδιού.

Περίμενα μέχρι ο Τσάρλι να ανάψει την τηλεόραση, ώστε να μην μπορεί να με ακούει.

«Τι—», πήγα να πω.

«Για περίμενε», είπε ο Έντουαρντ χωρίς να σηκώσει το κεφάλι από την εφημερίδα. Τα μάτια του έμειναν συγκεντρωμένα στη σελίδα, καθώς έσπρωξε την πρώτη αίτηση προς εμένα πάνω στο τραπέζι. «Νομίζω ότι μπορείς να ανακυκλώσεις τις προηγούμενες εκθέσεις γι' αυτή εδώ. Ίδιες ερωτήσεις».

Ο Τσάρλι πρέπει να άκουγε ακόμα. Αναστέναξα κι άρχισα να συμπληρώνω τις ίδιες πληροφορίες: το όνομα, τη διεύθυνση, τον αριθμό κοινωνικής ασφάλισης... Μετά από μερικά λεπτά σήκωσα το βλέμμα μου, αλλά ο Έντουαρντ κοίταζε συλλογισμένα έξω από το παράθυρο. Καθώς έσκυψα το κεφάλι μου πάλι στη δουλειά, πρόσεξα για πρώτη φορά το όνομα του πανεπιστημίου.

Ρουθούνισα και έσπρωξα πέρα τα χαρτιά.

«Μπέλλα;»

«Σοβαρέψου, Έντουαρντ. Στο *Ντάρτμουθ*;»

Ο Έντουαρντ σήκωσε την αίτηση που είχα πετάξει και την ακούμπησε απαλά ξανά μπροστά μου. «Νομίζω ότι θα σου άρεσε το Νιου Χάμσαϊαρ», είπε. «Υπάρχει ένα ολοκληρωμένο πρόγραμμα συμπληρωματικών νυχτερινών μαθημάτων για μένα, και τα δάση είναι σε πολύ βολική απόσταση για το φανατικό πεζοπόρο. Άφθονα άγρια ζώα». Επιστράτευσε το στραβό χαμόγελο, στο οποίο ήξερε ότι δεν μπορούσα να αντισταθώ.

Πήρα μια βαθιά ανάσα από τη μύτη.

«Θα σε αφήσω να μου επιστρέψεις τα χρήματα, αν αυτό σ' ευχαριστεί», υποσχέθηκε. «Αν θέλεις, μπορώ να σου χρεώσω και μπόλικο τόκο».

«Λες και μπορώ να μπω χωρίς κάποια τεράστια δωροδοκία. Ή μήπως ήταν κι αυτό μέρος του δανείου; Η καινούρια πτέρυγα της Βιβλιοθήκης Κάλεν; Ω! Γιατί ξανακάνουμε αυτή την κουβέντα;»

«Θα συμπληρώσεις απλώς την αίτηση, σε παρακαλώ, Μπέλλα; Δεν κάνει κακό να κάνεις αίτηση».

Το σαγόνι μου σφίχτηκε. «Ξέρεις κάτι; Δε νομίζω ότι θα κάνω».

Άπλωσα το χέρι μου να πιάσω τα χαρτιά, σκοπεύοντας να τα τσαλακώσω και να φτιάξω ένα κατάλληλο σχήμα, για να ρίξω ψηλοκρεμαστή μπαλιά μέσα στον κάλαθο των αχρήστων, αλλά είχαν ήδη χαθεί. Κοίταξα το άδειο τραπέζι για μια στιγμή, και μετά τον Έντουαρντ. Δε φαινόταν να έχει κουνηθεί, αλλά η αίτηση ήταν προφανώς ήδη χωμένη μέσα στο μπουφάν του.

«Τι κάνεις;» απαίτησα να μάθω.

«Βάζω την υπογραφή σου καλύτερα απ' ό,τι εσύ η ίδια. Τις εκθέσεις τις έχεις ήδη γράψει».

«Το παρακάνεις με αυτό το θέμα, ξέρεις». Ψιθύρισα μήπως και ο Τσάρλι δεν ήταν εντελώς χαμένος στο παιχνίδι του. «Πραγματικά δε χρειάζεται να κάνω αίτηση πουθενά αλλού. Με δέχτηκαν στην Αλάσκα. Σχεδόν έχω αρκετά χρήματα για το πρώτο εξάμηνο. Είναι εξίσου καλό άλλοθι με οποιοδήποτε άλλο. Δεν υπάρχει κανένας λόγος να πετάξουμε ένα σωρό χρήματα, όποιου κι αν είναι».

Μια έκφραση πόνου έκανε το πρόσωπό του να σφιχτεί. «Μπέλλα–»

«Μην αρχίζεις. Συμφωνώ ότι πρέπει να κάνω όλες τις απαραίτητες διαδικασίες για τα μάτια του Τσάρλι, αλλά ξέρουμε κι οι δυο μας ότι δε θα είμαι σε κατάσταση για να πάω σε καμία σχολή το ερχόμενο φθινόπωρο. Ούτε για να είμαι κοντά σε ανθρώπους».

Η γνώση μου για τα πρώτα εκείνα χρόνια σαν καινούριος βρικόλακας ήταν αποσπασματική. Ο Έντουαρντ δεν είχε μπει ποτέ σε λεπτομέρειες –δεν ήταν το αγαπημένο του θέμα– αλλά ήξερα ότι δεν ήταν ωραία. Η αυτοσυγκράτηση ήταν προφανώς μια δεξιότητα που έπαιρνε χρόνια να αποκτηθεί. Οτιδήποτε περισσότερο από κάποιο πρόγραμμα εξ' αποστάσεως αποκλειόταν.

«Νόμιζα ότι δεν είχαμε αποφασίσει ακόμα για το πότε θα συμβεί αυτό», μου υπενθύμισε ο Έντουαρντ απαλά. «Θα μπορούσες να απολαύσεις ένα-δυο εξάμηνα στο πανεπιστήμιο. Υπάρχουν πολλές ανθρώπινες εμπειρίες που δεν έζησες ποτέ».

«Θα τις ζήσω μετά».

«Δε θα είναι ανθρώπινες εμπειρίες μετά. Δε σου δίνεται δεύτερη ευκαιρία στην ανθρώπινη ύπαρξη, Μπέλλα».

Αναστέναξα. «Πρέπει να είσαι λογικός σχετικά με το πότε. Απλώς είναι πολύ επικίνδυνο θέμα για να παίζουμε μ' αυτό».

«Δεν υπάρχει κανένας κίνδυνος ακόμα», επέμεινε.

Τον αγριοκοίταξα. Κανένας κίνδυνος; Ναι, καλά. Υπήρχε μόνο ένας θηλυκός σαδιστής βρικόλακας, που προσπαθούσε να εκδικηθεί για το θάνατο του συντρόφου της με το δικό μου, κατά προτίμηση με κάποια αργή και βασανιστική μέθοδο. Ποιος ανησυχούσε για τη Βικτόρια; Και, α ναι, οι Βολτούρι –η βασιλική οικογένεια βρικολάκων με το μικρό στρατό τους από βρικόλακες πολεμιστές– που επέμεναν ότι η καρδιά μου έπρεπε να σταματήσει να χτυπάει, είτε με τον έναν τρόπο είτε με τον άλλο, στο κοντινό μέλλον, γιατί δεν επιτρεπόταν να γνωρίζουν για την ύπαρξή τους άνθρωποι. Σωστά. Κανένας λόγος πανικού.

Ακόμα και με την Άλις που συνεχώς ήταν σε επιφυλακή –ο Έντουαρντ βασιζόταν στα αλλόκοτα, ακριβή της μελλοντικά οράματα για να μας δώσουν μια έγκαιρη προειδοποίηση– ήταν τρελό να το ρισκάρουμε.

Εξάλλου, είχα ήδη κερδίσει σ' αυτή τη διαφωνία. Η ημερομηνία για τη μεταμόρφωσή μου είχε οριστεί, χωρίς να είναι απολύτως οριστικό, για λίγο μετά την αποφοίτησή μου από το λύκειο, μερικές βδομάδες μόνο από τώρα.

Μια απότομη σύσπαση δυσφορίας διαπέρασε το στομάχι μου, καθώς συνειδητοποίησα πόσο λίγος χρόνος είχε απομείνει στην πραγματικότητα. Φυσικά η αλλαγή αυτή ήταν απαραίτητη –και το κλειδί γι' αυτό που ήθελα περισσότερο απ' όλα τα άλλα πράγματα στον κόσμο, αν τα έβαζες μαζί– αλλά σκεφτόμουν έντονα τον Τσάρλι, που καθόταν στο διπλανό δωμάτιο απολαμβάνοντας το παιχνίδι, όπως και κάθε νύχτα. Και τη μητέρα μου, τη Ρενέ, μακριά στην ηλιόλουστη Φλόριντα, που ακόμα με παρακαλούσε να περάσω το καλοκαίρι στην παραλία μαζί μ' εκείνη και τον καινούριο της σύζυγο. Και τον Τζέικομπ, ο οποίος, σε αντίθεση με τους γονείς μου, θα ήξερε ακριβώς τι συνέβαινε, όταν θα εξαφανιζόμουν σε κάποιο μακρινό πανεπιστήμιο. Ακόμα κι αν οι γονείς μου δεν υποψιάζονταν τίποτα για πολύ καιρό, ακόμα κι αν κατάφερνα να αναβάλλω επισκέψεις με δικαιολογίες για τα έξοδα του ταξιδιού ή τα δάνεια για τις σπουδές μου ή αρρώστιες, ο Τζέικομπ θα ήξερε την αλήθεια.

Για μια στιγμή, η ιδέα της αποστροφής που θα ένιωθε ο Τζέικομπ επισκίασε κάθε άλλο πόνο.

«Μπέλλα», μουρμούρισε ο Έντουαρντ, καθώς το πρόσωπό του συσπάστηκε, όταν διάβασε τη θλίψη στο δικό μου. «Δεν υπάρχει καμία βιασύνη. Δε θα αφήσω κανένα να σου κάνει κακό. Μπορείς να κάνεις όσο καιρό θέλεις».

«Θέλω να βιαστώ», ψιθύρισα, χαμογελώντας αδύναμα, προσπαθώντας να αστειευτώ. «Θέλω να γίνω κι εγώ τέρας».

Τα δόντια του σφίχτηκαν˙ μίλησε μέσα από αυτά. «Δεν έχεις την παραμικρή ιδέα τι λες». Απότομα, πέταξε την υγρή εφημερίδα στο τραπέζι ανάμεσά μας. Το δάχτυλό του λόγχισε τον τίτλο στην πρώτη σελίδα:

**ΑΥΞΑΝΟΝΤΑΙ ΤΑ ΘΥΜΑΤΑ ΔΟΛΟΦΟΝΙΩΝ,
Η ΑΣΤΥΝΟΜΙΑ ΦΟΒΑΤΑΙ ΔΡΑΣΗ ΣΥΜΜΟΡΙΑΣ**

«Τι σχέση έχει αυτό με οτιδήποτε;»

«Τα τέρατα δεν είναι αστείο πράγμα, Μπέλλα».

Κοίταξα επίμονα τον τίτλο ξανά και μετά σήκωσα τα μάτια για να δω τη σκληρή του έκφραση. «Βρι... βρικόλακας το κάνει αυτό;» ψιθύρισα.

Χαμογέλασε χωρίς διάθεση. Η φωνή του ήταν χαμηλή και παγερή. «Θα ξαφνιαζόσουν, Μπέλλα, με το πόσο συχνά το είδος μου είναι η αιτία πίσω από τα φριχτά πράγματα στα ανθρώπινα νέα σας. Είναι εύκολο να το αναγνωρίσεις, αν ξέρεις τι να ψάξεις. Οι πληροφορίες εδώ υποδηλώνουν ότι κάποιος νεογέννητος βρικόλακας έχει αμοληθεί στο Σιάτλ. Διψασμένος για αίμα, βίαιος, ανεξέλεγκτος. Όπως ήμασταν όλοι κάποτε».

Άφησα το βλέμμα μου να πέσει πάνω στην εφημερίδα ξανά, αποφεύγοντας τα μάτια του.

«Παρακολουθούμε την κατάσταση εδώ και μερικές βδομάδες. Υπάρχουν όλες οι ενδείξεις –οι απίθανες εξαφανίσεις, πάντα στη διάρκεια της νύχτας, τα πτώματα που τα έχει ξεφορτωθεί όπως-όπως, η έλλειψη άλλων στοιχείων... Ναι, κάποιος εντελώς νέος. Και κανείς δε φαίνεται να αναλαμβάνει την ευθύνη για το νεοφώτιστο...» Πήρε μια βαθιά ανάσα. «Εντάξει, δεν είναι δικό μας πρόβλημα. Δε θα δίναμε καν σημασία στην κατάσταση, αν δεν ήταν τόσο κοντά στο σπίτι μας. Όπως είπα, αυτά συμβαίνουν όλη την ώρα. Η ύπαρξη τεράτων έχει τερατώδεις συνέπειες».

Προσπάθησα να μη δω τα ονόματα στη σελίδα, αλλά εκείνα πετάχτηκαν ξεχωρίζοντας από το υπόλοιπο κείμενο σαν να ήταν γραμμένα με έντονα γράμματα. Οι πέντε άνθρωποι που οι ζωές τους είχαν τελειώσει, των οποίων οι οικογένειες θρηνούσαν τώρα. Ήταν διαφορετικά από το να σκεφτώ το φόνο αφηρημένα, καθώς διάβαζα εκείνα τα ονόματα. Μορίν Γκάρντινερ, Τζέφρι Κάμπελ, Γκρέις Ράτσι, Μισέλ Ο' Κόνελ, Ρόναλντ Άλμπρουκ. Άνθρωποι που είχαν γονείς και φίλους και κατοικίδια και δουλειές και ελπίδες και σχέδια και αναμνήσεις και μέλλον...

«Δε θα είναι το ίδιο για μένα», ψιθύρισα, σχεδόν στον εαυτό μου. «Δε θα με αφήσεις να γίνω έτσι. Θα ζήσουμε στην Ανταρκτική».

Ο Έντουαρντ ρουθούνισε ελαφρύνοντας την ένταση. «Πιγκουίνοι. Υπέροχα».

Γέλασα με ένα τρεμάμενο γέλιο και έσπρωξα την εφημερίδα από το τραπέζι, για να μη βλέπω τα ονόματα εκείνα· έπεσε με ένα γδούπο στο πάτωμα. Φυσικά ο Έντουαρντ θα αναλογιζόταν τις δυνατότητες για κυνήγι. Εκείνος και η "χορτοφάγος" οικογένειά του –όλοι τους αφοσιωμένοι στην προστασία της ανθρώπινης ζωής– προτιμούσαν τη γεύση μεγάλων θηρευτών για να ικανοποιούν τις διατροφικές τους ανάγκες. «Στην Αλάσκα, λοιπόν, όπως το είχαμε σχεδιάσει. Μόνο κάπου πολύ πιο απομακρυσμένα απ' ό,τι το Τζούνο –κάπου που να υπάρχουν άφθονες αρκούδες γκρίζλι».

«Καλύτερα», παραδέχτηκε. «Υπάρχουν και πολικές αρκούδες. Πολύ άγριες. Και οι λύκοι γίνονται αρκετά μεγάλοι εκεί».

Το στόμα μου έμεινε ανοιχτό, και η ανάσα μου βγήκε σφυρίζοντας με ένα απότομο φύσημα.

«Τι συμβαίνει;» ρώτησε εκείνος. Πριν προλάβω να ξαναβρώ τον εαυτό μου, η σύγχυση εξαφανίστηκε και όλο του το σώμα φάνηκε να τσιτώνεται. «Α. Ξέχνα τους λύκους, τότε, αν η ιδέα είναι προσβλητική για σένα». Η φωνή του ήταν ψυχρή, επίσημη, οι ώμοι του άκαμπτοι.

«Ήταν ο καλύτερός μου φίλος, Έντουαρντ», μουρμούρισα. Ένιωθα ένα τσίμπημα χρησιμοποιώντας τον αόριστο. «Φυσικά και η ιδέα με προσβάλλει».

«Σε παρακαλώ να συγχωρέσεις την απερισκεψία μου», είπε, ακόμα πολύ επίσημα. «Κακώς το πρότεινα αυτό».

«Μην ανησυχείς». Κοίταξα τα χέρια μου σφιγμένα σε μια διπλή γροθιά πάνω στο τραπέζι.

Μείναμε και οι δυο σιωπηλοί για μια στιγμή, και μετά το δροσερό του δάχτυλο βρέθηκε κάτω από το πιγούνι μου, καλοπιάνοντας το πρόσωπό μου για να σηκωθεί. Η έκφρασή του ήταν πολύ πιο μαλακή τώρα.

«Συγνώμη. Αλήθεια».

«Το ξέρω. Το ξέρω ότι δεν είναι το ίδιο πράγμα. Δεν έπρεπε να αντιδράσω έτσι. Απλώς είναι που… να, ήδη σκεφτόμουν τον Τζέικομπ πριν έρθεις». Δίστασα. Τα μελί μάτια του έμοιαζαν να γίνονται λίγο πιο σκούρα κάθε φορά που έλεγα το όνομα του Τζέικομπ. Η φωνή μου έγινε παρακλητική ως αντίδραση. «Ο Τσάρλι λέει ότι ο Τζέικομπ περνάει πολύ δύσκολη περίοδο. Πονάει αυτή τη στιγμή, και… φταίω εγώ».

«Δεν έκανες τίποτα κακό, Μπέλλα».

Πήρα μια βαθιά ανάσα. «Πρέπει να κάνω κάτι για να γίνει καλύτερα, Έντουαρντ. Του το χρωστάω. Κι εξάλλου, είναι ένας από τους όρους του Τσάρλι—»

Το πρόσωπό του άλλαξε, ενώ μιλούσα, έγινε σκληρό και πάλι, σαν αγάλματος.

«Ξέρεις ότι δεν είναι δυνατό να βρίσκεσαι κοντά σε λυκάνθρωπο απροστάτευτη, Μπέλλα. Και ότι θα έσπαγε η συνθήκη, αν οποιοσδήποτε από μας πατήσει στη γη τους. Θέλεις να αρχίσουμε πόλεμο;»

«Φυσικά και όχι!»

«Τότε δεν έχει κανένα νόημα να συζητάμε το θέμα περαιτέρω». Άφησε το χέρι του να πέσει και γύρισε το κεφάλι του από την άλλη μεριά, ψάχνοντας για αλλαγή θέματος. Τα μάτια του σταμάτησαν πάνω σε κάτι πίσω μου, και χαμογέλασε, αν και τα μάτια του παρέμειναν ανήσυχα.

«Χαίρομαι που ο Τσάρλι αποφάσισε να σε αφήσει να βγεις –έχεις ανάγκη, σε αξιοθρήνητο βαθμό, μιας επίσκεψης σε βιβλιοπωλείο. Δεν μπορώ να το πιστέψω ότι διαβάζεις ξανά το *Ανεμοδαρμένα Ύψη*. Δεν το έχεις μάθει απ' έξω ακόμα;»

«Δεν έχουμε όλη φωτογραφική μνήμη», είπα.

«Είτε έχεις φωτογραφική μνήμη είτε όχι, δεν καταλαβαίνω γιατί σου αρέσει. Οι χαρακτήρες είναι φριχτοί άνθρωποι που καταστρέφουν ο ένας τη ζωή του άλλου. Δεν ξέρω γιατί ο Χίθκλιφ και η Κάθι κατέληξαν να συγκρίνονται με ζευγάρια, όπως ο Ρωμαίος κι η Ιουλιέτα ή η Ελίζαμπεθ Μπένετ κι ο κύριος Ντάρσι. Δεν είναι ιστορία αγάπης, είναι ιστορία μίσους».

«Έχεις σοβαρό πρόβλημα με τους κλασικούς», είπα απότομα.

«Ίσως επειδή δε με εντυπωσιάζει η αρχαιότητα». Χαμογέλασε, ολοφάνερα ικανοποιημένος που μου είχε αποσπάσει την προσοχή. «Ειλικρινά, παρ' όλα αυτά, γιατί το διαβάζεις ξανά και ξανά;» Τα μάτια του ήταν ζωηρά, με πραγματικό ενδιαφέρον τώρα, προσπαθώντας –για άλλη μια φορά– να ξεδιαλύνουν τις περίπλοκες διεργασίες του μυαλού μου. Άπλωσε το χέρι του πάνω από το τραπέζι για να κλείσει το πρόσωπό μου στο χέρι του. «Τι είναι αυτό που σε γοητεύει;»

Η ειλικρινής του περιέργεια με αφόπλισε. «Δεν είμαι βέβαιη», είπα, παλεύοντας να διατηρήσω τη συνοχή των σκέψεών μου, καθώς το βλέμμα του αθέλητα τις σκόρπιζε. «Νομίζω ότι έχει να κάνει με το αναπόφευκτο της μοίρας τους. Ο τρόπος με τον οποίο τίποτα δεν μπορεί να τους κρατήσει μακριά τον έναν από τον άλλο –ούτε ο εγωισμός της, ούτε η κακία του, ούτε καν ο θάνατος, στο τέλος...»

Το πρόσωπό του ήταν σκεπτικό, καθώς συλλογιζόταν τα λόγια μου. Μετά από μια στιγμή χαμογέλασε με ένα πειραχτικό χαμόγελο. «Και πάλι πιστεύω ότι θα ήταν καλύτερη ιστορία, αν έστω ένας από τους δύο είχε έστω ένα χαρακτηριστικό που να τον εξιλεώνει».

«Νομίζω ότι αυτό ακριβώς μπορεί να είναι το θέμα», διαφώνησα. «Η αγάπη τους *είναι* το μόνο χαρακτηριστικό τους που τους εξιλεώνει».

«Ελπίζω εσύ να φανείς πιο λογική –να ερωτευτείς κάποιον που να μην είναι τόσο... κακόβουλος».

«Είναι κάπως αργά για να ανησυχείς για το ποιον θα ερωτευτώ», επισήμανα. «Αλλά και χωρίς την προειδοποίηση, φαίνεται ότι δεν τα έχω καταφέρει κι άσχημα».

Γέλασε ήσυχα. «Χαίρομαι που εσύ το πιστεύεις αυτό».

«Λοιπόν, ελπίζω εσύ να είσαι αρκετά έξυπνος, ώστε να μείνεις μακριά από κάποια τόσο εγωίστρια. Η Κάθι είναι, στην πραγματικότητα, η πηγή όλων των κακών, όχι ο Χίθκλιφ».

«Θα έχω το νου μου», υποσχέθηκε.

Αναστέναξα. Ήταν καλός στο να μου αποσπά την προσοχή.

Έβαλα το χέρι μου πάνω από το δικό του για να το κρατήσω στο πρόσωπό μου. «Πρέπει να δω τον Τζέικομπ».

Τα μάτια του έκλεισαν. «Όχι».

«Στ' αλήθεια δεν είναι καθόλου επικίνδυνο», είπα, ξανά παρακλητικά. «Παλιά περνούσα ολόκληρη τη μέρα στο Λα Πους με όλη την παρέα, και τίποτα δε συνέβη ποτέ».

Αλλά έκανα ένα σφάλμα˙ η φωνή μου κόμπιασε στο τέλος, επειδή συνειδητοποίησα, καθώς έλεγα τα λόγια αυτά, ότι ήταν ένα ψέμα. Δεν ήταν αλήθεια ότι τίποτα δεν είχε συμβεί. Μια σύντομη αναλαμπή μιας ανάμνησης –ενός τεράστιου γκρίζου λύκου που είχε συσπειρωθεί έτοιμος να μου ορμήσει, δείχνοντας μου τα γυμνά του δόντια που έμοιαζαν με στιλέτα– έκανε τις παλάμες μου να ιδρώσουν, με έναν αντίλαλο από τον πανικό που θυμήθηκα.

Ο Έντουαρντ άκουσε την καρδιά μου να χτυπάει πιο γρήγορα και κούνησε το κεφάλι, σαν να είχα παραδεχτεί δυνατά το ψέμα. «Οι λυκάνθρωποι είναι ασταθείς. Μερικές φορές, οι άνθρωποι που είναι κοντά τους τραυματίζονται. Μερικές φορές, σκοτώνονται».

Ήθελα να το αρνηθώ, αλλά μια άλλη εικόνα επιβράδυνε την απάντηση που ετοίμαζα για να τον αντικρούσω. Είδα μέσα στο κεφάλι μου το κάποτε όμορφο πρόσωπο της Έμιλι Γιανγκ, που τώρα είχε ασχημύνει εξαιτίας τριών σκούρων ουλών, που τραβούσαν προς τα κάτω την άκρη του δεξιού ματιού της και είχαν αφήσει το στόμα της παραμορφωμένο, να σχηματίζει για πάντα μια στραβή γκριμάτσα.

Περίμενε, με μια έκφραση σκοτεινά θριαμβευτική, να ξαναβρώ τη φωνή μου.

«Δεν τους ξέρεις», ψιθύρισα.

«Τους ξέρω καλύτερα απ' ό,τι νομίζεις, Μπέλλα. Ήμουν εδώ την προηγούμενη φορά».

«Την προηγούμενη φορά;»

«Οι δρόμοι μας άρχισαν να διασταυρώνονται με τους λύκους περίπου πριν εβδομήντα χρόνια... Μόλις είχαμε εγκατασταθεί στο Χόκουιαμ. Αυτό έγινε πριν η Άλις κι ο Τζάσπερ μας βρουν. Ήμασταν περισσότεροι αριθμητικά από 'κείνους, αλλά αυτό δε θα εμπόδιζε να γίνει μάχη, αν δεν ήταν ο Κάρλαϊλ. Κατάφερε να πείσει τον Έφρεμ Μπλακ ότι ήταν δυνατή η συνύπαρξη, και τελικά κάναμε την ανακωχή».

Το όνομα του προπάππου του Τζέικομπ με αιφνιδίασε.

«Νομίζαμε ότι η γενιά είχε πεθάνει μαζί με τον Έφρεμ Μπλακ», μουρμούρισε ο Έντουαρντ˙ ακουγόταν σαν να μιλούσε με τον εαυτό του τώρα. «Ότι η γενετική ανωμαλία που επέτρεπε τη μετάλλαξη είχε χαθεί...» Σταμάτησε απότομα και με κοίταξε σαν να με κατηγορούσε. «Η κακή σου τύχη φαίνεται ότι γίνεται όλο και πιο δυνατή κάθε μέρα. Συνειδητοποιείς ότι η ακόρεστη έλξη που ασκείς σε όλα τα θανάσιμα πράγματα ήταν αρκετά δυνατή, για να επαναφέρει μια αγέλη μεταλλαγμένων σκυλιών που είχαν εξαφανιστεί; Αν μπορούσαμε να κλείσουμε την τύχη σου σε ένα μπουκάλι, θα είχαμε στα χέρια μας ένα όπλο μαζικής καταστροφής».

Αγνόησα το σχόλιο, καθώς την προσοχή μου προσέλκυσε το συμπέρασμά του –σοβαρολογούσε; «Μα δεν τους έφερα εγώ πίσω. Δεν το ξέρεις;»

«Να ξέρω τι πράγμα;»

«Η κακή μου τύχη δεν είχε καμία σχέση. Οι λυκάνθρωποι γύρισαν επειδή γύρισαν και οι βρικόλακες».

Ο Έντουαρντ με κοίταξε έντονα, με σώμα εντελώς ακίνητο από την έκπληξη.

«Ο Τζέικομπ μου είπε ότι το γεγονός ότι η οικογένειά σου γύρισε εδώ ενεργοποίησε την κατάσταση. Νόμιζα ότι το ήξερες ήδη...»

Τα μάτια του ζάρωσαν. «Αυτό πιστεύουν;»

«Έντουαρντ, δες τα γεγονότα. Πριν εβδομήντα χρόνια, ήρθατε εδώ, και εμφανίστηκαν οι λυκάνθρωποι. Τώρα ξανάρχεστε, και οι λυκάνθρωποι εμφανίζονται πάλι. Νομίζεις ότι αυτό είναι σύμπτωση;»

Ανοιγόκλεισε τα μάτια, και το βλέμμα του χαλάρωσε. «Ο

Κάρλαϊλ θα τη βρει πολύ ενδιαφέρουσα αυτή τη θεωρία».

«Θεωρία», είπα κοροϊδευτικά.

Έμεινε σιωπηλός για ένα λεπτό, κοιτάζοντας έξω από το παράθυρο, μέσα στη βροχή˙ φανταζόμουν ότι αναλογιζόταν το γεγονός ότι η παρουσία της οικογένειάς του μετέτρεπε τους ντόπιους σε γιγάντιους σκύλους.

«Ενδιαφέρουσα, αλλά όχι ακριβώς σχετική», μουρμούρισε μετά από ένα λεπτό. «Η κατάσταση παραμένει η ίδια».

Αυτό μπορούσα να το μεταφράσω αρκετά εύκολα: όχι φιλίες με τους λυκάνθρωπους.

Ήξερα ότι έπρεπε να είμαι υπομονετική με τον Έντουαρντ. Δεν ήταν ότι ήταν παράλογος, απλώς ήταν ότι δεν καταλάβαινε. Δεν είχε ιδέα πόσα χρωστούσα στον Τζέικομπ Μπλακ. Τη ζωή μου πολλές φορές και πιθανότατα και τη λογική μου, επίσης.

Δε μου άρεσε να μιλάω για εκείνη την άγονη περίοδο με κανέναν, και ειδικά όχι με τον Έντουαρντ. Προσπαθούσε μόνο να με σώσει, όταν έφυγε, προσπαθούσε να σώσει την ψυχή μου. Δεν τον θεωρούσα υπεύθυνο για όλα τα ανόητα πράγματα που είχα κάνει στη διάρκεια της απουσίας του, ούτε για τον πόνο που είχα υποφέρει.

Εκείνος, όμως, θεωρούσε τον εαυτό του υπεύθυνο.

Έτσι έπρεπε να διατυπώσω την εξήγησή μου πολύ προσεχτικά.

Σηκώθηκα όρθια και περπάτησα γύρω από το τραπέζι. Άνοιξε τα χέρια του για μένα, και κάθισα στα γόνατά του, φωλιάζοντας στη δροσερή πέτρινη αγκαλιά του. Κοίταζα τα χέρια του, καθώς μιλούσα.

«Σε παρακαλώ, άκουσέ με για ένα λεπτό. Αυτό είναι πολύ πιο σημαντικό από κάποιο καπρίτσιο να επισκεφτώ έναν παλιό φίλο. Ο Τζέικομπ πονάει». Η φωνή μου παραμορφώθηκε, όταν είπα τη λέξη. «Δεν μπορώ να μην προσπαθήσω να τον βοηθήσω –δεν μπορώ να τον αφήσω μόνο του τώρα, όταν με χρειάζεται. Απλώς επειδή δεν είναι άνθρωπος συνέχεια... Ήταν εκεί για μένα, όταν δεν ήμουν κι εγώ... πολύ ανθρώπινη. Δεν ξέρεις πώς ήταν...» Δίστασα. Τα μπράτσα του Έντουαρντ ήταν άκαμπτα γύρω μου˙ τα χέρια του είχαν γίνει γροθιές τώρα, οι τένοντες είχαν πεταχτεί έξω. «Αν δε με είχε βοηθήσει ο Τζέικομπ... δεν είμαι σίγουρη σε τι θα είχες γυρίσει πίσω. Του χρωστάω κάτι καλύτερο απ' αυτό, Έντουαρντ».

Σήκωσα τα μάτια για να δω το πρόσωπό του ανήσυχη. Τα μάτια του ήταν κλειστά και το σαγόνι του σφιγμένο.

«Δε θα συγχωρήσω ποτέ τον εαυτό μου που σε άφησα», ψιθύρισε. «Ακόμα κι αν ζήσω εκατό χιλιάδες χρόνια».

Ακούμπησα το χέρι μου στο ψυχρό του πρόσωπο και περίμενα, μέχρι που αναστέναξε κι άνοιξε τα μάτια.

«Απλώς προσπαθούσες να κάνεις το σωστό. Και είμαι σίγουρη ότι θα είχε αποτέλεσμα με κάποιο άτομο λιγότερο ανισόρροπο από μένα. Εξάλλου, είσαι εδώ τώρα. Αυτό είναι που μετράει».

«Αν δε σε είχα αφήσει ποτέ, δε θα ένιωθες την ανάγκη να πας να διακινδυνεύσεις τη ζωή σου για να παρηγορήσεις ένα σκυλί».

Ζάρωσα προς τα πίσω. Είχα συνηθίσει τον Τζέικομπ και όλες εκείνες τις υποτιμητικές λέξεις που πέταγε –βδέλλα, αιμορουφήχτρες, παράσιτα... Κατά κάποιο τρόπο ακουγόταν πιο σκληρό, όταν προερχόταν από τη βελούδινη φωνή του Έντουαρντ.

«Δεν ξέρω πώς να το διατυπώσω σωστά», είπε ο Έντουαρντ, κι ο τόνος του ήταν ψυχρός. «Θα ακουστεί σκληρό, υποθέτω. Αλλά έχω φτάσει πολύ κοντά στο να σε χάσω στο παρελθόν. Ξέρω πώς είναι να νιώθω ότι σε έχω χάσει. Δε θα ανεχτώ τίποτα επικίνδυνο».

«Πρέπει να μου έχεις εμπιστοσύνη σ' αυτό το θέμα. Θα είμαι μια χαρά».

Το πρόσωπό του ήταν γεμάτο πόνο ξανά. «Σε παρακαλώ, Μπέλλα», ψιθύρισε.

Κοίταξα μέσα στα ξαφνικά φλεγόμενα χρυσαφί του μάτια. «Με παρακαλείς τι πράγμα;»

«Σε παρακαλώ, για χάρη μου. Σε παρακαλώ, κάνε μια συνειδητή προσπάθεια να κρατήσεις τον εαυτό του ασφαλή. Εγώ θα κάνω ό,τι μπορώ, αλλά θα το εκτιμούσα αν είχα και λίγη βοήθεια».

«Θα προσπαθήσω», μουρμούρισα.

«Έχεις την παραμικρή ιδέα πόσο σημαντική είσαι για μένα; Έχεις αντιληφθεί καθόλου πόσο πολύ σε αγαπάω;» Με τράβηξε πιο σφιχτά στο σκληρό του στήθος, χώνοντας το κεφάλι μου κάτω από το πιγούνι του.

Πίεσα τα χείλη μου πάνω στον κρύο σαν πέτρα λαιμό του. «Ξέρω πόσο πολύ εγώ αγαπάω εσένα», απάντησα.

«Συγκρίνεις ένα μικρό δέντρο με ένα ολόκληρο δάσος».

Στριφογύρισα τα μάτια μου, αλλά εκείνος δεν μπορούσε να το δει. «Αδύνατον».

Φίλησε την κορυφή του κεφαλιού μου κι αναστέναξε.

«Όχι λυκάνθρωποι».

«Δε θα συμφωνήσω μ' αυτό. Πρέπει να δω τον Τζέικομπ».

«Τότε κι εγώ θα πρέπει να σε σταματήσω».

Ακούστηκε απόλυτα βέβαιος ότι αυτό δε θα αποτελούσε πρόβλημα.

Ήμουν σίγουρη πως είχε δίκιο.

«Αυτό θα το δούμε», μπλόφαρα, έτσι κι αλλιώς. «Είναι ακόμα φίλος μου».

Ένιωθα το σημείωμα του Τζέικομπ στην τσέπη μου, σαν να ζύγιζε ξαφνικά πέντε κιλά. Άκουγα τις λέξεις με τη δική του φωνή, κι έμοιαζε να συμφωνεί με τον Έντουαρντ –κάτι που δε θα συνέβαινε ποτέ στην πραγματικότητα.

Δεν αλλάζει τίποτα. Συγνώμη.

2. ΥΠΕΚΦΥΓΗ

Ένιωθα παράδοξα κεφάτη, καθώς περπατούσα από τα ισπανικά προς την τραπεζαρία, και δεν ήταν μόνο επειδή ήμουν πιασμένη χέρι-χέρι με το πιο τέλειο άτομο πάνω στον πλανήτη, αν και έπαιζε κι αυτό κάποιο ρόλο.

Ίσως ήταν η γνώση ότι είχα εκτίσει την ποινή μου κι ήμουν ξανά ελεύθερη.

Ή ίσως δεν είχε να κάνει καθόλου μ' εμένα συγκεκριμένα. Ίσως ήταν η ατμόσφαιρα της ελευθερίας που πλανιόταν πάνω από ολόκληρο το χώρο του σχολείου. Το σχολείο κόντευε να τελειώσει, και ειδικά για τους τελειόφοιτους, υπήρχε ένας διάχυτος ενθουσιασμός στον αέρα.

Η ελευθερία ήταν τόσο κοντά που μπορούσες να την αγγίξεις, να τη γευτείς. Υπήρχαν παντού σημάδια της. Αφίσες στριμώχνονταν η μια δίπλα στην άλλη στους τοίχους της τραπεζαρίας, και οι κάδοι των σκουπιδιών φορούσαν πολύχρωμες φούστες από φέιγβολάν που είχαν ξεχειλίσει: υπενθυμίσεις να αγοράσουμε επετηρίδες, αναμνηστικά δαχτυλίδια του σχολείου και ανακοινώσεις· προθεσμίες για να παραγγείλουμε στολές για την αποφοίτηση, καπέλα και φούντες˙ φωτεινές σαν νέον διαφημίσεις –οι τριτοετείς έκαναν εκστρατεία για να εκλεγούν στα προεδρεία των τάξεων˙ απειλητικές διαφημίσεις σε τριανταφυλλένια πλαίσια για το χορό της αποφοίτησης. Ο μεγάλος χορός ήταν αυτό το Σαββατοκύριακο, αλλά εγώ είχα κατηγορηματική υπόσχεση από τον Έντουαρντ ότι δε θα υποβαλλόμουν ξανά σ' αυτή τη διαδικασία. Στο κάτω-κάτω, είχα ήδη ζήσει *αυτή* την ανθρώπινη εμπειρία.

Όχι, πρέπει να ήταν η προσωπική μου ελευθερία που με έκανε να νιώθω τόσο ανάλαφρη σήμερα. Το τέλος της σχολικής χρονιάς δε μου έδινε τη χαρά που φαινόταν να δίνει στους άλλους μαθητές. Στην πραγματικότητα, ένιωθα άγχος σε σημείο που να μου έρχεται ναυτία, κάθε φορά που το σκεφτόμουν. Προσπαθούσα να *μην* το σκέφτομαι.

Μα ήταν δύσκολο να ξεφύγω από ένα τέτοιο πανταχού παρόν θέμα, όπως ήταν η αποφοίτηση.

«Έστειλες τις προσκλήσεις σου;» ρώτησε η Άντζελα, όταν ο Έντουαρντ κι εγώ καθίσαμε στο τραπέζι μας. Είχε τα ανοιχτά καστανά μαλλιά της τραβηγμένα πίσω σε μια ατημέλητη αλογοουρά, αντί για το συνηθισμένο της συμμαζεμένο χτένισμα, και είχε ένα ελαφρώς φουριόζικο βλέμμα στα μάτια της.

Η Άλις κι ο Μπεν ήταν ήδη εκεί κι αυτοί, ο ένας απ' τη μια και ο άλλος απ' την άλλη πλευρά της Άντζελα. Ο Μπεν ήταν προσηλωμένος σε ένα βιβλίο κόμικς, ενώ τα γυαλιά του γλιστρούσαν από τη στενή του μύτη. Η Άλις περιεργαζόταν το βαρετό μου σύνολο από τζιν και κοντομάνικο μπλουζάκι, με έναν τρόπο που με έκανε να νιώθω άβολα. Πιθανότατα σχεδίαζε άλλη μια μεταμόρφωση. Αναστέναξα. Η αδιαφορία μου για τη μόδα ήταν μια συνεχής ενόχληση γι' αυτή. Αν της το είχα επιτρέψει, θα της άρεσε πολύ να με ντύνει κάθε μέρα –μπορεί και αρκετές φορές μέσα σε μια μέρα– σαν μια τεράστια τρισδιάστατη χάρτινη κούκλα.

«Όχι», απάντησα στην Άντζελα. «Δεν έχει κανένα νόημα, εδώ που τα λέμε. Η Ρενέ ξέρει πότε θα αποφοιτήσω. Ποιος άλλος μένει;»

«Εσύ, Άλις;»

Η Άλις χαμογέλασε. «Όλα έτοιμα».

«Τυχερή». Η Άντζελα αναστέναξε. «Η μητέρα μου έχει χιλιάδες ξαδέρφια και περιμένει να φτιάξω χειρόγραφες προσκλήσεις για τον κάθε ένα. Θα πάθω καρπιαίο σύνδρομο. Δεν μπορώ να το αναβάλλω άλλο πια και τρέμω την ώρα και τη στιγμή».

«Θα σε βοηθήσω εγώ», προσφέρθηκα. «Αν δε σε πειράζει ο φριχτός μου γραφικός χαρακτήρας».

Του Τσάρλι θα του άρεσε πολύ αυτό. Με την άκρη του ματιού μου, είδα τον Έντουαρντ να χαμογελάει. Και σ' εκείνον πρέπει να άρεσε αυτό –ότι θα εκπλήρωνα τους όρους του Τσάρλι χωρίς να εμπλακούν λυκάνθρωποι.

Η Άντζελα φάνηκε ανακουφισμένη. «Είναι πολύ ευγενικό από μέρους σου. Θα έρθω σπίτι σου όποτε θες».

«Για να πω την αλήθεια, θα προτιμούσα να έρθω εγώ στο δικό σου σπίτι, αν δεν υπάρχει πρόβλημα –έχω βαρεθεί το δικό μου. Ο Τσάρλι τερμάτισε την τιμωρία μου χθες». Χαμογέλασα πλατιά την ώρα που ανακοίνωνα τα καλά νέα.

«Αλήθεια;» ρώτησε η Άντζελα, με έναν ήπιο ενθουσιασμό να φωτίζει τα πάντα ήρεμα καστανά της μάτια. «Νόμιζα ότι είπες πως θα έμενες τιμωρημένη ισόβια».

«Εκπλήσσομαι περισσότερο από 'σένα. Ήμουν σίγουρη ότι θα έπρεπε να τελειώσω τουλάχιστον το λύκειο για να με αφήσει ελεύθερη».

«Λοιπόν, αυτό είναι σπουδαίο, Μπέλλα! Πρέπει να βγούμε να το γιορτάσουμε!»

«Δεν έχεις ιδέα πόσο καλό μου ακούγεται αυτό».

«Τι να κάνουμε;» αναλογίστηκε η Άλις, ενώ το πρόσωπό της φωτίστηκε, καθώς σκεφτόταν τις πιθανότητες. Οι ιδέες της Άλις ήταν συνήθως λιγάκι μεγαλεπήβολες για 'μένα, και την έβλεπα τώρα στα μάτια της –την τάση να φτάνει σε υπερβολές.

«Ό,τι κι αν σκέφτεσαι, Άλις, αμφιβάλλω αν είμαι τόσο ελεύθερη».

«Η ελευθερία είναι ελευθερία, έτσι δεν είναι;» επέμεινε εκείνη.

«Είμαι σίγουρη ότι έχω ακόμα περιορισμούς –όπως, ας πούμε, τις ηπειρωτικές ΗΠΑ».

Η Άντζελα κι ο Μπεν γέλασαν, αλλά η Άλις έκανε μια γκριμάτσα, πραγματικά απογοητευμένη.

«Τότε, λοιπόν, τι θα κάνουμε απόψε;» επέμεινε.

«Τίποτα. Κοίτα, ας αφήσουμε να περάσουν καμιά-δύο μέρες για να βεβαιωθούμε ότι δεν αστειευόταν. Εξάλλου, αύριο έχουμε σχολείο».

«Τότε, θα το γιορτάσουμε το Σαββατοκύριακο». Ήταν αδύνατον να καταπνίξει κανείς τον ενθουσιασμό της Άλις.

«Βέβαια», είπα, ελπίζοντας να την κατευνάσω. Ήξερα ότι δεν επρόκειτο να κάνω τίποτα υπερβολικά εξωπραγματικό˙ θα ήταν πιο ασφαλές να το πάω σιγά-σιγά με τον Τσάρλι. Να του δώσω την ευκαιρία να εκτιμήσει πόσο αξιόπιστη και ώριμη ήμουν, πριν αρχίσω να ζητάω χάρες.

Η Άντζελα κι η Άλις άρχισαν να συζητάνε για τις εναλλακτικές επιλογές˙ ο Μπεν μπήκε κι αυτός στην κουβέντα, αφήνοντας στην άκρη το κόμικ του. Η προσοχή μου ξεστράτισε αλλού. Με εξέπληξε το γεγονός ότι το θέμα της ελευθερίας μου ξαφνικά δεν ήταν τόσο ευχάριστο όσο πριν μια στιγμή. Ενώ εκείνοι συζητούσαν για διάφορα πράγματα που μπορούσαμε να κάνουμε στο Πορτ-Άντζελες ή ίσως και στο Χόκουιαμ, εγώ άρχισα να νιώθω μια δυσφορία.

Δε μου πήρε πολλή ώρα για να προσδιορίσω από πού πήγαζε η νευρικότητά μου.

Από τότε που είχα αποχαιρετήσει τον Τζέικομπ Μπλακ στο δάσος έξω από το σπίτι μου, με καταδίωκε μια επίμονη, δυσάρεστη εισβολή μιας συγκεκριμένης εικόνας στο μυαλό μου. Πεταγόταν ξαφνικά μέσα στις σκέψεις μου σε τακτά χρονικά διαστήματα σαν κάποιο ενοχλητικό ξυπνητήρι που είχε ρυθμιστεί να χτυπάει κάθε μισή ώρα, γεμίζοντας το κεφάλι μου με την εικόνα του προσώπου του Τζέικομπ τσαλακωμένου από τον πόνο. Αυτή ήταν η τελευταία ανάμνηση που είχα από εκείνον.

Καθώς η ενοχλητική φαντασίωση μού ήρθε ξανά, ήξερα ακριβώς γιατί ήμουν δυσαρεστημένη με την ελευθερία μου. Επειδή δεν ήταν ολοκληρωμένη.

Βέβαια, ήμουν ελεύθερη να πάω όπου ήθελα –εκτός από το Λα Πους˙ ελεύθερη να κάνω ό,τι ήθελα– εκτός από το να δω τον Τζέικομπ. Κατσούφιασα κοιτάζοντας το τραπέζι. Έπρεπε να υπάρχει κάποιου είδους μέση λύση.

«Άλις; Άλις!»

Η φωνή της Άντζελα με έβγαλε βίαια από την ονειροπόλησή μου. Κουνούσε το χέρι της μπρος-πίσω μπροστά από το ανέκφραστο πρόσωπο της Άλις της οποίας το βλέμμα ήταν απλανές. Η έκφραση της Άλις ήταν κάτι που εγώ αναγνώριζα –μια έκφραση που έκανε ένα αυτόματο τράνταγμα πανικού να διαπεράσει το κορμί μου. Το άδειο βλέμμα στα μάτια της μου έλεγε ότι έβλεπε κάτι πολύ διαφορετικό από το κοινότοπο σκηνικό της τραπεζαρίας που μας περιέβαλλε, αλλά κάτι που, με το δικό του ιδιαίτερο τρόπο, ήταν εξίσου αληθινό. Κάτι που ερχόταν, κάτι που θα συνέβαινε σύντομα. Ένιωσα το αίμα να φεύγει από το πρόσωπό μου γλιστρώντας σαν φίδι.

Τότε ο Έντουαρντ γέλασε με ένα πολύ φυσικό, χαλαρό τόνο. Η Άντζελα κι ο Μπεν γύρισαν για να τον κοιτάξουν, αλλά τα δικά μου μάτια ήταν καρφωμένα πάνω στην Άλις. Εκείνη αναπήδησε ξαφνικά, λες και κάποιος την είχε κλοτσήσει κάτω από το τραπέζι.

«Ήρθε ήδη η ώρα του ύπνου, Άλις;» την πείραξε ο Έντουαρντ.

Η Άλις ήταν και πάλι ο εαυτός της. «Συγνώμη, ονειροπολούσα, μάλλον».

«Το να ονειροπολείς είναι καλύτερο από το να έχεις μπροστά σου άλλες δυο ώρες σχολείου», είπε ο Μπεν.

Η Άλις ρίχτηκε ξανά στη συζήτηση με περισσότερη ζωντάνια από πριν –λιγάκι περισσότερη απ' το φυσιολογικό. Μια φορά είδα τα μάτια της να διασταυρώνονται με του Έντουαρντ, μόνο για μια στιγμή, και μετά κοίταξε πάλι την Άντζελα πριν προλάβει κανείς άλλος να το παρατηρήσει. Ο Έντουαρντ ήταν σιωπηλός, παίζοντας αφηρημένα με μια τούφα από τα μαλλιά μου.

Περίμενα ανυπόμονα κάποια ευκαιρία να ρωτήσω τον Έντουαρντ τι είχε δει η Άλις στο όραμά της, αλλά το απόγευμα πέρασε χωρίς να βρεθούμε μόνοι μας ούτε ένα λεπτό.

Μου φαινόταν παράξενο, σχεδόν σκόπιμο. Μετά το μεσημεριανό, ο Έντουαρντ επιβράδυνε το ρυθμό του για να συμβαδίσει με τον Μπεν, συζητώντας για κάποια εργασία που ήξερα ότι είχε ήδη τελειώσει. Μετά ήταν πάντα κάποιος άλλος εκεί ανάμεσα στα μαθήματα, παρόλο που συνήθως μέναμε λίγα λεπτά μόνοι μας. Όταν χτύπησε το τελευταίο κουδούνι, ο Έντουαρντ άνοιξε κουβέντα με τον Μάικ Νιούτον, αν είναι δυνατόν, διάλεξε αυτόν απ' όλους τους άλλους ανθρώπους, συγχρονίζοντας το βήμα του με το δικό του για να περπατήσει δίπλα του, ενώ ο Μάικ κατευθυνόταν προς το πάρκινγκ. Εγώ σερνόμουν πίσω τους, αφήνοντας τον Έντουαρντ να με τραβάει μαζί του.

Άκουγα με προσοχή, μπερδεμένη, ενώ ο Μάικ απαντούσε τις ασυνήθιστα φιλικές ερωτήσεις του Έντουαρντ. Φαινόταν ότι ο Μάικ είχε προβλήματα με το αμάξι του.

«...μα μόλις αντικατέστησα την μπαταρία», έλεγε ο Μάικ. Τα μάτια του κινήθηκαν απότομα μπροστά και μετά πάλι πίσω προς τον Έντουαρντ επιφυλακτικά. Ήταν σαστισμένος, όπως ακριβώς ήμουν κι εγώ.

«Ίσως είναι τα καλώδια;» πρότεινε ο Έντουαρντ.

«Μπορεί. Πραγματικά δεν ξέρω τίποτα από αυτοκίνητα», παραδέχτηκε ο Μάικ. «Πρέπει να βάλω κάποιον να του ρίξει μια ματιά, αλλά δεν έχω αρκετά χρήματα για να το πάω στο Ντόουλινγκ».

Άνοιξα το στόμα μου για να προτείνω το δικό μου μηχανικό και μετά το έκλεισα πάλι απότομα. Ο μηχανικός μου ήταν απασχολημένος αυτό τον καιρό –περιφερόμενος εδώ κι εκεί με τη μορφή ενός γιγάντιου λύκου.

«Ξέρω εγώ μερικά πράγματα –θα μπορούσα να του ρίξω μια ματιά, αν θες», προσφέρθηκε ο Έντουαρντ. «Άσε με μόνο να γυρίσω την Άλις και την Μπέλλα σπίτι».

Ο Μάικ κι εγώ καρφώσαμε το βλέμμα μας και οι δύο στον Έντουαρντ με τα στόματά μας να έχουν μείνει ανοιχτά.

«Εε... ευχαριστώ», ψέλλισε ο Μάικ, όταν ξαναβρήκε τον εαυτό του. «Αλλά πρέπει να πάω στη δουλειά. Ίσως καμιά άλλη φορά».

«Οπωσδήποτε».

«Τα λέμε». Ο Μάικ μπήκε στο αμάξι του, κουνώντας το κεφάλι του δύσπιστα.

Το Βόλβο του Έντουαρντ, με την Άλις ήδη μέσα, ήταν μόλις δυο αμάξια πιο πέρα.

«Τι ήταν *αυτό*;» μουρμούρισα, καθώς ο Έντουαρντ μου άνοιξε την πόρτα του συνοδηγού.

«Απλώς προσπαθούσα να βοηθήσω», απάντησε ο Έντουαρντ.

Και μετά η Άλις, που περίμενε στο πίσω κάθισμα, άρχισε να λέει ένα σωρό ασυναρτησίες με πολύ μεγάλη ταχύτητα.

«Στ' αλήθεια δεν είσαι και τόσο καλός μηχανικός, Έντουαρντ. Ίσως θα ήταν καλό να βάλεις τη Ρόζαλι να ρίξει μια ματιά απόψε, για να μη βρεθείς σε δύσκολη θέση, αν ο Μάικ αποφασίσει να σε αφήσει να τον βοηθήσεις, ξέρεις. Όχι ότι δε θα είχε πλάκα να δει κανείς το πρόσωπό του, αν εμφανιζόταν η

Ρόζαλι για να βοηθήσει. Αλλά εφόσον η Ρόζαλι υποτίθεται ότι είναι στην άλλη άκρη της χώρας και σπουδάζει, μάλλον αυτό δεν είναι και η καλύτερη ιδέα. Κρίμα. Αν και υποθέτω ότι για το αυτοκίνητο του Μάικ, οι δικές σου γνώσεις πρέπει να αρκούν. Μόνο όταν πρόκειται για την εξεζητημένη μηχανολογία του κινητήρα ενός καλού ιταλικού σπορ αυτοκινήτου, τότε είσαι έξω από τα νερά σου. Και μια και μιλάμε για Ιταλία και σπορ αυτοκίνητα που έκλεψα εκεί, ακόμα μου χρωστάς μια κίτρινη Πόρσε. Δε νομίζω ότι θέλω να περιμένω μέχρι τα Χριστούγεννα...»

Σταμάτησα να ακούω μετά από ένα λεπτό, αφήνοντας τη γρήγορη φωνή της να γίνει ένα βουητό στο φόντο, καθώς εγώ βολεύτηκα καλύτερα στην υπομονετική μου στάση.

Μου φαινόταν ότι ο Έντουαρντ προσπαθούσε να αποφύγει τις ερωτήσεις μου. Καλώς. Θα αναγκαζόταν να βρεθεί μόνος μαζί μου αργά ή γρήγορα. Ήταν απλώς θέμα χρόνου.

Ο Έντουαρντ φαινόταν να το συνειδητοποιεί αυτό κι εκείνος. Άφησε την Άλις στην αρχή του δρόμου των Κάλεν, όπως πάντα, αν και σήμερα δε θα με εξέπληττε αν την πήγαινε ως την πόρτα και τη συνόδευε μέσα.

Καθώς έβγαινε έξω, η Άλις έριξε ένα διαπεραστικό βλέμμα στο πρόσωπό του. Ο Έντουαρντ φάνηκε να νιώθει απολύτως άνετα.

«Θα τα πούμε αργότερα», είπε. Και μετά, ακόμα πιο ελαφρά, κούνησε το κεφάλι του.

Η Άλις γύρισε για να εξαφανιστεί μέσα στα δέντρα.

Εκείνος ήταν σιωπηλός, καθώς έστριβε το αμάξι από την άλλη και κατευθυνόταν πάλι πίσω στο Φορκς. Περίμενα, αναρωτώμενη αν θα άνοιγε ο ίδιος κουβέντα γι' αυτό. Δεν το έκανε, κι αυτό με έκανε να νιώθω νευρική. Τι *είχε δει* η Άλις σήμερα την ώρα του μεσημεριανού; Κάτι που εκείνος δεν ήθελε να μου πει, κι εγώ προσπαθούσα να σκεφτώ κάποιο λόγο για τον οποίο θα μου κρατούσε μυστικά. Ίσως ήταν καλύτερα να προετοιμαζόμουν πριν ρωτήσω. Δεν ήθελα να πάθω σοκ και να τον κάνω να νομίσει ότι δεν μπορούσα να το αντιμετωπίσω, ό,τι κι αν ήταν.

Έτσι μείναμε κι οι δυο σιωπηλοί, μέχρι που γυρίσαμε στο σπίτι του Τσάρλι.

«Δεν έχουμε πολύ διάβασμα σήμερα», σχολίασε.

«Μμμ», συναίνεσα.

«Πιστεύεις ότι επιτρέπεται να ξανάρθω μέσα;»

«Ο Τσάρλι δεν έπαθε καμιά κρίση, όταν ήρθες να με πάρεις για το σχολείο».

Αλλά ήμουν σίγουρη ότι ο Τσάρλι θα μούτρωνε γρήγορα, όταν θα έφτανε σπίτι και θα έβρισκε εδώ τον Έντουαρντ. Ίσως θα ήταν καλό να φτιάξω κάτι εξαιρετικά σπέσιαλ για βραδινό.

Μέσα, κατευθύνθηκα προς τις σκάλες, κι ο Έντουαρντ ακολούθησε. Κάθισε χαλαρά πάνω στο κρεβάτι μου και κοίταξε επίμονα έξω από το παράθυρο, δείχνοντας να μη συναισθάνεται τη νευρικότητά μου.

Καταχώνιασα την τσάντα μου κι άναψα τον υπολογιστή. Υπήρχε ένα e-mail από τη μαμά μου στο οποίο δεν είχα απαντήσει ακόμα, κι έπρεπε να το κάνω γιατί την έπιανε πανικός, όταν αργούσα πολύ να απαντήσω. Χτυπούσα τα δάχτυλά μου κάνοντας έναν ήχο σαν να έπαιζα τύμπανο, περιμένοντας τον ξεχαρβαλωμένο μου υπολογιστή να ξυπνήσει αγκομαχώντας· χτυπούσαν πάνω στο γραφείο, απότομα και ανυπόμονα.

Και τότε τα δάχτυλά του βρέθηκαν πάνω στα δικά μου, κρατώντας τα ακίνητα.

«Είμαστε λιγάκι ανυπόμονοι σήμερα;» μουρμούρισε.

Σήκωσα τα μάτια μου ψηλά, με σκοπό να κάνω κάποιο σαρκαστικό σχόλιο, αλλά το πρόσωπό του ήταν πιο κοντά απ' ό,τι περίμενα. Τα χρυσαφιά του μάτια σιγόκαιγαν, μόλις μερικά εκατοστά μακριά μου, και η ανάσα του ήταν δροσερή πάνω στα ανοιχτά μου χείλη. Μπορούσα να γευτώ το άρωμά του στη γλώσσα μου.

Δε θυμόμουν την πνευματώδη απάντηση που ήμουν έτοιμη να δώσω. Δε θυμόμουν ούτε το όνομά μου.

Δε μου έδωσε την ευκαιρία να ανακτήσω την ψυχραιμία μου.

Αν μπορούσα να κάνω αυτό που ήθελα, θα ξόδευα το μεγαλύτερο μέρος του χρόνου μου φιλώντας τον Έντουαρντ. Δεν υπήρχε τίποτα στη ζωή μου που να συγκρίνεται με την αίσθηση των δροσερών χειλιών του, σκληρών σαν μάρμαρο, αλλά πάντα τόσο ευγενικών, να κινούνται ταυτόχρονα με τα δικά μου.

Δεν γινόταν συχνά αυτό που ήθελα.

Έτσι με ξάφνιασε λιγάκι, όταν τα δάχτυλά του μπλέχτηκαν μέσα στα μαλλιά μου, κρατώντας σφιχτά το πρόσωπό μου πάνω στο δικό του. Τα χέρια μου κλείδωσαν πίσω από το λαιμό του, κι ευχήθηκα να ήμουν πιο δυνατή –αρκετά δυνατή για να τον κρατήσω φυλακισμένο εκεί. Το ένα του χέρι γλίστρησε κάτω στη μέση μου, σφίγγοντάς με πιο δυνατά πάνω στο πέτρινο στήθος του. Ακόμα και μέσα από το πουλόβερ του, το δέρμα του ήταν αρκετά κρύο για να με κάνει να αναριγήσω –ήταν ένα ρίγος ευχαρίστησης, ευτυχίας, αλλά τα χέρια του άρχισαν να χαλαρώνουν ως αντίδραση.

Ήξερα ότι είχα περίπου δυο δευτερόλεπτα προτού αναστενάξει και με αφήσει να γλιστρήσω επιδέξια μακριά του, λέγοντας κάτι σχετικά με το ότι είχαμε διακινδυνεύσει αρκετά τη ζωή μου για ένα απόγευμα. Εκμεταλλευόμενη στο έπακρο τα τελευταία μου δευτερόλεπτα, στριμώχτηκα πιο κοντά του, κάνοντας το σώμα μου να πάρει το σχήμα του δικού του. Η άκρη της γλώσσας μου άγγιξε την καμπύλη του κάτω χείλους του˙ ήταν τόσο λείο, σαν να είχε γυαλιστεί, και *η γεύση*–

Τράβηξε το πρόσωπό μου μακριά από το δικό του, σπάζοντας τα δεσμά μου με άνεση –πιθανότατα δεν είχε καταλάβει ότι είχα βάλει όλη μου τη δύναμη.

Γέλασε πνιχτά μια φορά, με ένα χαμηλό, βραχνό ήχο. Τα μάτια του έλαμπαν από τον ενθουσιασμό που πειθαρχούσε με τόση αυστηρότητα.

«Αχ, Μπέλλα». Αναστέναξε.

«Θα έλεγα ότι λυπάμαι, αλλά δε λυπάμαι».

«Κι εγώ θα έπρεπε να λυπάμαι που δε λυπάσαι, αλλά δε λυπάμαι. Ίσως θα ήταν καλύτερα να πάω να κάτσω στο κρεβάτι».

Εξέπνευσα λιγάκι ζαλισμένη. «Αν νομίζεις ότι είναι απαραίτητο...»

Χαμογέλασε στραβά κι απελευθερώθηκε.

Κούνησα το κεφάλι μου αρκετές φορές, προσπαθώντας να το καθαρίσω, και στράφηκα πίσω στον υπολογιστή μου. Είχε ζεσταθεί και βούιζε τώρα. Δηλαδή, δε βούιζε ακριβώς, αλλά μούγκριζε περισσότερο.

«Δώσε στη Ρενέ χαιρετίσματα».

«Σίγουρα».

Διάβασα γρήγορα το μήνυμα της Ρενέ κουνώντας το κεφάλι μου πού και πού, στα πιο παράλογα πράγματα που είχε κάνει. Το βρήκα εξίσου αστείο όσο και τρομακτικό, όπως την πρώτη φορά που το διάβασα. Ήταν τόσο χαρακτηριστικό για τη μητέρα μου να ξεχνάει ακριβώς πόσο πολύ παρέλυε από το φόβο της για τα ύψη, μέχρι τη στιγμή που θα ήταν πλέον δεμένη σε ένα αλεξίπτωτο και σε έναν εκπαιδευτή. Ένιωθα λιγάκι απογοητευμένη από τον Φιλ, τον επί σχεδόν δύο χρόνια σύζυγό της, που της επέτρεψε κάτι τέτοιο. Εγώ θα την είχα φροντίσει καλύτερα. Την ήξερα τόσο πολύ καλύτερα.

Πρέπει να τους αφήσεις να πάρουν το δικό τους δρόμο τελικά, υπενθύμισα στον εαυτό μου. Πρέπει να τους αφήσεις να ζήσουν τη δική τους ζωή...

Είχα περάσει το μεγαλύτερο μέρος της ζωής μου φροντίζοντας τη Ρενέ, οδηγώντας την υπομονετικά μακριά από τα πιο τρελά της σχέδια, υπομένοντας στωικά εκείνα που δεν μπορούσα να τη μεταπείσω να μην ακολουθήσει. Πάντα έκανα τα χατίρια στη μαμά μου, βρίσκοντάς την αστεία, πάντα ήμουν ακόμα και λιγάκι συγκαταβατική μαζί της. Έβλεπα την αστείρευτη πηγή των λαθών της και γελούσα μόνη μου. Η ελαφρόμυαλη Ρενέ.

Εγώ ήμουν πολύ διαφορετικός άνθρωπος από τη μαμά μου. Προνοητική και προσεχτική. Η υπεύθυνη, αυτή που ήταν ο ενήλικας. Έτσι έβλεπα τον εαυτό μου. Αυτός ήταν ο άνθρωπος που ήξερα.

Με το αίμα ακόμα να χτυπάει δυνατά στο κεφάλι μου από το φιλί του Έντουαρντ, δεν μπορούσα παρά να σκεφτώ το λάθος της μητέρας μου, αυτό που της άλλαξε τη ζωή περισσότερο από οποιοδήποτε άλλο. Ανόητη και ρομαντική, παντρεύτηκε αμέσως μόλις τελείωσε το λύκειο έναν άντρα που μετά βίας γνώριζε, και απέκτησε εμένα ένα χρόνο αργότερα. Πάντα μου ορκιζόταν ότι δεν είχε καθόλου τύψεις, ότι ήμουν το καλύτερο δώρο που της είχε κάνει ποτέ η ζωή. Και παρ' όλα αυτά, μου το επαναλάμβανε ξανά και ξανά για να μου εντυπωθεί –οι έξυπνοι άνθρωποι έπαιρναν το γάμο στα σοβαρά. Οι ώριμοι άνθρωποι πρώτα σπούδαζαν και άρχιζαν καριέρες πριν εμπλακούν σοβαρά σε μια σχέση. Ήξερε ότι ποτέ δε θα ήμουν τόσο απερίσκεπτη και βλάκας και *μικροαστική* όσο εκείνη...

Έτριξα τα δόντια μου και προσπάθησα να συγκεντρωθώ, για να της απαντήσω.

Μετά το μάτι μου έπεσε στην πρόταση με την οποία έκλεινε το μήνυμά της και θυμήθηκα γιατί είχα αμελήσει να της γράψω νωρίτερα.

Έχεις πολύ καιρό να αναφέρεις τον Τζέικομπ, είχε γράψει. *Τι κάνει αυτό τον καιρό;*

Ο Τσάρλι της το υπαγόρευσε, ήμουν σίγουρη.

Αναστέναξα και πληκτρολόγησα γρήγορα, στριμώχνοντας την απάντηση στην ερώτησή της ανάμεσα σε δυο άλλες λιγότερο ευαίσθητες παραγράφους.

Ο Τζέικομπ είναι μια χαρά, υποθέτω. Δεν τον βλέπω και πολύ˙ περνάει το μεγαλύτερο μέρος του χρόνου του με μια αγέλη φίλους του κάτω στο Λα Πους αυτό τον καιρό.

Χαμογέλασα σαρκαστικά στον εαυτό μου, πρόσθεσα τα χαιρετίσματα του Έντουαρντ και πάτησα το "Αποστολή".

Δεν είχα συνειδητοποιήσει ότι ο Έντουαρντ στεκόταν πάλι σιωπηλά πίσω μου, μέχρι που έσβησα τον υπολογιστή και έσπρωξα την καρέκλα μου μακριά από το γραφείο. Ήμουν έτοιμη να τον μαλώσω που διάβαζε πάνω από τον ώμο μου, όταν κατάλαβα ότι δεν πρόσεχε εμένα. Εξέταζε ένα επίπεδο μαύρο κουτί με καλώδια που κουλουριαζόταν στραβά έξω από το κυρίως τετράγωνο κουτί, με έναν τρόπο που δεν έδειχνε υγιής, ό,τι κι αν ήταν αυτό. Μετά από ένα δευτερόλεπτο, αναγνώρισα το στερεοφωνικό αυτοκινήτου που μου είχαν πάρει στα τελευταία μου γενέθλια ο Έμετ, η Ρόζαλι κι ο Τζάσπερ. Είχα ξεχάσει τα δώρα των γενεθλίων που ήταν κρυμμένα κάτω από ένα συνεχώς αυξανόμενο σωρό από σκόνη στο πάτωμα της ντουλάπας μου.

«Τι του έκανες;» ρώτησε με έντρομη φωνή.

«Δεν ήθελε να βγει από το ταμπλό».

«Κι έτσι ένιωσες την ανάγκη να το βασανίσεις;»

«Ξέρεις πώς είμαι με τα εργαλεία. Οποιοσδήποτε πόνος δεν προκλήθηκε σκοπίμως».

Κούνησε το κεφάλι του, το πρόσωπό του μια μάσκα προσποιητής τραγωδίας. «Το σκότωσες».

Σήκωσα τους ώμους. «Ε, καλά».

«Θα πληγώνονταν αν το έβλεπαν αυτό», είπε. «Μάλλον καλύτερα που ήσουν σε κατ' οίκον περιορισμό. Πρέπει να πάρω ένα άλλο για να το αντικαταστήσω, πριν το προσέξουν».

«Ευχαριστώ, αλλά δε χρειάζομαι κανένα φανταχτερό στερεοφωνικό».

«Δε θα το αντικαταστήσω για χάρη δική σου».

Αναστέναξα.

«Δεν είδες και πολύ καλό από τα δώρα που πήρες πέρυσι στα γενέθλιά σου», είπε με φωνή δυσαρεστημένη. Ξαφνικά, έκανε αέρα στον εαυτό του με ένα σκληρό παραλληλόγραμμο χαρτί.

Δεν απάντησα, μήπως και η φωνή μου έτρεμε. Τα καταστροφικά μου δέκατα-όγδοα γενέθλια –με όλες τις μακροπρόθεσμες συνέπειές τους– δεν ήταν κάτι που ήθελα να θυμάμαι, και με ξάφνιασε το γεγονός ότι εκείνος είχε ανασύρει το θέμα. Ήταν πιο ευαίσθητος ακόμα κι από 'μένα.

«Συνειδητοποιείς ότι αυτά κοντεύουν να λήξουν;» ρώτησε, δείχνοντάς μου το χαρτί. Ήταν άλλο ένα δώρο –το κουπόνι για τα αεροπορικά εισιτήρια που μου είχαν δώσει η Έσμι κι ο Κάρλαϊλ, ώστε να μπορέσω να επισκεφτώ τη Ρενέ στη Φλόριντα.

Πήρα μια βαθιά ανάσα και απάντησα με υποτονική φωνή. «Όχι. Τα είχα ξεχάσει, για να πω την αλήθεια».

Η έκφρασή του ήταν επιφυλακτικά κεφάτη και θετική˙ δεν υπήρχε κανένα ίχνος κάποιας έντονης συναισθηματικής φόρτισης, καθώς συνέχισε. «Λοιπόν, προλαβαίνουμε ακόμα. Εσύ είσαι ελεύθερη… και δεν έχουμε κανονίσει τίποτα γι' αυτό το Σαββατοκύριακο, εφόσον αρνείσαι να πας στο χορό μαζί μου». Χαμογέλασε πλατιά. «Γιατί να μη γιορτάσουμε έτσι την ελευθερία σου;»

Ξεφώνισα πνιχτά. «Πηγαίνοντας στη Φλόριντα;»

«Είπες ότι οι ηπειρωτικές ΗΠΑ είναι μέσα στα επιτρεπτά όρια».

Τον αγριοκοίταξα, καχύποπτη, προσπαθώντας να καταλάβω από πού του είχε έρθει αυτή η ιδέα.

«Λοιπόν;» απαίτησε να μάθει. «Θα πάμε να δούμε τη Ρενέ ή όχι;»

«Ο Τσάρλι δε θα το επιτρέψει ποτέ».

«Ο Τσάρλι δεν μπορεί να σε εμποδίσει να επισκεφτείς τη

μητέρα σου. Εκείνη είναι ακόμα ο κύριος κηδεμόνας σου».

«Κανένας δεν είναι κηδεμόνας μου. Είμαι ενήλικη».

Ένα λαμπερό χαμόγελο άστραψε στο πρόσωπό του. «Ακριβώς».

Το σκέφτηκα για μια στιγμή, πριν αποφασίσω ότι δεν άξιζε τον κόπο ο τσακωμός. Ο Τσάρλι θα γινόταν έξαλλος –όχι που θα πήγαινα να δω τη Ρενέ, αλλά που θα ερχόταν μαζί κι ο Έντουαρντ. Ο Τσάρλι δε θα μου μιλούσε για μήνες, και πιθανότατα θα κατέληγα πάλι τιμωρημένη. Ήταν οπωσδήποτε πιο έξυπνο να μην το αναφέρω καν. Μπορεί σε μερικές βδομάδες, σαν χάρη για την αποφοίτησή μου ή κάτι τέτοιο.

Αλλά ήταν δύσκολο να αντισταθώ στην ιδέα τού να δω τη μητέρα μου *τώρα*, όχι σε μερικές βδομάδες από τώρα. Είχε περάσει τόσος καιρός από τότε που είδα τη Ρενέ. Και ακόμα περισσότερος από τότε που την είδα υπό ευχάριστες συνθήκες. Την τελευταία φορά που βρέθηκα μαζί της στο Φοίνιξ, είχα περάσει όλο μου το χρόνο σε ένα κρεβάτι νοσοκομείου. Την τελευταία φορά που είχε έρθει εδώ εκείνη, ήμουν λίγο-πολύ κατατονική. Δεν της άφησα ακριβώς και τις καλύτερες αναμνήσεις.

Και μπορεί, άμα έβλεπε πόσο χαρούμενη ήμουν με τον Έντουαρντ, να έλεγε στον Τσάρλι να μην είναι τόσο αυστηρός.

Ο Έντουαρντ περιεργαζόταν με προσοχή το πρόσωπό μου, ενώ εγώ συλλογιζόμουν.

Αναστέναξα. «Όχι αυτό το Σαββατοκύριακο».

«Γιατί όχι;»

«Δε θέλω να τσακωθώ με τον Τσάρλι. Όχι μόλις με συγχώρεσε».

Τα φρύδια του έσμιξαν. «Νομίζω ότι αυτό το Σαββατοκύριακο είναι τέλειο», μουρμούρισε.

Κούνησα το κεφάλι μου. «Άλλη φορά».

«Δεν είσαι η μόνη που ήταν παγιδευμένη μέσα σ' αυτό το

σπίτι, ξέρεις». Μου κατσούφιασε.

Η καχυποψία επανήλθε. Αυτού του είδους η συμπεριφορά δεν ήταν η συνηθισμένη του. Ήταν πάντα τόσο απίστευτα καθόλου εγωιστής˙ το ήξερα ότι είχα κακομάθει εξαιτίας αυτού του πράγματος.

«Εσύ μπορείς να πας όπου θες», επισήμανα.

«Ο έξω κόσμος δεν έχει κανένα ενδιαφέρον για 'μένα χωρίς εσένα».

Στριφογύρισα τα μάτια μου στο άκουσμα της υπερβολής.

«Σοβαρολογώ», είπε.

«Ας βγούμε ξανά στον έξω κόσμο σιγά-σιγά, εντάξει; Για παράδειγμα, θα μπορούσαμε να ξεκινήσουμε με μια ταινία στο Πορτ-Άντζελες...»

Αναστέναξε. «Ξέχνα το. Θα μιλήσουμε γι' αυτό αργότερα».

«Δεν υπάρχει τίποτα να πούμε».

Σήκωσε τους ώμους του.

«Εντάξει, λοιπόν, αλλαγή θέματος», είπα. Είχα σχεδόν ξεχάσει τις ανησυχίες μου σχετικά με το απόγευμα –μήπως αυτή ήταν η πρόθεσή του; «Τι είδε η Άλις την ώρα του μεσημεριανού;»

Τα μάτια μου ήταν καρφωμένα πάνω στο πρόσωπό του, ενώ μιλούσα, ζυγίζοντας την αντίδρασή του.

Η έκφρασή του ήταν ψύχραιμη˙ όμως τα όμοια με τοπάζια μάτια του σκλήρυναν ελάχιστα. «Είδε τον Τζάσπερ σε ένα παράξενο μέρος, κάπου στα νοτιοδυτικά, πιστεύει, κοντά στην προηγούμενη... οικογένειά του. Αλλά δεν έχει συνειδητή πρόθεση να γυρίσει εκεί». Αναστέναξε. «Την ανησύχησε».

«Α». Αυτό δεν προσέγγιζε ούτε κατά διάνοια αυτό που περίμενα εγώ. Αλλά, φυσικά, ήταν λογικό η Άλις να παρακολουθούσε το μέλλον του Τζάσπερ. Ήταν η αδερφή ψυχή της, το αληθινό άλλο της μισό, παρόλο που δεν ήταν τόσο επιδεικτικοί με τη σχέση τους όσο η Ρόζαλι με τον Έμετ. «Γιατί δε μου το είπες νωρίτερα;»

«Δεν κατάλαβα ότι το είχες προσέξει», είπε. «Εν πάση περιπτώσει, πιθανότατα δεν είναι τίποτα σπουδαίο».

Η φαντασία μου, δυστυχώς, είχε ξεφύγει από τον έλεγχο. Είχα πάρει ένα απόλυτα φυσιολογικό απόγευμα και το είχα διαστρεβλώσει, σε σημείο που να φαίνεται ότι ο Έντουαρντ έκανε ό,τι μπορούσε για να μου κρατήσει κάτι μυστικό. Χρειαζόμουν θεραπεία.

Κατεβήκαμε κάτω για να διαβάσουμε για το σχολείο, σε περίπτωση που ο Τσάρλι ερχόταν νωρίτερα. Ο Έντουαρντ τελείωσε μέσα σε λίγα λεπτά˙ εγώ έκανα επίπονες προσπάθειες να τελειώσω τις ασκήσεις των μαθηματικών, μέχρι που αποφάσισα ότι είχε έρθει η ώρα να φτιάξω το βραδινό του Τσάρλι. Ο Έντουαρντ βοήθησε, κάνοντας γκριμάτσες κάθε λίγο και λιγάκι, καθώς κοίταζε τα ωμά υλικά –η ανθρώπινη τροφή του ήταν ελαφρώς αποκρουστική. Έφτιαξα μοσχάρι στρόγκανοφ από τη συνταγή της γιαγιάς Σουάν, καθώς προσπαθούσα να καλοπιάσω τον Τσάρλι. Δεν ήταν από τα δικά μου αγαπημένα φαγητά, αλλά τον Τσάρλι θα τον ευχαριστούσε.

Ο Τσάρλι φαινόταν να έχει ήδη καλή διάθεση, όταν έφτασε σπίτι. Δεν έκανε καν ό,τι μπορούσε για να είναι αγενής απέναντι στον Έντουαρντ. Ο Έντουαρντ δεν κάθισε να φάει μαζί μας, όπως συνήθως. Ο ήχος των βραδινών ειδήσεων ερχόταν από το καθιστικό, αλλά αμφέβαλλα ότι ο Έντουαρντ παρακολουθούσε πραγματικά.

Αφού κατάφερε να κατεβάσει τρεις μερίδες, ο Τσάρλι ανέβασε με μια κλοτσιά τα πόδια του στην άδεια καρέκλα και σταύρωσε τα χέρια του ικανοποιημένος πάνω στο πρησμένο του στομάχι.

«Ήταν πολύ καλό, Μπελς».

«Χαίρομαι που σου άρεσε. Πώς πήγε η δουλειά;» Έτρωγε με υπερβολική συγκέντρωση πριν, ώστε να μπορέσω να ανοίξω κουβέντα.

«Ήταν κάπως βαρετά. Δηλαδή, πάρα πολύ βαρετά. Περάσαμε το μεγαλύτερο μέρος του απογεύματος παίζοντας χαρτιά με τον Μαρκ», παραδέχτηκε με ένα πλατύ χαμόγελο. «Κέρδισα, πήρα δεκαεννέα παρτίδες έναντι εφτά. Και μετά μίλησα στο τηλέφωνο με τον Μπίλι για λίγο».

Προσπάθησα να διατηρήσω την έκφρασή μου ίδια. «Τι κάνει;»

«Καλά, καλά. Οι αρθρώσεις του τον πονάνε λίγο».

«Α. Κρίμα».

«Ναι. Μας κάλεσε το Σαββατοκύριακο. Σκεφτόταν να καλέσει επίσης τους Κλίαργουοτερ και τους Γιούλεϊ. Κάτι σαν πάρτι για τα πλέι-οφ...»

«Α», ήταν η πανέξυπνη απάντησή μου. Αλλά τι μπορούσα να πω; Ήξερα ότι δε θα μου επιτρεπόταν να πάω σε πάρτι λυκανθρώπων, ακόμα και υπό γονική επιτήρηση. Αναρωτιόμουν αν ο Έντουαρντ θα είχε πρόβλημα που ο Τσάρλι περνούσε χρόνο στο Λα Πους; Ή μήπως, επειδή ο Τσάρλι περνούσε περισσότερο χρόνο με τον Μπίλι που ήταν κανονικός άνθρωπος, θεωρούσε ότι δεν κινδύνευε;

Σηκώθηκα και μάζεψα τα πιάτα σε μια στοίβα χωρίς να κοιτάζω τον Τσάρλι. Τα άφησα μέσα στο νεροχύτη κι άνοιξα το νερό. Ο Έντουαρντ εμφανίστηκε ξαφνικά κι άρπαξε μια πετσέτα για το σκούπισμα των πιάτων.

Ο Τσάρλι αναστέναξε και τα παράτησε για μια στιγμή, αν και φανταζόμουν ότι θα επανερχόταν στο θέμα, όταν θα ήμασταν ξανά μόνοι μας. Σηκώθηκε όρθιος και κατευθύνθηκε προς την τηλεόραση, όπως και κάθε βράδυ.

«Τσάρλι», είπε ο Έντουαρντ με τόνο κουβεντούλας.

Ο Τσάρλι σταμάτησε στη μέση της μικρής του κουζίνας. «Ναι;»

«Σου είπε ποτέ η Μπέλλα ότι οι γονείς μου της είχαν δώσει αεροπορικά εισιτήρια στα γενέθλιά της, για να επισκεφτεί τη Ρενέ;»

Εμένα μου έπεσε το πιάτο που έτριβα. Εξοστρακίστηκε στον πάγκο κι έκανε ένα θορυβώδη κρότο πέφτοντας στο πάτωμα. Δεν έσπασε, αλλά πιτσίλισε το δωμάτιο και τους τρεις μας με νερό ανακατεμένο με σαπουνάδα. Ο Τσάρλι δε φάνηκε να το παρατήρησε.

«Μπέλλα;» ρώτησε με σαστισμένη φωνή.

Κράτησα τα μάτια μου καρφωμένα στο πιάτο, καθώς το έπιανα. «Ναι, πράγματι».

Ο Τσάρλι ξεροκατάπιε, και μετά τα μάτια του ζάρωσαν, καθώς στράφηκε πάλι πίσω στον Έντουαρντ. «Όχι, δεν το ανέφερε ποτέ».

«Χμμμ», μουρμούρισε ο Έντουαρντ.

«Υπάρχει κάποιος λόγος που το αναφέρεις;» ρώτησε ο Τσάρλι με σκληρή φωνή.

Ο Έντουαρντ σήκωσε τους ώμους. «Κοντεύουν να λήξουν. Νομίζω ότι η Έσμι μπορεί να πληγωνόταν, αν η Μπέλλα δε χρησιμοποιήσει το δώρο της. Όχι ότι θα έλεγε τίποτα».

Κοίταξα τον Έντουαρντ επίμονα γεμάτη δυσπιστία.

Ο Τσάρλι σκέφτηκε για ένα λεπτό. «Πιθανότατα είναι καλή ιδέα να επισκεφτείς τη μαμά σου, Μπέλλα. Θα της άρεσε πολύ. Πάντως εκπλήσσομαι που δεν είπες τίποτα γι' αυτό».

«Το ξέχασα», παραδέχτηκα.

Κατσούφιασε. «Ξέχασες ότι κάποιος σου έδωσε αεροπορικά εισιτήρια;»

«Μμμμ», μουρμούρισα αόριστα και γύρισα πίσω στο νεροχύτη.

«Πρόσεξα ότι είπες ότι *κοντεύουν* να λήξουν, Έντουαρντ», συνέχισε ο Τσάρλι. «Πόσα εισιτήρια της έδωσαν οι γονείς σου;»

«Μόνο ένα για 'κείνη... κι ένα για 'μένα».

Το πιάτο που μου έπεσε αυτή τη φορά προσγειώθηκε στο νεροχύτη, έτσι δεν έκανε τόσο πολύ θόρυβο. Δεν ήταν δύσκολο να ακούσω το ξεφύσημα του πατέρα μου. Το αίμα μού ανέβηκε στο κεφάλι, τροφοδοτημένο από τον εκνευρισμό και τη δυσαρέσκεια. Γιατί το έκανε αυτό ο Έντουαρντ; Αγριοκοίταξα τις μπουρμπουλήθρες στο νεροχύτη σε κατάσταση πανικού.

«Αυτό αποκλείεται!» Ο Τσάρλι ξαφνικά ξέσπασε οργισμένος.

«Γιατί;» ρώτησε ο Έντουαρντ, με φωνή βουτηγμένη στην αθώα έκπληξη. «Μόλις είπες ότι ήταν καλή ιδέα να επισκεφτεί τη μητέρα της».

Ο Τσάρλι δεν του έδωσε σημασία. «Δε θα πας πουθενά με αυτόν, νεαρή μου!» ούρλιαξε. Γύρισα από την άλλη μεριά, και μου είχε σηκώσει το δάχτυλό του.

Θυμός με κατέκλυσε αυτόματα, μια ενστικτώδης αντίδραση στον τόνο του.

«Δεν είμαι παιδί, μπαμπά. Και δεν είμαι πια τιμωρημένη, το θυμάσαι;»

«Και βέβαια είσαι. Ξεκινώντας από τώρα».

«Για ποιο λόγο;»

«Επειδή το είπα εγώ».

«Χρειάζεται να σου θυμίσω ότι νομικά είμαι ενήλικη, Τσάρλι;»

«Αυτό είναι το σπίτι μου –πρέπει να ακολουθείς τους δικούς μου κανόνες!»

Το άγριο βλέμμα μου έγινε παγερό. «Αν το θέλεις έτσι. Θέλεις να μετακομίσω απόψε; Ή μπορώ να έχω μερικές μέρες για να μαζέψω τα πράγματά μου;»

Το πρόσωπο του Τσάρλι έγινε ένα ζωηρό κόκκινο. Αμέσως ένιωσα φρικτά που έπαιξα το χαρτί της μετακόμισης.

Πήρα μια βαθιά ανάσα και προσπάθησα να κάνω τον τόνο μου πιο λογικό. «Θα εκτίω την ποινή μου χωρίς παράπονα, όταν έχω κάνει κάτι κακό, μπαμπά, αλλά δε θα ανεχτώ τις προκαταλήψεις σου».

Πήγε να πει γρήγορα κάτι ακατάληπτο, αλλά δεν κατάφερε να βγάλει κάτι με συνοχή.

«Λοιπόν, ξέρω ότι κι *εσύ* ξέρεις ότι έχω κάθε δικαίωμα να δω τη μαμά το Σαββατοκύριακο. Δεν μπορείς να μου πεις ειλικρινά ότι θα είχες αντίρρηση στο σχέδιο αυτό, αν πήγαινα με την Άλις ή την Άντζελα».

«Κορίτσια», γρύλισε, με ένα κούνημα του κεφαλιού.

«Θα σε ενοχλούσε αν έπαιρνα μαζί τον Τζέικομπ;»

Είχα διαλέξει το όνομα αυτό μόνο επειδή ήξερα την προτίμηση του πατέρα μου για τον Τζέικομπ, αλλά γρήγορα ευχήθηκα να μην το είχα κάνει˙ τα δόντια του Έντουαρντ σφίχτηκαν με έναν κρότο που ακούστηκε αρκετά δυνατά.

Ο πατέρας μου πάσχισε να ξαναβρεί την ψυχραιμία του, πριν απαντήσει. «Ναι», είπε με φωνή καθόλου πειστική. «Θα με ενοχλούσε».

«Είσαι ψεύτης, μπαμπά».

«Μπέλλα—»

«Δεν είναι ότι πάω στο Λας Βέγκας για να γίνω χορεύτρια ή κάτι τέτοιο. Πάω να δω τη *μαμά*», του υπενθύμισα. «Είναι κι εκείνη κηδεμόνας μου εξίσου μ' εσένα».

Μου έριξε ένα βλέμμα που με άφησε άναυδη.

«Υπαινίσσεσαι κάτι για την ικανότητα της μαμάς να με φροντίζει;» ρώτησα.

Ο Τσάρλι τραβήχτηκε πίσω εξαιτίας της απειλής που υπέβοσκε στην ερώτησή μου.

«Να εύχεσαι καλύτερα να μην της το αναφέρω αυτό», είπα.

«Καλύτερα να μη το κάνεις», με προειδοποίησε. «Δεν είμαι χαρούμενος μ' αυτό, Μπέλλα».

«Δεν υπάρχει λόγος να εκνευρίζεσαι».

Στριφογύρισε τα μάτια του, αλλά κατάλαβα ότι η καταιγίδα είχε περάσει.

Γύρισα για να τραβήξω την τάπα από το νεροχύτη. «Λοιπόν, έχω διαβάσει για το σχολείο, τα πιάτα είναι πλυμένα, και δεν είμαι τιμωρημένη. Θα βγω έξω. Θα γυρίσω πριν τις δέκα και μισή».

«Πού πας;» Το πρόσωπό του, σχεδόν πάλι φυσιολογικό, φούντωσε κι έγινε ελαφρώς κόκκινο ξανά.

«Δεν είμαι σίγουρη», παραδέχτηκα. «Θα παραμείνω σε μια ακτίνα δεκαπέντε χιλιομέτρων. Εντάξει;»

Γρύλισε κάτι που δεν ακούστηκε σαν επιδοκιμασία και βγήκε με καμαρωτά βήματα έξω από το δωμάτιο. Φυσικά, αμέσως μόλις κέρδισα τη μάχη, άρχισα να νιώθω ένοχη.

«Θα βγούμε έξω;» ρώτησε ο Έντουαρντ, με φωνή χαμηλή, αλλά γεμάτη ενθουσιασμό.

Γύρισα για να τον αγριοκοιτάξω. «Ναι. Νομίζω ότι θα ήθελα να σου μιλήσω κάπου *ιδιαιτέρως*».

Δε φαινόταν όσο θορυβημένος όσο πίστευα ότι θα έπρεπε να είναι.

Περίμενα, ώσπου να βρεθούμε με ασφάλεια μέσα στο αυτοκίνητό του, για να ξεκινήσω.

«Τι ήταν *αυτό;*» απαίτησα να μάθω.

«Ξέρω ότι θέλεις να δεις τη μητέρα σου, Μπέλλα –μιλάς γι' αυτό στον ύπνο σου. Ανησυχείς, μάλιστα».

«Αλήθεια;»

Κούνησε το κεφάλι του. «Αλλά, προφανώς, ήσουν υπερβολικά φοβητσιάρα για να αντιμετωπίσεις τον Τσάρλι, έτσι παρενέβηκα εγώ εκ μέρους σου».

«Παρενέβηκες; Με έριξες στους καρχαρίες!»

Στριφογύρισε τα μάτια του. «Δε νομίζω ότι διέτρεχες κανέναν κίνδυνο».

«Σου είπα ότι δεν ήθελα να τσακωθώ με τον Τσάρλι».

«Κανείς δεν είπε ότι έπρεπε».

Τον αγριοκοίταξα. «Δεν μπορώ να κρατηθώ, όταν γίνεται έτσι αυταρχικός –τα φυσικά εφηβικά μου ένστικτα με κάνουν να χάνω την ψυχραιμία μου».

Γέλασε πνιχτά. «Εντάξει, αυτό δεν είναι δικό μου φταίξιμο».

Τον κοίταξα επίμονα, κάνοντας υποθέσεις. Δε φάνηκε να το πρόσεξε. Το πρόσωπό του ήταν γαλήνιο, καθώς κοιτούσε έξω από το παρμπρίζ. Υπήρχε κάτι αφύσικο, αλλά δεν μπορούσα να διευκρινίσω τι ακριβώς ήταν αυτό. Ή μπορεί να ήταν απλά και πάλι η φαντασία μου που είχε ξεφύγει από τα όρια, όπως και το απόγευμα.

«Μήπως αυτή η ξαφνική επιθυμία να δεις τη Φλόριντα έχει να κάνει με το πάρτι στο σπίτι του Μπίλι;»

Το σαγόνι του σφίχτηκε. «Καθόλου. Δε θα είχε σημασία αν ήσουν εδώ ή στην άλλη άκρη του κόσμου, και πάλι δε θα πήγαινες».

Ήταν ακριβώς όπως και πριν με τον Τσάρλι –σαν να μου συμπεριφέρονταν σαν άτακτο παιδί. Έτριξα τα δόντια μου, για να μην αρχίσω να φωνάζω. Δεν ήθελα να τσακωθώ και με τον Έντουαρντ.

Ο Έντουαρντ αναστέναξε κι όταν μίλησε, η φωνή του ήταν ζεστή και βελούδινη ξανά. «Λοιπόν, τι θες να κάνουμε απόψε;» με ρώτησε.

«Μπορούμε να πάμε σπίτι σου; Έχω τόσο καιρό να δω την Έσμι».

Χαμογέλασε. «Θα της αρέσει πολύ. Ειδικά όταν μάθει πού θα πάμε αυτό το Σαββατοκύριακο».

Αναστέναξα ηττημένη.

Δεν μείναμε έξω αργά, όπως είχα υποσχεθεί. Δε με εξέπληξε που είδα τα φώτα ακόμα αναμμένα, όταν παρκάραμε μπροστά απ' το σπίτι –ήξερα ότι ο Τσάρλι θα περίμενε για να μου φωνάξει λίγο ακόμα.

«Καλύτερα να μην έρθεις μέσα», είπα. «Τα πράγματα θα γίνουν χειρότερα».

«Οι σκέψεις του είναι σχετικά ήρεμες», είπε ο Έντουαρντ. Η έκφρασή του με έκανε να αναρωτηθώ αν υπήρχε κάποιο αστείο που δεν είχα πιάσει. Οι άκρες του στόματός του συσπάστηκαν, πασχίζοντας να αντισταθούν σε ένα χαμόγελο.

«Θα τα πούμε αργότερα», μουρμούρισα.

Γέλασε και φίλησε την κορυφή του κεφαλιού μου. «Θα γυρίσω, όταν ο Τσάρλι θα ροχαλίζει».

Η τηλεόραση ήταν δυνατά, όταν μπήκα μέσα. Για λίγο σκέφτηκα την πιθανότητα να προσπαθήσω να τον αποφύγω.

«Θα μπορούσες να έρθεις εδώ, Μπέλλα;» φώναξε ο Τσάρλι, ματαιώνοντας αυτό το σχέδιο.

Τα πόδια μου σέρνονταν, καθώς έκανα τα πέντε αναγκαία βήματα.

«Τι συμβαίνει, μπαμπά;»

«Περάσατε καλά απόψε;» ρώτησε. Έμοιαζε να νιώθει άβολα. Έψαξα για κάποια κρυμμένα νοήματα στα λόγια του, πριν απαντήσω.

«Ναι», είπα διστακτικά.

«Τι κάνατε;»

Σήκωσα τους ώμους. «Κάναμε παρέα με την Άλις και τον Τζάσπερ. Ο Έντουαρντ κέρδισε την Άλις στο σκάκι, και μετά έπαιξα εγώ με τον Τζάσπερ. Με έθαψε».

Χαμογέλασα. Ο Έντουαρντ κι η Άλις την ώρα που έπαιζαν σκάκι ήταν ένα από τα πιο αστεία πράγματα που είχα δει ποτέ. Κάθονταν εκεί σχεδόν ακίνητοι, με το βλέμμα καρφωμένο στη σκακιέρα, ενώ η Άλις προέβλεπε τις κινήσεις που θα έκανε εκείνος, κι εκείνος διάβαζε τις κινήσεις που θα έκανε αυτή στο κεφάλι της. Έπαιζαν το μεγαλύτερο μέρος του παιχνιδιού μέσα στο μυαλό τους˙ νομίζω ότι ο καθένας τους είχε κουνήσει δυο πιόνια, όταν η Άλις ξαφνικά τίναξε πέρα το βασιλιά της και παραδόθηκε. Όλο αυτό κράτησε τρία λεπτά.

Ο Τσάρλι πάτησε το κουμπί του τηλεκοντρόλ που αφαιρεί τον ήχο της τηλεόρασης –ασυνήθιστη αντίδραση.

«Κοίτα, υπάρχει κάτι που πρέπει να πω». Κατσούφιασε, δείχνοντας ακόμα να νιώθει πολύ άβολα.

Κάθισα ακίνητη περιμένοντας. Το βλέμμα του διασταυρώθηκε με το δικό μου για ένα δευτερόλεπτο, πριν τα μάτια του στραφούν προς το πάτωμα. Δεν είπε τίποτα άλλο.

«Τι είναι, μπαμπά;»

Αναστέναξε. «Δεν είμαι καλός σ' αυτού του είδους τα πράγματα. Δεν ξέρω πώς ν' αρχίσω...»

Περίμενα πάλι.

«Εντάξει, Μπέλλα. Άκου». Σηκώθηκε από τον καναπέ κι άρχισε να περπατάει μπρος-πίσω στο δωμάτιο, κοιτάζοντας συνέχεια τα πόδια του. «Εσύ κι ο Έντουαρντ φαίνεστε να το πηγαίνετε αρκετά σοβαρά, κι υπάρχουν μερικά πράγματα που πρέπει να προσέχετε. Ξέρω ότι είσαι ενήλικη τώρα, αλλά είσαι ακόμα μικρή, Μπέλλα, και υπάρχουν πολλά σημαντικά πράγματα που πρέπει να ξέρεις όταν... να, όταν υπάρχει σωματική–»

«Α, σε παρακαλώ, *σε παρακαλώ*, όχι!» ικέτεψα, ενώ πετάχτηκα όρθια. «Σε παρακαλώ πες μου ότι δεν προσπαθείς να μου κάνεις κουβέντα για το σεξ, Τσάρλι».

Εκείνος αγριοκοίταξε το πάτωμα. «Είμαι πατέρας σου. Έχω ευθύνες. Θυμήσου, νιώθω εξίσου αμήχανα μ' εσένα».

«Δε νομίζω ότι αυτό είναι ανθρωπίνως δυνατό. Εν πάση περιπτώσει, η μαμά σε έχει προλάβει εδώ και δέκα χρόνια περίπου. Απαλλάσσεσαι».

«Πριν δέκα χρόνια δεν είχες αγόρι», μουρμούρισε απρόθυμα. Καταλάβαινα ότι πάλευε με την επιθυμία του να παρατήσει το θέμα. Και οι δυο στεκόμασταν όρθιοι, κοιτάζοντας το πάτωμα και μακριά ο ένας από τον άλλο.

«Δε νομίζω ότι τα βασικά έχουν αλλάξει και τόσο πολύ», ψέλλισα, και το πρόσωπό μου κοκκίνισε όσο και το δικό του. Αυτό ήταν χειρότερο κι από τον έβδομο κύκλο της κολάσεως* και το χειρότερο απ' όλα ήταν ότι ο Έντουαρντ ήξερε ότι αυτό θα επακολουθούσε. Δεν ήταν ν' απορεί κανείς που έδειχνε

* Ο έβδομος κύκλος της κολάσεως, σύμφωνα με τον ποιητή Δάντη, είναι ο κύκλος της βίας, όπου τιμωρούνται οι αυτόχειρες, καθώς οι ψυχές τους είναι παγιδευμένες μέσα σε δέντρα με πληγές, από τις οποίες τρέχει αίμα. (Σ.τ.Μ.)

τόσο γελαστός στο αμάξι.

«Απλώς πες μου ότι εσείς οι δύο φέρεστε υπεύθυνα», παρακάλεσε ο Τσάρλι, προφανώς ευχόμενος να άνοιγε μια τρύπα στο πάτωμα για να πέσει μέσα.

«Μην ανησυχείς γι' αυτό, μπαμπά, δε συμβαίνει τίποτα τέτοιο».

«Όχι ότι δε σε εμπιστεύομαι, Μπέλλα, αλλά ξέρω ότι δε θέλεις να μου πεις τίποτα γι' αυτό το θέμα, και ξέρεις ότι δε θέλω να ξέρω στην πραγματικότητα. Θα προσπαθήσω να είμαι ανοιχτόμυαλος, ωστόσο. Ξέρω ότι οι εποχές έχουν αλλάξει».

Γέλασα αδέξια. «Ίσως οι εποχές να άλλαξαν, αλλά ο Έντουαρντ είναι πολύ παλαιών αντιλήψεων. Δε χρειάζεται ν' ανησυχείς για τίποτα».

Ο Τσάρλι αναστέναξε. «Εμένα μου λες!» μουρμούρισε.

«Αχ!» Έβγαλα ένα βαθύ αναστεναγμό. «Πραγματικά μακάρι να μη με ανάγκαζες να το πω αυτό δυνατά, μπαμπά. *Πραγματικά*. Αλλά... είμαι... παρθένα, και δεν έχω άμεσα σχέδια να αλλάξω αυτή την κατάσταση».

Και οι δυο μας τραβηχτήκαμε πίσω, αλλά μετά το πρόσωπο του Τσάρλι χαλάρωσε. Φάνηκε να με πιστεύει.

«Μπορώ τώρα να πάω για ύπνο; *Σε παρακαλώ*».

«Σε ένα λεπτό», είπε.

«Ω, σε παρακαλώ, μπαμπά; Σε ικετεύω».

«Το δυσάρεστο κομμάτι πέρασε, στο υπόσχομαι», με διαβεβαίωσε.

Του έριξα μια γρήγορη ματιά και ήμουν ευγνώμων βλέποντας ότι έδειχνε πιο χαλαρός, ότι το πρόσωπό του είχε πάρει ξανά το φυσιολογικό του χρώμα. Βούλιαξε στον καναπέ αναστενάζοντας με ανακούφιση που είχε τελειώσει η αγόρευση σχετικά με το σεξ.

«Τι είναι τώρα;»

«Απλώς ήθελα να μάθω πώς πάει το θέμα της ισορροπίας».

«Α. Καλά, μάλλον. Κανόνισα με την Άντζελα σήμερα. Θα πάω να τη βοηθήσω να γράψει τις προσκλήσεις για την αποφοίτησή της. Θα είμαστε εμείς οι δυο, μόνο κορίτσια».

«Ωραία. Και με τον Τζέικ;»

Αναστέναξα. «Αυτό δεν το έχω σκεφτεί ακόμα, μπαμπά».

«Συνέχισε να προσπαθείς, Μπέλλα. Ξέρω ότι θα κάνεις το σωστό. Είσαι καλός άνθρωπος».

Ωραία. Άρα αν δεν έβρισκα κάποιον τρόπο να διορθώσω τα πράγματα με τον Τζέικ, τότε θα ήμουν *κακός* άνθρωπος; Αυτό ήταν χτύπημα κάτω από τη μέση.

«Καλά, καλά», συμφώνησα. Η αυτόματη απάντηση σχεδόν με έκανε να χαμογελάσω –ήταν κάτι που είχα κολλήσει από τον Τζέικομπ. Το είπα με τον ίδιο συγκαταβατικό τόνο που χρησιμοποιούσε με το δικό του πατέρα.

Ο Τσάρλι χαμογέλασε πλατιά και άναψε πάλι τον ήχο. Βούλιαξε ακόμα πιο βαθιά μέσα στα μαξιλάρια, ευχαριστημένος με όσα είχε καταφέρει απόψε. Κατάλαβα ότι θα έμενε αρκετή ώρα ακόμα ξύπνιος βλέποντας το παιχνίδι.

«Καληνύχτα, Μπελς».

«Τα λέμε το πρωί!» Έτρεξα προς τις σκάλες.

Ο Έντουαρντ είχε φύγει εδώ και αρκετή ώρα και δε θα επέστρεφε μέχρι να κοιμηθεί ο Τσάρλι –πιθανότατα είχε πάει για κυνήγι ή έκανε κάτι άλλο για να περάσει η ώρα– έτσι δε βιαζόμουν να ξεντυθώ για να πάω για ύπνο. Δεν είχα διάθεση να μείνω μόνη, αλλά σίγουρα δε θα κατέβαινα ξανά κάτω για να κάτσω με τον μπαμπά μου, για να αποφύγω την περίπτωση να θυμηθεί κάποια παράμετρο σεξουαλικής διαπαιδαγώγησης που δεν είχε αγγίξει πριν˙ με διαπέρασε ένα ρίγος.

Έτσι, χάρη στον Τσάρλι, ήμουν αναστατωμένη και ανήσυχη. Είχα μελετήσει για το σχολείο και δεν είχα την κατάλληλη διάθεση για να διαβάσω ή να ακούσω μουσική. Σκέφτηκα να πάρω τηλέφωνο τη Ρενέ για να της πω τα νέα για την επίσκεψή μου, αλλά μετά συνειδητοποίησα ότι στη Φλόριντα ήταν τρεις ώρες πιο μπροστά, και θα κοιμόταν.

Θα μπορούσα να πάρω την Άντζελα, μάλλον.

Αλλά ξαφνικά ήξερα ότι δεν ήταν η Άντζελα το άτομο στο οποίο ήθελα να μιλήσω. Που είχα ανάγκη να του μιλήσω.

Κοίταξα επίμονα το άδειο μαύρο παράθυρο, δαγκώνοντας τα χείλη μου. Δεν ξέρω πόση ώρα στεκόμουν εκεί ζυγίζοντας τα υπέρ και τα κατά –το να κάνω το σωστό για τον Τζέικομπ, να δω τον πιο στενό μου φίλο ξανά, να είμαι καλός άνθρωπος, έναντι στο να κάνω τον Έντουαρντ να γίνει έξαλλος από θυμό μαζί μου. Ίσως δέκα λεπτά. Ήταν αρκετή ώρα για να αποφασίσω ότι τα υπέρ ήταν βάσιμα, ενώ τα κατά όχι. Ο Έντουαρντ ανησυχούσε μόνο για την ασφάλειά μου, κι εγώ ήξερα ότι στ' αλήθεια δεν υπήρχε κανένα τέτοιο πρόβλημα.

Το τηλέφωνο δε θα μου φαινόταν χρήσιμο· ο Τζέικομπ αρνιόταν να απαντήσει στα τηλεφωνήματά μου από τότε που ο Έντουαρντ είχε επιστρέψει. Εξάλλου, είχα ανάγκη να τον δω –να τον δω να χαμογελάει ξανά, όπως παλιά. Είχα ανάγκη να αντικαταστήσω την τελευταία φριχτή ανάμνηση του προσώπου του, παραμορφωμένου, να σφαδάζει από τον πόνο, αν ήθελα να βρω ποτέ κάποια πνευματική ηρεμία.

Είχα ίσως μια ώρα. Θα μπορούσα να τρέξω γρήγορα κάτω στο Λα Πους και να γυρίσω, πριν ο Έντουαρντ καταλάβει ότι είχα φύγει. Είχε περάσει η ώρα που επιτρεπόταν να βγω έξω, αλλά θα τον ενδιέφερε αυτό τον Τσάρλι, εφόσον ο Έντουαρντ δεν είχε καμία σχέση; Ένας τρόπος υπήρχε για να μάθω.

Άρπαξα το μπουφάν μου κι έσπρωξα τα μπράτσα μου μέσα στα μανίκια, καθώς κατέβαινα τις σκάλες τρέχοντας.

Ο Τσάρλι σήκωσε τα μάτια του από το παιχνίδι, αμέσως γεμάτος καχυποψία.

«Σε πειράζει να πάω να δω τον Τζέικομπ απόψε;» ρώτησα χωρίς ανάσα. «Δε θα μείνω πολύ».

Αμέσως μόλις είπα το όνομα του Τζέικ, η έκφραση του Τσάρλι χαλάρωσε σε ένα αυτάρεσκο χαμόγελο. Δε φάνηκε να εκπλήσσεται καθόλου που το κήρυγμά του είχε τόσο γρήγορα αποτελέσματα. «Βέβαια, μικρή. Δεν υπάρχει κανένα πρόβλημα. Μείνε όση ώρα θες».

«Ευχαριστώ, μπαμπά», είπα ορμώντας έξω από την πόρτα.

Όπως και κάθε φυγάς, δεν μπορούσα να μην κοιτάζω πάνω από τον ώμο μου μερικές φορές, ενώ έτρεχα προς το φορτηγάκι μου, αλλά η νύχτα ήταν τόσο σκοτεινή, που δεν είχε κανένα νόημα στην πραγματικότητα. Έπρεπε να πάω ψηλαφώντας το πλαϊνό μέρος του φορτηγού μου για να βρω το χερούλι της πόρτας.

Τα μάτια μου μόλις που άρχιζαν να προσαρμόζονται, καθώς έσπρωξα τα κλειδιά στη μίζα. Τα έστριψα με δύναμη προς τ' αριστερά, αλλά αντί η μηχανή να πάρει μπρος μουγκρίζοντας εκκωφαντικά, απλώς έκανε ένα κλικ. Δοκίμασα ξανά με τα ίδια αποτελέσματα.

Και τότε μια μικρή κίνηση στην περιφέρεια του οπτικού μου πεδίου με έκανε να πεταχτώ.

«Ααα!» Έβγαλα μια άναρθρη κραυγή τρόμου, όταν είδα ότι δεν ήμουν μόνη μέσα στην καμπίνα του οδηγού.

Ο Έντουαρντ καθόταν πολύ ακίνητος, ένα αμυδρό λαμπερό σημείο μέσα στο σκοτάδι, ενώ μόνο τα χέρια του κινούνταν, καθώς γύριζε ένα μυστηριώδες μαύρο αντικείμενο γύρω-γύρω. Είχε το βλέμμα του καρφωμένο στο αντικείμενο όσο μιλούσε.

«Τηλεφώνησε η Άλις», μουρμούρισε.

Η Άλις! Να πάρει! Είχα ξεχάσει να τη λάβω υπόψη μου στα σχέδιά μου. Πρέπει να την είχε βάλει να με παρακολουθεί.

«Ανησύχησε, όταν το μέλλον σου εξαφανίστηκε ξαφνικά πριν πέντε λεπτά».

Τα μάτια μου, ήδη διάπλατα ανοιχτά από την έκπληξη, γούρλωσαν ακόμα περισσότερο.

«Επειδή δεν μπορεί να δει τους λύκους, ξέρεις», εξήγησε

εκείνος μουρμουρίζοντας το ίδιο χαμηλόφωνα. «Το είχες ξεχάσει; Όταν αποφασίζεις να μπλέξεις τη μοίρα σου με τη δικιά τους, εξαφανίζεσαι κι εσύ. Αυτό δεν μπορούσες να το ξέρεις, αυτό το καταλαβαίνω. Αλλά μπορείς να καταλάβεις γιατί αυτό μπορεί να με κάνει να έχω λιγάκι... άγχος; Η Άλις σε είδε να εξαφανίζεσαι και δεν μπορούσε καν να δει αν είχες γυρίσει σπίτι ή όχι. Το μέλλον σου χάθηκε, όπως και το δικό τους.

»Δεν είμαστε σίγουροι γιατί συμβαίνει αυτό. Ίσως κάποιος φυσικός αμυντικός μηχανισμός με τον οποίο γεννιούνται;» Μιλούσε περισσότερο στον εαυτό του τώρα, κοιτάζοντας ακόμα το εξάρτημα της μηχανής του φορτηγού μου, καθώς το στριφογύριζε στα χέρια του. «Αυτό δε φαίνεται τελείως σωστό, εφόσον εγώ δεν έχω κανένα πρόβλημα να διαβάσω τις σκέψεις τους. Των Μπλακ τουλάχιστον. Ο Κάρλαϊλ έχει μια θεωρία, ότι είναι επειδή οι ζωές τους κυριαρχούνται τόσο πολύ από τις μεταμορφώσεις τους. Είναι περισσότερο μια ακούσια αντίδραση παρά μια απόφαση. Εντελώς απρόβλεπτη, και αλλάζει τα πάντα σχετικά μ' εκείνους. Τη στιγμή εκείνη που αλλάζουν από τη μια μορφή στην άλλη, στην πραγματικότητα δεν υπάρχουν. Το μέλλον δεν μπορεί να τους συμπεριλάβει...»

Άκουγα τους στοχασμούς του σιωπηλή σαν πέτρα.

«Θα σου έχω φτιάξει το αμάξι σου για να πας σχολείο, σε περίπτωση που θες να οδηγήσεις η ίδια», με διαβεβαίωσε μετά από ένα λεπτό.

Με σφιγμένα χείλη, ξαναπήρα τα κλειδιά μου και βγήκα μουδιασμένη από το φορτηγάκι.

«Κλείσε το παράθυρό σου, αν δε θέλεις να έρθω απόψε. Θα καταλάβω», ψιθύρισε εκείνος λίγο πριν κλείσω την πόρτα χτυπώντας τη με δύναμη.

Μπήκα μέσα στο σπίτι με βαριά βήματα, χτυπώντας κι εκείνη την πόρτα με δύναμη.

«Τι έγινε;» απαίτησε να μάθει ο Τσάρλι από τον καναπέ.

«Το φορτηγό δεν παίρνει μπρος», γρύλισα.

«Θέλεις να του ρίξω μια ματιά;»

«Όχι. Θα δοκιμάσω το πρωί».

«Θέλεις να πάρεις το δικό μου αυτοκίνητο;»

Υποτίθεται ότι δεν επιτρεπόταν να οδηγώ το περιπολικό του. Ο Τσάρλι πρέπει να ήταν πολύ απεγνωσμένος να πάω στο Λα Πους. Σχεδόν εξίσου απεγνωσμένος μ' εμένα.

«Όχι. Είμαι κουρασμένη», γκρίνιαξα. «'Νύχτα».

Ανέβηκα τις σκάλες χτυπώντας τα πόδια μου με θόρυβο και πήγα κατευθείαν στο παράθυρό μου. Έσπρωξα το μεταλλικό πλαίσιο άγρια –έκλεισε βίαια και το γυαλί κουνήθηκε.

Κοίταξα το τρεμάμενο μαύρο γυαλί μέχρι που ακινητοποιήθηκε. Μετά αναστέναξα κι άνοιξα το παράθυρο όσο πιο διάπλατα μπορούσα.

3. ΚΙΝΗΤΡΑ

Ο ήλιος ήταν τόσο βαθιά θαμμένος πίσω από τα σύννεφα, που δεν υπήρχε κανένας τρόπος να καταλάβει κανείς αν είχε δύσει ή όχι. Μετά από την πτήση που διάρκεσε τόσο πολύ –κυνηγώντας προς τα δυτικά τον ήλιο, που έμοιαζε σαν να μην κουνιόταν στον ουρανό– αυτό ήταν εξαιρετικά αποπροσανατολιστικό˙ ο χρόνος έμοιαζε παράδοξα μεταβλητός. Ξαφνιάστηκα όταν στη θέση του δάσους φάνηκαν τα πρώτα κτίρια, σημάδι ότι κοντεύαμε σπίτι.

«Είσαι πολύ σιωπηλή», παρατήρησε ο Έντουαρντ. «Μήπως το αεροπλάνο σου προκάλεσε ναυτία;»

«Όχι, καλά είμαι».

«Λυπάσαι που φύγαμε;»

«Μάλλον νιώθω ανακούφιση παρά λύπη, νομίζω».

Σήκωσε το ένα του φρύδι. Ήξερα ότι δεν είχε νόημα και –όσο κι αν δε μου άρεσε να το παραδεχτώ– ότι ήταν περιττό να του ζητήσω να έχει τα μάτια του στο δρόμο.

«Η Ρενέ είναι τόσο πιο... *οξυδερκής* από τον Τσάρλι σε κάποιους τομείς. Με έκανε να νιώθω νευρικότητα».

Ο Έντουαρντ γέλασε. «Η μητέρα σου έχει ένα πολύ ενδιαφέρον μυαλό. Σχεδόν παιδικό, αλλά πολύ διορατικό. Βλέπει τα πράγματα διαφορετικά από τους άλλους ανθρώπους».

Διορατικό. Ήταν μια καλή περιγραφή της μητέρας μου –όταν έδινε προσοχή. Τον περισσότερο καιρό η Ρενέ ήταν τόσο μπερδεμένη με τη δική της ζωή, που δεν πρόσεχε και πολλά άλλα πράγματα. Αλλά αυτό το Σαββατοκύριακο έδωσε ιδιαίτερη προσοχή σ' εμένα.

Ο Φιλ ήταν απασχολημένος –η ομάδα μπέιζμπολ του λυκείου που προπονούσε ήταν στα πλέι-οφ– και το γεγονός ότι βρέθηκε μόνη μ' εμένα και τον Έντουαρντ της είχε οξύνει τη συγκέντρωσή της. Μόλις τελειώσαμε με τις αγκαλιές και τα ξεφωνητά χαράς, η Ρενέ άρχισε να παρατηρεί. Και παρατηρώντας, τα μεγάλα της μπλε μάτια είχαν γεμίσει στην αρχή σύγχυση και μετά ανησυχία.

Σήμερα το πρωί είχαμε πάει μια βόλτα στην παραλία. Ήθελε να μου δείξει όλες τις ομορφιές του καινούριου της σπιτιού, ακόμα ελπίζοντας, νομίζω, ότι ο ήλιος μπορεί να με δελέαζε να φύγω από το Φορκς. Ήθελε επίσης να μιλήσουμε μόνες μας, κι αυτό κανονίστηκε εύκολα. Ο Έντουαρντ είχε ήδη προφασιστεί μια ψεύτικη εργασία για το τέλος του τριμήνου, για να δώσει στον εαυτό του μια δικαιολογία να μείνει μέσα κατά τη διάρκεια της ημέρας.

Ξαναέπαιξα στο μυαλό μου την κουβέντα μας...

Η Ρενέ κι εγώ περπατούσαμε αργά κατά μήκος του πεζοδρομίου, προσπαθώντας να μείνουμε μέσα στα όρια της σκιάς των αραιών φοινικόδεντρων. Αν και ήταν νωρίς, η ζέστη ήταν αποπνικτική. Ο αέρας ήταν τόσο βαρύς από την υγρασία που και μόνο η εισπνοή και η εκπνοή έκαναν τα πνευμόνια μου να κουράζονται.

«Μπέλλα;» ρώτησε η μαμά μου, κοιτάζοντας πέρα από την άμμο, προς τα κύματα που έσκαγαν ελαφρά, καθώς μιλούσε.

«Τι είναι, μαμά;»

Αναστέναξε, χωρίς το βλέμμα της να διασταυρωθεί με το δικό μου. «Ανησυχώ...»

«Τι συμβαίνει;» ρώτησα, αμέσως γεμάτη αγωνία. «Πώς μπορώ να βοηθήσω;»

«Όχι για 'μένα». Κούνησε το κεφάλι της. «Ανησυχώ για 'σένα... και τον Έντουαρντ».

Η Ρενέ επιτέλους με κοίταξε, όταν είπε το όνομά του, με πρόσωπο απολογητικό.

«Α», ψέλλισα, καρφώνοντας το βλέμμα μου σε ένα ζευγάρι που έκανε τζόγκινγκ, καθώς μας προσπερνούσαν, λουσμένοι στον ιδρώτα.

«Εσείς οι δυο το πάτε πιο σοβαρά απ' όσο πίστευα», συνέχισε εκείνη.

Κατσούφιασα κάνοντας μια γρήγορη ανασκόπηση των τελευταίων δύο ημερών μέσα στο κεφάλι μου. Ο Έντουαρντ κι εγώ μετά βίας που είχαμε αγγίξει ο ένας τον άλλο –μπροστά της, τουλάχιστον. Αναρωτιόμουν αν και η Ρενέ ετοιμαζόταν να μου κάνει κήρυγμα πάνω στο θέμα της υπευθυνότητας. Δε με πείραζε όπως με τον Τσάρλι. Δεν ένιωθα αμηχανία με τη μαμά μου. Στο κάτω-κάτω, εγώ ήμουν αυτή που της είχα κάνει κήρυγμα τόσες και τόσες φορές μέσα στα δέκα τελευταία χρόνια.

«Υπάρχει κάτι... παράξενο στον τρόπο που οι δυο σας είστε μαζί», μουρμούρισε, ενώ το μέτωπό της ζάρωσε πάνω από τα ανήσυχα μάτια της. «Ο τρόπος που σε κοιτάζει –είναι τόσο... προστατευτικός. Σαν να είναι έτοιμος να ριχτεί μπροστά από μια σφαίρα για να σε σώσει ή κάτι τέτοιο».

Γέλασα, παρόλο που ακόμα δεν μπορούσα να την κοιτάξω στα μάτια. «Αυτό είναι κακό;»

«Όχι». Συνοφρυώθηκε, ενώ πάσχιζε να βρει τις λέξεις. «Είναι απλώς *διαφορετικό*. Είναι πολύ έντονος σε ότι αφορά εσένα... και πολύ προσεχτικός. Νιώθω σαν να μην καταλαβαίνω πραγματικά τη σχέση σας. Σαν να υπάρχει κάποιο μυστικό που δεν έχω πιάσει...»

«Νομίζω πως είναι της φαντασίας σου, μαμά», είπα γρήγορα, πασχίζοντας να διατηρήσω τη φωνή μου ανάλαφρη. Ένιωθα ένα ανακάτεμα μέσα στο στομάχι μου. Είχα ξεχάσει πόσα πολλά έβλεπε η μητέρα μου. Κάτι στον απλό τρόπο με τον οποίο έβλεπε τον κόσμο έκανε στην άκρη όλα όσα μπορεί να αποπροσανατόλιζαν κάποιον, κι έφτανε κατευθείαν στην αλήθεια των πραγμάτων. Αυτό δεν είχε αποτελέσει ποτέ ξανά πρόβλημα. Μέχρι τώρα, δεν είχε υπάρξει ποτέ κανένα μυστικό που να μην μπορούσα να της πω.

«Δεν είναι μόνο αυτός». Τα χείλη της πήραν μια αμυντική θέση. «Μακάρι να μπορούσες να δεις πώς κινείσαι γύρω του».

«Τι εννοείς;»

«Ο τρόπος που κινείσαι –προσανατολίζεσαι γύρω του χωρίς καν να το σκεφτείς. Όταν κινείται εκείνος, ακόμα και ελάχιστα, προσαρμόζεις κι εσύ ταυτόχρονα τη δική σου θέση. Σαν μαγνήτες... ή σαν τη βαρύτητα. Είσαι σαν ένας... δορυφόρος ή κάτι τέτοιο. Δεν έχω ξαναδεί ποτέ κάτι παρόμοιο».

Σούφρωσε τα χείλη της και κοίταξε κάτω.

«Μη μου πεις», την πείραξα χαμογελώντας βεβιασμένα. «Διαβάζεις ξανά ιστορίες μυστηρίου, έτσι δεν είναι; Ή μήπως είναι επιστημονική φαντασία αυτή τη φορά;»

Η Ρενέ πήρε ένα απαλό ροζ χρώμα. «Δεν είναι αυτό το θέμα».

«Βρήκες τίποτα καλό;»

«Να, υπήρχε ένα –αλλά δεν έχει σημασία. Τώρα μιλάμε για 'σένα».

«Καλύτερα να μείνεις στις ιστορίες αγάπης, μαμά. Ξέρεις ότι φρικάρεις εύκολα».

Τα χείλη της γύρισαν προς τα πάνω στις άκρες τους. «Είμαι ανόητη, έτσι δεν είναι;»

Για ένα δευτερόλεπτο δεν μπορούσα να μιλήσω. Ήταν τόσο

εύκολο να μεταπείσει κανείς τη Ρενέ. Μερικές φορές αυτό ήταν καλό, επειδή δεν ήταν όλες οι ιδέες της εφαρμόσιμες. Αλλά πονούσα βλέποντας πόσο γρήγορα είχε υποκύψει στην προσπάθειά μου να μειώσω τη σημασία όσων έλεγε, ειδικά εφόσον είχε απόλυτο δίκιο αυτή τη φορά.

Σήκωσε τα μάτια, κι εγώ ρύθμισα το ύφος μου.

«Όχι ανόητη –απλώς είσαι μαμά».

Γέλασε και μετά έκανε μια μεγαλόπρεπη χειρονομία προς τη λευκή άμμο που εκτεινόταν ως το γαλάζιο νερό.

«Κι όλα αυτά δεν αρκούν για να σε κάνουν να γυρίσεις πίσω, να μείνεις με την ανόητη μαμά σου;»

Εγώ σκούπισα το μέτωπό μου δραματικά με το χέρι μου και μετά έκανα ότι στύβω τα μαλλιά μου.

«Συνηθίζεις στην υγρασία», υποσχέθηκε.

«Μπορείς να συνηθίσεις και στη βροχή», αντέταξα.

Μου έδωσε μια αγκωνιά παιχνιδιάρικα και μετά έπιασε το χέρι μου, καθώς γυρίζαμε στο αμάξι της.

Πέρα από τις ανησυχίες της για 'μένα, έμοιαζε αρκετά ευτυχισμένη. Ακόμα κοίταζε τον Φιλ με λατρεία, κι αυτό ήταν παρηγορητικό. Σίγουρα η ζωή της ήταν γεμάτη και της πρόσφερε ικανοποίηση. Σίγουρα δεν της έλειπα και τόσο πολύ, ακόμα και τώρα...

Τα παγωμένα δάχτυλα του Έντουαρντ χάιδεψαν το μάγουλό μου. Σήκωσα τα μάτια, ανοιγοκλείνοντας τα βλέφαρα, επιστρέφοντας πάλι στο παρόν. Εκείνος έσκυψε προς τα κάτω και φίλησε το μέτωπό μου.

«Φτάσαμε σπίτι, Ωραία Κοιμωμένη. Ώρα να ξυπνήσεις».

Είχαμε σταματήσει μπροστά από το σπίτι του Τσάρλι. Το φως της βεράντας ήταν αναμμένο, και το περιπολικό ήταν στο δρομάκι του πάρκινγκ. Καθώς περιεργαζόμουν το σπίτι, είδα την κουρτίνα να συσπάται στο παράθυρο του σαλονιού, ρίχνοντας μια δέσμη κίτρινου φωτός πάνω στο σκοτεινό γρασίδι.

Αναστέναξα. Φυσικά, ο Τσάρλι περίμενε για να μου ορμήσει.

Ο Έντουαρντ πρέπει να σκεφτόταν το ίδιο πράγμα, επειδή η έκφρασή του ήταν αυστηρή και τα μάτια του απόμακρα, την ώρα που ήρθε για να μου ανοίξει την πόρτα.

«Πόσο άσχημα;» ρώτησα.

«Ο Τσάρλι δεν πρόκειται να είναι δύστροπος», υποσχέθηκε ο Έντουαρντ, με φωνή ανέκφραστη χωρίς κανένα ίχνος διάθεσης. «Του έλειψες».

Τα μάτια μου ζάρωσαν γεμάτα αμφιβολία. Αν έτσι είχαν τα πράγματα, τότε γιατί ο Έντουαρντ είχε τσιτωθεί σαν να ετοιμαζόταν για μάχη;

Η τσάντα μου ήταν μικρή, αλλά επέμεινε να την κουβαλήσει μέσα στο σπίτι. Ο Τσάρλι μας κράτησε την πόρτα ανοιχτή.

«Καλώς ήρθες στο σπίτι, πιτσιρίκα!» φώναξε ο Τσάρλι σαν να το εννοούσε πραγματικά. «Πώς ήταν το Τζάκσονβιλ;»

«Υγρό. Και γεμάτο ζωύφια».

«Λοιπόν, η Ρενέ δε σε έπεισε για το πανεπιστήμιο της Φλόριντα;»

«Προσπάθησε. Αλλά το νερό προτιμώ να το πίνω παρά να το εισπνέω».

Τα μάτια του Τσάρλι τρεμόπαιξαν απρόθυμα προς τον Έντουαρντ. «Περάσατε καλά;»

«Ναι», απάντησε ο Έντουαρντ με γαλήνια φωνή. «Η Ρενέ ήταν πολύ φιλόξενη».

«Αυτό είναι… εε, καλό. Χαίρομαι που περάσατε καλά». Ο Τσάρλι γύρισε από την άλλη μεριά και με τράβηξε κοντά του σε μια αναπάντεχη αγκαλιά.

«Εντυπωσιακό», ψιθύρισα στ' αυτί του.

Γέλασε βροντερά. «Πραγματικά μου έλειψες, Μπελς. Το φαγητό εδώ πέρα είναι χάλια, όταν λείπεις».

«Θα το φροντίσω το θέμα», είπα, την ώρα που με άφηνε.

«Μπορείς να πάρεις πρώτα τηλέφωνο τον Τζέικομπ; Με έχει πρήξει, με παίρνει κάθε πέντε λεπτά από τις έξι το πρωί.

Του υποσχέθηκα ότι θα σε έβαζα να τον πάρεις πριν καν ξεπακετάρεις τα πράγματά σου».

Δε χρειαζόταν να κοιτάξω τον Έντουαρντ για να νιώσω ότι ήταν υπερβολικά ακίνητος, υπερβολικά ψυχρός δίπλα μου. Άρα αυτή η αιτία της έντασής του.

«Ο Τζέικομπ θέλει να μου μιλήσει;»

«Πάρα πολύ, θα έλεγα. Δεν ήθελε να μου πει για ποιο πράγμα –απλώς είπε ότι ήταν σημαντικό».

Τότε χτύπησε το τηλέφωνο, με ένα διαπεραστικό και απαιτητικό ήχο.

«Αυτός θα είναι πάλι, βάζω στοίχημα τον επόμενο μισθό μου», μουρμούρισε ο Τσάρλι.

«Θα το σηκώσω εγώ». Μπήκα βιαστικά στην κουζίνα.

Ο Έντουαρντ με ακολούθησε, ενώ ο Τσάρλι εξαφανίστηκε στο σαλόνι.

Άρπαξα το τηλέφωνο στη μέση του κουδουνίσματος και γύρισα απ' την άλλη, ώστε να έχω απέναντί μου τον τοίχο. «Εμπρός;»

«Γύρισες», είπε ο Τζέικομπ.

Η οικεία βραχνή φωνή του έκανε ένα κύμα νοσταλγίας να με κατακλύσει. Χίλιες αναμνήσεις στροβιλίστηκαν μέσα στο κεφάλι μου σε έναν κυκεώνα –μια βραχώδης παραλία διάσπαρτη με ξεβρασμένα κλαδιά, ένα γκαράζ φτιαγμένο από πλαστικά παραπήγματα, ζεστά αναψυκτικά σε μια χαρτοσακούλα, ένα μικροσκοπικό δωμάτιο με ένα υπερβολικά μικρό διθέσιο καναπέ στα κακά του τα χάλια. Το γέλιο μέσα στα βαθιά μαύρα μάτια του, η ζεστασιά του μεγάλου χεριού του γύρω μου, η λάμψη των λευκών δοντιών του που έκαναν αντίθεση με το σκούρο δέρμα του, το πρόσωπό του που τεντωνόταν για να σχηματιστεί το πλατύ χαμόγελο, που πάντα ήταν σαν κλειδί σε μια μυστική πόρτα, όπου μόνο συγγενή πνεύματα μπορούσαν να περάσουν.

Ένιωθα κάτι σαν νοσταλγία για το σπίτι μου, αυτή την επιθυμία για τον τόπο και το πρόσωπο που μου είχαν προσφέρει καταφύγιο στην πιο σκοτεινή μου νύχτα.

Καθάρισα τον κόμπο από το λαιμό μου. «Ναι», απάντησα.

«Γιατί δε με πήρες τηλέφωνο;» απαίτησε να μάθει ο Τζέικομπ.

Ο θυμωμένος του τόνος αμέσως έκανε την πλάτη μου να τεντωθεί. «Επειδή είμαι σπίτι ακριβώς τέσσερα δευτερόλεπτα, και το τηλεφώνημά σου διέκοψε τον Τσάρλι που μου έλεγε ότι είχες πάρει τηλέφωνο».

«Α. Συγνώμη».

«Εντάξει. Τώρα, γιατί παρενοχλείς τον Τσάρλι;»

«Πρέπει να σου μιλήσω».

«Ναι, αυτό το κατάλαβα και μόνη μου. Για λέγε».

Ακολούθησε μια σύντομη παύση.

«Θα πας σχολείο αύριο;»

Συνοφρυώθηκα, ανίκανη να βγάλω νόημα από την ερώτησή του. «Φυσικά και θα πάω. Γιατί να μην πάω;»

«Δεν ξέρω. Απλώς είμαι περίεργος».

Άλλη μια παύση.

«Λοιπόν, για ποιο πράγμα ήθελες να μου μιλήσεις, Τζέικ;»

Δίστασε. «Για τίποτα ιδιαίτερο, μάλλον. Ήθελα... ήθελα να ακούσω τη φωνή σου».

«Ναι, το ξέρω. Χαίρομαι *τόσο* πολύ που πήρες, Τζέικ. Εγώ...» Αλλά δεν ήξερα τι άλλο να πω. Ήθελα να του πω ότι ερχόμουν στο Λα Πους αυτή τη στιγμή. Και αυτό δεν μπορούσα να του το πω.

«Πρέπει να κλείσω», είπε απότομα.

«Τι;»

«Θα τα πούμε σύντομα, εντάξει;»

«Μα Τζέικ–»

Είχε ήδη κλείσει. Άκουσα τον ήχο του τηλεφώνου που είχε

κλείσει γεμάτη δυσπιστία.

«Σύντομο ήταν», μουρμούρισα.

«Όλα εντάξει;» ρώτησε ο Έντουαρντ. Η φωνή του ήταν χαμηλή και προσεχτική.

Γύρισα αργά για να τον κοιτάξω. Η έκφρασή του ήταν απόλυτα ήρεμη –ήταν αδύνατον να τη διαβάσω.

«Δεν ξέρω. Αναρωτιέμαι γιατί πήρε». Δεν έβγαζε νόημα που ο Τζέικομπ καταδίωκε όλη την ημέρα τον Τσάρλι μόνο και μόνο για να με ρωτήσει αν θα πήγαινα σχολείο αύριο. Κι αν ήθελε να ακούσει τη φωνή μου, τότε γιατί έκλεισε τόσο γρήγορα;

«Εσύ μάλλον μπορείς να καταλάβεις καλύτερα από 'μένα», είπε ο Έντουαρντ, με το ίχνος ενός χαμόγελου να τραβάει ελαφρώς την άκρη του στόματός του.

«Μμμ», μουρμούρισα. Αυτό ήταν αλήθεια. Ήξερα τον Τζέικ απ' την καλή κι απ' την ανάποδη. Δε θα έπρεπε να είναι τόσο περίπλοκο να καταλάβω τα κίνητρά του.

Με τις σκέψεις μου χιλιόμετρα μακριά –περίπου είκοσι-πέντε χιλιόμετρα μακριά, στο δρόμο που έφτανε στο Λα Πους– άρχισα να χτενίζω το ψυγείο, συγκεντρώνοντας υλικά για το βραδινό του Τσάρλι. Ο Έντουαρντ ακούμπησε πάνω στον πάγκο, κι εγώ ένιωθα από μακριά ότι τα μάτια του ήταν καρφωμένα στο πρόσωπό μου, αλλά ήμουν υπερβολικά προβληματισμένη για να ανησυχήσω σχετικά με το τι διάβαζαν εκεί.

Το θέμα του σχολείου μου φαινόταν να είναι το κλειδί της υπόθεσης. Αυτή ήταν η μοναδική πραγματική ερώτηση που μου είχε κάνει ο Τζέικομπ. Και λογικά έπρεπε να ψάχνει κάποια απάντηση σε κάτι, αλλιώς δε θα είχε πρήξει τον Τσάρλι με τόση επιμονή.

Όμως, γιατί να έχουν τόση σημασία γι' αυτόν οι σχολικές μου παρουσίες;

Προσπάθησα να το σκεφτώ με λογικό τρόπο. Λοιπόν, αν

δεν πήγαινα σχολείο αύριο, ποιο θα ήταν το πρόβλημα, από την οπτική γωνία του Τζέικομπ; Ο Τσάρλι μου είχε γκρινιάξει λιγάκι που θα έχανα μια μέρα σχολείο τόσο κοντά στις τελικές εξετάσεις, αλλά τον είχα πείσει ότι μια Παρασκευή δε θα ανέτρεπε όλο το ακαδημαϊκό μου μέλλον. Τον Τζέικ ελάχιστα θα τον ένοιαζε αυτό.

Ο εγκέφαλός μου αρνείτο να αποκτήσει κάποια λαμπρή ενόραση. Ίσως μου έλειπε κάποια ζωτικής σημασίας πληροφορία.

Τι θα μπορούσε να είχε αλλάξει μέσα στις τελευταίες τρεις μέρες, που ήταν τόσο σημαντικό, ώστε ο Τζέικ να παρατήσει τη μακροχρόνια πεισματική του άρνηση να απαντήσει στα τηλεφωνήματά μου και να επικοινωνήσει μαζί μου; Τι ρόλο μπορούσαν να παίξουν τρεις μέρες;

Κοκάλωσα στη μέση της κουζίνας. Η συσκευασία με τα κατεψυγμένα χάμπουργκερ που κρατούσα στα χέρια μου γλίστρησε μέσα από τα μουδιασμένα μου δάχτυλα. Μου πήρε ένα δευτερόλεπτο για να καταλάβω ότι δεν έκανε το γδούπο που θα έπρεπε πέφτοντας στο πάτωμα.

Ο Έντουαρντ την είχε πιάσει και την είχε πετάξει πάνω στον πάγκο. Τα χέρια του ήταν ήδη γύρω μου, τα χείλη του στο αυτί μου.

«Τι συμβαίνει;»

Κούνησα το κεφάλι μου παραζαλισμένη.

Τρεις μέρες μπορούσαν να είχαν αλλάξει τα πάντα.

Μόλις πριν λίγο δε σκεφτόμουν πόσο αδύνατον ήταν να πάω στο πανεπιστήμιο; Ότι δε θα μπορούσα να βρίσκομαι κοντά σε ανθρώπους, αφού θα είχα υποστεί τη διαδικασία της οδυνηρής τριήμερης μεταμόρφωσης, που θα με ελευθέρωνε από τη θνητότητα, ώστε να μπορώ να περάσω την αιωνιότητα μαζί με τον Έντουαρντ; Η μεταμόρφωση που θα με έκανε για πάντα δέσμια της ίδιας μου της δίψας…

Μήπως ο Τσάρλι είχε πει στον Μπίλι ότι είχα εξαφανιστεί

για τρεις μέρες; Μήπως ο Μπίλι είχε βιαστεί να βγάλει συμπεράσματα; Ο Τζέικομπ με ρωτούσε στην πραγματικότητα αν ήμουν ακόμα άνθρωπος; Βεβαιωνόταν ότι η συνθήκη των λυκανθρώπων δεν είχε σπάσει –ότι κανένας από τους Κάλεν δεν είχε τολμήσει να δαγκώσει κάποιον άνθρωπο... να δαγκώσει, όχι να σκοτώσει...;

Μα πίστευε ειλικρινά ότι αν συνέβαινε αυτό θα γύριζα σπίτι στον Τσάρλι;

Ο Έντουαρντ με ταρακούνησε. «Μπέλλα;» ρώτησε, πραγματικά με αγωνία τώρα.

«Νομίζω... νομίζω ότι έκανε έλεγχο», ψέλλισα. «Έκανε έλεγχο για να βεβαιωθεί. Ότι είμαι άνθρωπος, θέλω να πω».

Ο Έντουαρντ έγινε άκαμπτος, κι ένας χαμηλός συριγμός ακούστηκε στο αυτί μου.

«Θα πρέπει να φύγουμε», ψιθύρισα. «Πριν. Ώστε να μη σπάσει η συνθήκη. Δε θα μπορέσουμε ποτέ να γυρίσουμε».

Τα χέρια του σφίχτηκαν πιο πολύ γύρω μου. «Το ξέρω».

«Αχμ», ο Τσάρλι καθάρισε τη φωνή του δυνατά πίσω μας.

Εγώ πετάχτηκα και μετά ελευθερώθηκα από την αγκαλιά του Έντουαρντ, ενώ το πρόσωπό μου είχε ανάψει. Ο Έντουαρντ ακούμπησε πάλι στον πάγκο. Τα μάτια του ήταν σφιγμένα. Έβλεπα ανησυχία μέσα τους και θυμό.

«Αν δε θέλεις να φτιάξεις βραδινό, μπορώ να παραγγείλω μια πίτσα», υπαινίχθηκε ο Τσάρλι.

«Όχι, δεν πειράζει, έχω ήδη αρχίσει».

«Εντάξει», είπε ο Τσάρλι. Στηρίχτηκε πάνω στο πλαίσιο της πόρτας σταυρώνοντας τα χέρια του.

Αναστέναξα κι έπιασα δουλειά, προσπαθώντας να αγνοήσω το ακροατήριό μου.

«Αν σου ζητούσα να κάνεις κάτι, θα με εμπιστευόσουν;» ρώτησε ο Έντουαρντ με αγωνία στην απαλή φωνή του.

Είχαμε σχεδόν φτάσει στο σχολείο. Ο Έντουαρντ ήταν χαλαρός και αστειευόταν μέχρι και πριν μια στιγμή, και τώρα ξαφνικά τα χέρια του ήταν σφιγμένα δυνατά πάνω στο τιμόνι, οι αρθρώσεις των δαχτύλων του πάσχιζαν με κόπο να μην το κάνουν κομμάτια.

Κοίταξα επίμονα τη γεμάτη αγωνία έκφρασή του –τα μάτια του ήταν απόμακρα, σαν να άκουγε φωνές από μακριά.

Ο σφυγμός μου επιταχύνθηκε ως αντίδραση στο άγχος του, αλλά απάντησα προσεχτικά. «Εξαρτάται».

Μπήκαμε στο πάρκινγκ του σχολείου.

«Το φοβόμουν ότι αυτό θα έλεγες».

«Τι θέλεις να κάνω, Έντουαρντ;»

«Να μείνεις μέσα στο αμάξι». Πάρκαρε στη συνηθισμένη του θέση και έσβησε τη μηχανή, καθώς μιλούσε. «Θέλω να περιμένεις εδώ, μέχρι να γυρίσω να σε πάρω».

«Μα… *γιατί;*»

Τότε ήταν που τον είδα. Θα ήταν δύσκολο να μην τον προσέξω, έτσι όπως ξεπερνούσε τόσο πολύ σε ύψος τους υπόλοιπους μαθητές, ακόμα κι αν ήταν ακουμπισμένος πάνω στη μαύρη μοτοσικλέτα του, που ήταν παρκαρισμένη παράνομα στο πεζοδρόμιο.

«Ω».

Το πρόσωπο του Τζέικομπ ήταν μια ψύχραιμη μάσκα που αναγνώριζα πολύ καλά. Ήταν το πρόσωπο που χρησιμοποιούσε, όταν ήταν αποφασισμένος να κρατήσει υπό έλεγχο τα συναισθήματά του, να συγκρατήσει τον εαυτό του. Τον έκανε να μοιάζει με τον Σαμ, τον πιο μεγάλο από τους λύκους, τον αρχηγό της αγέλης των Κουιλαγιούτ. Αλλά ο Τζέικομπ δεν κατόρθωνε ποτέ να έχει την απόλυτη γαλήνη που έβγαινε πάντα από τον Σαμ.

Είχα ξεχάσει πόσο πολύ με ενοχλούσε αυτό το πρόσωπο. Αν και είχα γνωρίσει τον Σαμ αρκετά καλά, πριν γυρίσουν οι Κάλεν –είχα φτάσει σε σημείο να τον συμπαθώ κιόλας– δεν είχα καταφέρει ποτέ να διώξω την απέχθεια που ένιωθα, όταν ο Τζέικομπ μιμείτο την έκφραση του Σαμ. Ήταν το πρόσωπο ενός ξένου. Δεν ήταν ο δικός μου Τζέικομπ, όταν είχε αυτή την έκφραση.

«Βιάστηκες να βγάλεις λάθος συμπέρασμα χθες το βράδυ», μουρμούρισε ο Έντουαρντ. «Σε ρώτησε για το σχολείο, γιατί ήξερε ότι εγώ θα ήμουν εκεί που είσαι κι εσύ. Έψαχνε ένα ασφαλές μέρος για να μου μιλήσει. Ένα μέρος με μάρτυρες».

Άρα είχα παρερμηνεύσει τα κίνητρα του Τζέικομπ χθες το βράδυ. Ελλιπείς πληροφορίες, αυτό ήταν το πρόβλημα. Πληροφορίες, όπως το γιατί στο καλό ο Τζέικομπ θα μπορούσε να θέλει να μιλήσει στον Έντουαρντ.

«Δεν πρόκειται να μείνω στο αμάξι», είπα.

Ο Έντουαρντ αναστέναξε χαμηλόφωνα. «Φυσικά και όχι. Λοιπόν, ας τελειώνουμε».

Το πρόσωπο του Τζέικομπ έγινε πιο σκληρό, καθώς περπατούσαμε προς το μέρος του, πιασμένοι χέρι-χέρι.

Παρατήρησα κι άλλα πρόσωπα –τα πρόσωπα των συμμαθητών μου. Παρατήρησα πώς τα μάτια τους γούρλωσαν, καθώς κοίταζαν από πάνω μέχρι κάτω τα δύο μέτρα του σώματος του Τζέικομπ. Τους μύες που κανένας φυσιολογικός έφηβος στην ηλικία των δεκαέξι και μισό δεν είχε. Είδα τα μάτια εκείνα να χτενίζουν το σφιχτό μαύρο του φανελάκι –κοντομάνικο, αν και η μέρα ήταν αρκετά κρύα για την εποχή– το ξεφτισμένο του τζιν, λερωμένο με γράσα, και τη γυαλιστερή μαύρη μηχανή στην οποία ακουμπούσε. Τα μάτια τους δε στέκονταν πολλή ώρα στο πρόσωπό του –κάτι στην έκφρασή του τους έκανε να παίρνουν γρήγορα το βλέμμα τους από 'κει. Και πρόσεξα τη μεγάλη απόσταση που κρατούσαν όλοι απ' αυτόν, το μεγάλο κύκλο της έκτασης γύρω του, που κανείς δεν τολμούσε να παραβιάσει.

Με μια αίσθηση κατάπληξης, συνειδητοποίησα ότι ο Τζέικομπ φαινόταν *επικίνδυνος* σ' εκείνους. Τι παράξενο.

Ο Έντουαρντ σταμάτησε μερικά μέτρα μακριά από τον Τζέικομπ, και κατάλαβα ότι ένιωθε άβολα που ήμουν τόσο κοντά σε ένα λυκάνθρωπο. Τέντωσε ελαφρώς το χέρι του προς τα πίσω, τραβώντας με σχεδόν στη μέση, πίσω από το σώμα του.

«Θα μπορούσες να μας είχες πάρει τηλέφωνο», είπε ο Έντουαρντ με φωνή σκληρή σαν ατσάλι.

«Λυπάμαι», απάντησε ο Τζέικομπ, ενώ το πρόσωπό του παραμορφώθηκε σε ένα περιφρονητικό χαμόγελο. «Δεν έχω βάλει καμία βδέλλα στις ταχείες κλήσεις μου».

«Θα μπορούσες να με βρεις στο σπίτι της Μπέλλα, φυσικά».

Το σαγόνι του Τζέικομπ σφίχτηκε, και τα φρύδια του έσμιξαν. Δεν απάντησε.

«Αυτό δεν είναι ούτε κατά διάνοια κατάλληλο μέρος, Τζέικομπ. Μπορούμε να το συζητήσουμε αργότερα;»

«Καλά, καλά. Θα περάσω από την κρύπτη σου μετά το σχολείο». Ο Τζέικομπ ξεφύσηξε ειρωνικά. «Τι πρόβλημα υπάρχει με το τώρα;»

Ο Έντουαρντ κοίταξε γύρω με σημασία, και τα μάτια του στάθηκαν στους μάρτυρες που μόλις μετά βίας απείχαν αρκετά, ώστε να μην ακούνε. Μερικά άτομα δίσταζαν στο πεζοδρόμιο, με μάτια που έλαμπαν από την προσμονή. Σαν να ήλπιζαν ότι θα ξεσπούσε καβγάς για να μετριάσει την ανία ενός ακόμα δευτεριάτικου πρωινού. Είδα τον Τάιλερ Κρόλεϊ να σκουντάει τον Όστιν Μαρκς, και σταμάτησαν και οι δύο στο δρόμο τους προς την τάξη.

«Ξέρω ήδη το λόγο για τον οποίο ήρθες», ο Έντουαρντ υπενθύμισε στον Τζέικομπ με φωνή τόσο χαμηλή που κι εγώ ακόμα μετά βίας μπορούσα να ακούσω. «Το μήνυμα παραδόθηκε. Θεώρησε ότι έχουμε λάβει την προειδοποίηση».

Ο Έντουαρντ χαμήλωσε το βλέμμα του προς εμένα για ένα φευγαλέο δευτερόλεπτο με ανήσυχα μάτια.

«Την προειδοποίηση;» ρώτησα ανέκφραστα. «Για τι πράγμα μιλάτε;»

«Δεν της το είπες;» ρώτησε ο Τζέικομπ, με μάτια που γούρλωσαν από τη δυσπιστία. «Τι, φοβόσουν ότι θα έπαιρνε το δικό μας μέρος;»

«Σε παρακαλώ, σταμάτα, Τζέικομπ», είπε ο Έντουαρντ με σταθερή φωνή.

«Γιατί;» τον προκάλεσε ο Τζέικομπ.

Κατσούφιασα μπερδεμένη. «Τι είναι αυτό που δεν ξέρω; Έντουαρντ;»

Ο Έντουαρντ απλώς αγριοκοίταξε τον Τζέικομπ, σαν να μη με είχε ακούσει.

«Τζέικ;»

Ο Τζέικομπ σήκωσε το ένα του φρύδι. «Δε σου είπε ότι ο μεγάλος του... *αδερφός* πέρασε τα όρια το Σάββατο το βράδυ;» ρώτησε, με τόνο γεμάτο σαρκασμό. Μετά τα μάτια του τρεμόπαιξαν πίσω προς τον Έντουαρντ. «Ο Πολ ήταν εντελώς δικαιολογημένος που—»

«Ήταν νεκρή ζώνη!» είπε ο Έντουαρντ μέσα από τα δόντια του.

«Δεν ήταν!»

Ο Τζέικομπ άφριζε από το θυμό του ξεκάθαρα. Τα χέρια του έτρεμαν. Κούνησε το κεφάλι του και ρούφηξε δυο μεγάλες εισπνοές αέρα.

«Ο Έμετ κι ο Πολ;» ψιθύρισα. Ο Πολ ήταν ο πιο άστατος αδερφός στην αγέλη. Αυτός ήταν που είχε χάσει τον έλεγχο εκείνη την ημέρα στο δάσος –η ανάμνηση του γκρίζου λύκου που γρύλιζε ξαφνικά ήταν πολύ ζωντανή μέσα στο κεφάλι μου. «Τι συνέβη; Τσακώθηκαν;» Η φωνή μου έγινε πιο διαπεραστική, γεμάτη πανικό. «Γιατί; Έπαθε κάτι ο Πολ;»

«Κανείς δεν τσακώθηκε», είπε ο Έντουαρντ ήρεμα, μόνο σ' εμένα. «Κανείς δεν έπαθε τίποτα. Μην αγχώνεσαι».

Ο Τζέικομπ μας κοίταζε με μάτια γεμάτα δυσπιστία. «Δεν της είπες τίποτα απολύτως, έτσι δεν είναι; Γι' αυτό την πήρες και φύγατε; Για να μην ξέρει ότι–;»

«Φύγε τώρα». Ο Έντουαρντ τον διέκοψε στη μέση της πρότασής του, και το πρόσωπό του απότομα έγινε τρομακτικό –αληθινά τρομακτικό. Για ένα δευτερόλεπτο έμοιαζε με... με *βρικόλακα*. Αγριοκοίταξε τον Τζέικομπ με μια μοχθηρή απέχθεια που δεν προσπάθησε να κρύψει.

Ο Τζέικομπ σήκωσε τα φρύδια του, αλλά δεν έκανε καμία άλλη κίνηση. «Γιατί δεν της το είπες;»

Κοιτάχτηκαν για μια στιγμή σιωπηλοί. Περισσότεροι μαθητές συγκεντρώθηκαν πίσω από τον Τάιλερ και τον Όστιν. Είδα τον Μάικ δίπλα στον Μπεν –ο Μάικ είχε το ένα του χέρι πάνω στον ώμο του Μπεν, σαν να τον κρατούσε εκεί πέρα.

Μέσα στην απόλυτη σιωπή, όλες οι λεπτομέρειες ξαφνικά συμπλήρωσαν το παζλ με ένα ξέσπασμα διαίσθησης.

Κάτι που ο Έντουαρντ δεν ήθελε να ξέρω.

Κάτι που ο Τζέικομπ δε θα μου είχε κρατήσει κρυφό.

Κάτι που είχε κάνει τους Κάλεν και τους λύκους να μπουν στο δάσος, κινούμενοι σε επικίνδυνα κοντινή απόσταση μεταξύ τους.

Κάτι που θα έκανε τον Έντουαρντ να επιμένει να πετάξω μαζί του στην άλλη άκρη της χώρας.

Κάτι που είχε δει η Άλις σε ένα όραμα την περασμένη βδομάδα –ένα όραμα για το οποίο ο Έντουαρντ μου είχε πει ψέματα.

Κάτι που το περίμενα, ούτως ή άλλως. Κάτι που ήξερα ότι θα συνέβαινε ξανά, όσο κι αν ήθελα να μη συμβεί ποτέ. Δε θα τελείωνε ποτέ. Σωστά;

Άκουσα το γρήγορο ξεφύσημα που έβγαινε με κόπο από τα χείλη μου, αλλά δεν μπορούσα να το σταματήσω. Ήταν σαν να κουνιόταν το σχολείο, σαν να γινόταν σεισμός, αλλά ήξερα ότι ήταν το δικό μου τρέμουλο που δημιουργούσε την παραίσθηση.

«Γύρισε εκείνη να με βρει», είπα πνιχτά.

Η Βικτόρια δε θα το έβαζε κάτω ποτέ, μέχρι να πεθάνω.

Θα συνέχιζε να επαναλαμβάνει το ίδιο μοτίβο –παραπλάνηση-διαφυγή, παραπλάνηση-διαφυγή– μέχρι που θα έβρισκε κάποιο κενό, για να περάσει μέσα από τον κλοιό των υπερασπιστών μου.

Μπορεί να στεκόμουν τυχερή. Μπορεί οι Βολτούρι να έρχονταν πρώτοι –εκείνοι θα με σκότωναν πιο γρήγορα, τουλάχιστον.

Ο Έντουαρντ με κράτησε σφιχτά στο πλάι του, δίνοντας μια κλίση στο σώμα του, ώστε να βρίσκεται ακόμα ανάμεσα σ' εμένα και τον Τζέικομπ, και χάιδεψε το πρόσωπό μου με χέρια γεμάτα αγωνία. «Είναι όλα μια χαρά», μου ψιθύρισε. «Είναι όλα μια χαρά. Δε θα την αφήσω ποτέ να σε πλησιάσει, είναι όλα μια χαρά».

Μετά αγριοκοίταξε τον Τζέικομπ. «Μήπως αυτό είναι η απάντηση στην ερώτησή σου, μπασταρδόσκυλο;»

«Δεν πιστεύεις ότι η Μπέλλα έχει το δικαίωμα να ξέρει;» τον προκάλεσε ο Τζέικομπ. «Δική της είναι η ζωή».

Ο Έντουαρντ διατήρησε τη φωνή του πνιχτή˙ ακόμα κι ο Τάιλερ, που προχώρησε αρκετά μπροστά, δε θα μπορούσε να ακούσει. «Γιατί να την τρομάξω, όταν ποτέ δεν κινδύνευσε;»

«Καλύτερα να τρόμαζε, παρά να της πεις ψέματα».

Προσπάθησα να ξαναβρώ την ψυχραιμία μου, αλλά τα μάτια μου ήταν ποτισμένα στην υγρασία. Το έβλεπα πίσω από τα βλέφαρα –έβλεπα το πρόσωπο της Βικτόρια, τα χείλη της τραβηγμένα πίσω πάνω από τα δόντια της, τα βυσσινί της μάτια να λάμπουν από τη μανία της εκδίκησης˙ θεωρούσε τον Έντουαρντ υπεύθυνο για τον αφανισμό του αγαπημένου της, του Τζέιμς. Δε θα σταματούσε, μέχρι που να του στερούσε και τη δική του αγαπημένη.

Ο Έντουαρντ σκούπισε τα δάκρυα από το μάγουλό μου με τις άκρες των δαχτύλων του.

«Πιστεύεις πραγματικά ότι το να την πληγώσω είναι καλύτερο από το να την προστατεύσω;» μουρμούρισε.

«Είναι πιο σκληρή απ' ό,τι νομίζεις», είπε ο Τζέικομπ. «Κι έχει περάσει και χειρότερα».

Απότομα, η έκφραση του Τζέικομπ άλλαξε, και κοίταζε τον Έντουαρντ με μια περίεργη σκεφτική έκφραση. Τα μάτια του ζάρωσαν, σαν να προσπαθούσε να λύσει κάποια δύσκολη μαθηματική εξίσωση στο μυαλό του.

Ένιωσα τον Έντουαρντ να τραβιέται προς τα πίσω. Σήκωσα τα μάτια για να τον κοιτάξω, και το πρόσωπό του ήταν παραμορφωμένο από κάτι που μόνο πόνος μπορούσε να είναι. Για μια φρικτή στιγμή, θυμήθηκα το απόγευμά μας στην Ιταλία, στο μακάβριο δωμάτιο του πύργου των Βολτούρι, όπου η Τζέιν είχε βασανίσει τον Έντουαρντ με το κακόβουλο χάρισμά της, καίγοντάς τον μόνο με τις σκέψεις της...

Η ανάμνηση με έκανε να βγω ξαφνικά από την παραλίγο υστερία μου και να δω τα πάντα από άλλη οπτική γωνία. Επειδή θα προτιμούσα να με σκότωνε η Βικτόρια εκατό φορές, παρά να ξαναδώ τον Έντουαρντ να υποφέρει έτσι.

«Αυτό έχει πλάκα», είπε ο Τζέικομπ γελώντας, καθώς παρακολουθούσε το πρόσωπο του Έντουαρντ.

Ο Έντουαρντ έκανε ένα μορφασμό, αλλά με κάποιο κόπο η έκφρασή του έγινε ήρεμη ξανά. Δεν μπορούσε να κρύψει εντελώς την οδύνη μέσα στα μάτια του.

Κοίταζα με γουρλωμένα μάτια, μια το μορφασμό του Έντουαρντ και μια το περιφρονητικό γέλιο του Τζέικομπ.

«Τι του κάνεις;» απαίτησα να μάθω.

«Δεν είναι τίποτα, Μπέλλα», μου είπε ο Έντουαρντ χαμηλόφωνα. «Ο Τζέικομπ έχει απλώς πολύ καλή μνήμη, αυτό είναι όλο».

Ο Τζέικομπ χαμογέλασε μοχθηρά, και το πρόσωπο του Έντουαρντ συσπάστηκε ξανά.

«Σταμάτα! Ό,τι κι αν είναι αυτό που κάνεις».

«Βέβαια, αν το θέλεις». Ο Τζέικομπ σήκωσε τους ώμους. «Δε φταίω εγώ αν δεν του αρέσουν αυτά που θυμάμαι, πάντως».

Τον αγριοκοίταξα, κι εκείνος μου χαμογέλασε σκανταλιάρικα –σαν παιδί που το τσάκωσε να κάνει αταξία κάποιος που ξέρει ότι δε θα το τιμωρήσει.

«Ο διευθυντής έρχεται για να αποθαρρύνει την άσκοπη παραμονή στην ιδιοκτησία του σχολείου από εξωσχολικούς», μουρμούρισε ο Έντουαρντ σ' εμένα. «Ας πάμε στα αγγλικά, Μπέλλα, για να μη βρεθείς κι εσύ μπλεγμένη».

«Υπερπροστατευτικός, δεν είναι;» είπε ο Τζέικομπ μιλώντας μόνο σ' εμένα. «Μερικοί μπελάδες κάνουν τη ζωή πιο διασκεδαστική. Άσε με να μαντέψω, δεν επιτρέπεται να διασκεδάζεις, έτσι;»

Ο Έντουαρντ τον αγριοκοίταξε, και τα χείλη του τραβήχτηκαν πίσω πάνω από τα δόντια του τόσο ανεπαίσθητα.

«Σκάσε, Τζέικ», είπα.

Ο Τζέικομπ γέλασε. «Αυτό μου ακούγεται σαν όχι. Ε, αν ποτέ θελήσεις να αποκτήσεις ξανά ζωή, μπορείς να έρθεις να με δεις. Έχω ακόμα τη μοτοσικλέτα σου στο γκαράζ μου».

Αυτά τα νέα μου αποπροσανατόλισαν την προσοχή. «Υποτίθεται ότι θα την πούλαγες. Υποσχέθηκες στον Τσάρλι ότι θα την πούλαγες». Αν δεν είχα ικετέψει εκ μέρους του Τζέικ –στο κάτω-κάτω, είχε αφιερώσει βδομάδες δουλειάς και στις δυο μηχανές, και του άξιζε κάποιου είδους πληρωμή– ο Τσάρλι θα είχε πετάξει τη μηχανή μου σε κανένα κάδο για μπάζα. Και πιθανότατα θα είχε βάλει φωτιά στον κάδο.

«Ναι, καλά. Λες και θα το έκανα. Σ' εσένα ανήκει, όχι σ' εμένα. Έτσι κι αλλιώς, θα την κρατήσω, μέχρι να τη θέλεις πάλι πίσω».

Ένα μικροσκοπικό ίχνος του χαμόγελου που θυμόμουν έπαιζε ξαφνικά στις άκρες των χειλιών του.

«Τζέικ...»

Έσκυψε μπροστά, με πρόσωπο σοβαρό τώρα, καθώς ο πικρός σαρκασμός έσβηνε. «Νομίζω ότι μπορεί να είχα άδικο παλιά, ξέρεις, σχετικά με το ότι δεν μπορούμε να είμαστε φίλοι. Μπορεί να τα καταφέρναμε, από τη δική μου πλευρά. Έλα να με δεις».

Είχα έντονη συναίσθηση του Έντουαρντ, ακίνητου σαν πέτρα, με τα χέρια του ακόμα τυλιγμένα προστατευτικά γύρω μου. Έριξα ένα γρήγορο βλέμμα στο πρόσωπό του –ήταν ήρεμο, υπομονετικό.

«Εγώ, εε, δεν είμαι σίγουρη γι' αυτό, Τζέικ».

Ο Τζέικομπ άφησε το ανταγωνιστικό προσωπείο εντελώς. Ήταν λες και είχε ξεχάσει ότι ο Έντουαρντ ήταν εκεί ή τουλάχιστον ήταν αποφασισμένος να κάνει ότι το είχε ξεχάσει. «Μου λείπεις κάθε μέρα, Μπέλλα. Δεν είναι το ίδιο χωρίς εσένα».

«Το ξέρω και λυπάμαι, Τζέικ. Απλώς... »

Κούνησε το κεφάλι του κι αναστέναξε. «Ξέρω. Δεν έχει σημασία, έτσι δεν είναι; Υποθέτω ότι θα τα βγάλω πέρα ή κάτι τέτοιο. Ποιος έχει ανάγκη από φίλους;» Έκανε ένα μορφασμό, προσπαθώντας να κρύψει τον πόνο με μια ελαφριά προσπάθεια να το παίξει σκληρός.

Το γεγονός ότι ο Τζέικομπ υπέφερε, πάντα προκαλούσε την προστατευτικότητά μου. Δεν ήταν εντελώς λογικό –ο Τζέικομπ δε χρειαζόταν καμία σωματική προστασία που θα μπορούσα να προσφέρω εγώ. Αλλά τα χέρια μου, ακινητοποιημένα απ' τα χέρια του Έντουαρντ, λαχταρούσαν να απλωθούν προς το μέρος του. Να τυλιχτούν γύρω από τη μεγάλη, ζεστή του μέση σε μια σιωπηλή υπόσχεση αποδοχής και παρηγοριάς.

Τα προστατευτικά χέρια του Έντουαρντ είχαν γίνει δεσμά.

«Εντάξει, πηγαίνετε στο μάθημά σας», ακούστηκε πίσω μας μια αυστηρή φωνή. «Προχωρήστε, κύριε Κρόλεϊ».

«Πήγαινε σχολείο, Τζέικ», ψιθύρισα εγώ με αγωνία, αμέσως μόλις αναγνώρισα τη φωνή του διευθυντή. Ο Τζέικομπ πήγαινε στο σχολείο του καταυλισμού των Κουιλαγιούτ, αλλά και πάλι μπορεί να έμπλεκε σε μπελάδες για καταπάτηση χώρου ή κάτι τέτοιο.

Ο Έντουαρντ με άφησε ελεύθερη, πιάνοντας απλώς το χέρι μου και τραβώντας με πίσω από το σώμα του ξανά.

Ο κύριος Γκριν έσπρωξε τον κύκλο των θεατών για να περάσει, ενώ τα φρύδια του σπρώχνονταν σαν απειλητικά σύννεφα καταιγίδας πάνω από τα μικρά του μάτια.

«Το εννοώ», προειδοποίησε. «Τιμωρία για όσους εξακολουθούν να στέκονται εδώ, όταν ξαναγυρίσω».

Το ακροατήριο εξαφανίστηκε, πριν τελειώσει την πρότασή του.

«Α, κύριε Κάλεν. Έχουμε κάποιο πρόβλημα εδώ;»

«Καθόλου, κύριε Γκριν. Μόλις πηγαίναμε στο μάθημα».

«Έξοχα. Δε μου φαίνεται ότι αναγνωρίζω το φίλο σας». Ο κύριος Γκριν γύρισε το άγριο βλέμμα του προς τον Τζέικομπ. «Είστε καινούριος μαθητής εδώ πέρα;»

Τα μάτια του κύριου Γκριν εξέταζαν προσεχτικά τον Τζέικομπ, κι έβλεπα ότι είχε βγάλει το ίδιο συμπέρασμα με τους υπόλοιπους: επικίνδυνος. Απ' αυτούς που προκαλούν φασαρίες.

«Όχι», απάντησε ο Τζέικομπ, με τα πλατιά του χείλη να μισοχαμογελάνε υπεροπτικά.

«Τότε προτείνω να φύγετε από την ιδιοκτησία του σχολείου αμέσως, νεαρέ μου, πριν τηλεφωνήσω στην αστυνομία».

Το μικρό υπεροπτικό χαμόγελο του Τζέικομπ έγινε ένα τεράστιο ειρωνικό χαμόγελο, και ήξερα ότι φανταζόταν τον Τσάρλι να εμφανίζεται για να τον συλλάβει. Αυτό το χαμόγελο ήταν υπερβολικά πικρόχολο, υπερβολικά κοροϊδευτικό για να με ικανοποιήσει. Αυτό δεν ήταν το χαμόγελο που περίμενα να δω.

Ο Τζέικομπ είπε: «Μάλιστα, κύριε», και χαιρέτησε στρατιωτικά, πριν ανέβει πάνω στη μηχανή του και την κλοτσήσει για να πάρει μπρος, εκεί ακριβώς που ήταν στο πεζοδρόμιο.

Η μηχανή βρυχήθηκε, και μετά τα λάστιχα σκλήρισαν, καθώς πήρε απότομα στροφή. Μέσα σε λίγα δευτερόλεπτα ο Τζέικομπ είχε γίνει καπνός.

Ο κύριος Γκριν έτριξε τα δόντια του, ενώ παρακολουθούσε την παράσταση.

«Κύριε Κάλεν, περιμένω να ζητήσετε από το φίλο σας να αποφύγει να καταπατήσει το χώρο μας ξανά».

«Δεν είναι φίλος μου, κύριε Γκριν, αλλά θα μεταβιβάσω την προειδοποίηση».

Ο κύριος Γκριν σούφρωσε τα χείλη του. Οι άψογοι βαθμοί του Έντουαρντ και το άσπιλο ιστορικό του ήταν ξεκάθαρα ένας παράγοντας στην αξιολόγηση του περιστατικού από τον κύριο Γκριν. «Κατάλαβα. Αν ανησυχείτε για φασαρίες, θα χαιρόμουν να—»

«Δεν υπάρχει κανένας λόγος ανησυχίας, κύριε Γκριν. Δε θα υπάρξουν καθόλου φασαρίες».

«Ελπίζω να γίνει πράγματι έτσι. Λοιπόν, στην τάξη σας. Κι εσείς, δεσποινίς Σουάν».

Ο Έντουαρντ έγνεψε και με τράβηξε γρήγορα μαζί του προς το κτίριο όπου γινόταν το μάθημα των αγγλικών.

«Νιώθεις αρκετά καλά για να πάμε στο μάθημα;» ψιθύρισε, όταν είχαμε προσπεράσει το διευθυντή.

«Ναι», του ψιθύρισα κι εγώ, όχι εντελώς σίγουρη αν αυτό δεν ήταν ψέμα.

Το αν ένιωθα καλά ή όχι δεν ήταν το πιο σπουδαίο πράγμα που έπρεπε να σκεφτώ. Είχα ανάγκη να μιλήσω στον Έντουαρντ αμέσως, και το μάθημα των αγγλικών δεν ήταν το πιο ιδανικό μέρος για την κουβέντα που είχα υπόψη.

Αλλά με τον κύριο Γκριν ακριβώς από πίσω μας, δεν υπήρχαν και πολλές άλλες επιλογές.

Φτάσαμε στο μάθημα κάπως καθυστερημένα και πήγαμε να καθίσουμε αμέσως. Ο κύριος Μπέρτι απήγγειλε ένα ποίημα του Φροστ. Δεν έδωσε σημασία στην είσοδό μας, αρνούμενος να μας αφήσει να του χαλάσουμε το ρυθμό.

Έσκισα μια λευκή σελίδα από το τετράδιό μου κι άρχισα να γράφω, με χειρότερα γράμματα απ' ό,τι συνήθως, χάρη στην αναστάτωσή μου.

Τι συνέβη; Πες τα μου όλα. Κι άσε τις βλακείες ότι θες να με προστατέψεις, σε παρακαλώ.

Έσπρωξα το σημείωμα προς τον Έντουαρντ. Αναστέναξε και μετά άρχισε να γράφει. Του πήρε λιγότερο χρόνο από 'μένα, αν και έγραψε μια ολόκληρη παράγραφο με το δικό του προσωπικό καλλιγραφικό χαρακτήρα, πριν σπρώξει πάλι κρυφά το χαρτί προς εμένα.

Η Άλις είδε ότι η Βικτόρια θα επέστρεφε. Σε πήρα να φύγουμε από την πόλη μόνο προληπτικά – δεν υπήρχε ποτέ καμία περίπτωση να σε πλησιάσει. Ο Έμετ κι ο Τζάσπερ παραλίγο να την πιάσουν, αλλά η Βικτόρια φαίνεται ότι έχει κάποιο ένστικτο διαφυγής. Ξέφυγε ακριβώς πάνω στη συνοριακή γραμμή με τη γη των Κουιλαγιούτ, λες και τη διάβαζε σε κάποιο χάρτη. Δε βοήθησε το γεγονός ότι οι ικανότητες της Άλις ακυρώθηκαν από την εμπλοκή των Κουιλαγιούτ. Για να είμαι δίκαιος, μπορεί να την είχαν πιάσει κι οι Κουιλαγιούτ, αν δεν είχαμε μπλεχτεί εμείς στα πόδια τους. Ο μεγάλος γκρίζος λύκος νόμισε ότι ο Έμετ είχε περάσει τη γραμμή και προσπάθησε να αμυνθεί. Φυσικά, η Ρόζαλι αντέδρασε σε αυτό, κι όλοι άφησαν την καταδίωξη για να προστατεύσουν τους συντρόφους τους. Ο Κάρλαϊλ κι ο Τζάσπερ ηρέμησαν τα πράγματα, πριν βγουν εκτός ελέγχου. Αλλά ως εκείνη τη στιγμή, η Βικτόρια είχε ξεφύγει. Αυτά είναι όλα.

Κατσούφιασα κοιτάζοντας τα γράμματα πάνω στη σελίδα. Όλοι τους είχαν μπλεχτεί σ' αυτό –ο Έμετ, ο Τζάσπερ, η Άλις, η Ρόζαλι και ο Κάρλαϊλ. Ίσως ακόμα και η Έσμι, αν και δεν την είχε αναφέρει. Και μετά ο Πολ και η υπόλοιπη αγέλη των Κουιλαγιούτ. Θα μπορούσε τόσο εύκολα να εξελιχτεί σε μάχη, στην οποία η μελλοντική μου οικογένεια θα αναμετριόταν με τους παλιούς μου φίλους. Οποιοσδήποτε απ' αυτούς θα μπορούσε να είχε πληγωθεί. Φανταζόμουν ότι οι λύκοι θα ήταν εκείνοι που θα κινδύνευαν περισσότερο, αλλά η εικόνα της μικροσκοπικής Άλις δίπλα σε κάποιον από τους τεράστιους λυκάνθρωπους, να πολεμάει...

Με διαπέρασε ένα ρίγος.

Προσεχτικά έσβησα με τη γόμα μου ολόκληρη την παράγραφο και μετά έγραψα από πάνω:

Κι ο Τσάρλι; Θα μπορούσε να πάει να βρει εκείνον.

Ο Έντουαρντ κουνούσε το κεφάλι του πριν τελειώσω, προφανώς σκοπεύοντας να υποβαθμίσει τη σημασία οποιουδήποτε κινδύνου για τον Τσάρλι. Άπλωσε το ένα του χέρι, αλλά εγώ τον αγνόησα κι άρχισα πάλι.

Αφού δεν ήσουν εδώ, δεν μπορείς να ξέρεις αν εκείνη δεν το σκεφτόταν αυτό. Η Φλόριντα ήταν κακή ιδέα.

Πήρε το χαρτί από κάτω από το χέρι μου.

Δεν είχα σκοπό να σε στείλω εκεί μόνη σου. Με τη δική σου τύχη, δε θα έμενε ούτε καν το μαύρο κουτί.

Δεν ήταν αυτό που ήθελα να πω καθόλου˙ δεν είχα σκεφτεί την πιθανότητα να πήγαινα χωρίς εκείνον. Εννοούσα ότι θα έπρεπε να είχαμε μείνει εδώ μαζί. Αλλά η απάντηση του με αποπροσανατόλισε και λιγάκι με εκνεύρισε. Λες και δεν μπορούσα να ταξιδέψω πετώντας χωρίς να κάνω το αεροπλάνο να πέσει. Πολύ αστείο.

Ας πούμε, λοιπόν, ότι η κακή μου τύχη πράγματι έκανε το αεροπλάνο να συντριβεί. Τι ακριβώς θα έκανες εσύ γι' αυτό;

Γιατί συντρίβεται το αεροπλάνο;

Προσπαθούσε να κρύψει ένα χαμόγελο τώρα.

Οι πιλότοι έχουν λιποθυμήσει από το μεθύσι.

Εύκολο. Θα πιλοτάριζα το αεροπλάνο.

Φυσικά. Σούφρωσα τα χείλη μου και προσπάθησα ξανά.

Και οι δύο κινητήρες έχουν εκραγεί και στροβιλιζόμαστε σε μια θανατηφόρα πτώση προς τη γη.

Θα περίμενα μέχρι να βρεθούμε αρκετά κοντά στο έδαφος, θα σε έπιανα σφιχτά, θα γκρέμιζα τον τοίχο και θα πηδούσα. Μετά θα σε πήγαινα τρέχοντας πίσω στο σκηνικό του ατυχήματος, και θα ήμασταν οι δύο πιο τυχεροί επιζώντες στην ιστορία.

Τον κοίταξα βουβά.

«Τι;» ψιθύρισε.

Κούνησα το κεφάλι μου με δέος. «Τίποτα», είπα ψιθυριστά.

Έσβησα τον τρομακτικό διάλογο κι έγραψα άλλη μια γραμμή.

Θα μου πεις την επόμενη φορά.

Ήξερα ότι θα υπήρχε επόμενη φορά. Το μοτίβο θα συνεχιζόταν μέχρι να χάσει κάποιος.

Ο Έντουαρντ κοίταξε επίμονα μέσα στα μάτια μου. Αναρωτήθηκα πώς ήταν το πρόσωπό μου –το ένιωθα κρύο, άρα το αίμα δεν είχε επιστρέψει στα μάγουλά μου. Οι βλεφαρίδες μου ήταν ακόμα υγρές.

Αναστέναξε και μετά έγνεψε μια φορά.

Σ' ευχαριστώ.

Το χαρτί εξαφανίστηκε κάτω από το χέρι μου. Σήκωσα τα μάτια, ανοιγοκλείνοντάς τα με έκπληξη, την ώρα ακριβώς που ο κύριος Μπέρτι διέσχιζε το διάδρομο ανάμεσα στα θρανία.

«Μήπως υπάρχει κάτι που θα θέλατε να μοιραστείτε, κύριε Κάλεν;»

Ο Έντουαρντ κοίταξε πάνω αθώα και σήκωσε το φύλλο χαρτί που ήταν πάνω-πάνω στο ντοσιέ του. «Τις σημειώσεις μου;» ρώτησε, ενώ ακούστηκε μπερδεμένος.

Ο κύριος Μπέρτι έριξε μια ματιά στις σημειώσεις –χωρίς αμφιβολία μια τέλεια καταγραφή του μαθήματός του– και μετά έφυγε συνοφρυωμένος.

Αργότερα, στα μαθηματικά –το μοναδικό μου μάθημα χωρίς τον Έντουαρντ– άκουσα τα κουτσομπολιά.

«Εγώ ποντάρω στο μεγαλόσωμο Ινδιάνο», έλεγε κάποιος.

Σήκωσα κρυφά τα μάτια για να δω ότι ο Τάιλερ, ο Μάικ, ο Όστιν κι ο Μπεν είχαν σκύψει τα κεφάλια τους κοντά-κοντά και ήταν απορροφημένοι στη συζήτηση.

«Ναι», ψιθύρισε ο Μάικ. «Είδες το *μέγεθος* του παλικαριού, του Τζέικομπ; Νομίζω πως θα τον έτρωγε τον Κάλεν». Ο Μάικ ακούστηκε ευχαριστημένος με την ιδέα.

«Δε νομίζω», διαφώνησε ο Μπεν. «Ο Έντουαρντ έχει κάτι. Είναι πάντα τόσο... σίγουρος για τον εαυτό του. Έχω ένα προαίσθημα ότι μπορεί να φροντίσει τον εαυτό του».

«Εγώ είμαι με τον Μπεν», συμφώνησε ο Τάιλερ. «Εξάλλου, αν εκείνο το άλλο παιδί τα έβαζε με τον Έντουαρντ, ξέρεις ότι θα επενέβαιναν εκείνα τα μεγαλόσωμα αδέρφια του».

«Έχεις πάει τώρα τελευταία στο Λα Πους;» ρώτησε ο Μάικ. «Η Λόρεν κι εγώ πήγαμε στην παραλία πριν καμιά-δυο βδομάδες, και, πίστεψέ με, οι φίλοι του Τζέικομπ είναι εξίσου μεγαλόσωμοι μ' εκείνον».

«Χα», είπε ο Τάιλερ. «Κρίμα που δεν κατέληξε σε κανέναν καβγά. Μάλλον δε θα μάθουμε ποτέ πώς θα εξελισσόταν το πράγμα».

«Εμένα δε μου φάνηκε να τελείωσε», είπε ο Όστιν. «Μπορεί τελικά να μάθουμε».

Ο Μάικ χαμογέλασε πλατιά. «Θέλει κανείς να βάλει στοίχημα;»

«Δέκα δολάρια στον Τζέικομπ», είπε αμέσως ο Όστιν.

«Δέκα στον Κάλεν», συνήχησε αρμονικά ο Τάιλερ.

«Δέκα στον Έντουαρντ», συμφώνησε ο Μπεν.

«Στον Τζέικομπ», είπε ο Μάικ.

«Ε, ξέρετε ρε 'σεις για ποιο πράγμα ήταν ο τσακωμός;» αναρωτήθηκε ο Όστιν. «Αυτό μπορεί να επηρέαζε τις πιθανότητες».

«Μπορώ να μαντέψω», είπε ο Μάικ και μετά έριξε μια γρήγορη ματιά σ' εμένα ταυτόχρονα με τον Μπεν και τον Τάιλερ.

Από την έκφρασή τους, κανένας δεν είχε καταλάβει ότι βρισκόμουν αρκετά κοντά ώστε να τους ακούω με ευκολία. Όλοι τους γύρισαν από την άλλη γρήγορα, ανακατεύοντας τα χαρτιά πάνω στα θρανία τους.

«Εγώ ακόμα είμαι με τον Τζέικομπ», μουρμούρισε ο Μάικ μέσα από τα δόντια του.

4. ΦΥΣΗ

Περνούσα άσχημη βδομάδα.

Ήξερα ότι κατά βάση δεν είχε αλλάξει τίποτα. Εντάξει, η Βικτόρια δεν το είχε βάλει κάτω, αλλά ονειρευόμουν ποτέ έστω και για μια στιγμή ότι θα το είχε κάνει; Η επανεμφάνισή της είχε μόνο επιβεβαιώσει αυτό που ήξερα ήδη. Δεν υπήρχε κανένας λόγος για καινούριο πανικό.

Θεωρητικά. Το να μην πανικοβληθώ πιο εύκολα λεγόταν απ' ό,τι γινόταν.

Η αποφοίτηση ήταν μόνο μερικές βδομάδες από τώρα, αλλά αναρωτιόμουν αν δεν ήταν λιγάκι ανόητο να κάθομαι έτσι, αδύναμη και γευστική, περιμένοντας την επόμενη καταστροφή. Μου φαινόταν υπερβολικά επικίνδυνο το να είμαι άνθρωπος –σαν να ικέτευα τους μπελάδες να έρθουν. Κάποια σαν εμένα δε θα έπρεπε να *είναι* άνθρωπος. Κάποια με τη δική μου τύχη θα έπρεπε να είναι λίγο λιγότερο αβοήθητη.

Αλλά κανένας δε με άκουγε.

Ο Κάρλαϊλ είχε πει: «Είμαστε εφτά, Μπέλλα. Και με την Άλις μαζί μας, δε νομίζω πως η Βικτόρια θα μας πιάσει απροετοίμαστους. Πιστεύω ότι είναι σημαντικό, για χάρη του Τσάρλι, να μείνουμε στο αρχικό μας σχέδιο».

Η Έσμι είχε πει: «Δε θα επιτρέπαμε ποτέ να σου συμβεί τίποτα, γλυκιά μου. Το ξέρεις. Σε παρακαλώ, μην ανησυχείς». Και μετά είχε φιλήσει το μέτωπό μου.

Ο Έμετ είχε πει: «Χαίρομαι στ' αλήθεια που δε σε σκότωσε ο Έντουαρντ. Έχει πολύ περισσότερη πλάκα μ' εσένα εδώ γύρω».

Η Ρόζαλι τον είχε κοιτάξει άγρια.

Η Άλις είχε στριφογυρίσει τα μάτια της και είπε: «Αυτό με θίγει. Δεν *ανησυχείς* πραγματικά γι' αυτό, έτσι δεν είναι;»

«Αν δεν είναι τίποτα σπουδαίο, τότε γιατί ο Έντουαρντ με κουβάλησε στη Φλόριντα;» απαίτησα να μάθω.

«Δεν το έχεις προσέξει ακόμα, Μπέλλα, ότι ο Έντουαρντ έχει απλώς μια μικρή τάση να αντιδρά υπερβολικά;»

Ο Τζάσπερ είχε σβήσει σιωπηλά όλο τον πανικό και την ένταση στο σώμα μου με το περίεργο ταλέντο του να ελέγχει τη συναισθηματική ατμόσφαιρα. Είχα νιώσει καθησυχασμένη και τους άφησα να με πείσουν ότι οι απεγνωσμένες μου παρακλήσεις δεν είχαν νόημα.

Φυσικά, αυτή η ηρεμία χάθηκε, μόλις ο Έντουαρντ κι εγώ βγήκαμε από το δωμάτιο.

Έτσι είχε αποφασιστεί ομόφωνα ότι έπρεπε απλώς να ξεχάσω πως ένας παράφρων βρικόλακας με καταδίωκε, αποφασισμένος να με σκοτώσει. Να συνεχίσω με τις ασχολίες μου.

Προσπαθούσα. Και προς μεγάλη μου έκπληξη, *υπήρχαν* άλλα πράγματα σχεδόν εξίσου αγχωτικά, με τα οποία έπρεπε να ασχοληθώ, εκτός από τη θέση μου στον κατάλογο με τα είδη υπό εξαφάνιση…

Επειδή η αντίδραση του Έντουαρντ ήταν το πιο εκνευριστικό πράγμα απ' όλα…

«Αυτό είναι κάτι μεταξύ εσένα και του Κάρλαϊλ», είχε πει. «Φυσικά, ξέρεις ότι είμαι πρόθυμος να το κάνω μεταξύ εσού κι εμού οποιαδήποτε στιγμή θελήσεις. Ξέρεις τον όρο μου». Και είχε χαμογελάσει αγγελικά.

Ωχ! Ήξερα τον όρο του. Ο Έντουαρντ είχε υποσχεθεί ότι θα με μεταμόρφωνε ο ίδιος όποτε ήθελα... αρκεί μονάχα να τον *παντρευόμουν* πρώτα.

Μερικές φορές αναρωτιόμουν αν απλώς προσποιόταν ότι δεν μπορούσε να διαβάσει το μυαλό μου. Πώς αλλιώς είχε βρει τον ένα και μοναδικό όρο που θα είχα πρόβλημα να δεχτώ; Τη μοναδική προϋπόθεση που θα με έκανε να καθυστερήσω.

Σε γενικές γραμμές, μια πολύ άσχημη βδομάδα. Και σήμερα ήταν η χειρότερη μέρα απ' όλες.

Πάντα ήταν άσχημη μέρα, όταν έλειπε ο Έντουαρντ. Η Άλις δεν είχε προβλέψει τίποτα ασυνήθιστο αυτό το Σαββατοκύριακο, κι έτσι εγώ επέμεινα να εκμεταλλευτεί την ευκαιρία και να πάει για κυνήγι με τ' αδέρφια του. Ήξερα πόσο τον ενοχλούσε να κυνηγά την εύκολη, κοντινή λεία.

«Πήγαινε να διασκεδάσεις», του είχα πει. «Πιάσε και μερικά πούμα για 'μένα».

Δε θα παραδεχόμουν ποτέ σ' εκείνον πόσο δύσκολο ήταν για 'μένα, όταν έφευγε –πως έκανε τους εφιάλτες της εγκατάλειψης να ξαναγυρίζουν. Αν το ήξερε αυτό, θα τον έκανε να νιώσει απαίσια και θα φοβόταν να με αφήσει ξανά, ακόμα και για τους πιο αναγκαίους λόγους. Ήταν έτσι στην αρχή, όταν είχαμε επιστρέψει από την Ιταλία. Τα χρυσαφί του μάτια είχαν γίνει μαύρα, και υπέφερε από τη δίψα του περισσότερο απ' ό,τι ήταν ήδη απαραίτητο να υποφέρει. Έτσι, έκανα τη γενναία και μόνο που δεν τον έδιωχνα με τις κλοτσιές έξω από την πόρτα, κάθε φορά που ο Έμετ κι ο Τζάσπερ ήθελαν να φύγουν.

Νομίζω ότι μπορούσε να με αποκρυπτογραφήσει, παρ' όλα αυτά. Λιγάκι. Αυτό το πρωί είχε αφήσει ένα σημείωμα στο μαξιλάρι μου:

Θα γυρίσω τόσο σύντομα που δε θα προλάβω να σου

χείλη. Πρόσεχε την καρδιά μου – την έχω αφήσει μαζί σου.

Έτσι τώρα είχα ένα μεγάλο άδειο Σάββατο χωρίς τίποτα άλλο να κάνω, πέρα από την πρωινή μου βάρδια στο Κατάστημα Αθλητικών Ειδών της Ολυμπιακής Χερσονήσου των Νιούτον για να με κάνει να ξεχαστώ. Και, φυσικά, την ω!-τόσο-παρηγορητική υπόσχεση από την Άλις.

«Θα κυνηγάω όσο το δυνατόν πιο κοντά στο σπίτι. Θα είμαι σε απόσταση μόνο δεκαπέντε λεπτών, αν με χρειαστείς. Θα έχω το νου μου μήπως τυχόν υπάρξουν μπελάδες».

Μετάφραση: μη δοκιμάσεις να κάνεις τίποτα περίεργο, απλώς και μόνο επειδή ο Έντουαρντ λείπει.

Η Άλις ήταν σίγουρα εξίσου ικανή να σακατέψει το φορτηγάκι μου όσο κι ο Έντουαρντ.

Προσπάθησα να δω την αισιόδοξη πλευρά. Μετά τη δουλειά, είχα κανονίσει να βοηθήσω την Άντζελα με τις προσκλήσεις της, άρα αυτό θα με βοηθούσε να ξεχαστώ. Κι ο Τσάρλι είχε εξαιρετική διάθεση εξαιτίας της απουσίας του Έντουαρντ, έτσι θα μπορούσα να το απολαύσω, όσο κρατούσε. Η Άλις θα περνούσε τη νύχτα μαζί μου, αν ήμουν αρκετά αξιοθρήνητη για να της το ζητήσω. Κι έπειτα αύριο, ο Έντουαρντ θα γύριζε σπίτι. Θα τα έβγαζα πέρα.

Καθώς δεν ήθελα να πάω τόσο νωρίς στη δουλειά, ώστε να φανεί γελοίο, έφαγα το πρωινό μου αργά, καταπίνοντας ένα-ένα τα δαχτυλίδια δημητριακών. Μετά, αφού είχα πλύνει τα πιάτα, τακτοποίησα τους μαγνήτες στο ψυγείο σε απόλυτα ευθεία γραμμή. Μπορεί να είχα αναπτύξει κάποιο σύνδρομο μανιώδους ψυχαναγκασμού.

Τα τελευταία δυο μαγνητάκια –στρογγυλά, μαύρα λειτουργικά αντικείμενα που ήταν τα αγαπημένα μου, επειδή μπορούσαν να κρατάνε δέκα φύλλα χαρτί στο ψυγείο, χωρίς να ιδρώνουν– δεν έλεγαν να συνεργαστούν με την εμμονή μου.

Οι πολικότητές τους ήταν αντίστροφες˙ κάθε φορά που προσπαθούσα να βάλω το ένα στην ευθεία, το άλλο πεταγόταν από τη θέση του.

Για κάποιο λόγο –επικείμενη μανία, ίσως– αυτό με εκνεύριζε πραγματικά. Γιατί δεν μπορούσαν απλά να συμμορφωθούν; Ανόητα πεισμωμένη, συνέχισα να τα σπρώχνω το ένα κοντά στο άλλο, σαν να περίμενα ξαφνικά να τα παρατήσουν. Θα μπορούσα να γυρίσω το ένα ανάποδα, αλλά αυτό θα ήταν σαν να είχα χάσει. Τελικά, φουρκισμένη με τον εαυτό μου περισσότερο παρά με τα μαγνητάκια, τα τράβηξα από το ψυγείο και τα κράτησα μαζί με τα δυο χέρια. Χρειάστηκε λιγάκι προσπάθεια –ήταν αρκετά δυνατά, ώστε να αντισταθούν– αλλά τα ανάγκασα να συνυπάρξουν το ένα δίπλα στο άλλο.

«Βλέπετε», είπα δυνατά –το να μιλάει κανείς σε άψυχα αντικείμενα δεν ήταν ποτέ καλό σημάδι– «Να, δεν είναι και τόσο φριχτό, έτσι δεν είναι;»

Στάθηκα εκεί σαν ηλίθια για ένα δευτερόλεπτο, χωρίς να μπορώ ακριβώς να ισχυριστώ ότι είχα κάποια επιρροή που θα μπορούσε να διαρκέσει ενάντια στους επιστημονικούς κανόνες. Μετά, με έναν αναστεναγμό, έβαλα τα μαγνητάκια πάλι στο ψυγείο, μισό μέτρο το ένα από το άλλο.

«Δεν υπάρχει λόγος να είστε τόσο αδιάλλακτα», μουρμούρισα.

Ακόμα ήταν πολύ νωρίς, αλλά αποφάσισα ότι ήταν καλύτερα να βγω από το σπίτι, πριν τα άψυχα αντικείμενα αρχίσουν να μου απαντάνε.

Όταν έφτασα στο μαγαζί των Νιούτον, ο Μάικ σκούπιζε μεθοδικά τους διαδρόμους, ενώ η μαμά του έστηνε έναν πάγκο. Τους έπιασα στη μέση μιας διαφωνίας, χωρίς να έχουν καταλάβει ότι είχα φτάσει.

«Μα είναι η μόνη φάση που μπορεί να πάει ο Τάιλερ», παραπονιόταν ο Μάικ. «Είπες μετά την αποφοίτηση—»

«Απλώς θα πρέπει να περιμένεις», είπε κοφτά η κυρία

Νιούτον. «Εσύ κι ο Τάιλερ μπορείτε να σκεφτείτε κάτι άλλο να κάνετε. Δε θα πάτε στο Σιάτλ, μέχρι να σταματήσει η αστυνομία ό,τι κι αν είναι αυτό που συμβαίνει εκεί πέρα. Ξέρω ότι η Μπεθ Κρόλεϊ έχει πει στον Τάιλερ το ίδιο πράγμα, γι' αυτό μην κάνεις σαν να είμαι εγώ η κακιά της υπόθεσης –ω, καλημέρα, Μπέλλα», είπε, όταν με είδε, κάνοντας τον τόνο της πιο χαρούμενο γρήγορα. «Νωρίς ήρθες».

Η Κάρεν Νιούτον ήταν το τελευταίο άτομο που θα σκεφτόμουν για να ζητήσω βοήθεια σε ένα κατάστημα με εξοπλισμό για υπαίθρια σπορ. Τα μαλλιά της με τις άψογες ξανθές ανταύγειες ήταν πάντα χτενισμένα σε έναν κομψό κότσο στο σβέρκο της. Έκανε πάντα επαγγελματικό μανικιούρ καθώς και πεντικιούρ –ορατό μέσα από τα ψηλοτάκουνα παπούτσια με τα λουριά, που δεν έμοιαζαν με τίποτα από όσα πρόσφερε το κατάστημα των Νιούτον στη μακριά σειρά με τις μπότες πεζοπορίας.

«Η κίνηση ήταν ελάχιστη», αστειεύτηκα, καθώς άρπαξα το απαίσιο φωσφοριζέ πορτοκαλί γιλέκο μου από κάτω από τον πάγκο. Με ξάφνιασε το γεγονός ότι η κυρία Νιούτον ήταν εξίσου ανήσυχη για το θέμα αυτό του Σιάτλ όσο κι ο Τσάρλι. Πίστευα ότι εκείνος είχε αντιδράσει υπερβολικά.

«Κοίτα, εε...» Η κυρία Νιούτον δίστασε για μια στιγμή, παίζοντας αμήχανα με ένα σωρό από διαφημιστικά φυλλάδια που τακτοποιούσε δίπλα στο ταμείο.

Σταμάτησα με το ένα μου μπράτσο μέσα στο γιλέκο μου. Ήξερα αυτό το βλέμμα.

Όταν είχα ενημερώσει τους Νιούτον ότι δε θα δούλευα εδώ το καλοκαίρι –εγκαταλείποντάς τους στην περίοδο με την περισσότερη δουλειά, στην πραγματικότητα– είχαν αρχίσει να εκπαιδεύουν την Κέιτι Μάρσαλ για να με αντικαταστήσει. Δεν μπορούσαν να μας πληρώνουν και τις δύο ταυτοχρόνως, έτσι όταν έδειχνε ότι η μέρα θα ήταν αργή...

«Θα σε έπαιρνα», συνέχισε η κυρία Νιούτον. «Δε νομίζω

ότι περιμένουμε πολλή δουλειά σήμερα. Ο Μάικ κι εγώ πιθανότατα θα μπορέσουμε να τα φέρουμε βόλτα. Λυπάμαι που σηκώθηκες και ήρθες ως εδώ...»

Σε μια φυσιολογική μέρα, θα ήμουν εκστατική με αυτή την τροπή των γεγονότων. Σήμερα... όχι και τόσο πολύ.

«Εντάξει», αναστέναξα. Οι ώμοι μου καμπούριασαν. Τι θα έκανα τώρα;

«Αυτό δεν είναι δίκαιο, μαμά», είπε ο Μάικ. «Αν η Μπέλλα θέλει να δουλέψει—»

«Όχι, δεν πειράζει, κυρία Νιούτον. Αλήθεια, Μάικ. Έχω να διαβάσω για τις τελικές εξετάσεις και διάφορα άλλα...» Δεν ήθελα να είμαι πηγή οικογενειακής διαμάχης, όταν ήδη τσακώνονταν.

«Ευχαριστώ, Μπέλλα. Μάικ, σου ξέφυγε ο διάδρομος τέσσερα. Εε, Μπέλλα, σε πειράζει να πετάξεις αυτά τα φυλλάδια σε έναν κάδο, όπως θα φεύγεις; Είπα στο κορίτσι που τα άφησε εδώ ότι θα τα έβαζα στον πάγκο, αλλά δεν έχω χώρο».

«Βέβαια, κανένα πρόβλημα». Έβαλα το γιλέκο μου στη θέση του και μετά έχωσα τα φυλλάδια κάτω από το χέρι μου και κατευθύνθηκα έξω μέσα στην ομιχλώδη βροχή.

Ο κάδος ήταν στο πλάι του καταστήματος των Νιούτον, κοντά στο σημείο όπου πάρκαραν οι υπάλληλοι. Έσερνα τα πόδια μου, κλοτσώντας χαλίκια νευρικά, καθώς προχωρούσα. Ήμουν έτοιμη να πετάξω με δύναμη το σωρό με τα έντονα κίτρινα χαρτιά στα σκουπίδια, όταν το μάτι μου έπεσε στον τίτλο, που ήταν τυπωμένος με έντονα γράμματα κατά μήκος του πάνω μέρους του χαρτιού. Μια λέξη ειδικά μου τράβηξε την προσοχή.

Έσφιξα το χαρτί με τα δυο μου χέρια, καθώς κοίταζα την εικόνα κάτω από τη λεζάντα. Ένας κόμπος ανέβηκε στο λαιμό μου.

ΣΩΣΤΕ ΤΟ ΛΥΚΟ ΤΗΣ ΟΛΥΜΠΙΑΚΗΣ ΧΕΡΣΟΝΗΣΟΥ

Κάτω από τις λέξεις, υπήρχε ένα λεπτομερές σκίτσο ενός λύκου μπροστά από ένα έλατο, με το κεφάλι του γερμένο προς τα πίσω την ώρα που ούρλιαζε κοιτάζοντας το φεγγάρι. Η εικόνα ήταν μελαγχολική˙ κάτι στην παραπονιάρικη στάση του λύκου τον έκανε να δείχνει εγκαταλελειμμένος. Σαν να ούρλιαζε από θλίψη.

Και τότε βρέθηκα να τρέχω προς το φορτηγάκι μου, κρατώντας ακόμα τα φυλλάδια σφιχτά.

Δεκαπέντε λεπτά –τόσα μόνο χρειαζόμουν. Αλλά θα έπρεπε να φτάνουν. Ήταν μόνο δεκαπέντε λεπτά μέχρι το Λα Πους, και σίγουρα θα περνούσα τη συνοριακή γραμμή λίγα λεπτά πριν μπω στην πόλη.

Το φορτηγάκι μου πήρε μπρος με ένα βουητό χωρίς να δυσκολευτεί.

Η Άλις δεν ήταν δυνατόν να με είχε δει να το κάνω αυτό, επειδή δεν το είχα σχεδιάσει. Μια ξαφνική απόφαση, αυτό ήταν το κλειδί! Και με την προϋπόθεση ότι θα ενεργούσα αρκετά γρήγορα, θα μπορούσα να την εκμεταλλευτώ.

Είχα πετάξει τα υγρά φυλλάδια πάνω στη βιασύνη μου, και ήταν σκορπισμένα πάνω στη θέση του συνοδηγού σχηματίζοντας ένα έντονο, ακατάστατο σωρό –εκατό λεζάντες με τίτλους γραμμένους με έντονα γράμματα, εκατό λύκοι που ούρλιαζαν σχεδιασμένοι πάνω στο κίτρινο φόντο.

Κατέβηκα τον υγρό αυτοκινητόδρομο με μεγάλη ταχύτητα, βάζοντας τους υαλοκαθαριστήρες να δουλεύουν στο πιο γρήγορο και αγνοώντας το μουγκρητό της αρχαίας μηχανής. Ενενήντα χιλιόμετρα ήταν το περισσότερο που μπορούσα να αποσπάσω από το φορτηγάκι μου καλοπιάνοντάς το, και προσευχόμουν αυτό να ήταν αρκετό.

Δεν είχα την παραμικρή ιδέα που βρισκόταν η συνοριακή γραμμή, αλλά άρχισα να νιώθω πιο ασφαλής, καθώς περνούσα τα πρώτα σπίτια έξω από το Λα Πους. Αυτό το σημείο πρέπει να ήταν πιο πέρα από εκεί όπου θα μπορούσε να ακολουθήσει η Άλις.

Θα την έπαιρνα τηλέφωνο, όταν θα έφτανα στο σπίτι της Άντζελα το απόγευμα, σκέφτηκα, ώστε να ξέρει ότι ήμουν καλά. Δεν υπήρχε κανένας λόγος να αναστατωθεί. Δε χρειαζόταν να μου θυμώσει –όταν θα επέστρεφε ο Έντουαρντ, ο δικός του θυμός θα έφτανε και για τους δύο.

Το φορτηγάκι μου αγκομαχούσε χωρίς αμφιβολία, ως τη στιγμή που σταμάτησε σκληρίζοντας μπροστά από το γνωστό, ξεθωριασμένο κόκκινο σπίτι. Ο κόμπος γύρισε πάλι στο λαιμό μου, καθώς κοίταξα επίμονα το μικρό σπιτάκι που κάποτε ήταν το καταφύγιό μου. Είχε περάσει τόσος καιρός από τότε που είχα πάει εκεί τελευταία φορά.

Πριν προλάβω να σβήσω τη μηχανή, ο Τζέικομπ στεκόταν ήδη στην πόρτα, με πρόσωπο ανέκφραστο από την έκπληξη.

Στην ξαφνική σιωπή, όταν το βουητό της μηχανής έπαψε, τον άκουσα να βγάζει μια πνιχτή κραυγή.

«Μπέλλα;»

«Γεια σου, Τζέικ!»

«Μπέλλα!» μου φώναξε, και το χαμόγελο που περίμενα απλώθηκε σε όλο του το πρόσωπο, σαν τον ήλιο που φάνηκε πίσω από τα σύννεφα. Τα δόντια του έλαμπαν έντονα κάνοντας αντίθεση με το καστανοκόκκινο δέρμα του. «Δεν το πιστεύω!»

Έτρεξε στο φορτηγάκι και σχεδόν με τράβηξε βίαια από την ανοιχτή πόρτα, και μετά βρεθήκαμε κι οι δυο μας να χοροπηδάμε πάνω-κάτω σαν μικρά παιδιά.

«Πώς ήρθες εδώ;»

«Έφυγα κρυφά!»

«Φανταστικό!»

«Γεια σου, Μπέλλα!» Ο Μπίλι είχε τσουλήσει την καρέκλα του στην πόρτα για να δει προς τι όλη η φασαρία.

«Γεια σου, Μπιλ–!»

Εκείνη τη στιγμή ένιωσα να πνίγομαι –ο Τζέικομπ με άρπαξε κλείνοντάς με σε μια μεγάλη αγκαλιά, πολύ σφιχτή για να μπορώ να αναπνεύσω, και με γύρισε γύρω-γύρω.

«Πω πω, πόσο χαίρομαι που σε βλέπω εδώ!»

«Δεν μπορώ... να αναπνεύσω», είπα αγκομαχώντας.

Γέλασε και με άφησε κάτω.

«Καλώς ήρθες ξανά, Μπέλλα!» είπε χαμογελώντας πλατιά. Κι ο τρόπος που είπε αυτές τις λέξεις ήταν σαν να είπε *καλώς ήρθες σπίτι.*

Αρχίσαμε να περπατάμε, σε υπερβολική υπερδιέγερση για να καθίσουμε σπίτι. Ο Τζέικομπ στην ουσία χοροπηδούσε, καθώς κουνιόταν, κι εγώ έπρεπε να του υπενθυμίσω μερικές φορές ότι τα πόδια μου δεν ήταν τρία μέτρα μακριά.

Καθώς περπατούσαμε, ένιωθα να μπαίνω σε μια άλλη εκδοχή του εαυτού μου, τον άνθρωπο που ήμουν όταν βρισκόμουν με τον Τζέικομπ. Λιγάκι πιο μικρή, λιγάκι πιο ανεύθυνη. Κάποια που μπορεί, περιστασιακά, να έκανε κάτι πολύ χαζό χωρίς κανέναν ιδιαίτερο λόγο.

Η ευφορία μας κράτησε όσο διαρκούσε η συζήτηση για τα πρώτα θέματα: πώς τα πηγαίναμε, με τι ασχολούμασταν, πόσο καιρό είχα να έρθω εδώ, και τι ήταν αυτό που με έκανε να έρθω. Όταν του είπα διστακτικά για το φυλλάδιο με τους λύκους, το βροντερό του γέλιο αντήχησε στα δέντρα.

Αλλά τότε, καθώς σουλατσάραμε αργά περνώντας από το πίσω μέρος της αποθήκης και κάνοντας πέρα τους πυκνούς θάμνους που πλαισίωναν την πέρα άκρη της Πρώτης Παραλίας, φτάσαμε στα δύσκολα. Πολύ σύντομα έπρεπε να μιλήσουμε για τους λόγους που κρύβονταν πίσω από το μακροχρόνιο χωρισμό μας, και πρόσεξα πώς το πρόσωπο του φίλου μου σκλήρυνε σε μια χολωμένη μάσκα, που μου ήταν ήδη υπερβολικά γνωστή.

«Λοιπόν, πώς είναι τα πράγματα;» με ρώτησε ο Τζέικομπ, κλοτσώντας με υπερβολική δύναμη στην άκρη ένα κομμάτι ξύλου που είχε ξεβραστεί από τη θάλασσα. Εκείνο ταξίδεψε πάνω από την άμμο και μετά έπεσε πάνω στα βράχια με έναν κρότο. «Θέλω να πω, από την τελευταία φορά που... δηλαδή, πριν, ξέρεις...» Πάσχιζε να βρει τις λέξεις. Πήρε μια βαθιά ανάσα και προσπάθησε ξανά. «Αυτό που ρωτάω είναι... όλα έγιναν όπως ήταν πριν φύγει *εκείνος*; Τον συγχώρεσες για όλα;»

Πήρα μια βαθιά ανάσα. «Δεν υπήρχε τίποτα για να συγχωρήσω».

Ήθελα να πηδήξω αυτό το κομμάτι, τις προδοσίες, τις κατηγορίες, αλλά ήξερα ότι έπρεπε να το κουβεντιάσουμε, πριν μπορέσουμε να προχωρήσουμε σε οτιδήποτε άλλο.

Το πρόσωπο του Τζέικομπ ζάρωσε λιγάκι, σαν να είχε γλύψει ένα λεμόνι. «Μακάρι ο Σαμ να είχε βγάλει μια φωτογραφία, όταν σε βρήκε εκείνη τη νύχτα τον περασμένο Σεπτέμβρη. Αυτό θα ήταν το πειστήριο Α».

«Κανείς δε δικάζεται».

«Ίσως θα έπρεπε να δικάζεται κάποιος».

«Ούτε κι εσύ θα τον κατηγορούσες που έφυγε, αν ήξερες το λόγο».

Με αγριοκοίταξε για μερικά δευτερόλεπτα. «Εντάξει», με προκάλεσε καυστικά. «Ξάφνιασέ με».

Η εχθρικότητά του με ενοχλούσε –έξυνε το σημείο, όπου η πληγή ήταν φρέσκια˙ πονούσα που τον έβλεπα έτσι θυμωμένο μαζί μου. Μου θύμιζε εκείνο το θλιβερό απόγευμα, πριν πολύ καιρό, όταν –υπό τις διαταγές του Σαμ– μου είχε πει ότι δεν μπορούσαμε να είμαστε φίλοι. Χρειάστηκα ένα δευτερόλεπτο για να ανακτήσω την ψυχραιμία μου.

«Ο Έντουαρντ με άφησε το περασμένο φθινόπωρο, επειδή δεν πίστευε ότι θα έπρεπε να κάνω παρέα με βρικόλακες. Πίστευε ότι θα ήταν πιο υγιές για 'μένα αν έφευγε».

Ο Τζέικομπ αντέδρασε καθυστερημένα. Χρειάστηκε να προσπαθήσει ένα λεπτό. Ό,τι κι αν σκόπευε να πει, προφανώς δεν ίσχυε πια. Χαιρόμουν που δεν ήξερε το γεγονός που έδρασε σαν καταλύτης για την απόφαση του Έντουαρντ. Μπορούσα μόνο να φανταστώ τι θα σκεφτόταν, αν ήξερε ότι ο Τζάσπερ είχε προσπαθήσει να με σκοτώσει.

«Παρ' όλα αυτά, γύρισε πίσω, έτσι δεν είναι;» μουρμούρισε ο Τζέικομπ. «Κρίμα που δεν μπορεί να μείνει σταθερός σε μια απόφαση».

«Αν θυμάσαι, εγώ πήγα και τον έφερα».

Ο Τζέικομπ με κοίταξε επίμονα για μια στιγμή και μετά έκανε πίσω. Το πρόσωπό του χαλάρωσε, και η φωνή του ήταν πιο ήρεμη, όταν μίλησε.

«Αυτό είναι αλήθεια. Λοιπόν, δε μου είπες ποτέ την ιστορία. Τι συνέβη;»

Δίστασα δαγκώνοντας τα χείλη μου.

«Είναι μυστικό;» Η φωνή του έγινε ελαφρώς κοροϊδευτική. «Δεν επιτρέπεται να μου πεις;»

«Όχι», είπα κοφτά. «Απλώς είναι πολύ μεγάλη ιστορία».

Ο Τζέικομπ χαμογέλασε υπεροπτικά και γύρισε για να ανέβει πιο πάνω στην παραλία, περιμένοντας να τον ακολουθήσω.

Δεν είχε πλάκα να είμαι με τον Τζέικομπ, αν επρόκειτο να συμπεριφέρεται έτσι. Ακολούθησα πίσω του αυτόματα, χωρίς να είμαι βέβαιη, αν δεν ήταν καλύτερα να γυρίσω από την άλλη και να φύγω. Θα έπρεπε να αντιμετωπίσω την Άλις, παρ' όλα αυτά, όταν γύριζα σπίτι... Μάλλον δε βιαζόμουν και πολύ.

Ο Τζέικομπ περπάτησε ως ένα τεράστιο, γνωστό κομμάτι ξύλου, ξεβρασμένο από τη θάλασσα –ένα ολόκληρο δέντρο, μαζί με τις ρίζες του, ξασπρισμένο εντελώς και χωμένο βαθιά μέσα στην άμμο· ήταν το *δικό μας* δέντρο, κατά κάποιο τρόπο.

Ο Τζέικομπ κάθισε πάνω στο φυσικό παγκάκι και χτύπησε το χέρι του ελαφρά στο σημείο δίπλα του.

«Δεν έχω πρόβλημα με τις μεγάλες ιστορίες. Έχει καθόλου δράση;»

Στριφογύρισα τα μάτια μου, καθώς καθόμουν δίπλα του. «Έχει κάποια δράση», παραδέχτηκα.

«Δε θα ήταν πραγματική ιστορία τρόμου χωρίς δράση».

«Τρόμου!» είπα κοροϊδευτικά. «Μπορείς να ακούσεις ή θα με διακόπτεις συνέχεια με αγενή σχόλια για τους φίλους μου;»

Έκανε πως κλείδωνε τα χείλη του και μετά πέταξε το αόρατο κλειδί πάνω από τον ώμο του. Προσπάθησα να μη χαμογελάσω και απέτυχα.

«Θα πρέπει να ξεκινήσω με τα πράγματα που συνέβησαν, όταν ήσουν κι εσύ εκεί», αποφάσισα, προσπαθώντας να βάλω σε μια τάξη τις ιστορίες μέσα στο κεφάλι μου, πριν αρχίσω.

Ο Τζέικομπ σήκωσε το χέρι του.

«Για λέγε».

«Αυτό είναι καλό», είπε. «Δεν καταλάβαινα πολλά απ' όσα γίνονταν εκείνον τον καιρό».

«Ναι, κοίτα, γίνεται περίπλοκο, γι' αυτό να προσέχεις. Ξέρεις ότι η Άλις μπορεί και *βλέπει* πράγματα;»

Θεώρησα το κατσούφιασμά του –οι λύκοι δεν ήταν ενθουσιασμένοι που οι θρύλοι για τους βρικόλακες με τα υπερφυσικά χαρίσματα ήταν αληθινοί– ως ναι, και προχώρησα με τη διήγηση του αγώνα δρόμου που έκανα στην Ιταλία για να σώσω τον Έντουαρντ.

Προσπάθησα να είμαι όσο το δυνατόν πιο λακωνική –παραλείποντας οτιδήποτε δεν ήταν σημαντικό. Προσπάθησα να διαβάσω τις αντιδράσεις του Τζέικομπ, αλλά το πρόσωπό του ήταν αινιγματικό, όση ώρα εξηγούσα πώς η Άλις είχε δει τον Έντουαρντ να σχεδιάζει να αυτοκτονήσει, όταν έμαθε ότι εγώ είχα πεθάνει. Μερικές φορές ο Τζέικομπ φαινόταν τόσο βαθιά χαμένος στις σκέψεις του, που δεν ήμουν σίγουρη ότι άκουγε. Με διέκοψε μόνο μία φορά.

«Η αιμορουφήχτρα που προβλέπει το μέλλον δεν μπορεί να μας δει;» επανέλαβε σαν ηχώ τα λόγια μου, με πρόσωπο ταυτόχρονα άγριο και χαρούμενο. «Σοβαρά; Αυτό είναι *τέλειο*!»

Έσφιξα τα δόντια μου, και καθίσαμε σιωπηλοί, με το πρόσωπό του γεμάτο προσδοκία, καθώς περίμενε να συνεχίσω. Τον αγριοκοίταξα, μέχρι που κατάλαβε το λάθος του.

«Ωπ!» είπε. «Συγνώμη». Κλείδωσε και πάλι τα χείλη του.

Ήταν πιο εύκολο να διαβάσω την αντίδρασή του, όταν έφτασα στο σημείο με τους Βολτούρι. Τα δόντια του σφίχτηκαν, το δέρμα στο χέρι του ανατρίχιασε, και τα ρουθούνια του διαστάλθηκαν. Δεν μπήκα σε λεπτομέρειες, απλώς του είπα ότι ο Έντουαρντ είχε καταφέρει να τους μεταπείσει να μη μας πειράξουν, χωρίς να του αποκαλύψω την υπόσχεση που αναγκαστήκαμε να δώσουμε ή την επίσκεψη που περιμέναμε. Ο Τζέικομπ δεν ήταν ανάγκη να έχει τους δικούς μου εφιάλτες.

«Τώρα ξέρεις όλα τα καθέκαστα», είπα συμπερασματικά. «Λοιπόν, σειρά σου τώρα να μιλήσεις. Τι συνέβη όσο έλειπα στη μαμά μου αυτό το Σαββατοκύριακο;» Ήξερα ότι ο Τζέικομπ θα μου έδινε περισσότερες λεπτομέρειες απ' τον Έντουαρντ. Εκείνος δε φοβόταν μήπως με τρομάξει.

Ο Τζέικομπ έσκυψε μπροστά με μια ξαφνική ζωντάνια. «Λοιπόν, ο Έμπρι κι ο Κουίλ έκαναν περιπολία το Σάββατο το βράδυ, απλή ρουτίνα, όταν από το πουθενά –μπαμ!» Τέντωσε έξω το χέρι του, μιμούμενος μια έκρηξη. «Να τη –μια φρέσκια γραμμή από ίχνη, είχαν δεν είχαν περάσει δεκαπέντε λεπτά που έγιναν. Ο Σαμ ήθελε να τον περιμένουμε, αλλά δεν ήξερα ότι είχες φύγει και δεν ήξερα αν οι βδέλλες σου είχαν το νου τους σ' εσένα ή όχι. Έτσι, φύγαμε για να την ακολουθήσουμε με όλη μας την ταχύτητα, αλλά εκείνη είχε περάσει τη γραμμή της συνθήκης, πριν την προλάβουμε. Απλωθήκαμε κατά μήκος της γραμμής, ελπίζοντας ότι θα ξαναπερνούσε στη μεριά μας. Ήταν εκνευριστικό, πρέπει να σου πω». Κούνησε πέρα-δώθε το κεφάλι του, και τα μαλλιά του –που είχαν μεγαλώσει από το κοντό κούρεμα που είχε υιοθετήσει, όταν είχε γίνει μέλος της αγέλης– έπεσαν μέσα στα μάτια του. «Καταλήξαμε να βρισκόμαστε πολύ μακριά, προς το νότο. Οι Κάλεν την κυνήγησαν και την ανάγκασαν να ξαναπεράσει στη μεριά μας μόλις μερικά χιλιόμετρα πιο βόρεια από 'μας. Θα ήταν η τέλεια ενέδρα, αν ξέραμε πού να περιμένουμε».

Κούνησε το κεφάλι του κάνοντας ένα μορφασμό τώρα. «Τότε ήταν που το πράγμα έγινε ριψοκίνδυνο. Ο Σαμ κι οι άλλοι την πρόλαβαν πριν από εμάς, αλλά εκείνη χόρευε ακριβώς πάνω στη συνοριακή γραμμή, και όλη η ομάδα των βρικολάκων ήταν εκεί από την άλλη μεριά. Ο μεγαλόσωμος, πώς τον λένε—»

«Ο Έμετ».

«Ναι, αυτός. Πήγε να της ορμήσει, αλλά εκείνη η κοκκινομάλλα είναι γρήγορη! Έπεσε ακριβώς πίσω της και παραλίγο να κουτουλήσει τον Πολ. Έτσι, ο Πολ... να, τον ξέρεις τώρα τον Πολ».

«Ναι».

«Έχασε τη συγκέντρωσή του. Δεν μπορώ να πω ότι τον κατηγορώ –η μεγαλόσωμη βδέλλα ήταν ακριβώς από πάνω του. Όρμησε –ε, μη με κοιτάζεις έτσι. Ο βρικόλακας ήταν στη γη μας».

Προσπάθησα να διατηρήσω την ήρεμη έκφραση στο πρόσωπό μου, έτσι ώστε να συνεχίσει παρακάτω. Τα νύχια μου έσκαβαν τις παλάμες μου από την αγωνία για την ιστορία, αν και ήξερα ότι είχε καλό τέλος.

«Τέλος πάντων, ο Πολ δε βρήκε το στόχο του, κι ο μεγαλόσωμος γύρισε πάλι στη μεριά του. Αλλά ως εκείνη την ώρα, εε, να, η, αα, η ξανθιά...» Η έκφραση του Τζέικομπ ήταν ένας κωμικός συνδυασμός αηδίας και ακούσιου θαυμασμού, καθώς προσπαθούσε να βρει κάποια λέξη για να περιγράψει την αδερφή του Έντουαρντ.

«Η Ρόζαλι».

«Τέλος πάντων. Αυτή φανατίστηκε, κι έτσι ο Σαμ κι εγώ ορμήσαμε για να σταθούμε στο πλευρό του Πολ. Τότε, ο αρχηγός κι εκείνος ο άλλος ξανθός αρσενικός–»

«Ο Κάρλαϊλ κι ο Τζάσπερ».

Μου έριξε ένα οργισμένο βλέμμα. «Ξέρεις ότι δε με νοιάζει πραγματικά. Τέλος πάντων, ο *Κάρλαϊλ* μίλησε στο Σαμ, προσπαθώντας να ηρεμήσει την κατάσταση. Μετά ήταν περίεργα, επειδή όλοι ηρέμησαν πολύ γρήγορα. Ήταν εκείνος ο άλλος που μου είπες που έπαιζε με τα κεφάλια μας. Αλλά παρόλο που ξέραμε τι έκανε, δεν μπορούσαμε να *μην* είμαστε ήρεμοι».

«Ναι, ξέρω πώς είναι».

«Πραγματικά εκνευριστικό, αυτό είναι. Μόνο που δεν μπορείς να νιώσεις εκνευρισμένος παρά μόνο αργότερα». Κούνησε το κεφάλι του θυμωμένα. «Έτσι ο Σαμ κι ο αρχηγός βρικόλακας συμφώνησαν ότι η Βικτόρια ήταν η προτεραιότητα, και την ακολουθήσαμε ξανά. Ο Κάρλαϊλ μας άφησε να πατήσουμε στη γραμμή, για να μπορέσουμε να ακολουθήσουμε τη μυρωδιά της σωστά, αλλά μετά εκείνη έφτασε στους βράχους βόρεια από τη γη των Μακά, ακριβώς στο σημείο όπου η γραμμή αγκαλιάζει την ακτή για λίγα χιλιόμετρα. Χάθηκε πάλι μέσα στο νερό. Ο μεγαλόσωμος και ο ήρεμος ήθελαν άδεια να περάσουν τη γραμμή για να την κυνηγήσουν, αλλά φυσικά εμείς είπαμε όχι».

«Ωραία. Θέλω να πω, φερθήκατε σαν ανόητοι, αλλά χαίρομαι. Ο Έμετ ποτέ δεν προσέχει αρκετά. Θα μπορούσε να είχε πάθει κάτι».

Ο Τζέικομπ ξεφύσηξε. «Λοιπόν, ο βρικόλακάς σου σού είπε ότι επιτεθήκαμε χωρίς κανένα λόγο, και η εντελώς αθώα οικογένειά του—»

«Όχι», διέκοψα. «Ο Έντουαρντ μου είπε ακριβώς την ίδια ιστορία, απλώς χωρίς τόσες πολλές λεπτομέρειες».

«Χα», είπε ο Τζέικομπ μέσα από τα δόντια του κι έσκυψε για να σηκώσει μια πέτρα μέσα από τα εκατομμύρια βότσαλα στα πόδια μας. Με ένα χαλαρό πέταγμα, την έστειλε τουλάχιστον εκατό μέτρα μακριά μέσα στον κόλπο. «Λοιπόν, θα γυρίσει, μάλλον. Θα έχουμε κι άλλη ευκαιρία να την πιάσουμε».

Με διαπέρασε ένα ρίγος˙ φυσικά και θα γυρνούσε. Θα μου το έλεγε στ' αλήθεια ο Έντουαρντ την επόμενη φορά; Δεν ήμουν σίγουρη. Θα έπρεπε να έχω το νου μου στην Άλις, να ψάχνω ενδείξεις ότι το μοτίβο θα επαναλαμβανόταν...

Ο Τζέικομπ δε φάνηκε να προσέχει την αντίδρασή μου. Κοίταζε πέρα στα κύματα με μια σκεφτική έκφραση στο πρόσωπό του, με τα μεγάλα του χείλη σουφρωμένα.

«Τι σκέφτεσαι;» ρώτησα μετά, αφού μείναμε σιωπηλοί για πολλή ώρα.

«Σκέφτομαι αυτό που μου είπες. Για τότε που η μάντισσα σε είδε να πηδάς από το βράχο και νόμισε πως είχες αυτοκτονήσει, και σκέφτομαι το πώς όλα ξέφυγαν από τον έλεγχο... Συνειδητοποιείς ότι αν απλώς με περίμενες, όπως υποτίθεται ότι θα έκανες, τότε η βδ... *η* Άλις δε θα μπορούσε να σε δει να πέφτεις; Τίποτα δε θα είχε αλλάξει. Πιθανότατα τώρα θα βρισκόμασταν στο γκαράζ μου, όπως και κάθε άλλο Σάββατο. Δε θα υπήρχαν καθόλου βρικόλακες στο Φορκς, κι εσύ κι εγώ...» Η φωνή του αργόσβησε, καθώς ήταν χαμένος βαθιά στη σκέψη.

Ήταν ανησυχητικός ο τρόπος που το είπε αυτό, σαν να ήταν κάτι καλό το να μην υπάρχουν βρικόλακες στο Φορκς. Η καρδιά μου χτύπησε δυνατά, με ακανόνιστο ρυθμό, στη σκέψη του πόσο κενή θα ήταν η εικόνα που ζωγράφισε.

«Ο Έντουαρντ θα γύριζε έτσι κι αλλιώς».

«Είσαι σίγουρη γι' αυτό;» ρώτησε, και πάλι με φιλοπόλεμη διάθεση, μόλις είπα το όνομα του Έντουαρντ.

«Ο χωρισμός μας... δεν πήγε και τόσο καλά για κανέναν από τους δυο μας».

Πήγε να πει κάτι, κάτι θυμωμένο όπως φάνηκε από την έκφρασή του, αλλά κρατήθηκε, πήρε μια βαθιά ανάσα και άρχισε πάλι.

«Ξέρεις ότι ο Σαμ είναι πολύ θυμωμένος μαζί σου;»

«Μ' εμένα;» Μου πήρε ένα δευτερόλεπτο. «Α. Κατάλαβα. Πιστεύει ότι εκείνοι δε θα είχαν ξαναγυρίσει, αν δεν ήμουν εγώ εδώ».

«Όχι. Δεν είναι αυτό».

«Τότε ποιο είναι το πρόβλημά του;»

Ο Τζέικομπ έσκυψε κάτω για να μαζέψει με το χέρι του άλλη μια πέτρα. Τη γύρισε ξανά και ξανά μέσα στα δάχτυλά του· τα μάτια του ήταν καρφωμένα πάνω στη μαύρη πέτρα, καθώς μίλησε χαμηλόφωνα.

«Όταν ο Σαμ είδε… πώς ήσουν στην αρχή, όταν ο Μπίλι τους είπε πως ο Τσάρλι ανησυχούσε, όταν δε βελτιωνόταν η κατάστασή σου, και μετά όταν άρχισες να πηδάς από βράχους…»

Το πρόσωπό του συσπάστηκε. Κανείς δε θα με άφηνε να το ξεχάσω αυτό ποτέ.

Τα μάτια του Τζέικομπ σηκώθηκαν για να κοιτάξουν αστραπιαία τα δικά μου. «Νόμιζε ότι εσύ θα ήσουν το μοναδικό άτομο στον κόσμο με τόσους πολλούς λόγους όπως κι εκείνος να μισείτε τους Κάλεν. Ο Σαμ νιώθει κάπως… προδομένος που τους άφησες τόσο απλά να ξαναμπούν στη ζωή σου, σαν να μη σε είχαν πληγώσει ποτέ».

Δεν πίστεψα ούτε για ένα δευτερόλεπτο ότι ο Σαμ ήταν ο μόνος που ένιωθε έτσι. Και η καυστικότητα στη φωνή μου τώρα προοριζόταν και για τους δυο τους.

«Μπορείς να πεις στον Σαμ να πάει στο—»

«Κοίτα», με διέκοψε ο Τζέικομπ, δείχνοντας έναν αετό την ώρα που προσγειωνόταν κατακόρυφα προς τον ωκεανό από ένα απίστευτο ύψος. Κρατήθηκε το τελευταίο λεπτό, ενώ μόνο τα νύχια του άγγιξαν την επιφάνεια των κυμάτων, μόνο για μια στιγμή. Μετά πέταξε μακριά, με τα φτερά του να πασχίζουν να ξεπεράσουν το βάρος του φορτίου του τεράστιου ψαριού που είχε αρπάξει.

«Το βλέπεις παντού», είπε ο Τζέικομπ, με φωνή ξαφνικά απόμακρη. «Η φύση ακολουθεί την πορεία της –κυνηγός και θήραμα, ο ατελείωτος κύκλος της ζωής και του θανάτου».

Δεν κατάλαβα το νόημα της διάλεξης περί φύσεως˙ μάλλον προσπαθούσε να αλλάξει το θέμα. Αλλά μετά χαμήλωσε το βλέμμα του και με κοίταξε με σκοτεινή διάθεση μέσα στα μάτια του.

«Κι όμως, δε βλέπεις το ψάρι να προσπαθεί να δώσει φιλί στον αετό. Ποτέ δεν το βλέπεις *αυτό*». Χαμογέλασε κοροϊδευτικά.

Εγώ του ανταπόδωσα το χαμόγελο σφιγμένη, αν και η πικρή γεύση ήταν ακόμα μέσα στο στόμα μου. «Μπορεί το ψάρι να προσπαθούσε», πρότεινα.

«Είναι δύσκολο να πεις τι σκέφτεται το ψάρι. Οι αετοί είναι όμορφα πουλιά, ξέρεις».

«Γι' αυτό πρόκειται;» Η φωνή του ήταν απότομα πιο διαπεραστική. «Για την ομορφιά;»

«Μην είσαι χαζός, Τζέικομπ».

«Τότε, είναι τα χρήματα;» επέμεινε.

«Ωραία», μουρμούρισα, ενώ σηκώθηκα από το δέντρο. «Με κολακεύει το γεγονός ότι έχεις τόσο καλή γνώμη για 'μένα». Του γύρισα την πλάτη και άρχισα να απομακρύνομαι.

«Α, μη θυμώνεις». Ήταν ακριβώς πίσω μου˙ έπιασε τον καρπό μου και με γύρισε πάλι προς το μέρος του. «Σοβαρολογώ! Προσπαθώ να καταλάβω εδώ πέρα και δεν καταλαβαίνω τίποτα».

Τα φρύδια του έσμιξαν θυμωμένα, και τα μάτια του ήταν μαύρα στη βαθιά τους σκιά.

«Αγαπάω *εκείνον*. Όχι επειδή είναι όμορφος ή επειδή είναι

πλούσιος!» ξεστόμισα τη λέξη άγρια στα μούτρα του Τζέικομπ. «Θα προτιμούσα να μην ήταν τίποτα απ' αυτά, μάλιστα. Θα έκανε το χάσμα μεταξύ μας λιγάκι μικρότερο –επειδή και πάλι θα ήταν το πιο τρυφερό και ανιδιοτελές και έξυπνο και *έξοχο* άτομο που έχω γνωρίσει. Φυσικά και τον αγαπάω. Πόσο δύσκολο είναι αυτό να το καταλάβεις;»

«Είναι αδύνατο να το καταλάβω».

«Σε παρακαλώ, λοιπόν, διαφώτισέ με, Τζέικομπ». Άφησα το σαρκασμό να ρέει άφθονος. «Ποιος *είναι* ένας βάσιμος λόγος για να αγαπάει κάποιος κάποιον άλλον; Εφόσον προφανώς εγώ κάνω λάθος».

«Νομίζω ότι το καλύτερο σημείο για να ξεκινήσει κανείς θα ήταν να ψάξει ανάμεσα στο δικό του είδος. Αυτό συνήθως έχει αποτέλεσμα».

«Λοιπόν, αυτό δε μου αρέσει καθόλου!» είπα κοφτά. «Μάλλον δεν έχω άλλη επιλογή από τον Μάικ Νιούτον, τελικά».

Ο Τζέικομπ τραβήχτηκε πίσω και δάγκωσε τα χείλη του. Έβλεπα ότι τα λόγια μου τον είχαν πληγώσει, αλλά ήμουν υπερβολικά θυμωμένη για να νιώσω άσχημα ακόμα. Άφησε τον καρπό μου και σταύρωσε τα χέρια του στο στήθος του, γυρίζοντας από την άλλη μεριά για να αγριοκοιτάξει προς τον ωκεανό.

«Εγώ είμαι άνθρωπος», μουρμούρισε, με φωνή που σχεδόν δεν ακουγόταν.

«Δεν είσαι τόσο άνθρωπος όσο είναι ο Μάικ», συνέχισα ανελέητα. «Πιστεύεις ακόμα ότι αυτό είναι το πιο σημαντικό πράγμα που πρέπει να λάβει κανείς υπόψη;»

«Δεν είναι το ίδιο». Ο Τζέικομπ δεν πήρε τα μάτια του από τα γκρίζα κύματα. «Εγώ δεν το διάλεξα αυτό».

Γέλασα με δυσπιστία μια φορά. «Νομίζεις ότι το διάλεξε ο Έντουαρντ; Δεν ήξερε τι του συνέβαινε περισσότερο απ' ό,τι ήξερες εσύ. Δεν πήγε εθελοντής γι' αυτή την ιστορία».

Ο Τζέικομπ κουνούσε το κεφάλι του μπρος-πίσω με μια μικρή, γρήγορη κίνηση.

«Ξέρεις, Τζέικομπ, σε βρίσκω τρομερά φαρισαϊκό –αν λάβουμε υπόψη μας ότι είσαι λυκάνθρωπος».

«Δεν είναι το ίδιο», επανέλαβε ο Τζέικομπ, αγριοκοιτάζοντάς με.

«Δε βλέπω γιατί όχι. Θα μπορούσες να δείξεις *λίγη* περισσότερη κατανόηση για τους Κάλεν. Δεν έχεις ιδέα πόσο αληθινά καλοί είναι –ως το μεδούλι τους, Τζέικομπ».

Συνοφρυώθηκε πιο βαθιά. «Δε θα έπρεπε να υπάρχουν. Η ύπαρξή τους πάει ενάντια στη φύση».

Τον κοίταξα επίμονα με το ένα φρύδι σηκωμένο γεμάτο δυσπιστία. Πέρασε λίγη ώρα πριν το προσέξει.

«Τι;»

«Μιας και μιλάμε για αφύσικα πράγματα...», υπαινίχθηκα.

«Μπέλλα», είπε, με φωνή αργή και διαφορετική. Ώριμη. Συνειδητοποίησα ότι ακουγόταν πιο μεγάλος από 'μένα ξαφνικά –σαν γονιός ή δάσκαλος. «Αυτό που είμαι γεννήθηκε μαζί μου. Είναι κομμάτι του ποιος είμαι, του ποια είναι η οικογένειά μου, του ποιοι είμαστε όλοι ως φυλή –είναι ο λόγος που είμαστε ακόμα εδώ.

»Πέρα απ' αυτό» –χαμήλωσε το βλέμμα για να με κοιτάξει, ενώ τα μαύρα του μάτια δεν μπορούσαν να διαβαστούν– «*είμαι* ακόμα άνθρωπος».

Πήρε το χέρι μου και το πίεσε πάνω στο ζεστό στήθος του. Μέσα από το φανελάκι του, ένιωθα το σταθερό χτύπο της καρδιάς του κάτω από την παλάμη μου.

«Οι φυσιολογικοί άνθρωποι δεν μπορούν να σηκώσουν και να πετάξουν μηχανάκια όπως εσύ».

Χαμογέλασε με ένα αμυδρό, μισό χαμόγελο. «Οι φυσιολογικοί άνθρωποι μένουν μακριά από τα τέρατα, Μπέλλα. Κι εγώ δεν ισχυρίστηκα ποτέ ότι είμαι φυσιολογικός. Απλώς άνθρωπος».

Το να μείνω θυμωμένη με τον Τζέικομπ ήταν υπερβολικά δύσκολο. Άρχισα να χαμογελάω, καθώς τράβηξα το χέρι μου από το στήθος του.

«Μου φαίνεσαι πολύ ανθρώπινος», παραδέχτηκα. «Αυτή τη στιγμή».

«Νιώθω ανθρώπινος». Κοίταξε πέρα από 'μένα, με το πρόσωπό του απόμακρο. Το κάτω χείλος του έτρεμε, και το δάγκωσε πάλι.

«Ω, Τζέικ», ψιθύρισα, τεντώνοντας το χέρι μου για να πιάσω το δικό του.

Αυτός ήταν ο λόγος που ήμουν εδώ. Αυτός ήταν ο λόγος που θα δεχόμουν οποιαδήποτε υποδοχή με περίμενε, όταν έφτανα. Επειδή, κάτω από όλον το θυμό και την ειρωνεία, ο Τζέικομπ πονούσε. Αυτή τη στιγμή, ήταν ξεκάθαρο στα μάτια του. Δεν ήξερα πώς να τον βοηθήσω, αλλά ήξερα ότι έπρεπε να προσπαθήσω. Ήταν κάτι παραπάνω από το γεγονός ότι του το χρωστούσα. Ήταν επειδή ο δικός του πόνος με έκανε κι εμένα να πονάω. Ο Τζέικομπ είχε γίνει κομμάτι μου, και δεν υπήρχε τίποτα που θα μπορούσε να το αλλάξει αυτό τώρα.

5. ΑΠΟΤΥΠΩΣΗ

«Είσαι καλά, Τζέικ; Ο Τσάρλι είπε ότι περνούσες δύσκολη φάση… Δεν είναι καθόλου καλύτερα τα πράγματα;»

Το ζεστό του χέρι κουλουριάστηκε γύρω από το δικό μου. «Δεν είναι και τόσο άσχημα», είπε, αλλά δε σήκωσε το βλέμμα για να με κοιτάξει.

Περπάτησε αργά πίσω προς το παγκάκι που σχημάτιζε ο ξεβρασμένος κορμός, κοιτάζοντας επίμονα τα βότσαλα που είχαν τα χρώματα του ουράνιου τόξου, και με τράβηξε δίπλα του. Κάθισα πάλι στο δέντρο μας, αλλά εκείνος κάθισε κάτω στο βρεγμένο, βραχώδες έδαφος, αντί για δίπλα μου. Αναρωτήθηκα αν το έκανε αυτό για να κρύψει το πρόσωπό του πιο εύκολα. Συνέχισε να κρατάει το χέρι μου.

Άρχισα να φλυαρώ για να γεμίσω τη σιωπή. «Έχει περάσει τόσος καιρός από τότε που ήρθα εδώ. Μάλλον έχω χάσει ένα σωρό επεισόδια. Τι κάνουν ο Σαμ κι η Έμιλι; Κι ο Έμπρι; Ο Κουίλ –;»

Σταμάτησα στη μέση της πρότασης, καθώς θυμήθηκα ότι ο φίλος του Τζέικομπ, ο Κουίλ, ήταν ένα ευαίσθητο θέμα.

«Α, ο Κουίλ», αναστέναξε ο Τζέικομπ.

Άρα λοιπόν, πρέπει να είχε συμβεί –ο Κουίλ πρέπει να είχε γίνει μέλος της αγέλης.

«Λυπάμαι», ψέλλισα.

Προς μεγάλη μου έκπληξη, ο Τζέικομπ ξεφύσηξε ειρωνικά. «Μην το πεις αυτό σ' *εκείνον*».

«Τι εννοείς;»

«Ο Κουίλ δε θέλει οίκτο. Ακριβώς το αντίθετο –είναι τρελαμένος. Εντελώς ενθουσιασμένος».

Αυτό δε μου φαινόταν λογικό. Όλοι οι υπόλοιποι λύκοι ήταν τόσο στενοχωρημένοι με την ιδέα ότι ο φίλος τους θα μοιραζόταν τη μοίρα τους. «Ε;»

Ο Τζέικομπ έγειρε το κεφάλι του πίσω για να με κοιτάξει. Χαμογέλασε και στριφογύρισε τα μάτια.

«Ο Κουίλ πιστεύει πως είναι το πιο τέλειο πράγμα που του έχει συμβεί ποτέ. Εν μέρει, επειδή ξέρει τι συμβαίνει επιτέλους. Και είναι ενθουσιασμένος που ξαναβρήκε τους φίλους του –που είναι μέλος της πιο "κουλ" παρέας». Ο Τζέικομπ ξεφύσηξε ξανά. «Μάλλον δε θα έπρεπε να ξαφνιαστώ. Είναι χαρακτηριστική αντίδραση για τον Κουίλ».

«Του *αρέσει;*»

«Για να πω την αλήθεια... αρέσει στους περισσότερους», παραδέχτηκε ο Τζέικομπ αργά. «Υπάρχουν καλές πλευρές –η ταχύτητα, η ελευθερία, η δύναμη... η αίσθηση της *οικογένειας...* – ο Σαμ κι εγώ είμαστε οι μόνοι που ένιωθαν θυμό. Κι ο Σαμ το ξεπέρασε πριν πολύ καιρό. Άρα, εγώ είμαι τώρα ο κλαψιάρης». Ο Τζέικομπ γέλασε με τον εαυτό του.

Υπήρχαν τόσα πολλά πράγματα που ήθελα να μάθω. «Γιατί διαφέρετε εσύ κι ο Σαμ; Τι συνέβη στον Σαμ, εν πάση περιπτώσει; Ποιο είναι το πρόβλημά του;» Οι ερωτήσεις έπεφταν βροχή η μια μετά την άλλη, χωρίς να υπάρχει χώρος μεταξύ τους για να απαντηθούν, κι ο Τζέικομπ γέλασε ξανά.

«Αυτό είναι μεγάλη ιστορία».

«Εγώ σου είπα μια μεγάλη ιστορία. Εξάλλου, δε βιάζομαι να γυρίσω πίσω», είπα και μετά έκανα μια γκριμάτσα, καθώς σκέφτηκα τους μπελάδες που θα είχα να αντιμετωπίσω.

Σήκωσε το βλέμμα για να με κοιτάξει γρήγορα, πιάνοντας το υπονοούμενο στα λόγια μου. «Θα θυμώσει μαζί σου;»

«Ναι», παραδέχτηκα. «Πραγματικά δεν του αρέσει καθόλου, όταν κάνω πράγματα που θεωρεί... ριψοκίνδυνα».

«Όπως το να κάνεις παρέα με λυκάνθρωπους».

«Ναι».

Ο Τζέικομπ ανασήκωσε τους ώμους. «Τότε, μην πας πίσω. Θα κοιμηθώ στον καναπέ».

«Α, ναι καταπληκτική ιδέα», γκρίνιαξα. «Τότε θα ερχόταν να με βρει».

Ο Τζέικομπ έγινε άκαμπτος και μετά χαμογέλασε παγερά. «Έτσι, ε;»

«Αν φοβόταν ότι είχα πάθει κάτι –πιθανότατα».

«Η ιδέα μού ακούγεται όλο και καλύτερη».

«Σε παρακαλώ, Τζέικ. Αυτό με ενοχλεί, στ' αλήθεια».

«Ποιο πράγμα;»

«Που εσείς οι δυο είστε τόσο έτοιμοι να σκοτώσετε ο ένας τον άλλο!» παραπονέθηκα. «Με τρελαίνει. Γιατί δεν μπορείτε κι οι δυο σας να φερθείτε πολιτισμένα;»

«Είναι έτοιμος να με σκοτώσει;» ρώτησε ο Τζέικομπ με ένα βλοσυρό χαμόγελο, αδιάφορος για το θυμό μου.

«Όχι τόσο όσο φαίνεσαι εσύ!» Συνειδητοποίησα ότι τσίριζα. «Τουλάχιστον *εκείνος* μπορεί να φερθεί σαν ενήλικας σχετικά με αυτό το θέμα. Ξέρει ότι αν έκανε κακό σ' εσένα, αυτό θα με πλήγωνε –κι έτσι δε θα το έκανε ποτέ. Εσένα δε φαίνεται να σε νοιάζει καθόλου αυτό!»

«Ναι, καλά», μουρμούρισε ο Τζέικομπ. «Είμαι σίγουρος ότι είναι ακριβώς ο τύπος του φιλειρηνιστή».

«Ωχ πια!» τράβηξα με δύναμη το χέρι μου από το δικό του κι έσπρωξα το κεφάλι του μακριά. Μετά δίπλωσα τα γόνατά μου στο στήθος μου και τύλιξα τα χέρια μου σφιχτά γύρω τους.

Κοίταζα θυμωμένη πέρα μακριά προς τον ορίζοντα, αφρίζοντας από το θυμό.

Ο Τζέικομπ έμεινε σιωπηλός για λίγα λεπτά. Τελικά, σηκώθηκε από το έδαφος και κάθισε πλάι μου, βάζοντας το χέρι του γύρω από τους ώμους μου. Το τίναξα μακριά.

«Συγνώμη», είπε ήσυχα. «Θα προσπαθήσω να είμαι φρόνιμος».

Δεν απάντησα.

«Θέλεις ακόμα να μάθεις για τον Σαμ;» προσφέρθηκε.

Ανασήκωσα τους ώμους.

«Όπως είπα, είναι μεγάλη ιστορία. Και πολύ... παράξενη. Υπάρχουν τόσα πολλά παράξενα πράγματα στην καινούρια αυτή ζωή. Δεν έχω προλάβει να σου πω ούτε τα μισά. Κι αυτό το πράγμα με τον Σαμ –να, δεν ξέρω καν αν θα καταφέρω να το εξηγήσω σωστά».

Τα λόγια του μου κέντρισαν την περιέργεια, παρά τον εκνευρισμό μου.

«Ακούω», είπα ψυχρά.

Με την άκρη του ματιού μου, είδα το πλάι του προσώπου του να σηκώνεται προς τα πάνω σε ένα χαμόγελο.

«Για τον Σαμ τα πράγματα ήταν πολύ πιο δύσκολα από 'μας τους υπόλοιπους. Επειδή εκείνος ήταν ο πρώτος και ήταν μόνος του και δεν είχε κανένα για να του πει τι συνέβαινε. Ο παππούς του Σαμ είχε πεθάνει πριν γεννηθεί εκείνος, κι ο πατέρας του δεν ήταν ποτέ κοντά του. Δεν υπήρχε κανένας που να μπορούσε να αναγνωρίσει τα σημάδια. Την πρώτη φορά που συνέβη –την πρώτη φορά που άλλαξε μορφή– νόμιζε ότι είχε τρελαθεί. Του πήρε δυο βδομάδες για να ηρεμήσει αρκετά, ώστε να ξαναπάρει την ανθρώπινη μορφή του.

»Αυτό έγινε πριν έρθεις εσύ στο Φορκς, οπότε δε θα το θυμάσαι. Η μητέρα του Σαμ και η Λία Κλίαργουοτερ έβαλαν τους δασοφύλακες να τον ψάχνουν, την αστυνομία. Πίστευαν ότι είχε πάθει κάποιο ατύχημα ή κάτι τέτοιο...»

«Η Λία;» ρώτησα έκπληκτη. Η Λία ήταν η κόρη του Χάρι. Στο άκουσμα του ονόματός της, με κατέκλυσε ένα αυτόματο κύμα πόνου. Ο Χάρι Κλίαργουοτερ, ο φίλος του Τσάρλι για μια ζωή, είχε πεθάνει από καρδιακή προσβολή την περασμένη άνοιξη.

Η φωνή του άλλαξε, έγινε πιο βαριά. «Ναι. Η Λία κι ο Σαμ ήταν ζευγάρι από το λύκειο. Άρχισαν να βγαίνουν, όταν εκείνη πήγαινε μόλις στην πρώτη τάξη. Έπαθε υστερία, όταν εκείνος εξαφανίστηκε».

«Μα εκείνος κι η Έμιλι—»

«Θα φτάσω και σ' αυτό –είναι μέρος της ιστορίας», είπε. Πήρε μια βαθιά ανάσα, και μετά ξεφύσηξε δυνατά.

Υποθέτω ότι ήταν ανόητο εκ μέρους μου να φαντάζομαι ότι ο Σαμ δεν είχε αγαπήσει ποτέ άλλη γυναίκα πριν από την Έμιλι. Οι περισσότεροι άνθρωποι ερωτεύονται και ξε-ερωτεύονται πολλές φορές στη ζωή τους. Απλώς είχα δει τον Σαμ και την Έμιλι και δεν μπορούσα να τον φανταστώ με κάποια άλλη. Ο τρόπος που την κοίταζε... να, μου θύμιζε ένα βλέμμα που είχα δει μερικές φορές στα μάτια του Έντουαρντ –όταν κοίταζε εμένα.

«Ο Σαμ επέστρεψε» είπε ο Τζέικομπ «αλλά δε μιλούσε σε κανένα για το πού είχε πάει. Κυκλοφορούσαν φήμες –ότι είχε μπλέξει, κυρίως. Και τότε ο Σαμ έτυχε να συναντήσει τον παππού του Κουίλ ένα απόγευμα, όταν ο γερο-Κουίλ Ατεάρα πήγε να επισκεφτεί την κυρία Γιούλεϊ. Ο Σαμ του έδωσε το χέρι. Ο γερο-Κουίλ παραλίγο να πάθει εγκεφαλικό». Ο Τζέικομπ σταμάτησε για να γελάσει.

«Γιατί;»

Ο Τζέικομπ έβαλε το χέρι του στο μάγουλό μου και γύρισε το πρόσωπό μου για να τον κοιτάξω –έγερνε προς το μέρος μου, με το πρόσωπό του μόλις μερικά εκατοστά μακριά από το δικό μου. Η παλάμη του έκαιγε το δέρμα μου, σαν να είχε πυρετό.

«Α, ναι, σωστά», είπα. Δεν ένιωθα άνετα να έχω το πρόσωπό μου τόσο κοντά στο δικό του, με το χέρι του καυτό πάνω στο δέρμα μου. «Ο Σαμ είχε ανεβάσει θερμοκρασία».

Ο Τζέικομπ γέλασε ξανά. «Το χέρι του Σαμ ήταν σαν να το είχε αφήσει πάνω σε καυτό μάτι κουζίνας».

Ήταν τόσο κοντά, που ένιωθα τη ζεστή του ανάσα. Σήκωσα το χέρι μου αδιάφορα, για να διώξω το χέρι του και να ελευθερώσω το πρόσωπό μου, αλλά έμπλεξα τα δάχτυλά μου με τα δικά του, για να μην πληγώσω τα αισθήματά του. Χαμογέλασε κι έγειρε προς τα πίσω, χωρίς να τον έχει ξεγελάσει η προσπάθειά μου να φανώ ατάραχη.

«Έτσι ο κύριος Ατεάρα πήγε κατευθείαν στους γέροντες», συνέχισε ο Τζέικομπ. «Αυτοί ήταν οι μόνοι που είχαν απομείνει, που ήξεραν ακόμα, που θυμόντουσαν. Ο κύριος Ατεάρα, ο Μπίλι κι ο Χάρι είχαν δει τους παππούδες τους να αλλάζουν μορφή. Όταν ο γερο-Κουίλ τους το είπε, συναντήθηκαν με τον Σαμ και του εξήγησαν.

»Ήταν πιο εύκολο, όταν κατάλαβε –όταν δεν ήταν μόνος πια. Ήξεραν ότι δε θα ήταν ο μόνος που θα επηρεαζόταν από την επιστροφή των Κάλεν» –πρόφερε το όνομα με ασυναίσθητη πίκρα– «αλλά κανένας άλλος δεν ήταν αρκετά μεγάλος. Έτσι, ο Σαμ περίμενε τους υπόλοιπους να γίνουν κι αυτοί σαν κι εκείνον...»

«Οι Κάλεν δεν είχαν ιδέα», είπα ψιθυριστά. «Δεν πίστευαν ότι υπήρχαν ακόμα λυκάνθρωποι εδώ πέρα. Δεν ήξεραν ότι ο ερχομός τους θα σας έκανε να μεταμορφωθείτε».

«Αυτό δεν αλλάζει το γεγονός ότι μεταμορφωθήκαμε».

«Θύμισέ μου να μη σε στρέψω ποτέ εναντίον μου».

«Νομίζεις ότι θα έπρεπε να είμαι τόσο επιεικής όσο εσύ; Δεν μπορούμε να είμαστε όλοι άγιοι και μάρτυρες».

«Πρέπει να μεγαλώσεις, Τζέικομπ».

«Μακάρι να μπορούσα», μουρμούρισε γρήγορα.

Τον κοίταξα επίμονα, προσπαθώντας να βγάλω νόημα από την απάντησή του. «Τι;»

Ο Τζέικομπ γέλασε πνιχτά. «Ένα από εκείνα τα πολλά παράξενα που σου ανέφερα».

«Δεν... μπορείς... να μεγαλώσεις;» είπα ανέκφραστα. «Δηλαδή τι; Δεν... *γερνάς*; Μου κάνεις πλάκα;»

«Τσου».

Ένιωσα το αίμα να πλημμυρίζει το πρόσωπό μου. Δάκρυα –δάκρυα οργής– γέμισαν τα μάτια μου. Τα δόντια μου σφίχτηκαν με έναν αισθητό ήχο τριξίματος.

«Μπέλλα; Τι είπα;»

Είχα σηκωθεί ξανά όρθια, με τα χέρια μου σφιγμένα σε γροθιές και ολόκληρο το σώμα μου να τρέμει.

«Εσύ. Δεν. Μεγαλώνεις», είπα γρυλίζοντας μέσα από τα δόντια μου.

Ο Τζέικομπ τράβηξε το μπράτσο μου απαλά, προσπαθώντας να με κάνει να καθίσω. «Κανένας από 'μας δε μεγαλώνει. Τι πρόβλημα έχεις;»

«Εγώ είμαι η μόνη που πρέπει να γίνει *γριά*; Γερνάω κάθε καταραμένη μέρα!» Σχεδόν ούρλιαζα, σηκώνοντας τα χέρια μου ψηλά στον αέρα. Ένα μικρό μέρος μου αναγνώριζε ότι είχα πάθει μια κρίση σε στιλ Τσάρλι, αλλά αυτό το λογικό κομμάτι μου επισκιαζόταν σε μεγάλο βαθμό από το παράλογο. «Να *πάρει*! Τι είδους κόσμος είναι αυτός; Πού είναι η *δικαιοσύνη*;»

«Ηρέμησε, Μπέλλα».

«Σκάσε, Τζέικομπ. Απλώς σκάσε! Αυτό είναι *τόσο* άδικο!»

«Τώρα σοβαρά, κοπάνησες το πόδι σου κάτω; Νόμιζα πως τα κορίτσια το κάνουν αυτό μόνο στην τηλεόραση».

Μούγκρισα αλλά δεν τον εντυπωσίασα.

«Δεν είναι και τόσο άσχημα όσο νομίζεις. Κάτσε κάτω και

θα σου εξηγήσω».

«Θα μείνω όρθια».

Στριφογύρισε τα μάτια του. «Εντάξει. Ό,τι θες. Αλλά άκου, θα *μεγαλώσω* κι εγώ... κάποια μέρα».

«Εξήγησέ μου».

Χτύπησε ελαφρά το δέντρο. Κοίταξα θυμωμένα για μια στιγμή, αλλά μετά κάθισα· η οργή μου είχε εξατμιστεί το ίδιο ξαφνικά, όπως είχε φουντώσει, και είχα ηρεμήσει αρκετά για να καταλάβω ότι γελοιοποιόμουν.

«Όταν έχουμε αρκετό έλεγχο, ώστε να μπορούμε να τα παρατήσουμε...» είπε ο Τζέικομπ. «Όταν σταματάμε να μεταμορφωνόμαστε για ένα αρκετά μεγάλο χρονικό διάστημα, ξαναρχίζουμε να μεγαλώνουμε. Δεν είναι εύκολο». Κούνησε το κεφάλι του, απότομα σκεφτικός. «Θα πάρει πάρα πολύ καιρό να μάθουμε αυτού του είδους την αυτοσυγκράτηση, νομίζω. Ούτε κι ο Σαμ δεν την έχει ακόμα. Φυσικά, δε βοηθάει το γεγονός ότι υπάρχει μια τεράστια ομάδα βρικολάκων λίγο πιο κάτω. Δεν μπορούμε καν να σκεφτούμε την πιθανότητα να τα παρατήσουμε, όταν η φυλή έχει ανάγκη από προστάτες. Αλλά εσύ δεν πρέπει να το παίρνεις και τόσο βαριά, έτσι κι αλλιώς, επειδή εγώ είμαι ήδη μεγαλύτερος από 'σένα, τουλάχιστον σωματικά».

«Τι είναι αυτά που λες;»

«Κοίταξέ με, Μπελς. Σου μοιάζω για δεκαέξι χρονών;»

Κοίταξα την τεράστια κορμοστασιά του από πάνω ως κάτω, προσπαθώντας να είμαι αμερόληπτη. «Όχι ακριβώς, υποθέτω».

«Καθόλου. Επειδή αναπτυσσόμαστε πλήρως μέσα σε μερικούς μήνες, όταν το γονίδιο του λυκάνθρωπου μπαίνει σε λειτουργία. Είναι μια τρομερή ξαφνική έκρηξη ανάπτυξης». Έκανε μια γκριμάτσα. «Σωματικά, πιθανότατα είμαι είκοσι πέντε ή κάτι τέτοιο. Άρα, δε χρειάζεται να φρικάρεις, επειδή είσαι πολύ μεγάλη για 'μένα, τουλάχιστον για άλλα επτά χρόνια».

Είκοσι πέντε ή κάτι τέτοιο. Η ιδέα μου φάνηκε τρελή. Αλλά θυμήθηκα εκείνη την έκρηξη της ανάπτυξης –θυμήθηκα που τον παρακολουθούσα να παίρνει ύψος ξαφνικά και να γίνεται πιο μεγαλόσωμος μπροστά στα μάτια μου. Θυμήθηκα πόσο διαφορετικός έδειχνε από τη μια μέρα στην άλλη… κούνησα το κεφάλι μου, νιώθοντας ζαλάδα.

«Λοιπόν, ήθελες να μάθεις για τον Σαμ ή ήθελες να μου ουρλιάξεις για μερικά ακόμα πράγματα που δεν μπορώ να ελέγξω;»

Πήρα μια βαθιά ανάσα. «Συγνώμη. Η ηλικία είναι ένα λεπτό θέμα για 'μένα. Χτύπησες το ευαίσθητο σημείο μου».

Τα μάτια του Τζέικομπ σφίχτηκαν, και φάνηκε σαν να προσπαθούσε να αποφασίσει πώς να διατυπώσει κάτι.

Εφόσον δεν ήθελα να μιλήσω για τα πραγματικά λεπτά θέματα –τα σχέδιά μου για το μέλλον ή τις συνθήκες που μπορεί να έσπαγαν εξαιτίας αυτών των σχεδίων, τον παρότρυνα να συνεχίσει.

«Λοιπόν, μόλις ο Σαμ κατάλαβε τι συνέβαινε, μόλις είχε στο πλευρό του τον Μπίλι και τον Χάρι και τον κύριο Ατεάρα, είπες ότι δεν ήταν πια τόσο δύσκολο. Κι επίσης είπες ότι υπάρχουν και κάποιες πλευρές που είναι ωραίες…» Δίστασα για λίγο. «Γιατί ο Σαμ τους μισεί τόσο πολύ; Γιατί εύχεται να τους μισούσα κι εγώ;»

Ο Τζέικομπ αναστέναξε. «Αυτό είναι πραγματικά πολύ παράξενο».

«Τα παράξενα είναι η ειδικότητά μου».

«Ναι, το ξέρω». Χαμογέλασε πλατιά πριν συνεχίσει. «Λοιπόν, έχεις δίκιο. Ο Σαμ ήξερε τι συνέβαινε, και σχεδόν όλα ήταν καλά. Στους περισσότερους τομείς, η ζωή του είχε ξαναγίνει, δηλαδή όχι εντελώς, φυσιολογική. Αλλά καλύτερη». Τότε η έκφραση του Τζέικομπ σφίχτηκε, σαν να ερχόταν κάτι επώδυνο. «Ο Σαμ δεν μπορούσε να το πει στη Λία. Υποτίθεται ότι δεν επιτρέπεται να το πούμε σε κανέναν που δεν είναι απαραίτητο να ξέρει. Και δεν ήταν και πολύ ασφαλές να είναι κοντά της –αλλά εκείνος έκανε ζαβολιά, όπως έκανα κι εγώ μ' εσένα. Η Λία εξοργίστηκε που δεν της έλεγε τι συνέβαινε –πού είχε πάει όταν εξαφανίστηκε, πού πήγαινε τη νύχτα, γιατί ήταν πάντα τόσο εξαντλημένος– αλλά τα έβρισκαν. Προσπαθούσαν. Αγαπιόντουσαν πραγματικά».

«Το έμαθε εκείνη; Αυτό είναι που συνέβη;»

Κούνησε το κεφάλι του. «Όχι, δεν ήταν αυτό το πρόβλημα. Η ξαδέρφη της, η Έμιλι Γιανγκ, κατέβηκε ένα Σαββατοκύριακο από τον καταυλισμό των Μακά για να την επισκεφτεί».

Έβγαλα μια πνιχτή κραυγή. «Η Έμιλι είναι ξαδέρφη της Λία;»

«Δεύτερη ξαδέρφη. Αλλά είναι πολύ δεμένες. Ήταν σαν αδερφές, όταν ήταν πιτσιρίκια».

«Αυτό είναι... απαίσιο. Πώς μπόρεσε ο Σαμ...;» Η φωνή μου αργόσβησε, ενώ κουνούσα το κεφάλι μου.

«Μην τον κρίνεις ακόμα. Σου έχει πει ποτέ κανείς... Έχεις ακούσει ποτέ για την *αποτύπωση*;»

«Την αποτύπωση;» επανέλαβα τη λέξη που δεν είχα ξανακούσει. «Όχι. Τι σημαίνει αυτό;»

«Είναι ένα από αυτά τα παράδοξα πράγματα που πρέπει να αντιμετωπίσουμε. Δε συμβαίνει σε όλους. Στην πραγματικότητα, είναι σπάνια εξαίρεση, όχι κανόνας. Ο Σαμ είχε ακούσει όλες τις ιστορίες ως τότε, τις ιστορίες που παλιά όλοι μας πιστεύαμε ότι ήταν θρύλοι. Είχε ακούσει για την αποτύπωση, αλλά δεν είχε φανταστεί ούτε στο όνειρό του...»

«Τι είναι;» τον κέντρισα.

Τα μάτια του Τζέικομπ καρφώθηκαν πέρα μακριά στον ωκεανό. «Ο Σαμ αγαπούσε πραγματικά τη Λία. Αλλά όταν είδε την Έμιλι, αυτό δεν είχε καμία σημασία πια. Μερικές φορές... δεν ξέρουμε ακριβώς γιατί... βρίσκουμε τις συντρόφους μας έτσι». Τα μάτια του στράφηκαν γρήγορα προς τα δικά μου ξανά, με το πρόσωπό του να κοκκινίζει. «Θέλω να πω… τις αδερφές ψυχές μας».

«Πώς; Αγάπη με την πρώτη ματιά;» είπα γελώντας κοροϊδευτικά.

Ο Τζέικομπ δε χαμογελούσε. Τα σκούρα του μάτια ήταν επικριτικά στην αντίδρασή μου. «Είναι λιγάκι πιο δυνατό απ' αυτό. Πιο απόλυτο».

«Συγνώμη», μουρμούρισα. «Σοβαρολογείς, έτσι δεν είναι;»

«Ναι, σοβαρολογώ».

«Αγάπη με την πρώτη ματιά; Αλλά πιο δυνατό;» Η φωνή μου ακουγόταν ακόμα γεμάτη αμφιβολία, κι εκείνος το άκουγε.

«Δεν είναι εύκολο να το εξηγήσω. Δεν έχει σημασία, έτσι κι αλλιώς». Σήκωσε τους ώμους αδιάφορα. «Ήθελες να μάθεις τι συνέβη στον Σαμ που τον έκανε να μισήσει τους βρικόλακες που τον μεταμόρφωσαν, που τον έκανε να μισήσει τον εαυτό του. Κι αυτό είναι που συνέβη. Ράγισε την καρδιά της Λία. Αθέτησε κάθε υπόσχεση που της είχε δώσει ποτέ. Κάθε μέρα είναι αναγκασμένος να βλέπει την κατηγορία στα μάτια της και να ξέρει ότι αυτή έχει δίκιο».

Σταμάτησε να μιλάει απότομα, σαν να είχε πει κάτι που δε σκόπευε.

«Και πώς το αντιμετώπισε η Έμιλι; Αν ήταν τόσο δεμένες με τη Λία…;» Ο Σαμ κι η Έμιλι ήταν απόλυτα *κατάλληλοι* ο ένας για τον άλλο, δύο κομμάτια ενός παζλ που ταίριαζαν απόλυτα μεταξύ τους. Και πάλι… πώς είχε παραβλέψει η Έμιλι το γεγονός ότι κάποτε ανήκε σε κάποια άλλη; Στην αδερφή της, σχεδόν.

«Στην αρχή ήταν πολύ θυμωμένη. Αλλά είναι δύσκολο να αντισταθείς σ' αυτό το επίπεδο λατρείας και αφοσίωσης». Ο Τζέικομπ αναστέναξε. «Κι ύστερα, ο Σαμ μπορούσε να της πει τα πάντα. Δεν υπάρχουν καθόλου κανόνες που να σε περιορίζουν, όταν βρεις το άλλο σου μισό. Ξέρεις πώς τραυματίστηκε;»

«Ναι». Σύμφωνα με τη φήμη στο Φορκς, την είχε ξεσκίσει μια αρκούδα, αλλά εγώ ήξερα το μυστικό.

Οι λυκάνθρωποι είναι ασταθείς, είχε πει ο Έντουαρντ. *Μερικές φορές, οι άνθρωποι που είναι κοντά τους τραυματίζονται.*

«Λοιπόν, παραδόξως, αυτός ήταν περίπου ο τρόπος που έλυσαν το θέμα. Ο Σαμ ένιωθε τόση φρίκη, τόση αηδία για τον εαυτό του, ήταν τόσο γεμάτος μίσος γι' αυτό που είχε κάνει… Θα είχε ριχτεί κάτω από κανένα λεωφορείο, αν αυτό θα την έκανε να νιώσει καλύτερα. Θα μπορούσε να το είχε κάνει, έτσι κι αλλιώς, για να ξεφύγει απ' αυτό που είχε κάνει. Ήταν συντετριμμένος. Τότε, με κάποιο τρόπο, *εκείνη* παρηγορούσε *αυτόν*, και μετά απ' αυτό…»

Ο Τζέικομπ δεν ολοκλήρωσε τη σκέψη του, κι εγώ αισθάνθηκα ότι η ιστορία είχε γίνει υπερβολικά προσωπική για να τη μοιραστεί.

«Η καημένη η Έμιλι», ψιθύρισα. «Ο καημένος ο Σαμ. Η καημένη η Λία…»

«Ναι, η Λία την έπαθε χειρότερα απ' όλους», συμφώνησε. «Κάνει τη γενναία. Θα γίνει παράνυμφος».

Γύρισα να κοιτάξω από την άλλη μεριά, προς τους ακανόνιστα αιχμηρούς βράχους που υψώνονταν μέσα από τον ωκεανό, σαν κοντόχοντρα σπασμένα δάχτυλα, στη νότια παρυφή του λιμανιού, ενώ προσπαθούσα να βγάλω νόημα απ' όλα αυτά. Ένιωθα τα μάτια του πάνω στο πρόσωπό μου, που με περίμεναν να πω κάτι.

«Εσένα σου συνέβη αυτό;» ρώτησα τελικά, κοιτάζοντας ακόμα πέρα μακριά. «Αυτή η αγάπη με την πρώτη ματιά;»

«Όχι», απάντησε κοφτά. «Ο Σαμ κι ο Τζάρεντ είναι οι μοναδικοί».

«Χμμμ», είπα προσπαθώντας να ακουστώ σαν να είχα ρωτήσει μόνο από ευγενικό ενδιαφέρον. Ένιωθα ανακούφιση και προσπάθησα να εξηγήσω στον εαυτό μου την αντίδρασή μου. Αποφάσισα ότι απλά χάρηκα που δεν ισχυρίστηκε ότι υπήρχε κάποια μυστικιστική, λυκίσια σύνδεση μεταξύ μας. Η σχέση μας ήταν ήδη αρκετά μπερδεμένη, έτσι όπως ήταν. Δε χρειαζόμουν περισσότερα υπερφυσικά πράγματα απ' όσα είχα ήδη να αντιμετωπίσω.

Ήταν σιωπηλός κι εκείνος, και εξαιτίας της σιωπής υπήρχε κάποια αμηχανία. Το προαίσθημά μου μού έλεγε ότι δεν ήθελα να ακούσω τι σκεφτόταν.

«Πώς έγινε στην περίπτωση του Τζάρεντ;» ρώτησα για να σπάσω τη σιωπή.

«Δεν υπήρξε τίποτα δραματικό εκεί. Ήταν απλώς ένα κορίτσι που καθόταν δίπλα του στο σχολείο κάθε μέρα για έναν ολόκληρο χρόνο, και που δεν της είχε ρίξει ποτέ μια δεύτερη ματιά. Και μετά, αφού μεταμορφώθηκε, την ξαναείδε και δεν ξαναγύρισε να κοιτάξει αλλού. Η Κιμ ήταν ενθουσιασμένη. Την είχε πατήσει μαζί του από πριν. Είχε το επίθετό του δίπλα στο όνομά της παντού στο ημερολόγιό της». Γέλασε κοροϊδευτικά.

Κατσούφιασα. «Ο Τζάρεντ σας το είπε αυτό; Κακώς».

Ο Τζέικομπ δάγκωσε τα χείλη του. «Μάλλον δε θα έπρεπε να γελάω. Όμως, ήταν αστείο».

«Ωραία αδερφή ψυχή».

Αναστέναξε. «Ο Τζάρεντ δε μας είπε τίποτα σκόπιμα. Σου έχω ήδη μιλήσει γι' αυτό, το θυμάσαι;»

«Α, ναι. Μπορείτε να ακούτε ο ένας τις σκέψεις του άλλου, αλλά μόνο όταν είστε λύκοι, σωστά;»

«Σωστά. Όπως ακριβώς και η βδέλλα σου». Κοίταξε με άγριο βλέμμα.

«Ο Έντουαρντ», τον διόρθωσα.

«Καλά, καλά. Γι' αυτό ξέρω τόσα πράγματα για το πώς ένιωθε ο Σαμ. Δεν είναι ότι θα μας τα είχε πει όλα αυτά, αν είχε επιλογή. Εδώ που τα λέμε, αυτό είναι κάτι που δεν αρέσει καθόλου σε κανένα μας». Η πίκρα ήταν ξαφνικά σκληρή στη φωνή του. «Είναι απαίσιο. Δεν υπάρχει καθόλου προσωπική ζωή, καθόλου μυστικά. Όλα αυτά για τα οποία ντρέπεσαι, εκτεθειμένα μπροστά σε όλους». Τον διαπέρασε ένα ρίγος.

«Ακούγεται τρομερό», ψιθύρισα.

«*Είναι* εξυπηρετικό μερικές φορές, όταν χρειάζεται να συντονιστούμε», είπε απρόθυμα. «Μια φορά στο τόσο, όταν καμιά βδέλλα περνάει στην περιοχή μας. Ο Λόρεντ είχε πλάκα. Κι αν οι Κάλεν δεν είχαν μπλεχτεί στα πόδια μας το περασμένο Σάββατο... μμμ!» μούγκρισε. «Θα μπορούσαμε να την είχαμε πιάσει!» Τα χέρια του σφίχτηκαν σε θυμωμένες γροθιές.

Τραβήχτηκα πίσω. Όσο κι αν ανησυχούσα για την πιθανότητα να πάθουν κάτι ο Τζάσπερ ή ο Έμετ, αυτό δεν ήταν τίποτα σε σύγκριση με τον πανικό που ένιωθα στην ιδέα του Τζέικομπ να κυνηγά τη Βικτόρια. Ο Έμετ κι ο Τζάσπερ ήταν ό,τι πιο κοντινό μπορούσα να φανταστώ στην έννοια του άτρωτου. Ο Τζέικομπ ήταν ακόμα ζεστός, ακόμα σχετικά ανθρώπινος. Θνητός. Σκέφτηκα τον Τζέικομπ αντιμέτωπο με τη Βικτόρια, με τα λαμπερά μαλλιά της να τα φυσά ο αέρας γύρω από το παράξενα αιλουροειδές πρόσωπό της... και με διαπέρασε ένα ρίγος.

Ο Τζέικομπ σήκωσε το βλέμμα για να με κοιτάξει με μια έκφραση γεμάτη περιέργεια. «Μα δεν είναι συνέχεια έτσι και για 'σένα; Το να έχεις *εκείνον* μέσα στο κεφάλι σου;»

«Ω, όχι. Ο Έντουαρντ δεν είναι ποτέ μέσα στο κεφάλι μου. Θα ήθελε».

Η έκφραση του Τζέικομπ γέμισε σύγχυση.

«Δεν μπορεί να με ακούσει», εξήγησα κάπως αυτάρεσκα από συνήθεια. «Εγώ είμαι το μόνο άτομο που δεν μπορεί να ακούσει. Δεν ξέρουμε ακριβώς *γιατί*».

«Παράξενο», είπε ο Τζέικομπ.

«Ναι». Η αυταρέσκεια έσβησε. «Πιθανότατα σημαίνει ότι

κάτι δεν πάει καλά με τον εγκέφαλό μου», παραδέχτηκα.

«Το ήξερα ήδη ότι κάτι δεν πάει καλά με τον εγκέφαλό σου», μουρμούρισε ο Τζέικομπ.

«Ευχαριστώ».

Ο ήλιος βρήκε δίοδο μέσα απ' τα σύννεφα ξαφνικά, μια έκπληξη που δεν περίμενα, κι αναγκάστηκα να ζαρώσω τα μάτια μου μπροστά στην εκθαμβωτική αντανάκλαση του φωτός στο νερό. Όλα άλλαξαν χρώμα –τα κύματα από γκρίζα έγιναν μπλε, τα δέντρα από μουντό λαδί έγιναν ένα έντονο πράσινο στην απόχρωση του νεφρίτη, και τα βότσαλα στα χρώματα του ουράνιου τόξου έγιναν αστραφτερά σαν κοσμήματα.

Για μια στιγμή κοιτούσαμε τον ήλιο με μισόκλειστα μάτια, αφήνοντάς τα να προσαρμοστούν. Δεν υπήρχαν άλλοι ήχοι εκτός από το υπόκωφο βουητό των κυμάτων που αντηχούσε από κάθε μεριά του προστατευμένου λιμανιού, το μαλακό τρίξιμο των βότσαλων που τρίβονταν το ένα πάνω στο άλλο κάτω από τη ροή του νερού και τις κραυγές των γλάρων ψηλά πάνω από τα κεφάλια μας. Ήταν πολύ γαλήνια.

Ο Τζέικομπ βολεύτηκε πιο κοντά μου, έτσι ώστε να ακουμπά πάνω στο μπράτσο μου. Ήταν τόσο ζεστός. Μετά από ένα λεπτό έτσι, ανασήκωσα τους ώμους για να βγάλω το αδιάβροχό μου. Έκανε ένα μικρό ήχο ικανοποίησης στο πίσω μέρος του λαιμού του κι ακούμπησε το μάγουλό του στην κορυφή του κεφαλιού μου. Ένιωθα τον ήλιο να ζεσταίνει το δέρμα μου –αν και δεν ήταν τόσο ζεστός όσο ο Τζέικομπ– κι αναρωτήθηκα τεμπέλικα πόση ώρα θα έπαιρνε μέχρι να καώ τελείως.

Αφηρημένα, έστριψα το δεξί μου χέρι στο πλάι και παρακολούθησα τον ήλιο να λαμπυρίζει ανεπαίσθητα πάνω στην ουλή που είχε αφήσει ο Τζέιμς.

«Τι σκέφτεσαι;» μουρμούρισε εκείνος.

«Τον ήλιο».

«Μμμ. Είναι ωραίος».

«Εσύ τι σκέφτεσαι;» ρώτησα εγώ.

Γέλασε πνιχτά. «Θυμόμουν εκείνη την ηλίθια ταινία που με πήγες να δούμε. Και τον Μάικ Νιούτον να ξερνάει παντού».

Γέλασα κι εγώ, έκπληκτη από το πόσο ο χρόνος είχε αλλάξει αυτή την ανάμνηση. Παλιά ήταν μια ανάμνηση άγχους, σύγχυσης. Τόσα πολλά είχαν αλλάξει από εκείνη τη νύχτα... Και τώρα μπορούσα να γελάω. Ήταν η τελευταία νύχτα που ο Τζέικομπ κι εγώ περάσαμε, πριν μάθει την αλήθεια για την κληρονομιά του. Η τελευταία ανθρώπινη ανάμνηση. Μια παράδοξα ευχάριστη ανάμνηση τώρα.

«Μου λείπει αυτό», είπε ο Τζέικομπ. «Ο τρόπος που ήταν τόσο εύκολο παλιά... χωρίς περιπλοκές. Χαίρομαι που έχω καλή μνήμη». Αναστέναξε.

Ένιωσε την ξαφνική ένταση στο σώμα μου, καθώς τα λόγια του προκάλεσαν μια δική μου ανάμνηση.

«Τι είναι;» ρώτησε.

«Σχετικά με αυτή την καλή σου μνήμη...» Τραβήχτηκα μακριά του, για να μπορώ να διαβάσω το πρόσωπό του. Αυτή τη στιγμή ήταν μπερδεμένο. «Σε πειράζει να μου πεις τι έκανες τη Δευτέρα το πρωί; Σκεφτόσουν κάτι που ενόχλησε τον Έντουαρντ». Η λέξη *ενόχλησε* δεν ήταν ακριβώς η πιο σωστή, αλλά ήθελα μια απάντηση, έτσι σκέφτηκα ότι ήταν καλύτερα να μην αρχίσω υπερβολικά αυστηρά.

Το πρόσωπο του Τζέικομπ φωτίστηκε από την κατανόηση, και γέλασε. «Απλώς σκεφτόμουν εσένα. Δεν του άρεσε ιδιαίτερα αυτό, έτσι δεν είναι;»

«*Εμένα*; Τι σκεφτόσουν σχετικά μ' εμένα;»

Ο Τζέικομπ γέλασε, κάπως πιο χαιρέκακα αυτή τη φορά. «Θυμόμουν πώς ήσουν εκείνη τη νύχτα που σε βρήκε ο Σαμ –το έχω δει μέσα στο κεφάλι του Σαμ, και είναι σαν να ήμουν εκεί˙ εκείνη η ανάμνηση πάντα στοιχειώνει τον Σαμ, ξέρεις. Και μετά θυμήθηκα πώς ήσουν την πρώτη φορά που ήρθες σπίτι μου. Πάω στοίχημα ότι δε συνειδητοποιείς καν σε τι χάλι βρισκόσουν τότε, Μπέλλα. Πέρασαν βδομάδες πριν αρχίσεις να δείχνεις άνθρωπος ξανά. Και θυμήθηκα πώς τύλιγες πάντα τα χέρια σου γύρω σου παλιά, προσπαθώντας να μη διαλυθείς...» Ο Τζέικομπ έκανε ένα μορφασμό και μετά κούνησε το κεφάλι του. «Μου είναι δύσκολο να θυμάμαι πόσο λυπημένη ήσουν, και δεν ήταν καν *δικό μου* φταίξιμο. Έτσι φαντάστηκα ότι για εκείνον θα ήταν ακόμα δυσκολότερο. Και σκέφτηκα ότι θα του έκανε καλό να ρίξει μια ματιά σ' αυτό που είχε κάνει».

Του έδωσα ένα σκαμπίλι στον ώμο. Πόνεσε το χέρι μου. «Τζέικομπ Μπλακ, μην το ξανακάνεις αυτό ποτέ! Υποσχέσου ότι δε θα το ξανακάνεις».

«Αποκλείεται. Δεν έχω διασκεδάσει τόσο πολύ εδώ και μήνες».

«Μα το Θεό, Τζέικ—»

«Α, έλα τώρα, σύνελθε, Μπέλλα. Πότε θα τον ξαναδώ; Μην ανησυχείς γι' αυτό».

Σηκώθηκα όρθια, κι εκείνος έπιασε το χέρι μου, καθώς πήγα να φύγω. Προσπάθησα να το τραβήξω για να ελευθερωθώ.

«Φεύγω, Τζέικομπ».

«Όχι, μη φύγεις ακόμα», διαμαρτυρήθηκε, ενώ έσφιξε το χέρι του πιο δυνατά γύρω από το δικό μου. «Συγνώμη. Και... εντάξει, δε θα το ξανακάνω. Το υπόσχομαι».

Αναστέναξα. «Σ' ευχαριστώ, Τζέικ».

«Έλα, πάμε πίσω στο σπίτι μου», είπε με ενθουσιασμό.

«Εδώ που τα λέμε, νομίζω πως στ' αλήθεια πρέπει να φύγω. Η Άντζελα Ουέμπερ με περιμένει, και ξέρω ότι η Άλις θα έχει ανησυχήσει. Δε θέλω να την αναστατώσω πολύ».

«Μα μόλις ήρθες!»

«Έτσι μου φαίνεται κι εμένα», συμφώνησα. Κοίταξα τον ήλιο, που με κάποιο τρόπο ήταν ήδη κατευθείαν πάνω από τα κεφάλια μας. Πώς είχε περάσει η ώρα τόσο γρήγορα;

Τα φρύδια του έσμιξαν προς τα κάτω πάνω από τα μάτια του. «Δεν ξέρω πότε θα σε δω ξανά», είπε με πληγωμένη φωνή.

«Θα ξανάρθω την επόμενη φορά που θα λείπει», υποσχέθηκα αυθόρμητα.

«Θα λείπει;» Ο Τζέικομπ στριφογύρισε τα μάτια ειρωνικά. «Ωραίος τρόπος για να περιγράψεις αυτό που κάνει. Αηδιαστικά παράσιτα».

«Αν δεν μπορείς να είσαι ευγενικός, δε θα ξανάρθω καθόλου!» απείλησα, προσπαθώντας να τραβήξω το χέρι μου και να ελευθερωθώ. Εκείνος αρνιόταν να με αφήσει να φύγω.

«Ω, μη θυμώνεις», είπε, χαμογελώντας πλατιά. «Αυτόματη αντίδραση».

«Αν είναι να προσπαθήσω να ξανάρθω, θα πρέπει να καταλάβεις κι εσύ κάτι, εντάξει;»

Περίμενε.

«Κοίτα», εξήγησα. «Δε με νοιάζει ποιος είναι βρικόλακας και ποιος είναι λυκάνθρωπος. Αυτό είναι άσχετο. Εσύ είσαι ο Τζέικομπ, κι αυτός είναι ο Έντουαρντ, κι εγώ είμαι η Μπέλλα. Και τίποτα άλλο δεν έχει σημασία».

Τα μάτια του ζάρωσαν ελαφρώς. «Μα *είμαι* λυκάνθρωπος», είπε απρόθυμα. «Κι αυτός *είναι* βρικόλακας», πρόσθεσε με προφανή απέχθεια.

«Κι εγώ είμαι Παρθένος!» φώναξα εξοργισμένη.

Σήκωσε τα φρύδια του, ζυγίζοντας την έκφρασή μου με μάτια γεμάτα περιέργεια. Τελικά, σήκωσε τους ώμους του.

«Αν μπορείς να το δεις πραγματικά έτσι...»

«Μπορώ. Το βλέπω έτσι».

«Εντάξει. Μόνο η Μπέλλα κι ο Τζέικομπ. Δε θέλω κανένα απ' αυτά τα τέρατα, τους Παρθένους, εδώ γύρω». Μου χαμογέλασε με εκείνο το ζεστό, οικείο χαμόγελο που μου είχε λείψει τόσο πολύ. Ένιωθα το χαμόγελο που του ανταπέδιδα εγώ να απλώνεται σε όλο μου το πρόσωπο.

«Μου έλειψες πολύ, Τζέικ», παραδέχτηκα αυθόρμητα.

«Κι εμένα», το χαμόγελό του πλάτυνε. Τα μάτια του ήταν χαρούμενα και καθαρά, απαλλαγμένα από τη θυμωμένη πίκρα για μια φορά. «Πιο πολύ απ' όσο ξέρεις. Θα ξανάρθεις σύντομα;»

«Όσο πιο σύντομα μπορέσω», υποσχέθηκα.

6. ΕΛΒΕΤΙΑ

Καθώς γύριζα σπίτι με το αυτοκίνητο, δεν πρόσεχα και πολύ στο δρόμο που τρεμόφεγγε από την υγρασία κάτω από τον ήλιο. Σκεφτόμουν το χείμαρρο των πληροφοριών που είχε μοιραστεί μαζί μου ο Τζέικομπ, προσπαθώντας να τις βάλω σε μια τάξη, να τις αναγκάσω όλες να βγάλουν κάποιο νόημα. Παρά το υπερβολικό φορτίο, ένιωθα πιο ανάλαφρη. Το γεγονός ότι είδα τον Τζέικομπ να χαμογελά, το γεγονός ότι όλα τα μυστικά βγήκαν στη φόρα... δεν έκανε τα πράγματα τέλεια, αλλά τα έκανε καλύτερα. Είχα δίκιο που είχα πάει εκεί. Ο Τζέικομπ με χρειαζόταν. Και προφανώς, σκεφτόμουν, καθώς οδηγούσα με μισόκλειστα μάτια στην εκτυφλωτική λάμψη του ήλιου, δεν υπήρχε κανένας κίνδυνος.

Ήρθε από το πουθενά. Τη μια στιγμή δεν υπήρχε τίποτα στον καθρέφτη, εκτός από το φωτεινό αυτοκινητόδρομο. Και την άλλη, η αντανάκλαση του ήλιου ερχόταν από ένα ασημένιο Βόλβο που ήταν ακριβώς από πίσω μου.

«Ωχ, να πάρει!» κλαψούρισα. Σκέφτηκα να κάνω στην άκρη του δρόμου και να σταματήσω. Αλλά ήμουν υπερβολικά φοβητσιάρα για να τον αντιμετωπίσω αμέσως. Είχα βασιστεί στο γεγονός ότι θα είχα λίγο χρόνο για να προετοιμαστώ... και ότι θα είχα και τον Τσάρλι από δίπλα. Τουλάχιστον, αυτό θα τον ανάγκαζε να διατηρήσει την ένταση της φωνής του χαμηλή.

Το Βόλβο ακολουθούσε εκατοστά πιο πίσω μου. Κράτησα τα μάτια μου στο δρόμο μπροστά μου.

Όντας κότα από πάνω ως κάτω, πήγα κατευθείαν στο σπίτι της Άντζελα, χωρίς να διασταυρωθεί ούτε μια φορά το βλέμμα μου με το δικό του, που το ένιωθα να καίει τον καθρέφτη μου και να του ανοίγει τρύπα.

Με ακολούθησε, μέχρι που σταμάτησα στο πεζοδρόμιο μπροστά από των σπίτι των Ουέμπερ. Εκείνος δε σταμάτησε, κι εγώ δε σήκωσα τα μάτια, την ώρα που περνούσε δίπλα μου. Δεν ήθελα να δω την έκφραση στο πρόσωπό του. Ανέβηκα τρέχοντας το τσιμεντένιο δρομάκι που κατέληγε στην πόρτα της Άντζελα, αμέσως μόλις χάθηκε από το οπτικό μου πεδίο.

Ο Μπεν άνοιξε την πόρτα, πριν σταματήσω να χτυπάω, σαν να στεκόταν ακριβώς από πίσω.

«Γεια σου, Μπέλλα!» είπε έκπληκτος.

«Γεια σου, Μπεν. Εε, είναι η Άντζελα εδώ;» αναρωτήθηκα αν η Άντζελα είχε ξεχάσει τα σχέδιά μας, και ζάρωσα στη σκέψη ότι θα πήγαινα σπίτι νωρίς.

«Βέβαια», είπε ο Μπεν, την ώρα ακριβώς που η Άντζελα φώναξε, «Μπέλλα!» και φάνηκε στην κορυφή της σκάλας.

Ο Μπεν κοίταξε πίσω μου, καθώς και οι δυο μας ακούσαμε τον ήχο ενός αυτοκινήτου στο δρόμο˙ ο ήχος δε με τρόμαξε –αυτή η μηχανή σταμάτησε τραυλίζοντας, ενώ ακολούθησε ο δυνατός κρότος μιας ανάφλεξης. Τίποτα που να μοιάζει με το βόμβο του Βόλβο. Αυτός πρέπει να ήταν ο επισκέπτης που περίμενε ο Μπεν.

«Ήρθε ο Όστιν», είπε ο Μπεν, καθώς η Άντζελα έφτανε δίπλα του.

Ακούστηκε μια κόρνα.

«Θα τα πούμε αργότερα», υποσχέθηκε ο Μπεν. «Μου λείπεις κιόλας».

Αγκάλιασε με ορμή την Άντζελα από το λαιμό και τράβηξε με ενθουσιασμό το πρόσωπό της κάτω στο δικό του ύψος, για να μπορέσει να τη φιλήσει. Μετά από ένα δευτερόλεπτο, ο Όστιν κόρναρε ξανά.

«Γεια σου, Αντζ. Σ' αγαπώ!» φώναξε ο Μπεν, καθώς με προσπέρασε βιαστικά.

Η Άντζελα ταλαντεύτηκε, με πρόσωπο ελαφρώς ροζ, μετά ξαναβρήκε τον εαυτό της και κούνησε το χέρι, μέχρι που ο Μπεν κι ο Όστιν χάθηκαν από τα μάτια μας. Τότε στράφηκε προς εμένα και χαμογέλασε μελαγχολικά.

«Σ' ευχαριστώ που το κάνεις αυτό, Μπέλλα», είπε. «Από τα βάθη της καρδιάς μου. Όχι μόνο σώζεις τα χέρια μου από μόνιμο τραυματισμό, αλλά και μόλις με γλίτωσες από δυο ατελείωτες ώρες μιας κακοντουμπλαρισμένης ταινίας καράτε». Αναστέναξε με ανακούφιση.

«Χαίρομαι που μπορώ να φανώ χρήσιμη». Ένιωθα λιγάκι λιγότερο πανικόβλητη, μπορούσα να αναπνεύσω κάπως πιο σταθερά. Ένιωθα ότι εδώ ήταν όλα τόσο συνηθισμένα. Τα απλά ανθρώπινα δράματα της Άντζελα ήταν παραδόξως καθησυχαστικά. Ήταν καλό να ξέρω ότι η ζωή ήταν φυσιολογική *κάπου*.

Ανέβηκα τις σκάλες ακολουθώντας την Άντζελα για να πάμε στο δωμάτιό της. Εκείνη κλοτσούσε κάτι παιχνίδια από τη μέση, καθώς προχωρούσε. Το σπίτι ήταν ασυνήθιστα ήσυχο.

«Πού είναι οι δικοί σου;»

«Οι γονείς μου πήγαν τα δίδυμα σε ένα πάρτι γενεθλίων στο Πορτ-Άντζελες. Δεν μπορώ να το πιστέψω ότι θα με βοηθήσεις στ' αλήθεια. Ο Μπεν προσποιείται ότι έχει τενοντίτιδα». Έκανε μια γκριμάτσα.

«Δε με πειράζει καθόλου», είπα και μετά μπήκα στο δωμάτιο της Άντζελα κι είδα τις στοίβες των φακέλων που περίμεναν.

«Ω!» έβγαλα μια πνιχτή κραυγή. Η Άντζελα γύρισε για να με κοιτάξει, με μάτια απολογητικά. Καταλάβαινα γιατί το ανέβαλε αυτό, και γιατί ο Μπεν είχε προσπαθήσει να το αποφύγει.

«Νόμιζα ότι τα παραέλεγες», παραδέχτηκα.

«Μακάρι. Είσαι σίγουρη ότι θέλεις να το κάνεις αυτό;»

«Στρώσε με στη δουλειά. Όλη η μέρα είναι δικιά μου».

Η Άντζελα χώρισε τη μια στοίβα στη μέση κι έβαλε την ατζέντα της μητέρας της με τις διευθύνσεις ανάμεσά μας, πάνω στο γραφείο. Για λίγο ήμασταν συγκεντρωμένες, κι ακουγόταν μόνο ο ήχος των στυλό μας που έξυναν σιωπηλά το χαρτί.

«Τι θα κάνει απόψε ο Έντουαρντ;» ρώτησε εκείνη μετά από λίγα λεπτά.

Το στυλό μου τρύπησε το φάκελο που έφτιαχνα εκείνη τη στιγμή. «Ο Έμετ είναι εδώ για το Σαββατοκύριακο. *Υποτίθεται* ότι θα πάνε για πεζοπορία».

«Το λες σαν να μην είσαι σίγουρη».

Ανασήκωσα τους ώμους.

«Είσαι τυχερή που ο Έντουαρντ έχει τα αδέρφια του για τις πεζοπορίες και τα κάμπινγκ. Δεν ξέρω τι θα έκανα αν ο Μπεν δεν είχε τον Όστιν για τα αντρικά πράγματα».

«Ναι, ούτε κι εγώ είμαι τύπος της φύσης. Και αποκλείεται να μπορούσα να συμβαδίσω με τους ρυθμούς του».

Η Άντζελα γέλασε. «Κι εγώ προτιμώ να μένω μέσα».

Συγκεντρώθηκε στη στοίβα της για ένα λεπτό. Εγώ έγραψα άλλες τέσσερις διευθύνσεις. Δεν υπήρχε ποτέ καμία πίεση να γεμίζω τις σιωπές με φλυαρίες χωρίς νόημα, όταν ήμουν με την Άντζελα. Όπως κι ο Τσάρλι, έτσι κι εκείνη ένιωθε άνετα με τη σιωπή.

Αλλά, όπως κι ο Τσάρλι, ήταν κι εκείνη υπερβολικά παρατηρητική μερικές φορές.

«Συμβαίνει κάτι;» ρώτησε χαμηλόφωνα τώρα. «Φαίνεσαι... αγχωμένη».

Χαμογέλασα συνεσταλμένα. «Είναι τόσο φανερό;»

«Όχι ιδιαίτερα».

Το πιθανότερο, έλεγε ψέματα για να με κάνει να νιώσω καλύτερα.

«Δε χρειάζεται να μου πεις, εκτός κι αν θέλεις», με διαβεβαίωσε. «Θα σε ακούσω, αν νομίζεις ότι θα βοηθήσει».

Ήμουν έτοιμη να πω, *ευχαριστώ, αλλά όχι, ευχαριστώ*. Στο κάτω-κάτω, υπήρχαν υπερβολικά πολλά μυστικά που έπρεπε να κρατήσω. Δεν μπορούσα να συζητάω τα προβλήματά μου με κάποιον άνθρωπο. Αυτό ήταν ενάντια στους κανόνες.

Κι όμως, με μια παράξενη, ξαφνική ένταση, αυτό ήταν ακριβώς αυτό που ήθελα. Ήθελα να μιλήσω σε μια φυσιολογική φιλενάδα που να είναι άνθρωπος. Ήθελα να κλαυτώ λιγάκι, όπως και κάθε άλλη έφηβη. Ήθελα τα προβλήματά μου να είναι τόσο απλά. Θα ήταν ωραίο, επίσης, να έχω κάποιον έξω από αυτό το χάος μεταξύ βρικολάκων και λυκανθρώπων για να θέσει τα πράγματα σε μια άλλη οπτική γωνία. Κάποιον αμερόληπτο.

«Θα κοιτάξω τη δουλειά μου», υποσχέθηκε η Άντζελα, χαμογελώντας, ενώ κοίταζε κάτω τη διεύθυνση που έγραφε.

«Όχι», είπα. «Έχεις δίκιο. Είμαι αγχωμένη. Σχετικά με... με τον Έντουαρντ».

«Τι συμβαίνει;»

Ήταν τόσο εύκολο να μιλάω με την Άντζελα. Όταν έκανε μια τέτοια ερώτηση, καταλάβαινα ότι δεν ήταν απλώς νοσηρά περίεργη, ούτε έψαχνε για κουτσομπολιά, όπως θα έκανε η Τζέσικα. Ενδιαφερόταν που με έβλεπε αγχωμένη.

«Α, μου έχει θυμώσει».

«Αυτό είναι δύσκολο να το φανταστώ», είπε. «Για ποιο

πράγμα σου έχει θυμώσει;»

Αναστέναξα. «Θυμάσαι τον Τζέικομπ Μπλακ;»

«Α», είπε.

«Ναι».

«Ζηλεύει».

«Όχι, όχι, δε ζηλεύει…» Καλύτερα να είχα κρατήσει το στόμα μου κλειστό. Δεν υπήρχε τρόπος να το εξηγήσω αυτό σωστά. Αλλά ήθελα να συνεχίσω να μιλάω έτσι και αλλιώς. Δεν είχα συνειδητοποιήσει πόσο πολύ διψασμένη ήμουν για ανθρώπινη κουβέντα. «Ο Έντουαρντ πιστεύει πως ο Τζέικομπ είναι… κακή επιρροή, υποθέτω. Κατά κάποιο τρόπο… επικίνδυνος. Ξέρεις σε τι μπελάδες είχα μπλέξει πριν μερικούς μήνες… Όμως, όλα αυτά είναι γελοία».

Ξαφνιάστηκα βλέποντας την Άντζελα να κουνάει το κεφάλι της.

«Τι;» ρώτησα.

«Μπέλλα, έχω δει πώς σε κοιτάζει ο Τζέικομπ Μπλακ. Βάζω στοίχημα ότι το πραγματικό πρόβλημα είναι η ζήλια».

«Δεν υπάρχει τίποτα τέτοιο ανάμεσα σ' εμένα και τον Τζέικομπ».

«Από τη δική σου πλευρά, μπορεί. Αλλά από την πλευρά του Τζέικομπ…»

Κατσούφιασα. «Ο Τζέικομπ ξέρει πώς νιώθω. Του τα έχω πει όλα».

«Ο Έντουαρντ δεν είναι παρά άνθρωπος, Μπέλλα. Θα αντιδράσει όπως κάθε άλλο αγόρι».

Έκανα μια γκριμάτσα. Δεν είχα απάντηση σ' αυτό.

Μου χτύπησε ελαφρά το χέρι. «Θα του περάσει».

«Το ελπίζω. Ο Τζέικ περνάει μια δύσκολη φάση. Με χρειάζεται».

«Εσύ κι ο Τζέικομπ είστε πολύ δεμένοι, έτσι;»

«Σαν οικογένεια», συμφώνησα.

«Κι ο Έντουαρντ δεν τον συμπαθεί… Αυτό πρέπει να είναι

δύσκολο. Αναρωτιέμαι πώς θα το χειριζόταν ο Μπεν;» αναλογίστηκε.

Μισοχαμογέλασα. «Πιθανότατα όπως και κάθε άλλο αγόρι».

Χαμογέλασε πλατιά. «Πιθανότατα».

Μετά άλλαξε θέμα. Η Άντζελα δεν ήταν απ' αυτούς που γίνονται αδιάκριτοι, και φάνηκε να συναισθάνεται ότι δε θα έλεγα –δεν μπορούσα να πω άλλα.

«Χθες έμαθα σε ποιο φοιτητικό κοιτώνα θα μένω. Το πιο μακρινό κτίριο από την πανεπιστημιούπολη, φυσικά».

«Ο Μπεν ξέρει πού θα μείνει;»

«Στον πιο κοντινό φοιτητικό κοιτώνα στην πανεπιστημιούπολη. Έχει την τύχη όλου του κόσμου με το μέρος του. Εσύ; Αποφάσισες πού θα πας;»

Κοίταξα προς τα κάτω, επικεντρώνοντας την προσοχή μου στα αδέξια ορνιθοσκαλίσματα μου. Για ένα δευτερόλεπτο η προσοχή μου αποσπάστηκε από τη σκέψη ότι η Άντζελα κι ο Μπεν θα πήγαιναν στο Πανεπιστήμιο της Ουάσινγκτον. Θα έφευγαν για το Σιάτλ σε λίγους μήνες. Θα ήταν ασφαλές τότε; Η απειλή του νεαρού βρικόλακα θα είχε μετακινηθεί αλλού; Θα υπήρχε κάποιο καινούριο μέρος ως τότε, κάποια άλλη πόλη, οι κάτοικοι της οποίας θα ζάρωναν από το φόβο τους διαβάζοντας τους τίτλους των εφημερίδων παρμένων από ταινία τρόμου;

Μήπως θα ήμουν *εγώ* η υπεύθυνη γι' αυτούς τους καινούριους τίτλους;

Προσπάθησα να διώξω τη σκέψη και απάντησα στην ερώτησή της καθυστερημένα. «Στην Αλάσκα, νομίζω. Στο πανεπιστήμιο εκεί, στο Τζούνο».

Άκουγα την έκπληξη στη φωνή της. «Στην Αλάσκα; Ω. Αλήθεια; Θέλω να πω, τέλεια. Απλώς πίστευα ότι θα πήγαινες κάπου... πιο ζεστά».

Γέλασα λιγάκι, ακόμα κοιτάζοντας επίμονα στο φάκελο.

«Ναι. Το Φορκς έχει στ' αλήθεια αλλάξει την κοσμοθεώρησή μου».

«Κι ο Έντουαρντ;»

Αν και στο άκουσμα του ονόματός του, πεταλουδίτσες άρχισαν να πετάνε στο στομάχι μου, σήκωσα τα μάτια και της χαμογέλασα. «Η Αλάσκα δεν είναι πολύ κρύα ούτε για τον Έντουαρντ».

Μου ανταπόδωσε το χαμόγελο. «Φυσικά και όχι». Και μετά αναστέναξε. «Είναι τόσο μακριά. Δε θα μπορείς να έρχεσαι σπίτι πολύ συχνά. Θα μου λείψεις. Θα μου στέλνεις e-mail;»

Ένα κύμα σιωπηλής θλίψης με κατέκλυσε˙ ίσως να ήταν λάθος το να δεθώ περισσότερο με την Άντζελα τώρα. Αλλά δε θα ήταν ακόμα πιο θλιβερό το να χάσω όλες αυτές τις τελευταίες ευκαιρίες; Έδιωξα τις λυπητερές σκέψεις, για να μπορέσω να της απαντήσω πειραχτικά.

«Αν μπορέσω να πληκτρολογήσω ξανά μετά από αυτό». Κούνησα το κεφάλι προς τη στοίβα με τους φακέλους που είχα τελειώσει.

Γελάσαμε, κι ήταν εύκολο μετά να συζητήσουμε κεφάτα για τα μαθήματα και τις κατευθύνσεις μας, ενώ τελειώναμε τους υπόλοιπους φακέλους –το μόνο που έπρεπε να κάνω ήταν να μην το σκέφτομαι. Έτσι κι αλλιώς, υπήρχαν πιο επείγοντα πράγματα για τα οποία θα έπρεπε να ανησυχώ σήμερα.

Τη βοήθησα να βάλει και τα γραμματόσημα. Φοβόμουν να φύγω.

«Πώς είναι το χέρι σου;» ρώτησε εκείνη.

Τέντωσα τα δάχτυλά μου. «Νομίζω ότι θα μπορέσω να το χρησιμοποιήσω πλήρως... κάποια μέρα».

Η πόρτα χτύπησε με δύναμη κάτω, και σηκώσαμε κι οι δυο τα μάτια.

«Αντζ;» φώναξε ο Μπεν.

Προσπάθησα να χαμογελάσω, αλλά τα χείλη μου έτρεμαν.

«Μάλλον αυτό είναι το σύνθημα για να φύγω».

«Δεν είναι ανάγκη να φύγεις. Αν και το πιθανότερο, θα μου περιγράψει την ταινία… λεπτομερώς».

«Έτσι και αλλιώς, ο Τσάρλι θα αναρωτιέται πού είμαι».

«Σ' ευχαριστώ που με βοήθησες».

«Πέρασα πολύ ωραία. Θα ήταν καλό να ξανακάνουμε κάτι τέτοιο. Χάρηκα που περάσαμε λίγο χρόνο μόνες χωρίς αγόρια».

«Οπωσδήποτε».

Ακούστηκε ένας ελαφρύς χτύπος στην πόρτα της κρεβατοκάμαρας.

«Έλα μέσα, Μπεν».

Εγώ σηκώθηκα και τεντώθηκα.

«Γεια σου, Μπέλλα! Τα κατάφερες να επιβιώσεις», είπε χαιρετώντας με γρήγορα ο Μπεν, πριν πάρει τη θέση μου δίπλα στην Άντζελα. Έριξε μια ματιά στη δουλειά της. «Ωραία δουλειά. Κρίμα που δεν έχει μείνει τίποτα να κάνω εγώ, θα είχα…» Άφησε τη φωνή του να αργοσβήσει και μετά άρχισε ξανά με ενθουσιασμό. «Αντζ, δεν το πιστεύω ότι την έχασες αυτή την ταινία! Ήταν καταπληκτική. Υπήρχε αυτή η τελευταία σκηνή μάχης –η χορογραφία ήταν απίστευτη! Αυτός ο τύπος –λοιπόν, πρέπει να τη δεις για να καταλάβεις τι εννοώ–»

Η Άντζελα στριφογύρισε τα μάτια της προς εμένα.

«Θα τα πούμε στο σχολείο», είπα με ένα νευρικό γέλιο.

Αναστέναξε. «Τα λέμε».

Ήμουν ανήσυχη καθώς γύριζα στο φορτηγάκι μου, αλλά ο δρόμος ήταν άδειος. Πέρασα όλη τη διαδρομή κοιτάζοντας αγχωμένα σε όλους τους καθρέφτες, αλλά δεν υπήρχε πουθενά κανένα σημάδι του ασημί αυτοκινήτου.

Το αυτοκίνητό του δεν ήταν ούτε και μπροστά από το σπίτι, αν κι αυτό δε σήμαινε κάτι.

«Μπέλλα;» φώναξε ο Τσάρλι, όταν άνοιξα την κεντρική

πόρτα.

«Γεια σου, μπαμπά».

Τον βρήκα στο σαλόνι, μπροστά από την τηλεόραση.

«Λοιπόν, πώς ήταν η μέρα σου;»

«Καλή», είπα. Θα μπορούσα να του τα πω όλα –θα τα μάθαινε από τον Μπίλι αργά ή γρήγορα. Εξάλλου, θα τον έκανε να χαρεί. «Δε με χρειάζονταν στη δουλειά, έτσι κατέβηκα στο Λα Πους».

Δεν υπήρχε αρκετή έκπληξη στο πρόσωπό του. Ο Μπίλι του είχε ήδη μιλήσει.

«Τι κάνει ο Τζέικομπ;» ρώτησε ο Τσάρλι δήθεν αδιάφορα.

«Καλά», απάντησα εξίσου αδιάφορα.

«Πήγες και στο σπίτι των Ουέμπερ;»

«Ναι. Φτιάξαμε όλες τις προσκλήσεις της Άντζελα».

«Ωραία». Ο Τσάρλι χαμογέλασε με ένα πλατύ χαμόγελο. Ήταν παραδόξως συγκεντρωμένος, δεδομένου ότι είχε παιχνίδι. «Χαίρομαι που πέρασες χρόνο με τους φίλους σου σήμερα».

«Κι εγώ».

Πήγα αργά προς την κουζίνα ψάχνοντας κάτι να απασχολήσω τον εαυτό μου. Δυστυχώς, ο Τσάρλι είχε ήδη πλύνει τα πιάτα από το μεσημεριανό. Στάθηκα εκεί για μερικά λεπτά, κοιτάζοντας επίμονα τη λαμπερή πιτσιλιά φωτός που έκανε ο ήλιος πάνω στο πάτωμα. Αλλά ήξερα ότι δεν μπορούσα να το καθυστερώ για πάντα.

«Πάω να διαβάσω», ανακοίνωσα σκυθρωπά, καθώς ανέβαινα τα σκαλιά.

«Τα λέμε αργότερα», μου φώναξε ο Τσάρλι.

Αν επιζήσω, σκέφτηκα από μέσα μου.

Έκλεισα την πόρτα της κρεβατοκάμαράς μου προσεχτικά, πριν γυρίσω το πρόσωπό μου προς το δωμάτιό μου.

Φυσικά, ήταν εκεί. Στεκόταν ακουμπισμένος στον τοίχο

απέναντί μου, στη σκιά δίπλα από το ανοιχτό παράθυρο. Το πρόσωπό του ήταν σκληρό και η στάση του σώματός του τσιτωμένη. Με αγριοκοίταζε χωρίς να πει κουβέντα.

Ζάρωσα πίσω, περιμένοντας τον κατακλυσμό, αλλά δεν ήρθε. Απλώς συνέχιζε να με κοιτάζει άγρια, πιθανόν πολύ θυμωμένος για να μιλήσει.

«Γεια», είπα τελικά.

Το πρόσωπό του θα μπορούσε να ήταν φτιαγμένο από πέτρα. Μέτρησα ως το εκατό μέσα μου, αλλά καμία αλλαγή.

«Εε… λοιπόν, είμαι ακόμα ζωντανή», άρχισα.

Ένα γρύλισμα ακούστηκε βροντερό κάπου χαμηλά μέσα στο στήθος του, αλλά η έκφρασή του δεν άλλαξε.

«Δεν έγινε τίποτα κακό», επέμεινα με ένα ανασήκωμα των ώμων.

Εκείνος κουνήθηκε. Τα μάτια του έκλεισαν, και τσίμπησε τη ράχη της μύτης του με τα δάχτυλα του δεξιού χεριού του.

«Μπέλλα», ψιθύρισε. «Έχεις την *παραμικρή* ιδέα πόσο κοντά έφτασα στο να περάσω τη γραμμή σήμερα; Να σπάσω τη συνθήκη και να έρθω να σε βρω; Ξέρεις τι θα σήμαινε αυτό;»

Έβγαλα μια πνιχτή κραυγή, και τα μάτια του άνοιξαν. Ήταν τόσο ψυχρά και σκληρά σαν τη νύχτα.

«Δεν μπορείς!» είπα υπερβολικά δυνατά. Προσπάθησα να ρυθμίσω την ένταση της φωνής μου, για να μην ακούσει ο Τσάρλι, αλλά ήθελα να πω τις λέξεις φωναχτά. «Έντουαρντ, θα χρησιμοποιούσαν οποιαδήποτε δικαιολογία για μάχη. Θα τους άρεσε πολύ κάτι τέτοιο. Δεν μπορείς ποτέ να σπάσεις τους κανόνες!»

«Μπορεί να μην είναι οι μόνοι που θα τους άρεσε μια μάχη».

«Μην αρχίζεις», είπα κοφτά. «Εσείς κάνατε τη συνθήκη –πρέπει να την τηρήσετε».

«Αν σε είχε πειράξει—»

«Αρκετά!» τον διέκοψα. «Δεν υπάρχει κανένας λόγος ανησυχίας. Ο Τζέικομπ δεν είναι επικίνδυνος».

«Μπέλλα». Στριφογύρισε τα μάτια του. «Δεν είσαι ακριβώς ο καλύτερος κριτής του τι είναι και τι δεν είναι επικίνδυνο».

«Ξέρω ότι δε χρειάζεται ν' ανησυχώ για τον Τζέικ. Και ούτε κι εσύ».

Έτριξε τα δόντια του. Τα χέρια του ήταν σφιγμένα σε γροθιές στα πλάγια του. Στεκόταν ακόμα στον τοίχο, και δε μου άρεσε καθόλου το κενό ανάμεσά μας.

Πήρα μια βαθιά ανάσα και διέσχισα το δωμάτιο. Εκείνος δεν κουνήθηκε, όταν τύλιξα τα μπράτσα μου γύρω του. Σε σύγκριση με τη ζεστασιά του τελευταίου απογευματινού ήλιου που έμπαινε σαν χείμαρρος μέσα από το παράθυρο, ένιωθα το δέρμα του ιδιαίτερα παγωμένο. Έμοιαζε σαν πάγος κι αυτός, κοκαλωμένος έτσι όπως ήταν.

«Συγνώμη που σε έκανα να ανησυχήσεις», μουρμούρισα.

Αναστέναξε και χαλάρωσε λίγο. Τα μπράτσα του τυλίχτηκαν γύρω από τη μέση μου.

«Το *ανησύχησα* δεν εκφράζει ακριβώς αυτό που ένιωσα», μουρμούρισε. «Ήταν μια πολύ μεγάλη μέρα».

«Υποτίθεται ότι δε θα το μάθαινες», του υπενθύμισα. «Νόμιζα πως είχες πάει για κυνήγι για περισσότερες μέρες».

Σήκωσα τα μάτια για να κοιτάξω το πρόσωπό του, τα απολογητικά του μάτια˙ δεν το είχα παρατηρήσει μέσα στο άγχος της στιγμής, αλλά ήταν υπερβολικά σκούρα. Οι κύκλοι από κάτω ήταν βαθύ μοβ. Συνοφρυώθηκα με αποδοκιμασία.

«Όταν σε είδε η Άλις να χάνεσαι, γύρισα πίσω», εξήγησε.

«Δεν έπρεπε να το κάνεις αυτό. Τώρα θα πρέπει να ξαναφύγεις». Το συνοφρύωμά μου έγινε πιο έντονο.

«Μπορώ να περιμένω».

«Αυτό είναι γελοίο. Θέλω να πω, ξέρω ότι εκείνη δεν μπορούσε να με δει με τον Τζέικομπ, αλλά εσύ έπρεπε να ξέρεις—»

«Αλλά δεν ήξερα», με διέκοψε. «Και δεν μπορείς να περιμένεις να σε αφήσω—»

«Ω, ναι, μπορώ», τον διέκοψα κι εγώ. «Αυτό ακριβώς περιμένω—»

«Αυτό δεν πρόκειται να συμβεί ξανά».

«Σωστά! Επειδή δε θα αντιδράσεις υπερβολικά την επόμενη φορά».

«Επειδή δεν πρόκειται να υπάρξει επόμενη φορά».

«Εγώ δείχνω κατανόηση, κάθε φορά που εσύ πρέπει να φύγεις, ακόμα κι αν δε μου αρέσει–»

«Δεν είναι το ίδιο. Εγώ δε διακινδυνεύω τη ζωή μου».

«Ούτε κι εγώ».

«Οι λυκάνθρωποι αποτελούν κίνδυνο».

«Διαφωνώ».

«Δεν το διαπραγματεύομαι αυτό, Μπέλλα».

«Ούτε κι εγώ».

Τα χέρια του ήταν και πάλι γροθιές. Τα ένιωθα πάνω στην πλάτη μου.

Οι λέξεις βγήκαν από το στόμα μου απερίσκεπτα. «Στ' αλήθεια πρόκειται για την ασφάλειά μου;»

«Τι εννοείς;» απαίτησε να μάθει.

«Δεν...» Η θεωρία της Άντζελα φαινόταν πιο γελοία τώρα από πριν. Ήταν δύσκολο να ολοκληρώσω τη σκέψη. «Θέλω να πω, ξέρεις ότι δεν υπάρχει λόγος να ζηλεύεις, έτσι δεν είναι;»

Σήκωσε το ένα του φρύδι. «Το ξέρω;»

«Σοβαρέψου».

«Με ευκολία –δεν υπάρχει τίποτα έστω ελάχιστα αστείο σχετικά με το θέμα αυτό».

Κατσούφιασα καχύποπτα. «Ή... μήπως είναι κάτι άλλο; Καμιά από αυτές τις ανοησίες σχετικά με τους βρικόλακες και τους λυκάνθρωπους που υποτίθεται ότι είναι αιώνιοι εχθροί;

Μήπως όλη αυτή η τεστοστερόνη–»

Τα μάτια του πήραν φωτιά. «Αυτό έχει να κάνει *μόνο* μ' εσένα. Το μόνο που με νοιάζει είναι να είσαι ασφαλής εσύ».

Η μαύρη φωτιά στα μάτια του το έκανε αδύνατο να αμφιβάλλω.

«Εντάξει», αναστέναξα. «Το πιστεύω. Αλλά θέλω να ξέρεις κάτι –όσον αφορά αυτές τις ανοησίες περί *εχθρών*, εγώ δε συμμετέχω. Είμαι ουδέτερη χώρα. Είμαι η Ελβετία. Αρνούμαι να επηρεαστώ από εδαφικές διενέξεις ανάμεσα σε μυθικά πλάσματα. Ο Τζέικομπ είναι οικογένειά μου. Εσύ είσαι... να, όχι ακριβώς η αγάπη της ζωής μου, επειδή περιμένω να σε αγαπάω για πολύ περισσότερο καιρό απ' όσο θα διαρκέσει η ζωή μου. Η αγάπη της ύπαρξής μου. Δε με νοιάζει ποιος είναι λυκάνθρωπος και ποιος είναι βρικόλακας. Αν η Άντζελα αποδειχτεί ότι είναι μάγισσα, τότε μπορεί κι αυτή να έρθει στην παρέα».

Με κοίταξε σιωπηλά μέσα από ζαρωμένα μάτια.

«Ελβετία», επανέλαβα ξανά για έμφαση.

Μου κατσούφιασε και μετά αναστέναξε. «Μπέλλα...», άρχισε, αλλά έκανε μια παύση, και η μύτη του σούφρωσε από την αηδία.

«Τι είναι τώρα;»

«Να... μην προσβληθείς, αλλά βρομάς σαν σκύλος», μου είπε.

Και μετά χαμογέλασε στραβά, άρα ήξερα ότι ο τσακωμός είχε τελειώσει. Για την ώρα.

Ο Έντουαρντ έπρεπε να αναπληρώσει το χαμένο ταξίδι για κυνήγι, κι έτσι θα έφευγε την Παρασκευή το βράδυ με τον Τζάσπερ, τον Έμετ και τον Κάρλαϊλ για να πάνε σε κάποιο βιότοπο στη Βόρεια Καλιφόρνια που είχε κάποιο πρόβλημα με υπερπληθυσμό πούμα.

Δεν είχαμε καταλήξει σε καμία συμφωνία πάνω στο θέμα

των λυκανθρώπων, αλλά δεν ένιωθα ένοχη παίρνοντας τηλέφωνο τον Τζέικ –όταν βρήκα ένα σύντομο παραθυράκι κι εκμεταλλεύτηκα την ευκαιρία, την ώρα που ο Έντουαρντ πήγαινε σπίτι το Βόλβο, πριν σκαρφαλώσει ξανά στο παράθυρό μου– για να τον ενημερώσω ότι θα πήγαινα πάλι το Σάββατο. Δεν έκανα κάτι κρυφά. Ο Έντουαρντ ήξερε πώς ένιωθα. Κι αν διέλυε το φορτηγάκι μου ξανά, τότε θα έλεγα στον Τζέικομπ να έρθει να με πάρει. Το Φορκς ήταν ουδέτερο, όπως και η Ελβετία –όπως κι εγώ.

Έτσι, όταν τελείωσα απ' τη δουλειά την Πέμπτη, και με περίμενε η Άλις αντί για τον Έντουαρντ με το Βόλβο, δεν ένιωσα καχυποψία στην αρχή. Η πόρτα του συνοδηγού ήταν ανοιχτή, και μουσική που δεν αναγνώριζα ταρακουνούσε το αμάξωμα, όταν έπαιζε το μπάσο.

«Γεια σου, Άλις», φώναξα προσπαθώντας να ακουστώ πάνω από τις κραυγές, καθώς έμπαινα στο αμάξι. «Πού είναι ο αδερφός σου;»

Εκείνη τραγουδούσε μαζί με τον τραγουδιστή, η φωνή της μια οκτάβα ψηλότερη από τη μελωδία, καθώς πλεκόταν με τη μουσική με μια περίπλοκη αρμονία. Μου κούνησε το κεφάλι, αγνοώντας την ερώτησή μου, έτσι όπως ήταν συγκεντρωμένη στη μουσική.

Έκλεισα την πόρτα κι έβαλα τα χέρια μου πάνω από τα αυτιά μου. Εκείνη χαμογέλασε πλατιά και χαμήλωσε την ένταση, μέχρι που ακουγόταν απλώς στο φόντο. Μετά κλείδωσε τις ασφάλειες και πάτησε το γκάζι το ίδιο δευτερόλεπτο.

«Τι συμβαίνει;» ρώτησα, αρχίζοντας να νιώθω άβολα. «Πού είναι ο Έντουαρντ;»

Ανασήκωσε τους ώμους. «Έφυγαν νωρίς».

«Α». Προσπάθησα να συγκρατήσω την παράλογη απογοήτευση. Αν είχε φύγει νωρίς, αυτό σήμαινε ότι θα επέστρεφε νωρίτερα, υπενθύμισα στον εαυτό μου.

«Όλα τα αγόρια έφυγαν, κι εμείς θα κάνουμε πιτζάμα πάρτι και θα κοιμηθούμε μαζί!» ανακοίνωσε με συναρπαστική, τραγουδιστή φωνή.

«Πιτζάμα πάρτι;» επανέλαβα, καθώς τελικά με γέμισε καχυποψία.

«Δεν είσαι ενθουσιασμένη;» φώναξε εκείνη με ευχαρίστηση.

Το βλέμμα μου διασταυρώθηκε για ένα δευτερόλεπτο με το δικό της γεμάτο ζωντάνια βλέμμα.

«Με απαγάγεις, έτσι δεν είναι;»

Γέλασε και έγνεψε. «Μέχρι το Σάββατο. Η Έσμι τα κανόνισε με τον Τσάρλι˙ θα μείνεις μαζί μου δυο βράδια, και θα σε πάω εγώ σχολείο αύριο».

Γύρισα το πρόσωπό μου προς το παράθυρο, τρίζοντας τα δόντια μου.

«Συγνώμη», είπε η Άλις, χωρίς ίχνος μεταμέλειας. «Με εξαγόρασε».

«Πώς;» είπα μέσα από τα δόντια μου.

«Με την Πόρσε. Είναι ολόιδια μ' εκείνη που έκλεψα στην Ιταλία». Αναστέναξε χαρούμενα. «Δεν επιτρέπεται να την οδηγώ στο Φορκς, αλλά αν θέλεις, θα μπορούσαμε να δούμε πόση ώρα θα μας πάρει να φτάσουμε στο Λος Άντζελες –βάζω στοίχημα ότι θα μπορούσα να σε φέρω πίσω μέχρι τα μεσάνυχτα».

Πήρα μια βαθιά ανάσα. «Νομίζω ότι δε θα πάρω», αναστέναξα, καταπιέζοντας ένα ρίγος.

Κατεβήκαμε, πάντα υπερβολικά γρήγορα, τις στροφές του μακριού δρόμου ως το σπίτι τους. Η Άλις πάρκαρε στο γκαράζ, κι εγώ έριξα μια γρήγορη ματιά στα αυτοκίνητα. Το μεγάλο τζιπ του Έμετ ήταν εκεί, με μια αστραφτερή Πόρσε σε χρώμα καναρινί ανάμεσα σ' αυτό και στο κόκκινο κάμπριο της Ρόζαλι.

Η Άλις πήδηξε έξω με χάρη και πήγε για να χαϊδέψει το απόκτημα από τη δωροδοκία του Έντουαρντ σε όλο του το μήκος. «Όμορφη, ε;»

«Υπερβολικά όμορφη», γκρίνιαξα, χωρίς να μπορώ να το πιστέψω. «Σου έδωσε *αυτό το πράγμα* μόνο και μόνο για να με κρατήσεις όμηρο δυο μερούλες;»

Η Άλις έκανε μια γκριμάτσα.

Ένα δευτερόλεπτο αργότερα, κατάλαβα κι έβγαλα μια πνιχτή κραυγή έντρομη. «Είναι για όλες τις φορές που θα λείπει, έτσι δεν είναι;»

Κούνησε το κεφάλι της.

Έκλεισα την πόρτα χτυπώντας τη με δύναμη και μπήκα στο σπίτι με βαριά βήματα. Η Άλις συνέχιζε να περπατάει πλάι μου με χορευτικά βήματα ακόμα χωρίς καμία τύψη.

«Άλις, δε νομίζεις ότι αυτό είναι κάπως αυταρχικό; Ίσως, και λιγάκι παρανοϊκό;»

«Όχι, δε θα το έλεγα». Ρουθούνισε. «Δε φαίνεται να καταλαβαίνεις πόσο επικίνδυνος μπορεί να είναι ένας νεαρός λυκάνθρωπος. Ειδικά όταν δεν μπορώ να τους δω. Ο Έντουαρντ δεν έχει κανέναν τρόπο να ξέρει ότι είσαι ασφαλής. Δε θα έπρεπε να είσαι τόσο απερίσκεπτη».

Η φωνή μου έγινε καυστική. «Ναι, επειδή ένα πιτζάμα πάρτι παρέα με βρικόλακες είναι το απόγειο της ασφαλούς συμπεριφοράς».

Η Άλις γέλασε. «Θα σου κάνω πεντικιούρ και τα πάντα», υποσχέθηκε.

Δεν ήταν και τόσο χάλια, εκτός από το γεγονός ότι με κρατούσαν παρά τη θέλησή μου. Η Έσμι έφερε μπόλικο ιταλικό φαγητό –καλό ιταλικό, πήγε μέχρι το Πορτ-Άντζελες για να το φέρει– και η Άλις είχε προετοιμαστεί με τις αγαπημένες μου ταινίες. Ακόμα κι η Ρόζαλι ήταν εκεί, σιωπηλή στο φόντο. Η Άλις επέμεινε να μου κάνει πεντικιούρ, κι εγώ αναρωτήθηκα αν προσπαθούσε να κάνει ό,τι είχε σημειώσει σε κάποιον κατάλογο –ίσως κάτι που είχε φτιάξει βλέποντας κακές κωμικές σειρές.

«Μέχρι πόσο αργά θέλεις να μείνουμε ξύπνιες;» ρώτησε, όταν τα νύχια των ποδιών μου είχαν ένα γυαλιστερό κόκκινο του αίματος. Ο ενθουσιασμός της παρέμενε ανέγγιχτος από τη δική μου διάθεση.

«Δε θέλω να κάτσω μέχρι αργά. Έχουμε σχολείο αύριο το πρωί».

Στραβομουτσούνιασε.

«Πού υποτίθεται ότι πρέπει να κοιμηθώ, εν πάση περιπτώσει;» Μέτρησα τον καναπέ με τα μάτια μου. Ήταν λίγο κοντός. «Δεν μπορείς να με έχεις υπό παρακολούθηση στο δικό μου σπίτι;»

«Μα τι είδους πιτζάμα πάρτι θα ήταν αυτό;» Η Άλις κούνησε το κεφάλι της απηυδισμένη. «Θα κοιμηθείς στο δωμάτιο του Έντουαρντ».

Αναστέναξα. Ο μαύρος δερμάτινος καναπές του *ήταν* μακρύτερος από αυτόν εδώ. Μάλιστα, το χρυσαφί χαλί στο δωμάτιό του ήταν πιθανότατα αρκετά παχύ, ώστε ούτε και το πάτωμα να μην είναι καθόλου κακό.

«Μπορώ να γυρίσω σπίτι μου για να πάρω τα πράγματά μου, τουλάχιστον;»

Χαμογέλασε πλατιά. «Το έχω ήδη φροντίσει».

«Επιτρέπεται να χρησιμοποιήσω το τηλέφωνο;»

«Ο Τσάρλι ξέρει πού είσαι».

«Δε θα έπαιρνα τον Τσάρλι», είπα κατσουφιασμένη. «Προφανώς, έχω να ακυρώσω κάποια σχέδια».

«Α». Συλλογίστηκε. «Δεν είμαι σίγουρη γι' αυτό».

«Άλις!» κλαψούρισα δυνατά. «Έλα τώρα!»

«Εντάξει, εντάξει», είπε, φεύγοντας αθόρυβα από το δωμάτιο. Γύρισε μέσα σε μισό δευτερόλεπτο, με το κινητό στο χέρι. «Δεν το απαγόρευσε αυτό *συγκεκριμένα*...», μουρμούρισε στον εαυτό της, καθώς μου το έδινε.

Κάλεσα τον αριθμό του Τζέικομπ, ελπίζοντας να μην είναι έξω με τους φίλους του απόψε. Η τύχη ήταν με το μέρος μου

–ο Τζέικομπ ήταν αυτός που απάντησε.

«Ναι;»

«Γεια σου, Τζέικ, εγώ είμαι». Η Άλις με παρακολούθησε με ανέκφραστα μάτια για ένα δευτερόλεπτο, πριν γυρίσει και πάει να καθίσει με τη Ρόζαλι και την Έσμι στον καναπέ.

«Γεια σου, Μπέλλα», είπε ο Τζέικομπ, ξαφνικά επιφυλακτικός. «Τι συμβαίνει;»

«Τίποτα καλό. Δεν μπορώ να έρθω το Σάββατο τελικά».

Ακολούθησε σιωπή για ένα λεπτό. «Ηλίθια βδέλλα», μουρμούρισε τελικά. «Νόμιζα ότι θα έφευγε. Δεν μπορείς να έχεις ζωή όταν λείπει; Ή μήπως σε κλειδώνει σε φέρετρο;»

Γέλασα.

«Δεν το βρίσκω αστείο».

«Γελάω μόνο επειδή έπεσες κοντά», του είπα. «Αλλά θα είναι εδώ το Σάββατο, έτσι δεν έχει σημασία».

«Θα τραφεί στο Φορκς, δηλαδή;» ρώτησε ο Τζέικομπ με τσουχτερή ειρωνεία.

«Όχι». Δεν άφησα τον εαυτό μου να εκνευριστεί μαζί του. Δεν απείχα και τόσο πολύ από το να θυμώσω όσο κι εκείνος. «Έφυγε νωρίς».

«Α. Λοιπόν, τότε γιατί δεν έρχεσαι από δω τώρα;» είπε με ξαφνικό ενθουσιασμό. «Δεν είναι και τόσο αργά. Ή να έρθω εγώ στο σπίτι του Τσάρλι».

«Μακάρι να γινόταν. Δεν είμαι στο σπίτι του Τσάρλι», είπα ξινισμένα. «Κατά κάποιο τρόπο είμαι φυλακισμένη».

Έμεινε σιωπηλός, καθώς συνειδητοποίησε τι συνέβαινε, και μετά γρύλισε.

«Ερχόμαστε να σε πάρουμε», υποσχέθηκε με επίπεδη φωνή, γυρίζοντάς το αυτόματα στον πληθυντικό.

Ένα ρίγος διαπέρασε τη σπονδυλική μου στήλη, αλλά απάντησα με ανάλαφρη και πειραχτική φωνή. «Δελεαστικό. Έχω υποστεί βασανιστήρια –η Άλις μου έβαψε τα νύχια των ποδιών».

«Σοβαρολογώ».

«Μην το κάνεις. Απλώς προσπαθούν να με κρατήσουν μακριά από κινδύνους».

Γρύλισε ξανά.

«Το ξέρω ότι είναι γελοίο, αλλά δεν υπάρχει κακή πρόθεση στην καρδιά τους».

«Στην *καρδιά* τους!» είπε σαρκαστικά.

«Συγνώμη για το Σάββατο», απολογήθηκα. «Πρέπει να πέσω στο κρεβάτι» –στον καναπέ, διόρθωσα μέσα στο μυαλό μου– «αλλά θα σε πάρω ξανά σύντομα».

«Είσαι σίγουρη ότι θα σε αφήσουν;» ρώτησε.

«Όχι απόλυτα». Αναστέναξα. «Καληνύχτα, Τζέικ»

«Θα τα πούμε».

Η Άλις βρέθηκε απότομα στο πλάι μου, με το χέρι της απλωμένο για να πάρει το τηλέφωνο, αλλά εγώ ήδη καλούσα τον αριθμό. Είδε το νούμερο.

«Δε νομίζω ότι θα έχει το τηλέφωνό του πάνω του», είπε.

«Θα αφήσω μήνυμα».

Το τηλέφωνο χτύπησε τέσσερις φορές κι ακολούθησε ένα μπιπ. Δε χαιρέτησα καθόλου.

«Την έχεις πατήσει», είπα αργά, τονίζοντας κάθε λέξη. «Την έχεις πατήσει πολύ άσχημα. Οι θυμωμένες γκρίζλι αρκούδες θα δείχνουν εντελώς ήμερες σε σύγκριση με αυτό που σε περιμένει όταν γυρίσεις».

Έκλεισα απότομα το τηλέφωνο και το τοποθέτησα στο χέρι της που περίμενε. «Τελείωσα».

Χαμογέλασε. «Αυτή η ομηρία έχει πλάκα».

«Θα πάω για ύπνο τώρα», ανακοίνωσα κατευθυνόμενη προς τις σκάλες. Η Άλις με πήρε από πίσω.

«Άλις», είπα αναστενάζοντας. «Δε θα το σκάσω. Θα το ήξερες, αν σκόπευα να κάνω κάτι τέτοιο, και θα με έπιανες, αν προσπαθούσα».

«Απλώς να σου δείξω πού είναι τα πράγματά σου», είπε

γεμάτη αθωότητα.

Το δωμάτιο του Έντουαρντ ήταν στην πιο μακρινή άκρη του διαδρόμου του τρίτου ορόφου, ήταν αδύνατον να το μπερδέψω με κάποιο άλλο, ακόμα κι όταν το τεράστιο σπίτι δε μου ήταν γνωστό. Αλλά όταν άναψα το φως, σταμάτησα μπερδεμένη. Μήπως είχα διαλέξει τη λάθος πόρτα;

Η Άλις γέλασε χαζοχαρούμενα.

Ήταν το ίδιο δωμάτιο, συνειδητοποίησα γρήγορα˙ απλώς τα έπιπλα είχαν αλλάξει θέση. Είχαν σπρώξει τον καναπέ στο βόρειο τοίχο και το στερεοφωνικό το είχαν χώσει κοντά στα τεράστια ράφια με τα CD –για να κάνουν χώρο για το κολοσσιαίο κρεβάτι που δέσποζε τώρα στη μέση του χώρου.

Ο νότιος γυάλινος τοίχος αντικατόπτριζε το σκηνικό σαν καθρέφτης, κάνοντάς το να φαίνεται δυο φορές χειρότερα.

Ήταν και ασορτί. Το κάλυμμα του κρεβατιού ήταν ένα μουντό χρυσαφί χρώμα, λιγάκι πιο ανοιχτό από αυτό των τοίχων˙ ο σκελετός ήταν από μαύρο σφυρήλατο σίδερο με περίτεχνα σχέδια. Σκαλιστά μεταλλικά τριαντάφυλλα περιελίσσονταν αναρριχώμενα στις ψηλές κολόνες και σχημάτιζαν ένα σκιερό πλέγμα πάνω από το κεφάλι. Οι πιτζάμες μου ήταν διπλωμένες τακτικά στα πόδια του κρεβατιού μου, με το νεσεσέρ με τα πράγματά μου για το μπάνιο στο πλάι.

«Τι στο διάολο είναι αυτό;» είπα μιλώντας μπερδεμένα.

«Δεν πίστευες στ' αλήθεια ότι θα σε έβαζε να κοιμηθείς στον καναπέ, έτσι;»

Ψέλλιζα ακατάληπτα, καθώς προχώρησα καμαρωτά προς τα μπρος για να αρπάξω τα πράγματά μου από το κρεβάτι.

«Θα σε αφήσω μόνη σου», γέλασε η Άλις. «Τα λέμε το πρωί».

Αφού βούρτσισα τα δόντια μου και ντύθηκα, άρπαξα ένα φουσκωτό πουπουλένιο μαξιλάρι από το τεράστιο κρεβάτι και έσυρα το χρυσαφί κάλυμμα στον καναπέ. Ήξερα ότι φερόμουν σαν ανόητη, αλλά δε με ένοιαζε. Αμάξια Πόρσε σαν δωροδοκίες και κρεβάτια τεραστίου μεγέθους μέσα σε σπίτια όπου κανείς δεν κοιμόταν –αυτό ξεπερνούσε τα όρια του εκνευριστικού. Έσβησα τα φώτα και κουλουριάστηκα πάνω στον καναπέ, αναρωτώμενη αν ήμουν υπερβολικά θυμωμένη για να κοιμηθώ.

Μέσα στο σκοτάδι, ο γυάλινος τοίχος δεν ήταν πια ένας μαύρος καθρέφτης, που έκανε το δωμάτιο διπλάσιο. Το φως του φεγγαριού φώτιζε τα σύννεφα έξω από το παράθυρο. Καθώς τα μάτια μου προσαρμόζονταν, έβλεπα τη διάχυτη λάμψη να τονίζει τις κορυφές των δέντρων και να αντανακλάται πάνω σε ένα μικρό κομμάτι του ποταμού. Παρατηρούσα το ασημένιο φως, περιμένοντας τα μάτια μου να βαρύνουν.

Ακούστηκε ένα ελαφρύ χτύπημα στην πόρτα.

«Τι είναι, Άλις;» είπα μέσα από τα δόντια μου. Είχα πάρει αμυντική στάση, καθώς φανταζόμουν το πόσο αστείο θα έβρισκε το αυτοσχέδιο κρεβάτι μου.

«Εγώ είμαι», είπα απαλά η Ρόζαλι, ανοίγοντας την πόρτα αρκετά, ώστε να μπορέσω να δω την ασημένια λάμψη να αγγίζει το τέλειο πρόσωπό της. «Μπορώ να μπω;»

7. ΔΥΣΤΥΧΙΣΜΕΝΟ ΤΕΛΟΣ

Η Ρόζαλι δίστασε στην πόρτα, το εντυπωσιακό της πρόσωπο αβέβαιο.

«Φυσικά», απάντησα, με φωνή μια οκτάβα ψηλότερα από την έκπληξή μου. «Έλα μέσα».

Ανακάθισα, γλιστρώντας στην άκρη του καναπέ για να της κάνω χώρο. Το στομάχι μου συσπάστηκε νευρικά, καθώς το μοναδικό μέλος της οικογένειας των Κάλεν που δε με συμπαθούσε κινήθηκε σιωπηλά για να καθίσει στο χώρο που της έκανα. Προσπάθησα να σκεφτώ κάποιο λόγο για τον οποίο θα ήθελε να με δει, αλλά το μυαλό μου ήταν κενό εκείνη τη στιγμή.

«Σε πειράζει να συζητήσουμε για λίγα λεπτά;» με ρώτησε. «Δε σε ξύπνησα, έτσι;» Τα μάτια της στράφηκαν στο απογυμνωμένο κρεβάτι και πάλι πίσω προς τον καναπέ μου.

«Όχι, ήμουν ξύπνια. Και βέβαια μπορούμε να συζητήσουμε». Αναρωτήθηκα αν μπορούσε να διακρίνει την ανησυχία στη φωνή μου όσο καθαρά τη διέκρινα εγώ.

Γέλασε ελαφρά, κι ακούστηκε σαν μια χορωδία από καμπανάκια. «Σε αφήνει μόνη τόσο σπάνια», είπε. «Σκέφτηκα ότι καλό θα ήταν να εκμεταλλευτώ την ευκαιρία αυτή».

Τι ήθελε να μου πει που δεν μπορούσε να ειπωθεί μπροστά στον Έντουαρντ; Τα χέρια μου σφίχτηκαν και ξεσφίχτηκαν γύρω από την άκρη του παπλώματος.

«Σε παρακαλώ, μη θεωρήσεις ότι παρεμβαίνω φριχτά», είπε η Ρόζαλι, με φωνή απαλή και σχεδόν ικετευτική. Σταύρωσε τα χέρια της στα πόδια της και χαμήλωσε τα μάτια της για να τα κοιτάξει, ενώ μιλούσε. «Είμαι σίγουρη ότι σε έχω πληγώσει αρκετά στο παρελθόν και δε θέλω να το κάνω ξανά».

«Μην ανησυχείς γι' αυτό, Ρόζαλι. Είμαι μια χαρά. Τι είναι;»

Γέλασε ξανά κι ακούστηκε σαν να είχε, κατά περίεργο τρόπο, αμηχανία. «Θα προσπαθήσω να σου πω γιατί πιστεύω πως θα έπρεπε να μείνεις άνθρωπος –γιατί θα έμενα εγώ άνθρωπος, αν ήμουν στη θέση σου».

«Ω».

Χαμογέλασε με το σοκαρισμένο τόνο της φωνής μου και μετά αναστέναξε.

«Σου είπε ποτέ ο Έντουαρντ τι οδήγησε σ' αυτό;» ρώτησε δείχνοντας με το χέρι της την υπέροχη αθάνατη κορμοστασιά της.

Εγώ έγνεψα αργά, ξαφνικά μελαγχολική. «Είπε ότι ήταν περίπου αυτό που συνέβη σ' εμένα εκείνη τη φορά στο Πορτ-Άντζελες, μόνο που κανένας δεν ήταν εκεί για να σώσει *εσένα*». Ένα ρίγος με διαπέρασε στην ανάμνηση.

«Αυτά είναι όλα κι όλα όσα σου είπε;» ρώτησε.

«Ναι», είπα, με φωνή ανέκφραστη από τη σύγχυση. «Υπήρχαν κι άλλα;»

Σήκωσε το βλέμμα για να με κοιτάξει και χαμογέλασε˙ ήταν μια σκληρή, πικρή –αλλά και πάλι εκθαμβωτική– έκφραση.

«Ναι», είπε. «Υπήρχαν κι άλλα».

Περίμενα, μέχρι που κοίταξε έξω από το παράθυρο. Φαινόταν να προσπαθεί να ηρεμήσει τον εαυτό της.

«Θα ήθελες να ακούσεις την ιστορία μου, Μπέλλα; Δεν έχει ευτυχισμένο τέλος –αλλά ποιανού από 'μας έχει; Αν είχαμε ευτυχείς καταλήξεις, τώρα θα ήμασταν όλοι κάτω από τις ταφόπλακές μας».

Κούνησα το κεφάλι μου, αν και η καυστικότητά της με φόβιζε.

«Έζησα σε έναν κόσμο διαφορετικό από 'σένα, Μπέλλα. Ο ανθρώπινος κόσμος μου ήταν ένα πολύ πιο απλό μέρος. Ήταν στα 1933. Ήμουν δεκαοχτώ χρονών και ήμουν πανέμορφη. Η ζωή μου ήταν τέλεια».

Κοίταξε έξω από το παράθυρο τα ασημένια σύννεφα, με έκφραση απόμακρη.

«Οι γονείς μου ήταν πέρα για πέρα μεσοαστοί. Ο πατέρας μου είχε μια σταθερή δουλειά σε μια τράπεζα, κάτι για το οποίο, συνειδητοποιώ τώρα, ένιωθε αυταρέσκεια –έβλεπε την ευημερία του ως ανταμοιβή για το ταλέντο και τη σκληρή δουλειά, αντί να αναγνωρίζει και την καλή τύχη που ευθυνόταν εν μέρει. Τότε τα θεωρούσα όλα δεδομένα· στο σπίτι μου ήταν λες και το οικονομικό κραχ ήταν μόνο μια ανησυχητική φήμη. Φυσικά, έβλεπα φτωχούς ανθρώπους, αυτούς που δεν ήταν τόσο τυχεροί. Ο πατέρας μου μου άφηνε την εντύπωση ότι εκείνοι ήταν σε μεγάλο βαθμό υπεύθυνοι για τα προβλήματά τους.

»Ήταν δουλειά της μητέρας μου να φροντίζει το σπίτι μας –κι εμένα και τους δυο μικρότερους αδερφούς μου– ώστε να βρισκόμαστε σε άψογη τάξη. Ήταν φανερό ότι εγώ ήμουν η πρώτη της προτεραιότητα και η αδυναμία της. Δεν καταλάβαινα πλήρως εκείνη την εποχή, αλλά πάντα είχα μια αμυδρή συναίσθηση του γεγονότος ότι οι γονείς μου δεν ήταν ικανοποιημένοι με αυτά που είχαν, ακόμα και αν ήταν πολύ περισσότερα απ' ό,τι είχαν οι πιο πολλοί άνθρωποι. Ήθελαν κι άλλα. Είχαν κοινωνικές φιλοδοξίες –αριβίστες, θα μπορούσε κανείς να τους αποκαλέσει. Η ομορφιά μου ήταν ένα δώρο γι' αυτούς. Έβλεπαν τόσες περισσότερες δυνατότητες σ' αυτή απ' ό,τι εγώ.

»Εκείνοι δεν ήταν ικανοποιημένοι, αλλά εγώ ήμουν. Ήταν συναρπαστικό να είμαι εγώ, να είμαι η Ρόζαλι Χέιλ. Χαιρόμουν που τα μάτια των αντρών με παρατηρούσαν όπου πήγαινα, από τη στιγμή που έγινα δώδεκα. Ήμουν κατευχαριστημένη που οι φίλες μου αναστέναζαν με ζήλια, όταν άγγιζαν τα μαλλιά μου. Ήμουν χαρούμενη που η μητέρα μου ήταν περήφανη για 'μένα, και που του πατέρα μου του άρεσε να μου αγοράζει όμορφα φορέματα.

»Ήξερα τι ήθελα από τη ζωή, και όπως έδειχναν τα πράγματα δεν υπήρχε περίπτωση να μην αποκτούσα ακριβώς αυτό που ήθελα. Ήθελα να με αγαπούν, να με λατρεύουν. Ήθελα να έχω ένα μεγαλοπρεπή γάμο, όπου όλοι στην πόλη θα με έβλεπαν να περπατάω στο διάδρομο ως το ιερό, στηριγμένη στο μπράτσο του πατέρα μου, και θα πίστευαν ότι ήμουν το πιο όμορφο πράγμα που είχαν δει ποτέ τους. Ο θαυμασμός ήταν σαν τον αέρα για 'μένα, Μπέλλα. Ήμουν ανόητη και ρηχή, αλλά ήμουν ικανοποιημένη». Χαμογέλασε, βρίσκοντας αστεία την ίδια της την αξιολόγηση.

«Η επιρροή των γονιών μου ήταν τέτοια, που ήθελα και τα υλικά αγαθά της ζωής. Ήθελα ένα μεγάλο σπίτι με κομψά έπιπλα, που θα καθάριζε κάποια άλλη, και μια μοντέρνα κουζίνα, στην οποία θα μαγείρευε κάποια άλλη. Όπως είπα, ρηχή. Νεαρή και πολύ ρηχή. Και δεν έβλεπα κανένα λόγο να μην αποκτήσω αυτά τα πράγματα.

»Υπήρχαν μερικά πράγματα που ήθελα που ήταν πιο ουσιώδη. Ένα πράγμα συγκεκριμένα. Η πιο στενή μου φίλη ήταν μια κοπέλα που την έλεγαν Βέρα. Παντρεύτηκε μικρή, μόλις στα δεκαεφτά της. Παντρεύτηκε έναν άντρα που οι γονείς μου δε θα θεωρούσαν ποτέ κατάλληλο για 'μένα –έναν ξυλουργό. Ένα χρόνο αργότερα γέννησε ένα γιο, ένα πανέμορφο μικρό αγοράκι με λακκάκια και μαύρα σγουρά μαλλιά. Ήταν η πρώτη φορά που είχα νιώσει ποτέ αληθινή ζήλια για οποιονδήποτε άλλον σε όλη μου τη ζωή».

Με κοίταξε με μάτια ανεξιχνίαστα. «Ήταν άλλες εποχές. Είχα την ίδια ηλικία μ' εσένα, αλλά ήμουν έτοιμη για όλα αυτά. Λαχταρούσα το δικό μου μωράκι. Ήθελα το δικό μου σπίτι κι ένα σύζυγο που θα με φιλούσε, όταν γύριζε σπίτι από τη δουλειά –όπως ακριβώς η Βέρα. Μόνο που εγώ είχα ένα διαφορετικό είδος σπιτιού στο νου μου...»

Μου ήταν δύσκολο να φανταστώ τον κόσμο που είχε γνωρίσει η Ρόζαλι. Η ιστορία της ακουγόταν περισσότερο σαν παραμύθι παρά σαν ιστορικό γεγονός. Με μια ελαφριά έκπληξη, συνειδητοποίησα ότι αυτός έμοιαζε πολύ με τον κόσμο στον οποίο είχε ζήσει ο Έντουαρντ, όταν ήταν άνθρωπος, τον κόσμο στον οποίο είχε μεγαλώσει εκείνος. Αναρωτήθηκα –ενώ η Ρόζαλι έμεινε σιωπηλή για μια στιγμή– αν ο δικός μου κόσμος του προκαλούσε την ίδια σύγχυση με αυτή που προκαλούσε σ' εμένα η Ρόζαλι.

Η Ρόζαλι αναστέναξε, κι όταν μίλησε ξανά, η φωνή της ήταν διαφορετική, είχε χαθεί ο νοσταλγικός τόνος.

«Στο Ρότσεστερ υπήρχε μια βασιλική οικογένεια –οι Κινγκ*, κατά μεγάλη ειρωνεία. Ο Ρόις Κινγκ ήταν ιδιοκτήτης της τράπεζας στην οποία δούλευε ο πατέρας μου και σχεδόν κάθε άλλης κερδοφόρας επιχείρησης στην πόλη. Έτσι με είδε για πρώτη φορά ο γιος του, ο Ρόις Κινγκ ο Δεύτερος» –το στόμα της παραμορφώθηκε προφέροντας το όνομα αυτό· ακούστηκε μέσα από τα δόντια της. «Επρόκειτο να αναλάβει εκείνος την τράπεζα κι έτσι άρχισε να επιβλέπει τις διάφορες θέσεις. Δυο εβδομάδες αργότερα, η μητέρα μου, πολύ βολικά, ξέχασε να δώσει στον πατέρα μου να πάρει μαζί στη δουλειά το μεσημεριανό του. Θυμάμαι που μου φάνηκε περίεργο, όταν επέμεινε ότι έπρεπε να φορέσω τη λευκή μου οργάντζα και να

* Κινγκ: (King) Βασιλιάς. (Σ.τ.Μ.)

τυλίξω τα μαλλιά μου ψηλά, μόνο και μόνο για να πάω στην τράπεζα». Η Ρόζαλι γέλασε χωρίς διάθεση.

«Δεν πρόσεξα τον Ρόις να με κοιτάζει ιδιαίτερα. Όλοι με κοίταζαν. Αλλά εκείνο το βράδυ ήρθαν τα πρώτα τριαντάφυλλα. Κάθε βράδυ σε όλη τη διάρκεια του φλερτ μας, μου έστελνε ένα μπουκέτο τριαντάφυλλα. Το δωμάτιό μου πάντα ξεχείλιζε από τριαντάφυλλα. Έφτασα στο σημείο να μυρίζω σαν τριαντάφυλλα, όταν έφευγα από το σπίτι.

»Ο Ρόις ήταν και όμορφος. Είχε πιο ανοιχτόχρωμα μαλλιά από 'μένα και ανοιχτά μπλε μάτια. Έλεγε ότι τα μάτια μου ήταν σαν βιολέτες, και μετά αυτές άρχιζαν να εμφανίζονται δίπλα στα τριαντάφυλλα.

»Οι γονείς μου ενέκριναν –για να το θέσω ήπια. Αυτό ήταν όλα όσα είχαν ονειρευτεί ποτέ. Κι ο Ρόις έμοιαζε να είναι όλα όσα είχα ονειρευτεί *εγώ*. Ο πρίγκιπας του παραμυθιού, που είχε έρθει για να με κάνει πριγκίπισσα. Όλα όσα ήθελα, κι όμως δεν ήταν παραπάνω απ' όσα περίμενα. Αρραβωνιαστήκαμε πριν να περάσουν δυο μήνες από τη γνωριμία μας.

»Δεν περνούσαμε μεγάλο χρονικό διάστημα μόνοι οι δυο μας. Ο Ρόις μου έλεγε ότι είχε πολλές ευθύνες στη δουλειά, κι όταν ήμασταν μαζί, του άρεσε να μας κοιτάζουν άνθρωποι, να με βλέπουν στηριγμένη στο μπράτσο του. Κι εμένα μου άρεσε αυτό. Υπήρχαν πολλά πάρτι, χοροί και όμορφα φορέματα. Όταν ήσουν ένας Κινγκ, όλες οι πόρτες ήταν ανοιχτές για 'σένα, όλα τα κόκκινα χαλιά στρώνονταν για να σε υποδεχτούν.

»Δεν ήταν μακρύς αρραβώνας. Τα σχέδια προχωρούσαν για τον πιο πλουσιοπάροχο γάμο. Θα ήταν όλα όσα είχα θελήσει ποτέ. Ήμουν απόλυτα ευτυχισμένη. Όταν επισκεπτόμουν τη Βέρα, δε ζήλευα πια. Φανταζόμουν τα ξανθά παιδιά μου να παίζουν στις τεράστιες εκτάσεις γρασίδι των Κινγκ και τη λυπόμουν».

Η Ρόζαλι σταμάτησε απότομα, σφίγγοντας τα δόντια της.

Αυτό με έβγαλε από την ατμόσφαιρα της ιστορίας της, και συνειδητοποίησα ότι η φρίκη δεν αργούσε. Δε θα υπήρχε κανένα ευτυχισμένο τέλος, όπως ακριβώς το είχε υποσχεθεί. Αναρωτήθηκα αν αυτός ήταν ο λόγος που είχε τόσο πολύ περισσότερη πίκρα μέσα της απ' όλους τους υπόλοιπους –επειδή είχε φτάσει τόσο κοντά στο να αποκτήσει όλα όσα είχε θελήσει, όταν η ανθρώπινη ζωή της κόπηκε πρόωρα.

«Ήμουν στο σπίτι της Βέρα εκείνο το βράδυ», ψιθύρισε η Ρόζαλι. Το πρόσωπό της ήταν λείο σαν μάρμαρο και εξίσου σκληρό. «Ο μικρός της ο Χένρι ήταν πραγματικά αξιολάτρευτος, όλο χαμόγελα και λακκάκια –μόλις είχε αρχίσει να κάθεται από μόνος του. Η Βέρα πήγε να με ξεπροβοδίσει, καθώς έφευγα, με το μωρό της στην αγκαλιά της και τον άντρα της στο πλάι της, με το μπράτσο του γύρω από τη μέση της. Τη φίλησε στο μάγουλο, όταν νόμιζε ότι δεν κοίταζα. Αυτό με ενόχλησε. Όταν με φιλούσε ο Ρόις, δεν ήταν ακριβώς το ίδιο –δεν ήταν τόσο γλυκό, με κάποιο τρόπο... έδιωξα αυτή τη σκέψη. Ο Ρόις ήταν ο πρίγκιπάς μου. Κάποια μέρα, θα γινόμουν βασίλισσα».

Ήταν δύσκολο να διακρίνω μέσα στο σεληνόφως, αλλά έμοιαζε λες και το άσπρο σαν πανί πρόσωπό της είχε γίνει ακόμα πιο ωχρό.

«Είχε σκοτάδι στους δρόμους, οι λάμπες είχαν ήδη ανάψει. Δεν είχα συνειδητοποιήσει πόσο αργά ήταν». Συνέχισε να ψιθυρίζει σχεδόν χωρίς να ακούγεται. «Έκανε και πολύ κρύο. Πάρα πολύ κρύο για τα τέλη του Απρίλη. Είχαμε μόνο μια βδομάδα ακόμα μέχρι το γάμο, κι εγώ ανησυχούσα για τον καιρό, καθώς πήγαινα βιαστικά σπίτι –το θυμάμαι καθαρά. Θυμάμαι κάθε λεπτομέρεια από εκείνη τη νύχτα. Ήμουν τόσο πολύ κολλημένη σ' αυτή... στην αρχή. Δε σκεφτόμουν τίποτα άλλο. Κι έτσι τη θυμάμαι αυτή, ενώ τόσες πολλές ευχάριστες αναμνήσεις έχουν ξεθωριάσει εντελώς...»

Αναστέναξε κι άρχισε πάλι να ψιθυρίζει. «Ναι, ανησυχούσα

για τον καιρό... Δεν ήθελα να αναγκαστώ να κάνω το γάμο σε κλειστό χώρο...

»Ήμουν μερικούς δρόμους μακριά από το σπίτι μου, όταν τους άκουσα. Μια ομάδα αντρών κάτω από μια σπασμένη λάμπα του δρόμου, που γελούσαν πολύ δυνατά. Μεθυσμένοι. Μακάρι να είχα φωνάξει τον πατέρα μου να με συνοδεύσει σπίτι, αλλά η διαδρομή ήταν πολύ μικρή, έμοιαζε γελοίο. Και τότε εκείνος φώναξε το όνομά μου.

»"Ρόουζ!" φώναξε, και οι άλλοι γελούσαν σαν χαζοί.

»Δεν είχα συνειδητοποιήσει ότι οι μεθυσμένοι ήταν τόσο καλοντυμένοι. Ήταν ο Ρόις μαζί με μερικούς φίλους του, γιους άλλων πλούσιων.

»"Να η Ρόουζ μου!" φώναξε ο Ρόις, γελώντας μαζί τους, ενώ ακούστηκε εξίσου χαζός μ' εκείνους. "Άργησες. Κρυώνουμε, μας έκανες να περιμένουμε πολλή ώρα".

»Δεν τον είχα ξαναδεί μεθυσμένο ποτέ. Μια πρόποση πού και πού, σε κανένα πάρτι. Μου είχε πει ότι δεν του άρεσε η σαμπάνια. Δεν είχα καταλάβει ότι προτιμούσε κάτι πιο δυνατό.

»Είχε έναν καινούριο φίλο –το φίλο ενός φίλου, που είχε έρθει από την Ατλάντα.

»"Τι σου έλεγα, Τζον;" έκραξε ο Ρόις, αρπάζοντας το μπράτσο μου και τραβώντας με πιο κοντά. "Δεν είναι πιο νόστιμη από τα ροδάκινα της Τζόρτζια;"

»Ο άντρας που τον έλεγαν Τζον ήταν μελαχρινός και μαυρισμένος από τον ήλιο. Με κοίταξε σαν να ήμουν άλογο που θα αγόραζε.

»"Δύσκολο να πω", είπε αργά με συρτή προφορά. "Είναι κουκουλωμένη παντού".

»Γέλασαν, κι ο Ρόις όπως και οι υπόλοιποι.

»Ξαφνικά, ο Ρόις τράβηξε απότομα το πανωφόρι μου από τον ώμο μου –ήταν δώρο δικό του– κάνοντας τα χάλκινα κουμπιά να πεταχτούν απότομα. Σκορπίστηκαν στο δρόμο.

»"Δείξ' του πώς είσαι, Ρόουζ!" Γέλασε ξανά και μετά τράβηξε βίαια το καπέλο μου από τα μαλλιά μου. Οι καρφίτσες που είχα στα μαλλιά μού ξερίζωσαν τις τρίχες, και ούρλιαξα δυνατά από τον πόνο. Εκείνοι φάνηκαν να το απολαμβάνουν αυτό –τον ήχο του πόνου μου...»

Η Ρόζαλι με κοίταξε ξαφνικά, σαν να είχε ξεχάσει ότι ήμουν εκεί. Ήμουν βέβαιη ότι το πρόσωπό μου ήταν το ίδιο άσπρο με το δικό της. Εκτός κι αν είχε γίνει πράσινο.

«Δε θα σε αναγκάσω να ακούσεις τα υπόλοιπα», είπε ήσυχα. «Με άφησαν στο δρόμο, γελώντας ακόμα, καθώς έφευγαν τρεκλίζοντας. Νόμιζαν ότι είχα πεθάνει. Πείραζαν τον Ρόις ότι θα έπρεπε να βρει καινούρια νύφη. Εκείνος γελούσε και είπε ότι έπρεπε να μάθει να κάνει λίγη υπομονή πρώτα.

»Περίμενα στο δρόμο να πεθάνω. Έκανε κρύο, αν και πονούσα τόσο πολύ που ξαφνιάστηκα που με ενοχλούσε το κρύο. Άρχισε να χιονίζει, κι αναρωτήθηκα γιατί δεν πέθαινα. Ανυπομονούσα να έρθει ο θάνατος, να δώσει τέλος στον πόνο. Αργούσε τόσο πολύ...

»Ο Κάρλαϊλ με βρήκε εκεί. Είχε μυρίσει το αίμα και ήρθε για να διερευνήσει. Θυμάμαι ότι ενοχλήθηκα αμυδρά, καθώς δούλευε από πάνω μου, προσπαθώντας να μου σώσει τη ζωή. Ποτέ δε συμπαθούσα το δόκτορα Κάλεν και τη γυναίκα του ή τον αδερφό της –όπως προσποιείτο τότε ότι ήταν ο Έντουαρντ. Με ενοχλούσε το ότι ήταν όλοι τους πιο όμορφοι από εμένα, ειδικά οι άντρες. Αλλά εκείνοι δεν είχαν πολλές κοινωνικές συναναστροφές, έτσι τους είχα δει μόνο καμιά-δυο φορές.

»Νόμιζα ότι είχα πεθάνει, όταν με τράβηξε από το έδαφος κι έτρεξε κρατώντας με –εξαιτίας της ταχύτητας– ένιωθα σαν να πετούσα. Θυμήθηκα ότι ήμουν τρομοκρατημένη που ο πόνος δε σταματούσε...

»Μετά, βρέθηκα σε ένα φωτεινό δωμάτιο, κι έκανε ζέστη. Κάτι με παρέσυρε μακριά, κι εγώ ένιωθα ευγνωμοσύνη που ο πόνος άρχιζε να μειώνεται. Αλλά ξαφνικά κάτι αιχμηρό με έκοβε, το λαιμό μου, τους καρπούς μου, τους αστραγάλους μου. Ούρλιαζα από το σοκ, νομίζοντας ότι με είχε πάει εκεί για να μου κάνει κι άλλο κακό. Μετά φωτιά άρχισε να με καίει, και δε με ένοιαζε τίποτα άλλο. Τον ικέτεψα να με σκοτώσει. Όταν η Έσμι κι ο Έντουαρντ γύρισαν σπίτι, τους ικέτεψα κι εκείνους να με σκοτώσουν. Ο Κάρλαϊλ καθόταν μαζί μου. Μου κρατούσε το χέρι και μου ζητούσε συγνώμη, ενώ υποσχέθηκε ότι θα τελείωνε αυτό. Μου είπε τα πάντα, και μερικές φορές εγώ άκουγα. Μου είπε τι ήταν, σε τι μεταμορφωνόμουν. Δεν τον πίστεψα. Κάθε φορά που ούρλιαζα μου ζητούσε συγνώμη.

»Ο Έντουαρντ δεν ήταν χαρούμενος. Θυμάμαι που τον άκουγα να συζητάει για 'μένα. Μερικές φορές σταματούσα να ουρλιάζω. Δε με ωφελούσε σε τίποτα να ουρλιάζω.

»"Πώς σου ήρθε αυτό, Κάρλαϊλ;" έλεγε ο Έντουαρντ. "Η Ρόζαλι Χέιλ;"». Η Ρόζαλι μιμήθηκε τον εκνευρισμένο τόνο του Έντουαρντ άψογα. «Δε μου άρεσε ο τρόπος που είπε το όνομά μου, λες και κάτι δεν πήγαινε καλά μ' εμένα.

»"Δεν μπορούσα απλώς να την αφήσω να πεθάνει", είχε πει ο Κάρλαϊλ. "Ήταν πάρα πολύ –πολύ φριχτή, πολύ μεγάλη σπατάλη".

»"Το ξέρω", είπε ο Έντουαρντ, και είχα τη γνώμη ότι ακούστηκε περιφρονητικός. Αυτό με έκανε να θυμώσω. Δεν ήξερα τότε πως έβλεπε στ' αλήθεια ακριβώς αυτό που είχε δει ο Κάρλαϊλ.

»"Ήταν πολύ μεγάλη σπατάλη. Δεν μπορούσα να την αφήσω", επανέλαβε ο Κάρλαϊλ ψιθυριστά.

»"Φυσικά και δεν μπορούσες", συμφώνησε η Έσμι.

»"Άνθρωποι πεθαίνουν όλη την ώρα", του υπενθύμισε ο Έντουαρντ με σκληρή φωνή. "Δε νομίζεις πως είναι κάπως αναγνωρίσιμη, ωστόσο; Οι Κινγκ θα αναγκαστούν να κάνουν μεγάλη έρευνα –όχι ότι κάποιος υποπτεύεται τον κακούργο", γρύλισε.

»Με χαροποιούσε το γεγονός ότι φαίνονταν να γνωρίζουν

πως ο Ρόις ήταν ένοχος.

»Δεν το κατάλαβα ότι σχεδόν τελείωνε –ότι γινόμουν πιο δυνατή, και αυτός ήταν ο λόγος που κατάφερα να συγκεντρωθώ σ' αυτά που έλεγαν. Ο πόνος άρχιζε να εξασθενεί από τις άκρες των δαχτύλων μου.

»"Τι θα κάνουμε μ' αυτή;" είπε ο Έντουαρντ με αηδία –ή τουλάχιστον, έτσι μου ακούστηκε εμένα.

»Ο Κάρλαϊλ αναστέναξε. "Αυτό εξαρτάται από την ίδια, φυσικά. Μπορεί να θέλει να ακολουθήσει το δικό της δρόμο".

»Είχα πιστέψει αρκετά απ' όσα μου είχε πει, έτσι ώστε τα λόγια του να με τρομάξουν. Ήξερα ότι η ζωή μου είχε τελειώσει, και δεν υπήρχε δρόμος επιστροφής για 'μένα. Δεν μπορούσα να αντέξω τη σκέψη του να μείνω μόνη μου...

»Ο πόνος επιτέλους τελείωσε, και μου εξήγησαν ξανά τι είχα γίνει. Αυτή τη φορά πίστεψα. Ένιωθα τη δίψα, το σκληρό μου δέρμα· είδα τα λαμπερά κόκκινα μάτια μου.

»Ρηχή καθώς ήμουν, ένιωσα καλύτερα, όταν είδα το είδωλό μου στον καθρέφτη την πρώτη φορά. Παρά τα μάτια μου, ήμουν το πιο όμορφο πράγμα που είχα δει ποτέ μου». Γέλασε με τον εαυτό της για μια στιγμή. «Μου πήρε λίγο περισσότερο χρόνο, μέχρι να αρχίσω να κατηγορώ την ομορφιά μου γ' αυτό που μου είχε συμβεί –για να δω ότι ήταν κατάρα. Να ευχηθώ να ήμουν... να, όχι άσχημη, αλλά φυσιολογική. Όπως η Βέρα. Έτσι θα μου επιτρεπόταν να παντρευτώ κάποιον που αγαπούσε *εμένα*, και θα έκανα όμορφα μωρά. Αυτό ήθελα πραγματικά, από την αρχή ως το τέλος. Ακόμα δε μου φαίνεται υπερβολικό να ζητήσει κανείς κάτι τέτοιο».

Ήταν σκεφτική για μια στιγμή, κι αναρωτήθηκα αν είχε ξεχάσει πάλι την παρουσία μου. Αλλά μετά μου χαμογέλασε, με έκφραση ξαφνικά θριαμβευτική.

«Ξέρεις, το μητρώο μου είναι σχεδόν εξίσου λευκό με του Κάρλαϊλ», μου είπε. «Καλύτερο από της Έσμι. Χίλιες φορές καλύτερο από του Έντουαρντ. Δεν έχω γευτεί ποτέ ανθρώπινο αίμα», ανακοίνωσε περήφανα.

Κατάλαβε την μπερδεμένη μου έκφραση, καθώς αναρωτιόμουν γιατί το μητρώο της ήταν μόνο *σχεδόν* εξίσου λευκό.

«Πέντε ανθρώπους τους δολοφόνησα», μου είπε με έναν αυτάρεσκο τόνο. «Αν μπορείς πραγματικά να τους αποκαλέσεις *ανθρώπους*. Αλλά ήμουν πολύ προσεχτική ώστε να μη χύσω το αίμα τους –ήξερα ότι δε θα μπορούσα να αντισταθώ σ' αυτό και δεν ήθελα να έχω *μέσα* μου κανένα κομμάτι τους, βλέπεις.

»Άφησα τον Ρόις για το τέλος. Ήλπιζα ότι θα μάθαινε για τους θανάτους των φίλων του και θα καταλάβαινε, θα ήξερε τι θα επακολουθούσε γι' αυτόν. Ήλπιζα ότι ο φόβος θα έκανε το τέλος χειρότερο γι' αυτόν. Νομίζω ότι το πέτυχα. Κρυβόταν μέσα σε ένα δωμάτιο χωρίς παράθυρα, πίσω από μια πόρτα τόσο χοντρή όσο κι ένα χρηματοκιβώτιο τράπεζας και τον φρουρούσαν απ' έξω ένοπλοι άντρες, όταν τον βρήκα. Ωπ –εφτά φόνοι», διόρθωσε τον εαυτό της. «Ξέχασα τους φρουρούς. Μου πήραν μόνο ένα δευτερόλεπτο.

»Ήμουν εξαιρετικά θεατρική. Ήταν κάπως παιδιάστικο, η αλήθεια είναι. Φορούσα ένα νυφικό που είχα κλέψει για την περίσταση. Ούρλιαξε όταν με είδε. Ούρλιαξε πολύ εκείνο το βράδυ. Ήταν καλή ιδέα που τον άφησα τελευταίο –το έκανε πιο εύκολο να συγκρατηθώ, να το κάνω πιο αργά–»

Σταμάτησε απότομα και χαμήλωσε τα μάτια της για να με κοιτάξει. «Συγνώμη», είπε με φωνή γεμάτη στενοχώρια. «Σε τρομάζω, έτσι δεν είναι;»

«Καλά είμαι», είπα ψέματα.

«Παρασύρθηκα».

«Μην ανησυχείς».

«Εκπλήσσομαι που ο Έντουαρντ δε σου είπε περισσότερα γι' αυτό».

«Δεν του αρέσει να λέει τις ιστορίες άλλων ανθρώπων –νιώθει ότι προδίδει τα μυστικά τους, επειδή ακούει πολλά περισσότερα από όσα σκοπεύουν αυτοί να ακούσει».

Χαμογέλασε και κούνησε το κεφάλι της. «Μάλλον θα έπρεπε να του αναγνωρίσω περισσότερα θετικά. Είναι πραγματικά πολύ ευπρεπής, έτσι;»

«*Εγώ* έτσι πιστεύω».

«Το καταλαβαίνω». Μετά αναστέναξε. «Δεν ήμουν δίκαιη ούτε μαζί σου, Μπέλλα. Σου είπε γιατί; Ή ήταν κι αυτό υπερβολικά απόρρητο;»

«Είπε ότι ήταν επειδή είμαι άνθρωπος. Είπε ότι εσένα σου ήταν πιο δύσκολο να έχεις κάποιον απ' έξω που ήξερε».

Το μελωδικό γέλιο της Ρόζαλι με διέκοψε. «Τώρα νιώθω πραγματικά τύψεις. Είναι πολύ, πολύ πιο καλός μαζί μου απ' ό,τι αξίζω». Έμοιαζε πιο ζεστή, καθώς γελούσε, σαν να είχε αφήσει κάποιες άμυνες που ποτέ δεν απουσίαζαν, όταν ήμουν εγώ παρούσα. «Τι ψεύτης που είναι αυτό το παιδί». Γέλασε πάλι.

«Έλεγε ψέματα;» ρώτησα, ξαφνικά ανήσυχη.

«Λοιπόν, μάλλον το έθεσα πολύ κατηγορηματικά. Απλώς δε σου είπε όλη την ιστορία. Αυτό που σου είπε ήταν αλήθεια, ακόμα πιο αληθινό τώρα απ' ό,τι παλιά. Παρ' όλα αυτά, εκείνη τη στιγμή…» Σταμάτησε απότομα, γελώντας νευρικά. «Νιώθω πολύ άβολα. Βλέπεις, στην αρχή ζήλευα κυρίως επειδή εκείνος ήθελε *εσένα* κι όχι εμένα».

Τα λόγια της έκαναν ένα κύμα φόβου να με κατακλύσει. Έτσι όπως καθόταν εκεί στο ασημένιο φως, ήταν πιο όμορφη απ' οτιδήποτε άλλο μπορούσα να φανταστώ. Δεν μπορούσα να συναγωνιστώ τη Ρόζαλι.

«Μα εσύ αγαπάς τον Έμετ…», ψέλλισα.

Κούνησε το κεφάλι της μπρος-πίσω, δείχνοντας να το βρίσκει αστείο. «Δεν επιθυμώ τον Έντουαρντ με αυτό τον τρόπο, Μπέλλα. Ποτέ δεν τον ήθελα –τον αγαπάω σαν αδερφό μου, αλλά με εκνεύριζε από την πρώτη στιγμή που τον άκουσα να μιλάει. Πρέπει να καταλάβεις, ωστόσο… ήμουν τόσο συνηθισμένη στο να θέλουν *εμένα* οι άλλοι. Κι ο Έντουαρντ δεν έδειξε ούτε το παραμικρό ενδιαφέρον. Αυτό με απογοήτευσε, με πρόσβαλλε κιόλας στην αρχή. Αλλά εκείνος ποτέ δεν ήθελε καμία, έτσι αυτό δε συνέχισε να με ενοχλεί για πολύ καιρό. Ακόμα κι όταν γνωρίσαμε για πρώτη φορά την ομάδα της Τάνια στο Ντενάλι –όλες εκείνες τις θηλυκές!– ο Έντουαρντ δεν έδειξε ποτέ ούτε την ελάχιστη προτίμηση. Και μετά γνώρισε εσένα». Με κοίταξε με μάτια μπερδεμένα. Εγώ μισο-πρόσεχα μόνο. Σκεφτόμουν τον Έντουαρντ και την Τάνια και *όλες εκείνες τις θηλυκές*, και τα χείλη μου σφίχτηκαν σχηματίζοντας μια άκαμπτη γραμμή.

«Όχι ότι δεν είσαι όμορφη, Μπέλλα», είπε εκείνη, παρερμηνεύοντας την έκφρασή μου. «Αλλά αυτό σήμαινε απλώς ότι έβρισκε εσένα πιο ελκυστική από 'μένα. Είμαι τόσο ματαιόδοξη που με πείραξε».

«Μα είπες "στην αρχή". Αυτό δε σε ενοχλεί ακόμα, έτσι δεν είναι; Θέλω να πω, ξέρουμε κι οι δυο ότι είσαι το πιο όμορφο πλάσμα πάνω στον πλανήτη».

Γέλασα που έπρεπε να πω τις λέξεις αυτές –ήταν τόσο φανερό. Τι παράδοξο που η Ρόζαλι χρειαζόταν τέτοιου είδους επιβεβαίωση.

Η Ρόζαλι γέλασε κι αυτή. «Σ' ευχαριστώ, Μπέλλα. Και όχι, δε με ενοχλεί πια. Ο Έντουαρντ πάντα ήταν λιγάκι παράξενος». Γέλασε ξανά.

«Μα και πάλι δε με συμπαθείς», ψιθύρισα.

Το χαμόγελό της χάθηκε. «Λυπάμαι γι' αυτό».

Καθίσαμε σιωπηλές για ένα λεπτό, και δε φαινόταν να έχει τη διάθεση να συνεχίσει.

«Μπορείς να μου πεις γιατί; Έκανα κάτι...;» Μήπως είχε θυμώσει που είχα βάλει την οικογένειά της –τον Έμετ της– σε κίνδυνο; Ξανά και ξανά. Ο Τζέιμς και τώρα η Βικτόρια...

«Όχι, δεν έκανες τίποτα», μουρμούρισε. «Όχι ακόμα».

Την κοίταξα επίμονα σαστισμένη.

«Δεν το βλέπεις, Μπέλλα;» η φωνή της ξαφνικά ήταν πιο παθιασμένη απ' ό,τι νωρίτερα, ακόμα και την ώρα που έλεγε την ατυχή της ιστορία. «Έχεις ήδη τα *πάντα*. Έχεις μια ολόκληρη ζωή μπροστά σου –όλα όσα θέλω εγώ. Κι εσύ θα τα *πετάξεις όλα στα σκουπίδια*. Δεν το βλέπεις ότι θα αντάλλαζα όσα έχω για να είμαι στη θέση σου; Έχεις την επιλογή που δεν είχα εγώ, και διαλέγεις λάθος!»

Τραβήχτηκα προς τα πίσω εξαιτίας της άγριας έκφρασής της. Συνειδητοποίησα ότι το στόμα μου είχε μείνει ανοιχτό, και το έκλεισα απότομα.

Με κοίταξε επίμονα, και αργά, η παραφορά στο βλέμμα της ξεθώριασε. Απότομα, ένιωσε αμήχανη.

«Και ήμουν σίγουρη πως μπορούσα να το κάνω αυτό ήρεμα». Κούνησε το κεφάλι της, μοιάζοντας κάπως παραζαλισμένη από το χείμαρρο των συναισθημάτων. «Απλώς είναι πιο δύσκολο τώρα απ' ό,τι τότε, όταν δεν ήταν τίποτα περισσότερο εκτός από ματαιοδοξία».

Κοίταξε το φεγγάρι σιωπηλή. Πέρασαν μερικά λεπτά, πριν να μαζέψω αρκετό θάρρος για να διακόψω την ονειροπόλησή της.

«Θα με συμπαθούσες περισσότερο αν διάλεγα να μείνω άνθρωπος;»

Στράφηκε πάλι προς εμένα, ενώ τα χείλη της συσπάστηκαν σχηματίζοντας ένα ίχνος χαμόγελου. «Μπορεί».

«Κι εσύ απέκτησες, όμως, ένα μέρος του ευτυχισμένου τέλους σου», της υπενθύμισα. «Απέκτησες τον Έμετ».

«Απέκτησα το μισό». Χαμογέλασε. «Ξέρεις πως έσωσα τον Έμετ από μια αρκούδα που τον κατασπάραζε και τον κουβάλησα σπίτι στον Κάρλαϊλ. Αλλά μπορείς να μαντέψεις γιατί εμπόδισα την αρκούδα να τον φάει;»

Κούνησα το κεφάλι μου.

«Με τις μελαχρινές του μπούκλες... τα λακκάκια που φαίνονταν ακόμα και την ώρα που σφάδαζε από πόνο... με την παράξενη αθωότητα που έμοιαζε τόσο παράταιρη στο πρόσωπο ενός άντρα... μου θύμισε το μικρό Χένρι της Βέρα. Δεν ήθελα να πεθάνει –τόσο πολύ ώστε, αν και μισούσα αυτή τη ζωή, ήμουν αρκετά εγωίστρια για να ζητήσω από τον Κάρλαϊλ να τον μεταμορφώσει για χάρη μου.

»Στάθηκα πιο τυχερή απ' όσο άξιζα. Ο Έμετ είναι όλα όσα θα μπορούσα να είχα ζητήσει, αν ήξερα τον εαυτό μου αρκετά καλά για να ξέρω τι να ζητήσω. Είναι ακριβώς το άτομο που χρειάζεται κάποια σαν κι εμένα. Και, παραδόξως, με χρειάζεται κι αυτός. Αυτό το κομμάτι πήγε καλύτερα απ' ό,τι θα μπορούσα ποτέ να ελπίζω. Αλλά δε θα υπάρξει ποτέ τίποτα παραπάνω πέρα από τους δυο μας. Και δε θα καθίσω ποτέ κάπου σε κάποια βεράντα, μ' εκείνον γκριζομάλλη στο πλευρό μου, περιτριγυρισμένοι από τα εγγόνια μας».

Το χαμόγελό της ήταν καλοσυνάτο τώρα. «Αυτό σου ακούγεται αρκετά περίεργο, έτσι δεν είναι; Κατά κάποιο τρόπο, είσαι πολύ πιο ώριμη απ' ό,τι ήμουν εγώ στα δεκαοχτώ μου. Αλλά κατά κάποιο άλλο τρόπο... υπάρχουν πολλά πράγματα που πιθανότατα δεν έχεις σκεφτεί ποτέ σοβαρά. Είσαι πολύ μικρή για να ξέρεις τι θα θέλεις σε δέκα, δεκαπέντε χρόνια –και πολύ μικρή για να τα παρατήσεις όλα χωρίς να το σκεφτείς καλά. Δε θέλεις να πάρεις αβασάνιστα μια απόφαση για μόνιμα πράγματα, Μπέλλα». Χτύπησε χαϊδευτικά το κεφάλι μου, αλλά η κίνηση δε φάνηκε συγκαταβατική.

Αναστέναξα.

«Απλώς σκέψου το λίγο. Μόλις γίνει, δεν μπορεί να ξεγίνει. Η Έσμι συμβιβάστηκε μ' εμάς ως υποκατάστατα, και η Άλις δε θυμάται τίποτα ανθρώπινο, άρα δεν μπορεί να της λείπει... Εσύ θα θυμάσαι, όμως. Είναι πολλά αυτά που θα αφήσεις».

Αλλά περισσότερα αυτά που θα πάρω ως αντάλλαγμα, δεν είπα δυνατά. «Σ' ευχαριστώ, Ρόζαλι. Είναι ωραία... που κατάλαβα... που σε γνώρισα καλύτερα».

«Συγνώμη που είμαι τέτοιο τέρας». Χαμογέλασε. «Θα

προσπαθήσω να συμπεριφέρομαι καλύτερα από δω και πέρα».

Της ανταπόδωσα το χαμόγελο.

Δεν ήμασταν φίλες ακόμα, αλλά ήμουν σίγουρη ότι δε θα με μισούσε πάντα τόσο πολύ.

«Θα σ' αφήσω να κοιμηθείς τώρα». Τα μάτια της Ρόζαλι τρεμόπαιξαν προς το κρεβάτι, και τα χείλη της συσπάστηκαν. «Το ξέρω ότι έχεις απογοητευτεί που σε έχει κλειδωμένη εδώ μέσα έτσι, αλλά μην του φωνάξεις πολύ, όταν γυρίσει. Σε αγαπάει πιο πολύ απ' όσο ξέρεις. Τον τρομοκρατεί η ιδέα τού να βρίσκεται μακριά σου». Σηκώθηκε όρθια σιωπηλή και κινήθηκε προς την πόρτα σαν φάντασμα. «Καληνύχτα, Μπέλλα», ψιθύρισε, καθώς έκλεινε την πόρτα πίσω της.

«Καληνύχτα, Ρόζαλι», μουρμούρισα ένα δευτερόλεπτο αργότερα.

Μου πήρε πολλή ώρα για να κοιμηθώ μετά απ' αυτό.

Όταν αποκοιμήθηκα τελικά, είδα έναν εφιάλτη. Σερνόμουν πάνω στις σκοτεινές, κρύες πλάκες ενός άγνωστου δρόμου, κάτω από μια ελαφριά χιονόπτωση, αφήνοντας μια γραμμή από αίμα να τις λεκιάζει πίσω μου. Ένας μυστηριώδης άγγελος με μακρύ άσπρο φόρεμα παρακολουθούσε την πορεία μου με μάτια γεμάτα μίσος.

Το επόμενο πρωί, η Άλις με πήγε με το αυτοκίνητο στο σχολείο, ενώ εγώ κοίταζα κακόκεφα έξω. Ένιωθα στερημένη από ύπνο, κι αυτό έκανε τον εκνευρισμό από τη φυλάκισή μου ακόμα πιο έντονο.

«Απόψε θα βγούμε έξω στην Ολύμπια ή κάτι τέτοιο», μου υποσχέθηκε. «Θα είχε πλάκα, έτσι δεν είναι;»

«Γιατί δε με κλειδώνεις απλώς στο υπόγειο», πρότεινα, «και δε χρειάζεται να σκέφτεσαι πώς θα μου χρυσώσεις το χάπι».

Η Άλις κατσούφιασε. «Θα μου πάρει πίσω την Πόρσε. Δεν κάνω και πολύ καλή δουλειά. Υποτίθεται ότι θα έπρεπε να περνάς καλά».

«Δε φταις εσύ», μουρμούρισα. Δεν μπορούσα να το πιστέψω ότι ένιωθα τύψεις. «Θα τα πούμε στο μεσημεριανό».

Σύρθηκα με κόπο ως το μάθημα των αγγλικών. Χωρίς τον Έντουαρντ, η μέρα ήταν εγγυημένο ότι θα ήταν αβάσταχτη. Ήμουν μουτρωμένη όλη την ώρα του πρώτου μαθήματος, γνωρίζοντας καλά ότι η στάση μου δε βοηθούσε σε τίποτα.

Όταν χτύπησε το κουδούνι, σηκώθηκα χωρίς πολύ ενθουσιασμό. Ο Μάικ ήταν εκεί στην πόρτα, κρατώντας την ανοιχτή για χάρη μου.

«Ο Έντουαρντ έχει πάει για πεζοπορία αυτό το Σαββατοκύριακο;» ρώτησε με φιλικότητα, καθώς βγαίναμε έξω στο ψιλόβροχο.

«Ναι».

«Θέλεις να κάνουμε κάτι απόψε;»

Πώς μπορούσε να διατηρεί ακόμα ελπίδες;

«Δεν μπορώ. Έχω να πάω σε ένα πιτζάμα πάρτι», γκρίνιαξα. Μου έριξε ένα παράξενο βλέμμα, καθώς επεξεργαζόταν τη διάθεσή μου.

«Ποιος σε έχει—»

Η ερώτηση του Μάικ διακόπηκε, καθώς ένα δυνατό, απειλητικό μούγκρισμα ακούστηκε ξαφνικά από πίσω μας μέσα στο πάρκινγκ. Όλοι όσοι ήταν στο πεζοδρόμιο γύρισαν για να δουν ποιος ήταν, καρφώνοντας με δυσπιστία το βλέμμα, την ώρα που η θορυβώδης μαύρη μοτοσικλέτα σταμάτησε σκληρίζοντας στην άκρη του κρασπέδου, με τη μηχανή να γρυλίζει ακόμα.

Ο Τζέικομπ μου κούνησε το χέρι με μια επείγουσα χειρονομία.

«Τρέξε, Μπέλλα!» φώναξε πάνω από το βουητό της μηχανής.

Έμεινα κοκαλωμένη για ένα δευτερόλεπτο πριν καταλάβω.

Κοίταξα τον Μάικ γρήγορα. Ήξερα ότι είχα μόλις μερικά

δευτερόλεπτα.

Μέχρι πού θα έφτανε η Άλις για να με σταματήσει δημοσίως;

«Ένιωσα πολύ άρρωστη και πήγα σπίτι, εντάξει;» είπα στον Μάικ, με φωνή γεμάτη ενθουσιασμό.

«Εντάξει», μουρμούρισε εκείνος.

Του έδωσα ένα πεταχτό φιλί στο μάγουλο. «Σ' ευχαριστώ, Μάικ. Θα σου το χρωστάω!» φώναξα, καθώς απομακρυνόμουν τρέχοντας.

Ο Τζέικομπ ανέβασε τις στροφές του κινητήρα, χαμογελώντας πλατιά. Πήδηξα πίσω από το κάθισμά του, τυλίγοντας τα χέρια μου σφιχτά γύρω από τη μέση του.

Το μάτι μου πήρε την Άλις, κοκαλωμένη στην άκρη της τραπεζαρίας, με μάτια που άστραφταν από την οργή, ενώ το χείλος της ήταν κυρτωμένο προς τα πίσω, πάνω από τα δόντια της.

Της έριξα μια γρήγορη ικετευτική ματιά.

Μετά τρέχαμε πάνω στην άσφαλτο τόσο γρήγορα, που το στομάχι μου χάθηκε κάπου πίσω μου.

«Κρατήσου», φώναξε ο Τζέικομπ.

Έκρυψα το πρόσωπό μου στην πλάτη του, καθώς κατέβαινε τον αυτοκινητόδρομο ανεβάζοντας ταχύτητα. Ήξερα ότι θα πήγαινε πιο σιγά, όταν θα φτάναμε στα σύνορα του καταυλισμού των Κουιλαγιούτ. Απλώς έπρεπε να κρατηθώ γερά μέχρι τότε. Προσευχόμουν σιωπηλά και με πάθος η Άλις να μην ακολουθούσε, και να μην τύχαινε να με δει ο Τσάρλι ...

Ήταν φανερό, όταν φτάσαμε στην ασφαλή ζώνη. Η μηχανή επιβράδυνε, κι ο Τζέικομπ ίσιωσε το κορμί του και γέλασε δυνατά. Άνοιξα τα μάτια μου.

«Τα καταφέραμε», φώναξε. «Όχι κι άσχημα για απόδραση, ε;»

«Καλή σκέψη, Τζέικ».

«Θυμήθηκα αυτό που είπες, ότι η βδέλλα με τις μαντικές

ικανότητες δεν μπορεί να προβλέψει τι σκοπεύω να κάνω *εγώ*. Χαίρομαι που δεν το σκέφτηκες *εσύ* –δε θα σε άφηνε να πας σχολείο».

«Γι' αυτό δεν το σκέφτηκα».

Γέλασε θριαμβευτικά. «Τι θέλεις να κάνουμε σήμερα;»

«Ό,τι να 'ναι!» γέλασα κι εγώ. Ένιωθα τέλεια που ήμουν ελεύθερη!

8. ΘΥΜΟΣ

Καταλήξαμε πάλι στην παραλία, να περιπλανιόμαστε άσκοπα. Ο Τζέικομπ ακόμα καυχιόταν που είχε μηχανευτεί την απόδρασή μου.

«Λες να έρθουν να σε βρουν;» ρώτησε, ενώ ακούστηκε σαν να ήταν γεμάτος ελπίδα.

«Όχι». Ήμουν βέβαιη γι' αυτό. «Αλλά θα είναι έξαλλοι μαζί μου απόψε».

Σήκωσε μια πέτρα και την εκσφενδόνισε στα κύματα. «Μη πας πίσω τότε», πρότεινε ξανά.

«Του Τσάρλι θα του άρεσε πολύ αυτό», είπα σαρκαστικά.

«Είμαι σίγουρος ότι δε θα τον πείραζε».

Δεν απάντησα. Ο Τζέικομπ πιθανότατα είχε δίκιο, κι αυτό με έκανε να τρίξω τα δόντια μου. Η απροκάλυπτη προτίμηση του Τσάρλι για τους φίλους μου από τον καταυλισμό των Κουιλαγιούτ ήταν τόσο άδικη. Αναρωτιόμουν αν θα ένιωθε το ίδιο, αν ήξερε ότι η επιλογή ήταν στην πραγματικότητα ανάμεσα σε βρικόλακες και λυκάνθρωπους.

«Λοιπόν, ποιο είναι το τελευταίο σκάνδαλο της αγέλης;»

ρώτησα ανάλαφρα.

Ο Τζέικομπ σταμάτησε απότομα και χαμήλωσε το βλέμμα για να με κοιτάξει με μάτια γεμάτα έκπληξη.

«Τι; Αστείο ήταν».

«Α». Κοίταξε από την άλλη μεριά.

Περίμενα να ξεκινήσει να περπατάει πάλι, αλλά φαινόταν χαμένος στις σκέψεις του.

«*Υπάρχει* κάποιο σκάνδαλο;» αναρωτήθηκα.

Ο Τζέικομπ γέλασε πνιχτά μια φορά. «Ξεχνάω πώς είναι να μην ξέρουν όλοι τα πάντα συνέχεια. Το να έχω ένα προσωπικό, ήσυχο κομμάτι μέσα στο κεφάλι μου».

Περπατήσαμε κατά μήκος της βραχώδους παραλίας σιωπηλά για λίγα λεπτά.

«Λοιπόν, τι είναι;» ρώτησα τελικά. «Αυτό που όλοι μέσα στο κεφάλι σου γνωρίζουν ήδη;»

Δίστασε για μια στιγμή, λες και δεν ήταν σίγουρος πόσα θα μου έλεγε. Μετά αναστέναξε και είπε: «Ο Κουίλ αποτύπωσε. Τώρα είναι τρεις. Οι υπόλοιποι αρχίζουμε κι ανησυχούμε. Ίσως είναι πιο συνηθισμένο απ' όσο λένε οι ιστορίες...» Κατσούφιασε και μετά γύρισε για να με κοιτάξει. Κάρφωσε το βλέμμα του επίμονα μέσα στα μάτια μου χωρίς να μιλάει, με τα φρύδια του ενωμένα από τη συγκέντρωση.

«Τι κοιτάζεις;» ρώτησα, νιώθοντας αμηχανία.

Αναστέναξε. «Τίποτα».

Ο Τζέικομπ άρχισε πάλι να περπατάει. Ασυναίσθητα, άπλωσε το χέρι του κι έπιασε το δικό μου. Διασχίσαμε σιωπηλά τις πέτρες.

Σκέφτηκα πως πρέπει να φαινόμασταν, περπατώντας πιασμένοι χέρι-χέρι προς την παραλία –σαν ζευγάρι, σίγουρα– κι αναρωτήθηκα αν θα έπρεπε να φέρω αντίρρηση. Αλλά έτσι ήταν πάντα με τον Τζέικομπ... Δεν υπήρχε κανένας λόγος να με πιάσει υστερία γι' αυτό τώρα.

«Και γιατί είναι σκάνδαλο το ότι ο Κουίλ βρήκε την αδερφή ψυχή του;» ρώτησα, όταν φαινόταν πια ότι δε σκόπευε να συνεχίσει. «Μήπως επειδή είναι ο πιο καινούριος;»

«Αυτό δεν έχει καμία σχέση».

«Τότε ποιο είναι το πρόβλημα;»

«Είναι άλλο ένα από εκείνα που λένε οι θρύλοι. Αναρωτιέμαι πότε θα σταματήσουμε να ξαφνιαζόμαστε που είναι *όλα* αληθινά», μουρμούρισε στον εαυτό του.

«Θα μου πεις; Ή πρέπει να μαντέψω;»

«Δε θα το έβρισκες ποτέ. Βλέπεις, ο Κουίλ δεν έκανε παρέα μαζί μας, ξέρεις, μέχρι πρόσφατα. Έτσι δεν είχε πάει πολλές φορές στο σπίτι της Έμιλι».

«Η αδερφή ψυχή του Κουίλ είναι η Έμιλι;» είπα με μια πνιχτή κραυγή.

«Όχι! Σου είπα να μη μαντέψεις. Η Έμιλι είχε σπίτι τις δυο ανιψιές της που ήρθαν για επίσκεψη... κι ο Κουίλ συνάντησε την Κλερ».

Δε συνέχισε. Το σκέφτηκα για μια στιγμή.

«Η Έμιλι δε θέλει η ανιψιά της να είναι με λυκάνθρωπο; Αυτό είναι λιγάκι υποκριτικό», είπα.

Αλλά καταλάβαινα γιατί ειδικά αυτή μπορεί να ένιωθε έτσι. Σκέφτηκα ξανά τις μακριές ουλές που ασχήμαιναν το πρόσωπό της και έφταναν μέχρι κάτω στο δεξί της μπράτσο. Ο Σαμ είχε χάσει τον έλεγχο μόνο μια φορά, όταν στεκόταν πολύ κοντά της. Μια φορά ήταν αρκετή... είχα δει τον πόνο στα μάτια του Σαμ, όταν κοίταζε αυτό που είχε κάνει στην Έμιλι. Καταλάβαινα γιατί η Έμιλι μπορεί να ήθελε να προστατέψει την ανιψιά της από κάτι τέτοιο.

«Θα σταματήσεις, σε παρακαλώ, να μαντεύεις; Είσαι τελείως εκτός θέματος. Την Έμιλι δεν την πειράζει αυτό, απλώς, να, είναι λίγο νωρίς».

«Τι εννοείς *νωρίς*;»

Ο Τζέικομπ με ζύγισε με μισόκλειστα μάτια. «Προσπάθησε να μη βιαστείς να κρίνεις, εντάξει;»

Έγνεψα επιφυλακτικά.

«Η Κλερ είναι δύο χρονών», μου είπε ο Τζέικομπ.

Άρχισε να πέφτει βροχή. Ανοιγόκλεισα τα μάτια μου με μανία, καθώς οι σταγόνες βομβάρδιζαν το πρόσωπό μου.

Ο Τζέικ περίμενε σιωπηλός. Δε φορούσε καθόλου μπουφάν, όπως συνήθως˙ η βροχή άφηνε πιτσιλιές από σκούρα στίγματα πάνω στο μαύρο του φανελάκι κι έσταζε μέσα από τα πυκνά μαλλιά του. Το πρόσωπό του ήταν ανέκφραστο, καθώς περιεργαζόταν το δικό μου.

«Ο Κουίλ... βρήκε την αδερφή ψυχή του... σε μια δίχρονη;» κατάφερα τελικά να μιλήσω.

«Συμβαίνει». Ο Τζέικομπ σήκωσε τους ώμους. Έσκυψε για να αρπάξει άλλη μια πέτρα και την έστειλε να ίπταται μέσα στον κόλπο. «Ή τουλάχιστον έτσι λένε οι θρύλοι».

«Μα είναι μωρό», διαμαρτυρήθηκα.

Με κοίταξε βρίσκοντάς με αστεία αλλά με θλιμμένο βλέμμα. «Ο Κουίλ δεν πρόκειται να μεγαλώσει», μου θύμισε. «Απλώς θα κάνει υπομονή για μερικές δεκαετίες».

«Δεν ξέρω... τι να πω».

Προσπαθούσα όσο πιο πολύ μπορούσα να μην είμαι επικριτική, αλλά, στην πραγματικότητα, ένιωθα φρίκη. Μέχρι τώρα, τίποτα σχετικά με τους λυκάνθρωπους δε με είχε ενοχλήσει από την ημέρα που έμαθα ότι δεν έκαναν τους φόνους για τους οποίους τους υποπτευόμουν.

«Βιάζεσαι να κρίνεις», με κατηγόρησε. «Το βλέπω στο πρόσωπό σου».

«Συγνώμη», μουρμούρισα. «Μα μου ακούγεται στ' αλήθεια ανατριχιαστικό».

«Δεν είναι έτσι˙ δεν κατάλαβες καθόλου», είπε ο Τζέικομπ υπερασπιζόμενος το φίλο του, ξαφνικά ορμητικά. «Έχω δει πώς είναι, μέσα από τα δικά του μάτια. Δεν υπάρχει τίποτα το *ρομαντικό*, όχι για τον Κουίλ, όχι τώρα». Πήρε μια βαθιά ανάσα, απογοητευμένος. «Είναι τόσο δύσκολο να το περιγράψω.

Δεν είναι σαν την αγάπη με την πρώτη ματιά, στην πραγματικότητα. Είναι περισσότερο... σαν τη βαρύτητα. Όταν δεις *εκείνη*, ξαφνικά δεν είναι η γη αυτό που σε κρατάει εδώ πια. Εκείνη σε κρατάει. Και τίποτα δεν έχει μεγαλύτερη σημασία από 'κείνη. Και θα έκανες τα πάντα για 'κείνη, θα γινόσουν τα πάντα για 'κείνη... Γίνεσαι ό,τι χρειάζεται εκείνη να γίνεις, είτε αυτό είναι προστάτης ή αγαπημένος ή φίλος ή αδερφός.

»Ο Κουίλ θα είναι ο καλύτερος, ο πιο ευγενικός μεγάλος αδερφός που θα έχει ποτέ παιδί. Δεν υπάρχει κανένα πιτσιρίκι στον πλανήτη που θα το φροντίσει κανείς πιο προσεχτικά απ' ό,τι το κοριτσάκι αυτό. Και μετά, όταν θα μεγαλώσει και θα χρειάζεται ένα φίλο, εκείνος θα είναι αυτός με την περισσότερη κατανόηση, στον οποίο θα μπορεί να εμπιστευτεί τα πάντα και που θα μπορεί να βασιστεί πάνω του περισσότερο απ' οποιονδήποτε άλλο. Και μετά, όταν θα ενηλικιωθεί, θα είναι τόσο ευτυχισμένοι όσο η Έμιλι κι ο Σαμ». Ο τόνος του απέκτησε πικρία στο τέλος, όταν ανέφερε τον Σαμ.

«Και η Κλερ δεν έχει επιλογή εδώ;»

«Φυσικά και έχει. Μα γιατί να μην επιλέξει εκείνον τελικά; Θα είναι το τέλειο ταίρι γι' αυτή. Σαν να τον είχαν σχεδιάσει ειδικά γι' αυτή».

Περπατήσαμε σιωπηλά για μια στιγμή, μέχρι που σταμάτησα για να ρίξω μια πέτρα στον ωκεανό. Έπεσε στην παραλία αρκετά μέτρα πιο πίσω από τη θάλασσα. Ο Τζέικομπ γέλασε κοροϊδευτικά.

«Δεν μπορούμε όλοι να είμαστε τερατωδώς δυνατοί», μουρμούρισα.

Αναστέναξε.

«Πότε νομίζεις ότι θα σου συμβεί εσένα αυτό;» ρώτησα ήσυχα.

Η απάντησή του ήταν κατηγορηματική και άμεση. «Ποτέ».

«Δεν είναι κάτι που μπορείς να ελέγξεις, έτσι δεν είναι;»

Έμεινε σιωπηλός για μερικά λεπτά. Ασυναίσθητα, περπατούσαμε κι οι δυο πιο αργά, σχεδόν χωρίς να μετακινούμαστε καθόλου.

«Υποτίθεται ότι δεν είναι», παραδέχτηκε. «Αλλά πρέπει να τη δεις –αυτή που υποτίθεται ότι προορίζεται για 'σένα».

«Και νομίζεις ότι αν δεν την έχεις δει ακόμα, τότε δεν υπάρχει κάπου;» ρώτησα με δυσπιστία. «Τζέικομπ, δεν έχεις δει και πολλά πράγματα από τον κόσμο –ακόμα λιγότερα κι από εμένα».

«Όχι, δεν έχω δει», είπε χαμηλόφωνα. Κοίταξε το πρόσωπό μου ξαφνικά με διαπεραστικά μάτια. «Αλλά δε θα δω ποτέ καμία άλλη, Μπέλλα. Βλέπω μόνο εσένα. Ακόμα κι όταν κλείνω τα μάτια μου και προσπαθώ να δω κάτι άλλο. Ρώτα τον Κουίλ ή τον Έμπρι. Αυτό τους έχει τρελάνει όλους».

Χαμήλωσα τα μάτια μου προς τις πέτρες.

Δε μιλούσαμε πια. Ο μοναδικός ήχος ήταν τα κύματα που έσκαγαν στην ακτή. Δεν μπορούσα να ακούσω τη βροχή εξαιτίας της βοής τους.

«Μάλλον είναι καλύτερα να πάω σπίτι», ψιθύρισα.

«Όχι!» διαμαρτυρήθηκε εκείνος, έκπληκτος από αυτό το συμπέρασμα.

Σήκωσα τα μάτια μου ξανά, και τα δικά του ήταν τώρα γεμάτα αγωνία.

«Έχεις όλη την ημέρα ελεύθερη, έτσι δεν είναι; Η αιμορουφήχτρα δε θα έχει γυρίσει ακόμα σπίτι».

Τον αγριοκοίταξα.

«Χωρίς να θέλω να τον θίξω», είπε γρήγορα.

«Ναι, έχω όλη την ημέρα. Αλλά, Τζέικ…»

Σήκωσε ψηλά τα χέρια του. «Συγνώμη», είπε. «Δε θα είμαι έτσι πια. Θα είμαι απλώς ο Τζέικομπ».

Αναστέναξα. «Μα αν αυτό είναι που σκέφτεσαι…»

«Μην ανησυχείς για 'μένα», επέμεινε, χαμογελώντας σκόπιμα γεμάτος κέφι, υπερβολικά χαρωπά. «Ξέρω τι κάνω.

Απλώς πες το μου αν σε αναστατώνω».

«Δεν ξέρω...»

«Έλα τώρα, Μπέλλα. Ας γυρίσουμε σπίτι να πάρουμε τα μηχανάκια μας. Πρέπει να καβαλάς τη μοτοσικλέτα σου τακτικά για να την κρατήσεις σε καλή κατάσταση».

«Στ' αλήθεια, δε νομίζω ότι επιτρέπεται».

«Από ποιον; Από τον Τσάρλι ή από την αιμορ... από *εκείνον;*»

«Και τους δυο».

Ο Τζέικομπ μιμήθηκε την γκριμάτσα μου και ξαφνικά ήταν ο Τζέικομπ που μου έλειπε περισσότερο, λαμπερός σαν τον ήλιο και ζεστός.

Δεν μπορούσα να μην του ανταποδώσω την γκριμάτσα.

Η βροχή μαλάκωσε, είχε γίνει ομίχλη.

«Δε θα το πω σε κανένα», υποσχέθηκε εκείνος.

«Εκτός από όλους τους φίλους σου».

Κούνησε το κεφάλι του σοβαρά και σήκωσε το δεξί του χέρι. «Υπόσχομαι να μην το σκεφτώ».

Γέλασα. «Αν πάθω τίποτα, ήταν επειδή σκόνταψα».

«Ό,τι πεις».

Καβαλήσαμε τις μηχανές μας και πήγαμε βόλτα στους πίσω δρόμους γύρω από το Λα Πους, μέχρι που η βροχή τους έκανε υπερβολικά λασπερούς, κι ο Τζέικομπ επέμεινε ότι θα λιποθυμούσε αν δεν έτρωγε κάτι σύντομα. Ο Μπίλι με υποδέχτηκε με άνεση, όταν φτάσαμε σπίτι, λες και η ξαφνική μου επανεμφάνιση δε σήμαινε τίποτα πιο περίπλοκο από το ότι ήθελα να περάσω τη μέρα μου μαζί με το φίλο μου. Αφού φάγαμε τα σάντουιτς που έφτιαξε ο Τζέικομπ, πήγαμε στο γκαράζ και τον βοήθησα να καθαρίσει τις μηχανές. Είχα μήνες να έρθω εδώ –από τότε που επέστρεψε ο Έντουαρντ– αλλά δεν υπήρχε καμιά αίσθηση ιδιαίτερης περίστασης. Ήταν απλώς ένα ακόμα απόγευμα στο γκαράζ.

«Ωραία που είναι», σχολίασα, όταν έβγαλε τα ζεστά αναψυκτικά από τη σακούλα του μανάβικου. «Μου έλειψε αυτό το μέρος».

Χαμογέλασε κοιτάζοντας γύρω-γύρω τα πλαστικά παραπήγματα που ήταν ενωμένα μαζί πάνω από τα κεφάλια μας. «Ναι, το καταλαβαίνω. Όλη η αίγλη του Ταζ Μαχάλ χωρίς την ταλαιπωρία και τα έξοδα του ταξιδιού στην Ινδία».

«Στο μικρό Ταζ Μαχάλ της Ουάσινγκτον», έκανα πρόποση, σηκώνοντας ψηλά το τενεκεδένιο κουτάκι μου.

Εκείνος ακούμπησε το κουτάκι του στο δικό μου.

«Θυμάσαι τη μέρα του Αγίου Βαλεντίνου που μας πέρασε; Νομίζω ότι αυτή ήταν η τελευταία φορά που ήρθες εδώ –η τελευταία φορά που τα πράγματα ήταν ακόμα... φυσιολογικά, θέλω να πω».

Γέλασα. «Φυσικά και θυμάμαι. Αντάλλαξα μια ζωή σκλαβιάς με ένα κουτί σοκολατάκια σε σχήμα καρδιάς. Αυτό δεν είναι κάτι που υπάρχει πιθανότητα να ξεχάσω».

Γέλασε μαζί μου. «Σωστά. Χμμ, σκλαβιά. Θα πρέπει να σκεφτώ κάτι καλό». Μετά αναστέναξε. «Νιώθω σαν να έχουν περάσει χρόνια. Άλλη εποχή. Πιο χαρούμενη».

Δεν μπορούσα να συμφωνήσω μαζί του. Τώρα ήταν η δική μου χαρούμενη εποχή. Αλλά ένιωσα έκπληξη συνειδητοποιώντας πόσα πολλά πράγματα νοσταλγούσα από τον προσωπικό μου μεσαίωνα. Κοίταξα μέσα από το άνοιγμα το σκοτεινό δάσος. Η βροχή είχε δυναμώσει ξανά, αλλά ήταν ζεστά μέσα στο μικρό γκαράζ, έτσι όπως καθόμουν δίπλα στον Τζέικομπ. Ήταν σαν καμίνι.

Τα δάχτυλά του χάιδεψαν το χέρι μου. «Τα πράγματα έχουν αλλάξει πολύ».

«Ναι», είπα και μετά άπλωσα το χέρι μου και χτύπησα ελαφρά το πίσω λάστιχο της μηχανής μου. «Ο Τσάρλι με συμπαθούσε *παλιά*. Ελπίζω ο Μπίλι να μην πει τίποτα για σήμερα...». Δάγκωσα τα χείλη μου.

«Δε θα πει. Δεν ταράζεται τόσο πολύ για κάποια πράγματα, όπως ο Τσάρλι. Ε, δε σου ζήτησα ποτέ συγνώμη επισήμως για εκείνη την ανόητη κίνηση που έκανα με το μηχανάκι. Λυπάμαι στ' αλήθεια που σε κάρφωσα στον Τσάρλι. Μακάρι να μην το είχα κάνει».

Στριφογύρισα τα μάτια μου. «Κι εγώ το ίδιο εύχομαι».

«Συγνώμη, πάρα πολύ συγνώμη».

Με κοίταξε γεμάτος ελπίδα, με τα βρεγμένα, μπερδεμένα του μαύρα μαλλιά να προεξέχουν προς κάθε κατεύθυνση γύρω από το ικετευτικό του πρόσωπο.

«Α, καλά! Σε συγχωρώ».

«Σ' ευχαριστώ, Μπελς».

Χαμογελάσαμε ο ένας στον άλλο για ένα δευτερόλεπτο, και μετά το πρόσωπό του συννέφιασε ξανά.

«Ξέρεις, εκείνη τη μέρα, όταν έφερα τη μοτοσικλέτα σου... ήθελα να σε ρωτήσω κάτι», είπε αργά. «Αλλά... και δεν ήθελα συγχρόνως».

Έμεινα εντελώς ακίνητη –ως αντίδραση στο άγχος μου. Ήταν μια συνήθεια που είχα κολλήσει από τον Έντουαρντ.

«Ήσουν απλώς πεισματάρα επειδή μου είχες θυμώσει ή σοβαρολογούσες;» ψιθύρισε.

«Για ποιο πράγμα;» απάντησα ψιθυριστά, αν και ήμουν σίγουρη ότι ήξερα τι εννοούσε.

Με αγριοκοίταξε. «Ξέρεις. Όταν είπες ότι δεν ήταν δική μου δουλειά... αν –αν θα σε δαγκώσει». Τραβήχτηκε φανερά με φρίκη πίσω στο τέλος.

«Τζέικ...» Ένιωθα το λαιμό μου πρησμένο. Δεν μπορούσα να ολοκληρώσω.

Έκλεισε τα μάτια του και πήρε μια βαθιά ανάσα. «Σοβαρολογούσες;»

Έτρεμε ελαφρά. Τα μάτια του έμειναν κλειστά.

«Ναι», ψιθύρισα.

Ο Τζέικομπ εισέπνευσε βαθιά αργά. «Μάλλον το ήξερα».

Κοίταξα επίμονα το πρόσωπό του, περιμένοντας ν' ανοίξουν τα μάτια του.

«Ξέρεις τι σημαίνει αυτό;» είπε ξαφνικά με απαιτητικό ύφος. «Καταλαβαίνεις, έτσι δεν είναι; Τι θα συμβεί, αν σπάσουν τη συνθήκη;»

«Θα φύγουμε πρώτα», είπα.

Τα μάτια του άνοιξαν αστραπιαία, τα μαύρα τους βάθη γεμάτα θυμό και πόνο. «Δεν υπήρχε γεωγραφικός περιορισμός στη συνθήκη, Μπέλλα. Οι προπαππούδες μας συμφώνησαν να κάνουν ανακωχή μόνο επειδή οι Κάλεν ορκίστηκαν ότι είναι διαφορετικοί, ότι οι άνθρωποι δεν κινδυνεύουν απ' αυτούς. Υποσχέθηκαν ότι δε θα σκότωναν και δε θα μεταμόρφωναν κανέναν ξανά. Αν αθετήσουν το λόγο τους, η συνθήκη δεν έχει κανένα νόημα, και δε θα διαφέρουν σε τίποτα από τους υπόλοιπους βρικόλακες. Από τη στιγμή που θα γίνει αυτό, τότε όταν ξαναπέσουμε πάνω τους—»

«Μα, Τζέικ, εσύ δεν έχεις ήδη σπάσει τη συνθήκη;» ρώτησα προσπαθώντας να πιαστώ από μια λεπτή κλωστή. «Δεν ήταν μέρος της ότι δεν έπρεπε να πείτε στους ανθρώπους για τους βρικόλακες; Κι εσύ το είπες σ' εμένα. Άρα, έτσι κι αλλιώς, δεν είναι κάπως αμφισβητήσιμη η συνθήκη;»

Του Τζέικομπ δεν του άρεσε η υπενθύμιση αυτή˙ ο πόνος στα μάτια του έγινε πιο σκληρός και μετατράπηκε σε εχθρότητα. «Ναι, έσπασα τη συνθήκη –παλιά, τότε που δεν πίστευα τίποτα απ' όλα αυτά. Και είμαι σίγουρος ότι το πληροφορήθηκαν αυτό». Αγριοκοίταξε ξινισμένα στο μέτωπό μου, χωρίς να διασταυρωθεί το βλέμμα του με το δικό μου ντροπιασμένο βλέμμα. «Αλλά δεν είναι ότι αυτό τους δίνει το δικαίωμα να κάνουν ό,τι θέλουν. Δεν ισχύει το ένα λάθος ως ανταπόδοση για το άλλο. Έχουν μία μόνο εναλλακτική, αν διαφωνούν με αυτό που έκανα. Την ίδια που θα έχουμε κι εμείς, όταν θα σπάσουν τη συνθήκη: την επίθεση. Το ξέσπασμα του πολέμου».

Το έκανε να ακούγεται τόσο αναπόφευκτο. Με διαπέρασε ένα ρίγος.

«Τζέικ, δεν είναι ανάγκη να γίνει έτσι».

Έτριξε τα δόντια του. «*Είναι* έτσι».

Η σιωπή μετά από τη δήλωσή του έμοιαζε εκκωφαντική.

«Θα με συγχωρήσεις ποτέ, Τζέικομπ;» ψιθύρισα. Μόλις ξεστόμισα τις λέξεις, ευχήθηκα να μην το είχα κάνει. Δεν ήθελα να ακούσω την απάντησή του.

«Δε θα είσαι η Μπέλλα πια», μου είπε. «Η φίλη μου δε θα υπάρχει. Δε θα υπάρχει κανένας για να τον συγχωρήσω».

«Αυτό μου ακούγεται σαν *όχι*», ψιθύρισα.

Κοιτάζαμε ο ένας στο πρόσωπο του άλλου για μια ατελείωτη στιγμή.

«Αυτό είναι το αντίο, λοιπόν, Τζέικ;»

Ανοιγόκλεισε τα μάτια γρήγορα, καθώς η άγρια έκφρασή του μαλάκωσε κι έγινε έκπληξη. «Γιατί; Έχουμε ακόμα μερικά χρόνια. Δεν μπορούμε να είμαστε φίλοι μέχρι να περάσει ο χρόνος;»

«Χρόνια; Όχι, Τζέικ, όχι χρόνια». Κούνησα το κεφάλι μου και γέλασα μια φορά χωρίς διάθεση. «*Βδομάδες* θα έλεγα, για να είμαστε πιο ακριβείς».

Δεν περίμενα την αντίδρασή του.

Ξαφνικά σηκώθηκε όρθιος, κι ακούστηκε ένα δυνατό *ποπ*, καθώς το κουτάκι του αναψυκτικού έσκασε στο χέρι του. Το αναψυκτικό πετάχτηκε παντού, βρέχοντάς με, σαν να πιτσιλούσε γύρω-γύρω μέσα από ένα λάστιχο ποτίσματος.

«Τζέικ!» πήγα να διαμαρτυρηθώ, αλλά έμεινα σιωπηλή, όταν συνειδητοποίησα ότι ολόκληρο το σώμα του έτρεμε από το θυμό. Με κοίταξε άγρια, με έναν ήχο γρυλίσματος να φουντώνει μέσα στο στήθος του.

Κοκάλωσα, υπερβολικά σοκαρισμένη για να θυμηθώ πώς να κουνηθώ.

Το τρέμουλο διαπερνούσε όλο του το σώμα, γινόταν πιο γρήγορο, μέχρι που έμοιαζε σαν να δονείται. Το σχήμα του θόλωσε...

Και μετά ο Τζέικομπ έτριξε τα δόντια του, και το γρύλισμα σταμάτησε. Έκλεισε τα μάτια του σφιχτά για να συγκεντρωθεί˙ το τρέμουλο έγινε πιο αργό, μέχρι που έτρεμαν πια μόνο τα χέρια του.

«Βδομάδες», είπε ο Τζέικομπ ανέκφραστα.

Δεν μπορούσα να απαντήσω˙ ήμουν ακόμα κοκαλωμένη.

Άνοιξε τα μάτια του. Δεν υπήρχε πια οργή μέσα τους.

«Θα σε μεταμορφώσει σε μια βρομερή αιμορουφήχτρα μόλις σε μερικές *βδομάδες*!» είπε ο Τζέικομπ μέσα από τα δόντια του.

Υπερβολικά σαστισμένη για να προσβληθώ από τα λόγια του, απλώς έγνεψα βουβά.

Το πρόσωπό του έγινε πράσινο κάτω από το καστανοκόκκινο δέρμα του.

«Φυσικά, Τζέικ», ψιθύρισα μετά από μια παρατεταμένη σιωπή. «Είναι *δεκαεπτά*, Τζέικομπ. Κι εγώ πλησιάσω κάθε μέρα όλο και πιο πολύ στα δεκαεννιά. Εξάλλου, τι νόημα έχει να περιμένουμε; Αυτός είναι το μόνο που θέλω. Τι άλλο μπορώ να κάνω;»

Αυτό το έθεσα ως ρητορική ερώτηση.

Τα λόγια του ήταν σαν τον κρότο που κάνει το χτύπημα ενός μαστιγίου. «Οτιδήποτε. Οτιδήποτε άλλο. Θα ήταν καλύτερα να πέθαινες. Θα το προτιμούσα».

Τραβήχτηκα πίσω σαν να με είχε χαστουκίσει. Πόνεσα περισσότερο από το αν το είχε κάνει όντως.

Και τότε, καθώς με διαπερνούσε ο πόνος, η δική μου οργή ξέσπασε και πήρα φωτιά.

«Μπορεί να σταθείς τυχερός», είπα παγερά, καθώς σηκώθηκα όρθια τρεκλίζοντας. «Μπορεί να με χτυπήσει κανένα φορτηγό, καθώς θα γυρίζω σπίτι».

Άρπαξα τη μηχανή μου και την έσπρωξα έξω στη βροχή. Δεν κουνήθηκε, καθώς τον προσπέρασα. Μόλις βρέθηκα στο μικρό, λασπωμένο μονοπάτι, ανέβηκα στη μηχανή και την κλότσησα για να πάρει μπρος. Το πίσω λάστιχο εκσφενδόνισε ένα σιντριβάνι λάσπη προς το γκαράζ, κι ήλπιζα να είχε πέσει πάνω του.

Έγινα λούτσα, καθώς έτρεχα στον ολισθηρό αυτοκινητόδρομο προς το σπίτι των Κάλεν. Ένιωθα λες κι ο άνεμος πάγωνε τη βροχή, όταν ακουμπούσε πάνω στο δέρμα μου, και τα δόντια μου χτυπούσαν μεταξύ τους από το κρύο, πριν φτάσω στα μισά της διαδρομής.

Οι μοτοσικλέτες δεν ήταν καθόλου πρακτικές στην Ουάσινγκτον. Θα το πουλούσα το χαζόπραμα, μόλις μου δινόταν η πρώτη ευκαιρία.

Πήγα τη μοτοσικλέτα τσουλώντας τη μέσα στο σπηλαιώδες γκαράζ των Κάλεν, και δε με εξέπληξε το γεγονός ότι βρήκα την Άλις να με περιμένει, κουρνιασμένη ελαφρά πάνω στο καπό της Πόρσε της. Η Άλις χάιδεψε το γυαλιστερό κίτρινο χρώμα.

«Δεν πρόλαβα καν να την οδηγήσω». Αναστέναξε.

«Συγνώμη», είπα μέσα από τα δόντια μου που κροτάλιζαν.

«Φαίνεται ότι σου χρειάζεται ένα ζεστό μπάνιο», είπε με οικειότητα, πηδώντας ανάλαφρα για να σταθεί όρθια.

«Ναι».

Σούφρωσε τα χείλη της, εξετάζοντας προσεχτικά την έκφρασή μου. «Θέλεις να το συζητήσουμε;»

«Όχι».

Έγνεψε καταφατικά συναινώντας, αλλά τα μάτια της καίγονταν από την περιέργεια.

«Θέλεις να πάμε στην Ολύμπια απόψε;»

«Όχι ιδιαίτερα. Δεν μπορώ να πάω σπίτι;»

Έκανε μια γκριμάτσα.

«Δεν πειράζει, Άλις», είπα. «Θα μείνω, αν αυτό κάνει τα πράγματα πιο εύκολα για 'σένα».

«Ευχαριστώ», είπε αναστενάζοντας με ανακούφιση.

Πήγα νωρίς για ύπνο εκείνο το βράδυ και κουλουριάστηκα πάλι πάνω στον καναπέ του.

Είχε ακόμα σκοτάδι, όταν ξύπνησα. Ήμουν ζαβλακωμένη, αλλά ήξερα ότι δεν είχε έρθει ακόμα το πρωί. Τα μάτια μου έκλεισαν, και τεντώθηκα γυρίζοντας από την άλλη μεριά. Μου πήρε ένα δευτερόλεπτο, πριν καταλάβω ότι η κίνηση έπρεπε να με είχε ρίξει στο πάτωμα. Κι ότι ήμουν υπερβολικά άνετα.

Γύρισα πάλι από την άλλη, προσπαθώντας να δω. Είχε πιο πηχτό σκοτάδι από το προηγούμενο βράδυ –τα σύννεφα ήταν πάρα πολλά για να μπορέσει το φεγγάρι να λάμψει διαπερνώντας τα.

«Συγνώμη», μουρμούρισε εκείνος τόσο απαλά που η φωνή του ήταν κομμάτι του σκοταδιού. «Δεν ήθελα να σε ξυπνήσω».

Τσιτώθηκα, περιμένοντας το ξέσπασμα της οργής –και της δικής του και της δικής μου– αλλά υπήρχε μόνο ησυχία και γαλήνη μέσα στο σκοτάδι του δωματίου του. Μπορούσα να γευτώ σχεδόν τη γλυκύτητα της επανασύνδεσης στον αέρα, ένα ξεχωριστό άρωμα από το άρωμα της ανάσας του˙ το κενό όταν ήμασταν χώρια άφηνε τη δική του πικρή γεύση, κάτι που ποτέ δεν πρόσεχα συνειδητά, μέχρι που το κενό έπαυε να υπάρχει.

Δεν υπήρχε καμία ένταση στην απόσταση που υπήρχε μεταξύ μας. Η ησυχία ήταν γεμάτη ηρεμία –όχι όπως η γαλήνη πριν από την τρικυμία, αλλά σαν την καθαρή νύχτα που έμεινε ανέγγιχτη ακόμα κι απ' το όνειρο μιας καταιγίδας.

Και δε με ένοιαζε που υποτίθεται ότι έπρεπε να είμαι θυμωμένη μαζί του. Δε με ένοιαζε που υποτίθεται ότι έπρεπε να είμαι θυμωμένη με όλους. Άπλωσα τα χέρια μου για να τον φτάσω, βρήκα τα δικά του μέσα στο σκοτάδι και τραβήχτηκα πιο κοντά του. Τα χέρια του ήταν τυλιγμένα γύρω μου, με αγκάλιαζαν φέρνοντας με κοντά στο στήθος του. Τα χείλη μου έψαξαν, κυνηγώντας κατά μήκος του λαιμού του, ως το πιγούνι του, μέχρι που τελικά βρήκα τα χείλη του.

Ο Έντουαρντ με φίλησε απαλά για μια στιγμή και μετά γέλασε πνιχτά.

«Είχα προετοιμαστεί για την οργή που υποτίθεται ότι θα ντρόπιαζε τις αρκούδες γκρίζλι, κι αυτή είναι η αντίδρασή σου; Θα έπρεπε να σε εξοργίζω πιο συχνά».

«Δώσε μου ένα λεπτό για να το δουλέψω», είπα πειραχτικά φιλώντας τον ξανά.

«Θα περιμένω όσο θέλεις», ψιθύρισε κοντά στα χείλη μου. Τα δάχτυλά του μπλέχτηκαν στα μαλλιά μου.

Η αναπνοή μου άρχισε να γίνεται ακανόνιστη. «Μπορεί το πρωί».

«Όπως προτιμάς».

«Καλώς ήρθες σπίτι», είπα, ενώ τα κρύα του χείλη πίεσαν το πιγούνι μου. «Χαίρομαι που γύρισες».

«Αυτό είναι πολύ καλό».

«Μμμμ», συμφώνησα σφίγγοντας τα χέρια μου πιο δυνατά γύρω από το λαιμό του.

Το χέρι του κουλουριάστηκε γύρω από τον αγκώνα μου και μετακινήθηκε αργά κατά μήκος του μπράτσου μου, πέρασε από τα πλευρά μου και πάνω από τη μέση μου, σκιαγραφώντας τη γραμμή κατά μήκος του γοφού μου και του ποδιού μου, γύρω από το γόνατό μου. Σταμάτησε εκεί, και το χέρι του κουλουριάστηκε γύρω από την κνήμη μου. Τράβηξε το πόδι μου προς τα πάνω, στερεώνοντάς το γύρω από το δικό του γοφό.

Σταμάτησα ν' αναπνέω. Αυτό δεν ήταν από εκείνα τα πράγματα που επέτρεπε να γίνονται συνήθως. Παρά τα ψυχρά του χέρια, ένιωθα ξαφνικά ζεστή. Τα χείλη του προχώρησαν στην κοιλότητα στη βάση του λαιμού μου.

«Χωρίς να θέλω να προκαλέσω το μένος σου πρόωρα», ψιθύρισε, «αλλά σε πειράζει να μου πεις τι είναι αυτό που έχει το κρεβάτι, για το οποίο έχεις αντίρρηση;»

Πριν προλάβω να απαντήσω, πριν μπορέσω καν να συγκεντρωθώ αρκετά για να καταλάβω τι εννοούσε, με γύρισε πλάγια, τραβώντας με από πάνω του. Κράτησε το πρόσωπό μου στα χέρια του, δίνοντάς του μια κλίση προς τα πάνω, ώστε το στόμα του να φτάνει το λαιμό μου. Η αναπνοή μου ήταν υπερβολικά δυνατή –με έφερνε σχεδόν σε δύσκολη θέση, αλλά δεν μπορούσα να νοιαστώ αρκετά, ώστε να νιώσω ντροπή.

«Το κρεβάτι;» ρώτησε εκείνος ξανά. «*Εγώ* νομίζω πως είναι ωραίο».

«Είναι περιττό», κατάφερα να πω αγκομαχώντας.

Τράβηξε το πρόσωπό μου προς το δικό του, και τα χείλη μου πήραν το σχήμα των δικών του. Αργά αυτή τη φορά, στριφογύρισε, έτσι που βρέθηκε να αιωρείται από πάνω μου. Ακουμπούσε πάνω μου προσεχτικά, ώστε να μη νιώθω καθόλου το βάρος του, αλλά ένιωθα το δροσερό μαρμάρινο σώμα του να αγγίζει το δικό μου. Η καρδιά μου σφυροκοπούσε τόσο δυνατά, που ήταν δύσκολο να ακούσω το χαμηλόφωνο γέλιο του.

«Αυτό είναι συζητήσιμο», διαφώνησε. «Αυτό θα ήταν δύσκολο πάνω σ' έναν καναπέ».

Ψυχρή σαν τον πάγο, η γλώσσα του ακολούθησε απαλά το σχήμα των χειλιών μου.

Το κεφάλι μου γύριζε –η αναπνοή μου ήταν γρήγορη και ρηχή.

«Μήπως άλλαξες γνώμη;» ρώτησα ξέπνοα. Μπορεί να είχε αναθεωρήσει όλους τους προσεχτικούς του κανόνες. Ίσως να υπήρχε κάποια μεγαλύτερη σημασία σ' αυτό το κρεβάτι απ' ό,τι είχα μαντέψει αρχικά. Η καρδιά μου χτυπούσε σχεδόν επώδυνα, όσο περίμενα την απάντησή του.

Ο Έντουαρντ αναστέναξε, γυρίζοντας πάλι από την άλλη, ώστε να βρισκόμαστε και οι δυο ξαπλωμένοι στο πλάι.

«Μη λες τρέλες, Μπέλλα», είπε με έντονη αποδοκιμασία στη φωνή του –προφανώς, είχε καταλάβει τι εννοούσα. «Απλώς προσπαθούσα να επιδείξω τα πλεονεκτήματα του κρεβατιού που δε φαίνεται να σου αρέσει. Μην παρασύρεσαι».

«Πολύ αργά», μουρμούρισα. «Και μου αρέσει το κρεβάτι», πρόσθεσα.

«Ωραία». Άκουγα ένα χαμόγελο στη φωνή του, καθώς φιλούσε το μέτωπό μου. «Κι εμένα».

«Αλλά και πάλι το βρίσκω περιττό», συνέχισα. «Αν δεν πρόκειται να παρασυρθούμε, τότε ποιο το νόημα;»

Αναστέναξε ξανά. «Για εκατοστή φορά, Μπέλλα –είναι υπερβολικά επικίνδυνο».

«Μου αρέσει ο κίνδυνος», επέμεινα.

«Το ξέρω». Υπήρχε μια πικαρισμένη ειρωνεία στη φωνή του, και κατάλαβα ότι θα είχε δει τη μοτοσικλέτα στο γκαράζ.

«Θα σου πω εγώ τι είναι επικίνδυνο», είπα γρήγορα, πριν προλάβει να αλλάξει θέμα συζήτησης. «Μια από αυτές τις μέρες θα εκραγώ –και τότε δε θα έχεις κανέναν άλλο να κατηγορήσεις παρά μόνο τον εαυτό σου».

Άρχισε να με σπρώχνει μακριά.

«Τι κάνεις;» είπα φέρνοντας αντίρρηση, κολλώντας πάνω του.

«Σε προστατεύω από το να εκραγείς. Αν αυτό είναι περισσότερο απ' όσο αντέχεις...»

«Το αντέχω», επέμεινα.

Με άφησε να συρθώ πάλι μέσα στην αγκαλιά του.

«Συγνώμη που σου έδωσα λάθος εντύπωση», είπε. «Δεν ήθελα να σε στεναχωρήσω. Δεν ήταν ωραίο».

«Στην πραγματικότητα, ήταν πολύ, πολύ ωραίο».

Πήρε μια βαθιά ανάσα. «Δεν είσαι κουρασμένη; Καλύτερα να σε αφήσω να κοιμηθείς».

«Όχι, δεν είμαι. Δε με πειράζει αν θέλεις να μου δώσεις ξανά λάθος εντύπωση».

«Αυτό μάλλον είναι κακή ιδέα. Δεν είσαι η μόνη που παρασύρεται».

«Κι όμως είμαι», γκρίνιαξα.

Γέλασε πνιχτά. «Δεν έχεις ιδέα, Μπέλλα. Ούτε και βοηθάει το γεγονός ότι είσαι τόσο πρόθυμη να υποσκάψεις την αυτοσυγκράτησή μου».

«Δε θα σου ζητήσω συγνώμη γι' αυτό».

«Μπορώ να ζητήσω εγώ συγνώμη;»

«Για ποιο πράγμα;»

«Ήσουν θυμωμένη μαζί μου, θυμάσαι;»

«Α, γι' αυτό».

«Συγνώμη. Έκανα λάθος. Είναι πολύ πιο εύκολο να βλέπω τα πράγματα στη σωστή τους διάσταση, όταν σε έχω εδώ ασφαλή». Τα μπράτσα του σφίχτηκαν γύρω μου. «Τρελαίνομαι λίγο, όταν πρέπει να φύγω. Δε νομίζω ότι θα πάω ξανά τόσο μακριά. Δεν αξίζει τον κόπο».

Χαμογέλασα. «Δε βρήκες καθόλου πούμα;»

«Ναι, βρήκα, εδώ που τα λέμε. Και πάλι δεν αξίζει το άγχος. Λυπάμαι που έβαλα την Άλις να σε κρατήσει όμηρο, παρ' όλα αυτά. Αυτό ήταν κακή ιδέα».

«Ναι», συμφώνησα.

«Δε θα το ξανακάνω».

«Εντάξει», είπα με ευκολία. Τον είχα ήδη συγχωρήσει. «Αλλά τα πιτζάμα πάρτι έχουν και τα θετικά τους...» Κουλουριάστηκα πιο κοντά του, πιέζοντας τα χείλη μου χαμηλά στο λαιμό του. «*Εσύ* μπορείς να με κρατήσεις όμηρό σου, όποτε θες».

«Μμμ», ψιθύρισε. «Μπορεί και να το κάνω».

«Λοιπόν, είναι η σειρά μου τώρα;»

«Η σειρά σου;» Η φωνή του ήταν μπερδεμένη.

«Να ζητήσω συγνώμη».

«Για ποιο πράγμα πρέπει να ζητήσεις συγνώμη;»

«Δε μου έχεις θυμώσει;» ρώτησα.

«Όχι».

Ακούστηκε σαν να το εννοούσε πραγματικά.

Ένιωσα τα φρύδια μου να σμίγουν. «Δεν είδες την Άλις όταν γύρισες σπίτι;»

«Ναι –γιατί;»

«Θα της πάρεις την Πόρσε;»

«Φυσικά και όχι. Ήταν δώρο».

Μακάρι να μπορούσα να δω την έκφρασή του. Η φωνή του ακουγόταν σαν να τον είχα προσβάλλει.

«Δε θέλεις να μάθεις τι έκανα;» ρώτησα, αρχίζοντας να νιώθω απορία για την προφανή έλλειψη ανησυχίας του.

Τον ένιωσα να σηκώνει τους ώμους. «Πάντα με ενδιαφέρει τι κάνεις –αλλά δεν είναι απαραίτητο να μου πεις, εκτός κι αν το θέλεις».

«Μα πήγα στο Λα Πους».

«Το ξέρω».

«Και έκανα κοπάνα από το σχολείο».

«Κι εγώ το ίδιο».

Κάρφωσα το βλέμμα προς τον ήχο της φωνής του, ανιχνεύοντας τα χαρακτηριστικά του με τα δάχτυλά μου, προσπαθώντας να καταλάβω τη διάθεσή του. «Από πού πηγάζει όλη αυτή η ανεκτικότητα;» απαίτησα να μάθω.

Αναστέναξε.

«Αποφάσισα πως είχες δίκιο. Το πρόβλημά μου πριν ήταν περισσότερο... η προκατάληψή μου απέναντι στους λυκάνθρωπους παρά οτιδήποτε άλλο. Θα προσπαθήσω να είμαι πιο λογικός και να εμπιστευτώ την κρίση σου. Αν εσύ λες ότι είναι ασφαλές, τότε σε πιστεύω».

«Πω! Πω!»

«Και... κυρίως... δε σκοπεύω να το αφήσω αυτό να δημιουργήσει χάσμα μεταξύ μας».

Έγειρα το κεφάλι μου πάνω στο στήθος του κι έκλεισα τα μάτια μου, απόλυτα ικανοποιημένη.

«Λοιπόν», μουρμούρισε με αδιάφορο τόνο. «Κανόνισες

να ξαναπάς σύντομα στο Λα Πους;»

Δεν απάντησα. Η ερώτησή του επανέφερε την ανάμνηση των λόγων του Τζέικομπ, και ο λαιμός μου ξαφνικά σφίχτηκε.

Παρερμήνευσε τη σιωπή μου και την ένταση στο σώμα μου.

«Απλώς για να κάνω τα δικά μου σχέδια», εξήγησε γρήγορα. «Δε θέλω να σε κάνω να νιώθεις ότι πρέπει να βιαστείς να γυρίσεις πίσω, επειδή κάθομαι εδώ και σε περιμένω».

«Όχι», είπα με φωνή που μου ακούστηκε παράξενη. «Δεν έχω σχέδια να ξαναπάω».

«Α. Δεν είναι ανάγκη να το κάνεις αυτό για χάρη μου».

«Δε νομίζω ότι είμαι ευπρόσδεκτη πια», ψιθύρισα.

«Πάτησες τη γάτα κανενός;» ρώτησε ανάλαφρα. Ήξερα ότι δεν ήθελε να μου αποσπάσει με τη βία το τι συνέβη, αλλά άκουγα την περιέργεια που τον έκαιγε πίσω από τις λέξεις του.

«Όχι». Πήρα μια βαθιά ανάσα και μετά ψέλλισα γρήγορα την εξήγηση. «Νόμιζα ότι ο Τζέικομπ θα είχε καταλάβει… δεν περίμενα ότι θα τον ξάφνιαζε».

Ο Έντουαρντ περίμενε, ενώ εγώ δίσταζα.

«Δεν περίμενε… ότι θα γινόταν τόσο γρήγορα».

«Α», είπε ο Έντουαρντ χαμηλόφωνα.

«Είπε ότι θα προτιμούσε να πέθαινα». Η φωνή μου έσπασε στην τελευταία λέξη.

Ο Έντουαρντ έμεινε υπερβολικά ακίνητος για μια στιγμή, συγκρατώντας οποιαδήποτε αντίδραση δεν ήθελε να δω.

Μετά με έσφιξε απαλά κοντά στο στήθος του. «Λυπάμαι».

«Νόμιζα ότι θα χαιρόσουν», ψιθύρισα.

«Να χαρώ για κάτι που σε πλήγωσε;» μουρμούρισε στα μαλλιά μου. «Δε νομίζω, Μπέλλα».

Αναστέναξα και χαλάρωσα, παίρνοντας μια πιο βολική στάση, ώστε το σώμα μου να αγκαλιάζει το πέτρινο σχήμα του δικού του. Αλλά ήταν και πάλι ακίνητος, τσιτωμένος.

«Τι συμβαίνει;» ρώτησα.

«Δεν είναι τίποτα».

«Μπορείς να μου πεις».

Έκανε μια παύση. «Μπορεί να θυμώσεις».

«Και πάλι θέλω να ξέρω».

Αναστέναξε. «Θα μπορούσα να τον σκοτώσω κυριολεκτικά που σου είπε κάτι τέτοιο. Το *θέλω*».

Γέλασα με μισή καρδιά. «Υποθέτω ότι είναι καλό που έχεις τόση μεγάλη αυτοσυγκράτηση».

«Θα μπορούσα να παρασυρθώ». Ο τόνος του ήταν σκεφτικός.

«Αν είναι να χάσεις τον έλεγχο, μπορώ να σκεφτώ καλύτερο τομέα». Τέντωσα το χέρι μου για να ακουμπήσω το πρόσωπό του, προσπαθώντας να τραβηχτώ προς τα πάνω για να τον φιλήσω. Τα χέρια του με κράτησαν πιο σφιχτά, εμποδίζοντάς με.

Αναστέναξε. «Εγώ πρέπει να είμαι πάντα ο υπεύθυνος;»

Χαμογέλασα μέσα στο σκοτάδι. «Όχι. Άσε με εμένα να αναλάβω την ευθύνη για λίγα λεπτά... ή ώρες».

«Καληνύχτα, Μπέλλα».

«Περίμενε –είναι και κάτι άλλο που ήθελα να σε ρωτήσω».

«Τι πράγμα;»

«Μίλησα με τη Ρόζαλι χτες το βράδυ...»

Το σώμα του έγινε άκαμπτο ξανά. «Ναι. Το σκεφτόταν, όταν μπήκα μέσα. Σε έβαλε σε σκέψεις, έτσι δεν είναι;»

Η φωνή του ήταν γεμάτη αγωνία, και συνειδητοποίησα πως νόμιζε ότι ήθελα να μιλήσω για τους λόγους που μου είχε δώσει η Ρόζαλι για να παραμείνω άνθρωπος. Αλλά εμένα με ενδιέφερε κάτι άλλο, πολύ πιο επείγον.

«Μου είπε κάποια πράγματα... για τότε που με την οικογένειά σου ζήσατε στο Ντενάλι».

Ακολούθησε μια σύντομη παύση˙ αυτό το ξεκίνημα τον αιφνιδίασε. «Ναι;»

«Ανέφερε κάτι για ένα σωρό θηλυκές... κι εσένα».

Δεν απάντησε, αν και περίμενα.

«Μην ανησυχείς», είπα, αφού η σιωπή είχε γίνει άβολη. «Μου είπε ότι δεν... έδειξες καμιά προτίμηση. Αλλά εγώ απλώς αναρωτιόμουν, ξέρεις, αν κάποια από εκείνες είχε δείξει. Καμιά προτίμηση για 'σένα, θέλω να πω».

Και πάλι τίποτα.

«Ποια απ' όλες;» ρώτησα, προσπαθώντας να διατηρήσω τη φωνή μου αδιάφορη, και χωρίς να το καταφέρνω. «Ή μήπως ήταν παραπάνω από μία;»

Καμία απάντηση. Μακάρι να μπορούσα να δω το πρόσωπό του, για να προσπαθήσω να μαντέψω τι σήμαινε η σιωπή του.

«Θα μου πει η Άλις», είπα. «Θα πάω να τη ρωτήσω αμέσως».

Τα χέρια του σφίχτηκαν γύρω μου˙ δεν μπορούσα να κουνηθώ ούτε ένα εκατοστό.

«Είναι αργά», είπε. Η φωνή του είχε ένα μικρό ίχνος από κάτι που ήταν καινούριο. Κατά κάποιο τρόπο ήταν νευρική, λιγάκι αμήχανη ίσως. «Εξάλλου, νομίζω πως η Άλις βγήκε έξω...»

«Τα πράγματα είναι άσχημα», μάντεψα. «Είναι πολύ άσχημα, έτσι;» Άρχισα να πανικοβάλλομαι, με την καρδιά μου να χτυπάει πιο γρήγορα, καθώς φανταζόμουν την πανέμορφη αθάνατη ανταγωνίστρια που δεν είχα καταλάβει ποτέ ότι είχα.

«Ηρέμησε, Μπέλλα», είπε, φιλώντας την άκρη της μύτης μου. «Γίνεσαι παράλογη».

«Αλήθεια; Τότε γιατί δε μου λες;»

«Επειδή δεν υπάρχει τίποτα να σου πω. Έχεις δώσει στο θέμα τόσο μεγάλες διαστάσεις που είναι τρελό».

«Ποια απ' όλες;» επέμεινα.

Αναστέναξε. «Η Τάνια εξέφρασε λίγο ενδιαφέρον. Της έδειξα, με έναν πολύ ευγενικό κι ευπρεπή τρόπο, ότι δεν υπήρχε ενδιαφέρον από τη μεριά μου. Τελεία και παύλα».

Διατήρησα τη φωνή μου όσο γινόταν σταθερή. «Πες μου κάτι –πώς είναι η Τάνια εμφανισιακά;»

«Όπως είμαστε και οι υπόλοιποι του είδους μας –λευκή επιδερμίδα, χρυσαφί μάτια», απάντησε υπερβολικά γρήγορα.

«Και, φυσικά, εξαιρετικά όμορφη».

Τον ένιωσα να σηκώνει τους ώμους.

«Υποθέτω, στα ανθρώπινα μάτια», είπε, αδιάφορος. «Ξέρεις κάτι, όμως;»

«Τι;» Η φωνή μου ήταν ανυπόμονη.

Έβαλε τα χείλη του στο αυτί μου˙ η κρύα του ανάσα με γαργαλούσε. «Προτιμώ τις μελαχρινές».

«Είναι ξανθιά. Ε, βέβαια».

«Κοκκινόξανθη –καθόλου ο τύπος μου».

Το σκέφτηκα για λίγο, προσπαθώντας να συγκεντρωθώ, καθώς τα χείλη του κινήθηκαν αργά στο μάγουλό μου, κατά μήκος του λαιμού μου, κι ανέβαιναν πάλι πάνω. Έκανε τη διαδρομή αυτή τρεις φορές, πριν μιλήσω.

«*Μάλλον* τότε, δεν πειράζει», αποφάσισα.

«Χμμμ», ψιθύρισε κοντά στο δέρμα μου. «Είσαι αξιολάτρευτη όταν ζηλεύεις. Με εκπλήσσει το πόσο το απολαμβάνω».

Κατσούφιασα μέσα στο σκοτάδι.

«Είναι αργά», είπε ξανά, μουρμουρίζοντας, σχεδόν σιγοτραγουδώντας τώρα, με φωνή πιο απαλή κι από μετάξι. «Κοιμήσου, Μπέλλα μου. Ονειρέψου χαρούμενα όνειρα. Εσύ είσαι η μόνη που άγγιξε ποτέ την καρδιά μου. Θα είναι πάντα δική σου. Κοιμήσου, μοναδική μου αγάπη».

Άρχισε να σιγοτραγουδά το νανούρισμά μου, και ήξερα ότι

ήταν απλώς θέμα χρόνου, ώσπου να αποκοιμηθώ, έτσι έκλεισα τα μάτια μου και στριμώχτηκα πιο κοντά στο στήθος του.

9. ΣΤΟΧΟΣ

Η Άλις με άφησε σπίτι το πρωί, συνεπής με το θέατρο του πιτζάμα πάρτι. Δε θα περνούσε πολλή ώρα μέχρι να φανεί ο Έντουαρντ, που θα είχε επίσημα επιστρέψει από την "πεζοπορία". Όλες αυτές οι προσποιήσεις άρχιζαν να με κουράζουν. Δε θα μου έλειπε αυτή η πλευρά της ανθρώπινης ζωής.

Ο Τσάρλι έριξε μια κλεφτή ματιά από το μπροστινό παράθυρο, όταν με άκουσε να κλείνω την πόρτα του αυτοκινήτου. Χαιρέτησε την Άλις κουνώντας το χέρι του και μετά πήγε να μου ανοίξει την πόρτα.

«Περάσατε καλά;» ρώτησε ο Τσάρλι.

«Βέβαια, ήταν πολύ ωραία. Πολύ... κοριτσίστικο».

Κουβάλησα μέσα τα πράγματά μου, τα παράτησα όλα στην αρχή της σκάλας και πήγα στην κουζίνα για να βρω κάτι να φάω.

«Έχεις μήνυμα», μου φώναξε ο Τσάρλι.

Πάνω στον πάγκο της κουζίνας, το σημειωματάριο με τα μηνύματα ήταν επιδεικτικά όρθιο, στηριγμένο πάνω σε μια κατσαρόλα.

Ο Τζέικομπ πήρε τηλέφωνο, έγραφε ο Τσάρλι.

Είπε ότι δεν το εννοούσε κι ότι λυπάται. Θέλει να τον πάρεις. Φέρσου ευγενικά και δώσ' του μια ευκαιρία. Ακούστηκε στεναχωρημένος.

Έκανα μια γκριμάτσα. Ο Τσάρλι δε συνήθιζε να κάνει επιμέλεια κειμένου στα μηνύματά μου στο παρελθόν.

Ο Τζέικομπ μπορούσε να συνεχίσει να είναι στενοχωρημένος. Δεν ήθελα να του μιλήσω. Απ' ό,τι ήξερα, δεν επιτρέπονταν τηλεφωνήματα από τον άλλο κόσμο. Αν ο Τζέικομπ με προτιμούσε νεκρή, τότε ίσως θα ήταν καλό να συνηθίσει τη σιωπή.

Η όρεξή μου εξατμίστηκε. Γύρισα από την άλλη μεριά και πήγα να τακτοποιήσω τα πράγματά μου.

«Δε θα πάρεις τον Τζέικομπ;» ρώτησε ο Τσάρλι. Έσκυβε πίσω από τον τοίχο του σαλονιού, παρακολουθώντας με να μαζεύω τα πράγματά μου για να φύγω.

«Όχι».

Πήγα να ανέβω τις σκάλες.

«Αυτή δεν είναι και πολύ ωραία συμπεριφορά, Μπέλλα», είπε. «Η συγχώρεση είναι θεϊκή».

«Κοίτα τη δουλειά σου», μουρμούρισα μέσα από τα δόντια μου, αρκετά σιγά για να μην το ακούσει.

Ήξερα ότι τα άπλυτα ρούχα είχαν μαζευτεί, έτσι αφού έβαλα στη θέση της την οδοντόκρεμά μου και πέταξα τα βρόμικα ρούχα μου στο καλάθι, πήγα να ξεστρώσω το κρεβάτι του Τσάρλι. Άφησα τα σεντόνια του σε ένα σωρό στην κορυφή της σκάλας και πήγα να φέρω και τα δικά μου.

Σταμάτησα δίπλα στο κρεβάτι, γέρνοντας στα πλάγια το κεφάλι μου.

Πού είχε πάει το μαξιλάρι μου; Έκανα μια γύρα, χτενίζοντας το δωμάτιο με τα μάτια. Πουθενά το μαξιλάρι. Πρόσεξα πως το δωμάτιό μου έδειχνε παράξενα τακτοποιημένο. Το γκρι φούτερ μου δεν κρεμόταν πάνω από τη χαμηλή κολόνα στα πόδια του κρεβατιού; Και θα ορκιζόμουν πως υπήρχε ένα ζευγάρι βρόμικες κάλτσες πίσω από την κουνιστή πολυθρόνα, μαζί με την κόκκινη μπλούζα που είχα δοκιμάσει το πρωί πριν δυο μέρες, αλλά αποφάσισα ότι ήταν υπερβολικά καλή για το σχολείο και την είχα αφήσει να κρέμεται πάνω στο μπράτσο της πολυθρόνας... Γύρισα γρήγορα πάλι από την άλλη. Το καλάθι με τα άπλυτα δεν ήταν άδειο, αλλά δεν ξεχείλιζε κιόλας, όπως περίμενα.

Μήπως ο Τσάρλι έπλυνε ρούχα; Αυτό δεν ήταν του χαρακτήρα του.

«Μπαμπά, έβαλες ρούχα για πλύσιμο;» φώναξα από την πόρτα μου.

«Εμ, όχι», φώναξε, ενώ ακούστηκε ένοχος. «Ήθελες να το κάνω;»

«Όχι, θα το κάνω εγώ. Μήπως έψαχνες τίποτα στο δωμάτιό μου;»

«Όχι. Γιατί;»

«Δεν μπορώ να βρω... μια μπλούζα...»

«Δεν μπήκα στο δωμάτιό σου».

Και τότε θυμήθηκα ότι η Άλις είχε έρθει εδώ για να πάρει τις πιτζάμες μου. Δεν είχα προσέξει ότι είχε δανειστεί και το μαξιλάρι μου –πιθανότατα επειδή απέφυγα το κρεβάτι. Φαίνεται ότι είχε καθαρίσει, περνώντας. Κοκκίνισα εξαιτίας της τσαπατσουλιάς μου.

Αλλά εκείνη η κόκκινη μπλούζα δεν ήταν λερωμένη, έτσι πήγα για να τη σώσω από το καλάθι.

Περίμενα να τη βρω κοντά στην κορυφή, αλλά δεν ήταν εκεί. Ψαχούλεψα όλο το σωρό και πάλι δεν μπόρεσα να τη βρω. Ήξερα ότι πιθανότατα με έπιανε παράνοια, αλλά μου φάνηκε ότι έλειπε και κάτι άλλο ή ίσως περισσότερα από ένα πράγματα. Δεν είχα ούτε τα μισά ρούχα εκεί.

Τράβηξα τα σεντόνια μου από το κρεβάτι και, στο δρόμο προς τη ντουλάπα του πλυσταριού, άρπαξα και του Τσάρλι. Το πλυντήριο ήταν άδειο. Έλεγξα και το στεγνωτήριο, μισοπεριμένοντας να το βρω γεμάτο πλυμένα ρούχα να με περιμένουν, σαν χάρη από την Άλις. Τίποτα. Κατσούφιασα απορημένη.

«Βρήκες αυτό που έψαχνες;» φώναξε ο Τσάρλι.

«Όχι ακόμα».

Ανέβηκα πάλι επάνω για να ψάξω κάτω από το κρεβάτι μου. Τίποτα εκτός από σκόνη. Άρχισα να ψαχουλεύω μέσα στη ντουλάπα μου. Μπορεί να είχα βάλει την κόκκινη μπλούζα στη θέση της και να το είχα ξεχάσει.

Τα παράτησα, όταν χτύπησε το κουδούνι. Αυτός πρέπει να ήταν ο Έντουαρντ.

«Πόρτα», με πληροφόρησε ο Τσάρλι από τον καναπέ, καθώς πέρασα δίπλα του χοροπηδώντας.

«Μη σκοτώνεσαι, μπαμπά».

Άνοιξα την πόρτα με ένα μεγάλο χαμόγελο στο πρόσωπο.

Τα χρυσαφί μάτια του Έντουαρντ ήταν γουρλωμένα, τα ρουθούνια του ήταν διεσταλμένα, τα χείλη του τραβηγμένα προς τα πίσω πάνω από τα δόντια του.

«Έντουαρντ;» Η φωνή μου ήταν διαπεραστική από την έκπληξη, καθώς διάβαζα την έκφρασή του. «Τι–;»

Έβαλε το δάχτυλό του στα χείλη μου. «Δώσε μου δυο δευτερόλεπτα», ψιθύρισε. «Μην κουνηθείς».

Στάθηκα κοκαλωμένη στο κατώφλι της πόρτας κι εκείνος… εξαφανίστηκε. Κινήθηκε τόσο γρήγορα που ο Τσάρλι δε θα τον είχε δει καν να περνάει.

Πριν προλάβω να ξαναβρώ την ψυχραιμία μου αρκετά, ώστε να μετρήσω ως το δύο, είχε ξαναγυρίσει. Έβαλε το χέρι του γύρω από τη μέση μου και με τράβηξε γρήγορα στην κουζίνα. Τα μάτια του χτένισαν γρήγορα το δωμάτιο, και με κράτησε κοντά στο σώμα του σαν να με προστάτευε από κάτι.

Έριξα μια γρήγορη ματιά στον Τσάρλι πάνω στον καναπέ, αλλά εκείνος μας αγνοούσε επιμελώς.

«Κάποιος ήταν εδώ», μουρμούρισε στο αυτί μου, αφού με τράβηξε στο βάθος της κουζίνας. Η φωνή του ήταν γεμάτη ένταση˙ ήταν δύσκολο να τον ακούσω με το θόρυβο που έκανε το πλυντήριο.

«Σου ορκίζομαι ότι κανένας λυκάνθρωπος–» πήγα να πω.

«Όχι από 'κείνους», με διέκοψε γρήγορα, κουνώντας το κεφάλι του. «Κάποιος από εμάς».

Ο τόνος του έκανε σαφές ότι δεν εννοούσε κάποιο μέλος της οικογένειάς του.

Ένιωσα το αίμα να φεύγει από το πρόσωπό μου.

«Η Βικτόρια;» είπα σαν να πνιγόμουν.

«Δεν είναι μυρωδιά που να αναγνωρίζω».

«Κάποιος από τους Βολτούρι», μάντεψα.

«Πιθανότατα».

«Πότε;»

«Γι' αυτό πιστεύω ότι πρέπει να ήταν αυτοί –δεν πέρασε πολλή ώρα, κάποια στιγμή νωρίς σήμερα το πρωί, όσο ακόμα ο Τσάρλι κοιμόταν. Κι όποιος κι αν ήταν, δεν τον άγγιξε εκείνον, άρα πρέπει να υπήρχε κάποιος άλλος σκοπός».

«Έψαχνε εμένα».

Δεν απάντησε. Το σώμα του ήταν κοκαλωμένο, ένα άγαλμα.

«Τι μουρμουρίζετε εσείς οι δυο εδώ;» ρώτησε ο Τσάρλι καχύποπτα, στρίβοντας στη γωνία με ένα άδειο μπολ από ποπκόρν στα χέρια του.

Ένιωσα να έχω χλωμιάσει από το φόβο. Ένας βρικόλακας είχε μπει στο σπίτι ψάχνοντας εμένα, ενώ ο Τσάρλι κοιμόταν. Με κατέκλυσε πανικός, μου έφραξε το λαιμό. Δεν μπορούσα να απαντήσω, απλώς τον κοίταζα έντρομη.

Η έκφραση του Τσάρλι άλλαξε. Ξαφνικά χαμογελούσε. «Αν τσακώνεστε... να μη σας διακόπτω».

Ακόμα χαμογελώντας, έβαλε το μπολ του στο νεροχύτη και βγήκε νωχελικά από το δωμάτιο.

«Πάμε», είπε ο Έντουαρντ με χαμηλή φωνή.

«Μα ο Τσάρλι!» Ο φόβος πίεζε το στήθος μου, δυσκολεύοντάς με να αναπνεύσω.

Συλλογίστηκε για ένα σύντομο δευτερόλεπτο, και μετά το τηλέφωνό του βρέθηκε στο χέρι του.

«Έμετ», μουρμούρισε στο ακουστικό. Άρχισε να μιλάει τόσο γρήγορα που δεν μπορούσα να καταλάβω τις λέξεις. Τελείωσε μέσα σε μισό λεπτό. Άρχισε να με τραβάει προς την πόρτα.

«Ο Έμετ κι ο Τζάσπερ είναι στο δρόμο», ψιθύρισε, όταν ένιωσε την αντίστασή μου. «Θα χτενίσουν το δάσος. Ο Τσάρλι είναι μια χαρά».

Τον άφησα τότε να με σύρει πίσω του, υπερβολικά πανικόβλητη για να σκεφτώ καθαρά. Το βλέμμα του Τσάρλι διασταυρώθηκε με τα δικά μου φοβισμένα μάτια με ένα αυτάρεσκο ειρωνικό χαμόγελο, που ξαφνικά μετατράπηκε σε σύγχυση. Ο Έντουαρντ με είχε βγάλει έξω από την πόρτα, πριν προλάβει να πει τίποτα ο Τσάρλι.

«Πού πάμε;» Δεν μπορούσα να σταματήσω να ψιθυρίζω, ακόμα κι αφού μπήκαμε στο αμάξι.

«Πάμε να μιλήσουμε με την Άλις», μου είπε με κανονική ένταση, αλλά με φωνή ζοφερή.

«Πιστεύεις ότι μπορεί να είδε κάτι;»

Κάρφωσε το βλέμμα του στο δρόμο με σφιγμένα μάτια. «Μπορεί».

Μας περίμεναν σε εγρήγορση ύστερα από το τηλεφώνημα του Έντουαρντ. Ήταν σαν να μπαίναμε σε ένα μουσείο, όλοι ήταν ακίνητοι σαν αγάλματα σε διάφορες πόζες που φανέρωναν άγχος.

«Τι συνέβη;» απαίτησε να μάθει ο Έντουαρντ, αμέσως μόλις περάσαμε το κατώφλι της πόρτας. Με έκπληξη είδα ότι αγριοκοίταζε την Άλις, με τα χέρια του σφιγμένα σε γροθιές.

Η Άλις στεκόταν με τα μπράτσα της σταυρωμένα σφιχτά στο στήθος της. Μόνο τα χείλη της κινούνταν. «Δεν έχω ιδέα. Δεν είδα τίποτα».

«Πώς είναι *δυνατόν* αυτό;» είπε εκείνος μέσα από τα δόντια του.

«Έντουαρντ», είπα εγώ επιπλήττοντάς τον χαμηλόφωνα. Δε μου άρεσε να μιλάει έτσι στην Άλις.

Ο Κάρλαϊλ διέκοψε με μια καθησυχαστική φωνή. «Δεν είναι ακριβής επιστήμη, Έντουαρντ».

«Πήγε στο *δωμάτιό* της, Άλις. Θα μπορούσε να ήταν ακόμα εκεί –να την περίμενε».

«Θα το είχα δει αυτό».

Ο Έντουαρντ σήκωσε απότομα τα χέρια του προς τα πάνω εξοργισμένος. «Αλήθεια; Είσαι σίγουρη;»

Η φωνή της Άλις ήταν ψυχρή, όταν απάντησε. «Με έχεις ήδη βάλει να παρακολουθώ τις αποφάσεις των Βολτούρι, να έχω το νου μου για την επιστροφή της Βικτόρια, να προσέχω κάθε βήμα της Μπέλλα. Θέλεις να προσθέσεις και τίποτα άλλο; Πρέπει να προσέχω μόνο τον Τσάρλι ή το δωμάτιο της Μπέλλα ή το σπίτι ή ολόκληρο το δρόμο; Έντουαρντ, αν προσπαθώ να κάνω πολλά πράγματα, κάποια θα αρχίσουν να μου ξεφεύγουν».

«Φαίνεται ότι έχουν ήδη αρχίσει να σου ξεφεύγουν», είπε κοφτά ο Έντουαρντ.

«Δε βρέθηκε ποτέ σε κίνδυνο. Δεν υπήρχε τίποτα να δω».

«Αν παρακολουθείς την Ιταλία, γιατί δεν τους είδες να στέλνουν—»

«Δε νομίζω πως είναι εκείνοι», επέμεινε η Άλις. «Θα το είχα δει αυτό».

«Ποιος άλλος θα άφηνε τον Τσάρλι ζωντανό;»

Με διαπέρασε ένα ρίγος.

«Δεν ξέρω», είπε η Άλις.

«Πολύ βοηθάς».

«Σταμάτα, Έντουαρντ», ψιθύρισα.

Εκείνος γύρισε προς εμένα, με πρόσωπο ακόμα γεμάτο θυμό, δόντια σφιγμένα. Με κοίταξε θυμωμένα για μισό δευτερόλεπτο και μετά, ξαφνικά, ξεφύσηξε. Τα μάτια του έγιναν πιο μεγάλα και το σαγόνι του χαλάρωσε.

«Έχεις δίκιο, Μπέλλα. Συγνώμη». Κοίταξε την Άλις. «Συγνώμη, Άλις. Δε θα έπρεπε να ξεσπάσω σ' εσένα. Ήταν αδικαιολόγητο».

«Καταλαβαίνω», τον διαβεβαίωσε η Άλις. «Δε χαίρομαι ούτε κι εγώ γι' αυτό που έγινε».

Ο Έντουαρντ πήρε μια βαθιά ανάσα. «Εντάξει, ας το δούμε λογικά. Ποιες είναι οι πιθανές εκδοχές;»

Όλοι φάνηκαν να ξεπαγώνουν με τη μία. Η Άλις χαλάρωσε κι ακούμπησε πάνω στην πλάτη του καναπέ. Ο Κάρλαϊλ πήγε αργά προς το μέρος της, με μάτια απόμακρα. Η Έσμι κάθισε στον καναπέ μπροστά απ' την Άλις, διπλώνοντας τα πόδια της πάνω στο κάθισμα. Μόνο η Ρόζαλι παρέμεινε ακίνητη, με την πλάτη γυρισμένη προς εμάς, το βλέμμα καρφωμένο έξω από το γυάλινο τοίχο.

Ο Έντουαρντ με τράβηξε στον καναπέ, και κάθισα δίπλα στην Έσμι, που μετακινήθηκε για να βάλει το μπράτσο της γύρω μου. Εκείνος κρατούσε το ένα μου χέρι σφιχτά μέσα στα δυο δικά του.

«Η Βικτόρια;» ρώτησε ο Κάρλαϊλ.

Ο Έντουαρντ κούνησε το κεφάλι του. «Όχι. Δεν αναγνώρισα τη μυρωδιά. Μπορεί να ήταν κάποιος από τους Βολτούρι, κάποιος που δε συνάντησα ποτέ... »

Η Άλις κούνησε το κεφάλι της. «Ο Άρο δεν έχει ζητήσει από κανένα να την ψάξει ακόμα. *Θα το δω* αυτό. Το περιμένω».

Το κεφάλι του Έντουαρντ τινάχτηκε απότομα επάνω. «Εσύ έχεις το νου σου για κάποια επίσημη εντολή».

«Πιστεύεις ότι κάποιος ενεργεί από μόνος του; Γιατί;»

«Ιδέα του Κάιου», πρότεινε ο Έντουαρντ, ενώ το πρόσωπό του σφίχτηκε ξανά.

«Ή της Τζέιν...», είπε η Άλις. «Έχουν και οι δυο τα μέσα για να στείλουν κάποιον που να μη γνωρίζουμε...»

Ο Έντουαρντ κατσούφιασε. «Και το κίνητρο».

«Παρ' όλα αυτά, δε φαίνεται λογικό», είπε η Έσμι. «Αν όποιος κι αν ήταν σκόπευε να περιμένει την Μπέλλα, η Άλις θα το έβλεπε. Εκείνος –ή εκείνη– δεν είχε καμία πρόθεση να κάνει κακό στην Μπέλλα. Ούτε στον Τσάρλι, απ' ό,τι φαίνεται».

Ζάρωσα στο άκουσμα του ονόματος του πατέρα μου.

«Όλα θα πάνε καλά, Μπέλλα», μουρμούρισε η Έσμι, χαϊδεύοντας τα μαλλιά μου.

«Μα τότε τι νόημα είχε όλο αυτό;» αναλογίστηκε ο Κάρλαϊλ.

«Έκαναν έλεγχο για να δουν αν είμαι ακόμα άνθρωπος;» μάντεψα.

«Πιθανό», είπε ο Κάρλαϊλ.

Η Ρόζαλι έβγαλε έναν αναστεναγμό, αρκετά δυνατό, ώστε να τον ακούσω. Είχε μαλακώσει, και το πρόσωπό της είχε γυρίσει γεμάτο προσδοκία προς την κουζίνα. Ο Έντουαρντ, από την άλλη μεριά, έδειχνε αποκαρδιωμένος.

Ο Έμετ όρμησε μέσα από την πόρτα της κουζίνας, με τον Τζάσπερ ακριβώς πίσω του.

«Έχει περάσει πολλή ώρα από τότε που έφυγε, ώρες», ανακοίνωσε ο Έμετ απογοητευμένος. «Τα ίχνη πήγαιναν προς τα ανατολικά, μετά προς το νότο κι εξαφανίστηκαν σε ένα μικρό παράδρομο. Τον περίμενε κάποιο αυτοκίνητο».

«Κακοτυχία», μουρμούρισε ο Έντουαρντ. «Αν είχε πάει προς τα δυτικά... να, θα ήταν ωραία εκείνα τα σκυλιά να φανούν χρήσιμα σε κάτι».

Το πρόσωπό μου συσπάστηκε, κι η Έσμι έτριψε τον ώμο

μου.

Ο Τζάσπερ κοίταξε τον Κάρλαϊλ. «Κανένας απ' τους δυο μας δεν τον αναγνώρισε. Αλλά ορίστε». Τέντωσε το χέρι του για να δείξει κάτι πράσινο και τσαλακωμένο. Ο Κάρλαϊλ το πήρε και το έφερε στο πρόσωπό του. Είδα, καθώς άλλαζε χέρια, ότι ήταν ένα σπασμένο φύλλο φτέρης. «Μπορεί να ξέρεις εσύ τη μυρωδιά».

«Όχι», είπε ο Κάρλαϊλ. «Δε μου είναι γνωστή. Κανένας που να έχω συναντήσει ποτέ».

«Ίσως το βλέπουμε με λάθος τρόπο. Ίσως είναι σύμπτωση...», άρχισε η Έσμι, αλλά σταμάτησε, όταν είδε τις γεμάτες δυσπιστία εκφράσεις των άλλων. «Δεν εννοώ σύμπτωση που ένας άγνωστος διάλεξε το σπίτι της Μπέλλα για να κάνει επίσκεψη τυχαία. Ήθελα να πω ότι ίσως κάποιος να ήταν απλώς περίεργος. Η μυρωδιά μας είναι παντού γύρω της. Μήπως αναρωτιόταν τι μας τραβάει εμάς εκεί;»

«Γιατί να μην έρθει κατευθείαν εδώ τότε; Αν ήταν περίεργος;» απαίτησε να μάθει ο Έμετ.

«Εσύ αυτό θα έκανες», είπε η Έσμι με ένα ξαφνικό, στοργικό χαμόγελο. «Οι υπόλοιποι δεν είμαστε πάντα τόσο ευθείς. Η οικογένειά μας είναι πολύ μεγάλη –εκείνος ή εκείνη μπορεί να φοβόταν. Αλλά ο Τσάρλι δεν έπαθε τίποτα κακό. Δεν είναι απαραίτητο να ήταν κάποιος εχθρός».

Απλώς κάποιος περίεργος. Όπως ήταν περίεργοι κι ο Τζέιμς με τη Βικτόρια, στην αρχή; Η σκέψη της Βικτόρια με έκανε να αναριγήσω, αν και το μόνο πράγμα για το οποίο φαίνονταν να είναι βέβαιοι ήταν πως δεν ήταν εκείνη. Όχι αυτή τη φορά. Εκείνη θα ακολουθούσε το συνηθισμένο μοτίβο που της είχε γίνει εμμονή. Αυτός ήταν κάποιος άλλος, ένας άγνωστος.

Σιγά-σιγά καταλάβαινα ότι οι βρικόλακες ήταν κομμάτι αυτού του κόσμου πολύ περισσότερο απ' ό,τι νόμιζα κάποτε. Πόσες φορές η μοίρα του μέσου ανθρώπου διασταυρωνόταν μ' εκείνους, χωρίς να έχει καμία απολύτως συναίσθηση; Πόσοι θάνατοι, που αναφέρονταν ανυποψίαστα ως εγκλήματα και ατυχήματα, οφείλονταν στην πραγματικότητα στη δική τους δίψα; Πόσο πληθυσμό θα είχε ο καινούριος αυτός κόσμος, όταν θα γινόμουν κι εγώ κομμάτι του επιτέλους;

Το κρυμμένο μέλλον έκανε ένα ρίγος να διαπεράσει τη σπονδυλική μου στήλη.

Οι Κάλεν αναλογίζονταν τα λόγια της Έσμι με ποικίλες εκφράσεις. Έβλεπα ότι ο Έντουαρντ δε δεχόταν τη θεωρία της, κι ότι ο Κάρλαϊλ το ήθελε πάρα πολύ.

Η Άλις σούφρωσε τα χείλη της. «Δεν το νομίζω. Ο συγχρονισμός ήταν υπερβολικά τέλειος... Αυτός ο επισκέπτης πρόσεξε τόσο πολύ να μην έρθει σε επαφή. Σαν να ήξερε σχεδόν ότι θα μπορούσα να τον δω...»

«Θα μπορούσε να έχει άλλους λόγους που δεν ήρθε σε επαφή», της υπενθύμισε η Έσμι.

«Έχει πραγματικά σημασία ποιος ήταν;» ρώτησα εγώ. «Απλώς και μόνο η πιθανότητα να με ψάχνει *όντως* κάποιος... δεν είναι αυτός αρκετός λόγος; Δε θα έπρεπε να περιμένουμε ως την αποφοίτηση».

«Όχι, Μπέλλα», είπε ο Έντουαρντ γρήγορα. «Δεν είναι τόσο άσχημα τα πράγματα. Αν διατρέχεις αληθινά κίνδυνο, θα το ξέρουμε».

«Σκέψου τον Τσάρλι», μου υπενθύμισε ο Κάρλαϊλ. «Σκέψου πόσο θα τον πλήγωνε αν εξαφανιζόσουν».

«*Αυτόν* είναι που σκέφτομαι! Γι' *αυτόν* ανησυχώ! Αν ο επισκέπτης μου τύχαινε να διψούσε χθες το βράδυ; Όσο είμαι κοντά στον Τσάρλι, είναι κι αυτός στόχος. Αν του συνέβαινε οτιδήποτε, θα ήταν δική μου η ευθύνη».

«Δε νομίζω, Μπέλλα», είπε η Έσμι, χτυπώντας χαϊδευτικά το κεφάλι μου ξανά. «Και τίποτα δεν πρόκειται να συμβεί στον Τσάρλι. Απλώς θα πρέπει να είμαστε πιο προσεχτικοί».

«*Πιο* προσεχτικοί;» επανέλαβα με δυσπιστία.

«Όλα θα πάνε καλά, Μπέλλα», μου υποσχέθηκε η Άλις· ο

Έντουαρντ πίεσε το χέρι μου.

Και κατάλαβα, κοιτάζοντας ένα-ένα τα όμορφα πρόσωπά τους, ότι δεν μπορούσα να πω τίποτα που να τους άλλαζε γνώμη.

Ήταν μια ήσυχη διαδρομή στο γυρισμό για το σπίτι. Ήμουν απογοητευμένη. Παρά τη θέλησή μου, ήμουν ακόμα άνθρωπος.

«Δε θα μείνεις μόνη ούτε δευτερόλεπτο», υποσχέθηκε ο Έντουαρντ, καθώς με πήγαινε πίσω στο σπίτι του Τσάρλι. «Θα είναι πάντα κάποιος εκεί. Ο Έμετ, η Άλις, ο Τζάσπερ…»

Αναστέναξα. «Αυτό είναι γελοίο. Θα πλήξουν τόσο πολύ, που θα αναγκαστούν να με σκοτώσουν οι ίδιοι, απλώς για να έχουν κάτι να κάνουν».

Ο Έντουαρντ με κοίταξε ξινισμένα. «Ξεκαρδιστικό, Μπέλλα».

Ο Τσάρλι είχε καλή διάθεση, όταν επιστρέψαμε. Έβλεπε την ένταση ανάμεσα σ' εμένα και στον Έντουαρντ και την παρερμήνευε. Με παρακολούθησε να φτιάχνω το βραδινό του με απότομες κινήσεις, με ένα αυτάρεσκο χαμόγελο στο πρόσωπό του. Ο Έντουαρντ είχε φύγει για μια στιγμή, για μια γρήγορη περιπολία, υπέθετα, αλλά ο Τσάρλι περίμενε μέχρι να γυρίσει για να μου πει για τα μηνύματά μου.

«Ο Τζέικομπ ξανατηλεφώνησε», είπε ο Τσάρλι, αμέσως μόλις ο Έντουαρντ γύρισε στο δωμάτιο. Εγώ διατήρησα το πρόσωπό μου ανέκφραστο, καθώς του έβαζα το πιάτο μπροστά του.

«Τι μου λες;»

Ο Τσάρλι κατσούφιασε. «Μην είσαι μικροπρεπής, Μπέλλα. Ακούστηκε πολύ χάλια».

«Σε πληρώνει ο Τζέικομπ για τις δημόσιες σχέσεις ή το κάνεις εθελοντικά;»

Ο Τσάρλι μουρμούρισε κάτι ασυνάρτητο, μέχρι που το φαγητό διέκοψε τη δυσνόητη διαμαρτυρία του.

Αν και δεν το είχε συνειδητοποιήσει, είχε πετύχει το στόχο του.

Η ζωή μου ήταν σαν ένα παιχνίδι ζάρια αυτή τη στιγμή –μήπως η επόμενη ζαριά δεν ήταν και τόσο τυχερή; Κι αν *πράγματι* μου συνέβαινε κάτι; Έμοιαζε χειρότερο κι από μικροπρέπεια να αφήσω τον Τζέικομπ γεμάτο τύψεις γι' αυτό που είχε πει.

Αλλά δεν ήθελα να του μιλήσω με τον Τσάρλι εκεί πέρα, να πρέπει να προσέχω κάθε μου λέξη, για να μη μου ξεφύγει κάτι που δεν έπρεπε. Σκεπτόμενη αυτό το πράγμα, ένιωσα να ζηλεύω τη σχέση του Τζέικομπ με τον Μπίλι. Πόσο εύκολο πρέπει να ήταν, όταν δεν είχες καθόλου μυστικά από τον άνθρωπο με τον οποίο ζούσες.

Έτσι θα έπρεπε να περιμένω ως το επόμενο πρωί. Το πιο πιθανόν ήταν ότι δε θα πέθαινα απόψε, στο κάτω-κάτω, και δε θα του έκανε κακό να νιώθει ένοχος για δώδεκα ακόμα ωρίτσες. Μπορεί και να του έκανε καλό.

Όταν ο Έντουαρντ έφυγε επισήμως το βράδυ, αναρωτήθηκα ποιος ήταν έξω μέσα στη νεροποντή και πρόσεχε τον Τσάρλι κι εμένα. Ένιωθα απαίσια για την Άλις ή όποιον άλλο μπορεί να ήταν εκεί έξω, αλλά και πάλι καθησυχασμένη. Έπρεπε να παραδεχτώ ότι ήταν ωραία που ήξερα ότι δεν ήμουν μόνη. Κι ο Έντουαρντ γύρισε σε χρόνο ρεκόρ.

Μου τραγούδησε για να κοιμηθώ ξανά και –έχοντας συναίσθηση της παρουσίας του, ακόμα και χωρίς να έχω συνείδηση –κοιμήθηκα χωρίς να με ενοχλήσουν εφιάλτες.

Το πρωί, ο Τσάρλι έφυγε για να πάει για ψάρεμα με τον υποδιοικητή του αστυνομικού τμήματος, τον Μαρκ, πριν ξυπνήσω εγώ. Αποφάσισα να εκμεταλλευτώ αυτή την έλλειψη επίβλεψης για να φερθώ θεϊκά.

«Θα δώσω άφεση αμαρτιών στον Τζέικομπ», προειδοποίησα τον Έντουαρντ αφού είχα φάει πρωινό.

«Το ήξερα ότι θα τον συγχωρέσεις», είπε με ένα άνετο χαμόγελο. «Το να κρατάς κακία δεν είναι από τα ταλέντα σου».

Στριφογύρισα τα μάτια μου, αλλά ήμουν ευχαριστημένη. Φαινόταν πως ο Έντουαρντ στ' αλήθεια είχε ξεπεράσει όλο αυτό το θέμα με τους λυκάνθρωπους.

Δεν κοίταξα το ρολόι, παρά αφού κάλεσα τον αριθμό. Ήταν κάπως νωρίς για τηλεφωνήματα, κι ανησύχησα μήπως ξυπνήσω τον Μπίλι και τον Τζέικ, αλλά κάποιος το σήκωσε πριν το δεύτερο χτύπημα, άρα δεν πρέπει να ήταν μακριά απ' το τηλέφωνο.

«Ναι». απάντησε μια μουντή φωνή.

«Τζέικομπ;»

«Μπέλλα!» αναφώνησε. «Ω, Μπέλλα, τόσο συγνώμη!» μπερδεύτηκε με τις λέξεις, καθώς βιαζόταν να τις πει δυνατά. «Τ' ορκίζομαι ότι δεν το εννοούσα. Απλώς φέρθηκα σαν ηλίθιος. Ήμουν θυμωμένος –αλλά αυτό δεν είναι δικαιολογία. Ήταν το πιο ηλίθιο πράγμα που έχω πει ποτέ στη ζωή μου και σου ζητώ συγνώμη. Μην είσαι θυμωμένη μαζί μου, σε παρακαλώ; Σε παρακαλώ. Σου υπόσχομαι αιώνια σκλαβιά ως αντάλλαγμα –το μόνο που πρέπει να κάνεις είναι να με συγχωρέσεις».

«Δεν είμαι θυμωμένη. Συγχωρεμένος».

«Σ' ευχαριστώ», ψιθύρισε με θέρμη. «Δεν μπορώ να το πιστέψω ότι ήμουν τόσο βλάκας».

«Μην ανησυχείς γι' αυτό –το έχω συνηθίσει».

Γέλασε, καταχαρούμενος από την ανακούφιση. «Έλα εδώ κάτω να με δεις», με ικέτεψε. «Θέλω να επανορθώσω».

Συνοφρυώθηκα. «Πώς;»

«Ό,τι θες. *Κλιφ-ντάιβινγκ*», πρότεινε γελώντας ξανά.

«Α, να μια πανέξυπνη ιδέα».

«Θα σε κρατήσω μακριά από κινδύνους», υποσχέθηκε. «Ό,τι κι αν θέλεις να κάνεις».

Έριξα μια γρήγορη ματιά στον Έντουαρντ. Το πρόσωπό του ήταν πολύ ψύχραιμο, αλλά εγώ ήμουν σίγουρη ότι δεν ήταν η κατάλληλη στιγμή.

«Όχι αυτή τη στιγμή».

«*Εκείνος* δεν είναι και πολύ ενθουσιασμένος μαζί μου, έτσι;» η φωνή του Τζέικομπ ήταν γεμάτη ντροπή, αντί για πίκρα, για πρώτη φορά.

«Δεν είναι αυτό το πρόβλημα. Υπάρχει... να, υπάρχει κάποιο άλλο πρόβλημα που είναι ελαφρώς πιο ανησυχητικό από έναν ανώριμο έφηβο λυκάνθρωπο...» Προσπάθησα να διατηρήσω τον αστείο τόνο στη φωνή μου, αλλά δεν τον ξεγέλασα.

«Τι συμβαίνει;» απαίτησε να μάθει.

«Εεε». Δεν ήμουν σίγουρη τι έπρεπε να του πω.

Ο Έντουαρντ άπλωσε το χέρι του για να πάρει το τηλέφωνο. Κοίταξα το πρόσωπό του προσεχτικά. *Έμοιαζε* αρκετά ψύχραιμος.

«Μπέλλα;» ρώτησε ο Τζέικομπ.

Ο Έντουαρντ αναστέναξε φέρνοντας το χέρι του πιο κοντά στο τηλέφωνο.

«Σε πειράζει να μιλήσεις στον Έντουαρντ;» ρώτησα φοβισμένα. «Θέλει να σου μιλήσει».

Ακολούθησε μια μεγάλη παύση.

«Εντάξει», συμφώνησε τελικά ο Τζέικομπ. «Αυτό θα πρέπει να έχει ενδιαφέρον».

Έδωσα το τηλέφωνο στον Έντουαρντ˙ ήλπιζα ότι θα μπορούσε να διαβάσει την προειδοποίηση μέσα στα μάτια μου.

«Γεια σου, Τζέικομπ», είπε ο Έντουαρντ, απολύτως ευγενικά.

Ακολούθησε μια σιωπή. Δάγκωσα τα χείλη μου, προσπαθώντας να μαντέψω πώς θα απαντούσε ο Τζέικομπ.

«Κάποιος ήταν εδώ –καμία μυρωδιά που να γνωρίζω», εξήγησε ο Έντουαρντ. «Έχει βρει μήπως τίποτα καινούριο η αγέλη σου;»

Άλλη μια παύση, ενώ ο Έντουαρντ έγνεφε στον εαυτό του, χωρίς να δείχνει έκπληκτος.

«Η ουσία είναι η εξής, Τζέικομπ. Δε θα αφήσω την Μπέλλα από τα μάτια μου μέχρι να διευθετηθεί αυτό το θέμα. Δεν είναι τίποτα προσωπικό—»

Ο Τζέικομπ τον διέκοψε τότε, κι άκουσα το βουητό της φωνής του από το ακουστικό. Ό,τι κι αν έλεγε, μιλούσε πιο έντονα από πριν. Προσπάθησα ανεπιτυχώς να καταλάβω τα λόγια του.

«Μπορεί και να έχεις δίκιο—», πήγε να πει ο Έντουαρντ, αλλά ο Τζέικομπ επιχειρηματολογούσε ξανά. Κανένας από τους δυο δε φαινόταν θυμωμένος, τουλάχιστον.

«Αυτή είναι μια ενδιαφέρουσα πρόταση. Είμαστε πρόθυμοι να διαπραγματευτούμε. Αν ο Σαμ διατίθεται να συνεργαστεί».

Η φωνή του Τζέικομπ ήταν πιο ήρεμη τώρα. Άρχισα να τρώω το νύχι του αντίχειρά μου, καθώς προσπαθούσα να διαβάσω την έκφραση του Έντουαρντ.

«Σ' ευχαριστώ», απάντησε ο Έντουαρντ.

Τότε ο Τζέικομπ είπε κάτι που έκανε μια έκφραση έκπληξης να περάσει στιγμιαία από το πρόσωπο του Έντουαρντ.

«Σκόπευα να πάω μόνος μου, για να πω την αλήθεια», είπε ο Έντουαρντ απαντώντας στην αναπάντεχη ερώτηση. «Και να την αφήσω με τους άλλους».

Η φωνή του Τζέικομπ ανέβηκε έναν τόνο, και μου ακούστηκε σαν να προσπαθούσε να φανεί πειστικός.

«Θα προσπαθήσω να το σκεφτώ αντικειμενικά», υποσχέθηκε ο Έντουαρντ. «Όσο πιο αντικειμενικά μπορώ».

Η παύση ήταν πιο σύντομη αυτή τη φορά.

«Αυτό δεν είναι καθόλου κακή ιδέα. Πότε;... Όχι, δεν πειράζει. Έτσι κι αλλιώς, ήθελα να έχω την ευκαιρία να ακολουθήσω τα ίχνη ο ίδιος. Δέκα λεπτά... Βεβαίως», είπε ο Έντουαρντ. Μου έδωσε το τηλέφωνο. «Μπέλλα;»

Το πήρα αργά, νιώθοντας μπερδεμένη.

«Τι ήταν όλα αυτά;» ρώτησα τον Τζέικομπ, με φωνή ελαφρώς τσαντισμένη. Ήξερα ότι ήταν παιδιάστικο, αλλά ένιωθα ότι με είχαν αποκλείσει.

«Μια ανακωχή, νομίζω. Ε, κάνε μου μια χάρη», πρότεινε ο Τζέικομπ. «Προσπάθησε να πείσεις την αιμορουφήχτρα σου ότι το πιο ασφαλές μέρος για 'σένα –ειδικά όταν φεύγει– είναι στον καταυλισμό. Είμαστε ικανοί να αντιμετωπίσουμε οτιδήποτε».

«Αυτό προσπαθούσες να πουλήσεις;»

«Ναι. Είναι λογικό. Και για τον Τσάρλι πιθανότατα είναι καλύτερα εδώ πέρα. Όσο αυτό είναι δυνατό».

«Βάλε και τον Μπίλι στο κόλπο», συμφώνησα. Δε μου άρεσε καθόλου που έβαζα τον Τσάρλι στην ακτίνα του στόχου, στο κέντρο του οποίου έμοιαζα να βρίσκομαι πάντα εγώ. «Τι άλλο;»

«Απλώς επαναπροσδιορίσαμε κάποια όρια, έτσι ώστε να μπορούμε να πιάσουμε οποιονδήποτε φτάσει πολύ κοντά στο Φορκς. Δεν είμαι σίγουρος αν θα το δεχτεί ο Σαμ, αλλά μέχρι να πειστεί, θα έχω εγώ το νου μου στην κατάσταση».

«Τι θέλεις να πεις θα έχεις το νου σου;»

«Εννοώ ότι αν δεις ένα λύκο να τριγυρνά εκεί γύρω στο σπίτι σου, μην τον πυροβολήσεις».

«Φυσικά και όχι. Παρ' όλα αυτά, πραγματικά δε θα έπρεπε να κάνεις τίποτα… ριψοκίνδυνο».

Ξεφύσηξε. «Μην είσαι χαζή. Μπορώ να φροντίσω τον εαυτό μου».

Αναστέναξα.

«Προσπάθησα επίσης να τον πείσω να σε αφήσει να μ' επισκέπτεσαι. Είναι προκατειλημμένος, γι' αυτό μην τον αφήσεις να σου λέει βλακείες για την ασφάλειά σου. Ξέρει εξίσου καλά μ' εμένα ότι θα ήσουν ασφαλής εδώ».

«Θα το έχω υπόψη».

«Θα σε δω σε λίγο», είπε ο Τζέικομπ.

«Έρχεσαι εδώ;»

«Ναι. Θα μυρίσω τη μυρωδιά του επισκέπτη σου, για να μπορέσουμε να τον ανιχνεύσουμε, αν ξαναγυρίσει».

«Τζέικ, στ' αλήθεια, δε νομίζω ότι είναι καλή ιδέα να προσπαθήσεις να ανιχνεύσεις—»

«Α, *έλα τώρα*, Μπέλλα», με διέκοψε. Ο Τζέικομπ γέλασε και μετά έκλεισε το τηλέφωνο.

10. ΜΥΡΩΔΙΑ

Ήταν όλα πολύ παιδιάστικα. Γιατί στο καλό να πρέπει να φύγει ο Έντουαρντ για να μπορέσει να έρθει ο Τζέικομπ; Δεν είχαμε ξεπεράσει αυτή την ανώριμη συμπεριφορά;

«Δεν είναι ότι νιώθω κάποιον προσωπικό ανταγωνισμό για 'κείνον, Μπέλλα, απλώς θα είναι πιο εύκολο και για τους δυο μας, έτσι», μου είπε ο Έντουαρντ στην πόρτα. «Δε θα είμαι μακριά. Θα είσαι ασφαλής».

«Δεν ανησυχώ γι' *αυτό*».

Χαμογέλασε, και μετά ένα πονηρό βλέμμα ήρθε στα μάτια του. Με τράβηξε κοντά του, χώνοντας το πρόσωπό του μέσα στα μαλλιά μου. Ένιωσα τη δροσερή του ανάσα να τα διαποτίζει, καθώς ξεφύσηξε˙ έκανε το σβέρκο μου να ανατριχιάσει.

«Θα γυρίσω αμέσως», είπε, και μετά γέλασε δυνατά, σαν να είχα μόλις πει ένα καλό ανέκδοτο.

«Τι βρίσκεις τόσο αστείο;»

Αλλά ο Έντουαρντ απλώς χαμογέλασε πλατιά κι έφυγε χοροπηδώντας προς τα δέντρα, χωρίς να απαντήσει.

Γκρινιάζοντας από μέσα μου, πήγα να καθαρίσω την κουζίνα. Πριν προλάβω καν να γεμίσω το νεροχύτη με νερό, χτύπησε το κουδούνι της πόρτας. Ήταν δύσκολο να συνηθίσω στο πόσο πιο γρήγορος ήταν ο Τζέικομπ *χωρίς* το αυτοκίνητό του. Πως όλοι έμοιαζαν να είναι πολύ πιο γρήγοροι από εμένα...

«Έλα μέσα, Τζέικ!» φώναξα.

Είχα επικεντρώσει την προσοχή μου στο να στοιβάξω τα πιάτα σε ένα σωρό μέσα στο νερό με τις μπουρμπουλήθρες, και είχα ξεχάσει ότι ο Τζέικομπ κινείτο σαν φάντασμα αυτό τον καιρό. Έτσι πετάχτηκα, όταν η φωνή του ακούστηκε ξαφνικά από πίσω μου.

«Είναι σωστό να αφήνεις την πόρτα σου έτσι ξεκλείδωτη; Ω, συγνώμη».

Πιτσιλίστηκα με το νερό από τα βρόμικα πιάτα, όταν με ξάφνιασε.

«Δεν ανησυχώ για κανέναν που θα τον εμπόδιζε μια κλειδωμένη πόρτα», είπα, ενώ σκούπιζα την μπλούζα μου με μια πετσέτα για τα πιάτα.

«Σωστό», συμφώνησε.

Γύρισα για να τον κοιτάξω, ρίχνοντάς του ένα επικριτικό βλέμμα. «Είναι πραγματικά τόσο δύσκολο να φοράς ρούχα, Τζέικομπ;» ρώτησα. Για άλλη μια φορά, ο Τζέικομπ ήταν γυμνός από τη μέση και πάνω, ντυμένος μόνο με ένα κομμένο τζιν. Αναρωτήθηκα αν ήταν τόσο περήφανος για τους καινούριους του μυς, ώστε να μην αντέχει να τους κρύβει. Έπρεπε να παραδεχτώ, ήταν εντυπωσιακοί – αλλά δεν τον είχα θεωρήσει ποτέ ματαιόδοξο. «Θέλω να πω, ξέρω ότι δεν κρυώνεις, αλλά και πάλι».

Πέρασε το ένα του χέρι μέσα από τα βρεγμένα του μαλλιά˙ έπεφταν μέσα στα μάτια του.

«Απλώς είναι πιο εύκολο», εξήγησε.

«Ποιο πράγμα είναι πιο εύκολο;»

Χαμογέλασε συγκαταβατικά. «Είναι αρκετός μπελάς να κουβαλάω μαζί μου εδώ κι εκεί τη βερμούδα μου, πόσο μάλλον να κουβαλάω ολόκληρο συνολάκι. Σου μοιάζω για μουλάρι για φόρτωμα;»

Κατσούφιασα. «Τι είναι αυτά που λες, Τζέικ;»

Η έκφρασή του ήταν υπεροπτική, σαν να μου διέφευγε κάτι προφανές. «Τα ρούχα μου δεν εμφανίζονται ούτε εξαφανίζονται ξαφνικά, όταν αλλάζω μορφή –πρέπει να τα κουβαλάω μαζί μου, όταν τρέχω. Με συγχωρείς που φροντίζω το φορτίο μου να είναι ελαφρύ».

Άλλαξα χρώμα. «Μάλλον δεν το σκέφτηκα αυτό», μουρμούρισα.

Γέλασε και μου έδειξε ένα μαύρο δερμάτινο λουρί, λεπτό σαν νήμα, που ήταν τρεις φορές τυλιγμένο γύρω από το πόδι του κάτω από την αριστερή του γάμπα σαν βραχιόλι ποδιού. Δεν το είχα προσέξει πριν ότι ήταν και ξυπόλυτος. «Δεν είναι απλά ζήτημα μόδας –είναι χάλια όταν πρέπει να κουβαλάς το τζιν στο στόμα σου».

Δεν ήξερα τι να πω.

Χαμογέλασε πλατιά. «Σε ενοχλεί το γεγονός ότι είμαι μισόγυμνος;»

«Όχι».

Ο Τζέικομπ γέλασε ξανά, κι εγώ του γύρισα την πλάτη για να συγκεντρωθώ στα πιάτα. Ήλπιζα να είχε καταλάβει πως το κοκκίνισμά μου είχε μείνει από την αμηχανία που ένιωσα για τη βλακεία μου κι ότι δεν είχε καμία σχέση με την ερώτησή του.

«Λοιπόν, μάλλον θα ήταν καλό να πιάσω δουλειά». Αναστέναξε. «Δε θέλω να του δώσω την εντύπωση ότι τεμπελιάζω από την πλευρά μου».

«Τζέικομπ, δεν είναι δική σου δουλειά να—»

Σήκωσε το ένα του χέρι για να με σταματήσει. «Δουλεύω εθελοντικά εδώ πέρα. Τώρα, που είναι χειρότερη η μυρωδιά του εισβολέα;»

«Στο δωμάτιό μου, νομίζω».

Τα μάτια του ζάρωσαν. Δεν του άρεσε αυτό περισσότερο απ' ό,τι είχε αρέσει στον Έντουαρντ.

«Θα κάνω ένα λεπτό μόνο».

Εγώ έτριψα μεθοδικά το πιάτο που κρατούσα. Ο μοναδικός ήχος ήταν οι πλαστικές τρίχες της βούρτσας που έξυναν κυκλικά το κεραμικό πιάτο. Τέντωσα τα αυτιά μου για να ακούσω κάτι από πάνω, ένα τρίξιμο κάποιας σανίδας στο πάτωμα, ένα κλικ κάποιας πόρτας. Δεν ακουγόταν τίποτα. Συνειδητοποίησα ότι καθάριζα το ίδιο πιάτο πολύ περισσότερη ώρα απ' όσο χρειαζόταν και προσπάθησα να εστιάσω την προσοχή μου σ' αυτό που έκανα.

«Μπου!» είπε ο Τζέικ, λίγα εκατοστά πίσω μου, τρομάζοντάς με ξανά.

«Αμάν, Τζέικ, κόφ 'το αυτό πια!»

«Συγνώμη. Ορίστε—» Ο Τζέικομπ πήρε την πετσέτα και καθάρισε το καινούριο νερό που είχα λουστεί. «Θα επανορθώσω. Εσύ σαπούνιζε, εγώ θα ξεπλένω και θα σκουπίζω».

«Ωραία». Του έδωσα το πιάτο.

«Λοιπόν, ήταν αρκετά εύκολο να μυρίσω τη μυρωδιά. Παρεμπιπτόντως, το δωμάτιό σου βρομοκοπάει».

«Θα πάρω ένα αποσμητικό χώρου».

Γέλασε.

Εγώ σαπούνιζα κι εκείνος σκούπιζε σε μια ευχάριστη σιωπή για λίγα λεπτά.

«Μπορώ να σε ρωτήσω κάτι;»

Του έδωσα άλλο ένα πιάτο. «Εξαρτάται από το τι θες να μάθεις».

«Δεν προσπαθώ να φερθώ σαν ηλίθιος ή κάτι τέτοιο –είμαι ειλικρινά περίεργος», με διαβεβαίωσε ο Τζέικομπ.

«Ωραία. Για πες».

Έκανε μια παύση για μισό δευτερόλεπτο. «Πώς είναι –να έχεις αγόρι σου ένα βρικόλακα;»

Στριφογύρισα τα μάτια μου. «Το καλύτερο πράγμα».

«Σοβαρολογώ. Δε σε ενοχλεί ή ιδέα –δε σε τρομάζει ποτέ;»

«Ποτέ».

Έμεινε σιωπηλός, καθώς άπλωσε το χέρι του για να πάρει το μπολ που είχα στα χέρια μου. Έριξα μια κλεφτή ματιά στο πρόσωπό του –ήταν κατσουφιασμένος, το κάτω χείλος του προεξείχε.

«Τίποτα άλλο;» ρώτησα.

Σούφρωσε τη μύτη του ξανά. «Να... αναρωτιόμουν... αν τον... ξέρεις... αν τον *φιλάς;*»

Γέλασα. «Ναι».

Αναρίγησε. «Μπλιάξ!»

«Ο καθένας με τα γούστα του», μουρμούρισα.

«Δεν ανησυχείς για τα σουβλερά του δόντια;»

Χτύπησα το μπράτσο του, πιτσιλίζοντάς τον με νερό από τα πιάτα. «Σκάσε, Τζέικομπ! Το ξέρεις ότι δεν έχει σουβλερά δόντια».

«Δεν απέχει και πολύ», μουρμούρισε.

Έτριξα τα δόντια μου κι έτριψα ένα κρεατομάχαιρο με μεγαλύτερη δύναμη απ' όσο χρειαζόταν.

«Μπορώ να ρωτήσω κάτι ακόμα;» ρώτησε απαλά, όταν του έδωσα το μαχαίρι. «Απλώς από περιέργεια και πάλι».

«Καλώς», είπα κοφτά.

Γύρισε το μαχαίρι ανάποδα ξανά και ξανά στα χέρια του κάτω από τη ροή του νερού. Όταν μίλησε, ήταν μόνο ένας ψίθυρος.

«Είπες σε μερικές βδομάδες... Πότε, ακριβώς...;» Δεν μπόρεσε να ολοκληρώσει.

«Στην αποφοίτηση», του απάντησα ψιθυριστά κι εγώ, παρατηρώντας με ανησυχία το πρόσωπό του. Μήπως αυτό θα τον έκανε να ξεφύγει πάλι;

«Τόσο σύντομα», είπε ψιθυριστά, κλείνοντας τα μάτια του. Δεν ακούστηκε σαν ερώτηση. Ακούστηκε σαν θρήνος.

Οι μυς στα μπράτσα του τεντώθηκαν, και οι ώμοι του έγιναν άκαμπτοι.

«ΑΟΥ!» φώναξε˙ είχε επικρατήσει τέτοια ησυχία στο δωμάτιο που στο ξέσπασμά του πετάχτηκα περίπου μισό μέτρο στον αέρα.

Το δεξί του χέρι είχε σφιχτεί σχηματίζοντας μια δυνατή γροθιά γύρω από τη λεπίδα του μαχαιριού –χαλάρωσε το χέρι του και το μαχαίρι έπεσε κάνοντας ένα κρότο πάνω στον πάγκο. Την παλάμη του διέσχιζε μια μακριά, βαθιά χαίνουσα πληγή. Το αίμα έρεε από τα δάχτυλά του κι έσταζε κάτω στο πάτωμα.

«Να πάρει! Άουτς!» διαμαρτυρήθηκε.

Το κεφάλι μου γύριζε και το στομάχι μου ανακατευόταν. Πιάστηκα με το ένα χέρι από την κορυφή του πάγκου, πήρα μια βαθιά ανάσα από το στόμα κι ανάγκασα τον εαυτό μου να συνέλθει, για να μπορέσω να τον φροντίσω.

«Ωχ, όχι, Τζέικομπ! Ωχ, σκατά! Ορίστε, τύλιξέ το αυτό γύρω-γύρω!» Έσπρωξα την πετσέτα προς το μέρος του, τεντώνοντας το χέρι μου για να πιάσω το δικό του. Εκείνος ανασήκωσε τους ώμους του κι απομακρύνθηκε.

«Δεν είναι τίποτα, Μπέλλα. Μην ανησυχείς».

Το δωμάτιο άρχισε να παίζει λιγάκι στις γωνίες.

Πήρα άλλη μια βαθιά ανάσα. «Να μην ανησυχώ;! Έκοψες στα δυο το χέρι σου!»

Αγνόησε την πετσέτα που έσπρωξα προς το μέρος του. Έβαλε το χέρι του κάτω από τη βρύση κι άφησε το νερό να ξεπλύνει το τραύμα. Το νερό έρεε κόκκινο. Το κεφάλι μου στροβιλιζόταν.

«Μπέλλα», είπε.

Πήρα το βλέμμα μου από το τραύμα, και κοίταξα το πρόσωπό του. Ήταν κατσουφιασμένος, αλλά η έκφρασή του ήταν ήρεμη.

«Τι;»

«Φαίνεσαι έτοιμη να λιποθυμήσεις και κοντεύεις να ξεσκίσεις τα χείλη σου από το δάγκωμα. Σταμάτα. Χαλάρωσε. Πάρε ανάσα. Είμαι μια χαρά».

Εισέπνευσα από το στόμα και σταμάτησα να μασάω το κάτω χείλος μου. «Μην το παίζεις γενναίος».

Στριφογύρισε τα μάτια του.

«Πάμε. Θα σε πάω στα επείγοντα». Ήμουν σίγουρη ότι θα ήμουν καλά για να οδηγήσω. Οι τοίχοι ήταν σταθεροί τώρα, τουλάχιστον.

«Δεν είναι απαραίτητο». Ο Τζέικ έκλεισε το νερό και πήρε την πετσέτα από το χέρι μου. Την τύλιξε χαλαρά γύρω από την παλάμη του.

«Περίμενε», διαμαρτυρήθηκα. «Άσε με να του ρίξω μια ματιά». Στηρίχτηκα πιο δυνατά πάνω στον πάγκο, για να σταθώ όρθια, αν το τραύμα με έκανε να ζαλιστώ ξανά.

«Έχεις πτυχίο ιατρικής και δε μου το έχεις πει ποτέ;»

«Απλώς δώσε μου την ευκαιρία να αποφασίσω αν θα πάθω κρίση υστερίας ή όχι για να σε πάω στο νοσοκομείο».

Έκανε μια γκριμάτσα παριστάνοντας τον τρομαγμένο. «Ωχ, όχι, όχι κρίση υστερίας, σε παρακαλώ».

«Αν δε μ' αφήσεις να δω το χέρι σου, είναι σίγουρο ότι θα πάθω κρίση».

Πήρε βαθιά ανάσα και μετά έβγαλε έναν έντονο αναστεναγμό. «Καλά».

Ξετύλιξε την πετσέτα και, όταν άπλωσα το χέρι μου για να πάρω το πανί, ακούμπησε το χέρι του στο δικό μου.

Μου πήρε μερικά δευτερόλεπτα. Έφτασα μέχρι και να γυρίσω ανάποδα το χέρι του, αν και ήμουν σίγουρη ότι είχε κόψει την παλάμη του. Γύρισα πάλι από την άλλη μεριά το χέρι του, τελικά συνειδητοποιώντας ότι η θυμωμένη ροζ, ζαρωμένη γραμμή ήταν το μόνο που είχε απομείνει από το τραύμα του.

«Μα... αιμορραγούσες... τόσο πολύ».

Τράβηξε πάλι πίσω το χέρι του, με τα μάτια του καρφωμένα

σταθερά και μελαγχολικά στα δικά μου.

«Επουλώνομαι γρήγορα»».

«Αυτό ξαναπές το», μουρμούρισα.

Είχα δει το βαθύ σχίσιμο καθαρά, είχα δει το αίμα που έτρεχε στο νεροχύτη. Η μυρωδιά του που θύμιζε σκουριά και αλάτι με είχε σχεδόν κάνει να λιποθυμήσω. Θα έπρεπε κανονικά να χρειαζόταν ράμματα. Θα έπρεπε να είχε πάρει μέρες για να σχηματιστεί κακάδι και μετά βδομάδες για να ξεθωριάσει και να γίνει η γυαλιστερή ροζ ουλή που στιγμάτιζε τώρα το δέρμα του.

Κύρτωσε το στόμα του προς τα πάνω μισοχαμογελώντας και χτύπησε με δύναμη άλλη μια φορά τη γροθιά του στο στέρνο του. «Λυκάνθρωπος, θυμάσαι;»

Τα μάτια του ήταν καρφωμένα στα δικά μου για μια στιγμή που δεν μπορούσε να μετρηθεί.

«Σωστά», είπα τελικά.

Γέλασε με την έκφρασή μου. «Σου το έχω πει αυτό. Είδες την ουλή του Πολ».

Κούνησα το κεφάλι μου για να το καθαρίσω. «Είναι κάπως διαφορετικό όταν έχεις δει και την προηγούμενη σκηνή δράσης».

Γονάτισα κάτω και ξέθαψα τη χλωρίνη μέσα από το ντουλάπι κάτω από το νεροχύτη. Μετά έχυσα λίγη σε ένα σκονισμένο κουρέλι κι άρχισα να τρίβω το πάτωμα. Η καυστική μυρωδιά της χλωρίνης καθάρισε τα τελευταία ίχνη ζαλάδας από το κεφάλι μου.

«Άσε με να καθαρίσω εγώ», είπε ο Τζέικομπ.

«Δεν πειράζει. Πέτα την πετσέτα στα άπλυτα, μπορείς;»

Όταν σιγουρεύτηκα ότι το πάτωμα δε μύριζε τίποτα άλλο εκτός από χλωρίνη, σηκώθηκα και ξέπλυνα τη δεξιά μεριά του νεροχύτη με τη χλωρίνη, επίσης. Μετά πήγα στη ντουλάπα του πλυσταριού, δίπλα στο κελάρι, κι έριξα μια κούπα μέσα πριν το βάλω μπρος. Ο Τζέικομπ με παρακολουθούσε με μια επικριτική έκφραση στο πρόσωπό του.

«Έχεις μήπως κάποιο σύνδρομο ψυχαναγκασμού;» ρώτησε, όταν τελείωσα.

Χα. Μπορεί. Αλλά τουλάχιστον είχα καλή δικαιολογία αυτή τη φορά. «Είμαστε λιγάκι ευαίσθητοι στο αίμα εδώ πέρα. Είμαι σίγουρη πως το καταλαβαίνεις αυτό».

«Α». Σούφρωσε πάλι τη μύτη του.

«Γιατί να μην τον διευκολύνω όσο περισσότερο μπορώ; Αυτό που κάνει είναι ήδη αρκετά δύσκολο».

«Βέβαια, βέβαια. Γιατί όχι;»

Τράβηξα το πώμα και άφησα το νεροχύτη να στραγγίσει από το βρόμικο νερό.

«Μπορώ να σε ρωτήσω κάτι, Μπέλλα;»

Αναστέναξα.

«Πώς είναι –να έχεις για καλύτερό σου φίλο ένα λυκάνθρωπο;»

Η ερώτηση με βρήκε απροετοίμαστη. Γέλασα δυνατά.

«Δε σε τρομάζει;» επέμεινε εκείνος, πριν προλάβω να απαντήσω.

«Όχι. Όταν ο λυκάνθρωπος είναι καλός», εξήγησα, «είναι το καλύτερο πράγμα».

Χαμογέλασε πλατιά, με τα δόντια του να αστράφτουν κάνοντας αντίθεση με το καστανοκόκκινο δέρμα του. «Σ' ευχαριστώ, Μπέλλα», είπε και μετά άρπαξε το χέρι μου και με τράβηξε απότομα μέσα σε μια από εκείνες τις αγκαλιές του, τόσο σφιχτές που μπορούσαν να μου σπάσουν τα κόκαλα.

Πριν προλάβω να αντιδράσω, τα χέρια του έπεσαν κι έκανε ένα βήμα μακριά.

«Μπλιάξ!» είπε, σουφρώνοντας τη μύτη του. «Τα μαλλιά σου βρομάνε χειρότερα κι απ' το δωμάτιό σου».

«Συγνώμη», μουρμούρισα. Ξαφνικά κατάλαβα γιατί γελούσε νωρίτερα ο Έντουαρντ, αφού είχε ανασάνει πάνω μου.

«Ένας από τους πολλούς κινδύνους του να κάνεις παρέα με

βρικόλακες», είπε ο Τζέικομπ, σηκώνοντας τους ώμους. «Σε κάνει να βρομάς. Μικρός κίνδυνος, συγκριτικά».

Τον αγριοκοίταξα. «Βρομάω μόνο σ' εσένα, Τζέικ».

Χαμογέλασε. «Τα λέμε, Μπελς».

«Φεύγεις;»

«Με περιμένει να φύγω. Τον ακούω απ' έξω».

«Α».

«Θα βγω από την πίσω πόρτα», είπε και μετά σταμάτησε. «Για κάτσε ένα λεπτό –ε, νομίζεις πως θα μπορούσες να έρθεις απόψε στο Λα Πους; Θα κάνουμε πάρτι με φωτιές στην παραλία. Θα είναι εκεί και η Έμιλι, και θα μπορούσες να γνωρίσεις και την Κιμ… Και το ξέρω ότι ο Κουίλ θέλει να σε δει κι αυτός. Του την έχει δώσει που το έμαθες πριν από 'κείνον».

Χαμογέλασα. Μπορούσα μόνο να φανταστώ πόσο αυτό θα εκνεύρισε τον Κουίλ –η φιλεναδίτσα του Τζέικομπ, αν και άνθρωπος, να βρίσκεται εκεί πέρα με τους λυκάνθρωπους, ενώ εκείνος δεν είχε ακόμα ιδέα. Και μετά αναστέναξα. «Ναι, Τζέικ, δεν ξέρω γι' αυτό. Βλέπεις, είναι λιγάκι τεταμένη η κατάσταση αυτή τη στιγμή…»

«Έλα τώρα, πιστεύεις ότι κάποιος θα περάσει κι από τους –κι από τους έξι μας;»

Υπήρχε μια παράξενη παύση, καθώς είπε το τέλος της ερώτησής του τραυλίζοντας. Αναρωτήθηκα αν δυσκολευόταν να πει δυνατά τη λέξη *λυκάνθρωπος,* όπως εγώ συχνά δυσκολευόμουν με τη λέξη *βρικόλακας*.

Τα μεγάλα σκούρα μάτια του ήταν γεμάτα από ένα απροκάλυπτα ικετευτικό βλέμμα.

«Θα ρωτήσω», είπα αμφιβάλλοντας.

Έκανε ένα θόρυβο στο πίσω μέρος του λαιμού του. «Τώρα έγινε και δεσμοφύλακάς σου; Ξέρεις, είδα ένα ρεπορτάζ στις ειδήσεις την περασμένη βδομάδα για τις αυταρχικές και βίαιες εφηβικές σχέσεις και—»

«Εντάξει!» τον διέκοψα και μετά έσπρωξα το μπράτσο του.

«Ώρα να φεύγει ο λυκάνθρωπος!»

Χαμογέλασε. «Γεια σου, Μπελς. Μην ξεχάσεις να ζητήσεις *άδεια*».

Έσκυψε για να βγει από την πίσω πόρτα, πριν προλάβω να βρω κάτι για να του πετάξω. Γρύλισα κάτι ακατάληπτο στο άδειο δωμάτιο.

Δευτερόλεπτα αφού έφυγε, ο Έντουαρντ μπήκε αργά μέσα στη κουζίνα, με σταγόνες βροχής να λαμποκοπούν σαν διαμάντια μέσα στα χάλκινα μαλλιά του. Τα μάτια του ήταν ανήσυχα.

«Τσακωθήκατε οι δυο σας;» ρώτησε.

«Έντουαρντ!» είπα τραγουδιστά ορμώντας πάνω του.

«Καλώς την». Γέλασε και τύλιξε τα χέρια του γύρω μου. «Προσπαθείς να μου αποσπάσεις την προσοχή; Το καταφέρνεις».

«Όχι, δεν τσακώθηκα με τον Τζέικομπ. Πολύ. Γιατί;»

«Απλώς αναρωτιόμουν γιατί τον μαχαίρωσες. Όχι ότι έχω αντίρρηση». Με το πιγούνι του έδειξε προς το μαχαίρι πάνω στον πάγκο.

«Να πάρει! Νόμιζα ότι δεν είχα αφήσει τίποτα».

Τραβήχτηκα μακριά του κι έτρεξα για να βάλω το μαχαίρι στο νεροχύτη, πριν το περιλούσω με χλωρίνη.

«Δεν τον μαχαίρωσα», εξήγησα, καθώς δούλευα. «Ξέχασε ότι είχε μαχαίρι στα χέρια του».

Ο Έντουαρντ γέλασε πνιχτά. «Αυτό δεν είναι ούτε κατά διάνοια τόσο διασκεδαστικό όσο το φανταζόμουν».

«Μην είσαι κακός».

Έβγαλε ένα μεγάλο φάκελο από την τσέπη του μπουφάν του και τον πέταξε πάνω στον πάγκο. «Έφερα την αλληλογραφία σου».

«Έχω τίποτα καλό;»

«*Εγώ* έτσι νομίζω».

Τα μάτια μου ζάρωσαν καχύποπτα στο άκουσμα του τόνου

της φωνής του. Πήγα για να το ερευνήσω.

Είχε διπλώσει το μεγάλο φάκελο στη μέση. Τον ξεδίπλωσα, έκπληκτη από το βάρος του ακριβού χαρτιού, και διάβασα τη διεύθυνση του αποστολέα.

«Από το Ντάρτμουθ; Πλάκα μου κάνεις;»

«Είμαι σίγουρος ότι είναι γράμμα αποδοχής. Είναι ολόιδιο με το δικό μου».

«Μη χειρότερα, Έντουαρντ –τι έκανες;»

«Έστειλα την αίτησή σου, αυτό είναι όλο».

«Μπορεί να μην είμαι επιπέδου Ντάρτμουθ, αλλά δεν είμαι τόσο χαζή ώστε να το πιστέψω αυτό».

«Το Ντάρτμουθ φαίνεται να πιστεύει πως είσαι επιπέδου Ντάρτμουθ».

Πήρα μια βαθιά ανάσα και μέτρησα αργά μέχρι το δέκα. «Πολύ γενναιόδωρο εκ μέρους τους», είπα τελικά. «Ωστόσο, είτε με έχουν δεχτεί είτε όχι, υπάρχει ακόμα το σημαντικότερο ζήτημα των διδάκτρων. Δεν έχω αρκετά χρήματα για να τα πληρώσω και δε θα σε αφήσω να πετάξεις ένα σωρό χρήματα, αρκετά για να αγοράσεις ένα ακόμα σπορ αμάξι, μόνο και μόνο για να παραστήσω ότι θα πάω στο Ντάρτμουθ την επόμενη χρονιά».

«Δε μου χρειάζεται κι άλλο σπορ αμάξι. Και δεν είναι ανάγκη να παραστήσεις ότι πας», μουρμούρισε. «Ένας χρόνος στο πανεπιστήμιο δε θα σε σκότωνε. Μπορεί και να σου άρεσε. Απλώς σκέψου το, Μπέλλα. Φαντάσου πόσο ενθουσιασμένοι θα ήταν ο Τσάρλι κι η Ρενέ…»

Η βελούδινη φωνή του ζωγράφισε την εικόνα μέσα στο κεφάλι μου, πριν μπορέσω να την εμποδίσω. Φυσικά, ο Τσάρλι θα φούσκωνε από περηφάνια –κανένας στην πόλη του Φορκς δε θα μπορούσε να αποφύγει τις συνέπειες του ενθουσιασμού του. Κι η Ρενέ θα έκανε σαν τρελή από τη χαρά της για το θρίαμβό μου –αν και θα ορκιζόταν πως δεν την εξέπληξε καθόλου το γεγονός…

Προσπάθησα να διώξω την εικόνα από το κεφάλι μου. «Έντουαρντ. Ανησυχώ για το αν θα είμαι ζωντανή μέχρι την αποφοίτησή μου, πόσο μάλλον μέχρι το καλοκαίρι ή το ερχόμενο φθινόπωρο».

Τα χέρια του τυλίχτηκαν γύρω μου πάλι. «Κανένας δεν πρόκειται να σε πειράξει. Έχεις όσο χρόνο θέλεις».

Αναστέναξα. «Θα στείλω τα περιεχόμενα του τραπεζικού λογαριασμού μου στην Αλάσκα αύριο. Είναι το μοναδικό άλλοθι που χρειάζομαι. Είναι αρκετά μακριά ώστε ο Τσάρλι να μην περιμένει να τον επισκεφτώ μέχρι τα Χριστούγεννα το νωρίτερο. Και είμαι σίγουρη πως θα σκεφτώ κάποια δικαιολογία μέχρι τότε. Ξέρεις», είπα πειραχτικά με μισή καρδιά, «όλη αυτή η μυστικότητα και η απάτη είναι ένα μικρό πρόβλημα».

Η έκφραση του Έντουαρντ έγινε πιο σκληρή. «Γίνεται πιο εύκολο. Μετά από μερικές δεκαετίες, όλοι οι γνωστοί σου θα έχουν πεθάνει. Το πρόβλημα λύνεται».

Τραβήχτηκα πίσω.

«Συγνώμη, αυτό ήταν σκληρό».

Κάρφωσα το βλέμμα μου κάτω, στο μεγάλο φάκελο, χωρίς να τον βλέπω. «Όμως αληθινό».

«Αν διευθετήσω ό,τι κι αν είναι αυτό με το οποίο είμαστε αντιμέτωποι, θα σκεφτείς σε παρακαλώ την πιθανότητα να περιμένεις;»

«Όχι».

«Πάντα τόσο πεισματάρα».

«Ναι».

Το πλυντήριο έκανε ένα βρόντο και σταμάτησε τραυλίζοντας.

«Παλιοσακαράκα», μουρμούρισα, καθώς τραβήχτηκα μακριά του. Έβγαλα τη μια μικρή πετσέτα που είχε θέσει εκτός ισορροπίας το κατά τα άλλα άδειο πλυντήριο και το έβαλα να δουλέψει ξανά.

«Α, αυτό μου θύμισε», είπα. «Θα μπορούσες να ρωτήσεις την Άλις τι έκανε με τα πράγματά μου όταν καθάρισε το δωμάτιό μου; Δεν τα βρίσκω πουθενά».

Με κοίταξε με μάτια μπερδεμένα. «Η Άλις καθάρισε το δωμάτιό σου;»

«Ναι, μάλλον αυτό έκανε. Όταν ήρθε να πάρει τις πιτζάμες μου και το μαξιλάρι μου και τα άλλα πράγματα για να με κρατήσει όμηρο». Τον αγριοκοίταξα λίγο. «Μάζεψε όλα όσα ήταν πεταμένα εδώ κι εκεί, τις μπλούζες μου, τις κάλτσες μου, και δεν ξέρω πού τα έβαλε».

Ο Έντουαρντ συνέχισε να μοιάζει μπερδεμένος για λίγο, και μετά, απότομα, έγινε άκαμπτος.

«Πότε πρόσεξες ότι τα πράγματά σου έλειπαν;»

«Όταν γύρισα από το ψεύτικο πιτζάμα πάρτι. Γιατί;»

«Δε νομίζω πως η Άλις πήρε τίποτα. Όχι τα ρούχα σου, ούτε το μαξιλάρι σου. Τα πράγματα που λείπουν, είναι πράγματα που είχες φορέσει... και είχες αγγίξει... και κοιμόσουν πάνω τους;»

«Ναι. Τι συμβαίνει, Έντουαρντ;»

Η έκφρασή του ήταν τσιτωμένη. «Πράγματα που έχουν τη μυρωδιά σου».

«Ω!»

Κοιταχτήκαμε έντονα στα μάτια.

«Ο επισκέπτης μου», μουρμούρισα.

«Μάζευε ίχνη... στοιχεία. Για να αποδείξει ότι σε βρήκε;»

«Γιατί;» ψιθύρισα.

«Δεν ξέρω. Αλλά, Μπέλλα, ορκίζομαι ότι *θα μάθω*. Θα μάθω».

«Το ξέρω», είπα, ακουμπώντας το κεφάλι μου πάνω στο στήθος του. Γέρνοντας εκεί, ένιωσα το τηλέφωνό του να δονείται μέσα στην τσέπη του.

Έβγαλε το τηλέφωνό του και έριξε μια ματιά στον αριθμό.

«Ακριβώς αυτός στον οποίο ήθελα να μιλήσω», μουρμούρισε και μετά το άνοιξε. «Κάρλαϊλ,–» Σταμάτησε απότομα και άκουσε, το πρόσωπό του γεμάτο ένταση από τη συγκέντρωση για λίγα λεπτά. «Θα το ελέγξω. Άκου...»

Εξήγησε για τα πράγματά μου που έλειπαν, αλλά όπως τους άκουγα εγώ, δε φαινόταν ο Κάρλαϊλ να έχει τίποτα ιδιαίτερο να πει για να μας διαφωτίσει.

«Ίσως να πάω...», είπε ο Έντουαρντ, ενώ η φωνή του αργόσβησε, καθώς τα μάτια του ξεστράτισαν προς εμένα. «Μπορεί και όχι. Μην αφήσεις τον Έμετ να πάει μόνος του, ξέρεις πώς κάνει. Τουλάχιστον ζήτα από την Άλις να έχει το νου της. Θα το λύσουμε αργότερα αυτό το θέμα».

Έκλεισε το τηλέφωνο απότομα. «Πού είναι η εφημερίδα;» με ρώτησε.

«Θέλω να δω κάτι. Μήπως ο Τσάρλι την πέταξε ήδη;»

«Μπορεί...»

Ο Έντουαρντ εξαφανίστηκε.

Γύρισε πίσω σε ένα δευτερόλεπτο, με καινούρια διαμάντια στα μαλλιά του και μια βρεγμένη εφημερίδα στα χέρια του. Την άπλωσε πάνω στο τραπέζι και τα μάτια του σάρωσαν γρήγορα τους τίτλους. Έσκυψε από πάνω, προσηλωμένος σε αυτό που διάβαζε, καθώς ο δείκτης του ιχνηλατούσε κάποια κείμενα που τον ενδιέφεραν περισσότερο.

«Ο Κάρλαϊλ έχει δίκιο... ναι... πολύ άτσαλοι. Νεαροί και μανιακοί; Ή μήπως με τάση αυτοκτονίας;» μουρμούρισε στον εαυτό του.

Πήγα για να ρίξω μια κλεφτή ματιά πάνω από τον ώμο του.

Ο τίτλος των *Τάιμς του Σιάτλ* έλεγε: «Συνεχίζεται η Δολοφονική Επιδημία –Η Αστυνομία δεν έχει καινούρια Στοιχεία».

Ήταν σχεδόν η ίδια ιστορία για την οποία παραπονιόταν ο Τσάρλι πριν μερικές βδομάδες –η βία της μεγαλούπολης που έκανε το Σιάτλ να ανεβαίνει ψηλότερα στις λίστες με τα στατιστικά δολοφονιών της χώρας. Παρ' όλα αυτά, δεν ήταν ακριβώς η ίδια ιστορία. Τα νούμερα ήταν πολύ ψηλότερα.

«Όλο και χειρότερα», μουρμούρισα.

Κατσούφιασε. «Εντελώς εκτός ελέγχου. Αυτό δεν είναι δυνατόν να είναι δουλειά ενός μόνο νεογέννητου βρικόλακα. Τι συμβαίνει; Είναι λες και δεν έχουν ακούσει ποτέ για τους Βολτούρι. Πράγμα που είναι πιθανόν, υποθέτω. Κανένας δεν τους έχει εξηγήσεις τους κανόνες... τότε, ποιος τους δημιουργεί;»

«Οι Βολτούρι;» επανέλαβα, τρέμοντας.

«Ακριβώς τέτοιου είδους καταστάσεις συνήθως εξαλείφουν οι Βολτούρι –αθάνατους που απειλούν να μας εκθέσουν. Μόλις πριν μερικά χρόνια καθάρισαν ένα τέτοιο χάος στην Ατλάντα, και δεν είχε φτάσει ούτε κατά διάνοια σ' αυτό το σημείο. Θα επέμβουν σύντομα, πολύ σύντομα, εκτός αν βρούμε κάποιον τρόπο να ηρεμήσουμε τα πράγματα. Θα προτιμούσα πραγματικά να μην έρχονταν αυτή τη στιγμή στο Σιάτλ. Εφόσον θα είναι τόσο κοντά... μπορεί να αποφασίσουν να έρθουν να ρίξουν μια ματιά και στο δικό σου θέμα».

Με διαπέρασε ξανά ένα ρίγος. «Τι μπορούμε να κάνουμε;»

«Πρέπει να μάθουμε περισσότερα πριν αποφασίσουμε. Ίσως μπορούμε να μιλήσουμε σ' αυτούς τους νέους βρικόλακες, αν εξηγήσουμε τους κανόνες, μπορεί να λυθεί το θέμα ειρηνικά». Συνοφρυώθηκε, σαν να μην πίστευε ότι υπήρχαν πολλές πιθανότητες για κάτι τέτοιο. «Θα περιμένουμε ώσπου η Άλις να καταλάβει τι συμβαίνει... Δε θέλουμε να επέμβουμε, μέχρι να είναι απολύτως απαραίτητο. Εξάλλου, δεν είναι δική μας ευθύνη. Αλλά καλά που έχουμε τον Τζάσπερ», πρόσθεσε, σχεδόν σαν να μιλούσε στον εαυτό του. «Αν έχουμε να κάνουμε με νεογέννητους, τότε θα μας βοηθήσει».

«Ο Τζάσπερ; Γιατί;»

Ο Έντουαρντ χαμογέλασε σκοτεινά. «Ο Τζάσπερ είναι κατά κάποιο τρόπο ειδήμων στους νέους βρικόλακες».

«Τι εννοείς, ειδήμων;»

«Θα πρέπει να ρωτήσεις τον ίδιο –η ιστορία είναι περίπλοκη».

«Τι χάος», ψέλλισα.

«Έτσι φαίνεται, έτσι δεν είναι; Σαν να έρχονται τα προβλήματα από παντού αυτές τις μέρες». Αναστέναξε. «Σκέφτεσαι ποτέ ότι η ζωή σου μπορεί να ήταν πιο εύκολη, αν δεν ήσουν ερωτευμένη μαζί μου;»

«Ίσως. Όμως, δε θα ήταν και σπουδαία ζωή».

«Για 'μένα», διόρθωσε ήσυχα. «Και τώρα, υποθέτω», συνέχισε με ένα ειρωνικό χαμόγελο, «έχεις κάτι που θέλεις να με ρωτήσεις;»

Τον κοίταξα ανέκφραστα. «Έχω;»

«Ή ίσως όχι». Χαμογέλασε. «Είχα την εντύπωση πως υποσχέθηκες να ζητήσεις άδεια να πας σε κάποιου είδους σουαρέ με λυκάνθρωπους απόψε».

«Κρυφάκουγες πάλι;»

Χαμογέλασε πλατιά. «Λιγάκι μόνο, στο τέλος».

«Λοιπόν, δε θα σε ρωτούσα έτσι κι αλλιώς. Σκέφτηκα ότι έχεις αρκετά πράγματα για τα οποία είσαι αγχωμένος ήδη».

Έβαλε το χέρι του κάτω από το πιγούνι μου και κράτησε το πρόσωπό μου, ώστε να μπορεί να διαβάσει τα μάτια μου. «Θα ήθελες να πας;»

«Δεν είναι τίποτα σπουδαίο. Μην ανησυχείς».

«Δεν ήταν ανάγκη να ζητήσεις άδεια, Μπέλλα. Δεν είμαι πατέρας σου –ευτυχώς. Ίσως, όμως, θα έπρεπε να ζητήσεις άδεια από τον Τσάρλι».

«Μα ξέρεις ότι ο Τσάρλι θα πει ναι».

«Έχω πράγματι μια καλύτερη εικόνα απ' ό,τι οι περισσότεροι άνθρωποι, για το ποια θα είναι η πιθανή απάντησή του».

Εγώ απλώς τον κοίταξα επίμονα, προσπαθώντας να καταλάβω τι ήθελε και προσπαθώντας να διώξω από το νου μου τη λαχτάρα που ένιωθα να πάω στο Λα Πους, έτσι ώστε να μην ταλαντευτώ από τις ίδιες μου τις επιθυμίες. Ήταν ανόητο να θέλω να πάω να κάνω παρέα με ένα μάτσο μεγαλόσωμους, ανόητους εφήβους λυκάνθρωπους τώρα, που συνέβαιναν τόσα πολλά τρομακτικά και ανεξήγητα. Φυσικά, αυτός ήταν *ακριβώς* ο λόγος για τον οποίο ήθελα να πάω. Ήθελα να ξεφύγω από την απειλή του θανάτου, μόνο για μερικές ώρες… να είμαι η λιγότερη ώριμη, η πιο απερίσκεπτη Μπέλλα που θα μπορούσε να ξεχάσει τα προβλήματά της γελώντας με τον Τζέικομπ, έστω και μόνο για λίγη ώρα. Αλλά αυτό δεν είχε σημασία.

«Μπέλλα», είπε ο Έντουαρντ. «Σου είπα ότι θα είμαι λογικός και θα εμπιστευτώ την κρίση σου. Το εννοούσα αυτό. Αν εσύ εμπιστεύεσαι τους λυκάνθρωπους, τότε δε θα ανησυχώ γι' αυτούς».

«Πω πω!», είπα, όπως και το περασμένο βράδυ.

«Κι ο Τζέικομπ έχει δίκιο –για ένα πράγμα, τουλάχιστον– μια αγέλη λυκανθρώπων θα πρέπει λογικά να είναι αρκετή για να προστατέψει ακόμα κι εσένα για ένα βράδυ».

«Είσαι σίγουρος;»

«Φυσικά. Μόνο που…»

Προετοιμάστηκα για το χειρότερο.

«Ελπίζω να μη σε πειράζει να πάρω μερικά προληπτικά μέτρα; Πρώτα, πρώτα να μου επιτρέψεις να σε πάω με το αυτοκίνητο στη συνοριακή γραμμή. Και μετά να πάρεις ένα κινητό τηλέφωνο μαζί σου, για να ξέρω πότε να έρθω να σε πάρω;»

«Αυτό μου ακούγεται… λογικό».

«Έξοχα».

Μου χαμογέλασε, και έβλεπα ότι δεν υπήρχε κανένα ίχνος φόβου μέσα στα σαν πετράδια μάτια του.

Δεν αποτέλεσε έκπληξη για κανένα, το ότι ο Τσάρλι δεν είχε

κανένα πρόβλημα να πάω στο Λα Πους για πάρτι με υπαίθριες φωτιές. Ο Τζέικομπ έκραζε πανηγυρίζοντας χωρίς να το κρύβει, όταν πήρα τηλέφωνο για να του πω τα νέα και φάνηκε αρκετά πρόθυμος να υιοθετήσει τα προληπτικά μέτρα του Έντουαρντ. Υποσχέθηκε να μας συναντήσει στη γραμμή ανάμεσα στις δυο επικράτειες στις έξι.

Είχα αποφασίσει ότι δε θα πουλούσα τη μοτοσικλέτα μου. Θα την πήγαινα πίσω στο Λα Πους όπου ανήκε και, όταν δεν τη χρειαζόμουν πια... να, τότε, θα επέμενα ο Τζέικομπ να έβγαζε κάποιο κέρδος από τη δουλειά του με κάποιο τρόπο. Θα μπορούσε να την πουλήσει εκείνος ή να τη δώσει σε κανένα φίλο του. Δεν είχε σημασία για 'μένα.

Απόψε φαινόταν καλή ευκαιρία να επιστρέψω τη μοτοσικλέτα στο γκαράζ του Τζέικομπ. Παρόλο που ένιωθα πολύ μελαγχολική για την κατάσταση τώρα τελευταία, κάθε μέρα έμοιαζε σαν μια πιθανή τελευταία ευκαιρία. Δεν είχα χρόνο να αναβάλλω καμία δουλειά, όσο μικρής σημασίας κι αν ήταν.

Ο Έντουαρντ κούνησε μόνο το κεφάλι του, όταν εξήγησα τι ήθελα, αλλά μου φάνηκε ότι είδα μια σπίθα απογοήτευσης στα μάτια του, και ήξερα ότι δε χαιρόταν περισσότερο απ' ό,τι ο Τσάρλι με την ιδέα να βρίσκομαι πάνω σε μια μηχανή.

Τον ακολούθησα πίσω στο σπίτι του, στο γκαράζ όπου είχα αφήσει τη μηχανή. Μόνο όταν πάρκαρα μέσα το φορτηγάκι μου και βγήκα έξω, τότε κατάλαβα ότι η απογοήτευση μπορεί να μην αφορούσε αποκλειστικά την ασφάλειά μου, αυτή τη φορά.

Δίπλα στη μικρή μου αρχαία μοτοσικλέτα, επισκιάζοντάς την, ήταν ένα άλλο όχημα. Το να αποκαλέσω αυτό το όχημα, μηχανή, μετά βίας φαινόταν δίκαιο, εφόσον δεν έμοιαζε να ανήκει στην ίδια οικογένεια με το δικό μου μηχανάκι, που ξαφνικά έδειχνε άθλιο.

Ήταν μεγάλο και γυαλιστερό και ασημένιο και –ακόμα κι εντελώς ακίνητο– φαινόταν γρήγορο.

«Τι είναι *αυτό;*»

«Τίποτα».

«Δε *μοιάζει* για τίποτα».

Η έκφραση του Έντουαρντ ήταν αδιάφορη˙ έμοιαζε αποφασισμένος να το κάνει να φανεί σαν να ήταν κάτι ασήμαντο. «Να, δεν ήξερα αν θα συγχωρούσες το φίλο σου ή εκείνος εσένα, και αναρωτιόμουν αν θα ήθελες και πάλι να καβαλάς τη μηχανή σου. Φαινόταν πως ήταν κάτι που σου άρεσε. Σκέφτηκα ότι θα μπορούσα να ερχόμουν κι εγώ μαζί σου, αν το ήθελες». Ανασήκωσε τους ώμους.

Κοίταξα επίμονα το πανέμορφο μηχάνημα. Δίπλα του, το μηχανάκι μου έμοιαζε με σπασμένο τρίκυκλο. Ένιωσα ένα ξαφνικό κύμα θλίψης, όταν συνειδητοποίησα πως δεν ήταν κακή αναλογία για τον τρόπο που πιθανόν έδειχνα εγώ δίπλα στον Έντουαρντ.

«Δε θα μπορούσα να σε προφτάσω», ψιθύρισα.

Ο Έντουαρντ έβαλε το χέρι του κάτω από το πιγούνι μου και τράβηξε το πρόσωπό μου από την άλλη μεριά, ώστε να μπορεί να το βλέπει ευθεία. Με ένα δάχτυλο, προσπάθησε να σπρώξει τη γωνία του στόματός μου προς τα πάνω.

«Θα πήγαινα εγώ με το δικό σου ρυθμό, Μπέλλα».

«Τότε δε θα είχε πολλή πλάκα για 'σένα».

«Φυσικά και θα είχε, αφού θα ήμασταν μαζί».

Δάγκωσα τα χείλη μου και το φαντάστηκα για μια στιγμή. «Έντουαρντ, αν πίστευες ότι πήγαινα πολύ γρήγορα ή ότι έχανα τον έλεγχο της μηχανής ή κάτι τέτοιο, τι θα έκανες;»

Δίστασε, προφανώς προσπαθώντας να βρει τη σωστή απάντηση. Ήξερα την αλήθεια: θα έβρισκε κάποιο τρόπο να με σώσει, πριν τρακάρω.

Τότε χαμογέλασε. Φάνηκε αβίαστο, εκτός από το ελάχιστο αμυντικό ζάρωμα των ματιών του.

«Αυτό είναι κάτι που κάνεις με τον Τζέικομπ. Το καταλαβαίνω τώρα».

«Απλώς είναι ότι, να, εκείνον δεν τον καθυστερώ τόσο πολύ, ξέρεις. Θα μπορούσα να δοκιμάσω, υποθέτω...»

Έριξα μια ματιά στην ασημένια μοτοσικλέτα γεμάτη αμφιβολία.

«Μην ανησυχείς», είπε ο Έντουαρντ και μετά γέλασε ανάλαφρα. «Είδα τον Τζάσπερ να τη θαυμάζει. Ίσως ήρθε η ώρα να ανακαλύψει ένα νέο τρόπο να ταξιδεύει. Εξάλλου, η Άλις έχει την Πόρσε της τώρα».

«Έντουαρντ, εγώ—»

Με διέκοψε με ένα γρήγορο φιλί. «Είπα να μην ανησυχείς. Αλλά θα μπορούσες να μου κάνεις μια χάρη;»

«Ό,τι θέλεις», υποσχέθηκα γρήγορα.

Άφησε το πρόσωπό μου κι έσκυψε από την άλλη μεριά της μεγάλης μηχανής, σηκώνοντας κάτι που είχε κρύψει εκεί πέρα.

Γύρισε πίσω με ένα αντικείμενο που ήταν μαύρο και χωρίς συγκεκριμένο σχήμα κι ένα άλλο που ήταν κόκκινο και ήταν εύκολο να προσδιορίσω τι ήταν.

«Σε παρακαλώ;» ρώτησε, ρίχνοντάς μου το στραβό χαμόγελο που πάντα κατέστρεφε τις άμυνές μου.

Πήρα το κόκκινο κράνος, ζυγίζοντάς το στα χέρια μου. «Θα δείχνω σαν χαζή».

«Όχι, θα δείχνεις έξυπνη. Αρκετά έξυπνη, ώστε να μη χτυπήσεις». Έριξε το μαύρο πράγμα, ό,τι κι αν ήταν αυτό, πάνω από το μπράτσο του και μετά πήρε το πρόσωπό μου στα χέρια του. «Υπάρχουν πράγματα ανάμεσα στα χέρια μου αυτή τη στιγμή που δεν μπορώ να ζήσω χωρίς αυτά. Θα μπορούσες να τα προσέχεις».

«Εντάξει, καλά. Τι είναι αυτό το άλλο;» ρώτησα καχύποπτα.

Γέλασε και κούνησε ένα είδος μπουφάν γεμισμένο με προστατευτικό υλικό. «Είναι μπουφάν για μηχανή. Μαθαίνω ότι είναι αρκετά άβολο να παθαίνεις γδαρσίματα κι εγκαύματα απ' το τρίψιμο στην άσφαλτο, όχι ότι ξέρω από προσωπική εμπειρία».

Μου το έδωσε. Με ένα βαθύ αναστεναγμό, τίναξα τα μαλλιά μου προς τα πίσω και φόρεσα το κράνος στο κεφάλι βιαστικά. Μετά έσπρωξα τα μπράτσα μου μέσα στα μανίκια του μπουφάν. Μου κούμπωσε το φερμουάρ, με ένα χαμόγελο να παίζει στις άκρες των χειλιών του, κι έκανε ένα βήμα πίσω.

Ένιωθα ογκώδης.

«Πες μου αλήθεια, πόσο χάλια δείχνω;»

Έκανε άλλο ένα βήμα πίσω και σούφρωσε τα χείλη του.

«Τόσο χάλια, ε;» μουρμούρισα.

«Όχι, όχι, Μπέλλα. Στην πραγματικότητα...» Έμοιαζε να πασχίζει να βρει την κατάλληλη λέξη. «Δείχνεις... σέξι».

Γέλασα δυνατά. «Καλά, ναι».

«Πολύ σέξι, μάλιστα».

«Το λες αυτό απλώς για να το φορέσω», είπα. «Αλλά δεν πειράζει. Έχεις δίκιο, είναι πιο έξυπνο».

Τύλιξε τα χέρια του γύρω μου και με τράβηξε πάνω στο στήθος του. «Είσαι ανόητη. Μάλλον, αυτό είναι μέρος της γοητείας σου. Αν και, το παραδέχομαι, αυτό το κράνος έχει τα μειονεκτήματά του».

Και τότε έβγαλε το κράνος, για να μπορέσει να με φιλήσει.

Καθώς ο Έντουαρντ με πήγαινε με το αμάξι στο Λα Πους λίγο αργότερα, συνειδητοποίησα ότι αυτή η κατάσταση χωρίς προηγούμενο ήταν παράξενα οικεία. Μου πήρε μια στιγμή σκέψης για να καθορίσω από πού πήγαζε αυτή η αίσθηση ότι την είχα ξαναζήσει.

«Ξέρεις τι μου θυμίζει αυτό;» ρώτησα. «Είναι όπως όταν ήμουν μικρή, και η Ρενέ με παρέδιδε στον Τσάρλι για το καλοκαίρι. Νιώθω σαν επτάχρονο».

Ο Έντουαρντ γέλασε.

Δεν το είπα δυνατά, αλλά η μεγαλύτερη διαφορά ανάμεσα

στις δυο καταστάσεις ήταν πως η Ρενέ κι ο Τσάρλι τα πήγαιναν καλύτερα μεταξύ τους.

Στη μέση της διαδρομής προς το Λα Πους, στρίψαμε στη γωνία και βρήκαμε τον Τζέικομπ γερμένο στο πλάι του κόκκινου Φολκσβάγκεν που είχε φτιάξει από μόνος του από παλιοσίδερα. Η προσεχτικά ουδέτερη έκφραση του Τζέικομπ διαλύθηκε σε ένα χαμόγελο, όταν τον χαιρέτησα από τη θέση του συνοδηγού.

Ο Έντουαρντ πάρκαρε το Βόλβο του καμιά τριανταριά μέτρα πιο πέρα.

«Πάρε με όταν είσαι έτοιμη να γυρίσεις σπίτι», είπε. «Και θα είμαι εδώ».

«Δε θα αργήσω», υποσχέθηκα.

Ο Έντουαρντ έβγαλε τη μηχανή και τον καινούριο εξοπλισμό από το πορτμπαγκάζ του αυτοκινήτου του –είχα εντυπωσιαστεί που είχαν χωρέσει όλα μέσα. Αλλά δεν ήταν και τόσο δύσκολο να τα καταφέρεις, όταν είσαι αρκετά δυνατός για να παίζεις στα χέρια σου ολόκληρα φορτηγά, πόσο μάλλον μικρές μοτοσικλέτες.

Ο Τζέικομπ παρακολουθούσε, χωρίς να κάνει καμία κίνηση για να πλησιάσει, ενώ το χαμόγελό του είχε χαθεί και τα σκούρα του μάτια ήταν ανεξιχνίαστα.

Έχωσα το κράνος κάτω από το μπράτσο μου κι έριξα το μπουφάν πάνω στο κάθισμα της μηχανής.

«Τα καταφέρνεις να τα πάρεις όλα;» ρώτησε ο Έντουαρντ.

«Κανένα πρόβλημα», τον διαβεβαίωσα.

Αναστέναξε κι έγειρε προς το μέρος μου. Γύρισα προς τα πάνω το πρόσωπό μου για ένα αποχαιρετιστήριο πεταχτό φιλάκι, αλλά ο Έντουαρντ με ξάφνιασε, τυλίγοντας σφιχτά τα χέρια του γύρω μου και φιλώντας με με τον ίδιο ενθουσιασμό που με είχε φιλήσει και στο γκαράζ –πριν περάσει πολλή ώρα, μου είχε κοπεί η ανάσα.

Ο Έντουαρντ γέλασε ήσυχα με κάτι και μετά με άφησε να φύγω.

«Γεια σου», είπε. «Μ' αρέσει πολύ το μπουφάν».

Καθώς γύρισα από την άλλη, μου φάνηκε ότι διέκρινα αστραπιαία κάτι που υποτίθεται ότι δεν έπρεπε να δω. Δεν μπορούσα να πω με σιγουριά τι ήταν ακριβώς. Ανησυχία, ίσως. Για ένα δευτερόλεπτο νόμισα ότι ήταν πανικός. Αλλά πιθανότατα απλώς δημιουργούσα πράγματα με το μυαλό μου, όπως συνήθως.

Ένιωθα τα μάτια του στην πλάτη μου, καθώς έσπρωχνα το μηχανάκι μου προς την αόρατη συνοριακή γραμμή της συνθήκης μεταξύ βρικολάκων και λυκανθρώπων, για να συναντήσω τον Τζέικομπ.

«Τι είναι όλα αυτά;» μου φώναξε ο Τζέικομπ, με φωνή ανήσυχη, εξετάζοντας προσεχτικά τη μοτοσικλέτα με μια αινιγματική έκφραση.

«Σκέφτηκα ότι έπρεπε να τη φέρω πίσω εκεί όπου ανήκει», του είπα.

Συλλογίστηκε αυτό που είπα για ένα σύντομο δευτερόλεπτο, και μετά το πλατύ χαμόγελό του απλώθηκε σε όλο του το πρόσωπο.

Κατάλαβα το ακριβές σημείο που βρέθηκα στην επικράτεια των λυκανθρώπων, επειδή ο Τζέικομπ τινάχτηκε από το αυτοκίνητό του και ήρθε χοροπηδώντας γρήγορα προς εμένα, διανύοντας την απόσταση με τρεις μεγάλες δρασκελιές. Μου πήρε το μηχανάκι, το στήριξε στο σταντ του και με άρπαξε για να με κλείσει σε άλλη μια σφιχτή αγκαλιά σαν μέγκενη.

Άκουσα τη μηχανή του Βόλβο να γρυλίζει και προσπάθησα να ελευθερωθώ.

«Κόφ 'το, Τζέικ!» είπα με κομμένη την ανάσα.

Γέλασε και με άφησε κάτω. Γύρισα για να χαιρετήσω, αλλά το ασημί αμάξι ήδη χανόταν στη στροφή του δρόμου.

«Ωραία» σχολίασα, αφήνοντας λίγο δηλητήριο να γλιστρήσει στη φωνή μου.

Τα μάτια του γούρλωσαν με προσποιητή αθωότητα. «Τι;»

«Είναι πολύ καλός σχετικά με όλο αυτό˙ δεν είναι ανάγκη να εξωθείς στα άκρα την τύχη σου».

Γέλασε ξανά, πιο δυνατά απ' ό,τι πριν –είχε βρει αυτό που είπα πολύ αστείο. Προσπάθησα να δω πού ήταν το αστείο, καθώς εκείνος πήγαινε γύρω από το Ράμπιτ για να μου ανοίξει την πόρτα.

«Μπέλλα», είπε τελικά –ακόμα γελώντας πνιχτά– καθώς έκλεινε την πόρτα πίσω μου, «δεν μπορείς να εξωθήσεις στα άκρα κάτι που δεν έχεις».

11. ΘΡΥΛΟΙ

«Θα το φας αυτό το λουκάνικο;» ρώτησε ο Πολ τον Τζέικομπ, με μάτια καρφωμένα πάνω στο τελευταίο απομεινάρι από το τεράστιο γεύμα που είχαν καταναλώσει οι λυκάνθρωποι.

Ο Τζέικομπ έγειρε πίσω ακουμπώντας στα γόνατά μου και έπαιξε με το λουκάνικο που είχε περάσει σε μια μικρή σούβλα φτιαγμένη από μια ισιωμένη κρεμάστρα˙ οι φλόγες στην άκρη της φωτιάς έγλειφαν τη σκασμένη πέτσα του. Έβγαλε έναν αναστεναγμό και χτύπησε ελαφρά το στομάχι του. Ήταν με κάποιο τρόπο ακόμα επίπεδο, αν και είχα χάσει το λογαριασμό και δεν ήξερα πόσα λουκάνικα είχε φάει μετά από το δέκατο. Για να μην αναφέρω την τεράστια σακούλα πατατάκια ή το δίλιτρο μπουκάλι του αναψυκτικού του.

«Μάλλον», είπε αργά ο Τζέικομπ. «Έχω φουσκώσει τόσο πολύ που είμαι έτοιμος να ξεράσω, αλλά *νομίζω* ότι μπορώ να το κάνω να κατέβει. Δε θα το ευχαριστηθώ καθόλου, παρ' όλα αυτά». Αναστέναξε ξανά στενοχωρημένος.

Παρά το γεγονός ότι ο Πολ είχε φάει τουλάχιστον τόσο όσο

κι ο Τζέικομπ, τον αγριοκοίταξε και τα χέρια του σφίχτηκαν σχηματίζοντας γροθιές.

«Αμάν». Ο Τζέικομπ γέλασε. «Πλάκα κάνω, Πολ. Ορίστε».

Στριφογύρισε το χειροποίητο σουβλάκι πετώντας το πάνω από τον κύκλο. Περίμενα ότι θα προσγειωνόταν στην άμμο από τη μεριά του λουκάνικου πρώτα, αλλά ο Πολ το έπιασε επιδέξια από τη δεξιά του άκρη.

Το γεγονός ότι δεν έκανα παρέα με κανέναν άλλο πέρα από εξαιρετικά επιδέξιους ανθρώπους όλη την ώρα θα με έκανε να γίνω κομπλεξική.

«Ευχαριστώ, φίλε», είπε ο Πολ, που είχε ήδη ξεχάσει το σύντομο ξέσπασμα του θυμού του.

Η φωτιά έτριξε κατεβαίνοντας πιο χαμηλά προς την άμμο. Σπίθες πετάχτηκαν πάνω σχηματίζοντας μια ξαφνική τολύπη έντονου πορτοκαλί χρώματος με φόντο το μαύρο ουρανό. Παράξενο, δεν είχα προσέξει πως ο ήλιος είχε δύσει. Για πρώτη φορά, αναρωτήθηκα τι ώρα είχε πάει. Είχα χάσει εντελώς την αίσθηση του χρόνου.

Μου ήταν πιο εύκολο να είμαι με τους φίλους μου της φυλής των Κουιλαγιούτ απ' ό,τι περίμενα.

Ενώ ο Τζέικομπ κι εγώ αφήναμε το μηχανάκι μου στο γκαράζ –και παραδέχτηκε μελαγχολικά ότι το κράνος ήταν καλή ιδέα κι ότι θα έπρεπε να το είχε σκεφτεί ο ίδιος– είχα αρχίσει ν' ανησυχώ που θα εμφανιζόμουν μαζί του στο υπαίθριο μπάρμπεκιου, αναρωτώμενη αν οι λυκάνθρωποι θα με θεωρούσαν τώρα προδότρια. Θα θύμωναν με τον Τζέικομπ που με είχε προσκαλέσει; Θα χαλούσα το πάρτι τους;

Αλλά όταν ο Τζέικομπ με τράβηξε για να βγούμε από το δάσος και να φτάσουμε στο σημείο συνάντησης στην κορυφή του βράχου –όπου η φωτιά ήδη μούγκριζε πιο λαμπερή από τον ήλιο που τον έκρυβαν τα σύννεφα– ήταν όλα πολύ φιλικά και ανάλαφρα.

«Καλώς το κορίτσι των βρικολάκων!» με χαιρέτησε ο Έμπρι δυνατά. Ο Κουίλ είχε πεταχτεί όρθιος για να κολλήσει το χέρι του με το δικό μου και να με φιλήσει στο μάγουλο. Η Έμιλι μου έσφιξε το χέρι, όταν καθίσαμε πάνω στο δροσερό πέτρινο έδαφος δίπλα σ' εκείνη και τον Σαμ.

Πέρα από μερικά πειραχτικά παράπονα –κυρίως από τον Πολ– να μην κάθομαι από την πλευρά που φυσάει για να μην του έρχεται η μπόχα από τις βδέλλες, μου συμπεριφέρονταν σαν να ανήκα στην παρέα τους.

Δεν είχαν έρθει μόνο παιδιά. Ήταν κι ο Μπίλι εδώ, με το αναπηρικό του καροτσάκι τοποθετημένο στο σημείο που έμοιαζε να είναι η φυσική κεφαλή του κύκλου. Δίπλα του, πάνω σε μια σπαστή καρέκλα για το γρασίδι, μοιάζοντας αρκετά εύθρυπτος, ήταν ο αρχαίος, ασπρομάλλης παππούς του Κουίλ, ο γερο-Κουίλ. Η Σου Κλίαργουοτερ, η χήρα του φίλου του Τσάρλι, του Χάρι, είχε μια καρέκλα από την άλλη μεριά του· τα δυο παιδιά της, η Λία κι ο Σεθ, ήταν επίσης εκεί, κάθονταν στο έδαφος, όπως και οι υπόλοιποι από εμάς. Αυτό με εξέπληξε, αλλά και οι τρεις τους τώρα είχαν προφανώς μυηθεί στο μυστικό. Από τον τρόπο που ο Μπίλι κι ο γερο-Κουίλ μιλούσαν στη Σου, μου ακούστηκε σαν να είχε πάρει εκείνη τη θέση του Χάρι στο συμβούλιο. Αυτό έκανε τα παιδιά της αυτόματα μέλη της πιο μυστικής κοινότητας του Λα Πους;

Αναρωτήθηκα πόσο φριχτό ήταν για τη Λία να κάθεται απέναντι από τον Σαμ και την Έμιλι. Το υπέροχο πρόσωπό της δεν πρόδιδε κανένα συναίσθημα, αλλά δεν έπαιρνε τα μάτια της ποτέ από τις φλόγες. Κοιτάζοντας την τελειότητα των χαρακτηριστικών της Λία, δεν μπορούσα παρά να τα συγκρίνω με το κατεστραμμένο πρόσωπο της Έμιλι. Τι γνώμη να είχε για τις ουλές της Έμιλι η Λία, τώρα που γνώριζε την αλήθεια που κρυβόταν πίσω τους; Το έβλεπε σαν Θεία Δίκη;

Ο μικρός Σεθ Κλίαργουοτερ δεν ήταν και τόσο μικρός πια. Με ένα τεράστιο, πρόσχαρο χαμόγελο και μια ψηλόλιγνη άχαρη κορμοστασιά, μου θύμιζε πάρα πολύ έναν πιο νεαρό Τζέικομπ. Η ομοιότητα με έκανε να χαμογελάσω και μετά να αναστενάξω. Ήταν κι ο Σεθ καταδικασμένος να αλλάξει η ζωή του τόσο δραστικά όσο και των υπόλοιπων αγοριών; Αυτό το μέλλον ήταν ο λόγος που είχε επιτραπεί σ' εκείνον και την οικογένειά του να βρίσκονται εδώ;

Ολόκληρη η αγέλη ήταν εδώ: ο Σαμ με την Έμιλι, ο Πολ, ο Έμπρι, ο Κουίλ κι ο Τζάρεντ με την Κιμ, το κορίτσι που είχε αποτυπώσει ως αδελφή ψυχή του.

Η πρώτη εντύπωση που μου έκανε η Κιμ ήταν πως ήταν μια καλή κοπέλα, λιγάκι ντροπαλή και λιγάκι άχαρη. Είχε ένα φαρδύ πρόσωπο, κυρίως τα ζυγωματικά της, και τα μάτια της δεν ήταν αρκετά μεγάλα για να το εξισορροπούν. Η μύτη της και το στόμα της ήταν και τα δύο πολύ μεγάλα για αυτό που θεωρείται παραδοσιακή ομορφιά. Τα θαμπά μαύρα μαλλιά της ήταν πολύ λεπτά και πετούσαν από τον αέρα που δε φαινόταν να υποχωρεί ποτέ στην κορυφή του βράχου.

Αυτή ήταν η πρώτη μου εντύπωση. Αλλά μετά από μερικές ώρες που παρατήρησα τον Τζάρεντ με την Κιμ, δεν μπορούσα πια να βρω τίποτα άχαρο σ' αυτή την κοπέλα.

Ο τρόπος που την κοίταζε! Ήταν σαν να έβλεπε ένας τυφλός για πρώτη φορά τον ήλιο. Σαν να είχε βρει κάποιος συλλέκτης έναν Ντα Βίντσι που δεν τον είχαν ανακαλύψει ως τότε, σαν να κοίταζε μια μητέρα το πρόσωπο του νεογέννητου μωρού της.

Τα γεμάτα θαυμασμό μάτια του με έκαναν να δω καινούρια πράγματα πάνω της –πώς το δέρμα της έμοιαζε με κοκκινοκάστανο μετάξι στο φως της φωτιάς, πώς το σχήμα των χειλιών της ήταν μια άψογη διπλή καμπύλη, πόσο λευκά ήταν τα δόντια της κάνοντας αντίθεση με τα χείλη της, πόσο μακριές ήταν οι βλεφαρίδες της, αγγίζοντας ξυστά το μάγουλό της, καθώς χαμήλωνε το βλέμμα.

Το δέρμα της Κιμ μερικές φορές σκούραινε, όταν το βλέμμα

της διασταυρωνόταν με το γεμάτος δέος βλέμμα του Τζάρεντ, και τα μάτια της χαμήλωναν λες και ντρεπόταν, αλλά δυσκολευόταν πολύ να κρατήσει τα μάτια της μακριά από τα δικά του για οποιοδήποτε χρονικό διάστημα.

Παρατηρώντας τους, ένιωθα πως καταλάβαινα καλύτερα αυτά που μου είχε πει ο Τζέικομπ για την αποτύπωση –*είναι δύσκολο να αντισταθείς σ' αυτό το επίπεδο λατρείας και αφοσίωσης*.

Η Κιμ είχε νυστάξει τώρα ακουμπισμένη στο στήθος του Τζάρεντ, ενώ εκείνος την αγκάλιαζε. Φανταζόμουν ότι θα ήταν πολύ ζεστά εκεί.

«Έχει περάσει η ώρα», μουρμούρισα στον Τζέικομπ.

«Μην αρχίζεις κιόλας *τέτοια*», μου απάντησε ο Τζέικομπ ψιθυριστά –αν και σίγουρα οι μισοί απ' όσους βρίσκονταν εδώ είχαν αρκετά ευαίσθητα αυτιά, ώστε να μπορούν να μας ακούσουν έτσι και αλλιώς. «Τώρα έρχεται το καλύτερο».

«Ποιο είναι το καλύτερο; Εσύ την ώρα που καταπίνεις μια ολόκληρη αγελάδα με τη μία;»

Ο Τζέικομπ γέλασε πνιχτά με εκείνο το χαμηλόφωνο, βραχνό του γέλιο. «Όχι. Αυτό είναι το φινάλε. Δε μαζευτήκαμε εδώ πέρα μόνο για να καταβροχθίσουμε φαγητό για μια βδομάδα. Αυτό είναι από τεχνική άποψη συνάντηση του συμβουλίου της φυλής. Είναι η πρώτη φορά του Κουίλ, και δεν έχει ακούσει ακόμα τις ιστορίες. Δηλαδή, τις έχει *ακούσει*, αλλά αυτή είναι η πρώτη φορά που ξέρει ότι είναι αληθινές. Αυτό συνήθως κάνει έναν άνθρωπο να δίνει μεγαλύτερη σημασία. Η Κιμ κι ο Σεθ και η Λία έχουν έρθει εδώ για πρώτη φορά κι αυτοί».

«Ιστορίες;»

Ο Τζέικομπ έγειρε γρήγορα πίσω προς εμένα, εκεί όπου καθόμουν ακουμπισμένη σε μια χαμηλή σειρά από βράχους. Έβαλε το μπράτσο του πάνω από τον ώμο μου και μίλησε ακόμα πιο σιγανά στο αυτί μου.

«Οι ιστορίες που πάντα πιστεύαμε ότι ήταν θρύλοι», είπε. «Οι ιστορίες για το πώς δημιουργηθήκαμε. Η πρώτη είναι η ιστορία για τους πολεμιστές-πνεύματα».

Ήταν σχεδόν λες κι ο απαλός ψίθυρος του Τζέικομπ να ήταν η εισαγωγή. Η ατμόσφαιρα άλλαξε απότομα γύρω από τη φωτιά που έκαιγε χαμηλά. Ο Πολ κι ο Έμπρι κάθισαν ισιώνοντας το κορμί τους. Ο Τζάρεντ σκούντηξε την Κιμ και μετά τη σήκωσε απαλά, ώστε να κάθεται με ίσιο κορμί κι εκείνη.

Η Έμιλι έβγαλε ένα τετράδιο με σπιράλ κι ένα στυλό, μοιάζοντας ολόιδια με μαθήτρια που ήταν έτοιμη για μια σημαντική παράδοση. Ο Σαμ γύρισε ελαφρά δίπλα της –ώστε να κοιτάζει προς την ίδια κατεύθυνση με το γερο-Κουίλ, που ήταν από την άλλη μεριά του– και ξαφνικά κατάλαβα ότι οι γέροντες του συμβουλίου δεν ήταν τρεις, αλλά τέσσερις.

Η Λία Κλίαργουοτερ, το πρόσωπό της ακόμα μια όμορφη και ασυγκίνητη μάσκα, έκλεισε τα μάτια –όχι σαν να ήταν κουρασμένη, αλλά λες και αυτό θα τη βοηθούσε να συγκεντρωθεί. Ο αδερφός της έσκυψε μπροστά προς τους γέροντες με ενθουσιασμό.

Η φωτιά έτριξε, στέλνοντας άλλη μια έκρηξη από σπίθες να λαμπυρίζουν πάνω ψηλά στον ουρανό με φόντο τη νύχτα.

Ο Μπίλι καθάρισε το λαιμό του και, χωρίς καμία άλλη εισαγωγή πέρα από το ψιθύρισμα του γιου του, άρχισε να αφηγείται την ιστορία με την πλούσια, βαθιά φωνή του. Τα λόγια ξεχύνονταν με ακρίβεια, σαν να τα ήξερε απ' έξω, αλλά και με συναίσθημα κι έναν ανεπαίσθητο ρυθμό. Σαν ποίηση που την απήγγειλε ο δημιουργός της.

«Οι Κουιλαγιούτ ήταν ένας μικρός λαός από την αρχή», είπε ο Μπίλι. «Και είμαστε ακόμα μικρός λαός, μα ποτέ δεν εξαφανιστήκαμε. Αυτό συμβαίνει επειδή υπάρχει μαγεία στο αίμα μας. Δεν ήταν πάντα η μαγεία που μας επιτρέπει να αλλάζουμε μορφή –αυτό ήρθε αργότερα. Στην αρχή, ήμασταν πολεμιστές-πνεύματα».

Δεν είχα αναγνωρίσει ποτέ στο παρελθόν τον ήχο της μεγαλοπρέπειας που υπήρχε στη φωνή του Μπίλι Μπλακ, αν και συνειδητοποιούσα τώρα ότι αυτό το κύρος υπήρχε πάντα εκεί.

Τα στυλό της Έμιλι έτρεχε πάνω στα φύλλα του χαρτιού, καθώς προσπαθούσε να συμβαδίσει με το ρυθμό του.

«Στην αρχή, η φυλή εγκαταστάθηκε σ' αυτό το λιμάνι και γίναμε επιδέξιοι ναυπηγοί και ψαράδες. Αλλά η φυλή ήταν μικρή, και το λιμάνι ήταν γεμάτο ψάρια. Υπήρχαν άλλοι που ορέγονταν τη γη μας, κι εμείς ήμασταν πολύ μικροί για να την κρατήσουμε. Μια μεγαλύτερη φυλή κινήθηκε εναντίον μας, κι εμείς πήραμε τα πλοία μας για να τους ξεφύγουμε.

»Ο Καελέχα δεν ήταν ο πρώτος πολεμιστής-πνεύμα, αλλά δε θυμόμαστε τις ιστορίες που υπήρχαν πριν από τη δική του. Δε θυμόμαστε ποιος ανακάλυψε πρώτος τη δύναμή του ή πώς χρησιμοποιήθηκε πριν από αυτή την κρίση. Ο Καελέχα ήταν ο πρώτος μεγάλος Αρχηγός των Πνευμάτων στην ιστορία μας. Σ' αυτή την περίσταση έκτακτης ανάγκης, ο Καελέχα χρησιμοποίησε τη μαγική του δύναμη για να υπερασπίσει τη γη μας.

»Αυτός κι όλοι οι πολεμιστές του έφυγαν από το πλοίο –όχι τα σώματά τους, αλλά τα πνεύματά τους. Οι γυναίκες τους πρόσεχαν τα σώματα και τα κύματα, και οι άντρες πήγαν τα πνεύματά τους πίσω στο λιμάνι μας.

»Δεν μπορούσαν να πειράξουν σωματικά την εχθρική φυλή, αλλά είχαν άλλους τρόπους. Οι ιστορίες μας λένε ότι μπορούσαν να φυσάνε οδηγώντας μανιασμένους ανέμους στα στρατόπεδα των εχθρών τους˙ μπορούσαν να ουρλιάζουν μέσα στον άνεμο και αυτό τρομοκρατούσε τους εχθρούς τους. Οι ιστορίες μας λένε επίσης ότι τα ζώα μπορούσαν να δουν τους πολεμιστές-πνεύματα και να τους καταλάβουν˙ τα ζώα έκαναν ό,τι τους πρόσταζαν εκείνοι.

»Ο Καελέχα πήρε το στρατό των πολεμιστών-πνευμάτων

και έσπειρε τον όλεθρο στους εισβολείς. Αυτή η φυλή που εισέβαλε στη γη μας είχε αγέλες με μεγάλα σκυλιά με παχύ τρίχωμα, που τα χρησιμοποιούσαν για να τραβάνε τα έλκηθρά τους στον παγωμένο βορρά. Οι πολεμιστές-πνεύματα έστρεψαν τα σκυλιά ενάντια στους αφέντες τους και μετά έφεραν μια μεγάλη επιδρομή από νυχτερίδες από τα σπήλαια των βράχων. Χρησιμοποίησαν το ουρλιαχτό του ανέμου για να βοηθήσουν τα σκυλιά, ώστε να μπερδέψουν τους άντρες. Τα σκυλιά και οι νυχτερίδες κέρδισαν. Οι επιζήσαντες διασκορπίστηκαν αποκαλώντας το λιμάνι μας καταραμένο τόπο. Τα σκυλιά επέστρεψαν στην άγρια φύση, όταν τα απελευθέρωσαν οι πολεμιστές-πνεύματα. Οι Κουιλαγιούτ ξαναγύρισαν στα σώματά τους και στις γυναίκες τους νικητές.

»Οι άλλες κοντινές φυλές, οι Χο και οι Μακά έκαναν συνθήκες με τους Κουιλαγιούτ. Δεν ήθελαν να έχουν καμία σχέση με τη μαγική τους δύναμη. Ζούσαμε ειρηνικά μαζί τους. Όταν κάποιος εχθρός κινείτο εναντίον μας, οι πολεμιστές-πνεύματα τον έδιωχναν.

»Πέρασαν γενιές και γενιές. Τότε ήρθε ο τελευταίος μεγάλος Αρχηγός των Πνευμάτων, ο Τάχα Ακί. Ήταν γνωστός για τη σοφία του, και για το ότι ήταν άνθρωπος της ειρήνης. Οι άνθρωποι ζούσαν καλά και ευτυχισμένοι υπό την προστασία του.

»Αλλά υπήρχε ένας άντρας, ο Ουτλάπα, που δεν ήταν ευτυχισμένος».

Ένας χαμηλόφωνος συριγμός ακούστηκε γύρω από τη φωτιά. Ήμουν πολύ αργή για να δω από πού προερχόταν. Ο Μπίλι δεν έδωσε σημασία και συνέχισε παρακάτω την αφήγηση του θρύλου.

«Ο Ουτλάπα ήταν ένας από τους πιο δυνατούς πολεμιστές-πνεύματα του Τάχα Ακί –ένας ισχυρός άντρας, αλλά και πλεονέκτης. Πίστευε πως οι άνθρωποι έπρεπε να χρησιμοποιήσουν τη μαγική τους δύναμη για να μεγαλώσουν την έκταση της γης τους, για να υποδουλώσουν τους Χο και τους Μακά και να χτίσουν μια αυτοκρατορία.

»Λοιπόν, όταν οι πολεμιστές γίνονταν πνεύματα, ήξεραν ο ένας τις σκέψεις του άλλου. Ο Τάχα Ακί είδε τι ονειρευόταν ο Ουτλάπα και θύμωσε με τον Ουτλάπα. Τον διέταξε να φύγει και να μην ξαναπάρει ποτέ τη μορφή πνεύματος. Ο Ουτλάπα ήταν δυνατός άντρας, αλλά οι πολεμιστές του αρχηγού ήταν περισσότεροι σε αριθμό. Δεν είχε άλλη επιλογή εκτός από το να φύγει. Ο οργισμένος εξόριστος κρύφτηκε στο δάσος εκεί κοντά, περιμένοντας την ευκαιρία να πάρει εκδίκηση από τον αρχηγό του.

»Ακόμα και σε καιρό ειρήνης, ο Αρχηγός των Πνευμάτων ήταν άγρυπνος φρουρός του λαού του. Συχνά, πήγαινε σε ένα ιερό, μυστικό μέρος πάνω στα βουνά. Άφηνε πίσω το σώμα του και σάρωνε τα δάση και την ακτή σε όλο το μήκος της, για να σιγουρευτεί πως δεν πλησίαζε καμία απειλή.

»Μια μέρα, όταν ο Τάχα Ακί έφυγε για να κάνει το καθήκον του, ο Ουτλάπα τον ακολούθησε. Στην αρχή, ο Ουτλάπα απλώς σχεδίαζε να σκοτώσει τον αρχηγό, αλλά το σχέδιό του είχε τα μειονεκτήματά του. Σίγουρα οι πολεμιστές-πνεύματα θα προσπαθούσαν να τον εξολοθρεύσουν και θα μπορούσαν να τον ακολουθήσουν πολύ πιο γρήγορα απ' όσο μπορούσε εκείνος να ξεφύγει. Καθώς κρυβόταν στους βράχους και παρατηρούσε τον αρχηγό να ετοιμάζεται για να αφήσει το σώμα του, ένα άλλο σχέδιο του ήρθε στο μυαλό.

»Ο Τάχα Ακί άφησε το σώμα του στο μυστικό μέρος και πέταξε με τους ανέμους για να δει αν ο λαός του κινδύνευε. Ο Ουτλάπα περίμενε μέχρι που σιγουρεύτηκε πως το πνεύμα του αρχηγού είχε απομακρυνθεί αρκετά.

»Ο Τάχα Ακί κατάλαβε αμέσως πως ο Ουτλάπα τον είχε ακολουθήσει στον κόσμο των πνευμάτων και γνώριζε επίσης και το δολοφονικό σχέδιο του Ουτλάπα. Γύρισε γρήγορα πίσω στο μυστικό του μέρος, αλλά ακόμα κι οι άνεμοι δεν ήταν αρκετά γρήγοροι για να τον σώσουν. Όταν γύρισε, το σώμα του δεν ήταν πια εκεί. Το σώμα του Ουτλάπα ήταν εκεί εγκαταλελειμμένο, αλλά ο Ουτλάπα δεν είχε αφήσει στον Τάχα Ακί κανένα τρόπο διαφυγής –είχε κόψει το λαιμό του ίδιου του του σώματος με τα χέρια του Τάχα Ακί.

»Ο Τάχα Ακί κατέβηκε το βουνό ακολουθώντας το σώμα του. Ούρλιαζε στον Ουτλάπα, αλλά ο Ουτλάπα απλώς τον αγνόησε σαν να μην ήταν τίποτα περισσότερο παρά ένας άνεμος.

»Ο Τάχα Ακί παρακολούθησε απεγνωσμένος, καθώς ο Ουτλάπα πήρε τη θέση του σαν αρχηγός των Κουιλαγιούτ. Για μερικές βδομάδες, ο Ουτλάπα δεν έκανε τίποτα εκτός από το να διασφαλίσει πως όλοι πίστευαν ότι ήταν ο Τάχα Ακί. Μετά άρχισαν οι αλλαγές –το πρώτο διάταγμα του Ουτλάπα ήταν να απαγορεύσει σε κάθε πολεμιστή να εισέρχεται στον κόσμο των πνευμάτων. Ισχυριζόταν ότι είχε δει ένα όραμα κινδύνου, αλλά στην πραγματικότητα φοβόταν. Ήξερε πως ο Τάχα Ακί θα περίμενε την ευκαιρία να πει την ιστορία του. Ο Ουτλάπα φοβόταν να μπει στον κόσμο των πνευμάτων κι ο ίδιος, ξέροντας πως ο Τάχα Ακί θα διεκδικούσε πάλι πίσω το σώμα του γρήγορα. Έτσι, τα όνειρά του για κατακτήσεις με ένα στρατό από πολεμιστές-πνεύματα ήταν αδύνατα, και προσπαθούσε να ικανοποιήσει τον εαυτό του με το να καταδυναστεύει τη φυλή. Έγινε βάρος –ζητώντας προνόμια που ο Τάχα Ακί δεν είχε ζητήσει ποτέ, αρνούμενος να συνεργαστεί με τους πολεμιστές του, παίρνοντας μια νεαρή δεύτερη γυναίκα και μετά μια τρίτη, αν και η γυναίκα του Τάχα Ακί ζούσε ακόμα –κάτι που ήταν ανήκουστο για τη φυλή μας. Ο Τάχα Ακί παρακολουθούσε με οργή χωρίς να μπορεί να κάνει τίποτα.

»Τελικά, ο Τάχα Ακί προσπάθησε να σκοτώσει το σώμα του για να σώσει τη φυλή από τις καταχρήσεις του Ουτλάπα. Κατέβασε από τα βουνά έναν άγριο λύκο, αλλά ο Ουτλάπα κρύφτηκε πίσω από τους πολεμιστές του. Όταν ο λύκος σκότωσε ένα νεαρό άντρα που προστάτευε τον ψεύτικο αρχηγό, ο Τάχα Ακί ένιωσε φριχτό πόνο. Πρόσταξε το λύκο να φύγει.

»Όλες οι ιστορίες μας λένε ότι δεν ήταν καθόλου εύκολο να είσαι πολεμιστής-πνεύμα. Ήταν περισσότερο τρομακτικό παρά συναρπαστικό το να είσαι ελεύθερος μακριά από το σώμα σου. Γι' αυτό χρησιμοποιούσαν τη μαγική τους δύναμη μόνο σε περιπτώσεις ανάγκης. Τα μοναχικά ταξίδια του αρχηγού για να προστατεύσει το λαό του ήταν βάρος και θυσία. Ο Τάχα Ακί είχε μείνει μακριά από το σώμα του για τόσο πολύ καιρό πια, που περνούσε ένα μαρτύριο. Ένιωθε πως ήταν καταδικασμένος –πως δε θα περνούσε ποτέ στην έσχατη γη όπου περίμεναν οι πρόγονοί του, πως θα έμενε για πάντα φυλακισμένος σ' αυτό το βασανιστικό τίποτα.

»Ο μεγάλος λύκος ακολούθησε το πνεύμα του Τάχα Ακί, καθώς σφάδαζε και σπαρταρούσε από τον πόνο διασχίζοντας το δάσος. Ο λύκος ήταν πολύ μεγαλόσωμος για το είδος του και όμορφος. Ο Τάχα Ακί ένιωσε ξαφνικά ζήλια για το βουβό ζώο. Τουλάχιστον εκείνο είχε σώμα. Τουλάχιστον εκείνο είχε ζωή. Ακόμα και η ζωή σαν ζώο θα ήταν καλύτερη από αυτή τη φριχτή άδεια συνείδηση.

»Και μετά ο Τάχα Ακί είχε την ιδέα που μας άλλαξε όλους. Ζήτησε από το μεγάλο λύκο να του κάνει χώρο, να μοιραστεί μαζί του το σώμα του. Ο λύκος υπάκουσε. Ο Τάχα Ακί μπήκε στο σώμα του λύκου με ανακούφιση κι ευγνωμοσύνη. Δεν ήταν το ανθρώπινο σώμα του, αλλά ήταν καλύτερα από το κενό του κόσμου των πνευμάτων.

»Ως ένα, ο άνθρωπος κι ο λύκος επέστρεψαν στο χωριό που ήταν πάνω στο λιμάνι. Οι άνθρωποι έτρεχαν από το φόβο, καλώντας τους πολεμιστές να έρθουν. Οι πολεμιστές ήρθαν τρέχοντας για να αντιμετωπίσουν το λύκο με τα ακόντιά τους. Ο Ουτλάπα, φυσικά, έμεινε κρυμμένος μακριά από τον κίνδυνο.

»Ο Τάχα Ακί δεν επιτέθηκε στους πολεμιστές του. Υποχώρησε αργά προς τα πίσω, μιλώντας με τα μάτια του και προσπαθώντας να τραγουδήσει τα τραγούδια του λαού του με το διαπεραστικό του ουρλιαχτό. Οι πολεμιστές άρχισαν να συνειδητοποιούν πως ο λύκος δεν ήταν ένα συνηθισμένο ζώο, πως υπήρχε κάποιο πνεύμα που τον επηρέαζε. Ένας μεγαλύτερος σε ηλικία πολεμιστής, ένας άντρας που τον έλεγαν Γιουτ, αποφάσισε να παρακούσει τη διαταγή του ψεύτικου αρχηγού και να προσπαθήσει να επικοινωνήσει με το λύκο.

»Αμέσως μόλις ο Γιουτ πέρασε στον κόσμο των πνευμάτων, ο Τάχα Ακί έφυγε από το λύκο –το ζώο περίμενε πειθήνια την επιστροφή του– για να του μιλήσει. Ο Γιουτ κατάλαβε την αλήθεια μέσα σε μια στιγμή και καλωσόρισε τον αληθινό αρχηγό του στην πατρίδα.

»Εκείνη την ώρα, ο Ουτλάπα ήρθε να δει αν ο λύκος είχε ηττηθεί. Όταν είδε τον Γιουτ σωριασμένο άψυχο κάτω στο έδαφος, περικυκλωμένο από τους πολεμιστές που ήθελαν να τον προστατέψουν, κατάλαβε τι συνέβαινε. Τράβηξε το μαχαίρι του κι όρμησε μπροστά για να σκοτώσει τον Γιουτ, πριν αυτός προλάβει να επιστρέψει στο σώμα του.

»"Προδότη", ούρλιαξε, και οι πολεμιστές δεν ήξεραν τι να κάνουν. Ο αρχηγός είχε απαγορεύσει την είσοδο στον κόσμο των πνευμάτων, και ήταν απόφαση του αρχηγού το πώς θα τιμωρούσε όσους παράκουσαν τις εντολές του.

»Ο Γιουτ πήδηξε πάλι μέσα στο σώμα του, αλλά ο Ουτλάπα είχε το μαχαίρι του στο λαιμό του κι ένα χέρι που έκλεινε το στόμα. Το σώμα του Τάχα Ακί ήταν δυνατό, κι ο Γιουτ ήταν αδύναμος από τα γηρατειά. Ο Γιουτ δεν κατάφερε να πει ούτε λέξη για να προειδοποιήσει τους άλλους, πριν προλάβει ο Ουτλάπα να τον κάνει να σωπάσει για πάντα.

»Ο Τάχα Ακί παρακολουθούσε, καθώς το πνεύμα του Γιουτ έφευγε μακριά περνώντας στην έσχατη γη, από την οποία εκείνος ήταν αποκλεισμένος ως την αιωνιότητα. Ένιωσε ένα μεγάλο θυμό, πιο δυνατό απ' οτιδήποτε είχε νιώσει πρωτύτερα. Μπήκε ξανά στο σώμα του μεγάλου λύκου, σκοπεύοντας να ξεσκίσει το λαιμό του Ουτλάπα. Αλλά, καθώς ενωνόταν με το λύκο, συνέβη η μεγαλύτερη μαγεία.

»Ο θυμός του Τάχα Ακί ήταν ο θυμός ενός ανθρώπου. Η αγάπη που είχε για το λαό του και το μίσος που είχε για τον καταπιεστή τους ήταν υπερβολικά τεράστια για το σώμα του λύκου, υπερβολικά ανθρώπινα. Ο λύκος άρχισε να τρέμει, και –μπροστά στα μάτια των έκπληκτων πολεμιστών και του Ουτλάπα– μεταμορφώθηκε σε άνθρωπο.

»Ο καινούριος άνθρωπος δεν έμοιαζε με το σώμα του Τάχα Ακί. Ήταν πολύ πιο μεγαλοπρεπής. Ήταν η εκδοχή του πνεύματος του Τάχα Ακί με σάρκα και οστά. Όμως οι πολεμιστές τον αναγνώρισαν αμέσως, επειδή είχαν πετάξει μαζί με το πνεύμα του Τάχα Ακί.

»Ο Ουτλάπα προσπάθησε να τρέξει, αλλά ο Τάχα Ακί είχε τη δύναμη του λύκου στο καινούριο του σώμα. Έπιασε τον κλέφτη και συνέτριψε το πνεύμα που υπήρχε μέσα του πριν προλάβει να πηδήξει έξω από το κλεμμένο σώμα.

»Οι άνθρωποι πανηγύρισαν, όταν κατάλαβαν τι είχε συμβεί. Ο Τάχα Ακί γρήγορα έβαλε τα πράγματα στη θέση τους, δουλεύοντας ξανά σε συνεργασία με το λαό του και δίνοντας τις νεαρές γυναίκες πίσω στις οικογένειές τους. Η μόνη αλλαγή που διατήρησε ήταν το τέλος στα ταξίδια στον κόσμο των πνευμάτων. Ήξερε ότι ήταν πολύ επικίνδυνο τώρα που υπήρχε η ιδέα τού να κλέψει κανείς μια ζωή. Οι πολεμιστές-πνεύματα δεν υπήρχαν πια.

»Από το σημείο αυτό και μετά, ο Τάχα Ακί ήταν περισσότερο από λύκος ή άνθρωπος. Τον αποκαλούσαν Τάχα Ακί ο Μεγάλος Λύκος ή Τάχα Ακί ο Άνθρωπος-Πνεύμα. Κυβέρνησε τη φυλή για πολλά, πολλά χρόνια επειδή δε γερνούσε. Όταν φαινόταν η απειλή κάποιου κινδύνου, εκείνος ξανάπαιρνε τη μορφή του λύκου για να πολεμήσει ή να τρομάξει τον εχθρό. Οι άνθρωποι ζούσαν ειρηνικά. Ο Τάχα Ακί έγινε πατέρας πολλών γιων, και μερικοί απ' αυτούς ανακάλυψαν, ότι, αφού είχαν ενηλικιωθεί, μπορούσαν κι αυτοί να μεταμορφώνονται σε λύκους. Οι λύκοι ήταν όλοι διαφορετικοί, επειδή ήταν λύκοι-πνεύματα και αντανακλούσαν τον άνθρωπο που ήταν από μέσα».

«Γι' αυτό, λοιπόν, ο Σαμ είναι ολόμαυρος», μουρμούρισε χαμηλόφωνα ο Κουίλ, χαμογελώντας. «Μαύρη καρδιά, μαύρο τρίχωμα».

Ήμουν τόσο απορροφημένη στην ιστορία, που η επιστροφή στο παρόν, στον κύκλο γύρω από τη φωτιά που έσβηνε ήταν ένα σοκ. Με άλλο ένα σοκ, κατάλαβα ότι ο κύκλος αποτελείτο από τους απογόνους –όσο μακρινοί κι αν ήταν– του Τάχα Ακί.

Η φωτιά εκσφενδόνισε ένα χείμαρρο από σπίθες στον ουρανό, κι εκείνες χόρεψαν τρέμοντας, δημιουργώντας σχήματα που σχεδόν μπορούσες να διαβάσεις.

«Και το δικό σου σοκολατένιο τρίχωμα τι δείχνει;» ψιθύρισε ο Σαμ στον Κουίλ. «Πόσο *γλυκός* είσαι;»

Ο Μπίλι δεν έδωσε σημασία σ' αυτά τα πειράγματα. «Μερικοί από τους γιους έγιναν πολεμιστές μαζί με τον Τάχα Ακί, και δε γερνούσαν ούτε κι αυτοί πια. Άλλοι, στους οποίους δεν άρεσε η μεταμόρφωση, αρνήθηκαν να γίνουν μέλη της αγέλης των λυκανθρώπων. Αυτοί άρχισαν να γερνάνε ξανά, και η φυλή ανακάλυψε ότι οι λυκάνθρωποι μπορούσαν να γεράσουν σαν οποιονδήποτε άλλον άνθρωπο, αν εγκατέλειπαν τους λύκους-πνεύματα. Ο Τάχα Ακί είχε ζήσει χρονικό διάστημα ίσο με τρεις ζωές ηλικιωμένων. Είχε παντρευτεί μια τρίτη σύζυγο μετά το θάνατο των δύο πρώτων, και βρήκε σ' αυτή την αληθινή σύζυγο που ήταν και αδελφή ψυχή του πνεύματός του. Αν και είχε αγαπήσει τις άλλες, αυτή η αγάπη ήταν κάτι διαφορετικό. Αποφάσισε να εγκαταλείψει το λύκο-πνεύμα του για να πεθάνει, όταν θα πέθαινε κι εκείνη.

»Έτσι ήρθε η μαγεία σ' εμάς, αλλά δεν είναι αυτό το τέλος της ιστορίας...»

Σήκωσε το βλέμμα και κοίταξε το γερο-Κουίλ Ατεάρα, που μετακινήθηκε στην καρέκλα του, ισιώνοντας τους αδύναμους ώμους του. Ο Μπίλι ήπιε μια γουλιά από ένα μπουκάλι νερό και σκούπισε το μέτωπό του. Το στυλό της Έμιλι δε δίσταζε ποτέ, καθώς σημείωνε με βιασύνη και μανία πάνω στο χαρτί.

«Αυτή ήταν η ιστορία των πολεμιστών-πνευμάτων», άρχισε ο γερο-Κουίλ με μια λεπτή, οξεία φωνή. «Τούτη είναι η ιστορία της θυσίας της τρίτης συζύγου.

»Πολλά χρόνια αφού ο Τάχα Ακί είχε εγκαταλείψει το λύκο-πνεύμα του, όταν ήταν γέρος, άρχισαν φασαρίες στο βορρά, με τους Μακά. Αρκετές νεαρές γυναίκες της φυλής τους είχαν εξαφανιστεί, κι εκείνοι έριχναν την ευθύνη στους γείτονές τους, τους λύκους, τους οποίους φοβόντουσαν και δεν εμπιστεύονταν. Οι λυκάνθρωποι μπορούσαν ακόμα να διαβάσουν ο ένας τις σκέψεις του άλλου, όταν έπαιρναν τη μορφή του λύκου, όπως ακριβώς έκαναν και οι πρόγονοί τους, όταν γίνονταν πνεύματα. Ήξεραν ότι κανένας από τους δικούς τους δεν είχε την ευθύνη. Ο Τάχα Ακί προσπάθησε να κατευνάσει τον αρχηγό των Μακά, αλλά υπήρχε πάρα πολύς φόβος. Ο Τάχα Ακί δεν ήθελε να κάνει πόλεμο. Δεν ήταν πια πολεμιστής για να οδηγήσει το λαό του. Ανέθεσε στο μεγαλύτερο γιο-λύκο που είχε, τον Τάχα Γουί, να βρει τον αληθινό ένοχο, πριν αρχίσουν οι εχθροπραξίες.

»Ο Τάχα Γουί οδήγησε τους άλλους πέντε λύκους της αγέλης του σε μια αναζήτηση μέσα από τα βουνά, ψάχνοντας για στοιχεία των εξαφανισμένων Μακά. Βρήκαν κατά τύχη κάτι που δεν είχαν ξανασυναντήσει –μια παράξενη, γλυκερή μυρωδιά στο δάσος που έκαιγε τις μύτες τους σε σημείο που να πονάνε».

Ζάρωσα λίγο πιο κοντά δίπλα στον Τζέικομπ. Είδα την άκρη του στόματός του να συσπάται με κεφάτη διάθεση, και τα χέρια του σφίχτηκαν γύρω μου πιο δυνατά.

«Δεν ήξεραν τι πλάσμα θα μπορούσε να αφήσει τέτοιου

είδους μυρωδιά, αλλά το ακολούθησαν», συνέχισε ο γερο-Κουίλ. Η τρεμάμενη φωνή του δεν είχε τη μεγαλοπρέπεια της φωνής του Μπίλι, αλλά είχε έναν παράξενο, άγριο τόνο που της έδινε μια επείγουσα αίσθηση. Ο σφυγμός μου εκτινάχτηκε, καθώς τα λόγια του έβγαιναν πιο γρήγορα.

«Βρήκαν αχνά ίχνη ανθρώπινης μυρωδιάς και ανθρώπινο αίμα κατά μήκος του μονοπατιού από τα αχνάρια. Ήταν σίγουροι πως αυτός ήταν ο εχθρός που έψαχναν.

»Το ταξίδι τούς πήγε τόσο μακριά στο βορρά που ο Τάχα Γουί έστειλε τη μισή αγέλη, τους πιο νέους, πίσω στο λιμάνι για να δώσουν αναφορά στον Τάχα Ακί.

»Ο Τάχα Γουί και τα δυο αδέρφια του δεν επέστρεψαν.

»Οι νεαρότεροι αδερφοί έψαξαν για τους μεγαλύτερους, αλλά απάντησαν μόνο σιωπή. Ο Τάχα Ακί θρήνησε τους γιους του. Ήθελε να πάρει εκδίκηση για το θάνατο των γιων του, μα ήταν πολύ γέρος. Πήγε στον αρχηγό των Μακά ντυμένος με τα ρούχα του θρήνου και του είπε όλα όσα είχαν συμβεί. Ο αρχηγός των Μακά πίστεψε την οδύνη του, και οι εντάσεις τελείωσαν ανάμεσα στις φυλές.

»Ένα χρόνο αργότερα, δύο κόρες της φυλής των Μακά εξαφανίστηκαν από τα σπίτια τους την ίδια νύχτα. Οι Μακά φώναξαν τους λύκους των Κουιλαγιούτ αμέσως, οι οποίοι βρήκαν την ίδια γλυκερή δυσοσμία σε όλο το χωριό των Μακά. Οι λύκοι βγήκαν ξανά στο κυνήγι.

»Μόνο ένας γύρισε πίσω. Αυτός ήταν ο Γιάχα Ούτα, ο μεγαλύτερος γιος της τρίτης συζύγου του Τάχα Ακί και ο πιο νέος της αγέλης. Έφερε μαζί του κάτι που ποτέ δεν το είχαν ξαναδεί σε όλες τις μέρες των Κουιλαγιούτ –ένα παράξενο, παγωμένο, πέτρινο πτώμα που κουβάλησε τεμαχισμένο. Όλοι όσοι είχαν το αίμα του Τάχα Ακί, ακόμα κι εκείνοι που δεν είχαν γίνει ποτέ λύκοι, μπορούσαν να μυρίσουν τη διαπεραστική οσμή του νεκρού πλάσματος. Αυτό ήταν ο εχθρός των Μακά.

»Ο Γιάχα Ούτα περιέγραψε τι είχε συμβεί: αυτός και τα

αδέρφια του είχαν βρει το πλάσμα, που έμοιαζε με άνθρωπο, αλλά ήταν σκληρό σαν γρανίτης, μαζί με τις δυο κόρες των Μακά. Το ένα κορίτσι ήταν ήδη νεκρό, άσπρο και χωρίς αίμα, κειτόταν κάτω στο χώμα. Το άλλο ήταν στα χέρια του πλάσματος, με τα δόντια του στο λαιμό του. Μπορεί να ήταν ζωντανή όταν εκείνοι είδαν την αποτρόπαια αυτή σκηνή, αλλά το πλάσμα έσπασε γρήγορα το σβέρκο της και έριξε το άψυχο σώμα της στο έδαφος, όταν πλησίασαν. Τα λευκά του χείλη ήταν καλυμμένα με το αίμα της και τα μάτια του είχαν μια κόκκινη λάμψη.

»Ο Γιάχα Ούτα περιέγραψε την ασυγκράτητη δύναμη και την ταχύτητα του πλάσματος. Ένα από τα αδέρφια του γρήγορα έπεσε θύμα του, όταν υποτίμησε εκείνη τη δύναμη. Το πλάσμα τον ξέσκισε σαν να ήταν κούκλα. Ο Γιάχα Ούτα και τα υπόλοιπα αδέρφια του κινήθηκαν πιο προσεχτικά. Συνεργάστηκαν και επιτέθηκαν στο πλάσμα από τα πλάγια, καταφέρνοντας να υπερτερήσουν με τους ελιγμούς τους. Έπρεπε να φτάσουν στα όρια της λυκίσιας δύναμής τους και της ταχύτητάς τους, κάτι που δεν είχαν δοκιμάσει ποτέ ξανά. Το πλάσμα ήταν σκληρό σαν πέτρα και ψυχρό σαν τον πάγο. Ανακάλυψαν πως μόνο τα δόντια τους μπορούσαν να του κάνουν ζημιά. Άρχισαν να σκίζουν μικρά κομμάτια από το πλάσμα, ενώ εκείνο τους αντιστεκόταν.

»Αλλά το πλάσμα μάθαινε γρήγορα και σύντομα έκανε ελιγμούς ισάξιους με τους δικούς τους. Έπιασε στα χέρια του τον αδερφό του Γιάχα Ούτα. Ο Γιάχα Ούτα βρήκε ένα άνοιγμα στο λαιμό του πλάσματος και όρμησε. Τα δόντια του έκοψαν το κεφάλι του πλάσματος, αλλά τα χέρια του συνέχισαν να διαμελίζουν τον αδερφό του.

»Ο Γιάχα Ούτα έσκισε το πλάσμα σε κομμάτια που ήταν αδύνατο να τα ξεχωρίσει κανείς, κόβοντας τα μέλη του σε μια απεγνωσμένη προσπάθεια να σώσει τον αδερφό του. Ήταν πολύ αργά, αλλά, στο τέλος, το πλάσμα καταστράφηκε.

»Ή έτσι πίστεψαν. Ο Γιάχα Ούτα άπλωσε τα απομεινάρια που βρομούσαν για να τα εξετάσουν οι γέροντες. Ένα κομμένο χέρι κειτόταν δίπλα σε ένα κομμάτι από το γρανιτένιο μπράτσο του πλάσματος. Τα δύο κομμάτια κουνήθηκαν, όταν οι γέροντες τα πείραξαν με τα μπαστούνια τους, και το χέρι πλησίασε το κομμάτι του μπράτσου προσπαθώντας να ενωθεί μαζί του ξανά.

»Έντρομοι οι γέροντες έβαλαν φωτιά στα απομεινάρια. Ένα μεγάλο σύννεφο πνιγηρού, αηδιαστικού καπνού μόλυνε τον αέρα. Όταν δεν είχε μείνει τίποτα άλλο εκτός από στάχτες, χώρισαν τις στάχτες σε πολλά μικρά σακιά και τις σκόρπισαν εδώ κι εκεί –μερικές στον ωκεανό, μερικές στο δάσος, μερικές στις σπηλιές των βράχων. Ο Τάχα Ακί φόρεσε ένα σακί γύρω από το λαιμό του, έτσι ώστε να έχει κάποια προειδοποίηση, αν ποτέ το πλάσμα προσπαθούσε να συναρμολογήσει ξανά τον εαυτό του».

Ο γερο-Κουίλ έκανε μια παύση και κοίταξε τον Μπίλι. Ο Μπίλι τράβηξε από το λαιμό του ένα δερμάτινο λουρί. Από την άκρη του κρεμόταν ένας μικρός σάκος, μαυρισμένος από τα χρόνια. Μερικοί έβγαλαν μια πνιχτή κραυγή. Μπορεί να ήμουν κι εγώ ανάμεσά τους.

«Το αποκάλεσαν ο Παγωμένος, Αυτός που Πίνει Αίμα, και ζούσαν με το φόβο ότι δεν ήταν το μοναδικό τέτοιο πλάσμα. Είχε απομείνει ένας μόνο λύκος-προστάτης, ο νεαρός Γιάχα Ούτα.

»Δε χρειάστηκε να περιμένουν πολύ. Το πλάσμα είχε μια σύντροφο, ένα ακόμα πλάσμα που έπινε αίμα, που ήρθε στους Κουιλαγιούτ θέλοντας να πάρει εκδίκηση.

»Οι ιστορίες λένε ότι η Παγωμένη Γυναίκα ήταν το πιο όμορφο πλάσμα που είχαν αντικρίσει ποτέ ανθρώπινα μάτια. Έμοιαζε με τη θεά της αυγής, όταν μπήκε μέσα στο χωριό εκείνο το πρωί˙ ο ήλιος έλαμψε μια μοναδική φορά και ανακλάστηκε αστράφτοντας στο λευκό της δέρμα και φώτισε τα χρυσαφί μαλλιά που έφταναν μέχρι κάτω στα γόνατά της. Το πρόσωπό της ήταν μαγικής ομορφιάς, τα μάτια της ήταν μαύρα με φόντο το λευκό της πρόσωπο. Μερικοί έπεσαν στα γόνατα για να την προσκυνήσουν.

»Εκείνη ρώτησε κάτι με την ψηλή, διαπεραστική φωνή της, σε μια γλώσσα που κανείς δεν είχε ακούσει ξανά. Οι άνθρωποι έμειναν άναυδοι δίχως να ξέρουν πώς να της απαντήσουν. Δεν υπήρχε κανένας απόγονος εξ αίματος του Τάχα Ακί ανάμεσα στους μάρτυρες, εκτός από ένα αγοράκι. Ήταν κολλημένο πάνω στη μητέρα του και ούρλιαζε ότι η μυρωδιά έκανε τη μύτη του να πονάει. Ένας από τους γέροντες, καθώς ερχόταν στο συμβούλιο, άκουσε το αγόρι και κατάλαβε τι είχε έρθει ανάμεσά τους. Φώναξε στους ανθρώπους να τρέξουν. Αυτόν τον σκότωσε πρώτον.

»Υπήρχαν είκοσι μάρτυρες του ερχομού της Παγωμένης Γυναίκας. Δύο επέζησαν, μόνο επειδή την προσοχή της προσέλκυσε το αίμα και σταμάτησε για να σβήσει τη δίψα της. Έτρεξαν στον Τάχα Ακί, που βρισκόταν σε συμβούλιο μαζί με τους άλλους γέροντες, τους γιους του και την τρίτη σύζυγό του.

»Ο Γιάχα Ούτα πήρε τη μορφή του λύκου-πνεύματος, αμέσως μόλις έμαθε τα νέα. Πήγε να καταστρέψει το πλάσμα που έπινε αίμα μόνος του. Ο Τάχα Ακί, η τρίτη σύζυγός του, οι γιοι του και οι γέροντες τον ακολούθησαν.

»Στην αρχή δεν μπορούσαν να βρουν το πλάσμα, μόνο τις αποδείξεις της επίθεσής του. Τα σώματα κείτονταν διαλυμένα, μερικά στραγγισμένα από αίμα, σκορπισμένα στο δρόμο, εκεί όπου είχε κάνει την εμφάνισή της εκείνη. Μετά άκουσαν τα ουρλιαχτά κι έτρεξαν στο λιμάνι.

»Ένας μικρός αριθμός από Κουιλαγιούτ είχαν τρέξει προς τα πλοία για να βρουν καταφύγιο. Εκείνη τους ακολούθησε κολυμπώντας σαν καρχαρίας και κομμάτιασε την πλώρη του καϊκιού τους με την απίστευτη δύναμή της. Όταν βούλιαξε το πλοίο, έπιασε εκείνους που προσπαθούσαν να ξεφύγουν κολυμπώντας και τους κομμάτιασε κι αυτούς.

»Είδε το μεγάλο λύκο στην ακτή και ξέχασε τους κολυμβητές που προσπαθούσαν να διαφύγουν. Κολυμπούσε τόσο γρήγορα που η εικόνα της ήταν θολή και ήρθε, στάζοντας και περίλαμπρη, να σταθεί μπροστά στον Γιάχα Ούτα. Τέντωσε ένα λευκό δάχτυλο προς εκείνον και τον ρώτησε άλλη μια ακατανόητη ερώτηση. Ο Γιάχα Ούτα περίμενε.

»Ήταν μια δύσκολη αναμέτρηση. Εκείνη δεν ήταν ο πολεμιστής που ήταν ο σύντροφός της. Αλλά ο Γιάχα Ούτα ήταν μόνος του –δεν υπήρχε κανείς να αποσπάσει την οργή της από πάνω του.

»Όταν ο Γιάχα Ούτα έχασε, ο Τάχα Ακί ούρλιαξε αψηφώντας τη γυναίκα. Κινήθηκε κουτσαίνοντας προς αυτή και πήρε τη μορφή ενός αρχαίου λύκου με λευκή μουσούδα. Ο λύκος ήταν γέρος, αλλά ήταν ο Τάχα Ακί, ο Άνθρωπος-Πνεύμα, και η οργή του τον έκανε δυνατό. Η μάχη άρχισε πάλι.

»Η τρίτη σύζυγος του Τάχα Ακί είχε δει το γιο της να πεθαίνει μπροστά στα μάτια της. Τώρα πολεμούσε ο άντρας της, και δεν είχε καμία ελπίδα ότι θα κέρδιζε. Είχε ακούσει κάθε λέξη που είχαν πει στο συμβούλιο οι μάρτυρες της σφαγής. Είχε ακούσει την ιστορία της πρώτης νίκης του Γιάχα Ούτα και ήξερε πως τον είχαν σώσει οι αντιπερισπασμοί των αδερφών του.

»Η τρίτη σύζυγος άρπαξε ένα μαχαίρι από τη ζώνη ενός από τους γιους της που στέκονταν πλάι της. Ήταν όλοι νέοι γιοι, όχι ακόμα άντρες, και ήξερε πως θα πέθαιναν, όταν αποτύχαινε ο πατέρας τους.

»Η τρίτη σύζυγος έτρεξε προς την Παγωμένη Γυναίκα με το στιλέτο σηκωμένο ψηλά. Η Παγωμένη Γυναίκα χαμογέλασε, χωρίς να έχει αποπροσανατολιστεί παρά ελάχιστα από τη μάχη της με το γέρικο λύκο. Δε φοβόταν καθόλου τη γυναίκα ούτε το μαχαίρι, που δε θα της έγδερνε καν το δέρμα, και ήταν έτοιμη να δώσει το τελευταίο μοιραίο πλήγμα στον Τάχα Ακί.

»Και τότε η τρίτη σύζυγος έκανε κάτι που η Παγωμένη Γυναίκα δεν περίμενε. Έπεσε στα γόνατα μπροστά στα πόδια της Γυναίκας που Έπινε Αίμα και έμπηξε το μαχαίρι στην καρδιά της.

»Αίμα ανάβλυσε από τα δάχτυλα της τρίτης συζύγου και πιτσίλισε την Παγωμένη Γυναίκα. Αυτή που Έπινε Αίμα δεν μπορούσε να αντισταθεί στο θέλγητρο του φρέσκου αίματος που κυλούσε από το σώμα της τρίτης συζύγου. Ενστικτωδώς, γύρισε προς τη γυναίκα που ψυχορραγούσε, για ένα δευτερόλεπτο εντελώς κυριευμένη από τη δίψα.

»Τα δόντια του Τάχα Ακί έσφιξαν γύρω από το λαιμό της.

»Αυτό δεν ήταν το τέλος της μάχης, αλλά ο Τάχα Ακί δεν ήταν μόνος πια. Βλέποντας τη μητέρα τους να πεθαίνει, δύο νεαροί γιοι ένιωσαν τέτοια οργή που όρμησαν μπροστά με τη μορφή του λύκου-πνεύματος, παρόλο που δεν ήταν ακόμα άντρες. Μαζί με τον πατέρα τους αποτελείωσαν το πλάσμα.

»Ο Τάχα Ακί δε γύρισε ποτέ πίσω στη φυλή. Δε μεταμορφώθηκε ποτέ ξανά σε άνθρωπο. Έμεινε μια μέρα δίπλα στο σώμα της τρίτης συζύγου, γρυλίζοντας, κάθε φορά που κάποιος προσπαθούσε να την αγγίξει, και μετά μπήκε στο δάσος και δεν επέστρεψε ποτέ.

»Τα προβλήματα με τους παγωμένους ήταν σπάνια από τότε και στο εξής. Οι γιοι του Τάχα Ακί ήταν οι φύλακες της φυλής, μέχρι που οι γιοι τους έγιναν αρκετά μεγάλοι, ώστε να πάρουν τη θέση τους. Δεν υπήρχαν ποτέ παραπάνω από τρεις λύκοι κάθε φορά. Ήταν αρκετοί. Περιστασιακά κάποιο πλάσμα που έπινε αίμα περνούσε στη γη αυτή, αλλά αιφνιδιαζόταν, γιατί δεν περίμενε τους λύκους. Μερικές φορές κάποιος λύκος πέθαινε, αλλά δεν αποδεκατίστηκαν ξανά ποτέ όπως εκείνη την πρώτη φορά. Είχαν μάθει πώς να πολεμούν τους παγωμένους και μετέδιδαν τη γνώση τους στις επόμενες γενιές, από το μυαλό του ενός λύκου στο μυαλό του άλλου, από πνεύμα σε πνεύμα, από πατέρα σε γιο.

»Ο καιρός περνούσε, και οι ίδιοι σας οι προπαππούδες ετοιμάζονταν για να αντιμετωπίσουν τα πλάσματα. Αλλά ο αρχηγός τους μίλησε στον Έφρεμ Μπλακ σαν να ήταν άνθρωπος και υποσχέθηκε να μην πειράξει τους Κουιλαγιούτ. Τα παράξενα κίτρινα μάτια του ήταν κάποια απόδειξη για τον ισχυρισμό του ότι ήταν διαφορετικοί από τα υπόλοιπα πλάσματα που έπιναν αίμα. Οι λύκοι ήταν λιγότεροι˙ οι παγωμένοι δεν είχαν να κερδίσουν τίποτα προσφέροντάς τους συνθήκη, αφού θα μπορούσαν να κερδίσουν τη μάχη. Ο Έφρεμ δέχτηκε. Έχουν τηρήσει τη συμφωνία από τη μεριά τους, αν και η παρουσία τους συνήθως προσελκύει εδώ κι άλλους.

»Και οι αριθμοί τους έχουν οδηγήσει αναγκαστικά στη δημιουργία μεγαλύτερης αγέλης από οποιαδήποτε άλλη έχει δει ποτέ η φυλή», είπε ο γερο-Κουίλ, και για μια στιγμή τα μαύρα του μάτια, σχεδόν θαμμένα μέσα στις πτυχώσεις του δέρματος που υπήρχαν γύρω τους, φάνηκαν να σταματούν σ' εμένα. «Εκτός, φυσικά, από την εποχή του Τάχα Ακί», είπε και μετά αναστέναξε. «Κι έτσι οι γιοι της φυλής μας κουβαλάνε ξανά το βάρος και μοιράζονται τη θυσία που χρειάστηκε να κάνουν και οι πατέρες τους πριν απ' αυτούς».

Για μια στιγμή επικράτησε σιωπή. Οι ζωντανοί απόγονοι της μαγείας και του θρύλου κοίταζαν ο ένας τον άλλο μέσα από τη φωτιά με θλίψη μέσα στα μάτια τους. Όλοι εκτός από έναν.

«Βάρος», είπε Κουίλ κοροϊδευτικά με χαμηλή φωνή. «Εγώ νομίζω ότι είναι τέλειο». Το γεμάτο κάτω χείλος του Κουίλ ήταν λιγάκι σουφρωμένο προς τα έξω.

Απέναντι από τη φωτιά που έσβηνε, ο Σεθ Κλίαργουοτερ –με μάτια γουρλωμένα από τον υπερβολικό θαυμασμό για την αδελφότητα των προστατών της φυλής– κουνούσε το κεφάλι του συμφωνώντας.

Ο Μπίλι γέλασε απαλά για αρκετή ώρα, και η μαγεία έμοιαζε να ξεθωριάζει μέσα στα λαμπερά αποκαΐδια. Ξαφνικά, ήταν απλώς ένας κύκλος από φίλους ξανά. Ο Τζάρεντ έριξε μια μικρή πέτρα στον Κουίλ, κι όλοι γέλασαν, όταν τον έκανε να πεταχτεί. Χαμηλόφωνες συζητήσεις ακούγονταν ψιθυριστά γύρω μας, σε πειραχτικό και φιλικό τόνο.

Τα μάτια της Λία Κλίαργουοτερ δεν άνοιξαν. Νόμισα ότι είδα κάτι να λαμπυρίζει στο μάγουλό της σαν δάκρυ, αλλά όταν ξανακοίταξα μια στιγμή αργότερα είχε φύγει.

Ούτε ο Τζέικομπ ούτε κι εγώ μιλούσαμε. Εκείνος ήταν τόσο ακίνητος πλάι μου, η ανάσα του τόσο βαθιά και σταθερή που νόμισα ότι μπορεί να ήταν έτοιμος να τον πάρει ο ύπνος.

Ο δικός μου νους ήταν χίλια χρόνια μακριά. Δε σκεφτόμουν τον Γιάχα Ούτα ή τους άλλους λύκους ή την πανέμορφη Παγωμένη Γυναίκα –*αυτή* μπορούσα πολύ εύκολα να τη φανταστώ. Όχι, σκεφτόμουν κάποιον που ήταν εντελώς έξω από τον κόσμο της μαγείας. Προσπαθούσα να φανταστώ το πρόσωπο της ανώνυμης γυναίκας που είχε σώσει ολόκληρη τη φυλή, της τρίτης συζύγου.

Απλώς μια γυναίκα που ήταν άνθρωπος, χωρίς ιδιαίτερα χαρίσματα ή δυνάμεις. Σωματικά πιο αδύναμη και πιο αργή από όλα τα τέρατα της ιστορίας. Αλλά εκείνη ήταν το κλειδί, η λύση. Εκείνη είχε σώσει τον άντρα της, τους νεαρούς γιους της, τη φυλή της.

Μακάρι να θυμόντουσαν το όνομά της...

Κάτι ταρακούνησε το χέρι μου.

«Έλα, Μπελς», είπε ο Τζέικομπ. «Φτάσαμε».

Ανοιγόκλεισα τα βλέφαρα, μπερδεμένη γιατί η φωτιά έμοιαζε να είχε εξαφανιστεί. Κοίταξα μέσα στο απρόσμενο σκοτάδι, προσπαθώντας να καταλάβω τι ήταν αυτό που με περιέβαλλε. Μου πήρε ένα λεπτό για να συνειδητοποιήσω ότι δεν ήμουν πια στο βράχο. Ο Τζέικομπ κι εγώ ήμασταν μόνοι. Ήμουν ακόμα κάτω από το μπράτσο του, αλλά δεν ήμουν πια καθισμένη στο χώμα.

Πώς είχα βρεθεί στο αυτοκίνητο του Τζέικομπ;

«Ωχ, να πάρει!» είπα με μια πνιχτή κραυγή, όταν κατάλαβα πως με είχε πάρει ο ύπνος. «Τι ώρα πήγε; Φτου, πού είναι εκείνο το χαζοτηλέφωνο;» ρώτησα χτυπώντας ελαφρά τις τσέπες μου, φουριόζα και χωρίς να βρω τίποτα.

«Ήρεμα. Δεν είναι καν μεσάνυχτα. Και τον έχω ήδη πάρει τηλέφωνο για 'σένα. Κοίτα –περιμένει εκεί».

«Μεσάνυχτα;» επανέλαβα ανόητα, ακόμα αποπροσανατολισμένη. Κάρφωσα το βλέμμα μέσα στο σκοτάδι και η καρδιά μου άρχισε να χτυπά πιο γρήγορα, όταν τα μάτια μου διέκριναν το σχήμα του Βόλβο, καμιά τριανταριά μέτρα πιο πέρα. Άπλωσα το χέρι μου προς το χερούλι της πόρτας.

«Ορίστε», είπε ο Τζέικομπ κι έβαλε ένα μικρό σχήμα μέσα στο άλλο μου χέρι. Το τηλέφωνο.

«Πήρες τον Έντουαρντ για 'μένα;»

Τα μάτια μου είχαν προσαρμοστεί αρκετά, ώστε να βλέπουν την πλατιά λάμψη του χαμόγελου του Τζέικομπ. «Σκέφτηκα ότι αν το παίξω καλός, θα είχα περισσότερο χρόνο μαζί σου».

«Σ' ευχαριστώ, Τζέικ», είπα συγκινημένη. «Αλήθεια, σ' ευχαριστώ. Κι ευχαριστώ που με κάλεσες απόψε. Ήταν...» Δεν μπορούσα να βρω τις κατάλληλες λέξεις. «Γουάου! Ήταν κάτι που δεν είχα ξαναζήσει».

«Και δεν έμεινες καν ξύπνια να με δεις να καταπίνω μια ολόκληρη αγελάδα». Γέλασε. «Όχι, χαίρομαι που σου άρεσε. Ήταν... ωραία για 'μένα. Που σε είχα εκεί».

Υπήρχε μια κίνηση μέσα στο σκοτάδι εκεί –κάτι χλωμό κινείτο σαν φάντασμα με φόντο τα μαύρα δέντρα. Βημάτιζε πέρα-δώθε;

«Ναι, δεν είναι και πολύ υπομονετικός, έτσι δεν είναι;» είπε ο Τζέικομπ, προσέχοντας το γεγονός ότι η προσοχή μου είχε αποσπαστεί. «Άντε πήγαινε. Αλλά να έρθεις ξανά σύντομα, εντάξει;»

«Βέβαια, Τζέικ», υποσχέθηκα, ανοίγοντας την πόρτα του

αμαξιού με έναν κρότο. Κρύος αέρας φύσηξε τα πόδια μου και με έκανε να αναριγήσω.

«Καλό ύπνο, Μπέλλα. Μην ανησυχείς για τίποτα –θα σε προσέχω εγώ απόψε».

Σταμάτησα, με το ένα πόδι στο χώμα. «Όχι, Τζέικ. Κοίτα να ξεκουραστείς λίγο, θα είμαι μια χαρά».

«Καλά, καλά», είπε, αλλά ακούστηκε περισσότερο συγκαταβατικός παρά σαν να συμφωνούσε πραγματικά.

«Καληνύχτα, Τζέικ. Σ' ευχαριστώ».

«Καληνύχτα, Μπέλλα», ψιθύρισε, καθώς μπήκα στο σκοτάδι βιαστικά.

Ο Έντουαρντ με έπιασε πάνω στη συνοριακή γραμμή.

«Μπέλλα», είπε, με έντονη ανακούφιση στη φωνή του˙ τα μπράτσα του τυλίχτηκαν σφιχτά γύρω μου.

«Γεια. Συγνώμη που άργησα. Με πήρε ο ύπνος και—»

«Το ξέρω. Ο Τζέικομπ μου εξήγησε». Άρχισε να πηγαίνει προς το αυτοκίνητο, κι εγώ τρέκλισα άγαρμπα δίπλα του. «Είσαι κουρασμένη; Θα μπορούσα να σε κουβαλήσω».

«Είμαι μια χαρά».

«Ας σε πάμε σπίτι και στο κρεβάτι σου. Πέρασες καλά;»

«Ναι –ήταν τρομερά, Έντουαρντ. Μακάρι να μπορούσες να ερχόσουν κι εσύ. Δεν μπορώ καν να το εξηγήσω. Ο μπαμπάς του Τζέικ μας είπε τους παλιούς θρύλους και ήταν σαν... σαν να ήταν όλα μαγικά».

«Θα πρέπει να μου τα πεις εσύ. Αφού κοιμηθείς».

«Δε θα στα πω τόσο καλά», είπα και μετά έκανα ένα τεράστιο χασμουρητό.

Ο Έντουαρντ γέλασε πνιχτά. Μου άνοιξε την πόρτα, με σήκωσε για να με βάλει μέσα και έδεσε τη ζώνη γύρω μου.

Λαμπερά φώτα άναψαν και πέρασαν από πάνω μας. Κούνησα το χέρι μου για να χαιρετήσω προς τους προβολείς του Τζέικομπ, αλλά δεν ήξερα αν είδε τη χειρονομία μου.

Εκείνη τη νύχτα –αφού είχα ξεμπερδέψει με τον Τσάρλι, που δε με ταλαιπώρησε τόσο πολύ όσο περίμενα, επειδή ο Τζέικομπ τον είχε πάρει κι αυτόν τηλέφωνο– αντί να καταρρεύσω στο κρεβάτι αμέσως, έγειρα έξω από το ανοιχτό παράθυρο, ενώ περίμενα τον Έντουαρντ να γυρίσει. Η νύχτα ήταν απίστευτα κρύα, σχεδόν χειμωνιάτικη. Δεν το είχα προσέξει καθόλου πάνω στους ανεμοδαρμένους βράχους˙ φανταζόμουν ότι αυτό οφειλόταν λιγότερο στη φωτιά και περισσότερο στο γεγονός ότι καθόμουν δίπλα στον Τζέικομπ.

Παγωμένες σταγονίτσες πιτσίλισαν το πρόσωπό μου, καθώς η βροχή άρχιζε να πέφτει.

Ήταν πολύ σκοτεινά για να δω πολλά εκτός από τα μαύρα τρίγωνα των ελάτων που έγερναν και σείονταν από τον άνεμο. Αλλά εγώ πίεσα τα μάτια μου έτσι κι αλλιώς, ψάχνοντας για άλλα σχήματα μέσα στην καταιγίδα. Μια χλωμή μορφή, που κινείτο σαν φάντασμα μέσα στη μαυρίλα… ή ίσως το θολό περίγραμμα ενός τεράστιου λύκου… Τα μάτια μου ήταν υπερβολικά αδύναμα.

Τότε κάτι κουνήθηκε μέσα στη νύχτα, ακριβώς δίπλα μου. Ο Έντουαρντ τρύπωσε μέσα από το ανοιχτό παράθυρό μου, με τα χέρια του να είναι πιο κρύα από τη βροχή.

«Ο Τζέικομπ είναι εκεί έξω;» ρώτησα, τρέμοντας καθώς ο Έντουαρντ με τράβηξε μέσα στον κύκλο που σχημάτιζαν τα χέρια του.

«Ναι… κάπου εκεί. Και η Έσμι γυρίζει σπίτι».

Αναστέναξα. «Κάνει τόσο πολύ κρύο κι έχει τόση υγρασία. Αυτό είναι ανόητο». Αναρίγησα ξανά.

Γέλασε πνιχτά. «Κάνει κρύο μόνο για *'σένα*, Μπέλλα».

Έκανε κρύο και στο όνειρό μου εκείνο το βράδυ, ίσως επειδή κοιμήθηκα στην αγκαλιά του Έντουαρντ. Αλλά ονειρεύτηκα ότι ήμουν έξω στην καταιγίδα, ο άνεμος μαστίγωνε το πρόσωπό μου με τα μαλλιά μου και τύφλωνε τα μάτια μου. Στεκόμουν στη βραχώδη ημισέληνο της Πρώτης Παραλίας, προσπαθώντας να ξεδιαλύνω τα σχήματα που κινούνταν γρήγορα και που μόνο αχνά μπορούσα να δω μέσα στο σκοτάδι στην άκρη της παραλίας. Στην αρχή, δεν υπήρχε τίποτα εκτός από μια ακαριαία λάμψη άσπρου και μαύρου, καθώς η μια μορφή ορμούσε προς την άλλη και απομακρύνονταν πάλι χορεύοντας. Και τότε, λες και το φεγγάρι είχε ξαφνικά ξεπροβάλει μέσα από τα σύννεφα, έβλεπα τα πάντα.

Η Ρόζαλι, με μαλλιά βρεγμένα και χρυσαφένια έως κάτω στα γόνατά της, ορμούσε ενάντια σε έναν τεράστιο λύκο –η μουσούδα του είχε μια ανταύγεια από ασημί– που ενστικτωδώς αναγνώρισα ως τον Μπίλι Μπλακ.

Άρχισα ξαφνικά να τρέχω, αλλά βρέθηκα να μετακινούμαι με την απογοητευτικά αργή κίνηση αυτών που ονειρεύονται. Προσπάθησα να τους φωνάξω, να τους πω να σταματήσουν, αλλά τη φωνή μου την είχε κλέψει ο άνεμος, και δεν μπορούσα να βγάλω άχνα. Κούνησα τα χέρια μου, ελπίζοντας να τραβήξω την προσοχή τους. Κάτι άστραψε μέσα στο χέρι μου, και παρατήρησα για πρώτη φορά ότι το δεξί μου χέρι δεν ήταν άδειο.

Κρατούσα μια μακριά, αιχμηρή λεπίδα, αρχαία και ασημένια, που είχε γύρω της μια κρούστα από ξεραμένο, μαυρισμένο αίμα.

Τραβήχτηκα μακριά από το μαχαίρι από φόβο, και τα μάτια μου άνοιξαν απότομα για ν' αντικρίσουν το ήσυχο σκοτάδι του δωματίου μου. Το πρώτο πράγμα που συνειδητοποίησα ήταν πως δεν ήμουν μόνη και γύρισα για να χώσω το πρόσωπό μου στο στήθος του Έντουαρντ, ξέροντας ότι η γλυκιά μυρωδιά του δέρματός του θα έδιωχνε τον εφιάλτη μακριά πιο αποτελεσματικά απ' οτιδήποτε άλλο.

«Σε ξύπνησα;» ψιθύρισε εκείνος. Ακούστηκε ο ήχος του χαρτιού, ο ήχος από τις σελίδες που γυρίζουν, κι ένας αχνός γδούπος, καθώς κάτι ελαφρύ έπεσε στο ξύλινο πάτωμα.

«Όχι», ψέλλισα αναστενάζοντας από ευχαρίστηση, καθώς τα χέρια του σφίχτηκαν πιο δυνατά γύρω μου. «Είδα ένα κακό όνειρο».

«Θέλεις να μου πεις γι' αυτό;»

Κούνησα το κεφάλι μου. «Είμαι υπερβολικά κουρασμένη. Μπορεί το πρωί, αν το θυμάμαι».

Ένιωσα ένα σιωπηλό γέλιο να τον τραντάζει.

«Το πρωί», συμφώνησε.

«Τι διάβαζες;» μουρμούρισα, χωρίς να είμαι καθόλου ξύπνια στ' αλήθεια.

«Τα *Ανεμοδαρμένα Ύψη*», είπε.

Συνοφρυώθηκα. «Νόμιζα ότι δε σου άρεσε αυτό το βιβλίο».

«Εσύ το άφησες έξω», μουρμούρισε εκείνος, και η απαλή φωνή του με νανούριζε. «Εξάλλου... όσο περισσότερο χρόνο περνάω μαζί σου, τόσα πιο κατανοητά μου γίνονται τα ανθρώπινα συναισθήματα. Ανακαλύπτω ότι καταλαβαίνω τον Χίθκλιφ με κάποιους τρόπους που δεν πίστευα πως ήταν δυνατόν παλιά».

«Μμμμ», αναστέναξα.

Είπε κάτι άλλο, κάτι χαμηλόφωνα, αλλά εγώ είχα ήδη αποκοιμηθεί.

Το επόμενο πρωί η ανατολή χάραξε με μια γκριζοκύανη απόχρωση στον ουρανό γεμάτη γαλήνη. Ο Έντουαρντ με ρώτησε για το όνειρό μου, αλλά δε μου ερχόταν στο νου. Θυμόμουν μόνο ότι κρύωνα κι ότι χάρηκα που ήταν εκεί όταν ξύπνησα. Με φίλησε, αρκετή ώρα ώστε να αρχίσει ο σφυγμός μου να τρέχει σαν τρελός, και μετά έφυγε για το σπίτι του για να φέρει το αυτοκίνητό του.

Ντύθηκα γρήγορα, αφού δεν είχα πολλές επιλογές. Όποιος κι αν ήταν αυτός που είχε λεηλατήσει το καλάθι με τα άπλυτά μου είχε προκαλέσει σοβαρό πλήγμα στην γκαρνταρόμπα μου. Αν δεν ήταν τόσο τρομακτικό, θα ήταν σοβαρά εκνευριστικό.

Καθώς ήμουν έτοιμη να κατέβω για πρωινό, πρόσεξα το ταλαιπωρημένο αντίτυπό μου από τα *Ανεμοδαρμένα Ύψη* να κείτεται ανοιχτό στο πάτωμα, εκεί που το είχε ρίξει ο Έντουαρντ το βράδυ, στη σελίδα που είχε μείνει.

Το σήκωσα με περιέργεια, προσπαθώντας να θυμηθώ τι είχε πει. Κάτι σχετικό με την κατανόηση που ένιωθε για τον Χίθκλιφ, αν είναι δυνατόν, ποιον βρήκε να διαλέξει απ' όλους τους ανθρώπους! Αυτό δεν μπορεί να ήταν σωστό˙ πρέπει να το ονειρεύτηκα αυτό το κομμάτι.

Πέντε λέξεις πάνω στην ανοιχτή σελίδα τράβηξαν την προσοχή μου, κι έσκυψα το κεφάλι για να διαβάσω την παράγραφο πιο προσεχτικά. Μιλούσε ο Χίθκλιφ, και γνώριζα το κομμάτι αυτό καλά.

Κι εκεί βλέπεις τη διαφορά ανάμεσα στα συναισθήματά μας: αν ήταν εκείνος στη θέση μου κι εγώ στη δική του, αν και θα τον μισούσα με ένα μίσος που θα έκανε τη ζωή μου σκέτη χολή, δε θα είχα σηκώσει ποτέ το χέρι μου εναντίον του. Μπορείς να δείχνεις δύσπιστη, αν θέλεις! Δε θα τον είχα εξορίσει από κοντά της, όσο καιρό θα επιθυμούσε εκείνη να τον έχει δίπλα της. Τη στιγμή που το ενδιαφέρον της θα έπαυε να υπάρχει, θα του ξερίζωνα την καρδιά και θα του έπινα το αίμα! Αλλά –μέχρι τότε– αν δε με πιστεύεις, δε με γνωρίζεις –μέχρι τότε, θα πέθαινα καλύτερα παρά να πειράξω έστω και μια τρίχα από το κεφάλι του!

Οι πέντε λέξεις που τράβηξαν την προσοχή μου ήταν "θα του έπινα το αίμα".

Με διαπέρασε ένα ρίγος.

Ναι, σίγουρα πρέπει να είχα ονειρευτεί ότι ο Έντουαρντ είχε πει οτιδήποτε θετικό για τον Χίθκλιφ. Κι αυτή η σελίδα πιθανότατα δεν ήταν η σελίδα που διάβαζε εκείνος. Το βιβλίο θα μπορούσε να είχε ανοίξει σε οποιαδήποτε σελίδα πέφτοντας.

12. ΧΡΟΝΟΣ

«Έχω προβλέψει ότι...», άρχισε η Άλις με ένα μακάβριο τόνο.

Ο Έντουαρντ της έδωσε μια αγκωνιά στα πλευρά της, πράγμα που εκείνη απέφυγε με επιδεξιότητα.

«Ωραία», γκρίνιαξε. «Ο Έντουαρντ με αναγκάζει να το κάνω αυτό. Αλλά πράγματι προέβλεψα ότι θα ήσουν πιο δύστροπη, αν ήταν έκπληξη».

Περπατούσαμε προς το αμάξι μετά το σχολείο, κι εγώ δεν είχα την παραμικρή ιδέα για τι πράγμα μιλούσε.

«Μετάφραση;» ζήτησα.

«Μην κάνεις σαν μωρό γι' αυτό το θέμα. Όχι πείσματα».

«Τώρα φοβάμαι».

«Λοιπόν *εσύ* θα –δηλαδή *εμείς*– θα κάνουμε πάρτι αποφοίτησης. Δεν είναι τίποτα σπουδαίο. Αλλά είδα ότι *πράγματι* θα φρίκαρες, αν προσπαθούσα να σου κάνω πάρτι έκπληξη». Έφυγε από τη μέση χορεύοντας, καθώς ο Έντουαρντ άπλωσε το χέρι του για να της ανακατέψει τα μαλλιά –«κι ο Έντουαρντ είπε ότι έπρεπε να σου το πω. Αλλά δεν είναι τίποτα σπουδαίο.

Το υπόσχομαι».

Αναστέναξα βαριά. «Θα έχει κανένα νόημα να διαφωνήσω;»

«Κανένα απολύτως».

«Εντάξει, Άλις. Θα έρθω. Και θα απεχθάνομαι κάθε λεπτό του πάρτι. Το υπόσχομαι».

«Αυτή είναι η σωστή στάση! Με την ευκαιρία, μου αρέσει πολύ το δώρο μου. Δεν έπρεπε».

«Άλις, δεν αγόρασα τίποτα!»

«Ω, το ξέρω. Αλλά θα το κάνεις».

Έσπαγα το κεφάλι μου πανικόβλητη προσπαθώντας να θυμηθώ τι είχα αποφασίσει να της πάρω για την αποφοίτηση, που μπορεί να είχε δει.

«Εκπληκτικό», μουρμούρισε ο Έντουαρντ. «Πώς είναι δυνατόν κάποιος τόσο μικροσκοπικός να είναι τόσο εκνευριστικός;»

Η Άλις γέλασε. «Είναι ταλέντο».

«Δεν μπορούσες να περιμένεις μερικές βδομάδες για να μου το πεις;» ρώτησα. «Τώρα θα είμαι γεμάτη άγχος για όλο αυτό τον καιρό».

Η Άλις συνοφρυώθηκε.

«Μπέλλα», είπε αργά. «Ξέρεις τι μέρα είναι σήμερα;»

«Δευτέρα;»

Στριφογύρισε τα μάτια της. «Ναι. Είναι Δευτέρα... τέσσερις του μήνα». Άρπαξε τον αγκώνα μου, με γύρισε από την άλλη, έτσι που έκανα μισή περιστροφή, και έδειξε προς μια μεγάλη κίτρινη αφίσα, κολλημένη στην πόρτα του γυμναστηρίου. Εκεί, με έντονα μαύρα γράμματα, ήταν γραμμένη η μέρα της αποφοίτησης. Ακριβώς μια βδομάδα από σήμερα.

«Είναι τέσσερις; *Ιουνίου*; Είστε σίγουροι;»

Κανένας από τους δυο δεν απάντησε. Η Άλις κούνησε απλώς το κεφάλι της λυπημένα, προσποιούμενη την απογοητευμένη, και τα φρύδια του Έντουαρντ σηκώθηκαν.

«Δεν είναι δυνατόν! Πώς συνέβη αυτό;» Προσπάθησα να μετρήσω προς τα πίσω μέσα στο κεφάλι μου, αλλά δεν μπορούσα να καταλάβω πού είχαν πάει οι μέρες.

Ένιωθα λες και κάποιος μου είχε κλοτσήσει τα πόδια κάτω από το σώμα μου. Οι βδομάδες του άγχους, της ανησυχίας... κάπου μέσα σε όλη αυτή την εμμονή που είχα με το χρόνο, ο χρόνος μου είχε εξαφανιστεί. Το διάστημα που χρειαζόμουν για να τα βάλω όλα σε μια τάξη, να κάνω σχέδια, είχε χαθεί. Μου είχε τελειώσει ο χρόνος.

Και δεν ήμουν έτοιμη.

Δεν ήξερα πώς να το κάνω αυτό. Πώς να πω αντίο στον Τσάρλι και τη Ρενέ... στον Τζέικομπ... στο να είμαι άνθρωπος.

Ήξερα ακριβώς τι ήθελα, αλλά ξαφνικά ένιωθα έντρομη που θα το αποκτούσα.

Θεωρητικά, ήμουν γεμάτη ανυπομονησία, ακόμα και ενθουσιασμό που θα αντάλλαζα τη θνητότητά μου με την αθανασία. Εξάλλου, ήταν το κλειδί για να μείνω για πάντα με τον Έντουαρντ. Κι ύστερα, ήταν και το γεγονός ότι με κυνηγούσαν γνωστοί και άγνωστοι. Θα προτιμούσα να μην κάθομαι περιμένοντας, ανήμπορη και πεντανόστιμη, μέχρι που κάποιος από αυτούς να με πιάσει.

Θεωρητικά, όλα αυτά ήταν λογικά.

Στην πράξη... το μόνο που ήξερα ήταν να είμαι άνθρωπος. Το μέλλον μετά από αυτό ήταν μια μεγάλη, σκοτεινή άβυσσος που δεν μπορούσα να γνωρίζω, μέχρι που θα πηδούσα μέσα της.

Αυτή η απλή γνώση, η σημερινή ημερομηνία –που ήταν τόσο προφανής που πρέπει να την είχα απωθήσει υποσυνείδητα– έκανε την προθεσμία, μέχρι την οποία μετρούσα ανυπόμονα τις μέρες, να μου φαίνεται σαν ραντεβού με το εκτελεστικό απόσπασμα.

Κατά έναν αόριστο τρόπο, είχα συναίσθηση του Έντουαρντ που μου κράτησε την πόρτα του αυτοκινήτου ανοιχτή, της Άλις που φλυαρούσε ακατάσχετα από το πίσω κάθισμα, της βροχής που σφυροκοπούσε το παρμπρίζ. Ο Έντουαρντ φάνηκε να καταλαβαίνει ότι ήμουν εκεί μόνο σωματικά˙ δεν προσπάθησε να με βγάλει από τις σκέψεις που με είχαν αποπροσανατολίσει. Ή ίσως και να προσπάθησε, αλλά εγώ δεν ήμουν σε θέση να το προσέξω.

Καταλήξαμε στο σπίτι μου, όπου ο Έντουαρντ με οδήγησε στον καναπέ και με έβαλε να κάτσω πλάι του. Κάρφωσα το βλέμμα έξω από το παράθυρο, στην υγρή γκρίζα καταχνιά και προσπαθούσα να βρω πού είχε πάει η αποφασιστικότητά μου. Γιατί με είχε πιάσει πανικός τώρα; Ήξερα πως η προθεσμία πλησίαζε. Γιατί να με φοβίζει τώρα που ήταν εδώ;

Δεν ξέρω πόση ώρα με άφησε να κοιτάζω έξω από το παράθυρο σωπαίνοντας. Αλλά η βροχή χάθηκε μέσα στο σκοτάδι, όταν τελικά δεν άντεξε άλλο.

Έβαλε τα κρύα του χέρια από τη μια και την άλλη μεριά του προσώπου μου και κάρφωσε τα χρυσαφί του μάτια μέσα στα δικά μου.

«Θα μου πεις, σε παρακαλώ, τι σκέφτεσαι; *Προτού* τρελαθώ;»

Τι θα μπορούσα να του πω; Ότι ήμουν μια δειλή; Έψαχνα για τις κατάλληλες λέξεις.

«Τα χείλη σου είναι κάτασπρα. Μίλα, Μπέλλα».

Ξεφύσηξα δυνατά. Πόση ώρα κρατούσα την αναπνοή μου;

«Η ημερομηνία με αιφνιδίασε», ψιθύρισα. «Αυτό είναι όλο».

Εκείνος περίμενε, με πρόσωπο γεμάτο ανησυχία και αμφιβολία.

Προσπάθησα να εξηγήσω. «Δεν είμαι σίγουρη τι πρέπει να κάνω... τι να πω στον Τσάρλι... τι να πω... πώς να...» Η φωνή μου αργόσβησε.

«Δεν έχει να κάνει με το πάρτι;»

Κατσούφιασα. «Όχι. Αλλά ευχαριστώ που μου το θύμισες».

Η βροχή είχε δυναμώσει, καθώς διάβαζε το πρόσωπό μου.

«Δεν είσαι έτοιμη», ψιθύρισε.

«Είμαι», είπα αμέσως ψέματα, μια αντανακλαστική αντίδραση. Κατάλαβα ότι δεν τον έπεισα, έτσι πήρα μια βαθιά ανάσα και είπα την αλήθεια. «Πρέπει να είμαι».

«Δεν πρέπει να είσαι τίποτα».

Ένιωθα τον πανικό να ξεπροβάλλει ξανά στα μάτια μου, καθώς ψιθύριζα τους λόγους. «Η Βικτόρια, η Τζέιν, ο Κάιος, όποιος κι αν ήταν στο δωμάτιό μου...!»

«Ένας λόγος παραπάνω να περιμένουμε».

«Αυτό δεν είναι λογικό, Έντουαρντ!»

Πίεσε τα χέρια του πιο σφιχτά στο πρόσωπό μου και μίλησε χωρίς να βιάζεται.

«Μπέλλα. Ούτε ένας από εμάς δεν είχε επιλογή. Είδες πού οδήγησε αυτό... ειδικά τη Ρόζαλι. Όλοι μας παλέψαμε, προσπαθώντας να συμφιλιωθούμε με κάτι το οποίο δεν μπορούσαμε να επηρεάσουμε. Δε θα αφήσω να συμβεί αυτό και μ' εσένα. Εσύ *θα έχεις* επιλογή».

«Έχω ήδη κάνει την επιλογή μου».

«Δε θα το κάνεις, επειδή κρέμεται πάνω από το κεφάλι σου μια δαμόκλειος σπάθη. Θα φροντίσουμε να λυθεί το πρόβλημα, κι εγώ θα φροντίσω εσένα», ορκίστηκε. «Όταν ξεμπερδέψουμε, και δεν υπάρχει τίποτα που να σε αναγκάζει να το κάνεις, τότε μπορείς να αποφασίσεις να έρθεις μαζί μου, αν ακόμα το θες. Αλλά όχι επειδή φοβάσαι. Δε θα το κάνεις αυτό αναγκαστικά».

«Ο Κάρλαϊλ υποσχέθηκε», ψέλλισα, αντιδρώντας από συνήθεια. «Μετά την αποφοίτηση».

«Όχι πριν να είσαι έτοιμη», είπε εκείνος με φωνή γεμάτη σιγουριά. «Και οπωσδήποτε όχι όσο νιώθεις να απειλείσαι».

Δεν απάντησα. Δεν είχα τη διάθεση να διαφωνήσω˙ δε φαινόταν να μπορώ να βρω την αποφασιστικότητά μου αυτή τη στιγμή.

«Ορίστε». Φίλησε το μέτωπό μου. «Δε χρειάζεται ν' ανησυχείς για τίποτα».

Γέλασα με ένα τρεμάμενο γέλιο. «Τίποτα εκτός από τη συντέλεια του κόσμου».

«Έχε μου εμπιστοσύνη».

«Σου έχω».

Ακόμα παρατηρούσε το πρόσωπό μου, περιμένοντας να χαλαρώσω.

«Μπορώ να σε ρωτήσω κάτι;» είπα.

«Ό,τι θες».

Δίστασα, δαγκώνοντας τα χείλη μου, και μετά έκανα μια διαφορετική ερώτηση από αυτή για την οποία ανησυχούσα.

«Τι θα πάρω στην Άλις για την αποφοίτησή της;»

Γέλασε. «Φαίνεται πως σκόπευες να μας πάρεις και τους δυο εισιτήρια για συναυλία–»

«Σωστά!» Ήμουν τόσο ανακουφισμένη, που σχεδόν χαμογέλασα. «Για τη συναυλία στην Τακόμα. Είδα μια διαφήμιση την περασμένη βδομάδα στην εφημερίδα και σκέφτηκα ότι θα ήταν κάτι που θα σου άρεσε, εφόσον είπες ότι ήταν καλό CD».

«Είναι τρομερή ιδέα. Σ' ευχαριστώ».

«Ελπίζω να μην έχουν πουληθεί όλα τα εισιτήρια».

«Η σκέψη είναι που μετράει. Εγώ το ξέρω αυτό».

Αναστέναξα.

«Κάτι άλλο ήθελες να ρωτήσεις», είπε.

Κατσούφιασα. «Είσαι καλός».

«Έχω εξασκηθεί πολύ στο να διαβάζω το πρόσωπό σου. Ρώτα με».

Έκλεισα τα μάτια μου και έγειρα κοντά του, κρύβοντας το πρόσωπό μου στο στήθος του. «Δε θέλεις να γίνω βρικόλακας».

«Όχι, δε θέλω», είπε απαλά και μετά περίμενε τη συνέχεια. «Αυτό δεν είναι ερώτηση», με προέτρεψε μετά από μια στιγμή.

«Να… ανησυχούσα σχετικά με το… γιατί νιώθεις έτσι».

«Ανησυχούσες;» Ξεχώρισε τη λέξη με έκπληξη.

«Μπορείς να μου πεις γιατί; Όλη την αλήθεια, χωρίς να με λυπηθείς;»

Δίστασε για ένα λεπτό. «Αν απαντήσω στην ερώτησή σου, θα μου *εξηγήσεις* τότε την ερώτησή σου;»

Έγνεψα καταφατικά, με το πρόσωπό μου ακόμα κρυμμένο.

Πήρε μια βαθιά ανάσα πριν απαντήσει. «Θα μπορούσες να κάνεις κάτι πολύ καλύτερο με τη ζωή σου, Μπέλλα. Το ξέρω ότι *εσύ* πιστεύεις πως έχω ψυχή, αλλά εγώ δεν είμαι απόλυτα πεπεισμένος πάνω σ' αυτό και το να διακινδυνεύσω τη δική σου…» Κούνησε το κεφάλι του αργά. «Το να το επιτρέψω αυτό –να σε αφήσω να γίνεις αυτό που είμαι εγώ, μόνο και μόνο για να μη χρειαστεί να σε χάσω ποτέ– είναι η πιο εγωιστική πράξη που θα μπορούσα να φανταστώ ποτέ. Το θέλω περισσότερο από κάθε τι, για τον *εαυτό μου*. Αλλά για 'σένα, θέλω πολύ περισσότερα. Το να ενδώσω –μου φαίνεται εγκληματικό. Είναι το πιο εγωιστικό πράγμα που θα κάνω ποτέ, ακόμα κι αν ζήσω για πάντα.

»Αν υπήρχε κάποιος τρόπος να γίνω εγώ άνθρωπος για 'σένα –όποιο κι αν ήταν το τίμημα, θα το πλήρωνα».

Καθόμουν πολύ ήσυχη, αφομοιώνοντας όλα αυτά.

Ο Έντουαρντ πίστευε ότι ήταν *εγωιστής*.

Ένιωσα το χαμόγελο να απλώνεται αργά στο πρόσωπό μου.

«Άρα… δεν είναι ότι φοβάσαι πως δε θα… σου αρέσω τόσο πολύ, όταν θα έχω αλλάξει –όταν δε θα είμαι πια μαλακή και ζεστή και δε θα μυρίζω όπως τώρα; Θέλεις πραγματικά να με κρατήσεις, όπως κι αν γίνω;»

Ξεφύσηξε. «Ανησυχούσες ότι δε θα μου *άρεσες*;» απαίτησε να μάθει. Μετά, πριν προλάβω να απαντήσω, γελούσε. «Μπέλλα, για άνθρωπο που έχει αρκετή διαίσθηση, κάποιες φορές είσαι τόσο χαζούλα!»

Ήξερα ότι θα το θεωρούσε ανόητο, αλλά ένιωσα ανακούφιση. Αν με ήθελε αλήθεια, μπορούσα να αντέξω όλα τα υπόλοιπα… με κάποιο τρόπο. Η λέξη *εγωιστής* ξαφνικά μου φάνηκε όμορφη.

«Δε νομίζω πως συνειδητοποιείς πόσο πολύ πιο εύκολο θα είναι για 'μένα, Μπέλλα», είπε, με ολοφάνερα χιουμοριστική διάθεση, «όταν δε θα χρειάζεται να συγκεντρώνομαι όλη την ώρα στο πώς να μη σε σκοτώσω. Φυσικά, υπάρχουν πράγματα που θα μου λείψουν. Αυτό κατά πρώτον…»

Κοίταξε μέσα στα μάτια μου επίμονα, καθώς χάιδευε το μάγουλό μου, κι ένιωσα το αίμα να ανεβαίνει στο κεφάλι μου για να δώσει χρώμα στο δέρμα μου. Γέλασε απαλά.

«Και ο ήχος της καρδιάς σου», συνέχισε, πιο σοβαρός, αλλά χαμογελώντας λιγάκι. «Είναι ο πιο σημαντικός ήχος στον κόσμο μου. Είμαι τόσο συντονισμένος με αυτό τον ήχο τώρα, που ορκίζομαι ότι θα μπορούσα να τον ξεχωρίσω από χιλιόμετρα μακριά. Αλλά κανένα απ' αυτά δεν έχει σημασία. *Αυτό*», είπε παίρνοντας το πρόσωπό μου στα χέρια του. «*Εσένα*. Αυτό είναι που θα κρατήσω. Πάντα θα είσαι η Μπέλλα μου, απλώς θα είσαι λίγο πιο ανθεκτική».

Αναστέναξα κι άφησα τα μάτια μου να κλείσουν γεμάτη ικανοποίηση, μένοντας εκεί στα χέρια του.

«Τώρα θα μου απαντήσεις κι εμένα σε μια ερώτηση; Θα μου πεις όλη την αλήθεια, χωρίς να με λυπηθείς;» ρώτησε.

«Φυσικά», απάντησα αμέσως, ενώ τα μάτια μου γούρλωσαν από την έκπληξη. Τι να ήθελε να μάθει;

Μίλησε προφέροντας τις λέξεις αργά. «Δε θέλεις να γίνεις σύζυγός μου».

Η καρδιά μου σταμάτησε και μετά ξέσπασε σε ένα γρήγορο χτύπο. Κρύος ιδρώτας δρόσισε το σβέρκο μου, και τα χέρια μου πάγωσαν.

Εκείνος περίμενε, παρακολουθώντας και ακούγοντας με προσοχή την αντίδρασή μου.

«Αυτό δεν είναι ερώτηση», ψιθύρισα τελικά.

Χαμήλωσε το βλέμμα, ενώ οι βλεφαρίδες του έριχναν μεγάλες σκιές πάνω στα ζυγωματικά του, κι άφησε τα χέρια του να πέσουν από το πρόσωπό μου για να πιάσουν το παγωμένο αριστερό μου χέρι. Έπαιζε με τα δάχτυλά μου, ενώ μιλούσε.

«Ανησυχούσα σχετικά με το γιατί νιώθεις έτσι».

Προσπάθησα να καταπιώ. «Ούτε κι αυτό είναι ερώτηση», ψιθύρισα.

«Σε παρακαλώ, Μπέλλα;»

«Την αλήθεια;» ρώτησα, απλώς ψιθυρίζοντας τις λέξεις.

«Φυσικά. Μπορώ να την αντέξω, όποια και να 'ναι».

Πήρα μια βαθιά ανάσα. «Θα γελάσεις μαζί μου».

Τα μάτια του σηκώθηκαν αστραπιαία για να κοιτάξουν τα δικά μου. «Να γελάσω; Δε νομίζω».

«Θα δεις», μουρμούρισα και μετά αναστέναξα. Το πρόσωπό μου έγινε από άσπρο κατακόκκινο. «Εντάξει, καλά! Είμαι σίγουρη ότι αυτό θα σου ακουστεί σαν ανέκδοτο, αλλά αλήθεια! Απλώς με κάνει τόσο να... *να ντρέπομαι!*» ομολόγησα, κι έκρυψα το πρόσωπό μου πάλι στο στήθος του.

Ακολούθησε μια σύντομη παύση.

«Δεν καταλαβαίνω».

Έγειρα το κεφάλι μου πίσω και τον αγριοκοίταξα, με την αμηχανία να με κάνει να παίρνω φόρα, γεμάτη εχθρικότητα.

«Δεν είμαι *αυτό* το κορίτσι, Έντουαρντ. Αυτή που θα παντρευτεί κατευθείαν μετά το λύκειο σαν καμιά βλάχα από κανένα μικρό χωριουδάκι που γκαστρώθηκε από το φίλο της! Ξέρεις τι θα σκέφτονταν οι άλλοι; Συνειδητοποιείς σε τι αιώνα είμαστε; Οι άνθρωποι δεν παντρεύονται στα δεκαοχτώ τους! Όχι οι έξυπνοι, οι υπεύθυνοι, οι ώριμοι άνθρωποι! Δε σκόπευα να γίνω αυτού του είδους η κοπέλα! Δεν είναι αυτό που είμαι…» Η φωνή μου αργόσβησε, χάνοντας τον ειρμό μου.

Ήταν αδύνατο να διαβάσω το πρόσωπο του Έντουαρντ, καθώς συλλογιζόταν την απάντησή μου.

«Αυτό είναι όλο;» ρώτησε τελικά.

Ανοιγόκλεισα τα μάτια. «Δεν είναι αρκετό;»

«Δεν είναι ότι… ανυπομονούσες περισσότερο να αποκτήσεις την ίδια την αθανασία παρά μόνο εμένα;»

Και τότε, αν και είχα προβλέψει ότι θα γελούσε *εκείνος*, ξαφνικά εγώ ήμουν αυτή που την έπιασε υστερικό γέλιο.

«Έντουαρντ!» είπα αγκομαχώντας, ανάμεσα στους παροξυσμούς των νευρικών γέλιων. «Κι εγώ… που πάντα… νόμιζα ότι… ήσουν… πολύ πιο… *πιο έξυπνος* από 'μένα!»

Με πήρε στην αγκαλιά του, κι ένιωθα ότι γελούσε κι αυτός μαζί μου.

«Έντουαρντ», είπα καταφέρνοντας να μιλήσω πιο καθαρά με κάποια προσπάθεια, «το για πάντα δεν έχει κανένα νόημα χωρίς εσένα. Δε θα ήθελα ούτε μια μέρα χωρίς εσένα».

«Λοιπόν, αυτό είναι μεγάλη ανακούφιση», είπε.

«Και πάλι… αυτό δεν αλλάζει τίποτα».

«Παρ' όλα αυτά, είναι ωραία που κατάλαβα. Και πράγματι καταλαβαίνω την οπτική σου, Μπέλλα, αλήθεια την καταλαβαίνω. Αλλά θα μου άρεσε πολύ, αν προσπαθούσες κι εσύ να σκεφτείς λίγο τη δικιά μου».

Μέχρι εκείνη τη στιγμή είχα συνέλθει, έτσι έγνεψα και πάσχισα να κρατήσω το κατσούφιασμα μακριά από το πρόσωπό μου.

Τα υγρά χρυσαφί του μάτια έγιναν υπνωτιστικά, καθώς είχαν καρφωθεί στα δικά μου.

«Βλέπεις, Μπέλλα, εγώ ήμουν πάντα *αυτό* το αγόρι. Στο δικό μου κόσμο, ήμουν ήδη άντρας. Δεν έψαχνα την αγάπη –όχι, ήμουν υπερβολικά ανυπόμονος να γίνω στρατιώτης˙ δε σκεφτόμουν τίποτα άλλο εκτός από την ιδεαλιστική δόξα του πολέμου, με την οποία δελέαζαν τότε τους επίδοξους στρατευμένους –αλλά αν είχα βρει...» Έκανε μια παύση, γέρνοντας το κεφάλι του στο πλάι. «Θα έλεγα αν είχα βρει κάποια, αλλά αυτό δεν είναι αρκετό. Αν είχα βρει *εσένα*, δεν υπάρχει καμία αμφιβολία στο μυαλό μου για το πώς θα είχα ενεργήσει. Ήμουν *αυτό* το αγόρι, το οποίο –αμέσως μόλις ανακάλυπτα ότι εσύ ήσουν αυτό που έψαχνα– θα είχα πέσει στο ένα γόνατο και θα προσπαθούσα να εξασφαλίσω το χέρι σου. Θα σε ήθελα για μια ολόκληρη αιωνιότητα, ακόμα και τότε που η λέξη δε θα είχε ακριβώς την ίδια σημασία».

Μου χαμογέλασε με εκείνο το στραβό του χαμόγελο.

Τον κοίταξα επίμονα με μάτια γουρλωμένα κι εντελώς ακίνητα.

«Αναπνοές, Μπέλλα», μου υπενθύμισε, χαμογελώντας.

Ανέπνευσα.

«Βλέπεις τη δική μου πλευρά, Μπέλλα, έστω και λίγο;»

Και για ένα δευτερόλεπτο, την έβλεπα. Είδα τον εαυτό μου με μακριά φούστα κι ένα δαντελένιο πουκάμισο με ψηλό λαιμό, με τα μαλλιά μου σηκωμένα κότσο στο κεφάλι μου. Είδα τον Έντουαρντ να τρέχει με ένα ελαφρύ κοστούμι κι ένα μπουκέτο αγριολούλουδα στο χέρι του, να κάθεται δίπλα μου σε μια κούνια στη βεράντα.

Κούνησα το κεφάλι μου και κατάπια. Μου έρχονταν απλώς εικόνες από το μυθιστόρημα *Η Άννα των Αγρών*.*

«Το θέμα είναι, Έντουαρντ», είπα με τρεμάμενη φωνή, αποφεύγοντας την ερώτηση, «στο δικό μου μυαλό, ο *γάμος* και η *αιωνιότητα* είναι έννοιες που ούτε η μια αποκλείει ούτε και εμπεριέχει την άλλη. Κι εφόσον ζούμε στο δικό μου κόσμο προς το παρόν, ίσως θα έπρεπε να ακολουθήσουμε τις τάσεις της εποχής, αν καταλαβαίνεις τι εννοώ».

«Αλλά από την άλλη μεριά», είπε εκείνος ως αντεπιχείρημα, «σύντομα θα πάψει να σε απασχολεί εντελώς το θέμα του χρόνου. Άρα γιατί τα παροδικά έθιμα μιας τοπικής κουλτού-

* Μυθιστόρημα της Καναδέζας συγγραφέα Λούσι Μοντγκόμερι που εκδόθηκε το 1908. (Σ.τ.Μ.)

ρας θα έπρεπε να επηρεάσουν την απόφασή σου τόσο πολύ;»
Σούφρωσα τα χείλη μου. «Όταν είσαι στη Ρώμη, δεν πρέπει να κάνεις ό,τι κι οι Ρωμαίοι;»
Γέλασε μαζί μου. «Δεν είναι ανάγκη να πεις ναι ή όχι σήμερα, Μπέλλα. Πάντως είναι καλό να καταλαβαίνεις και τις δυο πλευρές, δε νομίζεις;»
«Ο όρος σου, λοιπόν, ...»
«Ισχύει ακόμα. Καταλαβαίνω την οπτική σου, Μπέλλα, αλλά αν θέλεις να σε μεταμορφώσω εγώ...»
«Νταμ, νταμ, ντα-νταμ», σιγοτραγούδησα μουρμουριστά. Υποτίθεται ότι ήταν το γαμήλιο εμβατήριο, αλλά ακούστηκε σαν μοιρολόι.

Ο χρόνος συνέχισε να κυλάει υπερβολικά γρήγορα.
Εκείνη η νύχτα πέρασε χωρίς καθόλου όνειρα, και μετά ξημέρωσε και η αποφοίτηση με κοίταζε κατάματα. Είχα ένα σωρό να διαβάσω για τις τελικές εξετάσεις, και ήξερα ότι δε θα διάβαζα ούτε τα μισά μέσα στις λίγες μέρες που μου είχαν απομείνει.
Όταν κατέβηκα για πρωινό, ο Τσάρλι είχε φύγει ήδη. Είχε αφήσει την εφημερίδα πάνω στο τραπέζι, κι αυτό μου θύμισε ότι είχα να κάνω μερικά ψώνια. Ήλπιζα η διαφήμιση για τη συναυλία να υπήρχε ακόμα· χρειαζόμουν τον αριθμό του τηλεφώνου για να πάρω τα χαζοεισιτήρια. Δε φαινόταν και σπουδαίο δώρο, τώρα πια που η έκπληξη είχε χαλάσει. Φυσικά, το να προσπαθείς να κάνεις έκπληξη στην Άλις δεν ήταν και το πιο έξυπνο σχέδιο, καταρχήν.
Σκόπευα να γυρίσω τη σελίδα πίσω στο κομμάτι που ήταν αφιερωμένο στη διασκέδαση, αλλά ο έντονος μαύρος τίτλος μου τράβηξε την προσοχή. Ένιωσα μια ανατριχίλα φόβου, καθώς έσκυψα πιο κοντά για να διαβάσω το θέμα της πρώτης σελίδας.

ΤΟ ΣΙΑΤΛ ΣΕ ΚΑΘΕΣΤΩΣ ΤΡΟΜΟΥ

Έχει περάσει λιγότερο από μια δεκαετία από τότε που η πόλη του Σιάτλ ήταν η περιοχή δράσης του κατά συρροή δολοφόνου με τα περισσότερα θύματα σε όλη την ιστορία των ΗΠΑ. Ο Γκάρι Ρίτζγουεϊ, ο Δολοφόνος του Γκριν Ρίβερ, καταδικάστηκε για το φόνο 48 γυναικών.

Και τώρα ένα Σιάτλ σε κατάσταση πολιορκίας πρέπει να αντιμετωπίσει την πιθανότητα ότι θα μπορούσε να προσφέρει καταφύγιο σε ένα ακόμα πιο φρικιαστικό τέρας αυτή τη φορά.

Η αστυνομία δεν αποδίδει την ευθύνη για την πρόσφατη επιδημία ανθρωποκτονιών και εξαφανίσεων σε κάποιον κατά συρροή δολοφόνο. Όχι ακόμα, τουλάχιστον. Οι αστυνομικοί είναι απρόθυμοι να πιστέψουν ότι αυτή η εκατόμβη θα μπορούσε να είναι δουλειά ενός μόνο ανθρώπου. Αυτός ο δολοφόνος –αν πράγματι πρόκειται για ένα άτομο– θα ήταν, σ' αυτή την περίπτωση, υπεύθυνος για 39 ανθρωποκτονίες και εξαφανίσεις που σχετίζονται μεταξύ τους, μόλις μέσα στους τελευταίους τρεις μήνες. Συγκριτικά, το δολοφονικό όργιο του Ρίτζγουεϊ που αριθμούσε 48 θύματα διήρκεσε μια περίοδο 21 χρόνων. Αν αυτοί οι θάνατοι έχουν σχέση με ένα άτομο, τότε αυτό είναι το πιο βίαιο ξέσπασμα κατά συρροή δολοφονιών στην ιστορία της Αμερικής.

Η αστυνομία κλίνει περισσότερο προς τη θεωρία ότι εμπλέκεται η δραστηριότητα συμμορίας. Αυτή η θεωρία υποστηρίζεται από το μεγάλο αριθμό των θυμάτων, κι από το γεγονός ότι δε φαίνεται να υπάρχει κάποιο μοτίβο που να ακολουθείται όσον αφορά την επιλογή των θυμάτων.

Από τον Τζακ τον Αντεροβγάλτη ως τον Τεντ Μπάντι*, οι στόχοι των κατά συρροή δολοφόνων συνήθως συνδέονται με ομοιότητες ως προς την ηλικία, το φύλο, τη φυλή ή και ένα συνδυασμό και των τριών. Τα θύματα αυτού του κύματος των εγκλημάτων ποικίλουν ως προς την ηλικία, από τη δεκαπεντάχρονη αριστούχο μαθη-

* Αμερικάνος κατά συρροή δολοφόνος που δολοφόνησε μεγάλο αριθμό γυναικών από το 1974 ως το 1978. (Σ.τ.Μ.)

τρια Αμάντα Ριντ ως τον 67χρονο συνταξιούχο ταχυδρόμο Ομάρ Τζενκς. Οι θάνατοι που σχετίζονται μεταξύ τους περιλαμβάνουν τους αριθμούς των δεκαοκτώ γυναικών και είκοσι ενός αντρών, που δεν απέχουν παρά ελάχιστα ο ένας από τον άλλο. Υπάρχει φυλετική ποικιλία στα θύματα: είναι Λευκοί, Αφροαμερικανοί, Ισπανικής καταγωγής και Ασιάτες.

Η επιλογή φαίνεται να είναι τυχαία. Ο δράστης δε φαίνεται να έχει κανένα άλλο κίνητρο για να σκοτώσει παρά μόνο την επιθυμία να σκοτώσει.

Γιατί, λοιπόν, να σκεφτεί κανείς την ιδέα ενός κατά συρροή δολοφόνου;

Υπάρχουν αρκετές ομοιότητες στη μέθοδο που χρησιμοποιείται στις δολοφονίες, ώστε να αποκλειστεί η πιθανότητα εγκλημάτων άσχετων μεταξύ τους. Όλα τα θύματα που έχουν ανακαλυφθεί έχουν καεί, σε σημείο που να χρειάζονται οδοντικά μητρώα για να αναγνωριστούν. Φαίνεται να υπάρχουν στοιχεία στις πυρκαγιές που να καταδεικνύουν τη χρήση κάποιας ουσίας, όπως βενζίνης ή οινοπνεύματος˙ παρ' όλα αυτά, δεν έχουν βρεθεί ακόμα ίχνη της ουσίας. Όλα τα πτώματα έχουν εγκαταλειφθεί χωρίς καμία προσοχή και χωρίς καμία προσπάθεια να κρυφτούν.

Και το πιο αποτρόπαιο απ' όλα, τα περισσότερα απομεινάρια δείχνουν στοιχεία κτηνώδους βίας –τα οστά έχουν συνθλιβεί κι έχουν σπάσει από κάποια τεράστια πίεση– πράγμα που οι ιατροδικαστές πιστεύουν ότι συνέβη πριν από το θάνατο, αν και είναι δύσκολο να είναι βέβαιοι γι' αυτά τα συμπεράσματα, με δεδομένη την κατάσταση των στοιχείων.

Άλλη μια ομοιότητα που καταδεικνύει την πιθανότητα ενός κατά συρροή δολοφόνου: όλα τα εγκλήματα δεν έχουν κανένα απολύτως στοιχείο, εκτός από τα απομεινάρια. Ούτε ένα δακτυλικό αποτύπωμα, ούτε ένα ίχνος από λάστιχο αυτοκινήτου, ούτε μία τρίχα δεν έχει μείνει πίσω. Δεν έχει δει κανείς κανέναν ύποπτο στις εξαφανίσεις.

Ύστερα υπάρχουν και οι ίδιες οι εξαφανίσεις –όχι χαμηλού προφίλ. Κανένα από τα θύματα δε θα μπορούσε να θεωρηθεί εύκολος στόχος. Κανένα δεν έχει φύγει από το σπίτι του, κανένα δεν είναι κάποιος άστεγος, οι οποίοι εξαφανίζονται τόσο εύκολα, και σπάνια αναφέρεται η εξαφάνισή τους. Τα θύματα έχουν εξαφανιστεί από τα σπίτια τους, από ένα διαμέρισμα του τετάρτου ορόφου, από ένα γυμναστήριο, από μια γαμήλια δεξίωση. Ίσως το πιο εκπληκτικό: ο τριαντάχρονος ερασιτέχνης μποξέρ Ρόμπερτ Γουόλς μπήκε σε ένα κινηματογράφο μαζί με τη συνοδό του: λίγα λεπτά αφού είχε αρχίσει η ταινία, η γυναίκα κατάλαβε ότι έλειπε από τη θέση του. Το σώμα του βρέθηκε μόνο τρεις ώρες αργότερα, όταν κλήθηκε η πυροσβεστική στο σκηνικό, όπου καιγόταν ένας κάδος απορριμμάτων, τριάντα δύο χιλιόμετρα μακριά.

Ένα άλλο μοτίβο ακολουθείται στις σφαγές: όλα τα θύματα εξαφανίστηκαν στη διάρκεια της νύχτας.

Και το πιο ανησυχητικό μοτίβο; Η επιτάχυνση. Έξι από τις ανθρωποκτονίες διαπράχτηκαν μέσα στον πρώτο μήνα, έντεκα μέσα στο δεύτερο. Είκοσι δύο μέσα στις δέκα τελευταίες μέρες μόνο. Και η αστυνομία δεν έχει πλησιάσει πιο κοντά στο να βρει τον υπεύθυνο απ' ό,τι όταν βρέθηκε το πρώτο καμένο πτώμα.

Τα στοιχεία είναι αντικρουόμενα, τα απομεινάρια φρικιαστικά. Μια βίαιη καινούρια συμμορία ή ένας υπερδραστήριος κατά συρροή δολοφόνος; Ή κάτι άλλο που η αστυνομία δεν έχει αντιληφθεί ακόμα;

Μόνο ένα συμπέρασμα είναι αναμφισβήτητο: κάτι φρικτό ενεδρεύει στο Σιάτλ.

Χρειάστηκα τρεις προσπάθειες για να διαβάσω την τελευταία πρόταση και κατάλαβα ότι το πρόβλημα ήταν ότι τα χέρια μου έτρεμαν.

«Μπέλλα;»

Έτσι όπως ήμουν συγκεντρωμένη, η φωνή του Έντουαρντ, αν και ήσυχη κι όχι εντελώς απροσδόκητη, με έκανε να βγάλω μια πνιχτή κραυγή και να στριφογυρίσω γρήγορα.

Ακουμπούσε στην πόρτα, τα φρύδια του είχαν σμίξει. Τότε βρέθηκε ξαφνικά πλάι μου και έπιασε το χέρι μου.

«Σε ξάφνιασα; Συγνώμη. Χτύπησα...»

«Όχι, όχι», είπα γρήγορα. «Το είδες αυτό;» έδειξα την εφημερίδα.

Ένα συνοφρύωμα γέμισε ρυτίδες το μέτωπό του.

«Δεν έχω δει εφημερίδα σήμερα. Αλλά ήξερα ότι η κατάσταση χειροτερεύει. Θα χρειαστεί να κάνουμε κάτι... γρήγορα».

Δε μου άρεσε αυτό. Δε μου άρεσε να κινδυνεύει κανείς τους, και ό,τι ή όποιος κι αν ήταν αυτός στο Σιάτλ πραγματικά άρχιζε να με τρομάζει. Αλλά η ιδέα του να έρθουν οι Βολτούρι ήταν εξίσου τρομακτική.

«Και τι λέει η Άλις;»

«Αυτό είναι το πρόβλημα». Το συνοφρύωμά του έγινε πιο έντονο. «Δε βλέπει τίποτα... παρόλο που έχουμε αποφασίσει να ερευνήσουμε το θέμα έξι φορές. Αρχίζει να χάνει την αυτοπεποίθησή της. Νιώθει ότι της ξεφεύγουν πολλά πράγματα αυτές τις μέρες, ότι κάτι δεν πάει καλά. Ότι μπορεί η ενόρασή της να χάνεται».

Τα μάτια μου γούρλωσαν. «Μπορεί να συμβεί αυτό;»

«Ποιος ξέρει; Κανένας δεν το έχει μελετήσει ποτέ... αλλά πραγματικά αμφιβάλλω. Αυτά τα πράγματα συνήθως γίνονται πιο δυνατά με το πέρασμα του χρόνου. Δες τον Άρο και την Τζέιν».

«Τότε τι συμβαίνει;»

«Νομίζω, είναι προφητεία που εκπληρώνει μόνο τον εαυτό της. Συνέχεια περιμένουμε να δει η Άλις κάτι, για να μπορέσουμε να ξεκινήσουμε... κι εκείνη δε βλέπει τίποτα, επειδή δεν ξεκινάμε πριν δει κάτι. Δεν μπορεί να μας δει εκεί. Ίσως να χρειαστεί να το κάνουμε στα τυφλά».

Με διαπέρασε ένα ρίγος. «Όχι».

«Είχες καμία έντονη επιθυμία να παρακολουθήσεις μάθημα σήμερα; Μας έχουν μείνει μόνο δυο μέρες πριν τις εξετάσεις˙ δε θα μας δώσουν τίποτα καινούριο».

«Νομίζω πως μπορώ να ζήσω χωρίς το σχολείο για μια μέρα. Τι θα κάνουμε;»

«Θέλω να μιλήσω στον Τζάσπερ».

Ο Τζάσπερ, ξανά. Ήταν παράξενο. Στην οικογένεια των Κάλεν, ο Τζάσπερ ήταν πάντα κάπως στις παρυφές, συμμετείχε σε διάφορα πράγματα, αλλά δεν ήταν ποτέ στο επίκεντρο. Ήταν ένα συμπέρασμα που δεν είχα διατυπώσει ποτέ, ότι βρισκόταν εκεί μόνο για την Άλις. Είχα την αίσθηση πως θα ακολουθούσε την Άλις οπουδήποτε, αλλά ότι αυτός ο τρόπος ζωής δεν ήταν η πρώτη του επιλογή. Το γεγονός ότι ήταν λιγότερο αφοσιωμένος σ' αυτόν απ' όσο οι άλλοι πιθανότατα ήταν ο λόγος για τον οποίο δυσκολευόταν περισσότερο να τον ακολουθήσει.

Εν πάση περιπτώσει, δεν είχα δει τον Έντουαρντ να νιώθει ότι εξαρτάται από τον Τζάσπερ ποτέ. Αναρωτήθηκα ξανά τι εννοούσε για τις ειδικές γνώσεις του Τζάσπερ. Δεν ήξερα και πολλά για την ιστορία του Τζάσπερ, μόνο ότι είχε έρθει από κάπου νότια, πριν τον βρει η Άλις. Για κάποιο λόγο, ο Έντουαρντ πάντα προσπαθούσε να αποφύγει τις ερωτήσεις για τον πιο νέο από τα αδέρφια του. Κι εγώ πάντα ένιωθα υπερβολικό φόβο για τον ψηλό, ξανθό βρικόλακα που έμοιαζε με μελαγχολικό αστέρα του σινεμά, για να τον ρωτήσω ευθέως.

Όταν φτάσαμε σπίτι, βρήκαμε τον Κάρλαϊλ, την Έσμι και τον Τζάσπερ να βλέπουν ειδήσεις με μεγάλη προσήλωση, παρόλο που ο ήχος ήταν τόσο χαμηλωμένος που εγώ δεν μπορούσα να τον ακούσω. Η Άλις είχε κουρνιάσει στο κάτω-κάτω σκαλοπάτι της μεγάλης σκάλας, το πρόσωπό της ήταν στα χέρια της και η έκφρασή της αποκαρδιωμένη. Καθώς μπαίναμε μέσα, ο Έμετ μπήκε με αργά βήματα από την πόρτα της κουζίνας, δείχνοντας εντελώς άνετος. Τίποτα δεν ενοχλούσε ποτέ τον Έμετ.

«Γεια σου, Έντουαρντ. Κοπάνα, Μπέλλα;» Μου χαμογέλασε πλατιά.

«Και οι δυο μας κάνουμε κοπάνα», του υπενθύμισε ο Έντουαρντ.

Ο Έμετ γέλασε. «Ναι, αλλά γι' *αυτή* είναι η πρώτη φορά που πάει λύκειο. Μπορεί να χάσει κάτι».

Ο Έντουαρντ στριφογύρισε τα μάτια του, αλλά κατά τα άλλα αγνόησε τον αγαπημένο του αδερφό. Πέταξε την εφημερίδα στον Κάρλαϊλ.

«Είδες ότι σκέφτονται τώρα την πιθανότητα να πρόκειται για κατά συρροή δολοφόνο;» ρώτησε.

Ο Κάρλαϊλ αναστέναξε. «Έχουν βάλει δυο ειδικούς να συζητούν σχετικά με την πιθανότητα στο CNN όλο το πρωί».

«Δεν μπορούμε να το αφήσουμε να συνεχιστεί αυτό».

«Πάμε τώρα», είπε ο Έμετ με ξαφνικό ενθουσιασμό. «Βαριέμαι απίστευτα».

Ένα σύριγμα αντήχησε από τον πάνω όροφο.

«Είναι τόσο απαισιόδοξη», μουρμούρισε ο Έμετ στον εαυτό του.

Ο Έντουαρντ συμφώνησε με τον Έμετ. «Θα πρέπει να πάμε κάποια στιγμή».

Η Ρόζαλι πρόβαλλε στην κορυφή της σκάλας και κατέβηκε αργά. Το πρόσωπό της ήταν ήρεμο, ανέκφραστο.

Ο Κάρλαϊλ κουνούσε το κεφάλι του. «Είμαι προβληματισμένος. Δεν έχουμε εμπλακεί ποτέ σε τέτοιου είδους καταστάσεις. Δεν είναι δική μας δουλειά. Δεν είμαστε οι Βολτούρι».

«Δε θέλω να χρειαστεί να έρθουν εδώ οι Βολτούρι», είπε ο Έντουαρντ. «Αυτό μας δίνει πολύ λιγότερο χρόνο να αντιδράσουμε».

«Και όλοι εκείνοι οι αθώοι άνθρωποι στο Σιάτλ», μουρμούρισε η Έσμι. «Δεν είναι σωστό να τους αφήνουμε να πεθαίνουν έτσι».

«Το ξέρω», είπε αναστενάζοντας ο Κάρλαϊλ.

«Ω», είπε ο Έντουαρντ απότομα, γυρνώντας το κεφάλι του ελαφρώς προς τον Τζάσπερ. «Δεν το σκέφτηκα αυτό. Κατάλαβα. Έχεις δίκιο, αυτό πρέπει να είναι. Λοιπόν, αυτό τα αλλάζει όλα».

Δεν ήμουν η μόνη που τον κοίταξε μπερδεμένη, αλλά μπορεί να ήμουν η μόνη που δεν έδειχνε ελαφρώς εκνευρισμένη.

«Νομίζω πως θα ήταν καλό να εξηγήσεις στους υπόλοιπους», είπε ο Έντουαρντ στον Τζάσπερ. «Ποιος θα μπορούσε να είναι ο σκοπός όλων αυτών;» Ο Έντουαρντ άρχισε να βηματίζει πάνω-κάτω, με το βλέμμα καρφωμένο στο πάτωμα, χαμένος στις σκέψεις του.

Δεν την είχα δει να σηκώνεται, αλλά η Άλις ήταν εκεί δίπλα μου. «Για τι πράγμα παραμιλάει;» ρώτησε τον Τζάσπερ. «Τι σκέφτεσαι;»

Ο Τζάσπερ δε φάνηκε να απολαμβάνει το γεγονός ότι βρισκόταν στο επίκεντρο της προσοχής. Δίστασε, διαβάζοντας κάθε πρόσωπο στον κύκλο –γιατί όλοι είχαν πλησιάσει για να ακούσουν τι θα έλεγε– και μετά τα μάτια του σταμάτησαν στο δικό μου πρόσωπο.

«Είσαι μπερδεμένη», μου είπε, η βαθιά φωνή του πολύ χαμηλή.

Δεν υπήρχε κανένα ερωτηματικό στο συμπέρασμά του. Ο Τζάσπερ ήξερε τι αισθανόμουν, τι αισθάνονταν όλοι.

«Είμαστε όλοι μπερδεμένοι», γκρίνιαξε ο Έμετ.

«Μπορείτε να κάνετε τον κόπο να δείξετε λίγη υπομονή», του είπε ο Τζάσπερ. «Θα ήταν καλό να το καταλάβει κι η Μπέλλα αυτό. Είναι μια από 'μας τώρα».

Τα λόγια του με αιφνιδίασαν. Αν και δεν είχα πολλά-πολλά με τον Τζάσπερ, ειδικά μετά από τα περασμένα μου γενέθλια, όταν προσπάθησε να με σκοτώσει, δεν είχα συνειδητοποιήσει ότι με έβλεπε έτσι.

«Πόσα ξέρεις για 'μένα, Μπέλλα;» ρώτησε ο Τζάσπερ.

Ο Έμετ αναστέναξε θεατρικά, και έπεσε με έναν πνιχτό

γδούπο πάνω στον καναπέ κάνοντας ότι περιμένει με υπερβολική ανυπομονησία.

«Όχι και πολλά», παραδέχτηκα.

Ο Τζάσπερ κοίταξε επίμονα τον Έντουαρντ, ο οποίος σήκωσε το βλέμμα του για να διασταυρωθεί με το δικό του.

«Όχι», ο Έντουαρντ απάντησε στη σκέψη του. «Είμαι σίγουρος πως μπορείς να καταλάβεις γιατί δεν της έχω πει αυτή την ιστορία. Αλλά μάλλον πρέπει να την ακούσει τώρα».

Ο Τζάσπερ έγνεψε σκεφτικά και μετά άρχισε να σηκώνει ψηλά το μανίκι του μπεζ πουλόβερ του.

Παρακολουθούσα, περίεργη και μπερδεμένη, προσπαθώντας να καταλάβω τι έκανε. Κράτησε τον καρπό του κάτω από την άκρη του αμπαζούρ δίπλα του, κοντά στο φως του γυμνού γλόμπου και χάιδεψε με το δάχτυλό του το σημάδι σε σχήμα ημισελήνου που εξείχε πάνω στο χλωμό δέρμα.

Μου πήρε ένα λεπτό για να καταλάβω γιατί το σχήμα έμοιαζε παράξενα γνωστό.

«Α», ψιθύρισα, καθώς συνειδητοποίησα τι ήταν. «Τζάσπερ, έχεις μια ουλή ολόιδια με τη δικιά μου».

Τέντωσα το χέρι μου, όπου η ασημένια ημισέληνος ήταν πιο εμφανής πάνω στη δική μου λίγο πιο σκούρα επιδερμίδα απ' ό,τι πάνω στη δική του αλαβάστρινη.

Ο Τζάσπερ χαμογέλασε αχνά. «Έχω πολλές ουλές σαν τη δική σου, Μπέλλα».

Ήταν αδύνατο να διαβάσει κανείς το πρόσωπο του Τζάσπερ, καθώς σήκωσε πιο ψηλά στο μπράτσο του το μανίκι του λεπτού πουλόβερ του. Στην αρχή τα μάτια μου δεν μπορούσαν να καταλάβουν τι ήταν η υφή αυτή του δέρματος που σχημάτιζε πυκνές στιβάδες. Καμπυλωτές ημισέληνοι διασταυρώνονταν σε ένα πουπουλένιο μοτίβο που, έτσι όπως ήταν λευκό πάνω στη λευκή επιδερμίδα, ήταν ορατό μόνο επειδή η δυνατή λάμψη του αμπαζούρ δίπλα του έκανε το σχέδιο που προεξείχε ελαφρώς να φαίνεται σαν ανάγλυφο, με επιφανειακές σκιές να σκιαγραφούν τα σχήματα. Και τότε αντιλήφθηκα ότι το σχέδιο αποτελείτο από ξεχωριστές ημισελήνους, όπως αυτή πάνω στον καρπό του... αυτή πάνω στο χέρι μου.

Κοίταξα πάλι τη δική μου μικρή, μοναχική ουλή –και θυμήθηκα πώς την είχα αποκτήσει. Κοίταξα επίμονα το σχήμα των δοντιών του Τζέιμς που είχε χαραχτεί για πάντα στο δέρμα μου.

Και μετά έβγαλα μια πνιχτή κραυγή, σηκώνοντας τα μάτια πάνω του. «Τζάσπερ, τι *σου συνέβη;*»

13. ΝΕΟΓΕΝΝΗΤΟΙ

«Το ίδιο πράγμα που έπαθες κι εσύ στο χέρι σου», απάντησε ο Τζάσπερ χαμηλόφωνα. «Χίλιες φορές». Γέλασε λίγο μελαγχολικά και χάιδεψε το μπράτσο του. «Το δηλητήριό μας είναι το μόνο πράγμα που αφήνει σημάδι».

«Γιατί;» ψιθύρισα έντρομη, νιώθοντας αγενής, αλλά ανίκανη να σταματήσω να κοιτάζω επίμονα το ελαφρώς κατεστραμμένο δέρμα του.

«Εγώ δεν είχα την ίδια ακριβώς... ανατροφή με τα άλλα μου θετά αδέρφια εδώ. Το δικό μου ξεκίνημά ήταν εντελώς διαφορετικό». Η φωνή του έγινε σκληρή στο τέλος της πρότασης.

Είχα μείνει να τον κοιτάζω με ανοιχτό το στόμα, τρομαγμένη.

«Πριν σου πω την ιστορία μου» είπε ο Τζάσπερ «πρέπει να καταλάβεις ότι υπάρχουν μέρη στο *δικό μας* κόσμο, Μπέλλα, όπου η ζωή αυτών που δε γερνάνε ποτέ, μετριέται σε βδομάδες και όχι αιώνες».

Οι άλλοι το είχαν ακούσει αυτό ξανά. Ο Κάρλαϊλ κι ο Έμετ

έστρεψαν την προσοχή τους πάλι στην τηλεόραση. Η Άλις μετακινήθηκε σιωπηλά για να καθίσει στα πόδια της Έσμι. Αλλά ο Έντουαρντ ήταν εξίσου απορροφημένος μ' εμένα˙ ένιωθα τα μάτια του στο δικό μου πρόσωπο, να διαβάζουν κάθε φευγαλέα αντίδραση.

«Για να καταλάβεις πραγματικά το γιατί, πρέπει να δεις τον κόσμο από μια διαφορετική οπτική. Πρέπει να φανταστείς πώς φαίνεται στους ισχυρούς, τους άπληστους... τους αιώνια διψασμένους.

»Βλέπεις, υπάρχουν μέρη σ' αυτό τον κόσμο που είναι πιο επιθυμητά απ' ό,τι άλλα για 'μας. Μέρη όπου μπορούμε να είμαστε λιγότερο συγκρατημένοι κι ωστόσο να αποφεύγουμε να μας ανακαλύψουν.

»Φαντάσου, για παράδειγμα, ένα χάρτη του δυτικού ημισφαιρίου. Φαντάσου πάνω του κάθε ανθρώπινη ζωή σαν μια μικρή κόκκινη κουκκίδα. Όσο πιο πυκνό το κόκκινο, τόσο πιο εύκολα εμείς –δηλαδή, εκείνοι που υπάρχουν κατ' αυτό τον τρόπο– μπορούν να τρέφονται χωρίς να προσελκύουν την προσοχή».

Με διαπέρασε ένα ρίγος, καθώς έφερα την εικόνα στο νου μου, στο άκουσμα της λέξης *τρέφονται*. Αλλά ο Τζάσπερ δεν ανησυχούσε μη με τρομάξει, δεν ήταν υπερπροστατευτικός, όπως ήταν πάντα ο Έντουαρντ. Συνέχισε παρακάτω χωρίς να σταματήσει.

«Όχι ότι οι ομάδες στο νότο ενδιαφέρονται και πολύ αν οι άνθρωποι θα τους προσέξουν ή όχι. Οι Βολτούρι είναι αυτοί που τους συγκρατούν. Αυτοί είναι οι μόνοι που φοβούνται οι ομάδες του νότου. Αν δεν υπήρχαν οι Βολτούρι, οι υπόλοιποι θα είχαμε εκτεθεί γρήγορα».

Συνοφρυώθηκα ακούγοντας τον τρόπο που πρόφερε το όνομα –με σεβασμό, σχεδόν με ευγνωμοσύνη. Ήταν δύσκολο να δεχτώ την ιδέα των Βολτούρι ως των καλών της υπόθεσης υπό οποιαδήποτε έννοια.

«Ο βορράς είναι, συγκριτικά, πολύ πολιτισμένος. Κυρίως είμαστε νομάδες εδώ, που απολαμβάνουμε τη μέρα, όπως και τη νύχτα, που επιτρέπουμε στους ανθρώπους να συγχρωτίζονται μαζί μας, χωρίς να υποψιάζονται –η ανωνυμία είναι σημαντική για όλος μας.

»Στο νότο είναι άλλος κόσμος. Οι αθάνατοι εκεί βγαίνουν έξω μόνο τη νύχτα. Περνούν τη μέρα σχεδιάζοντας την επόμενη κίνησή τους ή προβλέποντας την κίνηση του εχθρού τους. Γιατί στο νότο μαίνεται πόλεμος, συνεχής πόλεμος για αιώνες, χωρίς ούτε μια στιγμή ανακωχής. Οι ομάδες εκεί μετά βίας δίνουν σημασία στην ύπαρξη των ανθρώπων, εκτός κι αν τους προσέξουν, όπως θα προσέξουν οι στρατιώτες ένα κοπάδι αγελάδες –σαν τροφή που μπορούν να πάρουν. Ο μόνος λόγος που κρύβονται για να μην τους δει το κοπάδι είναι οι Βολτούρι».

«Μα γιατί πολεμούν;» ρώτησα.

Ο Τζάσπερ χαμογέλασε. «Θυμάσαι το χάρτη με τις κόκκινες κουκκίδες;»

Περίμενε, έτσι έγνεψα.

«Πολεμούν για τον έλεγχο των περιοχών με το πιο πυκνό κόκκινο.

»Βλέπεις, κάποτε κατέβηκε σε κάποιον η ιδέα ότι, αν ήταν ο μοναδικός βρικόλακας, ας πούμε, στην πόλη του Μεξικού, τότε θα μπορούσε να τρέφεται κάθε νύχτα, δυο, τρεις φορές, και κανένας δε θα το πρόσεχε ποτέ. Αυτός κατάστρωσε σχέδια για να ξεφορτωθεί τον ανταγωνισμό.

»Κι άλλοι είχαν την ίδια ιδέα. Μερικοί σκέφτηκαν πιο αποτελεσματικές τακτικές από άλλους.

»Αλλά *η αποτελεσματικότερη* τεχνική απ' όλες επινοήθηκε από ένα σχετικά νεαρό βρικόλακα που τον έλεγαν Μπενίτο. Η πρώτη φορά που το όνομά του μαθεύτηκε ήταν όταν κατέβηκε από κάπου βόρεια του Ντάλας και έσφαξε τις δυο μικρές ομάδες που μοιράζονταν την περιοχή κοντά στο Χιούστον.

Δυο νύχτες αργότερα, επιτέθηκε στην πολύ πιο δυνατή φατρία των συμμάχων που αξίωνε το Μοντερέι στο βόρειο Μεξικό. Και πάλι, κέρδισε».

«Πώς κέρδισε;» ρώτησα με ανήσυχη περιέργεια.

«Ο Μπενίτο είχε δημιουργήσει ένα στρατό από νεογέννητους βρικόλακες. Αυτός ήταν ο πρώτος που το σκέφτηκε και στην αρχή ήταν ασταμάτητος. Οι πολύ νεαροί βρικόλακες είναι άστατοι, άγριοι και σχεδόν ασυγκράτητοι. Μπορείς να λογικέψεις ένα νεογέννητο, να του διδάξεις την αυτοσυγκράτηση, αλλά δέκα, δεκαπέντε μαζί είναι εφιάλτης. Στρέφονται ο ένας εναντίον του άλλου με την ίδια ευκολία, όπως κι εναντίον του εχθρού τον οποίο θα τους υποδείξεις. Ο Μπενίτο χρειαζόταν να δημιουργεί συνεχώς κι άλλους, γιατί και πολεμούσαν μεταξύ τους, αλλά και επειδή οι ομάδες που εξολόθρευε προλάβαιναν να καταστρέφουν περισσότερη από τη μισή του δύναμη πριν χάσουν.

»Βλέπεις, αν και οι νεογέννητοι είναι επικίνδυνοι, είναι και πάλι δυνατόν να τους νικήσεις, αν ξέρεις τι κάνεις. Είναι απίστευτα δυνατοί σωματικά, τον πρώτο χρόνο ή και λίγο παραπάνω, κι αν τους επιτραπεί να χρησιμοποιήσουν τη δύναμή τους, μπορούν να καταστρέψουν έναν πιο ηλικιωμένο βρικόλακα με ευκολία. Αλλά είναι επίσης και δούλοι των ενστίκτων τους και γι' αυτόν το λόγο προβλέψιμοι. Συνήθως, δεν έχουν καθόλου δεξιοτεχνία στη μάχη, μόνο μυς και αγριότητα. Και σ' αυτή την περίπτωση, σαρωτικούς αριθμούς.

»Οι βρικόλακες στο νότιο Μεξικό κατάλαβαν τι τους περίμενε κι έκαναν το μόνο πράγμα που μπόρεσαν να σκεφτούν για να εξουδετερώσουν τον Μπενίτο. Έφτιαξαν δικούς τους στρατούς...

»Όλοι οι δαίμονες της κολάσεως ξεχύθηκαν στη γη –και το εννοώ αυτό πιο κυριολεκτικά απ' όσο μπορείς να φανταστείς. Κι εμείς οι αθάνατοι έχουμε τις δικές μας ιστορίες, κι αυτός ο συγκεκριμένος πόλεμος δε θα ξεχαστεί ποτέ. Φυσικά, δεν ήταν καλή περίοδος για να είσαι άνθρωπος στο Μεξικό».

Αναρίγησα.

«Όταν ο αριθμός των θυμάτων πήρε διαστάσεις επιδημίας –μάλιστα, οι δικές σας ιστορίες θεωρούν υπεύθυνη μια ασθένεια για τη μείωση του πληθυσμού– οι Βολτούρι τελικά επενέβησαν. Ολόκληρη η φρουρά ήρθε και ανακάλυψε κάθε νεογέννητο στο νότιο μισό της Βόρειας Αμερικής. Ο Μπενίτο οχυρώθηκε στην Πουέμπλα, φτιάχνοντας το στρατό του όσο πιο γρήγορα μπορούσε για να κερδίσει το έπαθλο –την πόλη του Μεξικού. Οι Βολτούρι άρχισαν από εκείνον και μετά ασχολήθηκαν με τους υπόλοιπους.

»Οποιονδήποτε έβρισκαν μαζί με τους νεογέννητους, τον εκτελούσαν αμέσως, κι εφόσον όλοι προσπαθούσαν να προστατευτούν από τον Μπενίτο, το Μεξικό άδειασε από βρικόλακες για κάποιο διάστημα.

»Οι Βολτούρι έκαναν εκκαθαρίσεις για ένα χρόνο σχεδόν. Αυτό ήταν άλλο ένα κεφάλαιο της ιστορίας μας που πάντα θα θυμόμαστε, παρόλο που απέμειναν πολύ λίγοι μάρτυρες για να μιλήσουν για το πώς ήταν η κατάσταση τότε. Μίλησα κάποτε με κάποιον που είχε δει, από κάποια απόσταση, τι συνέβη, όταν επισκέφτηκαν το Κουλιακάν*».

Ο Τζάσπερ αναρίγησε. Συνειδητοποίησα ότι δεν τον είχα δει ποτέ ξανά να φοβάται ή να νιώθει φρίκη. Αυτή ήταν η πρώτη φορά.

«Ήταν αρκετό που ο πυρετός της κατάκτησης δεν εξαπλώθηκε από το νότο. Ο υπόλοιπος κόσμος παρέμεινε μακριά από την παράνοια. Χρωστάμε χάρη στους Βολτούρι για τον τωρινό τρόπο ζωής μας.

»Μα όταν οι Βολτούρι γύρισαν στην Ιταλία, οι επιζώντες γρήγορα θέλησαν να εγείρουν αξιώσεις σε εδάφη του νότου.

»Δεν πέρασε πολύς καιρός, πριν αρχίσουν οι ομάδες των βρικολάκων να τσακώνονται ξανά. Υπήρχε πολύ μεγάλο μί-

* Κουλιακάν: πόλη του Μεξικού (Σ.τ.Μ.)

σος ανάμεσά τους. Αφθονούσαν οι βεντέτες. Η ιδέα των νεογέννητων ήδη υπήρχε, και κάποιοι δεν μπορούσαν να αντισταθούν. Παρ' όλα αυτά, οι Βολτούρι δεν είχαν ξεχαστεί, και οι νότιες ομάδες ήταν πιο προσεχτικές αυτή τη φορά. Οι νεογέννητοι επιλέγονταν από τα ανθρώπινα αποθέματα με μεγαλύτερη προσοχή, και τους εκπαίδευαν περισσότερο. Χρησιμοποιούνταν με περίσκεψη, και οι άνθρωποι παρέμειναν, ως επί το πλείστον, ανυποψίαστοι. Οι δημιουργοί τους δεν έδωσαν στους Βολτούρι κανένα λόγο να επιστρέψουν.

»Οι πόλεμοι ξανάρχισαν, αλλά σε μικρότερη κλίμακα. Μια φορά στο τόσο, κάποιος έκανε κάποια υπερβολή, άρχιζαν οι εικασίες στις ανθρώπινες εφημερίδες, και οι Βολτούρι ξανάρχονταν και καθάριζαν την πόλη. Αλλά άφηναν τους άλλους, τους προσεχτικούς, να συνεχίζουν...»

Ο Τζάσπερ είχε καρφώσει το βλέμμα του στο κενό.

«Έτσι μεταμορφώθηκες εσύ». Η συνειδητοποίησή μου ήταν ένας ψίθυρος.

«Ναι», συμφώνησε εκείνος. «Όταν ήμουν άνθρωπος, ζούσα στο Χιούστον, στο Τέξας. Ήμουν σχεδόν δεκαεπτά χρονών, όταν έγινα μέλος του Στρατού της Ομοσπονδίας των Νοτίων το 1861. Είπα ψέματα στους στρατολόγους πως ήμουν είκοσι. Ήμουν αρκετά ψηλός ώστε να τους ξεγελάσω.

»Η στρατιωτική μου καριέρα ήταν σύντομη, αλλά πολλά υποσχόμενη. Οι άνθρωποι πάντα... με συμπαθούσαν, άκουγαν αυτά που είχα να πω. Ο πατέρας μου έλεγε ότι ήταν ένα χάρισμα. Φυσικά, τώρα ξέρω πως πιθανότατα ήταν κάτι παραπάνω. Αλλά, όποιος κι αν ήταν ο λόγος, μου έδιναν γρήγορα προαγωγές, και ανέβαινα στα αξιώματα, ξεπερνώντας πιο μεγάλους, πιο έμπειρους άντρες. Ο Στρατός της Ομοσπονδίας ήταν καινούριος και πάσχιζε να οργανωθεί, άρα αυτό προσέφερε κι ευκαιρίες. Μέχρι την πρώτη μάχη του Γκάλβεστον –δηλαδή, ήταν περισσότερο αψιμαχία, εδώ που τα λέμε– ήμουν ο πιο νέος ταγματάρχης στο Τέξας, χωρίς να λαμβάνουμε υπόψη και την πραγματική μου ηλικία.

»Τέθηκα επικεφαλής της εκκένωσης της πόλης από τα γυναικόπαιδα, όταν έφτασαν στο λιμάνι τα πολεμικά πλοία της Ένωσης των Βορείων. Μου πήρε μια μέρα για να τους προετοιμάσω, και μετά έφυγα με την πρώτη φάλαγγα πολιτών, για να τους μεταφέρω στο Χιούστον.

»Θυμάμαι εκείνη τη νύχτα πολύ καθαρά.

»Φτάσαμε στην πόλη αφού είχε νυχτώσει. Εγώ έμεινα τόσο όσο χρειαζόταν για να βεβαιωθώ ότι ολόκληρη η ομάδα των πολιτών ήταν ασφαλής. Αμέσως μόλις έγινε αυτό, πήρα ένα ξεκούραστο άλογο και κατευθύνθηκα πίσω προς το Γκάλβεστον. Δεν υπήρχε χρόνος για ξεκούραση.

»Μόλις ενάμισι χιλιόμετρο έξω από την πόλη, βρήκα τρεις γυναίκες πεζές. Υπέθεσα ότι είχαν ξεμείνει πίσω και ξεπέζεψα αμέσως για να τους προσφέρω τη βοήθειά μου. Αλλά, όταν μπόρεσα να δω τα πρόσωπά τους στο αχνό φως του φεγγαριού, έμεινα άναυδος από το θαυμασμό. Ήταν, χωρίς αμφιβολία, οι τρεις πιο όμορφες γυναίκες που είχα δει ποτέ.

»Είχαν τόσο χλωμή επιδερμίδα που θυμάμαι ότι απόρησα. Ακόμα και η μικρή μελαχρινή κοπέλα που είχε χαρακτηριστικά ολοφάνερα μεξικάνικα ήταν σαν πορσελάνινο στο φεγγαρόφωτο. Έμοιαζαν νεαρές, όλες τους, ακόμα αρκετά νεαρές για να τις αποκαλέσει κανείς κορίτσια. Ήξερα ότι δεν ήταν χαμένα μέλη της ομάδας μας. Θα το θυμόμουν αν τις είχα ξαναδεί αυτές τις τρεις.

»"Έχει μείνει άναυδος", είπε το πιο ψηλό κορίτσι με μια υπέροχη, απαλή φωνή –ήταν σαν εκείνες τις κρεμαστές μεταλλικές βέργες που κουδουνίζουν στον άνεμο. Είχε ανοιχτόχρωμα μαλλιά, και το δέρμα της ήταν λευκό σαν χιόνι.

»Η άλλη ήταν ακόμα πιο ξανθιά, με δέρμα εξίσου ωχρό. Το πρόσωπό της ήταν αγγελικό. Έσκυψε προς εμένα με μισόκλειστα μάτια και εισέπνευσε βαθιά.

»"Μμμ", αναστέναξε. "Υπέροχο".

»Η πιο μικρόσωμη, η μικροσκοπική καστανή, έβαλε το χέρι της στο μπράτσο του κοριτσιού και μίλησε γρήγορα. Και η δική της φωνή ήταν υπερβολικά απαλή και μελωδική για να ακουστεί απότομη, αλλά μου φάνηκε ότι έτσι σκόπευε να ακουστεί.

»"Συγκεντρώσου, Νέτι", είπε.

»Πάντα είχα καλή αίσθηση σχετικά με το ποια σχέση έδενε τους ανθρώπους, και έγινε αμέσως φανερό ότι η καστανή έκανε κουμάντο στις άλλες. Αν ήταν στο στρατό, θα έλεγα ότι είχε ανώτερο βαθμό.

»"Φαίνεται καλός –νέος, δυνατός, αξιωματικός..." Η καστανή έκανε μια παύση, κι εγώ προσπάθησα να μιλήσω χωρίς επιτυχία. "Και υπάρχει και κάτι άλλο... το νιώθετε;" ρώτησε τις άλλες δύο. "Είναι... επιβλητικός".

»"Α, ναι", συμφώνησε γρήγορα η Νέτι, σκύβοντας ξανά προς εμένα.

»"Υπομονή", την προειδοποίησε η καστανή. "Θέλω να τον κρατήσουμε αυτόν εδώ".

»Η Νέτι κατσούφιασε˙ έμοιαζε ενοχλημένη.

»"Καλύτερα να το κάνεις εσύ, Μαρία", μίλησε ξανά η πιο ψηλή ξανθιά. "Αν είναι σημαντικός για 'σένα. Εγώ τις μισές φορές που προσπαθώ τους σκοτώνω".

»"Ναι, θα το κάνω εγώ", συμφώνησε η Μαρία. "Μου αρέσει στ' αλήθεια αυτός εδώ. Πάρε τη Νέτι μακριά, εντάξει; Δε θέλω να έχω να φυλάω τα νώτα μου, ενώ προσπαθώ να συγκεντρωθώ".

»Οι τρίχες μου είχαν σηκωθεί στο σβέρκο μου, αν και δεν καταλάβαινα λέξη απ' όσα είχαν πει τα τρία πανέμορφα πλάσματα. Τα ένστικτά μου μού έλεγαν ότι υπήρχε κίνδυνος, ότι ο άγγελος το εννοούσε, όταν μίλησε για θάνατο, αλλά η κρίση μου απέρριψε τα ένστικτά μου. Δε με είχαν μάθει να φοβάμαι γυναίκες, αλλά να τις προστατεύω.

»"Ας κυνηγήσουμε", συμφώνησε η Νέτι με ενθουσιασμό,

πιάνοντας το χέρι της ψηλής ξανθιάς κοπέλας. Απομακρύνθηκαν σαν να κυλούσαν –τόσο μεγάλη χάρη είχαν!– και έτρεξαν προς την πόλη. Έμοιαζαν σχεδόν να πετάνε, τόσο γρήγορες ήταν –τα λευκά φορέματά τους κυμάτιζαν πίσω τους σαν φτερά. Ανοιγόκλεισα τα μάτια έκπληκτος, κι εκείνες είχαν χαθεί.

»Γύρισα για να κοιτάξω τη Μαρία, που με περιεργαζόταν με ενδιαφέρον.

»Δεν υπήρξα ποτέ στη ζωή μου προληπτικός. Μέχρι εκείνο το δευτερόλεπτο, δεν πίστευα ποτέ σε φαντάσματα ή κανενός άλλου είδους ανοησίες. Ξαφνικά, δεν ήμουν σίγουρος.

»"Πώς σε λένε, στρατιώτη;" με ρώτησε η Μαρία.

»"Ταγματάρχη Τζάσπερ Ουίτλοκ, κυρία", τραύλισα, ανίκανος να μιλήσω με αγένεια σε μια γυναίκα, ακόμα κι αν αυτή ήταν φάντασμα.

»"Πραγματικά ελπίζω να επιζήσεις, Τζάσπερ", είπε εκείνη με την απαλή της φωνή. "Έχω ένα καλό προαίσθημα για 'σένα".

»Έκανε ένα βήμα πιο κοντά κι έσκυψε το κεφάλι της σαν να ήταν έτοιμη να με φιλήσει. Έμεινα κοκαλωμένος στη θέση μου, αν και τα ένστικτά μου μού φώναζαν να τρέξω».

Ο Τζάσπερ έκανε μια παύση, με πρόσωπο σκεφτικό. «Λίγες μέρες αργότερα», είπε τελικά, και δεν ήμουν σίγουρη αν είχε κόψει κομμάτια από την αφήγησή του για χάρη μου ή ως αντίδραση στην ένταση που ένιωθα ακόμα κι εγώ να βγαίνει από τον Έντουαρντ, «έμαθα τα πρώτα πράγματα για την καινούρια μου ζωή.

»Τα ονόματά τους ήταν Μαρία, Νέτι και Λούσι. Δεν ήταν πολύ καιρό μαζί –η Μαρία είχε μαζέψει τις άλλες δυο– και οι τρεις τους ήταν επιζώντες από πρόσφατα χαμένες μάχες. Η συνεργασία τους ήταν συνεργασία ανάγκης. Η Μαρία ήθελε εκδίκηση και ήθελε να πάρει πίσω τις περιοχές που της ανήκαν πριν. Οι άλλες ανυπομονούσαν να αυξήσουν τα... βοσκοτόπια τους, θα μπορούσες να πεις υποθέτω. Έφτιαχναν στρατό και φρόντιζαν το θέμα αυτό με μεγαλύτερη προσοχή απ' ό,τι συνήθως. Ήταν ιδέα της Μαρίας. Ήθελε έναν ανώτερο στρατό, έτσι έψαχνε συγκεκριμένους ανθρώπους που να είχαν προοπτικές. Κι ύστερα, μας έδινε πολύ μεγαλύτερη προσοχή, περισσότερη εκπαίδευση απ' ό,τι οποιοσδήποτε άλλος είχε μπει ποτέ στον κόπο. Μας μάθαινε να πολεμάμε και μας μάθαινε να είμαστε αόρατοι για τους ανθρώπους. Όταν τα καταφέρναμε καλά, μας αντάμειβε...»

Σταμάτησε ξανά, παραλείποντας πάλι κομμάτια.

«Βιαζόταν, παρ' όλα αυτά. Η Μαρία ήξερε πως η τεράστια δύναμη ενός νεογέννητου άρχιζε να ελαττώνεται μετά τον πρώτο χρόνο, και ήθελε να δράσει όσο ήμασταν ακόμα δυνατοί.

»Ήμασταν έξι, όταν έγινα μέλος της ομάδας της Μαρίας. Πρόσθεσε τέσσερις ακόμα μέσα σε ένα δεκαπενθήμερο. Ήμασταν όλοι αρσενικοί –η Μαρία ήθελε στρατιώτες– κι αυτό το έκανε ακόμα πιο δύσκολο να μην τσακωνόμαστε μεταξύ μας. Πολέμησα τις πρώτες μου μάχες ενάντια στους καινούριους μου συστρατιώτες. Ήμουν πιο γρήγορος από τους άλλους, καλύτερος στη μάχη. Η Μαρία ήταν ικανοποιημένη μαζί μου, αν και τη δυσκόλευε το γεγονός ότι έπρεπε συνέχεια να αντικαθιστά αυτούς που κατέστρεφα. Με αντάμειβε συχνά, κι αυτό με έκανε πιο δυνατό ακόμα.

»Η Μαρία ήταν καλή στο να κρίνει χαρακτήρες. Αποφάσισε να με βάλει επικεφαλής των υπόλοιπων –σαν να μου έδινε προαγωγή. Αυτό ταίριαζε ακριβώς στη φύση μου. Οι απώλειες μειώθηκαν δραματικά, και οι αριθμοί μας αυξήθηκαν σε σημείο που να φτάνουμε γύρω στους είκοσι.

»Αυτό ήταν αρκετά σπάνιο για τους επιφυλακτικούς καιρούς στους οποίους ζούσαμε. Η ικανότητά μου, χωρίς να έχει προσδιοριστεί ακριβώς ακόμα, να ελέγχω τη συναισθηματική ατμόσφαιρα γύρω μου ήταν ζωτικά αποτελεσματική. Γρήγορα αρχίσαμε να συνεργαζόμαστε κατά έναν τρόπο με τον οποίο οι νεογέννητοι βρικόλακες δε συνεργάζονταν παλιά. Ακόμα κι η Μαρία, η Νέτι κι η Λούσι μπορούσαν να δουλεύουν μαζί πιο εύκολα.

»Η Μαρία άρχισε να με συμπαθεί ιδιαίτερα –άρχισε να εξαρτάται από εμένα. Και κατά κάποιο τρόπο, κι εγώ την αγαπούσα. Δεν είχα ιδέα ότι κάποια άλλη ζωή μπορούσε να υπάρχει. Η Μαρία μας έλεγε πως έτσι ήταν τα πράγματα κι εμείς την πιστεύαμε.

»Μου ζήτησε να της το πω όταν τα αδέρφια μου κι εγώ θα ήμασταν έτοιμοι να πολεμήσουμε, κι εγώ ανυπομονούσα να αποδείξω την αξία μου. Τελικά έφτιαξα ένα στρατό είκοσι τριών στρατιωτών –είκοσι τριών απίστευτα δυνατών νέων βρικολάκων, οργανωμένων και επιδέξιων όσο κανείς άλλος παλιότερα. Η Μαρία ήταν εκστατική.

»Κατεβήκαμε κρυφά στο Μοντερέι, την παλιά της πατρίδα, και μας εξαπέλυσε εναντίον των εχθρών της. Εκείνοι είχαν εννέα μόνο νεογέννητους εκείνη την περίοδο και δυο παλιότερους βρικόλακες επικεφαλής. Τους νικήσαμε πιο εύκολα απ' ό,τι μπορούσε να πιστέψει η Μαρία, χάνοντας μόνο τέσσερις στην πορεία. Ήταν μια νίκη με ανήκουστη διαφορά.

»Και ήμασταν όλοι μας καλά εκπαιδευμένοι. Τα καταφέραμε χωρίς να προσελκύσουμε την προσοχή κανενός. Η πόλη άλλαξε χέρια χωρίς κανένας άνθρωπος να αντιληφθεί τίποτα.

»Η επιτυχία έκανε τη Μαρία άπληστη. Δεν πέρασε πολύς καιρός και άρχισε να βάζει στο μάτι κι άλλες πόλεις. Εκείνο τον πρώτο χρόνο, άπλωσε τη δικαιοδοσία της, στο μεγαλύτερο μέρος του Τέξας και του βόρειου Μεξικού. Μετά οι άλλοι ήρθαν από το νότο για να την εκτοπίσουν».

Χάιδεψε με τα δυο του δάχτυλα το αχνό σχέδιο των ουλών πάνω στο μπράτσο του.

«Ο πόλεμος ήταν άγριος. Πολλοί άρχισαν να ανησυχούν ότι θα έρχονταν ξανά οι Βολτούρι. Από τους είκοσι-τρεις που ήμασταν αρχικά, εγώ ήμουν ο μόνος που επέζησε τους πρώτους δεκαοχτώ μήνες. Και κερδίζαμε και χάναμε. Η Νέτι και η Λούσι τελικά στράφηκαν εναντίον της Μαρίας –αλλά αυτή τη μάχη την κερδίσαμε.

»Η Μαρία κι εγώ καταφέραμε να κρατήσουμε το Μοντερέι υπό τον έλεγχό μας. Επικράτησε κάποια ηρεμία, αν και οι πόλεμοι συνεχίζονταν. Η ιδέα της κατάκτησης σιγά-σιγά έσβηνε˙ τώρα πια όλα γίνονταν λόγω εκδίκησης και βεντέτας. Τόσοι πολλοί είχαν χάσει τους συντρόφους τους, κι αυτό είναι κάτι που το είδος μας δε συγχωρεί…

»Η Μαρία κι εγώ είχαμε πάντα σε ετοιμότητα καμιά δωδεκαριά περίπου νεογέννητους. Δε σήμαιναν πολλά για 'μας –ήταν πιόνια, ήταν αναλώσιμοι. Όταν δε μας ήταν πλέον χρήσιμοι, τους ξεφορτωνόμασταν. Η ζωή μου συνεχιζόταν και τα χρόνια περνούσαν. Τα είχα βαρεθεί όλα αυτά πολύ καιρό πριν αλλάξει κάτι…

Δεκαετίες αργότερα, έγινα φίλος με ένα νεογέννητο που είχε παραμείνει χρήσιμος και είχε επιζήσει στα πρώτα τρία χρόνια του παρά τις αντιξοότητες. Τον έλεγαν Πίτερ. Τον συμπαθούσα τον Πίτερ˙ ήταν… πολιτισμένος –υποθέτω, αυτή είναι η σωστή λέξη. Δεν του άρεσε να πολεμάει, αν και ήταν καλός σ' αυτό.

»Του είχε ανατεθεί να ασχολείται με τους νεογέννητους –να τους νταντεύει, θα μπορούσες να πεις. Ήταν δουλειά πλήρους απασχόλησης.

»Και τότε ήρθε η ώρα να γίνουν ξανά εκκαθαρίσεις. Οι νεογέννητοι δεν ήταν πια τόσο δυνατοί˙ έπρεπε να αντικατασταθούν. Ο Πίτερ υποτίθεται ότι θα με βοηθούσε να τους ξεφορτωθούμε. Βλέπεις, ασχολούμασταν με τον καθένα ξεχωριστά, έναν προς έναν… Ήταν πάντα μια πολύ μεγάλη νύχτα. Αυτή τη φορά, εκείνος προσπάθησε να με πείσει ότι κάποιοι είχαν προοπτικές, αλλά η Μαρία μας είχε δώσει οδηγίες να τους ξεφορτωθούμε όλους. Του είπα όχι.

»Ήμασταν περίπου στη μέση της δουλειάς, και το ένιωθα

ότι ήταν πολύ μεγάλο βάρος για τον Πίτερ. Προσπαθούσα να αποφασίσω αν έπρεπε να τον διώξω και να τελειώσω μόνος μου τη δουλειά, καθώς φώναζα το επόμενο θύμα. Προς μεγάλη μου έκπληξη, εκείνος ξαφνικά θύμωσε, έγινε έξαλλος. Προετοιμάστηκα για οτιδήποτε μπορεί να προμήνυε η διάθεσή του –ήταν καλός πολεμιστής, αλλά ποτέ ισάξιός μου.

»Ο νεογέννητος βρικόλακας που είχα καλέσει ήταν μια θηλυκή, που μόλις είχε κλείσει τον πρώτο της χρόνο. Την έλεγαν Σάρλοτ. Τα αισθήματά του άλλαξαν, όταν φάνηκε εκείνη˙ τον πρόδωσαν. Της φώναξε να τρέξει και το έσκασε κι εκείνος ακολουθώντας την. Θα μπορούσα να τους είχα καταδιώξει, αλλά δεν το έκανα. Ένιωθα μια αποστροφή στην ιδέα του να τον... καταστρέψω.

»Η Μαρία εκνευρίστηκε μαζί μου γι' αυτό...

»Πέντε χρόνια αργότερα, ο Πίτερ ήρθε κρυφά πίσω για να με βρει. Διάλεξε την κατάλληλη μέρα για να έρθει.

»Η Μαρία απορούσε με την ολοένα και χειρότερη κατάσταση του μυαλού μου. Η ίδια δεν ένιωθε ούτε μια στιγμή κατάθλιψη, και αναρωτιόμουν γιατί εγώ ήμουν διαφορετικός. Άρχισα να προσέχω κάποια διαφορά στα συναισθήματά της, όταν ήταν κοντά μου –μερικές φορές υπήρχε φόβος... και μοχθηρία– τα ίδια συναισθήματα που με είχαν προειδοποιήσει, όταν χτύπησαν η Νέτι και η Λούσι. Προετοιμαζόμουν να καταστρέψω τη μοναδική σύμμαχό μου, τον πυρήνα της ύπαρξής μου, όταν επέστρεψε ο Πίτερ.

»Ο Πίτερ μου είπε για την καινούρια του ζωή με τη Σάρλοτ, μου είπε για τις εναλλακτικές που εγώ δεν είχα καν ονειρευτεί ότι υπήρχαν. Μέσα σε πέντε χρόνια, δεν είχαν πολεμήσει ούτε μια φορά, αν και είχαν συναντήσει πολλούς άλλους στο βορρά. Άλλους με τους οποίους μπορούσαν να συνυπάρχουν χωρίς αυτό το συνεχές χάος.

»Με έπεισε με μία και μόνη συζήτηση. Ήμουν έτοιμος να φύγω κι ένιωθα κάποια ανακούφιση που δε θα χρειαζόταν να σκοτώσω τη Μαρία. Ήμουν σύντροφός της για τόσα χρόνια όσα είναι μαζί ο Κάρλαϊλ κι ο Έντουαρντ, κι όμως ο δεσμός μεταξύ μας δεν ήταν ούτε στο ελάχιστο εξίσου δυνατός. Όταν ζεις για τον πόλεμο, για το αίμα, οι σχέσεις που δημιουργείς είναι ασήμαντες και σπάνε εύκολα. Έφυγα χωρίς να ρίξω ούτε μια ματιά πίσω.

»Ταξίδεψα με τον Πίτερ και τη Σάρλοτ για μερικά χρόνια, παίρνοντας μια γεύση αυτού του νέου, πιο ειρηνικού κόσμου. Αλλά η μελαγχολία δε μειώθηκε. Δεν καταλάβαινα τι μου συνέβαινε, μέχρι που ο Πίτερ παρατήρησε πως ήμουν πάντα χειρότερα αφού είχα κυνηγήσει.

»Αναλογίστηκα αυτό το γεγονός. Μέσα σε τόσα χρόνια σφαγών και μακελειών, είχα χάσει σχεδόν όλα τα ανθρώπινα στοιχεία μου. Ήμουν χωρίς αμφιβολία ένας εφιάλτης, ένα τέρας από τα πιο αποτρόπαια. Παρ' όλα αυτά, κάθε φορά που έβρισκα ένα καινούριο θύμα, ένιωθα μια αμυδρή σουβλιά από τη θύμηση εκείνης της άλλης ζωής. Βλέποντας τα μάτια τους να γουρλώνουν από θαυμασμό για την ομορφιά μου, έβλεπα τη Μαρία και τις άλλες μέσα στο κεφάλι μου, πώς μου είχαν φανεί την τελευταία νύχτα που ήμουν ο Τζάσπερ Ουίτλοκ. Ήταν πιο δυνατή για 'μένα –αυτή η δανεική ανάμνηση– απ' ό,τι ήταν για οποιονδήποτε άλλο, επειδή εγώ μπορούσα να *νιώσω* όλα όσα ένιωθε η λεία μου. Και ζούσα τα συναισθήματα των θυμάτων μου, καθώς τα σκότωνα.

»Έχεις νιώσει τον τρόπο που μπορώ να επηρεάσω τα συναισθήματα γύρω μου, Μπέλλα, αλλά αναρωτιέμαι αν συνειδητοποιείς πώς τα συναισθήματα μέσα σε ένα δωμάτιο επηρεάζουν *εμένα*. Ζω κάθε μέρα σε μια ατμόσφαιρα φορτισμένη συναισθηματικά. Τον πρώτο αιώνα της ζωής μου, έζησα σε έναν κόσμο αιμοδιψούς εκδίκησης. Το μίσος ήταν η συντροφιά μου συνεχώς. Έγινε κάπως λιγότερο, όταν εγκατέλειψα τη Μαρία, αλλά και πάλι ήμουν αναγκασμένος να νιώθω τη φρίκη και το φόβο της λείας μου.

»Άρχισε να γίνεται ανυπόφορο.

»Η κατάθλιψη χειροτέρεψε, κι έφυγα μακριά από τον Πίτερ και τη Σάρλοτ. Όσο πολιτισμένοι κι αν ήταν, δεν ένιωθαν την ίδια αποστροφή που άρχιζα να νιώθω εγώ. Εκείνοι ήθελαν μόνο ησυχία μακριά από τη μάχη. Εγώ είχα κουραστεί τόσο πολύ από τους σκοτωμούς –από το να σκοτώνω οποιονδήποτε, ακόμα και τους ανθρώπους.

»Κι όμως έπρεπε να συνεχίζω να σκοτώνω. Τι άλλη επιλογή είχα; Δοκίμασα να σκοτώνω λιγότερο συχνά, αλλά ένιωθα τόση δίψα που αναγκαζόμουν να υποκύπτω. Μετά από έναν αιώνα άμεσης ικανοποίησης, έβρισκα την αυτοπειθαρχία... μεγάλη πρόκληση. Ακόμα δεν το έχω τελειοποιήσει αυτό το θέμα».

Ο Τζάσπερ είχε απορροφηθεί στην ιστορία, όπως κι εγώ. Με εξέπληξε όταν η περίλυπη έκφρασή του μετατράπηκε σε ένα γαλήνιο χαμόγελο.

«Ήμουν στη Φιλαδέλφεια. Είχε καταιγίδα, κι εγώ ήμουν έξω στη διάρκεια της ημέρας –κάτι με το οποίο δεν ένιωθα ακόμα απόλυτη άνεση. Ήξερα ότι θα προσέλκυα την προσοχή αν έμενα έξω να στέκομαι μέσα στη βροχή, έτσι βρήκα καταφύγιο σε ένα μικρό μισοάδειο εστιατόριο. Τα μάτια μου ήταν αρκετά σκούρα, ώστε να μην τα προσέξει κανείς, αν και αυτό σήμαινε ότι διψούσα, κι αυτό με ανησυχούσε λίγο.

»Εκείνη ήταν εκεί –με περίμενε, φυσικά». Γέλασε πνιχτά μια φορά. «Πήδηξε κάτω από το ψηλό σκαμνί στον πάγκο, αμέσως μόλις μπήκα μέσα και ήρθε κατευθείαν σ' εμένα.

»Με ξάφνιασε. Δεν ήμουν σίγουρος αν σκόπευε να μου επιτεθεί. Αυτή ήταν η μοναδική ερμηνεία της συμπεριφοράς της που είχε να προσφέρει το παρελθόν μου. Αλλά εκείνη χαμογελούσε. Και τα συναισθήματα που εξέπεμπε δεν έμοιαζαν με τίποτα απ' όσα είχα νιώσει ως τότε.

»"Με έκανες να περιμένω πολύ καιρό", είπε».

Δεν είχα αντιληφθεί ότι η Άλις είχε έρθει για να σταθεί πάλι πίσω μου.

«Κι εσύ χαμήλωσες το κεφάλι, σαν ένας γνήσιος νότιος τζέντλεμαν, και είπες, "Συγνώμη, κυρία"». Η Άλις γέλασε στην ανάμνηση αυτή.

Ο Τζάσπερ της χαμογέλασε. «Άπλωσες το χέρι σου, κι εγώ το πήρα χωρίς να σταματήσω για να σκεφτώ τι έκανα. Για πρώτη φορά εδώ και έναν ολόκληρο αιώνα σχεδόν, ένιωσα ελπίδα».

Ο Τζάσπερ έπιασε το χέρι της Άλις καθώς μιλούσε.

Η Άλις χαμογέλασε πλατιά. «Εγώ ένιωσα απλώς ανακούφιση. Νόμιζα ότι δε θα ερχόσουν ποτέ».

Χαμογέλασαν ο ένας στον άλλο, και μετά ο Τζάσπερ κοίταξε πάλι εμένα, με την τρυφερή έκφραση να παραμένει στο πρόσωπό του.

«Η Άλις μου είπε τι είχε δει για τον Κάρλαϊλ και την οικογένειά του. Δυσκολευόμουν να πιστέψω πως μια τέτοια ύπαρξη ήταν δυνατή. Αλλά η Άλις με έκανε να νιώθω αισιόδοξος. Έτσι πήγαμε να τους βρούμε».

«Και να τους κατατρομάξετε», είπε ο Έντουαρντ, στριφογυρίζοντας τα μάτια του στον Τζάσπερ, πριν στραφεί προς εμένα για να εξηγήσει. «Ο Έμετ κι εγώ λείπαμε για κυνήγι. Εμφανίζεται ο Τζάσπερ, καλυμμένος με ουλές από μάχες, σέρνοντας μαζί του κι αυτό το μικρό φρικιό» –σκούντηξε παιχνιδιάρικα την Άλις– «που τους χαιρετάει όλους ονομαστικά, ξέρει τα πάντα γι' αυτούς και θέλει να μάθει σε ποιο δωμάτιο μπορεί να μείνει».

Η Άλις κι ο Τζάσπερ γέλασαν μαζί με αρμονία, μια σοπράνο και ένας μπάσος.

«Όταν επέστρεψα σπίτι, όλα μου τα πράγματα ήταν στο γκαράζ», συνέχισε ο Έντουαρντ.

Η Άλις σήκωσε τους ώμους. «Το δωμάτιό σου είχε την καλύτερη θέα».

Τώρα γέλασαν όλοι μαζί.

«Ωραία ιστορία», είπα.

Τρία ζευγάρια μάτια αμφισβήτησαν τη λογική μου.

«Θέλω να πω το τελευταίο μέρος», υπερασπίστηκα τον εαυτό μου. «Το χαρούμενο τέλος με την Άλις».

«Η Άλις κάνει όλη τη διαφορά», συμφώνησε ο Τζάσπερ. «Αυτό είναι ένα κλίμα που απολαμβάνω».

Αλλά η προσωρινή ηρεμία από το άγχος δεν μπορούσε να διαρκέσει.

«Ένας στρατός», ψιθύρισε η Άλις. «Γιατί δε μου το είπες;»

Οι άλλοι προσηλώθηκαν ξανά, με τα μάτια τους καρφωμένα στο πρόσωπο του Τζάσπερ.

«Νόμιζα πως ερμήνευα τα σημάδια λανθασμένα. Γιατί πού είναι το κίνητρο; Γιατί να φτιάξει κάποιος στρατό στο Βορρά; Δεν υπάρχει κανένα παρελθόν εκεί, καμία βεντέτα. Δεν είναι λογικό ούτε αν το δει κανείς από την πλευρά της κατάκτησης˙ κανένας δε διεκδικεί την περιοχή. Νομάδες περνάνε και φεύγουν, αλλά δεν υπάρχει κανείς που θα πολεμούσε γι᾽ αυτή. Κανένας από τον οποίο πρέπει να προστατευτεί.

»Αλλά το έχω ξαναδεί, και δεν υπάρχει καμία άλλη εξήγηση. Υπάρχει ένας στρατός νεογέννητων βρικολάκων στο Σιάτλ. Λιγότεροι από είκοσι, μάλλον. Το δύσκολο είναι ότι δεν έχουν καμία απολύτως εκπαίδευση. Όποιος κι αν ήταν αυτός που τους δημιούργησε, απλώς τους αμόλησε ελεύθερους. Η κατάσταση απλά θα χειροτερεύει, και δε θα περάσει και πολύς καιρός μέχρι να επέμβουν οι Βολτούρι. Μάλιστα, εκπλήσσομαι που την έχουν αφήσει να συνεχίζεται για τόσο πολύ καιρό».

«Τι μπορούμε να κάνουμε εμείς;» ρώτησε ο Κάρλαϊλ.

«Αν θέλουμε να αποφύγουμε την επέμβαση των Βολτούρι, θα αναγκαστούμε να καταστρέψουμε τους νεογέννητους και θα πρέπει να το κάνουμε πολύ σύντομα». Το πρόσωπο του Τζάσπερ ήταν σκληρό. Γνωρίζοντας την ιστορία του τώρα, μπορούσα να μαντέψω πόσο πρέπει να τον ενοχλούσε αυτή η εκτίμηση. «Μπορώ να σας διδάξω πώς. Δε θα είναι εύκολα τα πράγματα στην πόλη. Τους νέους βρικόλακες δεν τους απασχολεί η μυστικότητα, αλλά εμάς θα πρέπει να μας απασχολήσει. Αυτό όμως εμάς θα μας περιορίζει σε σχέση με αυτούς. Ίσως να μπορούμε να τους δελεάσουμε ώστε να βγουν από την πόλη».

«Ίσως να μη χρειαστεί». Η φωνή του Έντουαρντ ήταν δυσοίωνη. «Έχει περάσει από το νου κανενός ότι η μοναδική πιθανή απειλή στην περιοχή που θα απαιτούσε τη δημιουργία ενός στρατού είμαστε... εμείς;»

Τα μάτια του Τζάσπερ ζάρωσαν˙ τα μάτια του Κάρλαϊλ γούρλωσαν από την έκπληξη.

«Και η οικογένεια της Τάνια είναι κοντά», είπε αργά η Έσμι, απρόθυμη να δεχτεί τα λόγια του Έντουαρντ.

«Οι νεογέννητοι δε ρημάζουν το Άνκορατζ*, Έσμι. Νομίζω πως πρέπει να σκεφτούμε την ιδέα ότι *εμείς* είμαστε οι στόχοι».

«Δεν έρχονται για εμάς», επέμεινε η Άλις και μετά έκανε μια παύση. «Ή... δεν το *ξέρουν* ότι θα έρθουν. Όχι ακόμα».

«Τι είναι;» ρώτησε ο Έντουαρντ, με περιέργεια και αγωνία. «Τι θυμάσαι;»

«Αναλαμπές», είπε η Άλις. «Δε βλέπω καμιά καθαρή εικόνα, όταν προσπαθώ να δω τι συμβαίνει, τίποτα συγκεκριμένο. Αλλά μου έρχονται αυτές οι παράξενες αναλαμπές. Δεν είναι αρκετές για να βγάλω κάποιο νόημα απ' αυτές. Είναι σαν να αλλάζει κάποιος γνώμη, να μετακινείται από τη μια πράξη στην άλλη τόσο γρήγορα που δεν μπορώ να δω καλά...»

«Είναι αναποφάσιστος;» ρώτησε ο Τζάσπερ με δυσπιστία.

«Δεν ξέρω».

«Δεν είναι αναποφάσιστος», είπε σχεδόν μουγκρίζοντας

---

* Άνκορατζ: πόλη της Αλάσκας (Σ.τ.Μ.)

ο Έντουαρντ. «Έχει *γνώση*. Κάποιος ξέρει ότι δεν μπορείς να δεις τίποτα, μέχρι να παρθεί μια απόφαση. Κάποιος που κρύβεται. Παίζει με τα κενά στην ενορατική σου ικανότητα».

«Ποιος θα μπορούσε να το ξέρει αυτό;» ψιθύρισε η Άλις.

Τα μάτια του Έντουαρντ ήταν σκληρά σαν τον πάγο. «Ο Άρο σε ξέρει το ίδιο καλά όσο ξέρεις εσύ τον εαυτό σου».

«Μα θα το έβλεπα αν αποφάσιζαν να έρθουν...»

«Εκτός εάν δεν ήθελαν να λερώσουν τα χέρια τους».

«Κάποια χάρη», πρότεινε η Ρόζαλι, μιλώντας για πρώτη φορά. «Κάποιος στο νότο... κάποιος που ήδη είχε προβλήματα με τους κανόνες. Κάποιος που θα έπρεπε να είχε καταστραφεί έχει μια δεύτερη ευκαιρία –αν λύσει αυτό το μικρό πρόβλημα... Αυτό θα μπορούσε να εξηγήσει τη νωθρή αντίδραση των Βολτούρι».

«Γιατί;» ρώτησε ο Κάρλαϊλ, ακόμα έκπληκτος. «Δεν υπάρχει κανένας λόγος για τους Βολτούρι–»

«Ήμουν εκεί», διαφώνησε ο Έντουαρντ ήσυχα. «Εκπλήσσομαι που φτάσαμε σ' αυτό το σημείο τόσο σύντομα, επειδή οι άλλες σκέψεις ήταν πολύ πιο δυνατές. Στο κεφάλι του Άρο με έβλεπε εμένα από τη μια μεριά του και την Άλις από την άλλη. Το παρόν και το μέλλον, πραγματική παντογνωσία. Η δύναμη της ιδέας τον μεθούσε. Πίστευα ότι θα του έπαιρνε πολύ περισσότερο καιρό για να εγκαταλείψει αυτό το σχέδιο –το ήθελε υπερβολικά. Αλλά υπήρχε επίσης και η δικιά σου σκέψη, Κάρλαϊλ, της οικογένειάς μας, που γίνεται όλο και πιο δυνατή και μεγάλη. Η ζήλια και ο φόβος: επειδή εσύ έχεις... όχι *περισσότερα* απ' ό,τι είχε εκείνος, αλλά και πάλι, πράγματα που ήθελε εκείνος. Προσπάθησε να μην το σκεφτεί αυτό, αλλά δεν κατάφερε να το κρύψει εντελώς. Η ιδέα να εξαφανίσει τον ανταγωνισμό υπήρχε· πέρα από τη δική τους, η δική μας οικογένεια είναι η μεγαλύτερη σύναξη που έχουν συναντήσει ποτέ...»

Κοίταξα το πρόσωπό του με φρίκη. Δε μου το είχε πει αυτό

ποτέ, αλλά μάλλον ήξερα γιατί. Το έβλεπα στο κεφάλι μου τώρα, το όνειρο του Άρο. Ο Έντουαρντ και η Άλις, με χιτώνες που κυμάτιζαν, να αιωρούνται από τη μια και την άλλη μεριά του Άρο με μάτια ψυχρά και κόκκινα σαν το αίμα...

Ο Κάρλαϊλ διέκοψε τον εφιάλτη που έβλεπα ξύπνια. «Είναι υπερβολικά αφοσιωμένοι στην αποστολή τους. Δε θα έσπαγαν ποτέ τους κανόνες οι ίδιοι. Αυτό πάει κόντρα σε όλα αυτά για τα οποία έχουν κοπιάσει».

«Θα καθαρίσουν αργότερα. Μια διπλή προδοσία», είπε ο Έντουαρντ με φωνή ζοφερή. «Ούτε γάτα, ούτε ζημιά».

Ο Τζάσπερ έσκυψε προς τα μπρος, κουνώντας το κεφάλι. «Όχι, ο Κάρλαϊλ έχει δίκιο. Οι Βολτούρι δε σπάνε τους κανόνες. Εξάλλου, είναι υπερβολικά τσαπατσούλικο. Αυτό το... άτομο, αυτή η απειλή –δεν έχει ιδέα τι κάνει. Είναι πρώτη του φορά, είμαι σχεδόν σίγουρος. Δεν μπορώ να πιστέψω ότι έχουν κάποια σχέση οι Βολτούρι. Αλλά θα αποκτήσουν».

Όλοι κοιτάχτηκαν μεταξύ τους, παγωμένοι από το άγχος.

«Τότε, γιατί δε *φεύγουμε*;» σχεδόν βρυχήθηκε ο Έμετ. «Τι περιμένουμε;»

Ο Κάρλαϊλ κι ο Έντουαρντ αντάλλαξαν μια έντονη ματιά. Ο Έντουαρντ έγνεψε μια φορά.

«Θα χρειαστεί να μας διδάξεις, Τζάσπερ», είπε τελικά ο Κάρλαϊλ. «Πώς να τους καταστρέψουμε». Το σαγόνι του Κάρλαϊλ ήταν σφιγμένο, αλλά έβλεπα τον πόνο στα μάτια του, καθώς είπε τις λέξεις. Κανένας δε μισούσε τη βία περισσότερο από τον Κάρλαϊλ.

Κάτι με ενοχλούσε, και δεν μπορούσα ακριβώς να καθορίσω τι ήταν αυτό. Ήμουν μουδιασμένη, έντρομη, φοβόμουν θανάσιμα. Κι όμως, κάτω από αυτό, ένιωθα πως μου διέφευγε κάτι σημαντικό. Κάτι που θα είχε κάποιο νόημα μέσα σε όλο αυτό το χάος. Αυτό θα τα εξηγούσε όλα.

«Θα χρειαστούμε βοήθεια», είπε ο Τζάσπερ. «Πιστεύεις ότι η οικογένεια της Τάνια θα ήταν πρόθυμη...; Άλλοι πέντε ώριμοι βρικόλακες θα έκαναν τεράστια διαφορά. Κι επιπλέον, η Κέιτ κι ο Ελεάζαρ θα ήταν ένα τρομερό ατού στο πλευρό μας. Θα ήταν σχεδόν εύκολο με τη δική τους βοήθεια».

«Θα ρωτήσουμε», απάντησε ο Κάρλαϊλ.

Ο Τζάσπερ άπλωσε το χέρι του με ένα κινητό τηλέφωνο. «Πρέπει να βιαστούμε».

Δεν είχα δει ποτέ την έμφυτη ψυχραιμία του Κάρλαϊλ να κλονίζεται τόσο. Πήρε το τηλέφωνο και πήγε προς τα παράθυρα. Κάλεσε έναν αριθμό, κράτησε το τηλέφωνο στο αυτί του κι ακούμπησε το άλλο χέρι στο τζάμι. Κοίταζε έξω στο ομιχλώδες πρωινό με μια έκφραση γεμάτη πόνο και αλληλοσυγκρουόμενα συναισθήματα.

Ο Έντουαρντ μου έπιασε το χέρι και με τράβηξε στο μικρό λευκό καναπέ. Κάθισα δίπλα του, κοιτάζοντας επίμονα το πρόσωπό του, ενώ εκείνος κοίταζε τον Κάρλαϊλ.

Η φωνή του Κάρλαϊλ ήταν χαμηλή και γρήγορη, ήταν δύσκολο να την ακούσω. Τον άκουσα να χαιρετάει την Τάνια και μετά περιέγραψε βιαστικά την κατάσταση, υπερβολικά γρήγορα για να καταλάβω πολλά πράγματα, αν και αντιλήφθηκα ότι οι βρικόλακες της Αλάσκα δεν ήταν αδαείς για το τι συνέβαινε στο Σιάτλ.

Τότε κάτι άλλαξε στη φωνή του Κάρλαϊλ.

«Ω», είπε, με φωνή πιο ζωηρή από την έκπληξη. «Δεν το είχαμε καταλάβει... ότι η Αϊρίνα ένιωθε έτσι».

Ο Έντουαρντ μούγκρισε δίπλα μου κι έκλεισε τα μάτια. «Να πάρει. Καταραμένος Λόρεντ στο πιο βαθύ μέρος της κόλασης».

«Ο Λόρεντ;» ψιθύρισα, καθώς το πρόσωπό μου άδειαζε από το αίμα, αλλά ο Έντουαρντ δεν απάντησε, επικεντρωμένος στις σκέψεις του Κάρλαϊλ.

Η σύντομη συνάντησή μου με τον Λόρεντ νωρίς την άνοιξη δεν ήταν κάτι που είχε ξεθωριάσει ούτε είχε σβήσει από τη μνήμη μου. Ακόμα θυμόμουν κάθε λέξη που είχε πει, πριν ο

Τζέικομπ και η αγέλη του τον διακόψουν.

Για να πω την αλήθεια ήρθα εδώ για να της κάνω μια χάρη...

Η Βικτόρια. Ο Λόρεντ ήταν ο πρώτος της ελιγμός –τον είχε στείλει για να παρατηρήσει, να δει πόσο δύσκολο μπορεί να ήταν να με βρει. Δεν είχε επιζήσει από την αγέλη των λύκων για να γυρίσει πίσω να της δώσει αναφορά.

Αν και είχε διατηρήσει τους παλιούς δεσμούς του με τη Βικτόρια μετά το θάνατο του Τζέιμς, είχε επίσης δημιουργήσει καινούριους δεσμούς και καινούριες σχέσεις με την οικογένεια της Τάνια στην Αλάσκα –της Τάνια, εκείνης της κοκκινόξανθης– που ήταν οι πιο στενοί φίλοι που είχαν οι Κάλεν στον κόσμο των βρικολάκων, στην ουσία μια προέκταση της οικογένειάς τους. Ο Λόρεντ είχε μείνει μαζί τους σχεδόν για ένα χρόνο πριν από το θάνατό του.

Ο Κάρλαϊλ μιλούσε ακόμα, με φωνή που δεν ήταν ακριβώς παρακλητική. Πειστική, αλλά με κάποια δριμύτητα. Μετά η δριμύτητα έγινε απότομα πιο έντονη από την πειθώ.

«Δεν τίθεται τέτοιο ζήτημα», είπε ο Κάρλαϊλ με αυστηρή φωνή. «Έχουμε ανακωχή. Δεν την έχουν σπάσει και ούτε κι εμείς θα τη σπάσουμε. Λυπάμαι που το μαθαίνω αυτό... Φυσικά. Απλώς θα πρέπει να κάνουμε ό,τι μπορούμε μόνοι μας».

Ο Κάρλαϊλ έκλεισε το τηλέφωνο χωρίς να περιμένει απάντηση. Συνέχισε να κοιτάζει έξω στην ομίχλη.

«Τι πρόβλημα υπάρχει;» μουρμούρισε ο Έμετ στον Έντουαρντ.

«Η Αϊρίνα είχε πιο στενή σχέση με το φίλο μας, τον Λόρεντ, απ' όσο γνωρίζαμε. Κρατάει κακία στους λύκους που τον κατέστρεψαν για να σώσουν την Μπέλλα. Θέλει—» Σταμάτησε χαμηλώνοντας το βλέμμα του για να κοιτάξει εμένα.

«Συνέχισε», είπα όσο σταθερά μπορούσα.

Τα μάτια του σφίχτηκαν. «Θέλει εκδίκηση. Να καταστρέψει την αγέλη. Θα αντάλλαζαν τη βοήθειά τους με τη δική μας άδεια».

«Όχι!» είπα με μια πνιχτή κραυγή.

«Μην ανησυχείς», μου είπε με άτονη φωνή. «Ο Κάρλαϊλ δε θα συμφωνούσε ποτέ με κάτι τέτοιο». Δίστασε, μετά αναστέναξε. «Ούτε κι εγώ. Του Λόρεντ του άξιζε ό,τι έπαθε» –αυτό ήταν σχεδόν ένα γρύλισμα– «κι ακόμα χρωστάω χάρη στους λύκους γι' αυτό».

«Αυτό δεν είναι καλό», είπε ο Τζάσπερ. «Παραείναι αμφίρροπη μάχη. Θα είχαμε το πάνω χέρι ως προς τη δεξιοτεχνία, αλλά όχι και ως προς τους αριθμούς. Θα κερδίζαμε, αλλά με ποιο τίμημα;» Τα μάτια του κοίταξαν αστραπιαία το πρόσωπο της Άλις και απομακρύνθηκαν.

Ήθελα να ουρλιάξω δυνατά, καθώς κατάλαβα τι εννοούσε ο Τζάσπερ.

Θα κερδίζαμε, αλλά θα χάναμε κιόλας. Μερικοί δε θα επιζούσαν.

Κοίταξα γύρω-γύρω στο δωμάτιο τα πρόσωπά τους –του Τζάσπερ, της Άλις, του Έμετ, της Ρόουζ, της Έσμι, του Κάρλαϊλ... του Έντουαρντ– τα πρόσωπα της οικογένειάς μου.

14. ΔΙΑΚΗΡΥΞΗ

«Δεν είναι δυνατόν να μιλάς σοβαρά», είπα την Τετάρτη το απόγευμα. «Έχεις τρελαθεί εντελώς!»

«Πες ό,τι θέλεις για 'μένα», απάντησε η Άλις. «Το πάρτι και πάλι θα γίνει».

Την κοίταξα επίμονα, με μάτια τόσο πολύ γουρλωμένα από τη δυσπιστία που ένιωθα ότι θα έπεφταν από τη θέση τους και θα προσγειώνονταν στο δίσκο με το μεσημεριανό μου.

«Ω, ηρέμησε, Μπέλλα! Δεν υπάρχει κανένας λόγος να μη γίνει. Εξάλλου, έχω ήδη στείλει τις προσκλήσεις».

«Μα... το... είσαι... εγώ... παράλογο!» είπα γρήγορα χωρίς να βγαίνει νόημα.

«Μου έχεις ήδη αγοράσει δώρο», μου υπενθύμισε. «Δε χρειάζεται να κάνεις τίποτα άλλο εκτός από το να έρθεις».

Έκανα μια προσπάθεια να ηρεμήσω. «Με όλα όσα συμβαίνουν αυτή τη στιγμή, το πάρτι δεν είναι ό,τι πιο κατάλληλο».

«Η αποφοίτηση είναι αυτό που συμβαίνει αυτή τη στιγμή, και το πάρτι είναι τόσο κατάλληλο που είναι σχεδόν *πασέ*».

«Άλις!»

Αναστέναξε και προσπάθησε να είναι σοβαρή. «Υπάρχουν μερικά πράγματα που πρέπει να τακτοποιήσουμε τώρα, κι αυτό θα πάρει λίγο χρόνο. Όσο καιρό περιμένουμε, μπορούμε να γιορτάσουμε τα καλά γεγονότα. Μία φορά μόνο θα αποφοιτήσεις από το λύκειο –για πρώτη φορά. Άνθρωπος δεν ξαναγίνεσαι, Μπέλλα. Είναι μοναδική η ευκαιρία».

Ο Έντουαρντ, σιωπηλός σε όλη τη διάρκεια του μικρού μας τσακωμού, της έριξε ένα προειδοποιητικό βλέμμα. Του έβγαλε τη γλώσσα. Είχε δίκιο –η απαλή της φωνή δε θα ακουγόταν μέσα σε όλη αυτή την υπόκωφη βοή της τραπεζαρίας. Και κανείς δε θα καταλάβαινε το νόημα πίσω από τα λόγια της, έτσι κι αλλιώς.

«Ποια είναι αυτά τα πράγματα που πρέπει να τακτοποιήσουμε;» ρώτησα αρνούμενη να τους αφήσω να με αποπροσανατολίσουν.

Ο Έντουαρντ απάντησε χαμηλόφωνα. «Ο Τζάσπερ πιστεύει ότι δε θα έβλαπτε λίγη βοήθεια. Η οικογένεια της Τάνια δεν είναι η μόνη επιλογή που έχουμε. Ο Κάρλαϊλ προσπαθεί να εντοπίσει μερικούς παλιούς φίλους, κι ο Τζάσπερ ψάχνει τον Πίτερ και τη Σάρλοτ. Σκέφτεται ακόμα και να μιλήσει στη Μαρία… αλλά κανένας δε θέλει στην πραγματικότητα να εμπλακούν οι Νότιοι».

Η Άλις αναρίγησε απαλά.

«Δε θα ήταν πολύ δύσκολο να τους πείσουμε να βοηθήσουν», συνέχισε εκείνος. «Κανένας δε θέλει μια επίσκεψη από την Ιταλία».

«Μα αυτοί οι φίλοι –δε θα είναι… *χορτοφάγοι*, έτσι δεν είναι;» διαμαρτυρήθηκα εγώ, χρησιμοποιώντας το χιουμοριστικό παρατσούκλι που χρησιμοποιούσαν και οι Κάλεν για τον εαυτό τους.

«Όχι», απάντησε ο Έντουαρντ, ξαφνικά ανέκφραστος.

«Εδώ; Στο Φορκς;»

«Είναι φίλοι», με διαβεβαίωσε η Άλις. «Όλα θα πάνε

καλά. Μην ανησυχείς. Και ύστερα, ο Τζάσπερ πρέπει να μας κάνει μερικά μαθήματα σχετικά με την εξολόθρευση των νεογέννητων...»

Τα μάτια του Έντουαρντ έλαμψαν στο άκουσμα αυτών των λόγων, κι ένα σύντομο χαμόγελο απλώθηκε στο πρόσωπό του. Ένιωθα το στομάχι μου ξαφνικά λες και ήταν γεμάτο με μικρά αιχμηρά θραύσματα πάγου.

«Πότε θα φύγετε;» ρώτησα. Δεν το άντεχα αυτό –την ιδέα ότι κάποιος μπορεί και να μη γύριζε. Κι αν ήταν ο Έμετ, τόσο γενναίος και απερίσκεπτος που ποτέ δεν πρόσεχε ούτε στο ελάχιστο; Ή η Έσμι, τόσο γλυκιά και στοργική που δεν μπορούσα καν να τη φανταστώ σε μάχη; Ή η Άλις, τόσο μικροσκοπική, που έδειχνε τόσο εύθραυστη; Ή... αλλά δεν μπορούσα ούτε καν να σκεφτώ το όνομα, ούτε καν να σκεφτώ την πιθανότητα.

«Σε μια βδομάδα», είπε ο Έντουαρντ σαν να μην έτρεχε τίποτα. «Θα πρέπει να μας φτάσει ο χρόνος».

Τα παγωμένα θραύσματα συστράφηκαν μέσα στο στομάχι μου προκαλώντας μου δυσφορία. Ξαφνικά ένιωθα ναυτία.

«Δείχνεις λιγάκι χλωμή, Μπέλλα», σχολίασε η Άλις.

Ο Έντουαρντ με αγκάλιασε με το μπράτσο του και με τράβηξε σφιχτά στο πλευρό του. «Όλα θα πάνε καλά, Μπέλλα. Έχε μου εμπιστοσύνη».

Βέβαια, σκέφτηκα από μέσα μου. Να του έχω εμπιστοσύνη. Δε θα ήταν αυτός που θα έπρεπε να μείνει πίσω και να αναρωτιέται αν το κέντρο της ύπαρξής του θα επιστρέψει ή όχι.

Και τότε μου ήρθε η ιδέα. Ίσως να μην ήταν ανάγκη να μείνω πίσω. Μια βδομάδα ήταν παραπάνω από αρκετός χρόνος.

«Ψάχνετε βοήθεια», είπα αργά.

«Ναι». Το κεφάλι της Άλις έγειρε στο πλάι, καθώς επεξεργαζόταν την αλλαγή στον τόνο της φωνής μου.

Κοίταζα μόνο εκείνη, καθώς απαντούσα. Η φωνή μου ήταν ελαφρώς μόνο πιο δυνατή από ψίθυρο. «Θα μπορούσα να βοηθήσω εγώ».

Το σώμα του Έντουαρντ ξαφνικά έγινε άκαμπτο, το μπράτσο του σφίχτηκε υπερβολικά γύρω μου. Εξέπνευσε, κι ο ήχος ήταν ένα σφύριγμα.

Αλλά ήταν η Άλις, ακόμα ψύχραιμη, αυτή που απάντησε. «Αυτό δε θα μας ήταν καθόλου *χρήσιμο*».

«Γιατί;» διαφώνησα˙ άκουγα την απόγνωση στη φωνή μου. «Οκτώ είναι καλύτερα από εφτά. Υπάρχει παραπάνω από αρκετός χρόνος».

«Δεν υπάρχει αρκετός χρόνος για να προσφέρεις βοήθεια, Μπέλλα», διαφώνησε ψυχρά. «Θυμάσαι πώς περιέγραψε ο Τζάσπερ τους νεαρούς βρικόλακες; Δε θα χρησίμευες σε τίποτα σε μια μάχη. Δε θα μπορούσες να ελέγξεις τα ένστικτά σου, κι αυτό θα σε έκανε εύκολο στόχο. Και ύστερα ο Έντουαρντ θα τραυματιζόταν για να σε προστατεύσει». Σταύρωσε τα χέρια της στο στήθος, ευχαριστημένη με την αδιάσειστη λογική της.

Και ήξερα ότι είχε δίκιο, έτσι που το έθετε. Σωριάστηκα στη θέση μου, με την ξαφνική μου ελπίδα να έχει ματαιωθεί. Δίπλα μου, ο Έντουαρντ χαλάρωσε.

Ψιθύρισε την υπενθύμιση στο αυτί μου. «Όχι επειδή φοβάσαι».

«Α», είπε η Άλις κι ένα κενό βλέμμα διέσχισε το πρόσωπό της. Μετά κατέβασε μούτρα. «Δε μου αρέσουν καθόλου οι ακυρώσεις της τελευταίας στιγμής. Άρα η λίστα με τους καλεσμένους που θα έρθουν στο πάρτι μειώνεται στους εξήνταπέντε...»

«*Εξήντα πέντε!*» Τα μάτια μου γούρλωσαν ξανά. Δεν είχα τόσους πολλούς φίλους. Δεν ήξερα καν τόσους πολλούς ανθρώπους.

«Ποιος ακύρωσε;» αναρωτήθηκε ο Έντουαρντ, χωρίς να μου δίνει σημασία.

«Η Ρενέ».

«Τι;» φώναξα πνιχτά.

«Θα σου έκανε έκπληξη για την αποφοίτησή σου, αλλά κάτι συνέβη. Θα έχεις μήνυμα όταν φτάσεις σπίτι».

Για μια στιγμή, άφησα τον εαυτό μου απλώς να απολαύσει την ανακούφιση. Ό,τι κι αν ήταν αυτό που έτυχε στη μητέρα μου, ήμουν αιώνια ευγνώμων γι' αυτό. Αν είχε έρθει στο Φορκς *τώρα*... Δεν ήθελα ούτε να το σκεφτώ. Το κεφάλι μου ήταν έτοιμο να εκραγεί.

Το λαμπάκι που έδειχνε ότι είχε έρθει μήνυμα αναβόσβηνε όταν έφτασα σπίτι. Το αίσθημα της ανακούφισης φούντωσε ξανά, καθώς άκουγα τη μητέρα μου να περιγράφει το ατύχημα του Φιλ στο γήπεδο –ενώ έδειχνε στους αθλητές πώς να κάνουν βουτιά, είχε συγκρουστεί με τον κάτσερ και είχε σπάσει το κόκαλο του μηρού του˙ εξαρτιόταν εντελώς από αυτή, και δεν υπήρχε καμία δυνατότητα να τον αφήσει μόνο του. Η μαμά μου ζητούσε ακόμα συγνώμη, όταν το μήνυμα διακόπηκε.

«Λοιπόν, να ένα», αναστέναξα.

«Ένα τι;» ρώτησε ο Έντουαρντ.

«Ένα άτομο για το οποίο δε χρειάζεται ν' ανησυχώ ότι θα σκοτωθεί αυτή την εβδομάδα».

Στριφογύρισε τα μάτια του.

«Γιατί δεν το παίρνετε στα σοβαρά εσύ κι η Άλις;» απαίτησα να μάθω. «Είναι *σοβαρό*».

Χαμογέλασε. «Αυτοπεποίθηση».

«Υπέροχα», γκρίνιαξα. Σήκωσα το ακουστικό του τηλεφώνου και κάλεσα τον αριθμό της Ρενέ. Ήξερα ότι ή κουβέντα θα τραβούσε πολύ, αλλά ήξερα επίσης ότι δε θα χρειαζόταν να συνεισφέρω πολλά σ' αυτή.

Απλώς άκουγα και τη διαβεβαίωνα κάθε φορά που κατάφερνα να πω μια λέξη: δεν ήμουν απογοητευμένη, δεν ήμουν θυμωμένη, δεν ήμουν πληγωμένη. Έπρεπε να επικεντρωθεί στο να βοηθήσει τον Φιλ να αναρρώσει. Της είπα να πει στο Φιλ "περαστικά" και υποσχέθηκα να την πάρω τηλέφωνο για να της δώσω όλες τις λεπτομέρειες από την περίληψη της αποφοίτησης από το Λύκειο του Φορκς. Τελικά, χρειάστηκε να χρησιμοποιήσω την απόλυτη ανάγκη να μελετήσω για τις τελικές εξετάσεις για να κλείσω το τηλέφωνο.

Η υπομονή του Έντουαρντ ήταν ατελείωτη. Περίμενε ευγενικά σε όλη τη διάρκεια της κουβέντας, απλώς παίζοντας με τα μαλλιά μου και χαμογελώντας μου, κάθε φορά που σήκωνα το βλέμμα. Ήταν ίσως επιφανειακό να παρατηρώ τέτοια πράγματα, ενώ είχα τόσα πολλά πολύ πιο σημαντικά πράγματα να σκεφτώ, αλλά το χαμόγελό του ακόμα μου έκοβε την ανάσα. Ήταν τόσο όμορφος που μερικές φορές ήταν δύσκολο να σκεφτώ τίποτα άλλο, δύσκολο να συγκεντρωθώ στα προβλήματα του Φιλ και τις συγνώμες της Ρενέ ή τους στρατούς των εχθρικών βρικολάκων. Άνθρωπος είμαι.

Αμέσως μόλις έκλεισα το τηλέφωνο, τεντώθηκα πατώντας στις άκρες των δαχτύλων μου για να τον φιλήσω. Έβαλε τα χέρια του γύρω από τη μέση μου και με ανέβασε στον πάγκο της κουζίνας, για να μη χρειάζεται να τεντώνομαι πολύ. Αυτό ήταν αρκετό για 'μένα. Κλείδωσα τα χέρια μου γύρω από το λαιμό του και έλιωσα ακουμπώντας πάνω στο κρύο στέρνο του.

Υπερβολικά σύντομα, όπως συνήθως, τραβήχτηκε μακριά.

Ένιωσα το πρόσωπό μου να στραβομουτσουνιάζει χωρίς να μπορώ να το ελέγξω. Εκείνος γέλασε με την έκφρασή μου, καθώς απελευθερώθηκε από τα μπράτσα και τα πόδια μου. Ακούμπησε πάνω στον πάγκο δίπλα μου κι έβαλε το ένα του μπράτσο ελαφρά γύρω από τους ώμους μου.

«Το ξέρω ότι νομίζεις πως έχω κάποιου είδους τέλεια, ατράνταχτη αυτοσυγκράτηση, αλλά δεν είναι έτσι τα πράγματα».

«Μακάρι», αναστέναξα.

Κι αναστέναξε κι αυτός.

«Μετά το σχολείο αύριο», είπε, αλλάζοντας θέμα, «θα πάω

για κυνήγι με τον Κάρλαϊλ, την Έσμι και τη Ρόζαλι. Μόνο για λίγες ώρες –θα είμαστε εδώ γύρω. Η Άλις, ο Τζάσπερ κι ο Έμετ θα πρέπει να μπορέσουν να σε κρατήσουν ασφαλή».

«Ωχ», γκρίνιαξα. Αύριο ήταν η πρώτη μέρα των τελικών εξετάσεων, και ήταν μόνο μισή μέρα. Είχα μαθηματικά και ιστορία –τα δύο μοναδικά μαθήματα που αποτελούσαν πρόκληση στο πρόγραμμά μου– έτσι θα περνούσα σχεδόν ολόκληρη τη μέρα χωρίς εκείνον και δε θα είχα τίποτα άλλο να κάνω πέρα από το να ανησυχώ. «Δε μου αρέσει καθόλου να μου κάνουν μπέιμπι σίτινγκ».

«Είναι προσωρινό», υποσχέθηκε.

«Ο Τζάσπερ θα βαρεθεί. Ο Έμετ θα με δουλεύει».

«Θα φερθούν με τον καλύτερο τρόπο».

«Καλά, ναι», γκρίνιαξα.

Και τότε μου πέρασε από το νου ότι είχα και μια άλλη εναλλακτική εκτός από τους μπεϊμπισίτερ. «Ξέρεις... έχω να πάω στο Λα Πους από τότε με το πάρτι στην παραλία».

Παρατήρησα το πρόσωπό του προσεχτικά για να διαπιστώσω οποιαδήποτε αλλαγή στην έκφρασή του. Τα μάτια του σφίχτηκαν πολύ ελάχιστα.

«Θα ήμουν αρκετά ασφαλής εκεί», του υπενθύμισα.

Το σκέφτηκε για λίγα δευτερόλεπτα. «Μάλλον έχεις δίκιο».

Το πρόσωπό του ήταν ψύχραιμο, αλλά κάπως υπερβολικά ανέκφραστο. Σχεδόν ρώτησα αν θα προτιμούσε να μείνω εδώ, αλλά μετά σκέφτηκα όλα όσα θα έλεγε ο Έμετ για να με πειράξει χωρίς αμφιβολία, κι άλλαξα θέμα. «Δίψασες κιόλας;» ρώτησα, σηκώνοντας το χέρι μου για να χαϊδέψω την ελαφριά σκιά κάτω από το μάτι του. Οι ίριδές του είχαν ακόμα ένα βαθύ χρυσαφί χρώμα.

«Όχι ιδιαίτερα». Έμοιαζε απρόθυμος να απαντήσει, κι αυτό με ξάφνιασε. Περίμενα κάποια εξήγηση.

«Θέλουμε να είμαστε όσο το δυνατόν πιο δυνατοί», εξήγησε, ακόμα απρόθυμος. «Πιθανότατα να κυνηγήσουμε ξανά πηγαίνοντας, για μεγάλα θηράματα».

«Αυτό σας κάνει δυνατότερους;»

Έψαξε κάτι στο πρόσωπό μου, αλλά δεν υπήρχε τίποτα να βρει εκτός από περιέργεια.

«Ναι», είπε τελικά. «Το ανθρώπινο αίμα μας κάνει πιο δυνατούς απ' όλα, αν και ελάχιστα περισσότερο. Ο Τζάσπερ σκέφτεται να κάνει ζαβολιά –όσο κι αν νιώθει αποστροφή στην ιδέα, πάνω απ' όλα είναι πρακτικός– αλλά δεν το προτείνει. Ξέρει τι θα πει ο Κάρλαϊλ».

«Αυτό θα βοηθούσε;» ρώτησα χαμηλόφωνα.

«Δεν έχει σημασία. Δεν πρόκειται να αλλάξουμε αυτό που είμαστε».

Συνοφρυώθηκα. Αν κάτι βοηθούσε να μειωθεί η διαφορά… και τότε αναρίγησα, συνειδητοποιώντας πως ήμουν πρόθυμη να πεθάνει κάποιος άγνωστος για να προστατευθεί εκείνος. Ένιωσα φρίκη με τον εαυτό μου, αλλά ούτε και μπορούσα να το αρνηθώ εντελώς.

Άλλαξε πάλι θέμα. «Γι' αυτό είναι τόσο δυνατοί, φυσικά. Οι νεογέννητοι είναι γεμάτοι από ανθρώπινο αίμα –το δικό τους αίμα που αντιδρά στην αλλαγή. Παραμένει στους ιστούς και τους ενισχύει. Τα σώματά τους το ξοδεύουν αργά, όπως είπε ο Τζάσπερ, η δύναμή τους αρχίζει να μειώνεται μετά από ένα χρόνο».

«Πόσο δυνατή θα είμαι εγώ;»

Χαμογέλασε πλατιά. «Πιο δυνατή από 'μένα».

«Πιο δυνατή κι απ' τον Έμετ;»

Το χαμόγελο έγινε ακόμα πιο πλατύ. «Ναι. Κάνε μου τη χάρη και προκάλεσέ τον σε έναν αγώνα μπρα-ντε-φερ. Θα ήταν μια καλή εμπειρία για 'κείνον».

Γέλασα. Ακουγόταν τόσο γελοίο.

Μετά αναστέναξα και πήδηξα από τον πάγκο, επειδή δεν μπορούσα να το αναβάλλω άλλο. Έπρεπε να μελετήσω και να μελετήσω σκληρά. Ευτυχώς είχα τη βοήθεια του Έντουαρντ, κι ο Έντουαρντ ήταν εξαιρετικός δάσκαλος –εφόσον ήξερε τα πάντα. Υπέθετα ότι το μεγαλύτερό μου πρόβλημα θα ήταν απλώς να συγκεντρωθώ στα διαγωνίσματα. Αν δεν πρόσεχα, μπορεί να κατέληγα να γράψω στο τεστ της ιστορίας για τους πολέμους των βρικολάκων του νότου.

Πήρα μια ανάσα για να πάρω τηλέφωνο τον Τζέικομπ, κι ο Έντουαρντ φαινόταν εξίσου άνετος, όπως όταν μιλούσα στο τηλέφωνο με τη Ρενέ. Έπαιζε ξανά με τα μαλλιά μου.

Αν και ήταν απόγευμα, το τηλεφώνημά μου ξύπνησε τον Τζέικομπ, και στην αρχή ήταν γκρινιάρης. Η διάθεσή του ανέβηκε αμέσως μόλις ρώτησα αν θα μπορούσα να τον επισκεφτώ την επόμενη μέρα. Το σχολείο των Κουιλαγιούτ είχε ήδη κλείσει για καλοκαίρι, έτσι μου είπε να πάω σπίτι του όσο πιο νωρίς μπορούσα. Χάρηκα που είχα και μια άλλη εναλλακτική εκτός από το μπέιμπι σίτινγκ. Υπήρχε κάποια ελάχιστη παραπάνω αξιοπρέπεια στο να περάσω τη μέρα μαζί με τον Τζέικομπ.

Ένα μέρος αυτής της αξιοπρέπειας χάθηκε, όταν ο Έντουαρντ επέμεινε ξανά να με παραδώσει στη συνοριακή γραμμή σαν πιτσιρίκι που ανταλλάσσεται ανάμεσα στους δυο κηδεμόνες του.

«Λοιπόν, πώς λες να πήγες στις εξετάσεις σου;» ρώτησε ο Έντουαρντ.

«Η ιστορία ήταν εύκολη, αλλά δεν ξέρω για τα μαθηματικά. Μου φάνηκαν να βγάζουν νόημα, άρα αυτό μάλλον σημαίνει κάτω απ' τη βάση».

Γέλασε. «Είμαι σίγουρος ότι έγραψες μια χαρά. Ή αν ανησυχείς πραγματικά, θα μπορούσα να δωροδοκήσω τον κύριο Βάρνερ για να σου βάλει Α».

«Ε, ευχαριστώ, αλλά όχι, ευχαριστώ».

Γέλασε πάλι, αλλά ξαφνικά σταμάτησε όταν στρίψαμε στην τελευταία στροφή και είδαμε το κόκκινο αυτοκίνητο να περιμένει. Συνοφρυώθηκε για να συγκεντρωθεί, και μετά, καθώς πάρκαρε το αμάξι, αναστέναξε.

«Τι συμβαίνει;» ρώτησα με το χέρι στην πόρτα.

Κούνησε το κεφάλι του. «Τίποτα». Τα μάτια του ήταν ζαρωμένα, καθώς κοίταζε επίμονα έξω από το παρμπρίζ προς το άλλο αυτοκίνητο. Είχα ξαναδεί αυτό το βλέμμα.

«Δεν *ακούς* τον Τζέικομπ, έτσι;» τον κατηγόρησα.

«Δεν είναι εύκολο να αγνοήσεις κάποιον που φωνάζει».

«Α». Το σκέφτηκα για ένα δευτερόλεπτο. «Τι φωνάζει;» ψιθύρισα.

«Είμαι απόλυτα βέβαιος ότι θα το αναφέρει από μόνος του», είπε ο Έντουαρντ.

Θα τον είχα πιέσει να μου πει κι άλλα, αλλά τότε ο Τζέικομπ πάτησε την κόρνα του –δύο γρήγορα ανυπόμονα κορναρίσματα.

«Αυτό είναι αγενές», γρύλισε ο Έντουαρντ.

«Αυτός είναι ο Τζέικομπ», είπα αναστενάζοντας και βιάστηκα να βγω έξω, πριν ο Τζέικομπ κάνει κάτι που θα έκανε τον Έντουαρντ να δείξει τα δόντια του.

Χαιρέτησα τον Έντουαρντ κουνώντας το χέρι, πριν μπω στο Ράμπιτ και από εκείνη την απόσταση, έμοιαζε σαν να ήταν πραγματικά εκνευρισμένος με το κορνάρισμα... ή ό,τι κι αν ήταν αυτό που σκεφτόταν ο Τζέικομπ. Αλλά τα μάτια μου ήταν αδύναμα και κάνω συχνά λάθη.

Ήθελα να έρθει ο Έντουαρντ σ' εμένα. Ήθελα να κάνω και τους δυο τους να βγουν από τ' αυτοκίνητά τους και να δώσουν τα χέρια και να γίνουν φίλοι –να είναι ο Έντουαρντ και ο Τζέικομπ αντί για *βρικόλακας* και *λυκάνθρωπος*. Ήταν σαν να είχα πάλι στα χέρια μου εκείνους τους δύο πεισματάρηδες μαγνήτες και τους κρατούσα τον έναν κοντά στον άλλο, προσπαθώντας να αναγκάσω τη φύση να πάει κόντρα στους ίδιους της τους νόμους...

Αναστέναξα και μπήκα στο αμάξι του Τζέικομπ.

«Γεια σου, Μπελς». Ο τόνος του Τζέικομπ ήταν κεφάτος, αλλά μιλούσε με κόπο. Εξέτασα το πρόσωπό του, καθώς άρχισε να κατεβαίνει το δρόμο, οδηγώντας λιγάκι πιο γρήγορα από 'μένα, αλλά πιο αργά από τον Έντουαρντ, καθώς γυρίζαμε στο Λα Πους.

Ο Τζέικομπ έδειχνε διαφορετικός, ίσως και άρρωστος. Τα βλέφαρά του έκλειναν και το πρόσωπό του ήταν καταπτοημένο. Τα πυκνά μαλλιά του πετούσαν προς διαφορετικές κατευθύνσεις˙ έφταναν σχεδόν ως το πιγούνι του σε μερικά σημεία.

«Είσαι καλά, Τζέικ;»

«Απλώς κουρασμένος», κατάφερε να πει πριν το πρόσωπό του τεντωθεί σε ένα τεράστιο χασμουρητό. Όταν τελείωσε, ρώτησε: «Τι θέλεις να κάνουμε σήμερα;»

Τον κοίταξα για μια στιγμή. «Ας κάτσουμε στο σπίτι σου για την ώρα», πρότεινα. Δε φαινόταν να έχει όρεξη για κάτι παραπάνω απ' αυτό. «Μπορούμε να πάμε βόλτα με τις μηχανές αργότερα».

«Καλά, καλά», είπε, με ένα ακόμα χασμουρητό.

Το σπίτι του Τζέικομπ ήταν άδειο, κι αυτό έμοιαζε παράξενο. Συνειδητοποίησα ότι θεωρούσα τον Μπίλι ως σχεδόν μόνιμο ντεκόρ.

«Πού είναι ο μπαμπάς σου;»

«Στο σπίτι των Κλίαργουοτερ. Περνάει πολλές ώρες εκεί από τότε που πέθανε ο Χάρι. Η Σου νιώθει μοναξιά».

Ο Τζέικομπ κάθισε στον παλιό διθέσιο καναπέ και στριμώχτηκε στην άκρη για να μου κάνει χώρο.

«Α. Ωραία. Την καημένη τη Σου».

«Ναι... έχει κάποια προβλήματα...» Δίστασε. «Με τα παιδιά της».

«Σίγουρα, πρέπει να έπεσε βαρύ στον Σεθ και τη Λία που έχασαν τον μπαμπά τους...»

«Χμ», συμφώνησε, χαμένος στις σκέψεις. Σήκωσε το τηλεκοντρόλ κι άνοιξε την τηλεόραση χωρίς να φαίνεται να το σκέφτεται. Χασμουρήθηκε.

«Τι έπαθες, Τζέικ; Μοιάζεις με ζόμπι».

«Κοιμήθηκα περίπου δυο ώρες χθες το βράδυ και τέσσερις το προηγούμενο», μου είπε. Τέντωσε τα μακριά του χέρια αργά, και άκουσα τις αρθρώσεις να κάνουν κρακ, καθώς τεντωνόταν. Βόλεψε το αριστερό του χέρι κατά μήκος της πλάτης του καναπέ πίσω μου, και έγειρε πίσω για να ακουμπήσει το κεφάλι του στον τοίχο. «Είμαι πτώμα».

«Γιατί δεν κοιμάσαι;» ρώτησα.

Έκανε μια γκριμάτσα. «Ο Σαμ είναι δύστροπος. Δεν εμπιστεύεται τις βδέλλες. Κάνω διπλές βάρδιες εδώ και δυο βδομάδες και κανένας δε με έχει ακουμπήσει ακόμα, αλλά και πάλι δεν πείθεται. Άρα, είμαι μόνος μου για την ώρα».

«Διπλές βάρδιες; Κι αυτό επειδή προσπαθείς να προσέχεις *εμένα*; Τζέικ, αυτό δεν είναι σωστό! Χρειάζεσαι ύπνο. Εγώ θα είμαι μια χαρά».

«Δεν τρέχει τίποτα». Τα μάτια του ξαφνικά έγιναν πιο ζωντανά. «Για πες, έμαθες τελικά ποιος ήταν στο δωμάτιό σου; Υπάρχει κανένα νέο;»

Αγνόησα τη δεύτερη ερώτηση. «Όχι, δε μάθαμε τίποτα για τον, εεε, τον επισκέπτη μου».

«Τότε θα είμαι εκεί γύρω», είπε, καθώς τα μάτια του έκλειναν.

«Τζέικ…», πήγα να γκρινιάξω.

«Ε, είναι το λιγότερο που μπορώ να κάνω –προσφέρθηκα να γίνω δούλος σου αιώνια, θυμάσαι; Είμαι σκλάβος σου για μια ζωή».

«Δε θέλω σκλάβο!»

Τα μάτια του δεν άνοιξαν. «Τι *θέλεις* τότε, Μπέλλα;»

«Θέλω το φίλο μου, τον Τζέικομπ –και δεν τον θέλω μισοπεθαμένο, τραυματισμένο από κάποια λάθος προσπάθεια–»

Με διέκοψε. «Δες το έτσι –ελπίζω να εντοπίσω κάποιο βρικόλακα που να επιτρέπεται να σκοτώσω, εντάξει;»

Δεν απάντησα. Τότε με κοίταξε με μια κλεφτή ματιά για να δει την αντίδρασή μου.

«Πλάκα κάνω, Μπέλλα».

Κοίταξα την τηλεόραση.

«Λοιπόν, έχεις κανονίσει τίποτα ιδιαίτερο για την επόμενη βδομάδα; Θα αποφοιτήσεις. Πω πω! Μεγάλη υπόθεση». Η φωνή του έγινε πεζή, και το πρόσωπό του, που ήταν ήδη καταπτοημένο, έδειχνε εντελώς καταβεβλημένο, καθώς έκλεισαν τα μάτια του πάλι –αλλά όχι από την εξάντληση αυτή τη φορά, μα από την άρνηση. Συνειδητοποίησα ότι η αποφοίτηση ακόμα είχε μια φρικτή σημασία για εκείνον, αν και οι προθέσεις μου είχαν τώρα ανασταλεί.

«Δεν έχω κανονίσει τίποτα *ιδιαίτερο*», είπα προσεχτικά, ελπίζοντας ότι θα άκουγε τον καθησυχαστικό τόνο στα λόγια μου χωρίς καμιά πιο λεπτομερή εξήγηση. Δεν ήθελα να το αναλύσουμε τώρα. Κατά πρώτον, δε φαινόταν να είναι σε θέση να κάνει καμιά δύσκολη συζήτηση. Και κατά δεύτερον, ήξερα ότι θα διάβαζε υπερβολικά πολλά πράγματα στους ενδοιασμούς μου. «Δηλαδή, έχω να πάω σε ένα πάρτι αποφοίτησης. Το δικό μου». Έκανα έναν ήχο αηδίας. «Η Άλις *λατρεύει* τα πάρτι κι έχει καλέσει όλη την πόλη στο σπίτι της εκείνο το βράδυ. Θα είναι απαίσια».

Τα μάτια του άνοιξαν, καθώς μιλούσα, κι ένα χαμόγελο ανακούφισης έκανε το πρόσωπό του λιγότερο καταβεβλημένο. «Εγώ δεν πήρα πρόσκληση. Νιώθω πληγωμένος», με πείραξε.

«Θεώρησε τον εαυτό σου προσκεκλημένο. Υποτίθεται ότι είναι *δικό μου* το πάρτι, άρα λογικά μπορώ να καλέσω όποιον θέλω».

«Ευχαριστώ», είπε σαρκαστικά, ενώ τα μάτια του έκλεισαν άλλη μια φορά.

«Μακάρι να μπορούσες να έρθεις», είπα χωρίς ελπίδα.

«Θα ήταν πιο διασκεδαστικό. Για 'μένα, θέλω να πω».

«Βέβαια, βέβαια», ψέλλισε. «Θα ήταν πολύ... σοφό...» Η φωνή του αργόσβησε.

Μερικά δευτερόλεπτα αργότερα, ροχάλιζε.

Ο καημένος ο Τζέικομπ. Παρατήρησα το χαμένο στα όνειρα πρόσωπό του και μου άρεσε αυτό που έβλεπα. Ενώ κοιμόταν, κάθε ίχνος άμυνας και πίκρας εξαφανιζόταν, και ξαφνικά γινόταν το αγόρι που υπήρξε ο καλύτερός μου φίλος πριν μπουν στη μέση όλες αυτές οι ανοησίες για τους λυκάνθρωπους. Έμοιαζε τόσο πιο μικρός. Έμοιαζε με το δικό μου Τζέικομπ.

Κούρνιασα στον καναπέ για να τον περιμένω να ξυπνήσει, ελπίζοντας ότι θα κοιμόταν για λίγο και θα αναπλήρωνε λίγο από το χρόνο που είχε χάσει. Έκανα ζάπινγκ στα κανάλια, αλλά δεν υπήρχε και τίποτα ιδιαίτερο για να δω. Αποφάσισα τελικά να δω μια εκπομπή μαγειρικής, ξέροντας, καθώς παρακολουθούσα, ότι ποτέ δεν είχα κάνει τόσο κόπο για να μαγειρέψω για τον Τσάρλι. Ο Τζέικομπ συνέχισε να ροχαλίζει όλο και πιο δυνατά. Δυνάμωσα τον ήχο της τηλεόρασης.

Ήμουν παραδόξως χαλαρή, σχεδόν νύσταζα κι εγώ. Σ' αυτό το σπίτι ένιωθα πιο ασφαλής απ' ό,τι στο δικό μου, πιθανότατα επειδή δεν είχε έρθει ποτέ κανείς εδώ για να με βρει. Κουλουριάστηκα πάνω στον καναπέ και σκέφτηκα να πάρω έναν υπνάκο κι εγώ. Μπορεί και να το είχα κάνει, αλλά ήταν αδύνατο να μη με ενοχλεί το ροχαλητό του Τζέικομπ. Έτσι, αντί να κοιμηθώ, άφησα το μυαλό μου να ταξιδέψει.

Οι τελικές εξετάσεις είχαν τελειώσει, και οι περισσότερες ήταν πανεύκολες. Τα μαθηματικά, η μοναδική εξαίρεση, ήταν κάτι που είχα αφήσει πίσω μου, είτε είχα περάσει είτε όχι. Η λυκειακή μου εκπαίδευση είχε τελειώσει. Και δεν ήξερα πραγματικά πώς ένιωθα γι' αυτό. Δεν μπορούσα να το δω αντικειμενικά, έτσι όπως ήταν συνδεδεμένο με το γεγονός ότι θα τελείωνε και η ανθρώπινη ζωή μου.

Αναρωτήθηκα πόσο καιρό ο Έντουαρντ σχεδίαζε να χρησιμοποιήσει αυτή τη δικαιολογία του "όχι επειδή φοβάσαι". Κάποια στιγμή θα έπρεπε να πατήσω πόδι.

Αν σκεφτόμουν πρακτικά, ήξερα ότι ήταν πιο λογικό να ζητήσω από τον Κάρλαϊλ να με μεταμορφώσει τη στιγμή που θα τελείωνε η διαδικασία της αποφοίτησης. Το Φορκς είχε αρχίσει να γίνεται σχεδόν εξίσου επικίνδυνο με πολεμική ζώνη. Όχι, το Φορκς *ήταν* πολεμική ζώνη. Για να μην πω ότι... θα ήταν μια καλή δικαιολογία για να μην πάω στο πάρτι της αποφοίτησης. Χαμογέλασα στον εαυτό μου, καθώς σκέφτηκα ότι αυτός ήταν πράγματι ο πιο γελοίος λόγος για να μεταμορφωθώ. Ανόητος... κι όμως τόσο ελκυστικός.

Αλλά ο Έντουαρντ είχε δίκιο –δεν ήμουν εντελώς έτοιμη ακόμα.

Και δεν ήθελα να είμαι πρακτική. Ήθελα να είναι ο Έντουαρντ αυτός που θα με μεταμόρφωνε. Δεν ήταν λογική επιθυμία. Ήμουν σίγουρη πως –δύο δευτερόλεπτα περίπου αφού θα με είχε δαγκώσει κάποιος, και το δηλητήριο θα είχε αρχίσει να καίει τις φλέβες μου– δε θα με ενδιέφερε πια ποιος το είχε κάνει. Άρα δε θα έπρεπε να παίζει ρόλο.

Ήταν δύσκολο να προσδιορίσω, ακόμα και στον εαυτό μου, γιατί είχε σημασία. Απλώς είχε να κάνει με το ότι εκείνος θα έκανε την επιλογή –ότι θα ήθελε να με κρατήσει αρκετά, ώστε να μη μου επιτρέψει απλώς να μεταμορφωθώ από κάποιον, να κάνει ο ίδιος κάτι για να με κρατήσει. Ήταν παιδιάστικο, αλλά μου άρεσε η ιδέα ότι τα *δικά του* χείλη θα ήταν το τελευταίο ωραίο πράγμα που θα ένιωθα. Και κάτι που με έκανε να νιώθω ακόμα πιο αμήχανα, κάτι που δε θα έλεγα ποτέ δυνατά, ήθελα το *δικό του* δηλητήριο να δηλητηριάσει το σύστημα μου. Αυτό θα με έκανε να του ανήκω με ένα πιο χειροπιαστό τρόπο.

Αλλά ήξερα ότι θα επέμενε στο σχέδιό του να παντρευτούμε σαν ξεροκέφαλος –επειδή αυτό που έψαχνε ήταν προφανώς κάποια καθυστέρηση, και για την ώρα αυτό ακριβώς κατάφερνε. Προσπάθησα να φανταστώ να λέω στους γονείς μου ότι είχα σκοπό να παντρευτώ αυτό το καλοκαίρι. Να το λέω στην Άντζελα και τον Μπεν και τον Μάικ. Δεν μπορούσα. Δεν μπορούσα να σκεφτώ ποιες λέξεις θα χρησιμοποιούσα. Πιο εύκολα θα τους έλεγα ότι θα γινόμουν βρικόλακας. Και ήμουν σίγουρη πως τουλάχιστον η μητέρα μου –αν της έλεγα την αλήθεια με κάθε λεπτομέρεια– θα διαφωνούσε με περισσότερη ένταση με το να παντρευτώ παρά με το να γίνω βρικόλακας. Έκανα μια γκριμάτσα, καθώς φαντάστηκα την έντρομη έκφρασή της.

Και τότε, για ένα μόνο δευτερόλεπτο, είδα το ίδιο παλιό όραμα με τον Έντουαρντ κι εμένα να καθόμαστε σε μια κούνια στη βεράντα, ντυμένοι με ρούχα μιας άλλης εποχής. Έναν κόσμο όπου δε θα ξαφνιαζόταν κανείς, αν φορούσα το δαχτυλίδι του στο χέρι μου. Έναν πιο απλό κόσμο, όπου η αγάπη προσδιοριζόταν με πιο απλούς τρόπους. Ένα κι ένα κάνουν δύο…

Ο Τζέικομπ ξεφύσηξε και γύρισε στα πλάγια. Το χέρι του κρεμάστηκε από την πλάτη του καναπέ και με κόλλησε πάνω στο σώμα του.

Χριστέ και Κύριε, ήταν βαρύς! Και ζεστός! Μετά από μόλις μερικά δευτερόλεπτα υπέφερα από τη ζέστη.

Προσπάθησα να γλιστρήσω από κάτω από το χέρι του χωρίς να τον ξυπνήσω, αλλά αναγκάστηκα να σπρώξω λιγάκι, κι όταν το χέρι του έπεσε από πάνω μου, τα μάτια του άνοιξαν απότομα. Πετάχτηκε όρθιος, κοιτάζοντας γύρω-γύρω με αγωνία.

«Τι; Τι;» ρώτησε, αποπροσανατολισμένος.

«Εγώ είμαι, Τζέικ. Συγνώμη που σε ξύπνησα».

Γύρισε για να με κοιτάξει, ανοιγοκλείνοντας τα μάτια μέσα σε σύγχυση. «Μπέλλα;»

«Γεια σου, υπναρά!»

«Ω, ρε φίλε! Με πήρε ο ύπνος; Συγνώμη! Πόση ώρα κοιμόμουνα;»

«Μερικά επεισόδια Έμεριλ*. Έχασα το μέτρημα».

* Έμεριλ: Emeril Lagasse, διάσημος τηλεοπτικός σεφ (Σ.τ.Ε.)

Σωριάστηκε πάλι στον καναπέ δίπλα μου. «Πω πω. Συγνώμη γι' αυτό, αλήθεια».

Χτύπησα χαϊδευτικά τα ατίθασα μαλλιά του, προσπαθώντας να τα στρώσω. «Μη νιώθεις άσχημα. Χαίρομαι που κοιμήθηκες λίγο».

Χασμουρήθηκε και τεντώθηκε. «Είμαι άχρηστος αυτές τις μέρες. Δεν είναι ν' απορεί κανείς που ο Μπίλι λείπει μονίμως. Είμαι τόσο βαρετός».

«Είσαι μια χαρά», τον διαβεβαίωσα.

«Ωχ, ας βγούμε έξω. Χρειάζομαι να περπατήσω ή αλλιώς θα ξανακοιμηθώ».

«Τζέικ, πέσε ξανά για ύπνο. Είμαι καλά. Θα τηλεφωνήσω στον Έντουαρντ να έρθει να με πάρει». Χτύπησα ελαφρά τις τσέπες μου, καθώς μιλούσα, και συνειδητοποίησα ότι ήταν άδειες. «Να πάρει, πρέπει να δανειστώ το τηλέφωνό σου. Νομίζω ότι πρέπει να άφησα το δικό του στο αυτοκίνητό του». Πήγα να σηκωθώ από εκεί που καθόμουν κουλουριασμένη.

«Όχι!» επέμεινε ο Τζέικομπ, αρπάζοντας το χέρι μου. «Όχι, κάτσε. Έρχεσαι πολύ σπάνια εδώ πια. Δεν μπορώ να το πιστέψω ότι σπατάλησα τόσο χρόνο».

Με τράβηξε από τον καναπέ καθώς μιλούσε, και μετά με οδήγησε έξω σκύβοντας το κεφάλι του, καθώς περνούσε κάτω από την κάσα της πόρτας. Είχε δροσίσει πάρα πολύ, όση ώρα κοιμόταν ο Τζέικομπ˙ ο αέρας ήταν υπερβολικά κρύος –πρέπει να ερχόταν καταιγίδα. Έμοιαζε με Φλεβάρη, όχι Μάη.

Ο παγερός άνεμος φαινόταν να κάνει τον Τζέικομπ να αποκτά μεγαλύτερη εγρήγορση. Περπάτησε πέρα-δώθε μπροστά από το σπίτι για ένα λεπτό, σέρνοντάς με από πίσω του.

«Είμαι ηλίθιος», μουρμούριζε στον εαυτό του.

«Τι συμβαίνει, Τζέικ; Ε, και; Αποκοιμήθηκες», είπα και ανασήκωσα τους ώμους.

«Ήθελα να σου μιλήσω. Δεν το πιστεύω».

«Μίλα μου τώρα», είπα.

Το βλέμμα του Τζέικομπ διασταυρώθηκε με το δικό μου για ένα δευτερόλεπτο, και μετά κοίταξε πέρα μακριά προς τα δέντρα. Έμοιαζε σχεδόν σαν να κοκκίνιζε, αλλά ήταν δύσκολο να διακρίνω εξαιτίας του σκούρου δέρματός του.

Ξαφνικά θυμήθηκα τι είχε πει ο Έντουαρντ όταν με είχε φέρει –ότι ο Τζέικομπ θα μου έλεγε ό,τι κι αν ήταν αυτό που φώναζε μέσα στο κεφάλι του. Άρχισα να ροκανίζω τα χείλη μου.

«Κοίτα», είπε ο Τζέικομπ. «Σκόπευα να το κάνω αυτό κάπως διαφορετικά». Γέλασε, κι ακούστηκε σαν να γελούσε με τον εαυτό του. «Πιο μαλακά», πρόσθεσε. «Θα στο έφερνα σιγά-σιγά, αλλά» –και κοίταξε τα σύννεφα, πιο σκοτεινά καθώς το απόγευμα κυλούσε– «δεν έχω το χρόνο για να το κάνω έτσι».

Γέλασε ξανά, αγχωμένος. Ακόμα πηγαίναμε πέρα-δώθε αργά.

«Για τι πράγμα μιλάς;»

Πήρε μια βαθιά ανάσα. «Θέλω να σου πω κάτι. Και το ξέρεις ήδη… αλλά και πάλι θα ήταν καλό να το πω δυνατά έτσι κι αλλιώς. Απλώς για να μην υπάρχει καμία παρανόηση πάνω στο θέμα».

Εγώ κάρφωσα τα πόδια μου στο έδαφος, κι εκείνος σταμάτησε. Τράβηξα το χέρι μου μακριά και σταύρωσα τα χέρια μου στο στήθος. Ξαφνικά ήμουν σίγουρη ότι δεν ήθελα να μάθω πού το πήγαινε.

Τα φρύδια του Τζέικομπ τραβήχτηκαν προς τα κάτω, ρίχνοντας σκιά πάνω στα μάτια του. Ήταν κατάμαυρα καθώς κοιτούσαν τα δικά μου διαπεραστικά.

«Είμαι ερωτευμένος μαζί σου, Μπέλλα», είπε ο Τζέικομπ με μια δυνατή, σίγουρη φωνή. «Μπέλλα, σ' αγαπάω. Και θέλω να διαλέξεις εμένα αντί εκείνον. Ξέρω ότι δε νιώθεις το ίδιο, αλλά πρέπει να σου πω την αλήθεια ξεκάθαρα, για να ξέρεις τις επιλογές σου. Δε θα ήθελα να σταθεί εμπόδιο ανάμεσά μας το ότι δε μίλησα».

15. ΣΤΟΙΧΗΜΑ

Τον κοίταξα άφωνη. Δεν μπορούσα να σκεφτώ ούτε ένα πράγμα να του πω.

Καθώς παρατηρούσε την αποσβολωμένη έκφρασή μου, η σοβαρότητα έφυγε από το πρόσωπό του.

«Εντάξει», είπε χαμογελώντας πλατιά. «Αυτό είναι όλο».

«Τζέικ–» Ένιωθα σαν να υπήρχε ένας μεγάλος κόμπος στο λαιμό μου. Προσπάθησα να καθαρίσω το εμπόδιο. «Δεν μπορώ –θέλω να πω, δεν... πρέπει να φύγω».

Γύρισα, αλλά με άρπαξε από τους ώμους και με στριφογύρισε προς τη μεριά του.

«Όχι, περίμενε. Το ξέρω αυτό, Μπέλλα. Αλλά, κοίτα, απάντησέ μου σε ένα πράγμα, εντάξει; Θέλεις να φύγω μακριά και να μη σε ξαναδώ ποτέ; Πες ειλικρινά».

Ήταν δύσκολο να συγκεντρωθώ στην ερώτησή του, έτσι μου πήρε ένα λεπτό για να απαντήσω. «Όχι, δεν το θέλω αυτό», παραδέχτηκα τελικά.

Ο Τζέικομπ χαμογέλασε ξανά. «Βλέπεις».

«Μα δε σε θέλω κοντά μου για τον ίδιο λόγο που με θέλεις εσύ κοντά σου», διαφώνησα.

«Πες μου ακριβώς γιατί με θέλεις κοντά σου τότε».

Σκέφτηκα προσεχτικά. «Μου λείπεις όταν δεν είσαι εδώ. Όταν είσαι χαρούμενος», επεξήγησα προσεχτικά, «είμαι κι εγώ χαρούμενη. Αλλά θα μπορούσα να πω το ίδιο και για τον Τσάρλι, Τζέικομπ. Είσαι οικογένεια. Σε αγαπάω, αλλά δεν είμαι *ερωτευμένη* μαζί σου».

Έγνεψε ατάραχος. «Αλλά με θέλεις κοντά σου».

«Ναι». Αναστέναξα. Ήταν αδύνατο να τον αποθαρρύνω.

«Τότε θα μείνω κοντά σου».

«Είσαι μαζοχιστής», γκρίνιαξα.

«Ναι». Χάιδεψε με τις άκρες των δαχτύλων του το δεξί μου μάγουλο. Του χαστούκισα το χέρι για να το διώξω.

«Νομίζεις ότι θα μπορούσες να έχεις λίγο καλύτερη συμπεριφορά, τουλάχιστον;» ρώτησα εκνευρισμένη.

«Όχι. Εσύ αποφασίζεις, Μπέλλα. Μπορείς να με έχεις έτσι όπως είμαι –συμπεριλαμβανομένης και της άτακτης συμπεριφοράς μου– ή αλλιώς καθόλου».

Τον κοίταζα θυμωμένη. «Είσαι κακός».

«Το ίδιο κι εσύ».

Αυτό ήταν μια απρόσμενη κριτική, κι έκανα ένα βήμα πίσω χωρίς να το θέλω. Είχε δίκιο. Αν δεν ήμουν κακιά –και άπληστη, επίσης– θα του έλεγα ότι δεν ήθελα να είμαστε φίλοι και θα έφευγα. Ήταν λάθος να προσπαθώ να κρατήσω το φίλο μου, όταν αυτό θα τον πλήγωνε. Δεν ήξερα τι ήταν αυτό ακριβώς που έκανα εδώ, αλλά ξαφνικά ήμουν βέβαιη ότι δεν ήταν καλό.

«Έχεις δίκιο», ψιθύρισα.

Γέλασε. «Σε συγχωρώ. Απλώς προσπάθησε να μη μου θυμώσεις *υπερβολικά*. Επειδή πρόσφατα αποφάσισα ότι δεν τα παρατάω. Υπάρχει πράγματι κάτι ακαταμάχητο σε έναν αγώνα που είναι ήδη χαμένος».

«Τζέικομπ». Κοίταξα μέσα στα σκούρα του μάτια, προσπαθώντας να τον κάνω να με πάρει στα σοβαρά. «Αγαπάω *εκείνον*, Τζέικομπ. Είναι όλη μου η ζωή».

«Με αγαπάς κι εμένα», μου υπενθύμισε. Σήκωσε ψηλά το χέρι του, όταν πήγα να διαμαρτυρηθώ. «Όχι με τον ίδιο τρόπο, το ξέρω. Αλλά ούτε κι εκείνος είναι όλη σου η ζωή. Όχι πια. Μπορεί να ήταν κάποτε, αλλά έφυγε. Και τώρα θα πρέπει να αντιμετωπίσει τις συνέπειες της πράξης του –*εμένα*».

Κούνησα το κεφάλι μου. «Είσαι απίστευτος».

Ξαφνικά σοβάρεψε. Πήρε το πιγούνι μου στο χέρι του κρατώντας το σφιχτά, ώστε να μην μπορώ να κοιτάξω μακριά από το έντονο βλέμμα του.

«Μέχρι να σταματήσει να χτυπάει η καρδιά σου, Μπέλλα», είπε. «Θα είμαι εδώ –και θα παλεύω. Μην ξεχνάς ότι έχεις κι άλλες επιλογές».

«Δε θέλω κι άλλες επιλογές», διαφώνησα, προσπαθώντας να ελευθερώσω το πιγούνι μου χωρίς επιτυχία. «Και οι χτύποι της καρδιάς μου είναι μετρημένοι, Τζέικομπ. Ο χρόνος έχει σχεδόν τελειώσει».

Τα μάτια του ζάρωσαν. «Ένας λόγος παραπάνω να παλέψω –να παλέψω πιο σκληρά τώρα, όσο μπορώ ακόμα», ψιθύρισε.

Κρατούσε ακόμα το πιγούνι μου –τα δάχτυλά του το έσφιγγαν πολύ δυνατά, μέχρι που πονούσε– και είδα την αποφασιστικότητα ξαφνικά στα μάτια του.

«Ό—» πήγα να διαφωνήσω, αλλά ήταν πολύ αργά.

Τα χείλη του έπεσαν με δύναμη πάνω στα δικά μου, σταματώντας τη διαμαρτυρία μου. Με φίλησε θυμωμένα, άγρια, κρατώντας σφιχτά με το άλλο του χέρι το σβέρκο μου, κάνοντας αδύνατη την απόδραση. Έσπρωξα μακριά το στήθος του με όλη μου τη δύναμη, αλλά εκείνος δε φάνηκε καν να το προσέχει. Το στόμα του ήταν απαλό, παρά το θυμό του, τα χείλη του έπαιρναν το σχήμα των δικών μου με ένα ζεστό, άγνωστο τρόπο.

Άρπαξα το πρόσωπό του, προσπαθώντας να το σπρώξω μακριά, αποτυγχάνοντας ξανά. Φάνηκε να το προσέχει αυτή τη φορά, παρ' όλα αυτά, κι αυτό τον εξόργισε περισσότερο. Τα χείλη του ανάγκασαν τα δικά μου να ανοίξουν με τη βία, κι ένιωσα την καυτή του ανάσα στο στόμα μου.

Αντιδρώντας ενστικτωδώς, άφησα τα χέρια μου να πέσουν στο πλάι, και σταμάτησα. Άνοιξα τα μάτια μου και δεν αντιστάθηκα, δεν ένιωθα... απλά περίμενα να σταματήσει.

Είχε αποτέλεσμα. Ο θυμός φάνηκε να εξατμίζεται, και τραβήχτηκε πίσω για να με κοιτάξει. Πίεσε ελαφρά τα χείλη του στα δικά μου ξανά, μια φορά, δυο φορές... μια τρίτη φορά. Εγώ έκανα πως ήμουν άγαλμα και περίμενα.

Τελικά, άφησε το πρόσωπό μου και απομακρύνθηκε.

«Τελείωσες τώρα;» ρώτησα με μια ανέκφραστη φωνή.

«Ναι», αναστέναξε. Άρχισε να χαμογελάει, κλείνοντας τα μάτια του.

Τράβηξα πίσω το χέρι μου και μετά το άφησα να τεντωθεί απότομα προς τα μπρος, δίνοντάς του μπουνιά στο στόμα με τόση δύναμη όση μπορούσα να κάνω το σώμα μου να βγάλει.

Ακούστηκε ένας ήχος σαν κάτι να έσπασε.

«Ωχ! ΩΧ!» ούρλιαξα πηδώντας με αλλοφροσύνη πάνω-κάτω από τον πόνο, ενώ έσφιγγα στο στήθος μου το χέρι μου. Είχε σπάσει, το ένιωθα.

Ο Τζέικομπ με κοίταζε σοκαρισμένος. «Είσαι καλά;»

«Όχι, να πάρει! *Μου έσπασες το χέρι!*»

«Μπέλλα, *εσύ* έσπασες το χέρι σου. Τώρα σταμάτα να χοροπηδάς γύρω-γύρω και άσε με να του ρίξω μια ματιά».

«Μη με αγγίζεις! Πάω σπίτι αυτή τη στιγμή!»

«Θα φέρω το αμάξι μου», είπε ψύχραιμα. Δεν έτριβε καν το πιγούνι του όπως κάνουν στις ταινίες. Τι αξιοθρήνητο.

«Όχι, ευχαριστώ», είπα με ένα σύριγμα. «Προτιμώ να περπατήσω». Στράφηκα προς το δρόμο. Τα σύνορα απείχαν λίγα μόνο χιλιόμετρα. Αμέσως μόλις θα έφευγα μακριά του, η Άλις θα με έβλεπε. Θα έστελνε κάποιον να με μαζέψει.

«Άσε με να σε πάω σπίτι με το αυτοκίνητο», επέμεινε ο Τζέικομπ. Κατά έναν απίστευτο τρόπο, είχε το θράσος να τυλίξει το χέρι του γύρω από τη μέση μου.

Τραβήχτηκα απότομα μακριά του.

«Καλά!» γρύλισα. «*Πήγαινέ με*! Ανυπομονώ να δω τι θα σου κάνει ο Έντουαρντ! Ελπίζω να σου σπάσει το σβέρκο, φορτικό, αντιπαθητικό, ηλίθιο ΣΚΥΛΙ!»

Ο Τζέικομπ στριφογύρισε τα μάτια του. Με πήγε στην πλευρά του συνοδηγού και με βοήθησε να μπω. Όταν έφτασε στην πλευρά του οδηγού, σφύριζε.

«Δε σε πόνεσα καθόλου;» ρώτησα, εξοργισμένη και ενοχλημένη.

«Πλάκα κάνεις; Αν δεν είχες αρχίσει να ουρλιάζεις, μπορεί και να μην το καταλάβαινα ότι προσπάθησες να μου δώσεις μπουνιά. Μπορεί να μην είμαι φτιαγμένος από πέτρα, αλλά δεν είμαι και *τόσο* μαλακός».

«Σε μισώ, Τζέικομπ Μπλακ».

«Αυτό είναι καλό. Το μίσος είναι ένα παθιασμένο συναίσθημα».

«Θες πάθος, θα σου δείξω εγώ», μουρμούρισα χαμηλόφωνα. «Φόνος, το απόλυτο έγκλημα πάθους».

«Ω, έλα τώρα», είπε, γεμάτος κέφι και δείχνοντας σαν να ήταν έτοιμος να αρχίσει να σφυρίζει πάλι. «Πρέπει να ήταν καλύτερα από το να φιλάς ένα βράχο».

«Δεν πλησίαζε ούτε κατά διάνοια», του είπα ψυχρά.

Σούφρωσε τα χείλη του. «Έτσι το λες».

«Όχι, είναι αλήθεια».

Αυτό φάνηκε να τον ενοχλεί για ένα δευτερόλεπτο, αλλά μετά ζωήρεψε ξανά. «Απλώς είσαι θυμωμένη. Δεν έχω καμία εμπειρία σε τέτοια πράγματα, αλλά προσωπικά το βρήκα καταπληκτικό».

«Α!» μούγκρισα.

«Θα το σκέφτεσαι απόψε. Όταν εκείνος νομίζει ότι κοιμάσαι, εσύ θα σκέφτεσαι τις εναλλακτικές επιλογές σου».

«Αν σκεφτώ εσένα απόψε, θα είναι επειδή βλέπω εφιάλτη».

Επιβράδυνε το αμάξι σε σημείο που να σέρνεται, γυρίζοντας να με κοιτάξει με τα μεγάλα του μάτια γουρλωμένα και σοβαρά. «Σκέψου μόνο πώς θα μπορούσαν να είναι τα πράγματα, Μπέλλα», με παρότρυνε με μια απαλή φωνή γεμάτη ενθουσιασμό. «Δε θα ήταν ανάγκη να αλλάξεις τίποτα για χάρη μου. Ξέρεις ότι ο Τσάρλι θα χαιρόταν, αν διάλεγες εμένα. Θα μπορούσα να σε προστατέψω το ίδιο καλά με το βρικόλακά σου –ίσως και καλύτερα. Και θα σε έκανα ευτυχισμένη, Μπέλλα. Είναι τόσα πολλά που θα μπορούσα να σου δώσω που δεν μπορεί αυτός. Βάζω στοίχημα πως δεν μπορεί καν να σε φιλήσει έτσι –επειδή θα σε πλήγωνε. Εγώ δε θα σε πλήγωνα ποτέ-ποτέ, Μπέλλα».

Σήκωσα ψηλά το τραυματισμένο μου χέρι.

Αναστέναξε. «Δε φταίω εγώ γι' αυτό. Έπρεπε να το σκεφτείς καλύτερα».

«Τζέικομπ, δεν μπορώ να *είμαι* ευτυχισμένη χωρίς αυτόν».

«Δεν προσπάθησες ποτέ», διαφώνησε. «Όταν έφυγε, σπατάλησες όλη σου την ενέργεια στο να τον θυμάσαι. Θα μπορούσες να γίνεις ευτυχισμένη αν τον ξεχνούσες. Θα μπορούσες να είσαι ευτυχισμένη μαζί μου».

«Δε θέλω να είμαι ευτυχισμένη με κανέναν άλλο εκτός απ' αυτόν», επέμεινα.

«Δε θα μπορέσεις ποτέ να είσαι τόσο σίγουρη γι' αυτόν όσο για 'μένα. Σε άφησε μια φορά, θα μπορούσε να το κάνει ξανά».

«Όχι, δε θα το κάνει», είπα μέσα από τα δόντια μου. Ο πόνος της ανάμνησης με έτσουξε όπως το χτύπημα ενός μαστιγίου. Με έκανε να θέλω να τον πληγώσω κι εγώ. «Κι εσύ με άφησες μια φορά», του υπενθύμισα με ψυχρή φωνή, σκεπτόμενη τις βδομάδες που έμεινε κρυμμένος από 'μένα, και τα λόγια που μου είχε πει στο δάσος δίπλα από το σπίτι του...

«Δε σε άφησα ποτέ», διαφώνησε με πάθος. «Μου είπαν ότι δεν μπορούσα να σου πω –ότι δεν ήταν *ασφαλές για 'σένα* αν ήμασταν μαζί. Αλλά ποτέ δεν έφυγα, ποτέ! Τριγύριζα τρέχοντας γύρω από το σπίτι σου τη νύχτα –όπως και τώρα. Για να σιγουρευτώ ότι ήσουν εντάξει».

Δε σκόπευα να τον αφήσω να με κάνει να τον λυπηθώ τώρα.

«Πήγαινέ με σπίτι. Το χέρι μου πονάει».

Αναστέναξε κι άρχισε να οδηγεί με μια φυσιολογική ταχύτητα, κοιτάζοντας στο δρόμο.

«Απλώς σκέψου το, Μπέλλα».

«Όχι», είπα με πείσμα.

«Θα το σκεφτείς. Απόψε. Και θα σε σκέφτομαι κι εγώ, όταν θα με σκέφτεσαι».

«Όπως είπα, θα είναι εφιάλτης».

Μου χαμογέλασε. «Ανταποκρίθηκες στο φιλί μου».

Έβγαλα μια πνιχτή κραυγή, γιατί έσφιξα ασυνείδητα τα χέρια μου σε γροθιές και τα σήκωσα ψηλά πάλι, αλλά αντέδρασε το σπασμένο μου χέρι.

«Είσαι καλά;» ρώτησε.

«Δεν ανταποκρίθηκα».

«Νομίζω ότι μπορώ να καταλάβω τη διαφορά».

«Προφανώς δεν μπορείς –αυτό δεν ήταν ανταπόκριση στο φιλί σου, αυτό ήταν προσπάθεια να σε διώξω μακριά μου, *ηλίθιε*».

Γέλασε με ένα χαμηλό, βραχνό γέλιο. «Αμυντική. Σχεδόν *υπερβολικά* αμυντική, θα μπορούσα να πω».

Πήρα μια βαθιά ανάσα. Δεν είχε κανένα νόημα να τσακωθώ μαζί του˙ θα διαστρέβλωνε οτιδήποτε κι αν έλεγα. Συγκεντρώθηκα στο χέρι μου, προσπαθώντας να τεντώσω τα δάχτυλά μου, για να βεβαιωθώ σε ποια σημεία είχαν σπάσει. Οξείς πόνοι έδιναν σουβλιές στις αρθρώσεις μου. Μούγκρισα.

«Λυπάμαι πολύ για το χέρι σου», είπε ο Τζέικομπ, ενώ ακούστηκε σχεδόν ειλικρινής. «Την επόμενη φορά που θα θελήσεις να με χτυπήσεις, να χρησιμοποιήσεις κανένα ρόπαλο του μπέιζμπολ ή κανένα λοστό, εντάξει;»

«Μη νομίζεις ότι θα το ξεχάσω», μουρμούρισα.

Δεν είχα καταλάβει πού πηγαίναμε μέχρι που φτάσαμε στο δρόμο μου.

«Γιατί με φέρνεις εδώ;» απαίτησα να μάθω.

Με κοίταξε ανέκφραστος. «Νόμιζα ότι είπες πως ήθελες να πας σπίτι;»

«Υποθέτω ότι δεν μπορείς να με πας στο σπίτι του Έντουαρντ, έτσι δεν είναι;» είπα τρίζοντας τα δόντια μου απογοητευμένη.

Το πρόσωπό του συσπάστηκε από τον πόνο, και είδα ότι αυτό τον επηρέασε περισσότερο απ' οτιδήποτε άλλο είχα πει.

«Αυτό είναι το σπίτι σου, Μπέλλα», είπε χαμηλόφωνα.

«Ναι, αλλά ζει εδώ κανένας γιατρός;» ρώτησα, σηκώνοντας πάλι ψηλά το χέρι μου.

«Α». Το σκέφτηκε για ένα λεπτό. «Θα σε πάω στο νοσοκομείο. Ή μπορεί να σε πάει ο Τσάρλι».

«Δε θέλω να πάω στο νοσοκομείο. Ντρέπομαι και είναι περιττό».

Άφησε το Ράμπιτ στο ρελαντί μπροστά από το σπίτι, ενώ το καλοσκεφτόταν με μια αβέβαιη έκφραση. Το περιπολικό του Τσάρλι ήταν στο δρομάκι.

Αναστέναξα. «Πήγαινε σπίτι, Τζέικομπ».

Βγήκα αδέξια από το αμάξι, κατευθυνόμενη προς το σπίτι. Η μηχανή σταμάτησε να δουλεύει πίσω μου, κι ένιωσα περισσότερο ενόχληση παρά έκπληξη που είδα τον Τζέικομπ δίπλα μου πάλι.

«Τι θα κάνεις;» ρώτησε.

«Θα βάλω λίγο πάγο στο χέρι μου και μετά θα πάρω τηλέφωνο τον Έντουαρντ και θα του πω να έρθει να με πάρει να με πάει στον Κάρλαϊλ για να μου φτιάξει το χέρι. Μετά, αν είσαι ακόμα εδώ, θα πάω να βρω κανένα λοστό».

Δεν απάντησε. Άνοιξε την πόρτα του σπιτιού και την κράτησε ανοιχτή για να περάσω.

Περάσαμε σιωπηλά από το καθιστικό, όπου ο Τσάρλι ήταν ξαπλωμένος στον καναπέ.

«Γεια σας, παιδιά», είπε, ενώ ανασηκώθηκε για να κάτσει πιο όρθιος. «Χαίρομαι που σε βλέπω εδώ, Τζέικ».

«Γεια σου, Τσάρλι», απάντησε ο Τζέικομπ άνετα, σταματώντας. Εγώ πήγα αγέρωχα προς την κουζίνα.

«Τι έπαθε αυτή;» αναρωτήθηκε ο Τσάρλι.

«Νομίζει ότι έσπασε το χέρι της», άκουσα τον Τζέικομπ να του λέει. Πήγα στον καταψύκτη και έβγαλα μια παγοκυψέλη.

«Πώς έγινε αυτό;» Ως πατέρας μου, πίστευα ότι ο Τσάρλι θα έπρεπε να το βρίσκει κάπως λιγότερο διασκεδαστικό και κάπως περισσότερο ανησυχητικό.

Ο Τζέικομπ γέλασε. «Με χτύπησε».

Ο Τσάρλι γέλασε και αυτός, κι εγώ κατσούφιασα, ενώ έβγαζα τα παγάκια χτυπώντας την παγοκυψέλη στο νεροχύτη. Ο πάγος σκορπίστηκε μέσα στο νεροχύτη, κι εγώ άρπαξα μια χούφτα με το καλό μου χέρι και τύλιξα τα παγάκια σε μια πετσέτα για τα πιάτα πάνω στον πάγκο.

«Γιατί σε χτύπησε;»

«Επειδή τη φίλησα», είπε ο Τζέικομπ χωρίς ντροπή.

«Καλά έκανες, μικρέ», τον συγχάρηκε ο Τσάρλι.

Έτριξα τα δόντια μου και πήγα να πιάσω το τηλέφωνο. Κάλεσα τον αριθμό του κινητού του Έντουαρντ.

«Μπέλλα;» απάντησε στο πρώτο χτύπημα. Ακουγόταν περισσότερο από ανακουφισμένος –ήταν κατευχαριστημένος.

Άκουγα τη μηχανή του Βόλβο˙ ήταν ήδη στο αμάξι. «Άφησες το τηλέφωνο... συγνώμη, σε έφερε ο Τζέικομπ σπίτι;»

«Ναι», γκρίνιαξα. «Θα έρθεις να με πάρεις, σε παρακαλώ;»

«Έρχομαι», είπε αμέσως. «Τι συνέβη;»

«Θέλω ο Κάρλαϊλ να ρίξει μια ματιά στο χέρι μου. Νομίζω ότι έχει σπάσει».

Επικρατούσε ησυχία στο καθιστικό, κι αναρωτήθηκα πότε θα το έβαζε στα πόδια ο Τζέικομπ. Χαμογέλασα με ένα βλοσυρό χαμόγελο, καθώς φανταζόμουν το πόσο άβολα ένιωθε.

«Τι συνέβη;» απαίτησε να μάθει ο Έντουαρντ, ενώ η φωνή του έγινε άτονη.

«Έδωσα μπουνιά στον Τζέικομπ», παραδέχτηκα.

«Ωραία», είπε παγερά ο Έντουαρντ. «Αν και λυπάμαι που τραυματίστηκες».

Γέλασα, επειδή ακουγόταν εξίσου ευχαριστημένος με τον Τσάρλι πριν.

«Μακάρι να είχα τραυματίσει *αυτόν*», αναστέναξα απογοητευμένη. «Δεν του έκανα την παραμικρή ζημιά».

«Μπορώ να το διορθώσω εγώ αυτό», προσφέρθηκε.

«Ήλπιζα να το πεις αυτό».

Ακολούθησε μια ελαφριά παύση. «Αυτό δεν είναι του χαρακτήρα σου», είπε ανήσυχος τώρα. «Τι *έκανε*;»

«Με φίλησε», είπα μουγκρίζοντας.

Το μόνο που άκουσα στην άλλη μεριά της γραμμής ήταν ο ήχος μιας μηχανής που επιτάχυνε.

Στο δίπλα δωμάτιο, ο Τσάρλι μίλησε ξανά. «Ίσως είναι καλή ιδέα να φύγεις, Τζέικ», πρότεινε.

«Λέω να κάτσω εδώ, αν δε σε πειράζει».

«Δική σου θα είναι η κηδεία», μουρμούρισε ο Τσάρλι.

«Είναι το σκυλί ακόμα εκεί;» ο Έντουαρντ μίλησε τελικά πάλι.

«Ναι».

«Είμαι στη γωνία», είπε και η γραμμή κόπηκε.

Καθώς έκλεινα το τηλέφωνο, χαμογελαστή, άκουσα τον ήχο του αυτοκινήτου του που κατέβαινε γρήγορα το δρόμο. Τα φρένα διαμαρτυρήθηκαν δυνατά, καθώς τα πάτησε απότομα για να σταματήσει μπροστά στο σπίτι. Πήγα να ανοίξω την πόρτα.

«Πώς είναι το χέρι σου;» ρώτησε ο Τσάρλι, την ώρα που περνούσα από το καθιστικό. Ο Τσάρλι έδειχνε να νιώθει άβολα. Ο Τζέικομπ χουζούρευε δίπλα του στον καναπέ, εντελώς άνετος.

Εγώ σήκωσα τα παγάκια για να τα δείξω. «Πρήζεται».

«Ίσως θα έπρεπε να τα βάζεις με ανθρώπους στα μέτρα σου», πρότεινε ο Τσάρλι.

«Ίσως», συμφώνησα. Προχώρησα για να ανοίξω την πόρτα. Ο Έντουαρντ περίμενε.

«Για να δω», μουρμούρισε.

Εξέτασε το χέρι μου απαλά, τόσο προσεχτικά που δε μου προκάλεσε καθόλου πόνο. Τα χέρια του ήταν σχεδόν εξίσου κρύα με τον πάγο, και ένιωθα καλά έτσι όπως ακουμπούσαν πάνω στο δέρμα μου.

«Νομίζω πως έχεις δίκιο για το σπάσιμο», είπε. «Είμαι περήφανος για 'σένα. Πρέπει να έβαλες αρκετή δύναμη για να τον χτυπήσεις».

«Όση δύναμη έχω». Αναστέναξα. «Δεν ήταν αρκετή, προφανώς».

Φίλησε το χέρι μου μαλακά. «Θα το φροντίσω εγώ», υποσχέθηκε. Και μετά φώναξε: «Τζέικομπ», με φωνή ακόμα ήρεμη και σταθερή.

«Για μισό λεπτό», προειδοποίησε ο Τσάρλι.

Άκουσα τον Τσάρλι να σηκώνεται από τον καναπέ. Ο Τζέικομπ έφτασε πρώτος στο διάδρομο, και πολύ πιο αθόρυβα, αλλά ο Τσάρλι ήταν από πίσω του όχι πολύ μακριά. Η έκφραση του Τζέικομπ ήταν ζωηρή και ανυπόμονη.

«Δε θέλω καβγάδες, καταλάβατε;» Ο Τσάρλι κοίταζε μόνο τον Έντουαρντ, όταν μίλησε. «Μπορώ να πάω να φορέσω το σήμα μου, αν αυτό κάνει την παράκληση πιο επίσημη».

«Δεν είναι απαραίτητο», είπε ο Έντουαρντ με ένα συγκρατημένο τόνο.

«Γιατί δε με συλλαμβάνεις, μπαμπά;» πρότεινα. «Εγώ είμαι αυτή που ρίχνει μπουνιές».

Ο Τσάρλι σήκωσε το ένα φρύδι. «Θέλεις να κάνεις μήνυση, Τζέικ;»

«Όχι». Ο Τζέικομπ χαμογέλασε, αδιόρθωτος. «Αξίζει το αντάλλαγμα».

Ο Έντουαρντ έκανε ένα μορφασμό.

«Μπαμπά, δεν έχεις κάπου στο δωμάτιό σου ένα ρόπαλο του μπέιζμπολ; Θέλω να το δανειστώ ένα λεπτάκι».

Ο Τσάρλι με κοίταξε ήρεμα. «Αρκετά, Μπέλλα».

«Πάμε να ρίξει μια ματιά στο χέρι σου ο Κάρλαϊλ, πριν καταλήξεις στο κελί καμιάς φυλακής», είπε ο Έντουαρντ. Με αγκάλιασε και με τράβηξε προς την πόρτα.

«Ωραία», είπα ακουμπώντας πάνω του. Δεν ήμουν τόσο θυμωμένη πια, τώρα που ο Έντουαρντ ήταν μαζί μου. Ένιωθα παρηγοριά, και το χέρι μου δε με ενοχλούσε τόσο πολύ.

Κατεβαίναμε από το πεζοδρόμιο, όταν άκουσα τον Τσάρλι να ψιθυρίζει με αγωνία πίσω μου.

«Τι κάνεις; Είσαι παλαβός;»

«Δώσε μου ένα λεπτό, Τσάρλι», απάντησε ο Τζέικομπ. «Μην ανησυχείς, θα γυρίσω αμέσως».

Κοίταξα πίσω κι ο Τζέικομπ μας ακολουθούσε, σταματώντας για να κλείσει την πόρτα στα γεμάτα έκπληξη και ανησυχία μούτρα του Τσάρλι.

Ο Έντουαρντ τον αγνόησε στην αρχή, οδηγώντας με στο αμάξι. Με βοήθησε να μπω μέσα, έκλεισε την πόρτα και μετά γύρισε για να κοιτάξει κατά πρόσωπο τον Τζέικομπ στο πεζοδρόμιο.

Έσκυψα με αγωνία έξω από το ανοιχτό παράθυρο. Ο Τσάρλι ήταν ορατός μέσα στο σπίτι να κρυφοκοιτάζει από τις κουρτίνες στο καθιστικό.

Η στάση του Τζέικομπ ήταν σαν να μην έτρεχε τίποτα, τα χέρια του ήταν σταυρωμένα στο στήθος του, αλλά οι μυς στο σαγόνι του ήταν σφιγμένοι.

Ο Έντουαρντ μίλησε με φωνή τόσο γαλήνια και απαλή που έκανε τις λέξεις παραδόξως πιο απειλητικές. «Δε θα σε σκοτώσω τώρα, επειδή αυτό θα αναστάτωνε την Μπέλλα».

«Χα», διαμαρτυρήθηκα.

Ο Έντουαρντ στράφηκε ελαφρώς προς εμένα για να μου χαμογελάσει. «Θα σε ενοχλούσε το πρωί», είπε, χαϊδεύοντας το μάγουλό μου με τα δάχτυλά του.

Μετά γύρισε προς τον Τζέικομπ πάλι. «Αλλά αν μου την ξαναφέρεις ποτέ πίσω τραυματισμένη –και δε με νοιάζει ποιος φταίει˙ δε με νοιάζει αν απλώς σκοντάψει και πέσει ή αν πέσει από τον ουρανό μετεωρίτης και τη χτυπήσει στο κεφάλι –αν μου την επιστρέψεις σε κατάσταση που να είναι κάτι λιγότερο από την άψογη κατάσταση στην οποία την άφησα, θα τρέχεις με τρία πόδια. Το κατάλαβες αυτό, μπασταρδόσκυλο;»

Ο Τζέικομπ στριφογύρισε τα μάτια του.

«Σιγά μην ξαναπάω εκεί», μουρμούρισα.

Ο Έντουαρντ συνέχισε σαν να μη με είχε ακούσει. «Και αν τη φιλήσεις ποτέ ξανά, θα σου σπάσω εγώ το σαγόνι για χάρη της», υποσχέθηκε, με φωνή ακόμα απαλή και βελουδένια και θανάσιμη.

«Κι αν θέλει να τη φιλήσω;» είπε ο Τζέικομπ τραγουδιστά, με υπεροπτικό ύφος.

«Χα!» ρουθούνισα.

«Αν αυτό είναι που θέλει, τότε δεν έχω αντίρρηση». Ο Έντουαρντ ανασήκωσε τους ώμους, ατάραχος. «Μήπως θα ήταν καλύτερα να περιμένεις να σου το πει πρώτα, αντί να βασιστείς στη δική σου ερμηνεία της γλώσσας του σώματος, όμως; Αλλά δικό σου είναι το πρόσωπο».

Ο Τζέικομπ χαμογέλασε.

«Θα 'θελες», γκρίνιαξα.

«Ναι, θα το ήθελε», μουρμούρισε ο Έντουαρντ.

«Λοιπόν, αν τελείωσες να σκαλίζεις το κεφάλι μου», είπε ο Τζέικομπ με μια έντονη απόχρωση δυσαρέσκειας, «γιατί δεν πας να φροντίσεις το χέρι της;»

«Ένα ακόμα πράγμα», είπε ο Έντουαρντ αργά. «Κι εγώ θα παλέψω γι' αυτή. Το ξέρεις. Δε θεωρώ τίποτα δεδομένο, και θα παλέψω δυο φορές πιο σκληρά από 'σένα».

«Ωραία», γρύλισε ο Τζέικομπ. «Δεν έχει πλάκα να κερδίζεις κάποιον που σου παραχωρεί κάτι χωρίς αντίσταση».

«Είναι δικιά μου». Η χαμηλή φωνή του Έντουαρντ ξαφνικά ήταν σκοτεινή, όχι τόσο ψύχραιμη όσο νωρίτερα. «Δεν είπα ότι θα παλέψω δίκαια».

«Ούτε κι εγώ».

«Καλή τύχη».

Ο Τζέικομπ έγνεψε. «Ναι, ας κερδίσει ο καλύτερος άντρας».

«Αυτό είναι σωστό... κουτάβι».

Ο Τζέικομπ έκανε ένα μορφασμό για λίγο, μετά το πρόσωπό του ανάκτησε την ψυχραιμία του κι έσκυψε γύρω από τον Έντουαρντ για να μου χαμογελάσει. Εγώ τον αγριοκοίταξα.

«Ελπίζω το χέρι σου να γίνει καλύτερα σύντομα. Λυπάμαι πολύ που τραυματίστηκες».

Παιδαριωδώς, γύρισα το πρόσωπό μου αλλού.

Δε σήκωσα το βλέμμα ξανά, καθώς ο Έντουαρντ έκανε το γύρο του αμαξιού και μπήκε στη μεριά του οδηγού, έτσι δεν ήξερα αν ο Τζέικομπ γύρισε πίσω στο σπίτι ή αν συνέχισε να στέκεται εκεί, παρατηρώντας με.

«Πώς νιώθεις;» ρώτησε ο Έντουαρντ την ώρα που φύγαμε.

«Εκνευρισμένη».

Γέλασε πνιχτά. «Εννοώ το χέρι σου».

Ανασήκωσα τους ώμους. «Έχω περάσει και χειρότερα».

«Πράγματι», συμφώνησε και κατσούφιασε.

Ο Έντουαρντ έκανε το γύρο του σπιτιού για να μπει στο γκαράζ. Ο Έμετ κι η Ρόζαλι ήταν εκεί. Τα τέλεια πόδια της Ρόζαλι, που τα αναγνώριζες ακόμα και κρυμμένα σε ένα τζιν, προεξείχαν κάτω από το τεράστιο τζιπ του Έμετ. Ο Έμετ στεκόταν δίπλα της, με το ένα χέρι τεντωμένο κάτω από το τζιπ προς εκείνη. Μου πήρε ένα λεπτό για να καταλάβω ότι έκανε το γρύλο.

Ο Έμετ παρακολουθούσε με περιέργεια, καθώς ο Έντουαρντ με βοηθούσε να βγω προσεχτικά από το αμάξι. Τα μάτια του εστίασαν στο χέρι που κρατούσα αγκαλιά στο στήθος μου.

Ο Έμετ χαμογέλασε ειρωνικά. «Έπεσες πάλι, Μπέλλα;»

Τον κοίταξα πολύ άγρια. «Όχι, Έμετ. Έδωσα μπουνιά σε ένα λυκάνθρωπο».

Ο Έμετ ανοιγόκλεισε τα μάτια και μετά ξέσπασε σε ένα βροντερό γέλιο.

Ο Έντουαρντ με οδήγησε μέσα, και καθώς τους προσπερνούσαμε ακούστηκε η φωνή της Ρόζαλι από κάτω από το αμάξι.

«Ο Τζάσπερ θα κερδίσει το στοίχημα», είπε ευχαριστημένη.

Το γέλιο του Έμετ κόπηκε αμέσως, και με παρατήρησε με μάτια που προσπαθούσαν να με αξιολογήσουν.

«Ποιο στοίχημα;» απαίτησα να μάθω, σταματώντας.

«Πάμε στον Κάρλαϊλ», με παρότρυνε ο Έντουαρντ. Το κεφάλι του κουνήθηκε απειροελάχιστα.

«*Ποιο στοίχημα;*» επέμεινα, καθώς στράφηκα προς το μέρος του.

«Να 'σαι καλά, Ρόζαλι», μουρμούρισε, καθώς έσφιγγε περισσότερο το χέρι του γύρω από τη μέση μου και με τραβούσε προς το σπίτι.

«Έντουαρντ...», γκρίνιαξα.

«Είναι παιδιάστικο», ανασήκωσε τους ώμους. «Στον Έμετ και τον Τζάσπερ αρέσει να βάζουν στοιχήματα».

«Θα μου πει ο Έμετ». Προσπάθησα να γυρίσω, αλλά το χέρι του ήταν σαν σίδερο γύρω μου.

Αναστέναξε. «Βάζουν στοίχημα πόσες φορές θα... χάσεις την αυτοσυγκράτησή σου τον πρώτο χρόνο».

«Α». Έκανα ένα μορφασμό, προσπαθώντας να κρύψω την ξαφνική μου φρίκη, καθώς κατάλαβα τι εννοούσε. «Έχουν βάλει στοίχημα πόσους ανθρώπους θα σκοτώσω;»

«Ναι», παραδέχτηκε απρόθυμα. «Η Ρόζαλι πιστεύει ότι η οξυθυμία σου θα κάνει τη ζυγαριά να γείρει προς τη μεριά του Τζάσπερ».

Ένιωσα κάποια έξαψη. «Ο Τζάσπερ έχει στοιχηματίσει ότι θα είναι πολλοί».

«Θα τον κάνει να νιώσει καλύτερα αν δυσκολευτείς να προσαρμοστείς. Έχει βαρεθεί να είναι πάντα ο πιο αδύναμος κρίκος».

«Βέβαια. Φυσικά και θα νιώσει καλύτερα. Υποθέτω θα μπορούσα να κάνω μερικές έξτρα ανθρωποκτονίες, αν αυτό θα κάνει τον Τζάσπερ χαρούμενο. Γιατί όχι;» Φλυαρούσα ασυνάρτητα, η φωνή μου ήταν ένα μονότονος, άδειος ήχος. Μέσα στο κεφάλι μου, έβλεπα τίτλους εφημερίδων, καταλόγους με ονόματα...

Με πίεσε. «Δε χρειάζεται να ανησυχείς γι' αυτό τώρα. Εδώ που τα λέμε, δε θα χρειαστεί ν' ανησυχήσεις γι' αυτό ποτέ, αν δε θέλεις».

Μούγκρισα, κι ο Έντουαρντ, νομίζοντας ότι ήταν ο πόνος στο χέρι μου που με ενοχλούσε, με τράβηξε πιο γρήγορα προς το σπίτι.

Το χέρι μου ήταν *πράγματι* σπασμένο, αλλά δεν είχε γίνει σοβαρή ζημιά, απλώς μια μικρή ρωγμή σε μια άρθρωση. Δεν ήθελα γύψο, κι ο Κάρλαϊλ είπε ότι θα ήμουν μια χαρά με ένα νάρθηκα, αν υποσχόμουν να τον φοράω. Υποσχέθηκα.

Ο Έντουαρντ κατάλαβε ότι δεν ήμουν και πολύ καλά, καθώς ο Κάρλαϊλ δούλευε για να μου βάλει το νάρθηκα προσεχτικά γύρω από το χέρι μου. Ρώτησε μερικές φορές μήπως πονούσα, αλλά τον διαβεβαίωσα ότι δεν ήταν αυτό.

Λες και χρειαζόμουν –ή έστω είχα χώρο– για ένα ακόμα πράγμα για το οποίο να ανησυχώ.

Από τότε που ο Τζάσπερ μου εξήγησε το παρελθόν του, όλες οι ιστορίες για τους νεογέννητους βρικόλακες είχαν εμποτίσει το κεφάλι μου. Τώρα εκείνες οι ιστορίες έβγαιναν στο προσκήνιο με τα νέα για το στοίχημα που είχε βάλει εκείνος με τον Έμετ. Αναρωτήθηκα τυχαία τι είχαν στοιχηματίσει. Ποιο έπαθλο θα αποτελούσε επαρκές κίνητρο όταν είχες τα πάντα;

Πάντα ήξερα ότι θα άλλαζα. Ήλπιζα να γίνω τόσο δυνατή όσο είχε πει ο Έντουαρντ. Δυνατή και γρήγορη και, πάνω απ' όλα, όμορφη. Κάποια που θα μπορούσε να σταθεί πλάι στον Έντουαρντ και να νιώθει ότι ανήκει εκεί.

Προσπαθούσα να μη σκεφτώ πολύ τα άλλα πράγματα που θα γινόμουν. Άγρια. Διψασμένη για αίμα. Μπορεί να μην μπορούσα να συγκρατηθώ από το να σκοτώνω ανθρώπους. Άγνωστους, ανθρώπους που δε με είχαν βλάψει ποτέ. Ανθρώπους σαν τους αυξανόμενους αριθμούς των θυμάτων στο Σιάτλ, που είχαν οικογένειες και φίλους και μέλλον. Ανθρώπους που είχαν ζωές. Κι εγώ θα μπορούσα να γίνω το τέρας που θα τους τις αφαιρούσε.

Αλλά, στην πραγματικότητα, μπορούσα να αντέξω αυτό το κομμάτι –επειδή εμπιστευόμουν τον Έντουαρντ, τον εμπιστευόμουν απόλυτα, για να με συγκρατήσει απ' το να κάνω οτιδήποτε για το οποίο θα μετάνιωνα. Ήξερα ότι θα με πήγαινε στην Ανταρκτική και θα κυνηγούσαμε πιγκουίνους, αν του το ζητούσα. Και θα έκανα ό,τι χρειαζόταν για να είμαι καλή. Ένας καλός βρικόλακας. Αυτή η σκέψη θα με έκανε να ξεσπάσω σε νευρικά γέλια, αν δεν υπήρχε αυτή η καινούρια ανησυχία.

Επειδή, αν πραγματικά ήμουν κάπως έτσι –σαν τις εφιαλτικές εικόνες των νεογέννητων που ο Τζάσπερ είχε ζωγραφίσει στο κεφάλι μου– ήταν δυνατόν να είμαι *εγώ*; Κι αν το μόνο πράγμα που θα ήθελα θα ήταν να σκοτώνω ανθρώπους, τι θα γινόταν με τα πράγματα που ήθελα *τώρα*;

Ο Έντουαρντ είχε τέτοια μανία με το να μη χάσω τίποτα όσο ήμουν ακόμα άνθρωπος. Συνήθως, αυτό έμοιαζε κάπως γελοίο. Δεν υπήρχαν πολλές ανθρώπινες εμπειρίες που να ανησυχούσα ότι θα χάσω. Εφόσον μπορούσα να είμαι μαζί με τον Έντουαρντ, τι άλλο θα μπορούσα να ζητήσω;

Κάρφωσα το βλέμμα στο πρόσωπό του, ενώ εκείνος παρακολουθούσε τον Κάρλαϊλ να μου φτιάχνει το χέρι. Δεν υπήρχε τίποτα άλλο σ' αυτό τον κόσμο που να θέλω περισσότερο από τον Έντουαρντ. Θα άλλαζε ποτέ αυτό, θα *μπορούσε* ποτέ να αλλάξει;

Υπήρχε καμία ανθρώπινη εμπειρία που *δεν* ήμουν πρόθυμη να εγκαταλείψω;

16. ΤΕΛΟΣ ΕΠΟΧΗΣ

«Δεν έχω τίποτα να φορέσω!» γκρίνιαξα στον εαυτό μου.

Όλα τα κομμάτια της γκαρνταρόμπας μου ήταν σκορπισμένα πάνω στο κρεβάτι μου˙ τα συρτάρια και οι ντουλάπες μου ήταν άδεια. Κοίταζα μέσα στα άδεια κουφώματα, ευχόμενη να εμφανιστεί κάτι κατάλληλο.

Η χακί μου φούστα ήταν κρεμασμένη στην πλάτη της κουνιστής πολυθρόνας, περιμένοντάς με να ανακαλύψω κάτι που να πηγαίνει απόλυτα μ' αυτή. Κάτι που θα με έκανε να δείχνω όμορφη και ενήλικη. Κάτι που θα έλεγε *ειδική περίσταση*. Δεν έβρισκα τίποτα.

Είχε έρθει σχεδόν η ώρα να φύγω, και φορούσα ακόμα την αγαπημένη μου παλιά φόρμα. Εκτός κι αν κατάφερνα να βρω κάτι καλύτερο εδώ –και οι πιθανότητες δε φαίνονταν πολύ ευνοϊκές αυτή τη στιγμή– θα έπρεπε να αποφοιτήσω μ' αυτή.

Κατσούφιασα κοιτάζοντας το σωρό των ρούχων πάνω στο κρεβάτι μου.

Το κακό είναι ότι ήξερα ακριβώς τι θα φορούσα, αν ήταν ακόμα διαθέσιμο –την κόκκινη μπλούζα μου που μου είχαν απαγάγει. Έδωσα μπουνιά στον τοίχο με το καλό μου χέρι.

«Ανόητε, κλέφτη, εκνευριστικέ βρικόλακα!» γρύλισα.

«Τι έκανα;» απαίτησε να μάθει η Άλις.

Ακουμπούσε αδιάφορα δίπλα στο ανοιχτό παράθυρο, λες και ήταν εκεί όλη την ώρα.

«Νοκ, νοκ», πρόσθεσε με ένα πλατύ χαμόγελο.

«Είναι τόσο δύσκολο να περιμένεις να ανοίξω την πόρτα;»

Πέταξε ένα επίπεδο, λευκό κουτί πάνω στο κρεβάτι μου. «Απλώς πέρασα για λίγο. Σκέφτηκα ότι μπορεί να χρειαστείς κάτι να φορέσεις».

Κοίταξα τη μεγάλη συσκευασία που καθόταν πάνω στην ανεπαρκή γκαρνταρόμπα μου, κι έκανα ένα μορφασμό.

«Παραδέξου το», είπε η Άλις. «Σε σώζω».

«Με σώζεις», μουρμούρισα. «Σ' ευχαριστώ».

«Λοιπόν, είναι ωραία να βλέπω και κάτι σωστά για αλλαγή. Δεν ξέρεις πόσο εκνευριστικό είναι –το να σου διαφεύγουν πράγματα, όπως γινόταν μ' εμένα. Νιώθω τόσο άχρηστη. Τόσο... φυσιολογική». Ζάρωσε προς τα πίσω με φρίκη μόλις είπε τη λέξη.

«Δεν μπορώ να φανταστώ πόσο τρομερό πρέπει να είναι αυτό. Το να είσαι φυσιολογικός; Μπλιάξ».

Γέλασε. «Εντάξει, τουλάχιστον μ' αυτό μπορώ να επανορθώσω που δεν είδα τον εκνευριστικό σου κλέφτη –τώρα πρέπει απλώς να ανακαλύψω τι δε βλέπω στο Σιάτλ».

Όταν είπε τις λέξεις με αυτό τον τρόπο –βάζοντας τις δυο καταστάσεις μαζί σε μια πρόταση– τότε μόνο μου ήρθε. Αυτό το κάτι που μας διέφευγε και που με ενοχλούσε εδώ και μέρες, η σημαντική σύνδεση που δεν μπορούσα να βρω, ξαφνικά έγινε σαφής. Κάρφωσα το βλέμμα μου πάνω της, με όποια έκφραση κι αν είχα ήδη στο πρόσωπό μου να έχει παγώσει στην ίδια θέση.

«Δε θα το ανοίξεις;» ρώτησε. Αναστέναξε όταν δεν κουνήθηκα αμέσως, και τράβηξε απότομα το καπάκι του κουτιού η ίδια. Έβγαλε κάτι έξω και το σήκωσε ψηλά, αλλά δεν μπορούσα να συγκεντρωθώ στο τι ήταν. «Όμορφο, δε νομίζεις; Διάλεξα το μπλε, γιατί ξέρω ότι είναι το αγαπημένο χρώμα του Έντουαρντ σε 'σένα».

Δεν άκουγα.

«Είναι το ίδιο!» ψιθύρισα.

«Ποιο πράγμα;» απαίτησε να μάθει. «Δεν έχεις τίποτα παρόμοιο. Μα για όνομα πια, έχεις μόνο μια φούστα!»

«Όχι, Άλις! Ξέχνα τα ρούχα, άκου!»

«Δε σου αρέσει;» Το πρόσωπο της Άλις συννέφιασε από την απογοήτευση.

«Άκου, Άλις, δε βλέπεις; Είναι το *ίδιο*! Το άτομο που μπήκε σπίτι μου κι έκλεψε τα πράγματά μου και οι νεογέννητοι βρικόλακες στο Σιάτλ. Είναι μαζί!»

Τα ρούχα γλίστρησαν από τα δάχτυλά της κι έπεσαν πάλι μέσα στο κουτί.

Η Άλις συγκεντρώθηκε τότε. «Τι σε κάνει να το πιστεύεις αυτό;»

«Θυμάσαι τι είπε ο Έντουαρντ; Σχετικά με κάποιον που χρησιμοποιεί τα κενά στην ενόρασή σου για να σε εμποδίσει να δεις τους νεογέννητους; Και μετά αυτό που είπες ύστερα, ότι δηλαδή ο συγχρονισμός είναι υπερβολικά άψογος –πόσο προσεχτικά ο κλέφτης μου δεν ήρθε καθόλου σε επαφή, σαν να ήξερε ότι θα το έβλεπες. Νομίζω πως είχες δίκιο, Άλις, νομίζω πως το ήξερε πράγματι. Πιστεύω κι εγώ πως χρησιμοποιούσε τα κενά. Και πόσες πιθανότητες υπάρχουν δύο διαφορετικά άτομα όχι μόνο να γνωρίζουν αρκετά για 'σένα, ώστε να το κάνουν αυτό, αλλά και να αποφασίσουν να το κάνουν ταυτόχρονα; Δεν υπάρχει περίπτωση. Είναι ένα άτομο. Το ίδιο. Αυτός που φτιάχνει το στρατό είναι αυτός που έκλεψε τη μυρωδιά μου».

Η Άλις δεν ήταν συνηθισμένη στο να εκπλήσσεται. Πάγωσε κι έμεινε ακίνητη για τόση ώρα που άρχισα να μετράω μέσα στο κεφάλι μου καθώς περίμενα. Δεν κουνήθηκε καθόλου για δύο ολόκληρα λεπτά. Μετά τα μάτια της εστίασαν πάλι επάνω μου.

«Έχεις δίκιο», είπε υπόκωφα. «Φυσικά κι έχεις δίκιο. Κι όταν το θέτεις έτσι...»

«Ο Έντουαρντ το είδε λάθος», ψιθύρισα. «Ήταν ένα τεστ... για να δουν αν θα είχε επιτυχία. Αν θα μπορούσε να μπει και να βγει με ασφάλεια, με την προϋπόθεση ότι δε θα έκανε τίποτα για το οποίο εσύ θα είχες το νου σου. Όπως το να προσπαθήσει να με σκοτώσει... Και δεν πήρε πράγματα για να αποδείξει ότι με είχε βρει. Έκλεψε τη μυρωδιά μου... ώστε να μπορούν να με βρουν *οι άλλοι*».

Τα μάτια της είχαν γουρλώσει από το σοκ. Είχα δίκιο, κι έβλεπα ότι το ήξερε κι αυτή.

«Ωχ, όχι», είπε ψιθυριστά.

Τα συναισθήματά μου πλέον δεν είχαν καμία λογική και ούτε και περίμενα να έχουν. Καθώς επεξεργαζόμουν το γεγονός ότι κάποιος είχε δημιουργήσει ένα στρατό από βρικόλακες –το στρατό που είχε δολοφονήσει με αποτρόπαιο τρόπο δεκάδες ανθρώπους στο Σιάτλ– με το σαφή στόχο να καταστρέψει *εμένα*, εγώ ένιωσα ένα σπασμό ανακούφισης.

Εν μέρει επειδή επιτέλους είχα απαλλαγεί από το εκνευριστικό συναίσθημα ότι μου διέφευγε κάτι ζωτικής σημασίας.

Αλλά το κυριότερο ήταν κάτι εντελώς διαφορετικό.

«Λοιπόν», ψιθύρισα, «μπορείτε όλοι να χαλαρώσετε. Κανείς δεν προσπαθεί να εξολοθρεύσει τους Κάλεν τελικά».

«Αν νομίζεις ότι έχει αλλάξει το παραμικρό, κάνεις πολύ μεγάλο λάθος», είπε η Άλις μέσα από τα δόντια της. «Αν κάποιος θέλει κάποιον από εμάς, θα πρέπει να περάσουν από τους υπόλοιπους για να φτάσουν σ' αυτόν».

«Σ' ευχαριστώ, Άλις. Αλλά τουλάχιστον ξέρουμε τι είναι αυτό που ζητάνε. Αυτό λογικά θα βοηθήσει».

«Μπορεί», μουρμούρισε. Άρχισε να βηματίζει πάνω-κάτω στο δωμάτιο.

Γκαπ, γκαπ –μια γροθιά σφυροκόπησε την πόρτα μου.

Πετάχτηκα όρθια. Η Άλις δε φάνηκε να το προσέχει.

«Ακόμα δεν ετοιμάστηκες; Θα αργήσουμε!» παραπονέθηκε ο Τσάρλι δείχνοντας ανήσυχος. Ο Τσάρλι μισούσε τις ιδιαίτερες περιστάσεις περίπου όσο κι εγώ. Στη δική του περίπτωση, ένα μεγάλο μέρος του προβλήματος ήταν το γεγονός ότι έπρεπε να ντυθεί επίσημα.

«Είμαι σχεδόν έτοιμη. Ένα λεπτό», είπα βραχνά.

Για μισό δευτερόλεπτο έμεινε σιωπηλός. «Κλαις;»

«Όχι. Έχω άγχος. Φύγε».

Τον άκουσα να κατεβαίνει με βαριά βήματα τα σκαλιά.

«Πρέπει να φύγω», ψιθύρισε η Άλις.

«Γιατί;»

«Έρχεται ο Έντουαρντ. Αν το ακούσει αυτό…»

«Φύγε, φύγε!» την παρότρυνα αμέσως. Ο Έντουαρντ θα γινόταν έξαλλος όταν θα το μάθαινε. Δεν μπορούσα να του το κρατήσω κρυφό για πολύ, αλλά ίσως η τελετή της αποφοίτησης να μην ήταν και η καλύτερη στιγμή για την αντίδρασή του.

«Φόρεσέ το!» διέταξε η Άλις, καθώς έβγαινε βιαστικά από το παράθυρο.

Έκανα αυτό που είπε, καθώς ντύθηκα μέσα σε μια παραζάλη.

Σκόπευα να κάνω κάτι πιο εξεζητημένο με τα μαλλιά μου, αλλά δεν είχα άλλο χρόνο, έτσι κρέμονταν ίσια και βαρετά, όπως και κάθε άλλη μέρα. Δεν είχε σημασία. Δεν μπήκα στον κόπο να κοιτάξω στον καθρέφτη, έτσι δεν είχα ιδέα αν πήγαιναν η μπλούζα της Άλις και η φούστα. Ούτε κι αυτό είχε σημασία. Κρέμασα πάνω στο μπράτσο μου την άσχημη κίτρινη τήβεννο της αποφοίτησης από πολυέστερ και κατέβηκα βιαστικά τις σκάλες.

«Είσαι όμορφη», είπε ο Τσάρλι, ήδη βραχνός από την καταπιεσμένη συγκίνηση. «Καινούριο είναι αυτό;»

«Ναι», ψέλλισα προσπαθώντας να συγκεντρωθώ. «Μου το έδωσε η Άλις. Ευχαριστώ».

Ο Έντουαρντ έφτασε μόλις μερικά λεπτά αφού έφυγε η αδερφή του. Δεν ήταν αρκετός ο χρόνος, ώστε να μπορέσω να φορέσω ένα προσωπείο ψυχραιμίας. Αλλά, εφόσον πήγαμε με το περιπολικό μαζί με τον Τσάρλι, δεν του δόθηκε η ευκαιρία να με ρωτήσει τι συνέβαινε.

Ο Τσάρλι είχε πεισμώσει την περασμένη βδομάδα, όταν έμαθε ότι σκόπευα να πάω με τον Έντουαρντ στην τελετή της αποφοίτησης. Και καταλάβαινα το επιχείρημά του –οι γονείς πρέπει να έχουν κάποια δικαιώματα, όταν πρόκειται για την ημέρα της αποφοίτησης. Δέχτηκα να του κάνω το χατίρι, κι ο Έντουαρντ είχε προτείνει γεμάτος κέφι να πάμε όλοι μαζί. Εφόσον ο Κάρλαϊλ κι η Έσμι δεν είχαν πρόβλημα, ο Τσάρλι δεν μπορούσε να σκεφτεί να φέρει κάποια αντίρρηση που να μην μπορεί να ξεπεραστεί˙ είχε συμφωνήσει με απροθυμία. Και τώρα ο Έντουαρντ ήταν στο πίσω κάθισμα του περιπολικού του πατέρα μου, πίσω από το χώρισμα, με μια έκφραση στο πρόσωπό του που έδειχνε ότι το διασκέδαζε –πιθανόν εξαιτίας της ίδιας έκφρασης στο πρόσωπο του πατέρα μου και του χαμόγελου που γινόταν πιο πλατύ, κάθε φορά που έριχνε κλεφτές ματιές στον Έντουαρντ μέσα από τον καθρέφτη του. Πράγμα που σχεδόν σίγουρα σήμαινε ότι ο Τσάρλι φανταζόταν πράγματα που θα τον έβαζαν σε μπελάδες μαζί μου, αν τα έλεγε δυνατά.

«Είσαι καλά;» ψιθύρισε ο Έντουαρντ, όταν με βοήθησε να βγω από το μπροστινό κάθισμα στο πάρκινγκ του σχολείου.

«Έχω άγχος», απάντησα, και δεν ήταν καν ψέμα.

«Είσαι τόσο όμορφη», είπε.

Φαινόταν σαν να ήθελε να πει κι άλλα, αλλά ο Τσάρλι, με έναν προφανή ελιγμό που ο ίδιος θεωρούσε διακριτικό, μπήκε ανάμεσά μας και με αγκάλιασε γύρω από τους ώμους.

«Είσαι ενθουσιασμένη;» με ρώτησε.

«Όχι ιδιαίτερα», παραδέχτηκα.

«Μπέλλα, αυτό είναι σπουδαίο ζήτημα. Αποφοιτάς από το λύκειο. Τώρα αρχίζει ο πραγματικός κόσμος για 'σένα. Το πανεπιστήμιο. Θα ζήσεις μόνη σου... Δεν είσαι πια το κοριτσάκι μου». Ο Τσάρλι σαν να πνίγηκε λιγάκι στο τέλος.

«Μπαμπά», παραπονέθηκα. «Σε παρακαλώ, μην αρχίσεις να κλαψουρίζεις».

«Ποιος κλαψουρίζει; Τώρα, γιατί δεν είσαι ενθουσιασμένη;»

«Δεν ξέρω, μπαμπά. Μάλλον δεν το έχω συνειδητοποιήσει ακόμα».

«Καλά που η Άλις θα κάνει αυτό το πάρτι. Χρειάζεσαι κάτι να σου φτιάξει τη διάθεση».

«Βέβαια. Αυτό ακριβώς που χρειάζομαι είναι ένα πάρτι».

Ο Τσάρλι γέλασε με τον τόνο μου και πίεσε τους ώμους μου. Ο Έντουαρντ κοίταξε τα σύννεφα, με πρόσωπο σκεφτικό.

Ο πατέρας μου έπρεπε να μας αφήσει στην πίσω πόρτα του γυμναστηρίου και να κάνει το γύρο για να μπει από την κεντρική είσοδο μαζί με τους υπόλοιπους γονείς.

Γινόταν ένα πανδαιμόνιο, καθώς η δεσποινίς Κόουπ από τη γραμματεία και ο κύριος Βάρνερ, ο καθηγητής των μαθηματικών προσπαθούσαν να μας βάλουν όλους σε μια σειρά αλφαβητικά.

«Μπροστά, κύριε Κάλεν», γάβγισε ο κύριος Βάρνερ στον Έντουαρντ.

«Γεια σου, Μπέλλα!»

Σήκωσα το βλέμμα για να δω την Τζέσικα Στάνλεϊ να μου κουνάει το χέρι από το πίσω μέρος της σειράς με ένα χαμόγελο στο πρόσωπό της.

Ο Έντουαρντ με φίλησε γρήγορα, αναστέναξε και πήγε να σταθεί μαζί με τα "Κ". Η Άλις δεν ήταν εκεί. Τι σκόπευε να κάνει; Θα έχανε την αποφοίτηση; Τι κακός συγχρονισμός εκ μέρους μου. Έπρεπε να περιμένω ώσπου να ξεμπερδέψουμε με αυτό το θέμα και μετά να βρω τη λύση.

«Εδώ πίσω, Μπέλλα!» φώναξε πάλι η Τζέσικα.

Πήγα στο τέλος της γραμμής για να πάρω τη θέση μου πίσω από την Τζέσικα, ελαφρώς περίεργη σχετικά με το γιατί ήταν ξαφνικά τόσο φιλική. Καθώς πλησίαζα, είδα την Άντζελα πέντε ανθρώπους πιο μπροστά, να παρακολουθεί την Τζέσικα με την ίδια περιέργεια.

Η Τζες φλυαρούσε πριν φτάσω αρκετά κοντά, ώστε να την ακούω.

«... τόσο καταπληκτικό. Θέλω να πω, μου φαίνεται σαν να γνωριστήκαμε μόλις, και τώρα αποφοιτούμε μαζί», ξέσπασε σε μια χειμαρρώδη φλυαρία. «Το πιστεύεις ότι τελείωσε; Νιώθω σαν να θέλω να ουρλιάξω!»

«Κι εγώ», μουρμούρισα.

«Είναι τόσο απίστευτο! Θυμάσαι την πρώτη σου μέρα εδώ; Γίναμε φίλες αμέσως. Από την πρώτη στιγμή που είδαμε η μια την άλλη. Καταπληκτικό. Και τώρα εγώ φεύγω για την Καλιφόρνια, κι εσύ θα πας στην Αλάσκα και θα μου λείψεις τόσο πολύ! Πρέπει να μου υποσχεθείς ότι θα βρεθούμε κάποια στιγμή! Χαίρομαι τόσο πολύ που θα κάνεις πάρτι. Είναι τέλειο. Επειδή έχουμε αρκετό καιρό να κάνουμε παρέα και τώρα θα φύγουμε όλοι...»

Συνέχισε να μουρμουρίζει για ώρα, και ήμουν σίγουρη ότι η ξαφνική επιστροφή της φιλίας μας οφειλόταν στη νοσταλγική διάθεση της αποφοίτησης και στην ευγνωμοσύνη για την πρόσκληση στο πάρτι, όχι ότι εγώ είχα κάποια σχέση μ' αυτό. Έδινα όση μεγαλύτερη προσοχή μπορούσα, καθώς ανασήκωσα τους ώμους μου για να φορέσω την τήβεννο της αποφοίτησης. Και ανακάλυψα ότι χαιρόμουν που τα πράγματα θα τελείωναν σε καλό κλίμα με την Τζέσικα.

Γιατί *ήταν* ένα τέλος, ό,τι κι αν έλεγε ο Έρικ που εκφώνησε τον αποχαιρετιστήριο λόγο, σχετικά με την τελετή της απονομής των απολυτηρίων μας, ότι σηματοδοτούσε ένα νέο ξεκίνημα, κι όλες τις υπόλοιπες τετριμμένες ανοησίες. Μπορεί περισσότερο για 'μένα απ' ό,τι για τους άλλους, αλλά όλοι μας αφήναμε κάτι πίσω σήμερα.

Όλα κύλησαν τόσο γρήγορα. Ένιωθα σαν να είχα πατήσει το κουμπί fast forward. Έπρεπε κανονικά να προχωράμε τόσο γρήγορα; Και μετά ο Έρικ μιλούσε πολύ γρήγορα από το άγχος του, οι λέξεις και οι φράσεις μπλέκονταν η μια με την άλλη, έτσι που δεν έβγαζαν πια κανένα νόημα. Ο διευθυντής Γκριν άρχισε να φωνάζει τα ονόματά μας, το ένα μετά το άλλο χωρίς κάποια αρκετά μεγάλη παύση μεταξύ τους˙ η μπροστινή σειρά του γυμναστηρίου έτρεχε για να προλάβει. Η καημένη η κυρία Κόουπ ήταν πολύ αδέξια, καθώς προσπαθούσε να δώσει στο διευθυντή το σωστό απολυτήριο για να το δώσει στο σωστό μαθητή.

Παρακολουθούσα καθώς η Άλις, που εμφανίστηκε ξαφνικά, διέσχισε χορεύοντας τη σκηνή για να πάρει το δικό της, με μια έκφραση βαθιάς συγκέντρωσης στο πρόσωπό της. Ο Έντουαρντ ακολούθησε από πίσω της, με έκφραση μπερδεμένη, αλλά όχι αναστατωμένη. Μόνο οι δυο τους μπορούσαν να φοράνε αυτό το φριχτό κίτρινο και να δείχνουν έτσι όπως έδειχναν. Ξεχώριζαν από το υπόλοιπο πλήθος, καθώς η ομορφιά τους και η χάρη τους ήταν απόκοσμες. Αναρωτήθηκα πώς ήταν δυνατόν να ξεγελαστώ ποτέ από την κωμωδία που έπαιζαν προσποιούμενοι τους ανθρώπους. Δυο άγγελοι, αν στέκονταν εκεί με ολόκληρα φτερά, θα ξεχώριζαν λιγότερο.

Άκουσα τον κύριο Γκριν να φωνάζει το όνομά μου και σηκώθηκα από την καρέκλα μου, περιμένοντας να μετακινηθεί η σειρά μπροστά μου. Άκουσα ζητωκραυγές στο πίσω μέρος του γυμναστηρίου και γύρισα για να δω τον Τζέικομπ να τραβάει τον Τσάρλι να σηκωθεί όρθιος, και οι δυο τους σφυρίζοντας ενθαρρυντικά. Μόλις που διέκρινα την κορυφή του κεφαλιού του Μπίλι δίπλα στον αγκώνα του Τζέικ. Κατάφερα να τους ρίξω κάτι που έμοιαζε ελαφρώς με χαμόγελο.

Ο κύριος Γκριν τελείωσε με τον κατάλογο των ονομάτων και μετά συνέχισε να δίνει απολυτήρια με ένα συνεσταλμένο χαμόγελο, καθώς περνούσαμε μπροστά του στη σειρά.

«Συγχαρητήρια, δεσποινίς Στάνλεϊ», ψέλλισε, καθώς η Τζέσικα έπαιρνε το δικό της.

«Συγχαρητήρια, δεσποινίς Σουάν», ψέλλισε απευθυνόμενος σ' εμένα, σπρώχνοντας το απολυτήριό μου στο καλό μου χέρι.

«Ευχαριστώ», μουρμούρισα.

Κι αυτό ήταν όλο.

Πήγα και στάθηκα δίπλα στην Τζες με τους άλλους συγκεντρωμένους αποφοίτους. Ήταν κατακόκκινη γύρω από τα μάτια και συνέχεια μουτζούρωνε το πρόσωπό της με το μανίκι της τηβέννου της. Μου πήρε ένα δευτερόλεπτο για να καταλάβω ότι έκλαιγε.

Ο κύριος Γκριν είπε κάτι που δεν άκουσα, κι όλοι γύρω μου φώναξαν και ούρλιαξαν. Κίτρινα καπέλα έπεσαν από τον ουρανό σαν βροχή. Έβγαλα και το δικό μου, πολύ αργά, και το άφησα απλώς να πέσει στο έδαφος.

«Ω, Μπέλλα!» κλαψούρισε η Τζες πιο δυνατά από το ξαφνικό βροντερό ξέσπασμα των συζητήσεων. «Δεν μπορώ να το πιστέψω ότι τελειώσαμε».

Όρμησε για να με αγκαλιάσει. «Πρέπει να υποσχεθείς ότι δε θα χαθούμε».

Την αγκάλιασα κι εγώ, νιώθοντας λιγάκι αμήχανα, καθώς απέφυγα να απαντήσω στην παράκλησή της. «Χαίρομαι πολύ που σε γνώρισα, Τζέσικα. Ήταν δυο καλά χρόνια».

«Ήταν», αναστέναξε και ρούφηξε τη μύτη της. Μετά τα χέρια της έπεσαν. «Λόρεν!» ξεφώνισε, κουνώντας τα χέρια της πάνω από το κεφάλι της, και σπρώχτηκε για να περάσει μέσα από το πλήθος των κίτρινων τηβέννων. Οικογένειες άρχιζαν να μαζεύονται ζουλώντας μας πιο κοντά τον ένα στον άλλο.

Πήρε το μάτι μου την Άντζελα και τον Μπεν, αλλά ήταν περιτριγυρισμένοι από τις οικογένειές τους. Θα τους έδινα συγχαρητήρια αργότερα.

Τέντωσα το λαιμό μου ψηλά για να βρω την Άλις.

«Συγχαρητήρια», ψιθύρισε ο Έντουαρντ στο αυτί μου, ενώ τα χέρια του τυλίχτηκαν γύρω από τη μέση μου. Η φωνή του ήταν χαμηλή˙ εκείνος δε βιαζόταν καθόλου να φτάσω στο συγκεκριμένο χρονικό ορόσημο.

«Εεε, σ' ευχαριστώ».

«Δε φαίνεσαι να έχεις ξεπεράσει το άγχος σου ακόμα», παρατήρησε.

«Όχι ακόμα».

«Ποιος λόγος ανησυχίας υπάρχει ακόμα; Το πάρτι; Δε θα είναι τόσο χάλια».

«Μάλλον έχεις δίκιο».

«Ποιον ψάχνεις;»

Η αναζήτησή μου δεν ήταν τόσο διακριτική όσο πίστευα. «Την Άλις –πού είναι;»

«Έφυγε αμέσως μόλις πήρε το απολυτήριό της».

Η φωνή του πήρε μια καινούρια απόχρωση. Σήκωσα τα μάτια για να δω την μπερδεμένη του έκφραση, καθώς εκείνος κοίταζε επίμονα προς την πίσω πόρτα του γυμναστηρίου, κι εγώ πήρα μια αυθόρμητη απόφαση –από αυτές που θα έπρεπε να σκεφτόμουν διπλά, αλλά σπάνια το έκανα.

«Ανησυχείς για την Άλις;» ρώτησα.

«Εεε...» Δεν ήθελε να απαντήσει.

«Τι σκεφτόταν; Για να σε μπερδέψει, θέλω να πω».

Τα μάτια του στράφηκαν αστραπιαία προς το πρόσωπό μου και ζάρωσαν καχύποπτα. «Μετέφραζε τον Εθνικό Ύμνο στα Αραβικά. Όταν τελείωσε, συνέχισε στην κορεάτικη νοηματική γλώσσα».

Γέλασα νευρικά. «Υποθέτω ότι αυτό θα κρατούσε το κεφάλι της αρκετά απασχολημένο».

«Ξέρεις τι είναι αυτό που μου κρύβει», με κατηγόρησε.

«Βέβαια». Χαμογέλασα με ένα αδύναμο χαμόγελο. «Εγώ είμαι αυτή που το σκέφτηκε».

Περίμενε, μπερδεμένος.

Κοίταξα γύρω-γύρω. Ο Τσάρλι θα ερχόταν τώρα περνώντας μέσα από το πλήθος.

«Απ' όσο καταλαβαίνω την Άλις», ψιθύρισα βιαστικά, «πιθανότατα θα προσπαθήσει να σου το κρατήσει κρυφό, μέχρι να τελειώσει το πάρτι. Αλλά εφόσον εγώ θέλω όσο τίποτα να ακυρωθεί το πάρτι –πάντως, ανεξάρτητα απ' αυτό εσύ μη βγεις εκτός εαυτού, εντάξει; Πάντα είναι καλύτερα να ξέρεις όσο το δυνατόν περισσότερα. Αυτό λογικά σε κάτι θα βοηθήσει».

«Για τι πράγμα μιλάς;»

Είδα το πρόσωπο του Τσάρλι να ανεβοκατεβαίνει πάνω από τα άλλα κεφάλια, καθώς με έψαχνε. Με εντόπισε και κούνησε το χέρι.

«Απλώς κράτα την ψυχραιμία σου, εντάξει;»

Έγνεψε μια φορά, ενώ το στόμα του είχε γίνει μια αγέλαστη γραμμή.

Ψιθυρίζοντας βιαστικά του εξήγησα τη λογική μου. «Νομίζω ότι κάνεις λάθος όταν λες ότι μας χτυπάνε απ' όλες τις μεριές. Νομίζω ότι κυρίως μας χτυπάνε από μια μεριά… και νομίζω ότι εγώ είμαι αυτή που θέλουν να χτυπήσουν, στην πραγματικότητα. Όλα συνδέονται, πρέπει να συνδέονται. Ένα μόνο είναι το άτομο που έχει κάνει άνω-κάτω τα οράματα της Άλις. Ο άγνωστος στο δωμάτιό μου ήταν ένα τεστ, για να δουν αν κάποιος θα μπορούσε να ξεφύγει από την Άλις. Πρέπει να είναι το ίδιο άτομο που συνεχώς αλλάζει γνώμη, και οι νεογέννητοι, και το γεγονός ότι έκλεψε τα ρούχα μου –όλα αυτά έχουν σχέση μεταξύ τους. Η μυρωδιά μου είναι γι' αυτούς».

Το πρόσωπό του είχε γίνει τόσο άσπρο που μετά βίας πρόλαβα να τελειώσω.

«Αλλά κανένας δεν έρχεται για 'σας, δεν το βλέπεις; Αυτό είναι καλό –στην Έσμι και στην Άλις και στον Κάρλαϊλ, κανείς δε θέλει να κάνει κακό σ' εκείνους!»

Τα μάτια του είχαν γίνει τεράστια, είχαν γουρλώσει από τον πανικό, παραζαλισμένα και γεμάτα φρίκη. Έβλεπε ότι είχα δίκιο, ακριβώς όπως και η Άλις.

Ακούμπησα το χέρι μου στο μάγουλό του. «Ηρέμησε», τον παρακάλεσα.

«Μπέλλα!» φώναξε ο Τσάρλι, σπρώχνοντας για να περάσει μέσα από τις οικογένειες που ήταν στριμωγμένες γύρω μας.

«Συγχαρητήρια, μωρό μου!» Ακόμα φώναζε, αν και ήταν ακριβώς δίπλα στ' αυτί μου τώρα. Τύλιξε τα χέρια του γύρω μου, φροντίζοντας να κάνει στην άκρη τον Έντουαρντ.

«Ευχαριστώ», μουρμούρισα, προβληματισμένη από την έκφραση στο πρόσωπο του Έντουαρντ. Ακόμα δεν είχε ανακτήσει την ψυχραιμία του. Τα χέρια του ήταν σχεδόν τεντωμένα προς εμένα, σαν να ήταν έτοιμος να με αρπάξει και να τρέξει. Έχοντας ελαφρώς περισσότερη ψυχραιμία από 'κείνον, το να τρέξουμε δε μου φαινόταν τόσο κακή ιδέα.

«Ο Τζέικομπ κι ο Μπίλι έπρεπε να φύγουν –τους είδες που ήταν εδώ;» ρώτησε ο Τσάρλι, κάνοντας ένα βήμα πίσω, αλλά χωρίς να πάρει τα χέρια του από τους ώμους μου. Είχε την πλάτη του γυρισμένη στον Έντουαρντ –πιθανότατα σε μια προσπάθεια να τον αποκλείσει, αλλά δεν πείραζε για την ώρα. Το στόμα του Έντουαρντ είχε μείνει ανοιχτό, τα μάτια του ήταν ακόμα γουρλωμένα από το φόβο.

«Ναι», διαβεβαίωσα τον πατέρα μου, προσπαθώντας να δώσω αρκετή προσοχή. «Τους άκουσα κιόλας».

«Ήταν ευγενικό εκ μέρους τους που ήρθαν», είπε ο Τσάρλι.

«Μμ-χμ».

Εντάξει, ήταν κακή ιδέα να το πω στον Έντουαρντ. Η Άλις είχε δίκιο που κράτησε τις σκέψεις της κρυφές. Έπρεπε να περίμενα μέχρι να βρισκόμασταν μόνοι κάπου, ίσως μαζί με τους υπόλοιπους της οικογένειάς του. Και να μην υπάρχει τίποτα εύθραυστο κοντά -όπως παράθυρα... αυτοκίνητα... σχολικά κτίρια. Το πρόσωπό του μου ξανάφερε πίσω όλο μου το φόβο και παραπάνω ακόμα. Αν και η έκφρασή του είχε ξεπεράσει το στάδιο του φόβου τώρα -αυτό που ήταν ξαφνικά ξεκάθαρο στα χαρακτηριστικά του ήταν το συναίσθημα της καθαρής οργής.

«Λοιπόν, που θες να πας για φαγητό;» ρώτησε ο Τσάρλι. «Διάλεξε όποιο μέρος θες».

«Μπορώ να μαγειρέψω».

«Μην είσαι ανόητη. Θέλεις να πάμε στο Λοτζ;» ρώτησε με ένα χαμόγελο γεμάτο ενθουσιασμό.

Δε μου άρεσε ιδιαίτερα το αγαπημένο εστιατόριο του Τσάρλι, αλλά σ' αυτό το σημείο, τι ρόλο έπαιζε; Δεν επρόκειτο να φάω, έτσι κι αλλιώς.

«Βέβαια, στο Λοτζ, ωραία», είπα.

Ο Τσάρλι χαμογέλασε πιο πλατιά και μετά αναστέναξε. Γύρισε το κεφάλι του ελαφρώς προς τον Έντουαρντ χωρίς να τον κοιτάζει πραγματικά.

«Θα έρθεις κι εσύ, Έντουαρντ;»

Τον κοίταξα επίμονα, με μάτια ικετευτικά. Ο Έντουαρντ ανέκτησε την ψύχραιμη έκφρασή του, λίγο πριν γυρίσει ο Τσάρλι για να δει γιατί δεν είχε πάρει απάντηση.

«Όχι, ευχαριστώ», είπε ο Έντουαρντ παγερά, με πρόσωπο σκληρό και ψυχρό.

«Έχεις κανονίσει με τους γονείς σου;» ρώτησε ο Τσάρλι με ένα κατσούφιασμα στη φωνή του. Ο Έντουαρντ ήταν πάντα πιο ευγενικός απ' ό,τι άξιζε στον Τσάρλι· η ξαφνική εχθρότητα τον εξέπληξε.

«Ναι. Με συγχωρείτε...» Ο Έντουαρντ γύρισε απότομα και έφυγε, περνώντας μέσα από το πλήθος που άρχιζε να μειώνεται. Κινείτο κάπως υπερβολικά γρήγορα, υπερβολικά αναστατωμένος για να συνεχίσει να παίζει τη συνήθως τέλεια κωμωδία του.

«Τι είπα;» ρώτησε ο Τσάρλι με μια ένοχη έκφραση.

«Μην ανησυχείς, μπαμπά», τον διαβεβαίωσα. «Δε νομίζω ότι φταις εσύ».

«Τσακώνεστε πάλι οι δυο σας;»

«Κανένας δεν τσακώνεται. Κοίτα τη δουλειά σου».

«Εσύ *είσαι* η δουλειά μου».

Στριφογύρισα τα μάτια μου. «Πάμε να φάμε».

Το Λοτζ ήταν γεμάτο κόσμο. Το μέρος ήταν, κατά τη γνώμη μου, πιο ακριβό απ' ό,τι έπρεπε και κακόγουστο, αλλά ήταν το μόνο μέρος στην πόλη που πλησίαζε περισσότερο σ' αυτό που λέμε καλό εστιατόριο, έτσι ήταν πάντα δημοφιλές σε ειδικές περιστάσεις. Κοίταζα σκυθρωπά ένα ταριχευμένο κεφάλι ελαφιού που έδειχνε θλιμμένο, ενώ ο Τσάρλι έτρωγε φιλέτα βοδινού και μιλούσε πάνω από την πλάτη του καθίσματός του με τους γονείς του Τάιλερ Κρόλεϊ. Υπήρχε φασαρία –όλοι εκεί πέρα μόλις είχαν έρθει από την τελετή της αποφοίτησης και οι περισσότεροι φλυαρούσαν μ' αυτούς που κάθονταν από την απέναντι μεριά των διαδρόμων ή πάνω από τα πάσα που χώριζαν τα τραπέζια, όπως κι ο Τσάρλι.

Εγώ είχα την πλάτη μου γυρισμένη στα μπροστινά παράθυρα και αντιστεκόμουν στην επιθυμία να γυρίσω από την άλλη και να ψάξω για τα μάτια που ένιωθα πάνω μου τώρα. Ήξερα ότι δε θα μπορούσα να δω τίποτα. Όπως ακριβώς ήξερα ότι δεν υπήρχε περίπτωση να με αφήσει εκείνος αφύλαχτη, ακόμα και για ένα δευτερόλεπτο. Όχι μετά από αυτό.

Το δείπνο τραβούσε σε μάκρος. Ο Τσάρλι, απασχολημένος με τις κοινωνικότητες, έτρωγε πολύ αργά. Εγώ σκάλιζα το μπιφτέκι μου, ρίχνοντας κομμάτια στην πετσέτα μου, όταν ήμουν βέβαιη ότι η προσοχή του ήταν στραμμένη κάπου αλλού. Όλα έμοιαζαν να διαρκούν πολλή ώρα, αλλά όταν κοίταζα το ρολόι –πράγμα που έκανα πιο συχνά απ' ό,τι ήταν απαραίτητο– οι δείκτες δεν είχαν μετακινηθεί πολύ.

Τελικά ο Τσάρλι πήρε τα ρέστα του κι άφησε φιλοδώρημα στο τραπέζι. Σηκώθηκα όρθια.

«Βιάζεσαι;» με ρώτησε.

«Θέλω να βοηθήσω την Άλις να φτιάξει τα πράγματα», ισχυρίστηκα.

«Εντάξει». Γύρισε από την άλλη μεριά για να τους καληνυχτίσει όλους. Εγώ βγήκα έξω για να περιμένω δίπλα στο περιπολικό.

Ακούμπησα στην πόρτα του συνοδηγού περιμένοντας τον Τσάρλι να ξεκολλήσει σιγά-σιγά από το αυτοσχέδιο πάρτι που είχε στηθεί. Ήταν σχεδόν σκοτάδι στο πάρκινγκ, τα σύννεφα ήταν τόσο πυκνά που δεν ήταν δυνατόν να καταλάβει κανείς αν ο ήλιος είχε δύσει ή όχι. Ο αέρας ήταν βαρύς σαν να ετοιμαζόταν να βρέξει.

Κάτι κουνήθηκε μέσα στις σκιές.

Η πνιχτή κραυγή μου μετατράπηκε σε έναν αναστεναγμό ανακούφισης, καθώς ο Έντουαρντ πρόβαλλε μέσα από το μισοσκόταδο.

Χωρίς λέξη, με τράβηξε σφιχτά στο στήθος του. Ένα δροσερό χέρι βρήκε το πιγούνι μου και τράβηξε το πρόσωπό μου ψηλά, ώστε να μπορέσει να πιέσει τα σκληρά χείλη του πάνω στα δικά μου. Ένιωθα την ένταση στο σαγόνι του.

«Πώς είσαι;» ρώτησα, αμέσως μόλις με άφησε να πάρω ανάσα.

«Όχι και τόσο τέλεια», μουρμούρισε. «Αλλά έχω τον έλεγχο. Συγνώμη που τα έχασα πριν».

«Εγώ φταίω. Έπρεπε να περιμένω για να σου το πω».

«Όχι», διαφώνησε. «Αυτό είναι κάτι που πρέπει να ξέρω.

Δεν μπορώ να το πιστέψω ότι δεν το είδα!»

«Έχεις πολλά στο νου σου».

«Κι εσύ δεν έχεις;»

Ξαφνικά με φίλησε ξανά, χωρίς να με αφήσει να απαντήσω. Τραβήχτηκε μακριά μόλις μετά από ένα δευτερόλεπτο. «Έρχεται ο Τσάρλι».

«Θα του πω να με πάει σπίτι σου».

«Θα σας ακολουθήσω».

«Δεν είναι απαραίτητο», προσπάθησα να πω, αλλά είχε ήδη φύγει.

«Μπέλλα;» φώναξε ο Τσάρλι από την πόρτα του εστιατορίου, προσπαθώντας να με διακρίνει με μισόκλειστα μάτια μέσα στο σκοτάδι.

«Εδώ έξω είμαι».

Ο Τσάρλι ήρθε με νωχελικά βήματα στο αμάξι, μουρμουρίζοντας κάτι σχετικά με την ανυπομονησία.

«Λοιπόν, πώς νιώθεις;» με ρώτησε, καθώς κατευθυνόμασταν βόρεια πάνω στον αυτοκινητόδρομο. «Ήταν μεγάλη μέρα».

«Νιώθω μια χαρά», είπα ψέματα.

Γέλασε, καταλαβαίνοντας εύκολα την προσπάθειά μου να τον ξεγελάσω. «Ανησυχείς για το πάρτι;» μάντεψε.

«Ναι», είπα ξανά.

Αυτή τη φορά δεν το πρόσεξε. «Ποτέ δεν ήσουν υπέρ των πάρτι».

«Αναρωτιέμαι από πού το πήρα αυτό», μουρμούρισα.

Ο Τσάρλι γέλασε πνιχτά. «Πάντως, είσαι πολύ όμορφη. Μακάρι να είχα σκεφτεί να σου πάρω κάτι. Συγνώμη».

«Μην είσαι ανόητος, μπαμπά».

«Δεν είναι ανόητο. Νιώθω ότι δεν κάνω πάντα τα πράγματα έτσι όπως πρέπει για 'σένα».

«Αυτό είναι γελοίο. Κάνεις φανταστική δουλειά. Ο καλύτερος μπαμπάς του κόσμου. Και...» Δεν ήταν εύκολο να μιλάω για συναισθήματα με τον Τσάρλι, αλλά επέμεινα αφού καθάρισα το λαιμό μου. «Και χαίρομαι πολύ που ήρθα να ζήσω εδώ μαζί σου, μπαμπά. Ήταν η καλύτερη ιδέα που είχα ποτέ. Γι' αυτό μην ανησυχείς –απλώς νιώθεις απαισιοδοξία μετά την αποφοίτηση».

Ξεφύσηξε. «Μπορεί. Αλλά είμαι σίγουρος ότι έχω κάνει μερικά λαθάκια σε κάποια σημεία. Θέλω να πω, κοίτα το χέρι σου!»

Κοίταξα ανέκφραστα κάτω στα χέρια μου. Το αριστερό μου χέρι ήταν ελαφρά ακουμπισμένο πάνω στο σκούρο νάρθηκα στον οποίο σπάνια πήγαινε ο νους μου. Η σπασμένη μου άρθρωση δεν πονούσε τόσο πολύ πια.

«Ποτέ δε σκέφτηκα ότι έπρεπε να σου διδάξω πώς να ρίχνεις μπουνιά. Μάλλον έκανα λάθος».

«Νόμιζα ότι είσαι με το μέρος του Τζέικομπ;»

«Με όποιου το μέρος κι αν είμαι, αν κάποιος σε φιλήσει χωρίς την άδεια σου, θα πρέπει να μπορείς να δείξεις την άποψή σου, χωρίς να χρειάζεται να τραυματιστείς. Δεν κράτησες τον αντίχειρά σου μέσα στη γροθιά, έτσι δεν είναι;»

«Όχι, μπαμπά. Είναι πολύ γλυκό εκ μέρους σου, αλλά δε νομίζω ότι τα μαθήματα θα είχαν ωφελήσει. Το κεφάλι του Τζέικομπ είναι *πολύ* σκληρό».

Ο Τσάρλι γέλασε. «Χτύπα τον στην κοιλιά την άλλη φορά».

«Την άλλη φορά;» ρώτησα με δυσπιστία.

«Ω, μην είσαι πολύ σκληρή με τον πιτσιρικά. Είναι μικρός».

«Είναι απαράδεκτος».

«Και πάλι είναι φίλος σου».

«Το ξέρω». Αναστέναξα. «Πραγματικά δεν ξέρω ποιο είναι το σωστό σ' αυτή την περίπτωση, μπαμπά».

Ο Τσάρλι κούνησε το κεφάλι του αργά. «Ναι. Το σωστό δεν είναι πάντα τόσο φανερό. Μερικές φορές το σωστό για τον ένα είναι λάθος για κάποιον άλλο. Άρα... καλή τύχη στην προσπάθειά σου να το βρεις».

«Ευχαριστώ», μουρμούρισα.

Ο Τσάρλι γέλασε ξανά και μετά κατσούφιασε. «Αν αυτό το πάρτι γίνει πολύ άγριο...», πήγε να πει.

«Μην ανησυχείς, μπαμπά. Θα είναι εκεί ο Κάρλαϊλ και η Έσμι. Είμαι σίγουρη ότι μπορείς να έρθεις κι εσύ, αν θες».

Ο Τσάρλι έκανε ένα μορφασμό, καθώς κοίταξε με μισόκλειστα μάτια μέσα από το παρμπρίζ στο σκοτάδι. Ο Τσάρλι απολάμβανε ένα καλό πάρτι όσο κι εγώ.

«Πού είναι το σημείο που στρίβουμε για το σπίτι τους πάλι;» ρώτησε. «Θα έπρεπε να καθαρίσουν το δρόμο τους –είναι αδύνατον να τον βρεις μέσα στο σκοτάδι».

«Στην επόμενη στροφή, νομίζω». Σούφρωσα τα χείλη μου. «Ξέρεις, έχεις δίκιο –είναι αδύνατο να το βρεις. Η Άλις είπε ότι έβαλε ένα χάρτη στην πρόσκληση, αλλά και πάλι, μπορεί όλοι να χαθούν». Ανέβηκε η διάθεσή μου κάπως στην ιδέα αυτή.

«Μπορεί», είπε ο Τσάρλι, καθώς ο δρόμος έστριβε προς τα ανατολικά. «Ή μπορεί και όχι».

Το μαύρο βελούδινο σκοτάδι διακόπηκε μπροστά μας, ακριβώς στο σημείο όπου έπρεπε να βρίσκεται ο δρόμος που οδηγούσε στο σπίτι των Κάλεν. Κάποιος είχε τυλίξει τα δέντρα κι από τις δυο μεριές του δρόμου με χιλιάδες φωτάκια που αναβόσβηναν, τα οποία ήταν αδύνατον να προσπεράσει κανείς.

«Η Άλις», είπα ξινισμένα.

«Πω πω!» είπε ο Τσάρλι, καθώς στρίψαμε στο δρόμο. Τα δύο δέντρα στην είσοδο δεν ήταν τα μόνα που ήταν φωτισμένα. Κάθε πέντε-έξι μέτρα περίπου, άλλος ένας λαμπερός φάρος μας οδηγούσε προς το μεγάλο λευκό σπίτι. Σε όλη τη διαδρομή –γύρω στα πέντε χιλιόμετρα.

«Δεν κάνει μισές δουλειές, έτσι δεν είναι;» ψέλλισε ο Τσάρλι με δέος.

«Είσαι σίγουρος ότι δε θέλεις να έρθεις μέσα;»

«Απόλυτα σίγουρος. Καλά να περάσετε, μικρή».

«Σ' ευχαριστώ πάρα πολύ, μπαμπά».

Γελούσε μόνος του, καθώς έβγαινα έξω και έκλεινα την πόρτα. Τον παρακολούθησα να φεύγει με το αμάξι, ακόμα χαμογελώντας. Με έναν αναστεναγμό, ανέβηκα αποφασιστικά τα σκαλιά για να υπομείνω το πάρτι μου.

17. ΣΥΜΜΑΧΙΑ

«Μπέλλα;»

Η απαλή φωνή του Έντουαρντ ερχόταν από πίσω μου. Γύρισα για να τον δω να ανεβαίνει ελαφρώς χοροπηδηχτά τα σκαλιά της βεράντας, με τα μαλλιά του ανακατεμένα από τον αέρα που τα φυσούσε την ώρα που έτρεχε. Με τράβηξε αμέσως στην αγκαλιά του, όπως ακριβώς είχε κάνει και στο πάρκινγκ, και με φίλησε πάλι.

Αυτό το φιλί με τρόμαξε. Υπήρχε υπερβολική ένταση, πολύ μεγάλη αγωνία στον τρόπο που τα χείλη του συνέθλιψαν τα δικά μου –σαν να φοβόταν ότι αυτός ήταν όλος κι όλος ο χρόνος που μας απέμενε.

Δεν μπορούσα να αφήσω τον εαυτό μου να το σκεφτεί αυτό. Όχι αν ήθελα να συμπεριφερθώ σαν κανονικός άνθρωπος για τις επόμενες ώρες. Τραβήχτηκα μακριά του.

«Ας ξεμπερδεύουμε μ' αυτό το χαζό πάρτι», ψέλλισα, χωρίς το βλέμμα μου να διασταυρωθεί με το δικό του.

Έβαλε τα χέρια του από τη μια και την άλλη μεριά του προσώπου μου, περιμένοντας μέχρι που σήκωσα το βλέμμα.

«Δε θ' αφήσω τίποτα να σου συμβεί».

Άγγιξα τα χείλη του με τα δάχτυλα του καλού μου χεριού. «Δεν ανησυχώ τόσο πολύ για τον εαυτό μου».

«Γιατί δεν εκπλήσσομαι;» μουρμούρισε στον εαυτό του. Πήρε μια βαθιά ανάσα και μετά χαμογέλασε απαλά. «Έτοιμη να το γιορτάσεις;» ρώτησε.

Αναστέναξα.

Μου άνοιξε την πόρτα, κρατώντας το χέρι του σφιχτά γύρω από τη μέση μου. Στάθηκα εκεί παγωμένη για ένα λεπτό, μετά κούνησα αργά το κεφάλι μου.

«Απίστευτο».

Ο Έντουαρντ ανασήκωσε τους ώμους. «Η Άλις θα είναι πάντα η Άλις».

Το εσωτερικό του σπιτιού των Κάλεν είχε μεταμορφωθεί σε ένα κλαμπ –απ' αυτά που δεν υπήρχαν συχνά στην πραγματική ζωή, μόνο στην τηλεόραση.

«Έντουαρντ!» φώναξε η Άλις από δίπλα από ένα γιγαντιαίο μεγάφωνο. «Χρειάζομαι τη συμβουλή σου». Έκανε μια χειρονομία δείχνοντας προς μια πανύψηλη στοίβα με CD. «Να τους βάλουμε κάτι γνωστό και παρήγορο; Ή» –έδειξε προς μια άλλη στοίβα– «να τους μάθουμε τι θα πει γούστο στη μουσική;»

«Καλύτερα παρήγορο», σύστησε ο Έντουαρντ. «Μπορείς να οδηγήσεις το άλογο στην πηγή, αλλά δεν μπορείς να το αναγκάσεις να πιει νερό».

Η Άλις έγνεψε σοβαρά κι άρχισε να πετάει τα εκπαιδευτικά CD σε ένα κουτί. Πρόσεξα ότι είχε φορέσει ένα στράπλες κολλητό μπλουζάκι με παγέτες και ένα κόκκινο δερμάτινο παντελόνι. Το γυμνό της δέρμα αντιδρούσε κάπως παράξενα κάτω από τα κόκκινα και μοβ φωτορυθμικά.

«Νομίζω ότι δεν είμαι ντυμένη αρκετά καλά».

«Είσαι τέλεια», διαφώνησε ο Έντουαρντ.

«Δεν είσαι κακή», διόρθωσε η Άλις.

«Ευχαριστώ». Αναστέναξα. «Πιστεύεις αλήθεια ότι θα έρθει κόσμος;» Οποιοσδήποτε θα άκουγε την ελπίδα στη φωνή μου. Η Άλις μου κατσούφιασε.

«Όλοι θα έρθουν», απάντησε ο Έντουαρντ. «Όλοι πεθαίνουν να δουν από μέσα το μυστηριώδες σπίτι, όπου ζουν οι ερημίτες Κάλεν».

«Υπέροχα», γκρίνιαξα.

Δεν υπήρχε τίποτα που να μπορώ να κάνω για να βοηθήσω. Αμφέβαλα –ακόμα κι όταν δε θα χρειαζόμουν ύπνο και θα κινούμουν με πολύ μεγαλύτερη ταχύτητα– αν θα κατάφερνα ποτέ να οργανώνω τα πράγματα, όπως η Άλις.

Ο Έντουαρντ αρνιόταν να με αφήσει έστω και για ένα δευτερόλεπτο, σέρνοντάς με μαζί του, καθώς κυνηγούσε τον Τζάσπερ και μετά τον Κάρλαϊλ για να τους πει για την επιφοίτησή μου. Άκουγα με σιωπηλή φρίκη, καθώς συζητούσαν για την επίθεσή τους ενάντια στο στρατό του Σιάτλ. Καταλάβαινα ότι ο Τζάσπερ δεν ήταν ευχαριστημένος με τους αριθμούς, αλλά δεν είχαν καταφέρει να έρθουν σε επαφή με κανέναν άλλο εκτός από την απρόθυμη οικογένεια της Τάνια. Ο Τζάσπερ δεν προσπαθούσε να κρύψει την απόγνωσή του, όπως θα έκανε ο Έντουαρντ. Ήταν εύκολο να δει κανείς ότι δεν του άρεσαν αυτά τα νούμερα, όταν ο κίνδυνος ήταν τόσο μεγάλος.

Δεν μπορούσα να μείνω πίσω, περιμένοντας κι ελπίζοντας να γυρίσουν σπίτι. Δε θα το έκανα. Θα τρελαινόμουν.

Χτύπησε το κουδούνι.

Αμέσως, όλα έγιναν σουρεαλιστικά φυσιολογικά. Ένα άψογο χαμόγελο, ειλικρινές και ζεστό, αντικατέστησε το άγχος στο πρόσωπο του Κάρλαϊλ. Η Άλις ανέβασε την ένταση της μουσικής και μετά πήγε χορεύοντας να ανοίξει την πόρτα.

Ήταν ένα Σεμπέρμπαν γεμάτο με τους φίλους μου, είτε υπερβολικά αγχωμένους είτε υπερβολικά φοβισμένους για να έρθουν μόνοι τους. Η Τζέσικα ήταν η πρώτη που πρόβαλε στην πόρτα, με τον Μάικ ακριβώς από πίσω της. Ο Τάιλερ, ο

Κόνερ, ο Όστιν, ο Λι, η Σαμάνθα... ακόμα και η Λόρεν ήρθε τελευταία, με τα επικριτικά της μάτια φλεγόμενα από την περιέργεια. Ήταν όλοι τους περίεργοι και μετά συνεπαρμένοι, καθώς αντιλήφθηκαν το τεράστιο δωμάτιο διακοσμημένο σαν μοντέρνο χορευτικό κλαμπ. Το δωμάτιο δεν ήταν άδειο˙ όλοι οι Κάλεν είχαν λάβει θέσεις, έτοιμοι να παίξουν τη συνηθισμένη τους τέλεια ανθρώπινη κωμωδία. Απόψε ένιωθα σαν να προσποιόμουν κι εγώ, ακριβώς όπως κι εκείνοι.

Πήγα να χαιρετήσω την Τζες και τον Μάικ, ελπίζοντας η αγωνία στη φωνή μου να ακουγόταν σαν τον απαιτούμενο ενθουσιασμό. Πριν προλάβω να πλησιάσω κανέναν άλλο, το κουδούνι χτύπησε ξανά. Έβαλα μέσα την Άντζελα και τον Μπεν, αφήνοντας την πόρτα ορθάνοιχτη, επειδή ο Έρικ και η Κέιτι μόλις έφταναν στα σκαλιά.

Δεν είχα άλλη ευκαιρία να πανικοβληθώ. Έπρεπε να μιλήσω σε όλους, να συγκεντρωθώ στο να είμαι κεφάτη, μια οικοδέσποινα. Αν και το πάρτι είχε οργανωθεί ως κοινό γεγονός για την Άλις, τον Έντουαρντ κι εμένα, δεν μπορούσε κανείς να αρνηθεί ότι εγώ ήμουν ο πιο δημοφιλής στόχος για τα συγχαρητήρια και τις ευχαριστίες. Ίσως επειδή οι Κάλεν έδειχναν κάπως παράξενοι κάτω από τα φώτα του πάρτι της Άλις. Ίσως επειδή τα φώτα εκείνα άφηναν το δωμάτιο κάπως σκοτεινό και μυστηριώδες. Δεν ήταν η ατμόσφαιρα που θα έκανε το μέσο άνθρωπο να νιώσει χαλαρός, όταν στεκόταν δίπλα σε κάποιον που είχε την εμφάνιση του Έμετ. Είδα τον Έμετ να χαμογελάει στον Μάικ πάνω από το τραπέζι με τα φαγητά, με τα κόκκινα φώτα να λαμπυρίζουν αντανακλώντας στα δόντια του, και παρακολούθησα τον Μάικ να κάνει αυτόματα ένα βήμα προς τα πίσω.

Πιθανότατα η Άλις το είχε κάνει επίτηδες, για να με αναγκάσει να βρεθώ στο επίκεντρο της προσοχής –ένα μέρος που πίστευε ότι θα έπρεπε να μου αρέσει περισσότερο. Συνέχεια προσπαθούσε να με κάνει να συμπεριφέρομαι σαν άνθρωπος, όπως πίστευε ότι θα έπρεπε να είναι οι άνθρωποι.

Το πάρτι ήταν ξεκάθαρα επιτυχημένο, παρά την ενστικτώδη νευρικότητα που προκαλούσε η παρουσία των Κάλεν –ή ίσως αυτή απλώς να πρόσθετε μια επιπλέον έξαψη στην ατμόσφαιρα. Η μουσική ήταν κολλητική, τα φώτα σχεδόν υπνωτικά. Από τον τρόπο με τον οποίο το φαγητό εξαφανίστηκε, πρέπει να ήταν καλό κι αυτό. Το δωμάτιο γρήγορα γέμισε, αν και ποτέ δεν έγινε κλειστοφοβικό. Ολόκληρη η τελευταία τάξη έμοιαζε να βρίσκεται εκεί, μαζί με τους περισσότερους από τους μαθητές της προτελευταίας τάξης. Κορμιά λικνίζονταν στο ρυθμό της μουσικής που προκαλούσε δονήσεις κάτω από τα πόδια τους, καθώς το πάρτι βρισκόταν συνέχεια στα πρόθυρα του να μετατραπεί σε ένα ξέφρενο χορό.

Δεν ήταν τόσο δύσκολο όσο νόμιζα ότι θα ήταν. Ακολουθούσα το παράδειγμα της Άλις, πλησιάζοντας τον κόσμο και συζητώντας χαλαρά με όλους για ένα λεπτό. Έμοιαζε αρκετά εύκολο να μείνουν ευχαριστημένοι. Ήμουν σίγουρη ότι το πάρτι αυτό ήταν το πιο κουλ γεγονός απ' οτιδήποτε άλλο είχε ζήσει ποτέ η πόλη του Φορκς. Η Άλις σχεδόν γουργούριζε από τη χαρά της –κανείς εδώ δε θα ξεχνούσε αυτό το βράδυ.

Έκανα άλλη μια φορά το γύρο του δωματίου και ξαναγύρισα πίσω στην Τζέσικα. Εκείνη φλυαρούσε με ενθουσιασμό, και δεν ήταν ανάγκη να δώσω μεγάλη προσοχή, επειδή το πιο πιθανόν ήταν να μη χρειαζόταν κάποια απάντηση από 'μένα σύντομα. Ο Έντουαρντ ήταν πλάι μου –ακόμα αρνούμενος να με αφήσει μόνη. Κρατούσε το ένα του χέρι σφιχτά γύρω από τη μέση μου, τραβώντας με πιο κοντά πού και πού, αντιδρώντας σε σκέψεις που μάλλον δεν ήθελα να ακούσω.

Έτσι αμέσως με έζωσαν οι υποψίες, όταν πήρε το χέρι του και απομακρύνθηκε από 'μένα.

«Μείνε εδώ», μουρμούρισε στο αυτί μου. «Θα γυρίσω αμέσως».

Έφυγε υπερβολικά γρήγορα για να προλάβω να τον ρωτήσω γιατί έφευγε, περνώντας με χάρη μέσα από το πλήθος, χωρίς να φαίνεται να αγγίζει κανένα από τα σώματα που ήταν στριμωγμένα το ένα κοντά στο άλλο. Τον ακολούθησα με το βλέμμα μου, ενώ η Τζέσικα φώναζε με ενθουσιασμό, ώστε η φωνή της να ακούγεται πιο δυνατά από τη μουσική, κρεμασμένη στον αγκώνα μου, χωρίς να έχει πάρει είδηση το γεγονός ότι η προσοχή μου είχε αποσπαστεί.

Τον παρακολουθούσα την ώρα που έφτανε στη σκοτεινή σκιά δίπλα από την πόρτα της κουζίνας, όπου τα φώτα άναβαν μόνο διακεκομμένα. Έγερνε πάνω από κάποιον, αλλά δεν μπορούσα να δω μέσα από όλα τα κεφάλια ανάμεσά μας.

Σηκώθηκα στις μύτες των ποδιών μου, τεντώνοντας το λαιμό μου. Εκείνη ακριβώς τη στιγμή, ένα κόκκινο φως άστραψε στην πλάτη του και έλαμψε στις κόκκινες παγέτες της μπλούζας της Άλις. Το φως άγγιξε το πρόσωπό της για μισό δευτερόλεπτο μόνο, αλλά ήταν αρκετό.

«Με συγχωρείς για ένα λεπτό, Τζες», ψέλλισα τραβώντας το χέρι μου μακριά. Δε σταμάτησα να δω την αντίδρασή της, ούτε καν για να δω αν την είχα πληγώσει με τον απότομο τρόπο μου.

Έσκυψα για να περάσω μέσα από τα κορμιά, καθώς με έσπρωχναν λιγάκι πέρα-δώθε. Μερικοί χόρευαν τώρα. Πήγα βιαστικά στην πόρτα της κουζίνας.

Ο Έντουαρντ είχε φύγει, αλλά η Άλις ήταν ακόμα εκεί στο σκοτάδι, με πρόσωπο ανέκφραστο –είχε εκείνο το άδειο βλέμμα που βλέπεις στο πρόσωπο κάποιου που μόλις έχει γίνει μάρτυρας ενός τρομερού ατυχήματος. Ένα από τα χέρια της κρατούσε σφιχτά το κούφωμα της πόρτας, σαν να χρειαζόταν στήριγμα.

«Τι, Άλις, τι; Τι είδες;» Τα χέρια μου ήταν σφιγμένα μπροστά μου –εκλιπαρώντας.

Δε με κοίταζε, κοίταζε μακριά. Ακολούθησα το βλέμμα της και παρακολούθησα, καθώς διασταυρώθηκε με το βλέμμα του

Έντουαρντ στην απέναντι μεριά του δωματίου. Το πρόσωπό του ήταν άδειο σαν πέτρα. Γύρισε κι εξαφανίστηκε μέσα στις σκιές κάτω από τη σκάλα.

Το κουδούνι χτύπησε ξανά εκείνη ακριβώς τη στιγμή, ώρες μετά την τελευταία φορά, και η Άλις σήκωσε το βλέμμα με μια μπερδεμένη έκφραση που γρήγορα μετατράπηκε σε έκφραση αηδίας.

«Ποιος προσκάλεσε το λυκάνθρωπο;» μου γκρίνιαξε.

Κατσούφιασα. «Ένοχη».

Νόμιζα ότι είχα ακυρώσει εκείνη την πρόσκληση –όχι ότι θα είχα φανταστεί έστω και στα όνειρά μου ότι ο Τζέικομπ θα ερχόταν εδώ, ανεξάρτητα απ' αυτό.

«Λοιπόν, πήγαινε να το διευθετήσεις, τότε. Πρέπει να πάω να μιλήσω στον Κάρλαϊλ».

«Όχι, Άλις, περίμενε!» Προσπάθησα να απλώσω το χέρι μου για να πιάσω το δικό της, αλλά εξαφανίστηκε και το χέρι μου έπιασε το κενό.

«Να πάρει!» διαμαρτυρήθηκα.

Ήξερα ότι αυτό ήταν. Η Άλις είχε δει αυτό που περίμενε, κι εγώ ειλικρινά ένιωθα ότι δεν μπορούσα να αντέξω την αγωνία, ώστε να πάω να ανοίξω την πόρτα. Το κουδούνι χτύπησε ξανά, για πολλή ώρα, καθώς κάποιος κρατούσε το κουμπί πατημένο. Γύρισα την πλάτη μου προς την πόρτα αποφασισμένη και σάρωσα το σκοτεινό δωμάτιο για να βρω την Άλις.

Δεν έβλεπα τίποτα. Άρχισα να σπρώχνομαι για να πάω στις σκάλες.

«Γεια σου, Μπέλλα!»

Η βαθιά φωνή του Τζέικομπ ακούστηκε την ώρα που υπήρχε μια ανάπαυλα στη μουσική, κι εγώ σήκωσα το βλέμμα παρά τη θέλησή μου στο άκουσμα του ονόματός μου.

Έκανα μια γκριμάτσα.

Δεν ήταν ένας μόνο λυκάνθρωπος, ήταν τρεις. Ο Τζέικομπ είχε ανοίξει την πόρτα μόνος του, με τον Κουίλ και τον Έμπρι στις δύο πλευρές. Οι δυο τους έδειχναν απίστευτα νευρικοί, τα μάτια τους τρεμόπαιζαν γύρω-γύρω στο δωμάτιο, λες και είχαν μόλις μπει μέσα σε μια στοιχειωμένη κρύπτη. Το τρεμάμενο χέρι του Έμπρι ακόμα κρατούσε την πόρτα, ενώ το σώμα του ήταν μισογυρισμένο για να είναι έτοιμος να τρέξει προς τα 'κει.

Ο Τζέικομπ μου κουνούσε το χέρι, πιο ψύχραιμος από τους άλλους, αν και η μύτη του ήταν σουφρωμένη από την αηδία. Κούνησα το χέρι μου απαντώντας –για να τον αποχαιρετήσω– και γύρισα για να ψάξω την Άλις. Σπρώχτηκα μέσα από ένα κενό ανάμεσα στις πλάτες του Κόνερ και της Λόρεν.

Ήρθε από το πουθενά, ενώ το χέρι του βρέθηκε πάνω στον ώμο μου, τραβώντας με προς τα πίσω, προς τη σκιά δίπλα στην κουζίνα. Έσκυψα για να αποφύγω το σφιχτό του κράτημα, αλλά εκείνος άρπαξε τον καλό μου καρπό και με τράβηξε απότομα από το πλήθος.

«Φιλική υποδοχή», επισήμανε.

Τράβηξα το χέρι μου για να απελευθερωθώ και του μούτρωσα. «Τι *δουλειά* έχεις εδώ;»

«Εσύ με κάλεσες, το θυμάσαι;»

«Σε περίπτωση που το δεξί κροσέ μου ήταν υπερβολικά ανεπαίσθητο για να το καταλάβεις, να σου το μεταφράσω: σήμαινε ότι σε ξεκάλεσα».

«Μην είσαι κακιά. Σου έφερα δώρο για την αποφοίτησή σου και όλα τα σχετικά».

Σταύρωσα τα χέρια μου στο στήθος. Δεν ήθελα να τσακωθώ με τον Τζέικομπ αυτή τη στιγμή. Ήθελα να μάθω τι είχε δει η Άλις, και για τι πράγμα μιλούσαν ο Έντουαρντ κι ο Κάρλαϊλ. Τέντωσα το λαιμό μου γύρω από τον Τζέικομπ, ψάχνοντάς για αυτούς.

«Πάρ' το πίσω στο μαγαζί, Τζέικομπ. Πρέπει να κάνω κάτι…»

Μπήκε στη μέση κόβοντάς μου τη θέα, απαιτώντας την

προσοχή μου.

«Δεν μπορώ να το πάω πίσω. Δεν το πήρα από μαγαζί –το έφτιαξα μόνος μου. Και μου πήρε πολύ καιρό».

Έσκυψα γύρω του ξανά, αλλά δεν μπορούσα να δω κανέναν από τους Κάλεν. Πού είχαν πάει; Τα μάτια μου χτένισαν το σκοτεινό δωμάτιο.

«Ω, έλα τώρα, Μπελ. Μην κάνεις σαν να μην είμαι εδώ!»

«Δεν κάνω σαν να μην είσαι εδώ!» Δεν μπορούσα να τους δω πουθενά. «Κοίτα, Τζέικ, έχω πολλά στο νου μου αυτή τη στιγμή».

Έβαλε το χέρι του κάτω από το πιγούνι μου και σήκωσε το πρόσωπό μου ψηλά. «Θα μπορούσα σας παρακαλώ να έχω την αμέριστη προσοχή σας για μερικά δευτερόλεπτα, δεσποινίς Σουάν;»

Τραβήχτηκα μακριά από το άγγιγμά του. «Κοντά τα χέρια σου, Τζέικομπ», είπα μέσα από τα δόντια μου.

«Συγνώμη!» είπε αμέσως, σηκώνοντας τα χέρια ψηλά σαν να παραδινόταν. «Ειλικρινά ζητάω συγνώμη. Και για τις προάλλες, θέλω να πω. Κακώς σε φίλησα έτσι. Ήταν λάθος. Μάλλον,… να, μάλλον είχα την ψευδαίσθηση ότι ήθελες να σε φιλήσω».

«Την ψευδαίσθηση –τι τέλεια περιγραφή!»

«Μην είσαι κακιά. Θα μπορούσες να δεχτείς τη συγνώμη μου, ξέρεις».

«Ωραία. Δεκτή η συγνώμη. Τώρα, με συγχωρείς για μια στιγμή…»

«Εντάξει», ψέλλισε, και η φωνή του ήταν τόσο διαφορετική από πριν, που σταμάτησα να ψάχνω την Άλις και περιεργάστηκα με προσοχή το πρόσωπό του. Κοίταζε επίμονα στο πάτωμα, κρύβοντας τα μάτια του. Το κάτω χείλος του προεξείχε ελαφρώς.

«Μάλλον προτιμάς να βρίσκεσαι με τους *πραγματικούς* σου φίλους», είπε με τον ίδιο καταβεβλημένο τόνο. «Κατάλαβα».

Αναστέναξα. «Ω, Τζέικ, ξέρεις ότι αυτό δεν είναι δίκαιο».

«Αλήθεια;»

«Θα έπρεπε να το ξέρεις». Έσκυψα μπροστά, κοιτάζοντας εξεταστικά προς τα πάνω, προσπαθώντας να δω μέσα στα μάτια του. Τότε σήκωσε το βλέμμα, πάνω από το κεφάλι μου, αποφεύγοντας το βλέμμα μου.

«Τζέικ;»

Αρνήθηκε να με κοιτάξει.

«Ε, είπες ότι μου έφτιαξες κάτι, έτσι δεν είναι;» ρώτησα. «Ήταν μόνο λόγια; Πού είναι το δώρο μου;» Η προσπάθειά μου να προσποιηθώ ότι έδειχνα ενθουσιασμό ήταν αρκετά θλιβερή, αλλά είχε αποτέλεσμα. Στριφογύρισε τα μάτια του και μετά έκανε ένα μορφασμό.

Συνέχισα να προσποιούμαι με τον ίδιο αξιοθρήνητο τρόπο, με το χέρι μου ανοιχτό μπροστά του. «Περιμένω».

«Ναι, καλά», γκρίνιαξε. Αλλά ταυτόχρονα τέντωσε το χέρι του για να το βάλει στην πίσω τσέπη του τζιν του κι έβγαλε ένα μικρό σακουλάκι φτιαγμένο από ένα πολύχρωμο ύφασμα με χαλαρή ύφανση. Ήταν δεμένο σφιχτά με δερμάτινα σκοινάκια. Το ακούμπησε στην παλάμη μου.

«Α, είναι πολύ ωραίο, Τζέικ. Ευχαριστώ!»

Αναστέναξε. «Το δώρο είναι *μέσα*, Μπέλλα».

«Α».

Δυσκολεύτηκα λίγο με τα σκοινάκια. Αναστέναξε ξανά και μου το πήρε, λύνοντας τα σκοινάκια με ένα εύκολο τράβηγμα της δεξιάς άκρης. Άπλωσα το χέρι μου για να το πάρω, αλλά εκείνος γύρισε ανάποδα το σάκο και έριξε κάτι ασημένιο μέσα στο χέρι μου. Μεταλλικοί κρίκοι κουδούνισαν σιγανά χτυπώντας ο ένας στον άλλο.

«Το βραχιόλι δεν το έφτιαξα εγώ», παραδέχτηκε. «Μόνο το φυλαχτό».

Περασμένο σε έναν από τους κρίκους του ασημένιου βραχιολιού ήταν ένα μικροσκοπικό φυλαχτό χαραγμένο πάνω σε ξύλο. Το κράτησα ανάμεσα στα δάχτυλά μου για να το κοιτάξω πιο προσεχτικά. Ήταν απίστευτο πόση λεπτομέρεια υπήρχε στο μικρό αγαλματίδιο –ο λύκος-μινιατούρα ήταν απόλυτα ρεαλιστικός. Ήταν χαραγμένος πάνω σε ένα καστανοκόκκινο ξύλο που ήταν ίδιο με το χρώμα της επιδερμίδας του.

«Είναι πανέμορφο», ψιθύρισα. «Εσύ το *έφτιαξες* αυτό; Πώς;»

Σήκωσε τους ώμους. «Είναι κάτι που μου έμαθε ο Μπίλι. Εκείνος είναι πολύ καλύτερος σ' αυτά απ' ό,τι εγώ».

«Δύσκολο να το πιστέψω», μουρμούρισα, γυρίζοντας συνέχεια από τη μια και την άλλη μεριά το μικροσκοπικό λύκο μέσα στα δάχτυλά μου.

«Σου αρέσει στ' αλήθεια;»

«Ναι! Είναι απίστευτο, Τζέικ».

Χαμογέλασε, χαρούμενα στην αρχή, αλλά μετά η έκφρασή του ξίνισε. «Να, σκέφτηκα ότι μπορεί να σε κάνει να με θυμάσαι πού και πού. Ξέρεις πώς είναι τα πράγματα, μάτια που δε βλέπονται, γρήγορα λησμονιούνται».

Αγνόησα αυτού του είδους τη στάση. «Έλα, βοήθησέ με να το φορέσω».

Τέντωσα τον αριστερό μου καρπό, αφού ο δεξιός μου ήταν κρυμμένος μέσα στο νάρθηκα. Κούμπωσε το βραχιόλι εύκολα, αν και έμοιαζε υπερβολικά λεπτεπίλεπτο για τα μεγάλα του δάχτυλα.

«Θα το φοράς;» ρώτησε.

«Φυσικά».

Μου χαμογέλασε –ήταν το χαρούμενο χαμόγελο που λάτρευα να βλέπω στο πρόσωπό του.

Του το ανταπόδωσα για μια στιγμή, αλλά μετά τα μάτια μου απομακρύνθηκαν ενστικτωδώς για να ψάξουν γύρω-γύρω στο δωμάτιο πάλι, σαρώνοντας με αγωνία το πλήθος για κάποιο ίχνος του Έντουαρντ ή της Άλις.

«Γιατί είσαι τόσο αφηρημένη;» αναρωτήθηκε ο Τζέικομπ.

«Δεν είναι τίποτα», είπα ψέματα προσπαθώντας να συγκεντρωθώ. «Σ' ευχαριστώ για το δώρο αλήθεια. Μου αρέσει πολύ».

«Μπέλλα;» Τα φρύδια του έσμιξαν ρίχνοντας μια παχιά σκιά πάνω από τα μάτια του. «Κάτι τρέχει, έτσι δεν είναι;»

«Τζέικ, εγώ... όχι, δεν τρέχει τίποτα».

«Μη μου λες ψέματα, είσαι φριχτή ψεύτρα. Καλύτερα να μου πεις τι τρέχει. Θέλουμε να τα ξέρουμε αυτά», είπε χρησιμοποιώντας πληθυντικό στο τέλος.

Πιθανότατα είχε δίκιο˙ οι λύκοι θα ενδιαφέρονταν οπωσδήποτε γι' αυτά που συνέβαιναν. Μόνο που δεν ήμουν σίγουρη τι *συνέβαινε* ακόμα. Δε θα ήξερα σίγουρα, αν δεν έβρισκα την Άλις.

«Τζέικομπ, θα σου πω. Απλώς άσε με να καταλάβω πρώτα εγώ τι συμβαίνει, εντάξει; Πρέπει να μιλήσω στην Άλις».

Το πρόσωπό του φωτίστηκε, όταν κατάλαβε. «Το μέντιουμ είδε κάτι».

«Ναι, τη στιγμή ακριβώς που εμφανίστηκες».

«Έχει να κάνει με τη βδέλλα που μπήκε στο δωμάτιό σου;» μουρμούρισε, χαμηλώνοντας τη φωνή του για να ακούγεται λιγότερο δυνατά από τον υπόκωφο ήχο της μουσικής.

«Είναι σχετικό», παραδέχτηκα.

Το επεξεργάστηκε αυτό για ένα λεπτό, γέρνοντας το κεφάλι του προς τη μια μεριά, ενώ διάβαζε το πρόσωπό μου. «Ξέρεις κάτι που δε μου λες... κάτι *σπουδαίο*».

Τι νόημα είχε να πω ξανά ψέματα; Με ήξερε υπερβολικά καλά. «Ναι».

Ο Τζέικομπ με κοίταξε επίμονα για μια σύντομη στιγμή και μετά γύρισε για να διασταυρωθεί το βλέμμα του με αυτό των αδερφών του από την αγέλη, που στέκονταν στην είσοδο αμήχανοι. Όταν κατάλαβαν τι σήμαινε η έκφρασή του, άρχισαν να κινούνται, ανοίγοντας επιδέξια δρόμο μέσα από τους προσκεκλημένους του πάρτι, σχεδόν σαν να χόρευαν κι εκείνοι. Μέσα σε μισό λεπτό στέκονταν από τη μια και την άλλη πλευρά του Τζέικομπ, δεσπόζοντας από πάνω μου.

«Τώρα. Εξήγησέ μας», απαίτησε ο Τζέικομπ.

Ο Έμπρι κι ο Κουίλ κοίταζαν μπρος-πίσω ανάμεσα στα πρόσωπά μας, μπερδεμένοι κι ανήσυχοι.

«Τζέικομπ, δεν τα ξέρω όλα». Συνέχιζα να ψάχνω στο δωμάτιο τώρα για κάποια διέξοδο. Με είχαν στριμώξει στη γωνία από κάθε άποψη.

«Αυτά που ξέρεις τότε».

Όλοι τους σταύρωσαν τα χέρια τους στο στήθος τους ακριβώς την ίδια στιγμή. Ήταν λιγάκι αστείο, αλλά κυρίως απειλητικό.

Και τότε το μάτι μου πήρε την Άλις που κατέβαινε τις σκάλες, με το λευκό της δέρμα να λάμπει στο μοβ φως.

«Άλις!» τσίριξα με ανακούφιση.

Με κοίταξε κατευθείαν, μόλις φώναξα το όνομά της, παρά τον υπόκωφο ήχο του μπάσου που θα έπρεπε να είχε πνίξει τη φωνή μου. Κούνησα τα χέρια μου με μανία και παρατήρησα το πρόσωπό της, όταν κατάλαβε ότι οι τρεις λυκάνθρωποι ήταν σκυμμένοι από πάνω μου. Τα μάτια της ζάρωσαν.

Αλλά, πριν από την αντίδραση εκείνη, το πρόσωπό της ήταν γεμάτο άγχος και φόβο. Δάγκωσα τα χείλη μου, καθώς με ένα πήδημα βρέθηκε δίπλα μου.

Ο Τζέικομπ, ο Κουίλ και ο Έμπρι, όλοι τους απομακρύνθηκαν από εκείνη με εκφράσεις που έδειχναν ότι ένιωθαν άβολα. Έβαλε το χέρι της γύρω από τη μέση μου.

«Πρέπει να σου μιλήσω», μουρμούρισε στο αυτί μου.

«Ε, Τζέικ, θα τα πούμε αργότερα...», ψέλλισα, καθώς κάναμε έναν ελιγμό για να φύγουμε πηγαίνοντας γύρω τους.

Ο Τζέικομπ τέντωσε το μακρύ του χέρι απότομα για να μας εμποδίσει, στηρίζοντας το χέρι του στον τοίχο. «Επ, όχι τόσο γρήγορα».

Η Άλις σήκωσε το βλέμμα της για να τον κοιτάξει με μάτια γουρλωμένα και γεμάτα δυσπιστία. «Συγνώμη;»

«Πες μας τι συμβαίνει», απαίτησε με ένα γρύλισμα.

Ο Τζάσπερ πετάχτηκε κυριολεκτικά από το πουθενά. Τη μια στιγμή ήμασταν μόνο εγώ κι η Άλις κολλημένες στο τοίχο, με τον Τζέικομπ να μη μας αφήνει να φύγουμε, και την επόμενη ο Τζάσπερ στεκόταν στην άλλη μεριά του χεριού του Τζέικ, με τρομακτική έκφραση.

Ο Τζέικομπ τράβηξε αργά το χέρι του. Αυτή ήταν μάλλον η πιο σωστή κίνηση, αν υποθέσουμε ότι ήθελε να το κρατήσει αυτό το χέρι.

«Έχουμε δικαίωμα να μάθουμε», μουρμούρισε ο Τζέικομπ, ακόμα αγριοκοιτάζοντας την Άλις.

Ο Τζάσπερ μπήκε ανάμεσά τους, και οι τρεις λυκάνθρωποι ετοιμάστηκαν για τσακωμό.

«Ε, ε», είπα, προσθέτοντας ένα ελαφρώς υστερικό γελάκι. «Είμαστε σε πάρτι, το θυμάστε;»

Κανένας δε μου έδωσε καμία σημασία. Ο Τζέικομπ κοίταζε την Άλις με ένα βλοσυρό βλέμμα, ενώ ο Τζάσπερ αγριοκοίταζε τον Τζέικομπ. Το πρόσωπο της Άλις ξαφνικά έγινε σκεφτικό.

«Δεν πειράζει, Τζάσπερ. Εδώ που τα λέμε, δεν έχει άδικο».

Ο Τζάσπερ δε χαλάρωσε τη στάση του κορμιού του.

Ήμουν σίγουρη ότι η αγωνία θα έκανε το κεφάλι μου να εκραγεί σε ένα δευτερόλεπτο. «Τι είδες, Άλις;»

Κοίταξε τον Τζέικομπ επίμονα για ένα δευτερόλεπτο και μετά στράφηκε προς εμένα, προφανώς έχοντας επιλέξει να τους αφήσει να ακούσουν κι εκείνοι.

«Η απόφαση πάρθηκε».

«Θα πάτε στο Σιάτλ;»

«Όχι».

Ένιωσα το χρώμα να στραγγίζει από το πρόσωπό μου. Το

στομάχι μου ανακατεύτηκε. «Έρχονται εκείνοι εδώ», είπα με φωνή που πνιγόταν.

Τα αγόρια των Κουιλαγιούτ παρακολουθούσαν σιωπηλά, διαβάζοντας κάθε ασυναίσθητο παιχνίδι των συναισθημάτων στα πρόσωπά μας. Είχαν βγάλει ρίζες στη θέση τους, κι όμως δεν ήταν εντελώς ακίνητα. Και τα τρία ζευγάρια χεριών έτρεμαν.

«Ναι».

«Στο Φορκς», ψιθύρισα.

«Ναι».

«Για να…;»

Κούνησε το κεφάλι της, καταλαβαίνοντας την ερώτησή μου. «Ένας κρατούσε την κόκκινη μπλούζα σου».

Προσπάθησα να καταπιώ.

Η έκφραση του Τζάσπερ ήταν αποδοκιμαστική. Κατάλαβα ότι δεν του άρεσε να συζητάμε το θέμα μπροστά στους λυκάνθρωπους, αλλά είχε κάτι που έπρεπε να πει. «Δεν μπορούμε να τους αφήσουμε να πλησιάσουν τόσο πολύ. Δεν είμαστε αρκετοί για να προστατέψουμε την πόλη».

«Το ξέρω», είπε η Άλις, με πρόσωπο ξαφνικά γεμάτο απόγνωση. «Αλλά δεν έχει σημασία πού θα τους σταματήσουμε. Και πάλι δε θα είμαστε αρκετοί, και κάποιοι απ' αυτούς θα έρθουν εδώ για να ψάξουν».

«Όχι!» ψιθύρισα.

Ο θόρυβος του πάρτι κάλυψε τον ήχο της άρνησής μου. Ολόγυρά μας οι φίλοι μου και οι γείτονες και οι υποτιθέμενοι "εχθροί" μου, έτρωγαν και γελούσαν και λικνίζονταν υπό τον ήχο της μουσικής, χωρίς να υποψιάζονται το γεγονός ότι επρόκειτο να έρθουν αντιμέτωποι με τον τρόμο, τον κίνδυνο, ίσως και το θάνατο. Εξαιτίας μου.

«Άλις», είπα ψιθυριστά το όνομά της. «Πρέπει να φύγω, πρέπει να φύγω μακριά από δω».

«Αυτό δε θα ωφελήσει σε τίποτα. Δεν είναι ότι έχουμε να

κάνουμε με κάποιον ανιχνευτή. Και πάλι θα έρθουν να ψάξουν εδώ πρώτα».

«Τότε πρέπει να πάω να τους συναντήσω!» Αν η φωνή μου δεν ήταν τόσο βραχνή, θα ήταν στριγκλιά. «Αν βρουν αυτό που ψάχνουν, ίσως να φύγουν μακριά και να μην κάνουν κακό σε κανέναν άλλο!»

«Μπέλλα!» διαμαρτυρήθηκε η Άλις.

«Για μισό λεπτό», πρόσταξε ο Τζέικομπ με μια χαμηλή, επιτακτική φωνή. «*Τι* είναι αυτό που έρχεται;»

Η Άλις έστρεψε το παγερό της βλέμμα πάνω του. «Δικοί μας. Πολλοί του είδους μας».

«Γιατί;»

«Για την Μπέλλα. Αυτό είναι το μόνο που ξέρουμε».

«Είναι πολλοί για 'σας;» ρώτησε εκείνος.

Το πρόσωπο του Τζάσπερ ξίνισε. «Έχουμε μερικά πλεονεκτήματα, σκυλί. Θα είναι ίση η μάχη».

«Όχι», είπε ο Τζέικομπ, κι ένα παράξενο, άγριο μισό χαμόγελο απλώθηκε στο πρόσωπό του. «Δε θα είναι *ίση*».

«Άψογα!» σύριξε η Άλις.

Κάρφωσα το βλέμμα μου, ακόμα παγωμένη από τον τρόμο, στην καινούρια έκφραση της Άλις. Το πρόσωπό της ήταν ζωντανό από την αγαλλίαση, όλη η απόγνωση είχε χαθεί από τα τέλεια χαρακτηριστικά της.

Χαμογέλασε στον Τζέικομπ, κι εκείνος της ανταπόδωσε το χαμόγελο.

«Φυσικά, όλα εξαφανίστηκαν», του είπε με μια αυτάρεσκη φωνή. «Αυτό δε με βολεύει, αλλά, αν τα λάβει κανείς όλα υπόψη του, το δέχομαι».

«Θα πρέπει να συντονιστούμε», είπε ο Τζέικομπ. «Δε θα είναι εύκολο για 'μας. Όμως, είναι δική μας δουλειά περισσότερο απ' ό,τι δική σας».

«Δε θα το τραβούσα τόσο πολύ, αλλά χρειαζόμαστε τη βοήθεια. Δε θα γίνουμε υπερβολικά εκλεκτικοί».

«Σταθείτε, σταθείτε, σταθείτε, σταθείτε», τους διέκοψα.

Η Άλις είχε σηκωθεί στις μύτες των ποδιών της, ο Τζέικομπ έσκυβε κοντά της, και τα πρόσωπα και των δυο τους ήταν φωτισμένα από τον ενθουσιασμό, ενώ και οι μύτες και των δυο τους ήταν σουφρωμένες εξαιτίας της μυρωδιάς. Με κοίταξαν ανυπόμονα.

«Να συντονιστείτε;» επανέλαβα μέσα από τα δόντια μου.

«Δεν πίστευες πραγματικά ότι θα μας κρατούσες έξω απ' αυτό;» ρώτησε ο Τζέικομπ.

«Μα θα *μείνετε* έξω απ' αυτό!»

«Το μέντιούμ σου δεν έχει την ίδια άποψη».

«Άλις –πες τους όχι!» επέμεινα. «Θα σκοτωθούν!»

Ο Τζέικομπ, ο Κουίλ κι ο Έμπρι όλοι τους γέλασαν δυνατά.

«Μπέλλα», είπε η Άλις, η φωνή της ήταν καθησυχαστική, κατευναστική, «ο καθένας μόνος του θα μπορούσε να σκοτωθεί. Μαζί—»

«Δε θα είναι πρόβλημα», τελείωσε την πρότασή της ο Τζέικομπ. Ο Κουίλ γέλασε ξανά.

«Πόσοι;» ρώτησε ο Κουίλ γεμάτος ενθουσιασμό.

«Όχι!» φώναξα.

Η Άλις δε με κοίταξε καν. «Αλλάζει ο αριθμός –είκοσι ένας σήμερα, αλλά οι αριθμοί μειώνονται».

«Γιατί;» ρώτησε ο Τζέικομπ γεμάτος περιέργεια.

«Μεγάλη ιστορία», είπε η Άλις, ξαφνικά κοιτάζοντας γύρω-γύρω στο δωμάτιο. «Κι αυτό δεν είναι το κατάλληλο μέρος για να την πούμε».

«Αργότερα απόψε;» επέμεινε ο Τζέικομπ.

«Ναι», απάντησε ο Τζάσπερ. «Ήδη σχεδιάζαμε να κάνουμε μια... στρατηγική συνάντηση. Αν πρόκειται να πολεμήσετε μαζί μας, θα χρειαστείτε κάποια εκπαίδευση».

Οι λύκοι έκαναν όλοι μια γκριμάτσα δυσαρέσκειας στο άκουσμα της τελευταίας λέξης.

«Όχι!» είπα με ένα βογκητό.

«Αυτό θα είναι παράξενο», είπε ο Τζάσπερ σκεφτικά. «Ποτέ δε σκέφτηκα την πιθανότητα να συνεργαστούμε. Πρέπει να είναι η πρώτη φορά αυτή».

«Δεν υπάρχει αμφιβολία», συμφώνησε ο Τζέικομπ. Τώρα βιαζόταν. «Πρέπει να γυρίσουμε στον Σαμ. Τι ώρα;»

«Πότε είναι υπερβολικά αργά για 'σας;»

Και οι τρεις τους στριφογύρισαν τα μάτια τους. «Τι ώρα;» επανέλαβε ο Τζέικομπ.

«Στις τρεις;»

«Πού;»

«Καμιά δεκαπενταριά χιλιόμετρα βόρεια από το σταθμό της δασοφυλακής του Δάσους των Χο. Ελάτε από τα δυτικά και θα μπορέσετε να ακολουθήσετε τη μυρωδιά μας».

«Θα είμαστε εκεί».

Γύρισαν από την άλλη μεριά για να φύγουν.

«Περίμενε, Τζέικ!» του φώναξα. «Σε *παρακαλώ*! Μην το κάνεις αυτό!»

Σταμάτησε, γυρίζοντας πίσω για να μου χαμογελάσει, ενώ ο Κουίλ κι ο Έμπρι κατευθύνονταν ανυπόμονα προς την πόρτα. «Μην είσαι ανόητη, Μπελς. Μου κάνεις πολύ καλύτερο δώρο από αυτό που σου έκανα εγώ».

«Όχι!» φώναξα ξανά. Ο ήχος της ηλεκτρικής κιθάρας έπνιξε την κραυγή μου.

Δεν απάντησε˙ βιάστηκε για να προλάβει τους φίλους του, που είχαν ήδη φύγει. Παρακολουθούσα χωρίς να μπορώ να κάνω τίποτα, καθώς ο Τζέικομπ χάθηκε.

18. ΕΚΠΑΙΔΕΥΣΗ

«Αυτό πρέπει να ήταν το μεγαλύτερο σε διάρκεια πάρτι στην παγκόσμια ιστορία», παραπονέθηκα, καθώς γυρίζαμε σπίτι.

Ο Έντουαρντ δε φάνηκε να διαφωνεί. «Πάει, τελείωσε τώρα», είπε, τρίβοντας παρηγορητικά το μπράτσο μου.

Επειδή εγώ ήμουν η μόνη που χρειαζόταν παρηγοριά. Ο Έντουαρντ ήταν καλά τώρα –όλοι οι Κάλεν ήταν καλά.

Με είχαν καθησυχάσει όλοι˙ η Άλις που είχε τεντώσει το χέρι της για να χτυπήσει χαϊδευτικά το κεφάλι μου, την ώρα που έφευγα, ρίχνοντας ένα βλέμμα γεμάτο νόημα στον Τζάσπερ, μέχρι που μια πλημμύρα γαλήνης με κατέκλυσε, η Έσμι που με φίλησε στο μέτωπο και μου υποσχέθηκε ότι όλα θα πήγαιναν καλά, ο Έμετ που γέλασε ζωηρά και ρώτησε γιατί εγώ ήμουν η μόνη που επιτρεπόταν να παλεύω με λυκάνθρωπους... η λύση του Τζέικομπ τους είχε κάνει όλους να χαλαρώσουν, σχεδόν να νιώσουν ευφορία μετά από τις ατελείωτες βδομάδες του άγχους. Η αμφιβολία είχε αντικατασταθεί από την αυτοπεποίθηση. Το πάρτι είχε τελειώσει σε ένα κλίμα πραγματικής γιορτής.

Όχι για 'μένα.

Ήταν αρκετά άσχημο –φριχτό– που οι Κάλεν θα πολεμούσαν για χάρη μου. Ήταν ήδη υπερβολικό το γεγονός ότι θα έπρεπε να το επιτρέψω αυτό. Ήδη ένιωθα ότι ήταν περισσότερο απ' ό,τι μπορούσα να αντέξω.

Όχι κι ο Τζέικομπ. Όχι τα απερίσκεπτα, γεμάτα ενθουσιασμό αδέρφια του –τα περισσότερα πιο μικρά σε ηλικία ακόμα κι από 'μένα. Ήταν απλώς υπερβολικά μεγαλόσωμα, υπερβολικά μυώδη παιδιά κι ανυπομονούσαν γι' αυτό λες και ήταν πικνίκ στην παραλία. Δεν μπορούσα να το αντέξω να διακινδυνεύσουν κι αυτά. Τα νεύρα μου ήταν τεντωμένα και κινδύνευαν να σπάσουν. Δεν ήξερα πόση ώρα ακόμα θα μπορούσα να συγκρατήσω την επιθυμία να ουρλιάξω δυνατά.

Ψιθύριζα τώρα, για να διατηρήσω τη φωνή μου υπό έλεγχο. «Θα με πάρεις μαζί σου απόψε».

«Μπέλλα, είσαι εξουθενωμένη».

«Νομίζεις πως θα μπορούσα να κοιμηθώ;»

Συνοφρυώθηκε. «Αυτό είναι ένα πείραμα. Δεν είμαι σίγουρος αν θα μπορέσουμε... να συνεργαστούμε. Δε θέλω να βρίσκεσαι μέσα σε όλο αυτό».

Λες κι αυτό δε με έκανε να θέλω να πάω όλο και περισσότερο. «Αν δε με πάρεις εσύ, τότε θα πάρω τηλέφωνο τον Τζέικομπ».

Τα μάτια του ζάρωσαν. Αυτό ήταν χτύπημα κάτω από τη μέση, και το ήξερα. Αλλά δεν υπήρχε περίπτωση να μείνω πίσω.

Δεν απάντησε˙ ήμασταν στο σπίτι του Τσάρλι τώρα. Το μπροστινό φως ήταν αναμμένο.

«Θα τα πούμε επάνω», μουρμούρισα.

Μπήκα μέσα στις μύτες των ποδιών μου. Ο Τσάρλι κοιμόταν στο σαλόνι, ξεχειλίζοντας από τον υπερβολικά μικρό καναπέ και ροχαλίζοντας τόσο δυνατά που θα μπορούσα να είχα βάλει μπρος ένα ηλεκτρικό πριόνι χωρίς να ξυπνήσει.

Κούνησα τον ώμο του έντονα.

«Μπαμπά! Τσάρλι!»

Γκρίνιαξε, με μάτια ακόμα κλειστά.

«Γύρισα –θα σε πονέσει η μέση σου, αν κοιμηθείς έτσι. Έλα, ώρα να πας στο κρεβάτι σου».

Χρειάστηκε να τον κουνήσω ακόμα μερικές φορές, και τα μάτια του δεν άνοιξαν εντελώς ποτέ, αλλά κατάφερα να τον σηκώσω από τον καναπέ. Τον βοήθησα να πάει στο κρεβάτι του, όπου κατέρρευσε πάνω από τα σκεπάσματα, ντυμένος με τα ρούχα του όπως ήταν, κι άρχισε να ροχαλίζει ξανά.

Δε θα με έψαχνε σύντομα.

Ο Έντουαρντ περίμενε στο δωμάτιό μου, ενώ έπλενα το πρόσωπό μου και άλλαζα ρούχα για να φορέσω το τζιν μου κι ένα μάλλινο πουκάμισο. Εκείνος με παρακολουθούσε δυσαρεστημένος από την κουνιστή πολυθρόνα, καθώς κρεμούσα το σύνολο που μου είχε δώσει η Άλις στη ντουλάπα μου.

«Έλα εδώ», είπα, πιάνοντας το χέρι του και τραβώντας τον στο κρεβάτι μου.

Τον έσπρωξα κάτω στο κρεβάτι και μετά κουλουριάστηκα στο στήθος του. Μπορεί να είχε δίκιο και να ήμουν όντως *αρκετά* κουρασμένη για να κοιμηθώ. Δε θα τον άφηνα να φύγει κρυφά χωρίς εμένα.

Με τύλιξε με το πάπλωμά μου και μετά με κράτησε σφιχτά.

«Σε παρακαλώ ηρέμησε».

«Ναι, καλά».

«Θα πετύχει, Μπέλλα. Το νιώθω».

Τα δόντια μου έκλεισαν.

Ακόμα ακτινοβολούσε ανακούφιση. Κανένας εκτός από 'μένα δεν ενδιαφερόταν, αν ο Τζέικομπ κι οι φίλοι του πάθαιναν κάτι. Ούτε καν ο Τζέικομπ κι οι φίλοι του. Ειδικά εκείνοι.

Κατάλαβε ότι ήμουν έτοιμη να τρελαθώ. «Άκουσέ με, Μπέλλα. Θα είναι *εύκολο*. Οι νεογέννητοι θα αιφνιδιαστούν εντελώς. Δεν έχουν την παραμικρή ιδέα ότι υπάρχουν λυκάνθρωποι, όπως κι εσύ μέχρι πριν από λίγο καιρό. Έχω δει πώς συμπεριφέρονται σαν ομάδα, όπως ακριβώς τους θυμάται ο Τζάσπερ. Πραγματικά πιστεύω ότι οι κυνηγετικές τακτικές των λύκων θα έχουν άψογο αποτέλεσμα εναντίον τους. Κι όταν θα είναι χωρισμένοι και μπερδεμένοι, δε θα μείνουν και πολλά να κάνουμε εμείς οι υπόλοιποι. Κάποιος μπορεί να αναγκαστεί να κάτσει έξω», είπε πειραχτικά.

«Πανεύκολο», ψέλλισα άτονα ακουμπώντας στο στήθος του.

«Σσσς», είπε και χάιδεψε το μάγουλό μου. «Θα δεις. Μην ανησυχείς τώρα».

Άρχισε να σιγοτραγουδά το νανούρισμά μου, αλλά, για πρώτη φορά, δε με ηρέμησε.

Άνθρωποι –δηλαδή, βρικόλακες και λυκάνθρωποι στην πραγματικότητα, αλλά έστω– άνθρωποι που αγαπούσα θα πάθαιναν κακό. Θα πάθαιναν κακό εξαιτίας μου. Πάλι. Μακάρι η κακή μου τύχη να εστίαζε την προσοχή της λιγάκι καλύτερα. Ένιωθα σαν να ήθελα να ουρλιάξω προς τον άδειο ουρανό: *Εγώ είμαι αυτή που θες –εδώ πέρα! Μόνο εγώ*!

Προσπάθησα να σκεφτώ έναν τρόπο για να κάνω ακριβώς αυτό το πράγμα –να αναγκάσω την κακή μου τύχη να εστιάσει πάνω μου. Δε θα ήταν εύκολο. Θα έπρεπε να περιμένω, να έρθει η κατάλληλη ευκαιρία...

Δε με πήρε ο ύπνος. Τα λεπτά περνούσαν γρήγορα, προς μεγάλη μου έκπληξη, και ήμουν ακόμα σε εγρήγορση και γεμάτη ένταση, όταν ο Έντουαρντ μας τράβηξε και τους δύο για να ανασηκωθούμε.

«Είσαι σίγουρη ότι δε θέλεις να μείνεις να κοιμηθείς;»

Του έριξα ένα ξινισμένο βλέμμα.

Αναστέναξε και με μάζεψε μέσα στην αγκαλιά του για να με σηκώσει, πριν πηδήξει από το παράθυρό μου.

Έτρεχε μέσα από το μαύρο, σιωπηλό δάσος μ' εμένα στην πλάτη του, κι ακόμα και την ώρα που έτρεχε, ένιωθα τον ενθουσιασμό του. Έτρεχε όπως όταν ήμασταν οι δυο μας, όταν έτρεχε απλώς για ευχαρίστηση, απλώς και μόνο για την αίσθηση του ανέμου στα μαλλιά του. Ήταν αυτό που, κάποια άλλη στιγμή με λιγότερη αγωνία, θα με έκανε ευτυχισμένη.

Όταν φτάσαμε στο μεγάλο ανοιχτό λιβάδι, η οικογένειά του ήταν ήδη εκεί, και μιλούσαν σαν να μην έτρεχε τίποτα, χαλαρά. Το βροντερό γέλιο του Έμετ αντηχούσε πού και πού μέσα στον ανοιχτό χώρο. Ο Έντουαρντ με άφησε κάτω, και περπατήσαμε πιασμένοι χέρι-χέρι προς εκείνους.

Μου πήρε ένα λεπτό, επειδή ήταν πολύ σκοτεινά, το φεγγάρι κρυμμένο πίσω από τα σύννεφα, αλλά συνειδητοποίησα ότι ήμασταν στο ξέφωτο του μπέιζμπολ. Ήταν το ίδιο μέρος, όπου πριν από ένα χρόνο, εκείνο το πρώτο ξένοιαστο βράδυ με τους Κάλεν είχε διακοπεί από τον Τζέιμς και την ομάδα του. Ένιωθα περίεργα που ήμουν εδώ ξανά –λες και η συγκέντρωση αυτή δε θα ήταν ολοκληρωμένη, μέχρι να εμφανίζονταν ο Τζέιμς κι ο Λόρεντ κι η Βικτόρια. Αλλά ο Τζέιμς κι ο Λόρεντ δε θα έρχονταν ποτέ ξανά. Αυτό το μοτίβο δε θα επαναλαμβανόταν. Ίσως να μην υπήρχαν πια μοτίβα.

Ναι, κάποιοι είχαν αλλάξει τακτικές. Ήταν δυνατόν οι Βολτούρι να ήταν οι ευέλικτοι σ' αυτή την εξίσωση;

Αμφέβαλλα.

Η Βικτόρια πάντα μου φαινόταν σαν μια δύναμη της φύσης –σαν ένας τυφώνας που κινείτο προς την ακτή σε ευθεία γραμμή– αναπόφευκτη, αδιάλλακτη, αλλά προβλέψιμη. Μπορεί να ήταν λάθος που την περιορίζαμε έτσι. Πρέπει να είναι ικανή να προσαρμοστεί.

«Ξέρεις τι σκέφτομαι;» ρώτησα τον Έντουαρντ.

Γέλασε. «Όχι».

Σχεδόν χαμογέλασα.

«Τι σκέφτεσαι;»

«Σκέφτομαι πως όλα είναι συνδεδεμένα. Όχι μόνο τα δύο, αλλά και τα τρία».

«Δεν κατάλαβα».

«Τρία κακά πράγματα έχουν συμβεί από τότε που επιστρέψατε». Τα μέτρησα στα δάχτυλά μου. «Οι νεογέννητοι στο Σιάτλ. Ο άγνωστος στο δωμάτιό μου. Και –πρώτα απ' όλα– η Βικτόρια που είχε έρθει να με βρει».

Τα μάτια του ζάρωσαν, καθώς το σκεφτόταν. «Γιατί το σκέφτεσαι αυτό;»

«Επειδή συμφωνώ με τον Τζάσπερ –οι Βολτούρι λατρεύουν τους κανόνες τους. Έτσι κι αλλιώς, πιθανότατα θα έκαναν καλύτερη δουλειά». Και θα ήμουν νεκρή, αν με ήθελαν νεκρή, πρόσθεσα από μέσα μου. «Θυμάσαι τότε που προσπαθούσες να βρεις τα ίχνη της Βικτόρια πέρυσι;»

«Ναι». Συνοφρυώθηκε. «Δεν ήμουν και πολύ καλός σ' αυτό».

«Η Άλις είπε ότι βρέθηκες στο Τέξας. Την ακολούθησες εκεί;»

Τα φρύδια του έσμιξαν. «Ναι. Χμμμ....»

«Βλέπεις –μπορεί εκεί να της ήρθε η ιδέα. Αλλά δεν ξέρει τι κάνει, έτσι όλοι οι νεογέννητοι είναι εκτός ελέγχου».

Άρχισε να κουνάει το κεφάλι του. «Μόνο ο Άρο ξέρει ακριβώς πώς λειτουργούν τα οράματα της Άλις».

«Ο Άρο θα το γνώριζε αυτό *καλύτερα*, αλλά δε θα γνώριζαν επίσης *αρκετά* και η Τάνια με την Αϊρίνα και οι υπόλοιποι φίλοι σας στο Ντενάλι; Ο Λόρεντ έζησε μαζί τους τόσο καιρό. Κι αν διατηρούσε ακόμα αρκετά φιλικές σχέσεις με τη Βικτόρια, ώστε να της κάνει χάρες, γιατί να μην της μεταφέρει επίσης όλα όσα έμαθε;»

Ο Έντουαρντ κατσούφιασε. «Δεν ήταν η Βικτόρια στο δωμάτιό σου».

«Δεν μπορεί να απέκτησε καινούριους φίλους; Σκέψου το, Έντουαρντ. Αν είναι η Βικτόρια αυτή που το κάνει αυτό στο Σιάτλ, έχει *αποκτήσει* πολλούς καινούριους φίλους. Τους έχει δημιουργήσει η ίδια».

Το αναλογίστηκε, ενώ το μέτωπό του ζάρωσε από τη συγκέντρωση.

«Χμμμ», είπε τελικά. «Είναι πιθανό. Και πάλι πιστεύω ότι οι Βολτούρι είναι πιο πιθανό... Αλλά η θεωρία σου –έχει κάποια βάση. Η προσωπικότητα της Βικτόρια. Η θεωρία σου ταιριάζει απόλυτα με την προσωπικότητα της Βικτόρια. Έχει επιδείξει ένα αξιοπρόσεχτο χάρισμα για αυτοσυντήρηση από την αρχή –ίσως είναι κάποιο ταλέντο της. Όπως και να 'χει, αυτό το σενάριο δε θα την έκανε να διακινδυνεύσει καθόλου από 'μας, αν μένει με ασφάλεια πίσω και αφήνει τους νεογέννητους να σπέρνουν τον όλεθρο εδώ. Και ίσως θα κινδύνευε ελάχιστα από τους Βολτούρι. Ίσως υπολογίζει σ' εμάς να κερδίσουμε, στο τέλος, αν και σίγουρα όχι χωρίς βαριές απώλειες από την πλευρά μας. Αλλά χωρίς καθόλου επιζώντες από το μικρό στρατό της, ώστε να είναι μάρτυρες εναντίον της. Μάλιστα», συνέχισε, καθώς αναλογιζόταν τις πιθανότητες, «αν υπήρχαν επιζώντες, βάζω στοίχημα ότι θα σχεδίαζε να τους εξολοθρεύσει η ίδια... Χμμμ. Και πάλι, θα έπρεπε να έχει τουλάχιστον ένα φίλο που θα ήταν λιγάκι πιο ώριμος. Κανένας νεογέννητος που μόλις δημιουργήθηκε δε θα άφηνε τον πατέρα σου ζωντανό...»

Συνοφρυώθηκε κοιτάζοντας στο κενό και μετά ξαφνικά μου χαμογέλασε, επιστρέφοντας από την ονειροπόλησή του. «Οπωσδήποτε πιθανό. Ανεξάρτητα απ' αυτό, πρέπει να είμαστε προετοιμασμένοι για οτιδήποτε, μέχρι να βεβαιωθούμε. Είσαι πολύ διορατική σήμερα», πρόσθεσε. «Είναι εντυπωσιακό».

Αναστέναξα. «Μπορεί απλώς να είναι αντίδραση σ' αυτό το μέρος. Με κάνει να νιώθω ότι εκείνη είναι κοντά... ότι με κοιτάζει τώρα».

Οι μυς του σαγονιού του σφίχτηκαν στην ιδέα αυτή. «Δε θα σε αγγίξει ποτέ, Μπέλλα», είπε.

Παρά τα λόγια του, τα μάτια του χτένισαν προσεχτικά τα

σκοτεινά δέντρα. Ενώ έψαχνε μέσα στις σκιές τους, η πιο παράξενη έκφραση πέρασε από το πρόσωπό του. Τα χείλη του τραβήχτηκαν πίσω πάνω από τα δόντια του, και τα μάτια του έλαμψαν με ένα περίεργο φως –μια άγρια, ασυγκράτητη ελπίδα.

«Ωστόσο, τι δε θα έδινα για να την έχω τόσο κοντά», μουρμούρισε. «Τη Βικτόρια κι οποιονδήποτε άλλο έχει σκεφτεί ποτέ να σου κάνει κακό. Να έχω την ευκαιρία να το τελειώσω αυτό ο ίδιος. Να το τελειώσω με τα ίδια μου τα χέρια αυτή τη φορά».

Ένα ρίγος με διαπέρασε στο άκουσμα του βίαιου πόθου στη φωνή του και έσφιξα τα δάχτυλά του πιο δυνατά με τα δικά μου, ευχόμενη να ήμουν αρκετά δυνατή για να μπορούσαν τα χέρια μας να μείνουν κολλημένα μαζί μόνιμα.

Είχαμε σχεδόν φτάσει στην οικογένειά του, και παρατήρησα για πρώτη φορά ότι η Άλις δεν έδειχνε τόσο αισιόδοξη όσο οι άλλοι. Στεκόταν, με χείλη σουφρωμένα, λίγο παράμερα παρακολουθώντας τον Τζάσπερ να τεντώνει τα χέρια του, σαν να έκανε ζέσταμα για να κάνει γυμναστική.

«Συμβαίνει κάτι, Άλις;» ψιθύρισα.

Ο Έντουαρντ γέλασε πνιχτά, ξαναβρίσκοντας τον εαυτό του πάλι. «Έρχονται οι λυκάνθρωποι, έτσι δεν μπορεί να δει τίποτα απ' όσα θα συμβούν τώρα. Αισθάνεται άβολα γιατί νιώθει σαν τυφλή».

Η Άλις, αν και πιο μακριά απ' όλους, άκουσε τη χαμηλή φωνή του. Σήκωσε το βλέμμα και του έβγαλε τη γλώσσα. Εκείνος γέλασε ξανά.

«Γεια σου, Έντουαρντ», τον χαιρέτησε ο Έμετ. «Γεια σου, Μπέλλα. Θα σε αφήσει κι εσένα να κάνεις εκπαίδευση;»

Ο Έντουαρντ παραπονέθηκε στον αδερφό του. «Σε παρακαλώ, Έμετ, μην της βάζεις ιδέες».

«Πότε θα έρθουν οι προσκεκλημένοι μας;» ρώτησε ο Κάρλαϊλ τον Έντουαρντ.

Ο Έντουαρντ συγκεντρώθηκε για μια στιγμή και μετά αναστέναξε.

«Σε ενάμισι λεπτό. Αλλά θα χρειαστεί να μεταφράζω. Δε μας έχουν αρκετή εμπιστοσύνη, ώστε να χρησιμοποιήσουν την ανθρώπινη μορφή τους».

Ο Κάρλαϊλ έγνεψε. «Είναι δύσκολο γι' αυτούς. Είμαι ευγνώμων και μόνο που έρχονται».

Κοίταξα επίμονα τον Έντουαρντ, με μάτια γουρλωμένα. «Έρχονται με τη μορφή λύκων;»

Κούνησε το κεφάλι επιφυλακτικός, για να δει την αντίδρασή μου. Ξεροκατάπια, καθώς θυμήθηκα τις δυο φορές που είχα δει τον Τζέικομπ με τη μορφή του λύκου –την πρώτη φορά στο λιβάδι με τον Λόρεντ, τη δεύτερη φορά στο μονοπάτι στο δάσος, όταν ο Πολ είχε θυμώσει μαζί μου... Και οι δυο ήταν τρομακτικές αναμνήσεις.

Μια παράξενη αναλαμπή φάνηκε στα μάτια του Έντουαρντ, λες και μόλις του πέρασε κάτι από το μυαλό, κάτι που δεν ήταν καθόλου δυσάρεστο. Γύρισε από την άλλη μεριά γρήγορα, προς τον Κάρλαϊλ και τους άλλους, πριν προλάβω να δω περισσότερα.

«Ετοιμαστείτε –δε μας τα 'χανε πει όλα».

«Τι εννοείς;» ρώτησε η Άλις.

«Σσσς», είπε και κοίταξε πέρα από 'κείνη μέσα στο σκοτάδι.

Ο ανεπίσημος κύκλος των Κάλεν ξαφνικά άνοιξε, καθώς σχημάτισαν μια χαλαρή γραμμή με τον Τζάσπερ και τον Έμετ στην αιχμή του δόρατος. Από τον τρόπο που ο Έντουαρντ έσκυψε προς τα μπρος δίπλα μου, κατάλαβα ότι θα ήθελε να στεκόταν δίπλα τους. Έσφιξα το χέρι μου γύρω από το δικό του.

Κοίταξα με μισόκλειστα μάτια προς το δάσος, χωρίς να βλέπω τίποτα.

«*Να πάρει*», μουρμούρισε ο Έμετ χαμηλόφωνα. «Έχετε

ξαναδεί ποτέ κάτι τέτοιο;»

Η Έσμι κι η Ρόζαλι αντάλλαξαν ένα γουρλωμένο βλέμμα.

«Τι είναι;» ψιθύρισα όσο πιο χαμηλόφωνα μπορούσα. «Δε βλέπω».

«Η αγέλη έχει μεγαλώσει», μουρμούρισε ο Έντουαρντ στο αυτί μου.

Δεν του είχα πει ότι κι ο Κουίλ είχε γίνει μέλος της αγέλης; Πάσχισα να δω τους έξι λύκους μέσα στο μισοσκόταδο. Τελικά, κάτι λαμπύρισε μέσα στη μαυρίλα –τα μάτια τους, που βρίσκονταν πιο ψηλά απ' όσο έπρεπε. Είχα ξεχάσει πόσο ψηλοί ήταν οι λύκοι. Σαν άλογα, μόνο με περισσότερους μυς και γούνα –και δόντια σαν μαχαίρια, αδύνατο να περάσουν απαρατήρητα.

Έβλεπα μόνο τα μάτια τους. Και καθώς σάρωνα το μέρος, πασχίζοντας να δω περισσότερα, κατάλαβα ότι υπήρχαν περισσότερα από έξι ζευγάρια μάτια απέναντί μας. *Ένα, δυο, τρία…* μέτρησα γρήγορα από μέσα μου. Δυο φορές.

Ήταν δέκα.

«Συναρπαστικό», μουρμούρισε ο Έντουαρντ σχεδόν αθόρυβα.

Ο Κάρλαϊλ έκανε ένα αργό, καλοζυγισμένο βήμα προς τα μπρος. Ήταν μια προσεχτική κίνηση, προορισμένη να καθησυχάσει.

«Καλώς ήρθατε», χαιρέτησε τους αόρατους λύκους.

«Ευχαριστούμε», απάντησε ο Έντουαρντ με μια παράξενη, άτονη φωνή, και συνειδητοποίησα αμέσως πως τα λόγια προέρχονταν από τον Σαμ. Κοίταξα τα μάτια που έλαμπαν στο κέντρο της γραμμής, πιο ψηλά απ' όλα τα άλλα, του πιο μεγαλόσωμου λύκου απ' όλους. Ήταν αδύνατο να ξεχωρίσεις που τελείωνε το σχήμα του μεγάλου μαύρου λύκου και που ξεκινούσε το σκοτάδι της νύχτας.

Ο Έντουαρντ μίλησε ξανά με την ίδια αποστασιοποιημένη φωνή, μεταφέροντας τα λόγια του Σαμ. «Θα παρακολουθούμε και θα ακούμε, αλλά τίποτα παραπάνω. Αυτό είναι το περισσότερο που μπορούμε να ζητήσουμε από την αυτοσυγκράτησή μας».

«Αυτό αρκεί και με το παραπάνω», απάντησε ο Κάρλαϊλ. «Ο γιος μου, ο Τζάσπερ» –έκανε μια χειρονομία δείχνοντας προς τα κει που στεκόταν ο Τζάσπερ, σε ένταση και ετοιμότητα– «έχει εμπειρία σ' αυτό τον τομέα. Θα μας διδάξει πώς μάχονται, πώς θα ηττηθούν. Είμαι σίγουρος ότι μπορείτε να προσαρμόσετε αυτά που θα μας δείξει στη δική σας κυνηγετική τακτική».

«Είναι διαφορετικοί από 'σας;» ρώτησε ο Έντουαρντ για λογαριασμό του Σαμ.

Ο Κάρλαϊλ έγνεψε. «Είναι όλοι πολύ νέοι –έχουν μερικούς μήνες μόνο σ' αυτή τη ζωή. Είναι παιδιά, κατά κάποιο τρόπο. Δε θα έχουν καμία δεξιοτεχνία ή στρατηγική, μόνο κτηνώδη δύναμη. Απόψε ο αριθμός τους έχει φτάσει στους είκοσι. Δέκα για 'μας, δέκα για 'σας –δε θα πρέπει να δυσκολευτούμε. Ο αριθμός τους μπορεί να μειωθεί. Οι καινούριοι τσακώνονται μεταξύ τους».

Ένας βροντερός ήχος ακούστηκε από τη σκιώδη γραμμή των λύκων, ένα χαμηλό γρύλισμα που με κάποιο τρόπο ακούστηκε ενθουσιώδες.

«Είμαστε πρόθυμοι να κάνουμε παραπάνω πράγματα απ' όσα απαιτεί το μερίδιό μας, αν είναι απαραίτητο», μετέφρασε ο Έντουαρντ, με τόνο λιγότερο αδιάφορο τώρα.

Ο Κάρλαϊλ χαμογέλασε. «Θα δούμε πώς θα εξελιχθεί η κατάσταση».

«Ξέρετε πότε και πώς θα έρθουν;»

«Θα περάσουν τα βουνά σε τέσσερις μέρες, αργά το πρωί. Καθώς πλησιάζουν, η Άλις θα μας βοηθήσει να ανακόψουμε τη πορεία τους».

«Ευχαριστούμε για τις πληροφορίες. Θα παρακολουθούμε».

Με ένα ήχο αναστεναγμού, τα μάτια των λύκων κατέβηκαν πιο κοντά στο έδαφος, το ένα ζευγάρι μετά το άλλο.

Ακολούθησε σιωπή ίσαμε δυο καρδιοχτύπια, και μετά ο Τζάσπερ έκανε ένα βήμα στον άδειο χώρο ανάμεσα στους βρικόλακες και τους λυκάνθρωπους. Δε μου ήταν δύσκολο να τον βλέπω –το δέρμα του ήταν τόσο φωτεινό μέσα στο σκοτάδι όσο και τα μάτια των λύκων. Ο Τζάσπερ έριξε μια ανήσυχη ματιά προς τον Έντουαρντ, ο οποίος έγνεψε, και μετά ο Τζάσπερ γύρισε την πλάτη του στους λυκάνθρωπους. Αναστέναξε νιώθοντας εμφανώς άβολα.

«Ο Κάρλαϊλ έχει δίκιο». Ο Τζάσπερ μιλούσε μόνο σ' εμάς˙ έμοιαζε να προσπαθεί να αγνοήσει το κοινό πίσω του. «Θα πολεμούν σαν παιδιά. Τα πιο σημαντικά πράγματα που πρέπει να θυμάστε είναι, πρώτον, να μην τους αφήσετε να τυλίξουν τα χέρια τους γύρω σας, και, δεύτερον, να μην πάτε ποτέ για το προφανές χτύπημα. Αυτό είναι το μόνο για το οποίο θα είναι προετοιμασμένοι. Εφόσον τους επιτεθείτε από τα πλάγια και συνεχίσετε να κινείστε, θα είναι υπερβολικά συγχυσμένοι ώστε να μπορέσουν να αντιδράσουν αποτελεσματικά. Έμετ;»

Ο Έμετ βγήκε από τη γραμμή με ένα τεράστιο χαμόγελο.

Ο Τζάσπερ υποχώρησε προς το βόρειο τέρμα του ανοίγματος ανάμεσα στους συμμάχους-εχθρούς. Έκανε μια χειρονομία στον Έμετ καλώντας τον να προχωρήσει μπροστά.

«Εντάξει, πρώτα ο Έμετ. Είναι το καλύτερο παράδειγμα του πώς επιτίθεται ένας νεογέννητος».

Τα μάτια του Έμετ ζάρωσαν. «Θα *προσπαθήσω* να μη σπάσω τίποτα», μουρμούρισε.

Ο Τζάσπερ χαμογέλασε. «Αυτό που εννοούσα είναι ότι ο Έμετ βασίζεται στη δύναμή του. Είναι πολύ ευθύς ως προς την επίθεση. Ούτε και οι νεογέννητοι θα δοκιμάσουν τίποτα δεξιοτεχνικό. Απλώς πήγαινε με τον εύκολο τρόπο, Έμετ».

Ο Τζάσπερ υποχώρησε μερικά ακόμα βήματα, ενώ το σώμα του τσιτώθηκε.

«Εντάξει, Έμετ –προσπάθησε να με πιάσεις».

Και δεν μπορούσα να δω τον Τζάσπερ πια –η μορφή του θόλωσε, καθώς ο Έμετ του όρμησε σαν αρκούδα γρυλίζοντας με ένα πλατύ χαμόγελο. Ο Έμετ ήταν απίστευτα γρήγορος, επίσης, αλλά όχι σαν τον Τζάσπερ. Ήταν λες και ο Τζάσπερ δεν είχε περισσότερη υλική υπόσταση απ' ό,τι ένα φάντασμα –κάθε φορά που έμοιαζε λες και τα μεγάλα χέρια του Έμετ θα τον έπιαναν στα σίγουρα, τα δάχτυλα του Έμετ έσφιγγαν γύρω από τον αέρα. Δίπλα μου, ο Έντουαρντ ήταν γερμένος προς τα μπρος γεμάτος προσήλωση, με τα μάτια του καρφωμένα στη μάχη. Μετά ο Έμετ πάγωσε.

Ο Τζάσπερ τον είχε πιάσει από πίσω, ενώ τα δόντια του βρίσκονταν δυο εκατοστά από το λαιμό του.

Ο Έμετ έβρισε.

Ακούστηκε μια ψιθυριστή βοή εκτίμησης από τους λύκους που παρακολουθούσαν.

«Ξανά», επέμεινε ο Έμετ, ενώ το χαμόγελό του είχε χαθεί.

«Είναι η σειρά μου», διαμαρτυρήθηκε ο Έντουαρντ. Τα δάχτυλά μου σφίχτηκαν γύρω από τα δικά του.

«Σε ένα λεπτό». Ο Τζάσπερ χαμογέλασε, κάνοντας ένα βήμα πίσω. «Θέλω πρώτα να δείξω κάτι στην Μπέλλα».

Παρακολουθούσα με μάτια γεμάτα άγχος, καθώς έκανε μια χειρονομία στην Άλις να έρθει μπροστά.

«Ξέρω ότι ανησυχείς γι' αυτή», μου εξήγησε, καθώς η Άλις έμπαινε μέσα στον κύκλο ξέγνοιαστα σαν να χόρευε. «Θέλω να σου δείξω γιατί δε χρειάζεται».

Αν και ήξερα ότι ο Τζάσπερ δε θα άφηνε ποτέ να πάθει κάτι κακό η Άλις, και πάλι ήταν δύσκολο να κοιτάζω, καθώς χαμήλωσε προς τα πίσω παίρνοντας στάση εφόρμησης. Η Άλις στεκόταν ακίνητη, δείχνοντας μικροσκοπική σαν κούκλα μετά τον Έμετ και χαμογελούσε. Ο Τζάσπερ κινήθηκε προς τα μπρος, μετά γλίστρησε στα αριστερά της.

Η Άλις έκλεισε τα μάτια.

Η καρδιά μου χτυπούσε δυνατά χωρίς ρυθμό, καθώς ο Τζάσπερ κινήθηκε σαν αίλουρος προς τα εκεί όπου στεκόταν η Άλις.

Ο Τζάσπερ πήδηξε και χάθηκε. Ξαφνικά βρέθηκε στην άλλη μεριά της Άλις. Εκείνη δε φαινόταν να έχει κουνηθεί.

Ο Τζάσπερ κύλησε και επιτέθηκε ξανά, μόνο για να προσγειωθεί σε μια στάση συσπείρωσης, όπως και την πρώτη φορά˙ εντωμεταξύ η Άλις στεκόταν χαμογελαστή με τα μάτια της κλειστά.

Παρατήρησα την Άλις πιο προσεχτικά τώρα.

Κινείτο –απλώς εγώ δεν το έβλεπα, καθώς οι επιθέσεις του Τζάσπερ μου είχαν αποσπάσει την προσοχή. Έκανε ένα μικρό βήμα μπροστά ακριβώς το δευτερόλεπτο που το σώμα του Τζάσπερ διέσχιζε το σημείο όπου εκείνη μόλις στεκόταν. Έκανε άλλο ένα βήμα, ενώ τα χέρια του Τζάσπερ πέρασαν σφυρίζοντας, από το σημείο που μόλις πριν βρισκόταν η μέση της.

Ο Τζάσπερ την πλησίασε απειλητικά, κι η Άλις άρχισε να κινείται πιο γρήγορα. Χόρευε –στροβιλιζόταν και περιστρεφόταν και κουλουριαζόταν γύρω από τον εαυτό της. Ο Τζάσπερ ήταν ο σύντροφός της, χιμούσε πάνω της, προσπαθούσε να τη φτάσει μπαίνοντας μέσα στο πλέγμα των γεμάτων χάρη κινήσεών της, χωρίς να την ακουμπάει ποτέ, λες και κάθε κίνηση ήταν χορογραφημένη. Τελικά, η Άλις γέλασε.

Από το πουθενά βρέθηκε κουρνιασμένη στην πλάτη του Τζάσπερ, με τα χείλη της πάνω στο σβέρκο του.

«Σε τσάκωσα», είπε και φίλησε το λαιμό του.

Ο Τζάσπερ γέλασε πνιχτά, κουνώντας το κεφάλι του. «Πραγματικά είσαι ένα τρομακτικό τερατάκι».

Οι λύκοι μουρμούρισαν ξανά. Αυτή τη φορά ο ήχος ήταν ανήσυχος.

«Καλό τους κάνει να μάθουν λίγο σεβασμό», μουρμούρισε ο Έντουαρντ, δείχνοντας να το διασκεδάζει. Μετά μίλησε πιο δυνατά. «Σειρά μου».

Πίεσε το χέρι μου πριν με αφήσει.

Η Άλις ήρθε να σταθεί στη θέση του στο πλάι μου. «Καλό, ε;» με ρώτησε.

«Πολύ», συμφώνησα, χωρίς να παίρνω τα μάτια μου από τον Έντουαρντ, καθώς γλιστρούσε αθόρυβα προς τον Τζάσπερ, με κινήσεις λυγερές και προσεχτικές, σαν αιλουροειδές.

«Σε παρακολουθώ, Μπέλλα», ψιθύρισε εκείνη ξαφνικά, με φωνή τόσο χαμηλή που μετά βίας την άκουσα, αν και τα χείλη της ήταν στο αυτί μου.

Το βλέμμα μου τρεμόπαιξε προς το πρόσωπό της και μετά ξανά προς τον Έντουαρντ. Ήταν προσηλωμένος στον Τζάσπερ, και οι δυο τους προσποιούμενοι επίθεση, καθώς η απόσταση μεταξύ τους μειωνόταν.

Η έκφραση της Άλις ήταν επικριτική.

«Θα τον προειδοποιήσω αν τα σχέδιά σου γίνουν πιο συγκεκριμένα», απείλησε με την ίδια χαμηλή, μουρμουριστή φωνή. «Δε σε ωφελεί καθόλου να βάλεις τον εαυτό σου σε κίνδυνο. Πιστεύεις ότι οποιοσδήποτε από τους δυο τους θα τα παρατούσε, αν πέθαινες; Και πάλι θα πολεμούσαν, όλοι μας θα πολεμούσαμε. Δεν μπορείς ν' αλλάξεις τίποτα, γι' αυτό να είσαι φρόνιμη, εντάξει;»

Έκανα ένα μορφασμό, προσπαθώντας να την αγνοήσω.

«Σε παρακολουθώ», επανέλαβε.

Ο Έντουαρντ είχε πλησιάσει πολύ τον Τζάσπερ τώρα, κι αυτή η μάχη ήταν πιο αμφίρροπη από οποιαδήποτε προηγούμενη. Ο Τζάσπερ είχε έναν αιώνα εμπειρίας για να τον καθοδηγεί, και προσπαθούσε να βασιστεί μόνο στο ένστικτο όσο περισσότερο μπορούσε, αλλά οι σκέψεις του πάντα τον πρόδιδαν ένα κλάσμα του δευτερολέπτου πριν κάνει κάτι. Ο Έντουαρντ ήταν ελαφρώς πιο γρήγορος, αλλά οι κινήσεις που χρησιμοποιούσε ο Τζάσπερ του ήταν άγνωστες. Ήρθαν αντιμέτωποι ο ένας με τον άλλο πολλές φορές, χωρίς κανένας να μπορεί να πάρει το πάνω χέρι, ενώ ενστικτώδεις γρυλισμοί ξεσπούσαν συνεχώς. Ήταν δύσκολο να το παρακολουθήσει κανείς, αλλά και ακόμα πιο δύσκολο να πάρει τα μάτια του. Κινούνταν τόσο γρήγορα που δεν μπορούσα να καταλάβω πραγματικά τι έκαναν. Πού και πού τα διαπεραστικά μάτια των λύκων τραβούσαν την προσοχή μου. Ένιωθα ότι οι λύκοι καταλάβαιναν περισσότερα από 'μένα απ' όλο αυτό –ίσως περισσότερα κι απ' ό,τι θα έπρεπε.

Τελικά, ο Κάρλαϊλ καθάρισε το λαιμό του.

Ο Τζάσπερ γέλασε κι έκανε ένα βήμα πίσω. Ο Έντουαρντ ίσιωσε το κορμί του και του χαμογέλασε.

«Πίσω στη δουλειά», συναίνεσε ο Τζάσπερ. «Ας πούμε ότι ήρθαμε ισοπαλία».

Όλοι πήραν σειρά, ο Κάρλαϊλ, μετά η Ρόζαλι, η Έσμι και πάλι ο Έμετ. Εγώ κοίταζα με μισόκλειστα μάτια μέσα από τις βλεφαρίδες μου, ζαρώνοντας πίσω, καθώς ο Τζάσπερ επιτίθετο στην Έσμι. Αυτή η μάχη ήταν η πιο δύσκολη να την παρακολουθήσω. Μετά επιβράδυνε, και πάλι όμως όχι αρκετά για να μπορώ να καταλαβαίνω τις κινήσεις του κι έδινε περισσότερες οδηγίες.

«Βλέπετε τι κάνω εδώ;» ρωτούσε. «Ναι, ακριβώς έτσι», τους ενθάρρυνε. «Επικεντρωθείτε στα πλάγια. Μην ξεχνάτε πού θα είναι ο στόχος τους. Συνεχίστε να κινείστε».

Ο Έντουαρντ ήταν πάντα συγκεντρωμένος, παρακολουθώντας αλλά και ακούγοντας προσεχτικά αυτά που οι άλλοι δεν μπορούσαν να δουν.

Γινόταν όλο και πιο δύσκολο να παρακολουθήσω, καθώς τα μάτια μου βάραιναν όλο και περισσότερο. Δεν κοιμόμουν καλά τις τελευταίες μέρες, έτσι κι αλλιώς, και κόντευαν σχεδόν να συμπληρωθούν είκοσι τέσσερις ώρες από την τελευταία φορά που είχα κοιμηθεί. Έγειρα στο πλευρό του Έντουαρντ, κι άφησα τα βλέφαρά μου να κλείσουν.

«Σχεδόν τελειώσαμε», ψιθύρισε.

Ο Τζάσπερ το επιβεβαίωσε αυτό, γυρίζοντας προς τους λύκους για πρώτη φορά, με μια έκφραση που έδειχνε ότι ένιωθε άβολα ξανά. «Θα το κάνουμε κι αύριο αυτό. Είστε ευπρόσδεκτοι να παρακολουθήσετε πάλι».

«Ναι», απάντησε ο Έντουαρντ μεταφέροντας τα ψύχραιμα λόγια του Σαμ. «Θα είμαστε εδώ».

Μετά ο Έντουαρντ αναστέναξε, χτύπησε χαϊδευτικά το μπράτσο μου και τραβήχτηκε μακριά μου. Στράφηκε στην οικογένειά του.

«Η αγέλη πιστεύει ότι θα ήταν χρήσιμο να μάθουν τη μυρωδιά του καθενός μας –για να μην κάνουν κανένα λάθος αργότερα. Αν θα μπορούσαμε να μείνουμε εντελώς ακίνητοι, θα τους διευκολύνουμε».

«Φυσικά», είπε ο Κάρλαϊλ στον Σαμ. «Οτιδήποτε χρειάζεστε».

Ακούστηκε ένας ανήσυχος, βραχνός, ψιθυριστός ήχος από την αγέλη των λύκων, καθώς σηκώθηκαν όρθιοι.

Τα μάτια μου γούρλωσαν ξανά, και ξέχασα την εξάντλησή μου.

Το βαθύ σκοτάδι της νύχτας μόλις άρχιζε να ξεθωριάζει –ο ήλιος φώτιζε τα σύννεφα, αν και δεν είχε καθαρίσει τον ορίζοντα ακόμα, πέρα μακριά στην άλλη μεριά των βουνών. Καθώς πλησίαζαν, ξαφνικά ήταν δυνατόν να ξεχωρίσω σχήματα... χρώματα.

Ο Σαμ ήταν επικεφαλής, φυσικά. Απίστευτα τεράστιος, μαύρος σαν τα μεσάνυχτα, ένα τέρας που ερχόταν κατευθείαν από τους εφιάλτες μου –κυριολεκτικά˙ μετά την πρώτη φορά που είχα δει τον Σαμ και τους άλλους στο λιβάδι, είχαν πρωταγωνιστήσει στα κακά όνειρά μου περισσότερες από μια φορές.

Τώρα που μπορούσα να τους δω όλους, να ταιριάξω το μέγεθος με κάθε ζευγάρι μάτια, φαίνονταν σαν να ήταν περισσότεροι από δέκα. Η αγέλη ήταν συγκλονιστική.

Με την άκρη του ματιού μου, είδα ότι ο Έντουαρντ με κοίταζε, αξιολογώντας προσεχτικά την αντίδρασή μου.

Ο Σαμ πλησίασε τον Κάρλαϊλ εκεί που στεκόταν μπροστά από τους άλλους, ενώ η τεράστια αγέλη ακολουθούσε πίσω του. Ο Τζάσπερ σφίχτηκε, αλλά ο Έμετ, από την άλλη μεριά του Κάρλαϊλ, ήταν χαμογελαστός και χαλαρός.

Ο Σαμ μύρισε τον Κάρλαϊλ, ενώ φάνηκε να κάνει έναν μικρό μορφασμό, καθώς το έκανε. Μετά προχώρησε στον Τζάσπερ.

Τα μάτια μου ακολούθησαν την ανήσυχη αλυσίδα των λύκων. Ήμουν σίγουρη ότι μπορούσα να ξεχωρίσω κάποιους από τους καινούριους που είχαν προστεθεί επιπλέον στην αγέλη. Υπήρχε ένας ανοιχτός γκρίζος λύκος που ήταν πολύ μικρότερος από τους άλλους, με τις τρίχες στο σβέρκο του σηκωμένες όρθιες από την αηδία. Υπήρχε κι άλλος ένας, στο χρώμα της άμμου της ερήμου που έδειχνε ατσούμπαλος σε σχέση με τους υπόλοιπους. Ο ξανθωπός λύκος δεν μπόρεσε να συγκρατήσει ένα χαμηλό ουρλιαχτό, όταν ο Σαμ προχωρώντας τον άφησε μόνο του ανάμεσα στον Κάρλαϊλ και τον Τζάσπερ.

Τα μάτια μου σταμάτησαν στο λύκο ακριβώς πίσω από τον Σαμ. Το τρίχωμά του ήταν καστανοκόκκινο και πιο μακρύ από των άλλων, ήταν μαλλιαρός σε σύγκριση μ' εκείνους. Ήταν σχεδόν τόσο ψηλός όσο κι ο Σαμ, ο δεύτερος μεγαλύτερος στην ομάδα. Η στάση του ήταν άνετη σαν να μην έτρεχε τίποτα, κατά κάποιο τρόπο εξέπεμπε μια αδιαφορία σχετικά μ' αυτό που όλοι οι υπόλοιποι αντιμετώπιζαν σαν δοκιμασία.

Ο τεράστιος καστανοκόκκινος λύκος φάνηκε να νιώθει το επίμονο βλέμμα μου και σήκωσε το κεφάλι για να με κοιτάξει με τα μαύρα, οικεία του μάτια.

Του ανταπόδωσα το βλέμμα, προσπαθώντας να πιστέψω αυτό που ήδη ήξερα. Ένιωθα τον εντυπωσιασμό και το θαυμασμό στο πρόσωπό μου.

Το ρύγχος του λύκου άνοιξε και τραβήχτηκε πίσω πάνω από τα δόντια του. Θα ήταν μια τρομακτική έκφραση, όμως η γλώσσα του είχε κρεμαστεί έξω από το στόμα του στα πλάγια σε ένα λυκίσιο χαμόγελο.

Γέλασα.

Το χαμόγελο του Τζέικομπ έγινε πιο πλατύ πάνω από τα κοφτερά του δόντια. Άφησε τη θέση του στη γραμμή, αγνοώντας τα μάτια της αγέλης, καθώς τον ακολούθησαν. Κάλπασε ελαφρά προσπερνώντας τον Έντουαρντ και την Άλις για να σταθεί μόλις μισό μέτρο μακριά μου. Σταμάτησε εκεί, ενώ το βλέμμα του τρεμόπαιξε για λίγο προς τον Έντουαρντ.

Ο Έντουαρντ στεκόταν ακίνητος, ένα άγαλμα, με τα μάτια του να αξιολογούν ακόμα την αντίδρασή μου.

Ο Τζέικομπ χαμήλωσε το σώμα του και κάθισε στα μπροστινά του πόδια και έσκυψε το κεφάλι του, έτσι ώστε το πρόσωπό του να μη βρίσκεται ψηλότερα από το δικό μου, κοιτάζοντάς με, ζυγίζοντας την αντίδρασή μου, όπως ακριβώς κι ο Έντουαρντ.

«Τζέικομπ;» ψιθύρισα.

Το γουργούρισμα που ήρθε ως απάντηση βαθιά μέσα από το στήθος του ακούστηκε σαν πνιχτό γέλιο.

Άπλωσα το χέρι μου, με τα δάχτυλά μου να τρέμουν ελαφρά, κι άγγιξα το καστανοκόκκινο τρίχωμα στα πλάγια του προσώπου του.

Τα μαύρα μάτια έκλεισαν κι ο Τζέικομπ ακούμπησε το τεράστιο κεφάλι του στο χέρι μου. Ένας υπόκωφος βόμβος αντηχούσε στο λαιμό του.

Η γούνα ήταν ταυτόχρονα και απαλή και άγρια και ζεστή πάνω στο δέρμα μου. Τη χάιδεψα με τα δάχτυλά μου με περιέργεια, μαθαίνοντας την υφή της, χαϊδεύοντας το σβέρκο του εκεί όπου το χρώμα γινόταν πιο βαθύ. Δεν είχα συνειδητοποιήσει πόσο κοντά του βρισκόμουν˙ χωρίς προειδοποίηση, ο Τζέικομπ ξαφνικά έγλυψε το πρόσωπό μου από το πιγούνι ως τα μαλλιά.

«Μπλιαξ! Σκέτη αηδία, Τζέικ!» παραπονέθηκα, πηδώντας προς τα πίσω και δίνοντάς του ένα μπατσάκι, ακριβώς όπως θα έκανα αν ήταν άνθρωπος. Έκανε πίσω για να το αποφύγει, και το γάβγισμα σαν βήχας που βγήκε μέσα από τα δόντια του ήταν προφανώς γέλια.

Σκούπισα το πρόσωπό μου με το μανίκι της μπλούζας μου, ανίκανη να συγκρατήσω τα γέλια μου.

Εκείνη τη στιγμή κατάλαβα ότι όλοι μας κοίταζαν, και οι Κάλεν και οι λυκάνθρωποι –οι Κάλεν με σαστισμένες και ελαφρώς αηδιασμένες εκφράσεις. Ήταν δύσκολο να διαβάσει κανείς τα πρόσωπα των λύκων. Μου φάνηκε ότι ο Σαμ έδειχνε δυσαρεστημένος.

Και μετά ήταν κι ο Έντουαρντ, νευρικός και εμφανώς απογοητευμένος. Συνειδητοποίησα πως ήλπιζε να είχα διαφορετική αντίδραση. Όπως ας πούμε να ούρλιαζα και να άρχιζα να τρέχω πανικόβλητη.

Ο Τζέικομπ έκανε ξανά τον ήχο του γέλιου.

Οι άλλοι λύκοι οπισθοχωρούσαν τώρα, χωρίς να παίρνουν τα μάτια τους από τους Κάλεν, καθώς αποχωρούσαν. Ο Τζέικομπ στεκόταν στο πλάι μου, παρακολουθώντας τους να φεύγουν. Σύντομα χάθηκαν μέσα στο σκοτεινό δάσος. Μόνο δύο δίστασαν στα δέντρα, κοιτάζοντας τον Τζέικομπ, και η στάση του σώματός τους εξέπεμπε άγχος.

Ο Έντουαρντ αναστέναξε, και –αγνοώντας τον Τζέικομπ– ήρθε να σταθεί από την άλλη μου μεριά, πιάνοντας το χέρι μου.

«Έτοιμη να φύγουμε;» με ρώτησε.

Πριν προλάβω να απαντήσω, κοίταξε τον Τζέικομπ.

«Δεν έχω σκεφτεί όλες τις λεπτομέρειες ακόμα», είπε απαντώντας μια ερώτηση του Τζέικομπ.

Ο λύκος-Τζέικομπ γκρίνιαξε βαρύθυμα.

«Είναι πιο περίπλοκο», είπε ο Έντουαρντ. «Μη σ' απασχολεί˙ θα εξασφαλίσω ότι δε θα υπάρχει κανένας κίνδυνος».

«Για τι πράγμα μιλάτε;» απαίτησα να μάθω.

«Απλώς συζητάμε για τη στρατηγική», είπε ο Έντουαρντ.

Το κεφάλι του Τζέικομπ κουνήθηκε μπρος-πίσω, κοιτάζοντας τα πρόσωπά μας. Μετά, ξαφνικά, όρμησε προς το δάσος. Καθώς έφευγε τρέχοντας, παρατήρησα για πρώτη φορά ένα τετράγωνο διπλωμένο μαύρο ύφασμα δεμένο στο πίσω πόδι του.

«Περίμενε», φώναξα, ενώ το ένα μου χέρι τεντώθηκε αυτόματα για να τον πιάσει. Αλλά εκείνος εξαφανίστηκε μέσα στα δέντρα σε δευτερόλεπτα, με τους άλλους δυο λύκους να τον ακολουθούν.

«Γιατί έφυγε;» ρώτησα πληγωμένη.

«Θα γυρίσει», είπε ο Έντουαρντ. Αναστέναξε. «Θέλει να μπορεί να μιλήσει ο ίδιος για τον εαυτό του».

Κοίταζα την άκρη του δάσους, όπου ο Τζέικομπ είχε χαθεί, ακουμπώντας στο πλευρό του Έντουαρντ ξανά. Ήμουν έτοιμη να καταρρεύσω, αλλά αντιστεκόμουν.

Ο Τζέικομπ εμφανίστηκε πάλι χοροπηδώντας πάνω σε δύο πόδια αυτή τη φορά. Το φαρδύ του στέρνο ήταν γυμνό, τα μαλλιά του μπερδεμένα και φουντωτά. Φορούσε μόνο μια μαύρη φόρμα από κάτω, ενώ τα πόδια του ήταν ξυπόλυτα πάνω στο κρύο χώμα. Ήταν μόνος του τώρα, αλλά υποψιαζόμουν ότι οι φίλοι του περίμεναν μέσα στα δέντρα, αόρατοι.

Δεν του πήρε πολλή ώρα για να διασχίσει το λιβάδι, αν και άφησε μεγάλη απόσταση ανάμεσα στον εαυτό του και στους Κάλεν, που στέκονταν συζητώντας σε ένα χαλαρό κύκλο.

«Εντάξει, βδέλλα», είπε ο Τζέικομπ, όταν βρέθηκε μερικά μέτρα μακριά μας, προφανώς συνεχίζοντας την κουβέντα που είχα χάσει. «Ποιο πράγμα είναι τόσο περίπλοκο;»

«Πρέπει να σκεφτώ κάθε πιθανότητα», είπε ο Έντουαρντ, ατάραχος. «Κι αν κάποιος σου ξεφύγει;»

Ο Τζέικομπ ρουθούνισε στο άκουσμα της ιδέας αυτής. «Εντάξει, άφησέ την τότε στον καταυλισμό. Θα βάλουμε τον

Κόλιν και τον Μπρέιντι να μείνουν πίσω, έτσι κι αλλιώς. Θα είναι ασφαλής εκεί».

Κατσούφιασα. «Για 'μένα μιλάτε;»

«Ήθελα απλά να μάθω τι σκοπεύει να σε κάνει κατά τη διάρκεια της μάχης», εξήγησε ο Τζέικομπ.

«Να με *κάνει;*»

«Δεν μπορείς να μείνεις στο Φορκς, Μπέλλα». Η φωνή του Έντουαρντ ήταν ειρηνευτική. «Ξέρουν πού να σε ψάξουν εκεί. Τι θα γινόταν αν κάποιος διέφευγε της προσοχής μας;»

Το στομάχι μου δέθηκε κόμπος και το αίμα στράγγισε από το πρόσωπό μου. «Ο Τσάρλι;» έβγαλα μια πνιχτή κραυγή.

«Θα είναι με τον Μπίλι», με διαβεβαίωσε γρήγορα ο Τζέικομπ. «Αν ο μπαμπάς μου χρειαστεί να κάνει φόνο για να τον φέρει εκεί, θα το κάνει. Το πιθανότερο είναι ότι δε θα χρειαστεί να φτάσει μέχρι εκεί. Είναι αυτό το Σάββατο, σωστά; Έχει αγώνα».

«Αυτό το Σάββατο;» ρώτησα, ενώ το κεφάλι μου γύριζε. Ένιωθα υπερβολικά ζαλισμένη για να κοντρολάρω τις εντελώς τυχαίες σκέψεις μου. Συνοφρυώθηκα στον Έντουαρντ. «Ωχ, να πάρει! Πάει το δώρο σου για την αποφοίτηση».

Ο Έντουαρντ γέλασε. «Η σκέψη μετράει», μου υπενθύμισε. «Μπορείς να δώσεις τα εισιτήρια σε κάποιον άλλο».

Μου ήρθε γρήγορα έμπνευση. «Στην Άντζελα και τον Μπεν», αποφάσισα αμέσως. «Τουλάχιστον έτσι θα αναγκαστούν να φύγουν από την πόλη».

Άγγιξε το μάγουλό μου. «Δεν μπορείς να εκκενώσεις ολόκληρη την πόλη», είπε με απαλή φωνή. «Το να σε κρύψουμε είναι απλώς προληπτικό μέτρο. Σου είπα –δε θα έχουμε κανένα πρόβλημα τώρα. Δε θα είναι αρκετοί ούτε για να μας διασκεδάσουν».

«Όμως τι θα γίνει τελικά; Θα την αφήσουμε στο Λα Πους;» διέκοψε ο Τζέικομπ, ανυπόμονος.

«Έχει πάει πολλές φορές εκεί», είπε ο Έντουαρντ. «Έχει

αφήσει τα ίχνη της παντού. Η Άλις βλέπει μόνο πολύ νεαρούς βρικόλακες να βγαίνουν στο κυνήγι, αλλά προφανώς κάποιος τους δημιούργησε. Υπάρχει κάποιος πιο έμπειρος πίσω απ' αυτό. Όποιος κι αν είναι αυτός» –ο Έντουαρντ σταμάτησε για να με κοιτάξει– «ή αυτή, όλο αυτό θα *μπορούσε* να είναι ένας τρόπος να μας αποσπάσει την προσοχή. Η Άλις θα το δει αν αποφασίσει να ρίξει μια ματιά ο ίδιος, αλλά θα μπορούσαμε να είμαστε πολύ απασχολημένοι τη στιγμή που θα παρθεί η απόφαση. Ίσως κάποιος να υπολογίζει σ' αυτό. Δεν μπορώ να την αφήσω κάπου όπου έχει πάει πολλές φορές. Πρέπει να βρίσκεται κάπου που να είναι δύσκολο να τη βρουν, για καλό και για κακό. Είναι τραβηγμένο, αλλά δε θα το διακινδυνεύσω».

Κοίταξα επίμονα τον Έντουαρντ, καθώς εξηγούσε, ενώ το μέτωπό μου γέμιζε ζάρες. Χτύπησε ελαφρά το μπράτσο μου.

«Απλώς είμαι πολύ προσεχτικός», μου ορκίστηκε.

Ο Τζέικομπ έκανε μια χειρονομία δείχνοντας βαθιά μέσα στο δάσος στα ανατολικά μας, προς την τεράστια έκταση της Ολυμπιακής Οροσειράς.

«Τότε κρύψ' την εδώ», πρότεινε. «Υπάρχουν ένα εκατομμύριο δυνατότητες –μέρη όπου και οι δυο μας θα μπορούσαμε να βρεθούμε μέσα σε λίγα λεπτά, αν χρειαστεί».

Ο Έντουαρντ κούνησε το κεφάλι του. «Η μυρωδιά της είναι πολύ δυνατή και σε συνδυασμό με τη δική μου, εξαιρετικά ευδιάκριτη. Ακόμα κι αν την κουβαλούσα εγώ, θα έμεναν ίχνη. *Τα δικά μας* ίχνη είναι παντού στην οροσειρά, αλλά σε συνδυασμό με τη μυρωδιά της Μπέλλα, θα τραβούσε την προσοχή τους. Δεν είμαστε σίγουροι ακριβώς ποια πορεία θα ακολουθήσουν, επειδή δεν το ξέρουν ούτε κι αυτοί *ακόμα*. Αν διασταυρώνονταν με τη μυρωδιά της, πριν βρουν εμάς… »

Και οι δυο τους έκαναν ένα μορφασμό ταυτόχρονα, με τα φρύδια τους να σμίγουν.

«Βλέπεις τις δυσκολίες».

«Πρέπει να υπάρχει κάποιος τρόπος να πετύχει», μουρμούρισε ο Τζέικομπ. Κοίταξε προς το δάσος σουφρώνοντας τα χείλη του.

Εγώ κλυδωνίστηκα στα πόδια μου. Ο Έντουαρντ έβαλε το χέρι του γύρω από τη μέση μου, τραβώντας με πιο κοντά και στηρίζοντας το βάρος μου.

«Πρέπει να σε πάω σπίτι –είσαι εξαντλημένη. Κι ο Τσάρλι θα ξυπνήσει όπου να 'ναι...»

«Για μισό λεπτό», είπε ο Τζέικομπ, γυρίζοντας προς εμάς ξανά, με μάτια λαμπερά. «Η μυρωδιά μου σας αηδιάζει, έτσι δεν είναι;»

«Χμμμ, δεν είναι κακή ιδέα». Ο Έντουαρντ ήταν δύο βήματα μπροστά. «Είναι εφικτό». Γύρισε προς την οικογένειά του. «Τζάσπερ;» φώναξε.

Ο Τζάσπερ σήκωσε το βλέμμα με περιέργεια. Ήρθε προς εμάς μαζί με την Άλις ένα βήμα πίσω του. Το πρόσωπό της ήταν ξανά γεμάτο σύγχυση.

«Εντάξει, Τζέικομπ», ο Έντουαρντ έγνεψε προς εκείνον.

Ο Τζέικομπ γύρισε προς εμένα με ένα παράξενο μείγμα συναισθημάτων στο πρόσωπό του. Ήταν εμφανώς ενθουσιασμένος με αυτό το καινούριο του σχέδιο, όποιο και να ήταν, αλλά επίσης ένιωθε άβολα σε τόσο μικρή απόσταση από τους εχθρούς-συμμάχους του. Και τότε ήρθε η σειρά μου να ανησυχήσω, καθώς άπλωσε τα χέρια του προς εμένα.

Ο Έντουαρντ πήρε μια βαθιά ανάσα.

«Θα δούμε αν μπορώ να μπερδέψω τη μυρωδιά αρκετά, ώστε να καλυφθούν τα ίχνη σου», εξήγησε ο Τζέικομπ.

Κοίταξα καχύποπτα την ανοιχτή του αγκαλιά.

«Θα πρέπει να τον αφήσεις να σε κουβαλήσει, Μπέλλα», μου είπε ο Έντουαρντ. Η φωνή του ήταν ήρεμη, αλλά άκουγα την καταπνιγμένη δυσφορία.

Κατσούφιασα.

Ο Τζέικομπ στριφογύρισε τα μάτια του, ανυπόμονα, και έσκυψε κάτω για να με σηκώσει στην αγκαλιά του.

«Μην κάνεις σαν μωρό», μουρμούρισε.

Αλλά τα μάτια του τρεμόπαιξαν προς τον Έντουαρντ, όπως και τα δικά μου. Το πρόσωπο του Έντουαρντ ήταν ψύχραιμο και ήρεμο. Μίλησε στον Τζάσπερ.

«Η μυρωδιά της Μπέλλα είναι πολύ πιο δυνατή για 'μένα –σκέφτηκα ότι θα ήταν πιο σωστό το πείραμα, αν δοκίμαζε κάποιος άλλος».

Ο Τζέικομπ γύρισε από την άλλη μεριά και μπήκε γρήγορα στο δάσος. Εγώ δεν είπα τίποτα, καθώς το σκοτάδι μας περιέβαλλε. Ήμουν κατσουφιασμένη, νιώθοντας άβολα μέσα στην αγκαλιά του Τζέικομπ. Ένιωθα ότι ήταν πολύ σφιχτή –σίγουρα δεν ήταν ανάγκη να με κρατάει με *τόση* δύναμη– και δεν μπορούσα παρά να αναρωτηθώ πώς ένιωθε εκείνος. Μου θύμιζε το τελευταίο μου απόγευμα στο Λα Πους, και δεν ήθελα να το σκέφτομαι αυτό. Σταύρωσα τα χέρια μου, εκνευρισμένη, όταν ο νάρθηκας στο χέρι μου έκανε πιο έντονη την ανάμνηση.

Δεν πήγαμε πολύ μακριά˙ έκανε ένα μεγάλο τόξο και γύρισε πίσω στο ξέφωτο από διαφορετική κατεύθυνση, ίσως μισό γήπεδο μακριά από το αρχικό σημείο της εκκίνησης. Ο Έντουαρντ ήταν εκεί μόνος του, κι ο Τζέικομπ κατευθύνθηκε προς εκείνον.

«Μπορείς να με αφήσεις κάτω τώρα».

«Δε θέλω να διακινδυνεύσω να χαλάσουμε το πείραμα». Το βάδισμά του έγινε πιο αργό και η αγκαλιά του πιο σφιχτή.

«Είσαι *τόσο* εκνευριστικός», μουρμούρισα.

«Ευχαριστώ».

Από το πουθενά, ο Τζάσπερ κι η Άλις βρέθηκαν να στέκονται πλάι στον Έντουαρντ. Ο Τζέικομπ έκανε ένα βήμα ακόμα και μετά με άφησε κάτω περίπου δυο μέτρα μακριά από τον Έντουαρντ. Χωρίς να γυρίσω να ξανακοιτάξω τον Τζέικομπ, πήγα δίπλα στον Έντουαρντ και έπιασα το χέρι του.

«Λοιπόν;» ρώτησα.

«Αρκεί να μην αγγίξεις τίποτα, Μπέλλα, δεν μπορώ να δι-*ανοηθώ* ότι κάποιος θα έχωνε τη μύτη του αρκετά κοντά σ' αυτά τα ίχνη, για να πιάσει τη μυρωδιά σου», είπε ο Τζάσπερ, κάνοντας ένα μορφασμό. «Σχεδόν καλύφθηκε εντελώς».

«Σαφής επιτυχία», συμφώνησε η Άλις, σουφρώνοντας τη μύτη της.

«Και μου έδωσε μια ιδέα».

«Που θα έχει αποτέλεσμα», πρόσθεσε η Άλις με αυτοπεποίθηση.

«Έξυπνο», συμφώνησε ο Έντουαρντ.

«Πώς το *αντέχεις* αυτό;» μουρμούρισε ο Τζέικομπ σ' εμένα.

Ο Έντουαρντ δεν έδωσε σημασία στον Τζέικομπ και με κοίταξε, ενώ εξηγούσε. «Θα αφήσουμε –δηλαδή, *εσύ* θα αφήσεις ένα μονοπάτι από ψεύτικα ίχνη που θα οδηγεί στο ξέφωτο, Μπέλλα. Οι νεογέννητοι θα κυνηγήσουν, η μυρωδιά σου θα τους τραβήξει και θα έρθουν ακριβώς όπως τους θέλουμε, χωρίς να είναι προσεχτικοί. Η Άλις το βλέπει ήδη ότι αυτό θα πετύχει. Όταν θα εντοπίσουν τη *δική μας* μυρωδιά, θα χωριστούν και θα προσπαθήσουν να μας επιτεθούν από δυο μεριές. Οι μισοί θα πάνε μέσα από τα δάσος, όπου η ενόρασή της ξαφνικά χάνεται ...»

«Ναι!» είπε ο Τζέικομπ με ένα σφυριχτό ήχο.

Ο Έντουαρντ του χαμογέλασε, με ένα χαμόγελο αληθινής συντροφικότητας.

Ένιωσα ναυτία. Πώς ήταν δυνατόν να ανυπομονούν τόσο πολύ γι' αυτό; Πώς μπορούσα να αντέξω να κινδυνέψουν και οι δυο τους; Δεν μπορούσα.

Δε θα το έκανα.

«Δεν υπάρχει περίπτωση», είπε ξαφνικά ο Έντουαρντ, με φωνή γεμάτη αηδία. Με έκανε να πεταχτώ, ανησυχώντας μήπως είχε ακούσει με κάποιον τρόπο την απόφασή μου, αλλά τα μάτια του ήταν στον Τζάσπερ.

«Το ξέρω, το ξέρω», είπε γρήγορα ο Τζάσπερ. «Δεν το σκέφτηκα καν, όχι στην πραγματικότητα».

Η Άλις του πάτησε το πόδι.

«Αν η Μπέλλα ήταν πράγματι εκεί στο ξέφωτο», της εξήγησε ο Τζάσπερ, «αυτό θα τους τρέλαινε. Δε θα μπορούσαν να συγκεντρωθούν σε τίποτα άλλο εκτός απ' αυτή. Θα το έκανε πανεύκολο να τους χτυπήσουμε…»

Το άγριο βλέμμα του Έντουαρντ έκανε τον Τζάσπερ να ανακαλέσει.

«Φυσικά θα είναι πολύ επικίνδυνο γι' αυτή. Ήταν μια ασυλλόγιστη σκέψη», είπε γρήγορα. Αλλά με κοίταξε με την άκρη των ματιών του, και στο βλέμμα του έβλεπα τη λαχτάρα.

«Όχι», είπε ο Έντουαρντ. Η φωνή του ήταν αμετάκλητη.

«Έχεις δίκιο», είπε ο Τζάσπερ. Έπιασε το χέρι της Άλις κι άρχισε να προχωρά προς τους άλλους. «Δύο στα τρία;» τον άκουσα να τη ρωτάει, καθώς πήγαιναν για να εξασκηθούν πάλι.

Ο Τζέικομπ τον ακολούθησε με βλέμμα γεμάτο αηδία.

«Ο Τζάσπερ βλέπει τα πράγματα από στρατηγική σκοπιά», ο Έντουαρντ υπερασπίστηκε χαμηλόφωνα τον αδερφό του. «Εξετάζει όλες τις εναλλακτικές επιλογές –είναι σχολαστικότητα, όχι κακία».

Ο Τζέικομπ ρουθούνισε.

Είχε έρθει με αργά βήματα πιο κοντά ασυναίσθητα, καθώς ήταν απορροφημένος από το σχεδιασμό. Στεκόταν μόνο ένα μέτρο μακριά από τον Έντουαρντ τώρα, και, έτσι όπως στεκόμουν εκεί μεταξύ τους, ένιωθα τη σωματική ένταση στην ατμόσφαιρα. Ήταν σαν να υπήρχε στατικός ηλεκτρισμός, σαν να ήταν δυσάρεστα φορτισμένη η ατμόσφαιρα.

Ο Έντουαρντ επανέφερε την κουβέντα στη δουλειά. «Θα τη φέρω εδώ την Παρασκευή το απόγευμα για να αφήσει τα ψεύτικα ίχνη. Μπορείς να μας συναντήσεις μετά και να την κουβαλήσεις σε ένα μέρος που ξέρω. Εντελώς απομακρυσμένο κι εύκολο να το υπερασπιστούμε, όχι ότι θα χρειαστεί να φτάσουμε ως εκεί. Εγώ θα έρθω από άλλο δρόμο».

«Και μετά τι; Θα την αφήσουμε με ένα κινητό τηλέφωνο;» ρώτησε ο Τζέικομπ επικριτικά.

«Έχεις καμιά καλύτερη ιδέα;»

Ο Τζέικομπ ξαφνικά έγινε αυτάρεσκος. «Εδώ που τα λέμε, έχω».

«Α... Και πάλι, σκύλε, καθόλου κακή».

Ο Τζέικομπ στράφηκε προς εμένα γρήγορα, λες και προσπαθούσε να το παίξει καλός κρατώντας με μέσα στην κουβέντα. «Προσπαθήσαμε να πείσουμε τον Σεθ να μείνει πίσω μαζί με τους δύο νεότερους. Είναι ακόμα πολύ μικρός, αλλά είναι πεισματάρης και αντιστέκεται. Έτσι σκέφτηκα ένα καινούριο καθήκον να του αναθέσω –θα είναι το κινητό».

Προσπάθησα να φανώ σαν να το είχα πιάσει. Δεν ξεγέλασα κανέναν.

«Όσο ο Σεθ Κλίαργουοτερ έχει τη μορφή λύκου, θα είναι σε επικοινωνία με την αγέλη», είπε ο Έντουαρντ. «Η απόσταση δεν είναι πρόβλημα;» πρόσθεσε, γυρίζοντας προς τον Τζέικομπ.

«Όχι».

«Πεντακόσια χιλιόμετρα;» ρώτησε ο Έντουαρντ. «Εντυπωσιακό».

Ο Τζέικομπ ήταν και πάλι ο καλός της υπόθεσης. «Αυτή είναι η πιο μακρινή απόσταση που έχουμε πάει για να δοκιμάσουμε», μου είπε. «Ακουγόμαστε πεντακάθαρα, σαν καμπάνα».

Κούνησα το κεφάλι μου αφηρημένα˙ ζαλιζόμουν από την ιδέα ότι ο μικρός Σεθ Κλίαργουοτερ ήταν ήδη λυκάνθρωπος κι αυτός, κι αυτό με δυσκόλευε να συγκεντρωθώ. Έβλεπα μέσα στο κεφάλι μου το λαμπερό του χαμόγελο, που έμοιαζε τόσο πολύ με έναν πιο νεαρό Τζέικομπ˙ δεν μπορούσε να είναι πάνω από δεκαπέντε χρονών, κι αν ήταν και τόσο. Ο ενθουσιασμός του στη συνάντηση του συμβουλίου το βράδυ της γιορτής στην παραλία ξαφνικά πήρε ένα διαφορετικό νόημα...

«Είναι καλή ιδέα». Ο Έντουαρντ φαινόταν απρόθυμος να το παραδεχτεί. «Θα νιώθω καλύτερα με τον Σεθ εκεί πέρα, ακόμα και χωρίς την άμεση επικοινωνία. Δεν ξέρω αν θα μπορούσα να αφήσω την Μπέλλα μόνη της εκεί πάνω. Ωστόσο, για δες που φτάσαμε! Να εμπιστευόμαστε λυκάνθρωπους!»

«Να πολεμάμε στο πλευρό βρικολάκων αντί εναντίον τους!» Η φωνή του Τζέικομπ επαναλάμβανε τον τόνο αηδίας του Έντουαρντ.

«Εντάξει, και πάλι θα πολεμήσετε εναντίον μερικών», είπε ο Έντουαρντ.

Ο Τζέικομπ χαμογέλασε. «Αυτός είναι ο λόγος που είμαστε εδώ».

19. ΕΓΩΙΣΜΟΣ

Ο Έντουαρντ με κουβάλησε σπίτι στην αγκαλιά του, έχοντας καταλάβει ότι δε θα μπορούσα να κρατηθώ στην πλάτη του. Πρέπει να αποκοιμήθηκα στο δρόμο.

Όταν ξύπνησα, ήμουν στο κρεβάτι μου και το θαμπό φως που ερχόταν από το παράθυρο έμπαινε λοξά από μια περίεργη γωνία. Λες και ήταν απόγευμα.

Χασμουρήθηκα και τεντώθηκα, καθώς τα δάχτυλά μου έψαχναν εκείνον και δεν έβρισκαν τίποτα.

«Έντουαρντ;» ψέλλισα.

Τα δάχτυλά μου που τον αναζητούσαν έπεσαν πάνω σε κάτι δροσερό και απαλό. Το χέρι του.

«Είσαι στ' αλήθεια ξύπνια αυτή τη φορά;» μουρμούρισε.

«Μμμμ», αναστέναξα συναινώντας. «Ξύπνησα κι άλλες φορές;»

«Ήσουν πολύ ανήσυχη –μιλούσες όλη τη μέρα».

«Όλη τη *μέρα;*» Ανοιγόκλεισα τα μάτια και κοίταξα πάλι τα παράθυρα.

«Ήταν μια μακριά νύχτα», είπε καθησυχαστικά. «Σου

άξιζε μια μέρα στο κρεβάτι».

Ανακάθισα, και το κεφάλι μου γύριζε. Το φως *όντως* έμπαινε από το παράθυρό μου από τη δύση. «Πω πω!»

«Πεινάς;» μάντεψε. «Θέλεις πρωινό στο κρεβάτι;»

«Θα πάω να το φέρω», είπα, τεντώνοντας ξανά το κορμί μου. «Πρέπει να σηκωθώ και να κουνηθώ».

Μου κρατούσε το χέρι στο δρόμο για την κουζίνα, ρίχνοντάς μου ματιές προσεχτικά, σαν να υπήρχε πιθανότητα να πέσω. Ή μπορεί να νόμιζε πως υπνοβατούσα.

Έβαλα να φάω κάτι απλό, δυο γκοφρέτες "ποπ-ταρτς" στη φρυγανιέρα να ψηθούν. Το μάτι μου έπεσε στην αντανάκλαση του εαυτού μου στο χρώμιο.

«Ωχ, είμαι ένα χάλι».

«Ήταν μακριά νύχτα», είπε ξανά. «Έπρεπε να είχες μείνει εδώ και να κοιμόσουν».

«Ναι, καλά! Και να χάσω *τα πάντα*. Ξέρεις, πρέπει να αρχίσεις να δέχεσαι το γεγονός ότι είμαι μέλος της οικογένειάς σου».

Χαμογέλασε. «Μάλλον θα μπορούσα να συνηθίσω σ' αυτή την ιδέα».

Κάθισα κάτω με το πρωινό μου, κι εκείνος κάθισε δίπλα μου. Όταν σήκωσα την γκοφρέτα για να κόψω την πρώτη δαγκωνιά, τον παρατήρησα που κοίταζε επίμονα το χέρι μου. Χαμήλωσα τα μάτια και είδα ότι φορούσα ακόμα το δώρο που μου είχε δώσει ο Τζέικομπ στο πάρτι.

«Μου επιτρέπεις;» ρώτησε, απλώνοντας το χέρι του για να ακουμπήσει το μικροσκοπικό ξύλινο λύκο.

Κατάπια με θόρυβο. «Εε, βέβαια».

Κούνησε το χέρι του κάτω από την αλυσίδα του φυλαχτού και ισορρόπησε το μικρό αγαλματάκι στην κατάλευκη παλάμη του. Για μια φευγαλέα στιγμή, φοβήθηκα. Και μόνο το παραμικρό στρίψιμο των δαχτύλων του θα μπορούσε να το κάνει σκόνη.

Αλλά φυσικά ο Έντουαρντ δε θα το έκανε αυτό. Ένιωθα ντροπή και μόνο που μου πέρασε η σκέψη αυτή. Απλώς ζύγισε το λύκο στην παλάμη του για μια στιγμή και μετά τον άφησε να πέσει. Ταλαντεύτηκε ελαφρά κρεμασμένος από τον καρπό μου.

Προσπάθησα να διαβάσω την έκφραση στα μάτια του. Το μόνο που έβλεπα ήταν ότι κάτι σκεφτόταν˙ όλα τα υπόλοιπα τα κρατούσε κρυφά, αν υπήρχε *όντως* κάτι άλλο.

«Ο Τζέικομπ Μπλακ μπορεί να σου κάνει δώρα».

Αυτό δεν ήταν ερώτηση, ούτε κατηγορία. Απλώς μια δήλωση ενός γεγονότος. Αλλά ήξερα ότι αναφερόταν στα περασμένα μου γενέθλια και την κρίση υστερίας που είχα πάθει σχετικά με τα δώρα˙ δεν ήθελα κανένα. Ειδικά από τον Έντουαρντ. Δεν ήταν εντελώς λογικό, και, φυσικά, όλοι με είχαν αγνοήσει, έτσι κι αλλιώς...

«Μου έχεις κάνει κι εσύ δώρα», του θύμισα. «Ξέρεις ότι μου αρέσουν τα χειροποίητα πράγματα».

Σούφρωσε τα χείλη του για ένα δευτερόλεπτο. «Και τι λες γι᾽ αυτά που είναι από παλιά; Αυτά είναι αποδεκτά;»

«Τι εννοείς;»

«Αυτό το βραχιόλι». Το δάχτυλό του διέγραψε ένα κύκλο γύρω από τον καρπό μου. «Θα το φοράς συχνά;»

Ανασήκωσα τους ώμους.

«Επειδή δε θέλεις να τον πληγώσεις», υπαινίχθηκε με έξυπνο τρόπο.

«Βέβαια, μάλλον».

«Δε νομίζεις ότι είναι δίκαιο, τότε», ρώτησε, κοιτάζοντας το χέρι μου, καθώς μιλούσε. Γύρισε την παλάμη προς τα πάνω, και χάιδεψε με το δάχτυλό του τις φλέβες στον καρπό μου. «Αν έχω κι εγώ μια μικρή εκπροσώπηση;»

«Εκπροσώπηση;»

«Ένα φυλαχτό –κάτι για να σου θυμίζει εμένα».

«Είσαι σε κάθε σκέψη που κάνω. Δεν έχω ανάγκη από τίποτα που να σε θυμίζει».

«Αν σου έδινα κάτι, θα το φορούσες;» επέμεινε.

«Ένα δώρο από παλιά;» εξακρίβωσα.

«Ναι, κάτι που έχω εδώ και λίγο καιρό». Χαμογέλασε μ' εκείνο το αγγελικό χαμόγελο.

Αν αυτή ήταν η μοναδική αντίδραση στο δώρο του Τζέικομπ, θα τη δεχόμουν με χαρά. «Ό,τι σε κάνει χαρούμενο».

«Έχεις προσέξει την αδικία;» ρώτησε, και η φωνή του απέκτησε ένα τόνο κατηγορίας. «Επειδή εγώ σίγουρα την πρόσεξα».

«Ποια αδικία;»

Τα μάτια του ζάρωσαν. «Όλοι οι άλλοι μπορούν να σου δίνουν πράγματα χωρίς συνέπειες. Όλοι οι άλλοι εκτός από εμένα. Ήθελα τόσο πολύ να σου πάρω ένα δώρο για την αποφοίτηση, αλλά δε σου έκανα. Ήξερα ότι θα θύμωνες περισσότερο απ' ό,τι αν σου έκανε δώρο οποιοσδήποτε άλλος. Αυτό είναι εντελώς άδικο. Πώς το εξηγείς αυτό;»

«Εύκολα». Ανασήκωσα τους ώμους. «Είσαι πιο σημαντικός από όλους τους άλλους. Και μου έχεις δώσει *τον εαυτό σου*. Αυτό είναι ήδη παραπάνω απ' όσα αξίζω, κι ό,τι άλλο μου δώσεις απλώς χαλάει την ισορροπία ακόμα περισσότερο».

Το επεξεργάστηκε για μια στιγμή και μετά στριφογύρισε τα μάτια του. «Ο τρόπος που με αντιμετωπίζεις είναι εξωφρενικός».

Εγώ μασούσα το πρωινό μου ψύχραιμα. Ήξερα ότι δε θα άκουγε αν του έλεγα ότι το έβλεπε ανάποδα το θέμα.

Το τηλέφωνο του χτύπησε.

Κοίταξε τον αριθμό πριν το ανοίξει. «Τι συμβαίνει, Άλις;»

Άκουγε προσεχτικά, κι εγώ περίμενα την αντίδρασή του, ξαφνικά γεμάτη άγχος. Αλλά ό,τι κι αν του έλεγε δεν τον εξέπληξε. Αναστέναξε μερικές φορές.

«Σχεδόν τα είχα μαντέψει αυτά», της είπε, κοιτάζοντας μέσα στα μάτια μου, με το φρύδι του να σχηματίζει μια καμπύλη αποδοκιμασίας. «Μιλούσε στον ύπνο της».

Αναψοκοκκίνισα. Τι είχα πει πάλι;

«Θα το φροντίσω», υποσχέθηκε.

Με αγριοκοίταξε καθώς έκλεινε το τηλέφωνό του. «Υπάρχει κάτι για το οποίο θέλεις να μου μιλήσεις;»

Συλλογίστηκα για μια στιγμή. Μετά την προειδοποίηση της Άλις το περασμένο βράδυ, μπορούσα να μαντέψω γιατί είχε πάρει τηλέφωνο. Και μετά, καθώς θυμήθηκα τα ανήσυχα όνειρα που έβλεπα στον ύπνο μου όλη τη μέρα –όνειρα όπου κυνηγούσα τον Τζάσπερ, προσπαθώντας να τον ακολουθήσω και να βρω το ξέφωτο μέσα στο δάσος που έμοιαζε με λαβύρινθο, γνωρίζοντας πως θα έβρισκα τον Έντουαρντ εκεί… τον Έντουαρντ και τα τέρατα που ήθελαν να με σκοτώσουν, αλλά χωρίς να με νοιάζει γι' αυτά, επειδή είχα ήδη πάρει την απόφασή μου –μπορούσα επίσης να μαντέψω τι είχε ακούσει ο Έντουαρντ, ενώ κοιμόμουν.

Σούφρωσα τα χείλη μου για μια στιγμή, χωρίς να μπορώ ακριβώς να τον κοιτάξω στα μάτια. Εκείνος περίμενε.

«Μου αρέσει η ιδέα του Τζάσπερ», είπα τελικά.

Αναστέναξε.

«Θέλω να βοηθήσω. Πρέπει να κάνω *κάτι*», επέμεινα.

«Δε θα βοηθούσε σε τίποτα το να κινδυνέψεις».

«Ο Τζάσπερ πιστεύει ότι θα βοηθούσε. Ο τομέας αυτός είναι *δική του* ειδικότητα».

Ο Έντουαρντ με αγριοκοίταξε.

«Δεν μπορείς να με κρατήσεις μακριά», απείλησα. «Δεν πρόκειται να κρυφτώ στο δάσος, ενώ εσείς όλοι σας διακινδυνεύετε τη ζωή σας για χάρη μου».

Ξαφνικά, αντιστεκόταν σε ένα χαμόγελο. «Η Άλις δε σε βλέπει *μέσα* στο ξέφωτο, Μπέλλα. Σε βλέπει να προχωράς σκοντάφτοντας χαμένη μέσα στο δάσος. Δε θα τα καταφέρεις να μας βρεις· απλώς θα με κάνεις να σπαταλήσω περισσότερο χρόνο για να σε βρω μετά».

Προσπάθησα να διατηρήσω την ψυχραιμία μου όσο γινόταν. «Αυτό συμβαίνει, επειδή η Άλις δεν έλαβε υπόψη της τον Σεθ Κλίαργουοτερ», είπα ευγενικά. «Αν τον είχε λάβει υπόψη της, φυσικά, δε θα μπορούσε να δει τίποτα απολύτως. Αλλά μου φαίνεται ότι ο Σεθ θέλει να έρθει εκεί όσο κι εγώ. Δε θα πρέπει να είναι πολύ δύσκολο να τον πείσω να μου δείξει το δρόμο».

Θυμός πέρασε στιγμιαία από το πρόσωπό του και μετά πήρε μια βαθιά ανάσα και ξαναβρήκε την ψυχραιμία του. «Αυτό μπορεί να πετύχαινε... αν δε μου το είχες πει. Τώρα απλώς θα ζητήσω από τον Σαμ να δώσει στον Σεθ συγκεκριμένες εντολές. Όσο κι αν ίσως το θέλει, ο Σεθ δε θα μπορέσει να αγνοήσει μια εντολή».

Συνέχισα να χαμογελάω ευχάριστα. «Μα γιατί να δώσει τέτοιες εντολές ο Σαμ; Αν του πω πώς θα βοηθούσα αν ήμουν εκεί; Βάζω στοίχημα ότι ο Σαμ θα προτιμούσε να μου κάνει εμένα τη χάρη παρά σ' εσένα».

Έπρεπε να προσπαθήσει ξανά να βρει την ψυχραιμία του. «Μπορεί και να έχεις δίκιο. Αλλά είμαι σίγουρος ότι ο Τζέικομπ θα ήταν πολύ πρόθυμος να δώσει αυτές τις εντολές ο ίδιος».

Κατσούφιασα. «Ο Τζέικομπ;»

«Ο Τζέικομπ είναι δεύτερος στην ιεραρχία. Δε σου το είπε ποτέ; Και οι λύκοι πρέπει να υπακούν και στις δικές του εντολές».

Μου την είχε φέρει, και από το χαμόγελό του καταλάβαινα ότι το ήξερε. Το μέτωπό μου γέμισε ζάρες. Ο Τζέικομπ θα ήταν με το μέρος του –σε αυτή την περίπτωση– ήμουν βέβαιη. Κι *όντως* ο Τζέικομπ δε μου το *είχε* πει ποτέ αυτό.

Ο Έντουαρντ εκμεταλλεύτηκε το γεγονός ότι είχα μείνει για την ώρα αποσβολωμένη, συνεχίζοντας με μια ύποπτα απαλή και καθησυχαστική φωνή.

«Πήρα μια συναρπαστική εικόνα του μυαλού της αγέλης

χθες το βράδυ. Ήταν καλύτερα κι από σαπουνόπερα. Δεν είχα ιδέα πόσο περίπλοκη είναι η δυναμική, όταν πρόκειται για μια τόσο μεγάλη αγέλη. Οι ισορροπίες, από τη μία το ατομικό μυαλό και από την άλλη η συλλογική ψυχή και σκέψη... Απίστευτα συναρπαστικό».

Προφανώς προσπαθούσε να με αποπροσανατολίσει. Τον κοίταξα άγρια.

«Ο Τζέικομπ έχει πολλά μυστικά», είπε με ένα αυτάρεσκο χαμόγελο.

Δεν απάντησα, απλώς συνέχιζα να τον κοιτάζω άγρια, κρατώντας στο νου το επιχείρημά μου και περιμένοντας κάποια ευκαιρία να το πω.

«Για παράδειγμα, πρόσεξες το μικρότερο γκρίζο λύκο χθες τη νύχτα;»

Έγνεψα μια φορά μουδιασμένη.

Γέλασε πνιχτά. «Παίρνουν όλους τους θρύλους τους τόσο σοβαρά. Φαίνεται ότι υπάρχουν πράγματα για τα οποία καμία από τις ιστορίες τους δεν τους έχει προετοιμάσει».

Αναστέναξα. «Εντάξει, τσίμπησα. Για τι πράγμα μιλάς;»

«Πάντα δέχονταν χωρίς αμφισβήτηση ότι μόνο κάποιος απευθείας απόγονος του πρώτου λύκου έχει τη δυνατότητα να μεταμορφωθεί».

«Άρα μεταμορφώθηκε κάποιος που δεν είναι απευθείας απόγονος;»

«Όχι. Μεταμορφώθηκε κάποια που είναι απευθείας απόγονος».

Ανοιγόκλεισα τα μάτια μου και γούρλωσαν. «*Κάποια;*»

Κούνησε το κεφάλι. «Σε ξέρει. Λέγεται Λία Κλίαργουοτερ».

«Η Λία είναι λυκάνθρωπος;» τσίριξα. «Τι; Πόσο καιρό; Γιατί δε μου το είπε ο Τζέικομπ;»

«Υπάρχουν πράγματα που δεν επιτρεπόταν να μοιραστεί –τον αριθμό τους, για παράδειγμα. Όπως είπα και πριν, όταν ο Σαμ δίνει μια εντολή, η αγέλη απλώς δεν μπορεί να την αψηφήσει. Ο Τζέικομπ ήταν πολύ προσεχτικός να σκέφτεται άλλα πράγματα, όταν ήταν κοντά μου. Φυσικά, μετά από τη χθεσινή νύχτα όλα αυτά πήγαν στο βρόντο!»

«Δεν μπορώ να το πιστέψω! Η Λία Κλίαργουοτερ!» Ξαφνικά, θυμήθηκα τον Τζέικομπ να μιλάει για τη Λία και τον Σαμ και τον τρόπο που συμπεριφερόταν, σαν να είχε πει πάρα πολλά –αφού είχε πει κάτι σχετικά με τον Σαμ που έπρεπε να κοιτάζει τη Λία στα μάτια *κάθε μέρα* και να ξέρει ότι είχε αθετήσει όλες τις υποσχέσεις του... Η Λία στους βράχους, ένα δάκρυ να λαμπυρίζει στο μάγουλό της, όταν ο γερο-Κουίλ είχε μιλήσει για το βάρος και τη θυσία που μοιράζονταν *οι γιοι* των Κουιλαγιούτ... Και τον Μπίλι που περνούσε χρόνο μαζί με τη Σου, επειδή είχε κάποιο πρόβλημα με τα παιδιά της... κι εδώ το πρόβλημα ήταν στην πραγματικότητα ότι και τα δυο τους ήταν λυκάνθρωποι τώρα!

Δεν είχα σκεφτεί πολύ τη Λία Κλίαργουοτερ, παρά μόνο για να νιώσω θλίψη για την απώλειά της, όταν έχασε τον πατέρα της τον Χάρι, και μετά για να νιώσω οίκτο γι' αυτή ξανά, όταν ο Τζέικομπ μου διηγήθηκε την ιστορία της, σχετικά με το πώς η παράξενη σχέση μεταξύ του Σαμ και της ξαδέρφης της, τής Έμιλι, της είχε ραγίσει την καρδιά.

Και τώρα ήταν μέλος της αγέλης του Σαμ κι άκουγε τις σκέψεις του... και δεν μπορούσε να κρύψει τις δικές της.

Είναι απαίσιο, είχε πει ο Τζέικομπ. *Όλα αυτά για τα οποία ντρέπεσαι, εκτεθειμένα μπροστά σε όλους.*

«Η καημένη η Λία», ψιθύρισα.

Ο Έντουαρντ ξεφύσηξε. «Κάνει τη ζωή όλων τους εξαιρετικά δύσκολη. Δεν είμαι σίγουρος πως αξίζει τη συμπόνια σου».

«Τι θέλεις να πεις;»

«Είναι ήδη αρκετά δύσκολο για 'κείνους να πρέπει να μοιράζονται όλα τους τα μυστικά. Οι περισσότεροι προσπαθούν να συνεργαστούν, να το κάνουν πιο εύκολο. Όταν ακόμα κι ένα μέλος είναι επίτηδες κακόβουλο, είναι οδυνηρό για όλους τους».

«Έχει καλό λόγο», ψέλλισα, ακόμα με το μέρος της.

«Ω, το ξέρω», είπε. «Η παρόρμηση της αποτύπωσης είναι ένα από τα πιο παράξενα πράγματα που έχω δει ποτέ στη ζωή μου, κι έχω δει αρκετά παράξενα πράγματα». Κούνησε το κεφάλι του με θαυμασμό. «Ο τρόπος που ο Σαμ είναι δεμένος με την Έμιλί του είναι αδύνατον να περιγραφεί –ή μήπως θα έπρεπε να πω ο Σαμ *της*. Ο Σαμ δεν είχε καμία επιλογή στην πραγματικότητα. Μου θυμίζει το *Όνειρο Θερινής Νυκτός* με όλο το χάος που δημιουργείται από τα ξόρκια του έρωτα των ξωτικών... κάτι σαν μαγεία». Χαμογέλασε. «Είναι σχεδόν το ίδιο δυνατό με τα δικά μου συναισθήματα για 'σένα».

«Η καημένη η Λία», είπα ξανά. «Αλλά τι εννοείς κακόβουλο;»

«Συνεχώς ανασύρει στην επιφάνεια πράγματα που όλοι τους θα προτιμούσαν να μη σκέφτονται», εξήγησε. «Για παράδειγμα, σχετικά με τον Έμπρι».

«Τι τρέχει με τον Έμπρι;» ρώτησα έκπληκτη.

«Η μητέρα του ήρθε από τον καταυλισμό των Μακά πριν δεκαεπτά χρόνια, όταν ήταν έγκυος σ' αυτόν. Δεν είναι Κουιλαγιούτ. Όλοι υπέθεσαν ότι είχε αφήσει τον πατέρα του στον καταυλισμό των Μακά. Αλλά μετά ο Έμπρι έγινε μέλος της αγέλης».

«Και λοιπόν;»

«Λοιπόν, οι βασικοί υποψήφιοι για το ποιος είναι ο πατέρας του είναι ο μεγάλος Κουίλ Ατεάρα, ο Τζόσουα Γιούλεϊ ή ο Μπίλι Μπλακ, όλοι τους παντρεμένοι εκείνη την εποχή, φυσικά».

«Όχι!» έβγαλα μια πνιχτή κραυγή. Ο Έντουαρντ είχε δίκιο –αυτό ήταν ακριβώς σαν σαπουνόπερα.

«Τώρα ο Σαμ, ο Τζέικομπ κι ο Κουίλ όλοι τους αναρωτιούνται ποιος έχει ετεροθαλή αδερφό. Όλοι τους θα ήθελαν να πιστεύουν ότι είναι ο Σαμ, εφόσον ο δικός του πατέρας δεν ήταν ποτέ πρότυπο πατέρα. Αλλά η αμφιβολία υπάρχει πάντα εκεί. Ο Τζέικομπ δεν μπόρεσε ποτέ να ρωτήσει τον Μπίλι γι' αυτό το θέμα».

«Πω πω! Πώς έμαθες τόσα πολλά μέσα σε μια νύχτα;»

«Το μυαλό της αγέλης είναι μαγευτικό. Όλοι τους σκέφτονται μαζί, κι ο καθένας ξεχωριστά ταυτόχρονα. Υπάρχουν τόσα πολλά να διαβάσει κανείς!»

Ακούστηκε αμυδρά περίλυπος, σαν κάποιος που είχε παρατήσει ένα καλό βιβλίο ακριβώς πριν από τη στιγμή της κορύφωσης. Γέλασα.

«Η αγέλη είναι συναρπαστική», συμφώνησα. «Σχεδόν εξίσου μ' εσένα, όταν προσπαθείς να με αποπροσανατολίσεις».

Η έκφρασή του έγινε ευγενική ξανά –ένα απολύτως ανέκφραστο πρόσωπο.

«Πρέπει να βρίσκομαι στο ξέφωτο, Έντουαρντ».

«Όχι», είπε με έναν πολύ οριστικό τόνο.

Ένας δρόμος μου ήρθε στο νου μου εκείνη τη στιγμή.

Δεν ήταν τόσο πολύ ότι έπρεπε να βρίσκομαι στο ξέφωτο. Απλώς έπρεπε να είμαι εκεί όπου θα ήταν κι ο Έντουαρντ.

Σκληρή, κατηγόρησα τον εαυτό μου. *Εγωίστρια, εγωίστρια, εγωίστρια! Μην το κάνεις!*

Αγνόησα τα πιο αγαθά μου ένστικτα. Αλλά, δεν μπορούσα να τον κοιτάω, ενώ του μιλούσα. Η ενοχή είχε κολλήσει τα μάτια μου στο τραπέζι.

«Λοιπόν, κοίτα, Έντουαρντ», ψιθύρισα. «Το θέμα έχει ως εξής... ήδη πήγα να τρελαθώ μια φορά. Ξέρω μέχρι πού φτάνουν τα όριά μου. *Και δεν το αντέχω να με αφήσεις ξανά*».

Δε σήκωσα τα μάτια για να δω την αντίδρασή του, καθώς φοβόμουν να δω πόσο πόνο του είχα προκαλέσει. Άκουσα, όμως, την ξαφνική ανάσα που πήρε και τη σιωπή που ακολούθησε. Κοίταζα τη σκούρα ξύλινη επιφάνεια του τραπεζιού, ενώ ευχόμουν να μπορούσα να πάρω πίσω τα λόγια μου. Αλλά ξέροντας ότι πιθανότατα δε θα το έκανα. Όχι αν είχαν αποτέλεσμα.

Ξαφνικά, τα μπράτσα του βρέθηκαν γύρω μου, τα χέρια του χάιδευαν το πρόσωπό μου, τα μπράτσα μου. *Εκείνος* παρηγορούσε *εμένα*. Οι τύψεις χτύπησαν κόκκινο. Αλλά το ένστικτο της επιβίωσης ήταν πιο δυνατό. Δεν υπήρχε καμία αμφιβολία ότι η ύπαρξή του ήταν θεμελιώδης για την επιβίωσή μου.

«Το ξέρεις ότι δεν είναι έτσι τα πράγματα, Μπέλλα», μουρμούρισε. «Δε θα είμαι μακριά, και όλα θα τελειώσουν γρήγορα».

«Δεν το αντέχω», επέμεινα, κοιτάζοντας ακόμα κάτω. «Το να μην ξέρω αν θα γυρίσεις πίσω ή όχι. Πώς μπορώ να το υποφέρω αυτό, όσο γρήγορα κι αν τελειώσουν όλα;»

Αναστέναξε. «Θα είναι εύκολο, Μπέλλα. Δεν υπάρχει κανένας λόγος για τους φόβους σου».

«Κανένας απολύτως;»

«Κανένας».

«Κι όλοι θα είναι μια χαρά;»

«Όλοι», υποσχέθηκε.

«Άρα δεν υπάρχει καμία περίπτωση να χρειαστεί να είμαι στο ξέφωτο;»

«Φυσικά και όχι. Η Άλις μόλις μου είπε ότι ο αριθμός τους μειώθηκε στους δεκαεννέα. Θα τα καταφέρουμε να τους αντιμετωπίσουμε εύκολα».

«Σωστά –είπες ότι είναι τόσο εύκολο που μπορεί και κάποιος να μείνει έξω», επανέλαβα τις λέξεις από το χθεσινό βράδυ. «Το εννοούσες αυτό;»

«Ναι».

Ένιωθα σαν να ήταν υπερβολικά απλό –έπρεπε να το καταλάβει ότι θα επακολουθούσε αυτό.

«Τόσο εύκολο που θα μπορούσες να μείνεις έξω εσύ;»

Μετά από μια στιγμή σιωπής, τελικά σήκωσα τα μάτια για

να κοιτάξω την έκφρασή του.

Το εντελώς ανέκφραστο πρόσωπο είχε επιστρέψει.

Πήρα μια βαθιά ανάσα. «Ή το ένα, λοιπόν ή το άλλο. Ή υπάρχει μεγαλύτερος κίνδυνος απ' ό,τι θέλεις να ξέρω, πράγμα που αν συμβαίνει θα ήταν σωστό να είμαι κι εγώ εκεί, ώστε να κάνω ό,τι μπορώ για να βοηθήσω. Ή... θα είναι τόσο εύκολο που θα τα καταφέρουν και χωρίς εσένα. Ποιο από τα δύο συμβαίνει;»

Δε μίλησε.

Ήξερα τι σκεφτόταν –το ίδιο πράγμα που σκεφτόμουν κι εγώ. Τον Κάρλαϊλ. Τον Έμετ. Τη Ρόζαλι. Τον Τζάσπερ. Και... ανάγκασα τον εαυτό μου να σκεφτεί το τελευταίο όνομα. Και την Άλις.

Αναρωτήθηκα αν ήμουν ένα τέρας. Όχι απ' αυτά που νόμιζε εκείνος ότι ήταν, αλλά ένα πραγματικό τέρας. Από αυτά που πλήγωναν τους ανθρώπους. Από αυτά που δεν είχαν καθόλου όρια, όταν επρόκειτο για αυτό που ήθελαν.

Αυτό που ήθελα ήταν να είναι εκείνος ασφαλής, ασφαλής μαζί μου. Είχα κανένα όριο σ' αυτά που θα έκανα, σ' αυτά που θα θυσίαζα γι' αυτό; Δεν ήμουν σίγουρη.

«Μου ζητάς να τους αφήσω να πολεμήσουν χωρίς τη βοήθειά μου;» είπε χαμηλόφωνα.

«Ναι». Ήμουν έκπληκτη που μπορούσα να διατηρώ τη σταθερότητα της φωνής μου, ένιωθα τόσο άθλια μέσα μου. «Ή να με αφήσεις να βρίσκομαι κι εγώ εκεί. Είτε έτσι είτε αλλιώς, αρκεί να είμαστε μαζί».

Πήρε μια βαθιά ανάσα και μετά ξεφύσηξε αργά. Μετακίνησε τα χέρια του για να τα ακουμπήσει από τη μια και την άλλη μεριά του προσώπου μου, αναγκάζοντάς με να τον κοιτάξω στα μάτια. Κοίταξε έντονα μέσα στα μάτια μου. Αναρωτιόμουν τι έψαχνε και τι ήταν αυτό που βρήκε. Ήταν η ενοχή τόσο έντονη στο πρόσωπό μου όσο την ένιωθα μέσα στο στομάχι μου –προκαλώντας μου αηδία;

Τα μάτια του σφίχτηκαν για να συγκρατήσει κάποιο συναίσθημα που δεν μπόρεσα να διαβάσω, κι άφησε το ένα του χέρι να πέσει για να βγάλει πάλι έξω το τηλέφωνό του.

«Άλις», είπε αναστενάζοντας. «Μπορείς να έρθεις να κάνεις μπέιμπι σίτινγκ στην Μπέλλα για λίγο;» Σήκωσε το ένα του φρύδι, προκαλώντας με να αντιδράσω στο άκουσμα της λέξης. «Πρέπει να μιλήσω με τον Τζάσπερ».

Εκείνη προφανώς συμφώνησε. Έβαλε το τηλέφωνο ξανά μέσα και συνέχισε να κοιτάζει το πρόσωπό μου επίμονα.

«Τι θα πεις στον Τζάσπερ;» ψιθύρισα.

«Θα συζητήσω το να... μείνω εκτός».

Ήταν εύκολο να διαβάσω στο πρόσωπό του πόσο δύσκολες ήταν οι λέξεις γι' αυτόν.

«Λυπάμαι».

Πράγματι λυπόμουν. Μισούσα το γεγονός ότι τον ανάγκαζα να το κάνει αυτό. Όχι αρκετά, ώστε να μπορώ να κάνω ότι χαμογελάω και να του πω να φύγει χωρίς εμένα. Οπωσδήποτε όχι τόσο πολύ.

«Μη απολογείσαι», είπε χαμογελώντας λίγο. «Ποτέ να μη φοβάσαι να μου πεις πώς νιώθεις, Μπέλλα. Αν αυτό είναι που χρειάζεσαι...» Ανασήκωσε τους ώμους. «Εσύ είσαι η πρώτη μου προτεραιότητα».

«Δεν το εννοούσα έτσι –σαν να πρέπει να διαλέξεις εμένα αντί για την οικογένειά σου».

«Το ξέρω. Εξάλλου, δεν είναι αυτό που ζήτησες. Μου έδωσες δύο εναλλακτικές με τις οποίες θα ήσουν εντάξει, κι εγώ διάλεξα αυτή με την οποία θα ήμουν *εγώ* εντάξει. Έτσι λειτουργεί ο συμβιβασμός».

Έσκυψα προς τα μπρος κι ακούμπησα το μέτωπό μου πάνω στο στήθος του. «Σ' ευχαριστώ», ψιθύρισα.

«Στη διάθεσή σου όποτε θες», απάντησε, φιλώντας τα μαλλιά μου. «Για οτιδήποτε».

Δεν κουνηθήκαμε για λίγο. Κράτησα το πρόσωπό μου

κρυμμένο, στριμωγμένο στην μπλούζα του. Δυο φωνές πάλευαν μέσα μου. Η μια που ήθελε να είμαι καλή και γενναία, και η άλλη που έλεγε στην καλή να το βουλώσει.

«Ποια είναι η τρίτη σύζυγος;» με ρώτησε ξαφνικά.

«Ε;» είπα κομπλάροντας για καθυστέρηση. Δε θυμόμουν να είχα δει ξανά αυτό το όνειρο.

«Μουρμούριζες κάτι σχετικά με "την τρίτη σύζυγο" χθες το βράδυ. Τα υπόλοιπα έβγαζαν κάποιο νόημα, αλλά σ' αυτό το σημείο έχασα τον ειρμό της σκέψης σου».

«Α. Εε, ναι. Ήταν απλώς μια από τις ιστορίες που άκουσα τη βραδιά του πάρτι γύρω από τη φωτιά». Ανασήκωσα τους ώμους. «Μάλλον μου κόλλησε».

Ο Έντουαρντ έκανε ένα βήμα πίσω και έγειρε το κεφάλι του στο πλάι, πιθανότατα μπερδεμένος από το ίχνος αμηχανίας στη φωνή μου.

Πριν προλάβει να ρωτήσει, η Άλις φάνηκε στην πόρτα της κουζίνας με μια ξινισμένη έκφραση.

«Θα χάσεις όλη τη διασκέδαση», γκρίνιαξε.

«Γεια σου, Άλις», τη χαιρέτησε. Έβαλε το ένα χέρι του κάτω από το πιγούνι μου και έδωσε μια κλίση στο κεφάλι μου προς τα πάνω, για να μου δώσει ένα αποχαιρετιστήριο φιλί.

«Θα γυρίσω αργότερα απόψε», μου υποσχέθηκε. «Θα πάω να το συζητήσω με τους υπόλοιπους, να γίνουν καινούριοι διακανονισμοί».

«Εντάξει».

«Δεν υπάρχουν και πολλά πράγματα να κανονίσεις», είπε η Άλις. «Τους το είπα ήδη. Ο Έμετ χαίρεται».

Ο Έντουαρντ αναστέναξε. «Φυσικά».

Βγήκε από την πόρτα, αφήνοντάς με αντιμέτωπη με την Άλις.

Με αγριοκοίταξε.

«Λυπάμαι», είπα ξανά. «Πιστεύεις ότι αυτό θα κάνει την κατάσταση πιο επικίνδυνη για 'σας;»

Εκείνη ρουθούνισε. «Ανησυχείς υπερβολικά, Μπέλλα. Θα ασπρίσουν τα μαλλιά σου πρόωρα».

«Τότε γιατί είσαι τόσο ταραγμένη;»

«Ο Έντουαρντ είναι τόσο γκρινιάρης, όταν δε γίνεται το δικό του. Απλώς προβλέπω πώς θα είναι να ζεις μαζί του για τους επόμενους μήνες». Έκανε μια γκριμάτσα. «Υποθέτω, αν αυτό σε βοηθήσει να μη χάσεις το μυαλό σου, αξίζει τον κόπο. Αλλά μακάρι να μπορούσες να συγκρατήσεις την απαισιοδοξία σου, Μπέλλα. Είναι τόσο περιττή».

«Εσύ θα άφηνες τον Τζάσπερ να πάει χωρίς εσένα;» απαίτησα να μάθω.

Η Άλις έκανε μια γκριμάτσα. «Αυτό είναι διαφορετικό».

«Ναι, βέβαια».

«Πήγαινε να πλυθείς», με πρόσταξε. «Ο Τσάρλι θα έρθει σπίτι σε δεκαπέντε λεπτά, κι αν δείχνεις τόσο χάλια, δε θα σε αφήσει να ξαναβγείς έξω».

Πω πω, είχα χάσει όλη τη μέρα. Χαιρόμουν που δε θα χρειαζόταν να χαραμίζω το χρόνο μου για πάντα με τον ύπνο.

Ήμουν απολύτως ευπαρουσίαστη, όταν ο Τσάρλι έφτασε σπίτι –ντυμένη, με μαλλιά της προκοπής, και στην κουζίνα να σερβίρω βραδινό στο τραπέζι. Η Άλις καθόταν στη συνηθισμένη θέση του Έντουαρντ, κι αυτό φάνηκε να φτιάχνει το κέφι του Τσάρλι.

«Βρε καλώς την Άλις! Πώς είσαι, γλυκιά μου;»

«Μια χαρά, Τσάρλι, ευχαριστώ».

«Βλέπω ότι επιτέλους κατάφερες να σηκωθείς από το κρεβάτι, υπναρού!» είπε σ' εμένα, καθώς κάθισα δίπλα του, πριν γυρίσει πάλι προς την Άλις. «Όλοι μιλάνε για το πάρτι που έκαναν οι γονείς σου χθες το βράδυ. Βάζω στοίχημα ότι έχετε πολύ καθάρισμα τώρα».

Η Άλις σήκωσε τους ώμους. Γνωρίζοντάς τη, είχε ήδη γίνει.

«Άξιζε τον κόπο», είπε. «Ήταν πολύ ωραίο πάρτι».

«Πού είναι ο Έντουαρντ;» ρώτησε ο Τσάρλι, λιγάκι απρόθυμα. «Βοηθάει στο καθάρισμα;»

Η Άλις αναστέναξε και το πρόσωπό της έγινε τραγικό. Πιθανότατα ήταν προσποιητό, αλλά ήταν τόσο τέλειο που ήταν αδύνατο να είμαι βέβαιη. «Όχι. Κάνει σχέδια για το Σαββατοκύριακο μαζί με τον Έμετ και τον Κάρλαϊλ».

«Θα πάνε πάλι για πεζοπορία;»

Η Άλις έγνεψε, με πρόσωπο ξαφνικά θλιμμένο. «Ναι. Θα πάνε *όλοι*, εκτός από 'μένα. Πάντα πάμε για πεζοπορία με σακίδια στο τέλος της σχολικής χρονιάς, είναι κατά κάποιο τρόπο εορταστική συνήθεια, αλλά αυτή τη χρονιά εγώ αποφάσισα να πάω για ψώνια αντί για πεζοπορία, και ούτε ένας τους δε θέλει να μείνει εδώ μαζί μου. Είμαι εγκαταλελειμμένη».

Το πρόσωπό της σούφρωσε, με μια έκφραση τέτοιας συντριβής, που ο Τσάρλι έσκυψε προς εκείνη αυτόματα, απλώνοντας το ένα του χέρι, ψάχνοντας κάποιο τρόπο για να τη βοηθήσει. Την αγριοκοίταξα καχύποπτα. Τι έκανε;

«Άλις, γλυκιά μου, γιατί δεν έρχεσαι να μείνεις μαζί μας;» πρότεινε ο Τσάρλι. «Δε μου αρέσει καθόλου να σε σκέφτομαι μόνη σου μέσα σ' εκείνο το μεγάλο σπίτι».

Εκείνη αναστέναξε. Κάτι πάτησε με δύναμη το πόδι μου κάτω από το τραπέζι.

«Άου!» διαμαρτυρήθηκα.

Ο Τσάρλι γύρισε προς εμένα. «Τι;»

Η Άλις μου έριξε ένα βλέμμα γεμάτο απογοήτευση. Ήταν φανερό ότι με έβρισκε υπερβολικά αργόστροφη απόψε.

«Χτύπησα το δάχτυλό μου», μουρμούρισα.

«Α». Γύρισε πάλι στην Άλις. «Λοιπόν, τι λες;»

Μου πάτησε πάλι το πόδι, όχι τόσο δυνατά αυτή τη φορά.

«Εε, μπαμπά, ξέρεις, δε διαθέτουμε και το καταλληλότερο μέρος για φιλοξενία εδώ. Βάζω στοίχημα ότι η Άλις δε θέλει να κοιμηθεί στο πάτωμά μου...»

Ο Τσάρλι σούφρωσε τα χείλια του. Η Άλις πήρε ξανά την

έκφραση συντριβής.

«Ίσως να είναι καλύτερα να μείνει η Μπέλλα μαζί σου στο δικό σου σπίτι», πρότεινε. «Μόνο μέχρι να γυρίσουν οι δικοί σου».

«Ω, θα ερχόσουν, Μπέλλα;» Η Άλις μου χαμογέλασε ακτινοβολώντας. «Δε σε πειράζει να έρθεις για ψώνια μαζί μου, έτσι;»

«Καθόλου», συμφώνησα. «Ψώνια. Εντάξει».

«Πότε φεύγουν;» ρώτησε ο Τσάρλι.

Η Άλις έκανε άλλη μια γκριμάτσα. «Αύριο».

«Πότε με θες;» ρώτησα εγώ.

«Μετά το βραδινό, μάλλον», είπε και μετά ακούμπησε το ένα της χέρι στο πιγούνι της, σκεφτική. «Δεν έχεις να κάνεις τίποτα το Σάββατο, έτσι; Θέλω να πάμε έξω από το Φορκς για ψώνια, και θα μας πάρει όλη την ημέρα».

«Όχι στο Σιάτλ», διέκοψε ο Τσάρλι, ενώ τα φρύδια του έσμιξαν.

«Φυσικά και όχι», συμφώνησε αμέσως η Άλις, αν και ξέραμε και οι δυο ότι το Σιάτλ θα ήταν πολύ ασφαλές το Σάββατο. «Σκεφτόμουν την Ολύμπια, ίσως... »

«Θα σου αρέσει, Μπέλλα». Ο Τσάρλι ήταν γεμάτος κέφι από την ανακούφιση. «Πάτε να χαρείτε την πόλη».

«Ναι, μπαμπά. Θα είναι τέλεια».

Τόσο απλά η Άλις είχε ελευθερώσει το πρόγραμμά μου για τη μάχη.

Ο Έντουαρντ επέστρεψε, όχι πολύ αργότερα. Δέχτηκε τις ευχές του Τσάρλι για καλό ταξίδι χωρίς να φαίνεται έκπληκτος. Είπε ότι θα έφευγαν νωρίς το πρωί και καληνύχτισε νωρίτερα από τη συνηθισμένη ώρα. Η Άλις έφυγε μαζί του.

Εγώ αποσύρθηκα γρήγορα, αφότου έφυγαν εκείνοι.

«Δεν μπορεί να είσαι κουρασμένη», διαμαρτυρήθηκε ο Τσάρλι.

«Λιγάκι», είπα ψέματα.

«Δεν είναι ν' απορεί κανείς που προτιμάς να μην πηγαίνεις σε πάρτι», μουρμούρισε. «Σου παίρνει τόσο πολύ για να συνέλθεις».

Επάνω, ο Έντουαρντ ήταν ξαπλωμένος στο κρεβάτι μου.

«Τι ώρα θα συναντηθούμε με τους λύκους;» μουρμούρισα, καθώς πήγα για να κάτσω μαζί του.

«Σε μια ώρα».

«Ωραία. Ο Τζέικ κι οι φίλοι του χρειάζονται λίγο ύπνο».

«Όχι τόσο πολύ όσο εσύ», επισήμανε.

Προχώρησα σε άλλο θέμα, υποθέτοντας ότι ήταν έτοιμος να προσπαθήσει να με πείσει να μείνω σπίτι. «Σου είπε η Άλις ότι θα με απαγάγει ξανά;»

Χαμογέλασε. «Στην πραγματικότητα, δε θα το κάνει».

Τον κοίταξα επίμονα, μπερδεμένη, κι εκείνος γέλασε απαλά με την έκφρασή μου.

«Εγώ είμαι ο μόνος που έχει άδεια να σε κρατήσει όμηρό του, το θυμάσαι;» είπε. «Η Άλις θα πάει για κυνήγι μαζί με τους άλλους». Αναστέναξε. «Υποθέτω ότι εγώ δε χρειάζεται να το κάνω αυτό τώρα πια».

«*Εσύ* θα με απαγάγεις;»

Έγνεψε.

Το σκέφτηκα για λίγο. Ούτε ο Τσάρλι να ακούει κάτω, να με ελέγχει κάθε λίγο και λιγάκι. Ούτε ένα σπίτι γεμάτο άγρυπνους βρικόλακες με την ενοχλητική ευαίσθητη ακοή τους... Μόνο εκείνος κι εγώ –πραγματικά μόνοι μας.

«Σε πειράζει;» ρώτησε, ανήσυχος από τη σιωπή μου.

«Ε... καθόλου, εκτός από ένα πράγμα».

«Τι πράγμα;» Τα μάτια του ήταν γεμάτα αγωνία. Ήταν να τρελαίνεσαι αλλά ακόμα έμοιαζε να μην είναι σίγουρος για το πως ένιωθα γι' αυτόν. Μπορεί να χρειαζόταν να γίνω πιο σαφής.

«Γιατί δεν είπε η Άλις στον Τσάρλι ότι θα φύγετε απόψε;» ρώτησα.

Γέλασε ανακουφισμένος.

Απόλαυσα τη διαδρομή ως το ξέφωτο περισσότερο από την προηγούμενη νύχτα. Ένιωθα ακόμα ένοχη, ακόμα φοβισμένη, αλλά δεν ήμουν πανικόβλητη. Μπορούσα να λειτουργήσω. Μπορούσα να δω πέρα από αυτό που ερχόταν και σχεδόν πίστευα ότι μπορεί και όλα να *πήγαιναν* καλά. Ο Έντουαρντ προφανώς δεν είχε πρόβλημα με την ιδέα να χάσει τη μάχη... κι αυτό το έκανε πολύ δύσκολο να μην τον πιστέψω, όταν έλεγε ότι θα ήταν εύκολο. Δε θα άφηνε την οικογένειά του, αν δεν το πίστευε κι ο ίδιος. Ίσως η Άλις να είχε δίκιο, και όντως να ανησυχούσα υπερβολικά.

Φτάσαμε τελευταίοι στο ξέφωτο.

Ο Τζάσπερ κι ο Έμετ πάλευαν ήδη –ο ήχος του γέλιου τους πρόδιδε πως απλώς έκαναν ζέσταμα. Η Άλις και η Ρόζαλι τεμπέλιαζαν καθισμένες κάτω στο σκληρό έδαφος, παρακολουθώντας. Η Έσμι κι ο Κάρλαϊλ συζητούσαν μερικά μέτρα πιο πέρα, τα κεφάλια τους κοντά το ένα στο άλλο, τα δάχτυλά τους ενωμένα, χωρίς να προσέχουν τους άλλους.

Ήταν πολύ καλύτερα απόψε, καθώς η σελήνη έφεγγε ανενόχλητη μέσα από τα ελάχιστα σύννεφα, και μπόρεσα να δω εύκολα τους τρεις λύκους που κάθονταν στην άκρη του κυκλικού χώρου, όπου γινόταν η εξάσκηση, σε μεγάλη απόσταση ο ένας από τον άλλο για να παρακολουθούν από διαφορετικές γωνίες.

Ήταν τόσο εύκολο να αναγνωρίσω τον Τζέικομπ˙ θα τον καταλάβαινα αμέσως, ακόμα κι αν δεν είχε σηκώσει τα μάτια για να κοιτάξει προς εμάς, καθώς πλησιάζαμε.

«Πού είναι οι υπόλοιποι λύκοι;» αναρωτήθηκα.

«Δεν είναι ανάγκη να βρίσκονται όλοι εδώ. Κι ένας θα αρκούσε, αλλά ο Σαμ δε μας εμπιστευόταν αρκετά, ώστε να στείλει μόνο του τον Τζέικομπ, αν και ο Τζέικομπ ήταν πρόθυμος. Ο Κουίλ κι ο Έμπρι είναι οι συνηθισμένοι του... υποθέτω ότι θα μπορούσα να τους πω ακολούθους του».

«Ο Τζέικομπ σας εμπιστεύεται».

Ο Έντουαρντ έγνεψε. «Μας εμπιστεύεται ως προς το ότι δε θα προσπαθήσουμε να τον σκοτώσουμε. Μέχρι εκεί, όμως».

«Θα συμμετέχεις κι εσύ απόψε;» ρώτησα, διστακτική. Ήξερα ότι θα ήταν σχεδόν εξίσου δύσκολο για εκείνον όσο ήταν και για 'μένα το να μείνω πίσω. Μπορεί και πιο δύσκολο.

«Θα βοηθήσω τον Τζάσπερ, όταν με χρειαστεί. Θέλει να δοκιμάσει μερικές άνισες μάχες, να τους δείξει πώς να αντιμετωπίζουν πολλούς επιτιθέμενους».

Σήκωσε τους ώμους.

Κι ένα νέο κύμα πανικού διέλυσε την αίσθηση της αυτοπεποίθησης που είχα για λίγο.

Εξακολουθούσαν να είναι λιγότεροι σε αριθμό. Κι εγώ έκανα τα πράγματα χειρότερα.

Κοίταξα στο λιβάδι, προσπαθώντας να κρύψω την αντίδρασή μου.

Ήταν λάθος μέρος για να κοιτάξω, έτσι όπως πάσχιζα να πω ψέματα στον εαυτό μου, να πείσω τον εαυτό μου ότι όλα θα πήγαιναν καλά, όπως τα ήθελα. Επειδή όταν ανάγκασα τα μάτια μου να απομακρυνθούν από τους Κάλεν –να απομακρυνθούν από την εικόνα της ψεύτικης μάχης τους, που θα ήταν αληθινή και θανάσιμη σε μερικές μέρες μόνο – το βλέμμα μου διασταυρώθηκε με του Τζέικομπ, κι εκείνος χαμογέλασε.

Ήταν τα ίδιο λυκίσιο χαμόγελο όπως και πριν, ενώ τα μάτια του ζάρωσαν, όπως όταν ήταν άνθρωπος.

Ήταν δύσκολο να πιστέψω ότι όχι πριν πολύ καιρό, έβρισκα τους λυκάνθρωπους τρομακτικούς –ότι είχα χάσει τον ύπνο μου βλέποντας εφιάλτες μ' εκείνους.

Ήξερα, χωρίς να ρωτήσω, ποιος από τους άλλους δυο ήταν ο Έμπρι και ποιος ο Κουίλ. Επειδή ο Έμπρι ήταν εμφανώς ο πιο αδύνατος γκρίζος λύκος με τις σκούρες βούλες στην πλάτη του, ο οποίος καθόταν τόσο υπομονετικά παρακολουθώντας, ενώ ο Κουίλ –με ένα βαθύ σοκολατένιο καφέ χρώμα, πιο ανοιχτό στο πρόσωπό του– κουνιόταν συνέχεια, και έδειχνε σαν να πέθαινε για να συμμετάσχει στην ψεύτικη μάχη. Δεν ήταν τέρατα, ακόμα κι έτσι. Ήταν φίλοι.

Φίλοι που δεν έμοιαζαν ούτε στο ελάχιστο τόσο άφθαρτοι όσο ο Έμετ κι ο Τζάσπερ, που άλλαζαν θέση πιο γρήγορα κι από τις επιθέσεις μια κόμπρας, ενώ το φεγγαρόφωτο αντανακλούσε στο σκληρό σαν γρανίτη δέρμα τους. Φίλοι που δε φαίνονταν να καταλαβαίνουν τον κίνδυνο που υπήρχε εδώ. Φίλοι που ήταν ακόμα κάπως θνητοί, φίλοι που μπορούσαν να ματώσουν, φίλοι που μπορούσαν να πεθάνουν...

Η αυτοπεποίθηση του Έντουαρντ ήταν καθησυχαστική, επειδή ήταν φανερό ότι πραγματικά δεν ανησυχούσε πια για την οικογένειά του. Αλλά θα τον πείραζε αν κάτι συνέβαινε στους λύκους; Υπήρχε κανένας λόγος να έχει αγωνία, αν αυτή η πιθανότητα δεν τον ενοχλούσε; Η αυτοπεποίθηση του Έντουαρντ καθησύχαζε μόνο τη μια πλευρά των δικών μου φόβων.

Προσπάθησα να ανταποδώσω το χαμόγελο στον Τζέικομπ, ξεροκαταπίνοντας παρά τον κόμπο που υπήρχε στο λαιμό μου. Δε φάνηκα να τα καταφέρνω.

Ο Τζέικομπ σηκώθηκε με ένα ελαφρό πήδημα στα πόδια του, με μια ευκινησία που δε συμβάδιζε με τον τεράστιο όγκο του, κι ήρθε με έναν ελαφρύ καλπασμό εκεί που στεκόμασταν ο Έντουαρντ κι εγώ, στο περιθώριο της δράσης.

«Τζέικομπ», τον χαιρέτησε ευγενικά ο Έντουαρντ.

Ο Τζέικομπ τον αγνόησε, με τα σκούρα του μάτια πάνω μου. Χαμήλωσε το κεφάλι του στο ύψος μου, όπως είχε κάνει και χθες, γέρνοντάς το προς τη μια μεριά. Ένα χαμηλόφωνο κλαψούρισμα ξέφυγε από τη μουσούδα του.

«Είμαι καλά», απάντησα, χωρίς να χρειάζομαι τη μετάφραση που ετοιμαζόταν να κάνει ο Έντουαρντ. «Απλώς ανησυχώ, αυτό είναι όλο».

Ο Τζέικομπ συνέχισε να με κοιτάζει.

«Θέλει να μάθει γιατί», μουρμούρισε ο Έντουαρντ.

Ο Τζέικομπ γρύλισε –όχι απειλητικά, αλλά ενοχλημένα– και τα χείλη του Έντουαρντ συσπάστηκαν.

«Τι;» ρώτησα.

«Θεωρεί ελλιπείς τις μεταφράσεις μου. Αυτό που σκέφτηκε στην πραγματικότητα ήταν: "Αυτό είναι ηλίθιο. Για ποιο πράγμα υπάρχει λόγος να ανησυχείς;" Άλλαξα λίγο τα λόγια του, επειδή σκέφτηκα ότι ήταν αγενή».

Μισοχαμογέλασα, υπερβολικά αγχωμένη για να το βρω αστείο. «Υπάρχουν πολλά πράγματα για τα οποία πρέπει να ανησυχώ», είπα στον Τζέικομπ. «Όπως ένα μάτσο πραγματικά χαζοί λύκοι που θα πάθουν κακό».

Ο Τζέικομπ γέλασε με εκείνο το γάβγισμα που έμοιαζε με βήχα.

Ο Έντουαρντ αναστέναξε. «Ο Τζάσπερ χρειάζεται βοήθεια. Θα τα καταφέρεις χωρίς μεταφραστή;»

«Θα τα βγάλω πέρα».

Ο Έντουαρντ με κοίταξε σαν με νοσταλγία, με μια έκφραση που ήταν δύσκολο να την καταλάβω, μετά γύρισε την πλάτη του και κινήθηκε με μεγάλες δρασκελιές εκεί που περίμενε ο Τζάσπερ.

Κάθισα κάτω εκεί που ήμουν. Το έδαφος ήταν κρύο και άβολο.

Ο Τζέικομπ έκανε ένα βήμα προς τα μπρος, μετά με ξανακοίταξε, ενώ ένα σιγανό κλαψούρισμα ανέβηκε στο λαιμό του. Έκανε μισό ακόμα βήμα.

«Πήγαινε χωρίς εμένα», του είπα. «Δε θέλω να παρακολουθήσω».

Ο Τζέικομπ έγειρε πάλι το κεφάλι του στο πλάι για μια στιγμή και μετά διπλώθηκε στο έδαφος δίπλα μου με ένα βροντερό αναστεναγμό.

«Αλήθεια, μπορείς να πας», τον διαβεβαίωσα. Δεν αποκρίθηκε, απλώς ακούμπησε το κεφάλι του κάτω στα πόδια του.

Κοίταξα ψηλά τα λαμπερά ασημένια σύννεφα, καθώς δεν ήθελα να δω τη μάχη. Η φαντασία μου είχε τροφοδοτηθεί με το παραπάνω. Ένα ελαφρό αεράκι φύσηξε περνώντας μέσα από το ξέφωτο, και με διαπέρασε ένα ρίγος.

Ο Τζέικομπ ήρθε γρήγορα πιο κοντά μου, πιέζοντας το ζεστό του τρίχωμα στην αριστερή μου πλευρά.

«Εε, σ' ευχαριστώ», μουρμούρισα.

Μετά από μερικά λεπτά, ακούμπησα πάνω στο φαρδύ του ώμο. Ήταν πολύ πιο άνετα έτσι.

Τα σύννεφα κινούνταν αργά στον ουρανό, που σκοτείνιαζε και ξάνοιγε, καθώς πυκνά συννεφένια μπαλώματα περνούσαν μπροστά από το φεγγάρι και συνέχιζαν παρακάτω.

Αφηρημένα, άρχισα να περνάω τα δάχτυλά μου μέσα από τη γούνα στο λαιμό του. Το ίδιο παράξενο γουργούρισμα που είχε κάνει χθες ακούστηκε μέσα στο λαιμό του. Ήταν ένας ζεστός ήχος. Πιο τραχύς, πιο άγριος από το γουργούρισμα μιας γάτας, αλλά εξέφραζε την ίδια αίσθηση ευχαρίστησης.

«Ξέρεις, δεν είχα ποτέ σκύλο», αναλογίστηκα. «Πάντα ήθελα έναν, αλλά η Ρενέ είναι αλλεργική».

Ο Τζέικομπ γέλασε˙ το σώμα του σείστηκε.

«Δεν ανησυχείς καθόλου για το Σάββατο;» ρώτησα.

Γύρισε το τεράστιο κεφάλι του προς εμένα, έτσι ώστε να μπορώ να δω το ένα από τα μάτια του να στριφογυρίζει ειρωνικά.

«Μακάρι να είχα κι εγώ τόση αισιοδοξία».

Ακούμπησε ξανά το κεφάλι του στο πόδι μου κι άρχισε να γουργουρίζει ξανά. Κι αυτό πράγματι με έκανε να νιώσω κάπως καλύτερα.

«Άρα αύριο έχουμε να κάνουμε πεζοπορία, μάλλον».

Γουργούρισε βροντερά˙ ο ήχος ήταν γεμάτος ενθουσιασμό.

«Μπορεί να είναι *μεγάλη* πεζοπορία», τον προειδοποίησα.

«Ο Έντουαρντ δεν κρίνει τις αποστάσεις όπως ένας φυσιολογικός άνθρωπος».

Ο Τζέικομπ γέλασε πάλι γαβγίζοντας.

Εγώ βολεύτηκα πιο βαθιά στη ζεστή του γούνα, ακουμπώντας το κεφάλι μου στο λαιμό του.

Ήταν παράξενο. Αν και είχε αυτή την αλλόκοτη μορφή, ένιωθα πιο πολύ έτσι όπως ήμασταν ο Τζέικ κι εγώ παλιά –ήταν η εύκολη, χωρίς κόπο φιλία που ήταν το ίδιο φυσική όπως και η αναπνοή– απ' ό,τι τις τελευταίες φορές που βρέθηκα με τον Τζέικομπ, όταν ήταν άνθρωπος. Παράξενο που το ξαναέβρισκα έτσι εδώ, όταν θεωρούσα ότι αυτή η ιστορία με τους λύκους ήταν η αιτία της απώλειας αυτού του συναισθήματος.

Οι αγώνες θανάτου συνεχίστηκαν στο ξέφωτο, κι εγώ κοίταζα το θολό φεγγάρι.

20. ΣΥΜΒΙΒΑΣΜΟΣ

Όλα ήταν έτοιμα.

Είχα μαζέψει τα πράγματά μου για τη διήμερη επίσκεψή μου στην "Άλις", και η τσάντα μου με περίμενε στη θέση του συνοδηγού στο φορτηγάκι μου. Είχα δώσει τα εισιτήρια για τη συναυλία στην Άντζελα, τον Μπεν και τον Μάικ. Ο Μάικ θα έπαιρνε μαζί την Τζέσικα, πράγμα που ήταν ακριβώς αυτό που ήλπιζα. Ο Μπίλι είχε δανειστεί τη βάρκα του γερο-Κουίλ Ατεάρα και είχε καλέσει τον Τσάρλι να πάνε για ψάρεμα στα ανοιχτά πριν αρχίσει ο απογευματινός αγώνας. Ο Κόλιν κι ο Μπρέιντι, οι δυο νεαρότεροι λυκάνθρωποι, θα έμεναν πίσω για να προστατέψουν το Λα Πους –αν και ήταν μόνο παιδιά, και οι δυο τους μόλις δεκατριών. Και πάλι, ο Τσάρλι θα ήταν πιο ασφαλής από οποιονδήποτε που θα έμενε στο Φορκς.

Είχα κάνει ό,τι μπορούσα. Προσπάθησα να το αποδεχτώ αυτό και έδιωξα από το νου μου όλα τα πράγματα που ήταν εκτός του δικού μου ελέγχου, τουλάχιστον για απόψε. Είτε έτσι είτε αλλιώς, όλο αυτό θα έπαιρνε τέλος σε σαράντα οκτώ ώρες. Η σκέψη ήταν σχεδόν παρηγορητική.

Ο Έντουαρντ είχε ζητήσει να ηρεμήσω, και θα έβαζα τα δυνατά μου.

«Για μια μοναδική νύχτα, θα μπορούσαμε να προσπαθήσουμε να ξεχάσουμε τα πάντα εκτός από εσένα κι εμένα;» με είχε παρακαλέσει, εξαπολύοντας όλη τη δύναμη των ματιών του πάνω μου. «Μου φαίνεται ότι ποτέ δεν έχω αρκετό χρόνο έτσι. Έχω ανάγκη να είμαι μαζί σου. Μόνο μ' εσένα».

Δεν ήταν δύσκολο να συμφωνήσω με αυτή την παράκληση, παρόλο που ήξερα πως το να ξεχάσω τους φόβους μου ήταν πιο εύκολο στα λόγια απ' ό,τι στην πράξη. Άλλα θέματα απασχολούσαν το μυαλό μου τώρα, ξέροντας πως θα είχαμε αυτή τη νύχτα για να είμαστε μόνοι, κι αυτό θα βοηθούσε.

Υπήρχαν κάποια πράγματα που είχαν αλλάξει.

Για παράδειγμα, ήμουν έτοιμη.

Ήμουν έτοιμη να γίνω μέλος της οικογένειάς του και του κόσμου του. Ο φόβος κι η ενοχή και η αγωνία που ένιωθα τώρα με είχαν διδάξει αυτό τουλάχιστον. Είχα την ευκαιρία να το σκεφτώ καλά –καθώς κοίταζα το φεγγάρι μέσα από τα σύννεφα ξαπλωμένη πάνω σ' ένα λυκάνθρωπο– και ήξερα ότι δε θα πανικοβαλλόμουν ξανά. Την επόμενη φορά που θα μας συνέβαινε κάτι κακό, θα ήμουν έτοιμη. Θα ήμουν πλεονέκτημα, όχι επιβάρυνση. Δε θα αναγκαζόταν ποτέ ξανά να επιλέξει ανάμεσα σ' εμένα και την οικογένειά του. Θα ήμασταν σύντροφοι, όπως η Άλις κι ο Τζάσπερ. Την επόμενη φορά, θα πρόσφερα κι εγώ το μερίδιό μου.

Θα περίμενα τη δαμόκλειο σπάθη να φύγει πάνω από το κεφάλι μου, ώστε ο Έντουαρντ να είναι ικανοποιημένος. Αλλά δεν ήταν απαραίτητο. Ήμουν έτοιμη.

Υπήρχε ένα μόνο κομμάτι που έλειπε.

Ένα κομμάτι, επειδή υπήρχαν και κάποια πράγματα που *δεν* είχαν αλλάξει, κι αυτά συμπεριλάμβαναν τον απεγνωσμένο τρόπο με τον οποίο τον αγαπούσα. Είχα πολύ χρόνο για να σκεφτώ τις συνέπειες του στοιχήματος του Τζάσπερ και του Έμετ –να σκεφτώ τα πράγματα που ήμουν πρόθυμη να χάσω μαζί με την ανθρώπινη υπόστασή μου, και αυτά που δεν ήμουν πρόθυμη να εγκαταλείψω. Ήξερα σε ποια ανθρώπινη εμπειρία θα επέμενα πριν έπαυα να είμαι άνθρωπος.

Έτσι είχαμε μερικά θέματα να λύσουμε απόψε. Μετά απ' όλα όσα είχα δει τα τελευταία δύο χρόνια, δεν πίστευα στη λέξη *αδύνατο* πια. Θα χρειαζόταν κάτι πολύ παραπάνω για να με σταματήσει τώρα.

Εντάξει, η αλήθεια είναι ότι πιθανότατα θα ήταν πολύ πιο περίπλοκο. Αλλά θα προσπαθούσα.

Όσο αποφασισμένη κι αν ήμουν, δε με εξέπληττε το γεγονός ότι ένιωθα ακόμα άγχος, καθώς διασχίζαμε με το αυτοκίνητο το μακρύ δρόμο προς το σπίτι του –δεν ήξερα πώς να κάνω αυτό που προσπαθούσα να κάνω, κι αυτό μου εξασφάλισε μια γερή δόση τρακ. Εκείνος καθόταν στη θέση του συνοδηγού, προσπαθώντας να καταπνίξει ένα χαμόγελο για τον αργό ρυθμό μου. Με εξέπληξε το ότι δεν είχε επιμείνει να πάρει αυτός το τιμόνι, αλλά απόψε έμοιαζε ικανοποιημένος ακολουθώντας τη δική μου ταχύτητα.

Είχε σκοτεινιάσει ήδη, όταν φτάσαμε σπίτι του. Παρ' όλα αυτά, ο κήπος ήταν φωτεινός εξαιτίας του φωτός που έλαμπε μέσα από όλα τα παράθυρα.

Μόλις έσβησα τη μηχανή, εκείνος ήταν στην πόρτα μου και μου την άνοιγε. Με σήκωσε από την καμπίνα του οδηγού με το ένα χέρι και τράβηξε την τσάντα μου από την καρότσα του φορτηγού και την κρέμασε πάνω από τον ώμο του με το άλλο. Τα χείλη του βρήκαν τα δικά μου, καθώς τον άκουσα να κλείνει με μια κλοτσιά την πόρτα του φορτηγού πίσω μου.

Χωρίς να διακόψει το φιλί, με σήκωσε ψηλά έτσι που να είμαι κουλουριασμένη μέσα στην αγκαλιά του και με κουβάλησε μέσα στο σπίτι.

Ήταν η μπροστινή πόρτα ήδη ανοιχτή; Δεν ήξερα. Ήμασταν μέσα, πάντως, κι ένιωθα ζαλισμένη. Έπρεπε να θυμίζω στον εαυτό μου να αναπνέει.

Αυτό το φιλί δε με τρόμαξε. Δεν ήταν όπως πριν, όταν ένιωθα το φόβο και τον πανικό να ξεφεύγει από τον έλεγχό του. Τα χείλη του δεν ήταν γεμάτα αγωνία, αλλά γεμάτα ενθουσιασμό τώρα –έμοιαζε εξίσου ενθουσιασμένος μ' εμένα που είχαμε απόψε τη δυνατότητα να συγκεντρωθούμε στο να είμαστε μαζί. Συνέχισε να με φιλάει, έτσι όπως στεκόμασταν εκεί στην είσοδο˙ έμοιαζε λιγότερο επιφυλακτικός απ' ό,τι συνήθως, το στόμα του κρύο και επίμονο πάνω στο δικό μου.

Άρχισα να νιώθω συγκρατημένα αισιόδοξη. Ίσως το να πάρω αυτό που ήθελα να μην ήταν τόσο δύσκολο όσο περίμενα.

Όχι, φυσικά θα ήταν ακριβώς τόσο δύσκολο.

Με ένα χαμηλό πνιχτό γέλιο, με τράβηξε μακριά, κρατώντας με σε απόσταση.

«Καλώς ήρθες σπίτι», είπε, με μάτια υγρά και ζεστά.

«Αυτό μου ακούγεται ωραίο», είπα ξέπνοα.

Με άφησε απαλά κάτω να σταθώ στα πόδια μου. Τύλιξα και τα δυο μου χέρια γύρω του, αρνούμενη να επιτρέψω να μπει ανάμεσά μας οποιαδήποτε απόσταση.

«Έχω κάτι για 'σένα», είπε, με τόνο ήρεμης συζήτησης.

«Α;»

«Το δώρο αυτό που είναι από τα παλιά; Είπες ότι επιτρέπεται να σου το δώσω».

«Α, ναι, σωστά. Μάλλον το είπα αυτό».

Γέλασε πνιχτά με την απροθυμία μου.

«Είναι πάνω στο δωμάτιο. Να πάω να το φέρω;»

Στο υπνοδωμάτιό του; «Βέβαια», συμφώνησα, νιώθοντας αρκετά πονηρή, καθώς έμπλεξα τα δάχτυλά μου με τα δικά του. «Πάμε».

Πρέπει να ανυπομονούσε να μου δώσει το δώρο που δεν ήταν δώρο, επειδή η ανθρώπινη ταχύτητα δεν ήταν αρκετά γρήγορη γι' αυτόν. Με μάζεψε μέσα στην αγκαλιά του ξανά και σχεδόν ανέβηκε πετώντας τις σκάλες για να πάμε στο δωμάτιό του. Με άφησε κάτω στο πάτωμα και όρμησε στην ντουλάπα του.

Γύρισε πριν προλάβω να κάνω ένα βήμα, αλλά δεν του έδωσα σημασία και πήγα στο τεράστιο χρυσό κρεβάτι, προσγειώθηκα με ένα βαρύ γδούπο στην άκρη του και μετά σύρθηκα προς το κέντρο. Κουλουριάστηκα σε μια μπάλα, με τα χέρια μου τυλιγμένα γύρω από τα γόνατά μου.

«Εντάξει», γκρίνιαξα. Τώρα που ήμουν εκεί που ήθελα να βρίσκομαι, με έπαιρνε να δείξω λιγάκι απροθυμία. «Για δώσ' το μου».

Ο Έντουαρντ γέλασε.

Σκαρφάλωσε στο κρεβάτι για να κάτσει πλάι μου, και η καρδιά μου άρχισε να χτυπάει ακανόνιστα. Ήλπιζα ότι δε θα το εκλάμβανε αυτό ως αντίδραση στο γεγονός ότι θα μου έδινε δώρο.

«Ένα δώρο από παλιά», μου υπενθύμισε αυστηρά. Τράβηξε τον αριστερό καρπό μου μακριά από το πόδι μου και άγγιξε την ασημένια αλυσίδα για μια στιγμή μόνο. Μετά μου έδωσε πίσω το χέρι μου.

Το εξέτασα επιφυλακτικά. Στην αντίθετη μεριά της αλυσίδας από εκεί όπου ήταν ο λύκος, κρεμόταν τώρα ένα λαμπερό κρύσταλλο σε σχήμα καρδιάς. Είχε εκατομμύρια πλευρές, έτσι που, ακόμα και στο χαμηλό φωτισμό από το πορτατίφ, άστραφτε. Πήρα μια χαμηλή κοφτή ανάσα.

«Ήταν της μητέρας μου». Σήκωσε τους ώμους για να δείξει ότι δεν ήταν μεγάλη υπόθεση. «Κληρονόμησα αρκετά τέτοια μπιχλιμπίδια. Έχω δώσει μερικά και στην Έσμι και στην Άλις. Άρα, προφανώς, δεν είναι τίποτα σπουδαίο σε καμία περίπτωση».

Χαμογέλασα μελαγχολικά με τη διαβεβαίωσή του.

«Αλλά σκέφτηκα ότι ήταν μια καλή εκπροσώπηση», συνέχισε. «Είναι σκληρό και κρύο». Γέλασε. «Και αντανακλά ουράνια τόξα στο φως του ήλιου».

«Ξέχασες την πιο σπουδαία ομοιότητα», μουρμούρισα. «Είναι πανέμορφο».

«Η καρδιά μου είναι εξίσου σιωπηλή», είπε. «Και είναι κι αυτή δικιά σου».

Έστριψα τον καρπό μου, έτσι ώστε η καρδιά να λαμπυρίσει. «Σ' ευχαριστώ. Και για τα δύο».

«Όχι, εγώ σ' ευχαριστώ. Είναι ανακούφιση που δέχεσαι ένα δώρο τόσο εύκολα. Και καλή εξάσκηση για 'σένα». Χαμογέλασε πλατιά, επιδεικνύοντας τα αστραφτερά του δόντια.

Έγειρα στην αγκαλιά του, χώνοντας το κεφάλι μου κάτω από το μπράτσο του και κούρνιασα στο πλάι του. Πιθανότατα ήταν το ίδιο με το να στριμώχνεσαι δίπλα στο Δαβίδ του Μιχαήλ Άγγελου, εκτός από το ότι αυτό το αψεγάδιαστο μαρμάρινο πλάσμα τύλιξε τα χέρια του γύρω μου για να με τραβήξει πιο κοντά.

Φαινόταν σαν ένα καλό σημείο για να ξεκινήσω.

«Μπορούμε να συζητήσουμε κάτι; Θα το εκτιμούσα αν μπορούσες να *αρχίσεις* με το να είσαι ανοιχτόμυαλος».

Δίστασε για μια στιγμή. «Θα βάλω τα δυνατά μου», συμφώνησε, επιφυλακτικός τώρα.

«Δεν πρόκειται να αψηφήσω κανέναν κανόνα», υποσχέθηκα. «Αυτό αφορά αυστηρά εσένα κι εμένα». Καθάρισα το λαιμό μου. «Λοιπόν... εντυπωσιάστηκα από το πόσο καλά καταφέραμε να φτάσουμε σε συμβιβασμό το άλλο βράδυ. Σκεφτόμουν ότι θα ήθελα να εφαρμόσω την ίδια αρχή σε μια διαφορετική κατάσταση». Αναρωτήθηκα γιατί συμπεριφερόμουν με τόση επισημότητα. Πρέπει να έφταιγε η νευρικότητά μου.

«Τι θα ήθελες να διαπραγματευτούμε;» ρώτησε εκείνος, και διέκρινα ένα χαμόγελο στη φωνή του.

Πάσχισα προσπαθώντας να βρω ακριβώς τα σωστά λόγια για να ξεκινήσω την κουβέντα.

«Άκου την καρδιά σου πώς χτυπάει γρήγορα», μουρμούρισε. «Φτερουγίζει σαν κολιμπρί. Είσαι καλά;»

«Είμαι μια χαρά».

«Τότε παρακαλώ, συνεχίστε», με ενθάρρυνε.

«Να, μάλλον, κατά πρώτον, ήθελα να σου μιλήσω σχετικά με όλη αυτή τη γελοία ιστορία για την προϋπόθεση του γάμου».

«Είναι γελοία μόνο για 'σένα. Τι θέλεις να μου πεις σχετικά μ' αυτό;»

«Αναρωτιόμουν... αυτό είναι *ανοιχτό* προς διαπραγμάτευση;»

Ο Έντουαρντ συνοφρυώθηκε, σοβαρός τώρα. «Έχω ήδη κάνει τη μεγαλύτερη υποχώρηση κατά πολύ –συμφώνησα να σου αφαιρέσω τη ζωή παρά τα όσα μου υπαγορεύει η λογική μου. Κι αυτό θα έπρεπε να μου δίνει το δικαίωμα για μερικές υποχωρήσεις από την πλευρά σου».

«Όχι». Κούνησα το κεφάλι μου, επικεντρώνοντας την προσοχή μου στο να διατηρήσω το πρόσωπό μου ψύχραιμο. «Αυτό το κομμάτι το έχουμε ήδη συζητήσει και το συμφωνήσαμε, τέρμα. Δε θα συζητήσουμε για τις... ανακαινίσεις μου αυτή τη στιγμή. Θέλω να επεξεργαστούμε μερικές άλλες λεπτομέρειες».

Με κοίταξε καχύποπτα. «Ποιες λεπτομέρειες εννοείς ακριβώς;»

Δίστασα. «Ας ξεκαθαρίσουμε πρώτα τις προϋποθέσεις σου».

«Ξέρεις τι θέλω».

«Να έρθουμε σε *γάμου κοινωνία*». Το έκανα να ακούγεται σαν βρισιά.

«Ναι». Μου χαμογέλασε με ένα πλατύ χαμόγελο. «Για αρχή».

Η δική μου έκπληξη χάλασε την προσεχτικά ψύχραιμη έκφρασή μου. «Υπάρχουν κι άλλα;»

«Να», είπε, και το πρόσωπό του πήρε μια έκφραση σαν να έκανε υπολογισμούς. «Αν θα γίνεις γυναίκα μου, τότε ό,τι είναι δικό μου είναι και δικό σου... όπως τα χρήματα για τα δίδακτρα. Έτσι δε θα υπήρχε κανένα πρόβλημα με το Ντάρτμουθ».

«Τίποτα άλλο; Αφού είσαι που είσαι ήδη παράλογος;»

«Δε θα με πείραζε και λίγος *χρόνος*».

«Όχι. Καθόλου χρόνος. Αυτός είναι λόγος ακύρωσης της συμφωνίας μας».

Αναστέναξε με λαχτάρα. «Μόνο ένα-δυο χρόνια;»

Κούνησα το κεφάλι μου, με τα χείλη μου σουφρωμένα με πείσμα. «Προχώρα στο επόμενο».

«Αυτά είναι όλα. Εκτός κι αν θες να μιλήσουμε για αυτοκίνητα... »

Χαμογέλασε πλατιά, ενώ εγώ έκανα μια γκριμάτσα, μετά μου έπιασε το χέρι κι άρχισε να παίζει με τα δάχτυλά μου.

«Δεν είχα συνειδητοποιήσει ότι υπήρχε και κάτι άλλο που ήθελες πέρα από το να μεταμορφωθείς κι εσύ σε ένα τέρας. Είμαι εξαιρετικά περίεργος». Η φωνή του ήταν χαμηλή και απαλή. Θα ήταν δύσκολο να εντοπίσω την ελαφριά ειρωνεία, αν δεν το ήξερα τόσο καλά ότι υπήρχε.

Έκανα μια παύση κοιτάζοντας το χέρι του πάνω στο δικό μου. Ακόμα δεν ήξερα πώς να ξεκινήσω. Ένιωθα τα μάτια του να με περιεργάζονται και φοβόμουν να σηκώσω το βλέμμα. Το αίμα άρχιζε να βράζει στο πρόσωπό μου.

Τα δροσερά του δάχτυλα χάιδεψαν το μάγουλό μου. «Κοκκίνισες;» ρώτησε έκπληκτος. Εγώ συνέχιζα να κοιτάζω κάτω. «Σε παρακαλώ, Μπέλλα, η αγωνία είναι οδυνηρή».

Δάγκωσα τα χείλη μου.

«Μπέλλα». Ο τόνος του ήταν αυστηρός τώρα, μου θύμιζε ότι του ήταν δύσκολο, όταν κρατούσα τις σκέψεις μου μόνο για τον εαυτό μου.

«Να, ανησυχώ λιγάκι... για το μετά», παραδέχτηκα, επιτέλους κοιτάζοντάς τον.

Ένιωσα το σώμα του να τσιτώνεται, αλλά η φωνή του ήταν απαλή και βελούδινη. «Τι σε κάνει να ανησυχείς;»

«Όλοι σας φαίνεστε *τόσο* πεπεισμένοι ότι το μόνο πράγμα που θα με ενδιαφέρει μετά θα είναι να κατασφάξω τους πάντες στην πόλη», ομολόγησα, ενώ εκείνος έκανε ένα μορφασμό στο άκουσμα της επιλογής των λέξεών μου. «Και φοβάμαι ότι θα με έχει απορροφήσει τόσο πολύ όλο αυτό το χάος, που δε θα είμαι εγώ πια… και δε θα… δε θα σε θέλω όπως σε θέλω τώρα».

«Μπέλλα, αυτό δε διαρκεί για πάντα», με διαβεβαίωσε.

Δεν έπιανε αυτό που ήθελα να πω.

«Έντουαρντ», είπα, νευρική, κοιτάζοντας μια φακίδα στον καρπό μου. «Υπάρχει κάτι που θέλω να κάνω πριν πάψω να είμαι άνθρωπος».

Περίμενε να συνεχίσω. Δε συνέχισα. Το πρόσωπό μου είχε φουντώσει.

«Ό,τι θέλεις», με ενθάρρυνε, γεμάτος αγωνία και εντελώς ανυποψίαστος.

«Το υπόσχεσαι;» μουρμούρισα, γνωρίζοντας πως η προσπάθειά μου να τον παγιδέψω με τα λόγια του δε θα πετύχαινε, αλλά ανίκανη να αντισταθώ.

«Ναι», είπε. Σήκωσα τα μάτια μου για να δω ότι τα δικά του ήταν σοβαρά και μπερδεμένα. «Πες μου τι θέλεις και θα το έχεις».

Δεν μπορούσα να το πιστέψω πόσο αδέξια και ηλίθια ένιωθα. Ήμουν υπερβολικά αθώα –πράγμα που ήταν, φυσικά, το κεντρικό θέμα της συζήτησης. Δεν είχα την παραμικρή ιδέα πώς να γίνω σαγηνευτική. Έπρεπε να αρκεστώ στο να κοκκινίσω και να ντρέπομαι.

«Εσένα», ψέλλισα σχεδόν ασυνάρτητα.

«Είμαι δικός σου». Χαμογέλασε, ακόμα χωρίς να καταλαβαίνει, προσπαθώντας να συνεχίσει να με κοιτάζει στα μάτια, ενώ εγώ κοίταξα από την άλλη ξανά.

Πήρα μια βαθιά ανάσα και μετακινήθηκα προς τα μπρος, έτσι που να κάθομαι γονατιστή πάνω στο κρεβάτι. Μετά τύλιξα τα χέρια μου γύρω από το λαιμό του και τον φίλησα.

Ανταποκρίθηκε στο φιλί μου, σαστισμένος αλλά πρόθυμος. Τα χείλη του ήταν απαλά πάνω στα δικά μου, και καταλάβαινα ότι το μυαλό του ήταν αλλού –προσπαθούσε να καταλάβει τι είχα *εγώ* στο δικό μου μυαλό. Αποφάσισα ότι χρειαζόταν κάποια ένδειξη.

Τα χέρια μου έτρεμαν ελαφρώς, καθώς ξέμπλεξα τα μπράτσα μου από γύρω απ' το λαιμό του. Τα δάχτυλά μου γλίστρησαν προς τα κάτω στο λαιμό του κι έφτασαν στο γιακά του πουκαμίσου του. Το τρέμουλο δε βοηθούσε, καθώς προσπαθούσα να βιαστώ να ξεκουμπώσω τα κουμπιά, πριν με σταματήσει.

Τα χείλη του πάγωσαν, και σχεδόν άκουσα το κλικ στο κεφάλι του, καθώς σύνδεσε τα λόγια μου με τις πράξεις μου.

Με έσπρωξε μακριά αμέσως, με πρόσωπο απογοητευμένο.

«Μην είσαι παράλογη, Μπέλλα».

«Υποσχέθηκες –ό,τι θέλω», του υπενθύμισα χωρίς ελπίδα.

«Δεν πρόκειται να κάνουμε αυτή την κουβέντα». Με αγριοκοίταξε, ενώ κούμπωνε ξανά τα δύο κουμπιά που κατάφερα να ανοίξω.

Τα δόντια μου σφίχτηκαν.

«Εγώ λέω ότι θα την κάνουμε», είπα. Σήκωσα τα χέρια μου στη δική μου μπλούζα μου κι άνοιξα το πάνω-πάνω κουμπί.

Άρπαξε τους καρπούς μου και τους κόλλησε στα πλευρά μου.

«Εγώ λέω ότι δε θα την κάνουμε», είπε κατηγορηματικά.

Κοιταχτήκαμε άγρια.

«Εσύ ήθελες να μάθεις», επισήμανα.

«Νόμιζα πως θα ήταν κάτι αμυδρά ρεαλιστικό».

«Εσύ, λοιπόν, μπορείς να ζητάς κάθε χαζό, γελοίο πράγμα

που θέλεις εσύ –όπως το να *παντρευτούμε*– αλλά εγώ δεν επιτρέπεται καν να *συζητάω* αυτό που–»

Ενώ εγώ του τα έψελνα, εκείνος τράβηξε τα χέρια μου μαζί για να τα κλείσει μέσα στο ένα δικό του χέρι, κι έβαλε το άλλο του χέρι πάνω στο στόμα μου.

«Όχι». Το πρόσωπό του ήταν σκληρό.

Πήρα μια βαθιά ανάσα για να κρατήσω την ψυχραιμία μου. Και καθώς ο θυμός άρχισε να ξεθωριάζει, ένιωσα κάτι άλλο.

Μου πήρε ένα λεπτό για να καταλάβω γιατί είχα κατεβάσει πάλι το κεφάλι μου και γιατί είχε επιστρέψει το κοκκίνισμα –γιατί ένιωθα μια δυσφορία στο στομάχι, γιατί υπήρχε υπερβολική υγρασία στα μάτια μου, γιατί ξαφνικά ήθελα να φύγω τρέχοντας από το δωμάτιο.

Η απόρριψη με κατέκλυσε, ενστικτώδης και δυνατή.

Ήξερα ότι ήταν παράλογο. Ήταν πολύ σαφής σε άλλες περιπτώσεις ότι η ασφάλειά μου ήταν ο μοναδικός παράγοντας. Παρ' όλα αυτά ποτέ δεν είχα υπάρξει τόσο ευάλωτη ξανά. Έσμιξα τα φρύδια μου κοιτάζοντας το χρυσό ριχτάρι που ταίριαζε με τα μάτια του, και προσπάθησα να διώξω την αυτόματη αντίδραση που μου έλεγε ότι δε με επιθυμούσε, κι ότι δεν ήμουν επιθυμητή.

Ο Έντουαρντ αναστέναξε. Το χέρι πάνω στο στόμα μου πήγε κάτω από το πιγούνι μου και τράβηξε το πρόσωπό μου πάνω, μέχρι που αναγκάστηκα να τον κοιτάξω.

«Τι έγινε τώρα;»

«Τίποτα», ψέλλισα.

Εξέτασε προσεχτικά το πρόσωπό μου, ενώ εγώ προσπαθούσα να στρέψω το βλέμμα μου μακριά από το δικό του. Το μέτωπό του γέμισε αυλακιές, και η έκφρασή του γέμισε φρίκη.

«Σε πλήγωσα;» ρώτησε σοκαρισμένος.

«Όχι», είπα ψέματα.

Τόσο γρήγορα που δεν ήμουν καν σίγουρη για το πώς έγινε, βρέθηκα στην αγκαλιά του, με το πρόσωπό μου χωμένο ανάμεσα στον ώμο του και το χέρι του, ενώ ο αντίχειράς του χάιδευε καθησυχαστικά το μάγουλό μου.

«Ξέρεις γιατί πρέπει να πω όχι», μουρμούρισε. «Ξέρεις ότι σε θέλω κι εγώ».

«Αλήθεια;» ψιθύρισα, με φωνή γεμάτη αμφιβολία.

«Φυσικά και σε θέλω, ανόητο, πανέμορφο, υπερευαίσθητο κορίτσι». Γέλασε μια φορά, και μετά η φωνή του έγινε σκληρή. «Δε σε θέλουν όλοι; Νιώθω σαν να υπάρχει ολόκληρη ουρά πίσω μου, που συναγωνίζονται για να πάρουν καλύτερη θέση, περιμένοντας να κάνω ένα αρκετά μεγάλο λάθος... Είσαι υπερβολικά επιθυμητή, σε σημείο που δε θα σου βγει σε καλό».

«Τώρα ποιος είναι ανόητος;» Αμφέβαλλα αν το γεγονός ότι ήμουν αμήχανη, ντροπαλή και αδέξια ισοδυναμούσε με το επιθυμητή στο λεξικό οποιουδήποτε.

«Πρέπει να μαζέψω υπογραφές για να σε κάνω να το πιστέψεις; Θες να σου πω ποια ονόματα θα βρίσκονταν στην κορυφή της λίστας; Ξέρεις μερικούς, αλλά κάποιοι μπορεί να σε εξέπλητταν».

Κούνησα το κεφάλι μου στο στήθος του, κάνοντας μια γκριμάτσα. «Απλώς προσπαθείς να με αποπροσανατολίσεις. Ας γυρίσουμε πάλι στο θέμα μας».

Αναστέναξε.

«Πες μου αν έχω καταλάβει κάτι λάθος». Προσπάθησα να ακουστώ αποστασιοποιημένη. «Οι απαιτήσεις σου είναι ο γάμος» –δεν μπορούσα να πω τη λέξη χωρίς να κάνω ένα μορφασμό– «η πληρωμή των διδάκτρων μου, περισσότερος χρόνος και δε θα σε πείραζε αν το όχημά μου πήγαινε και λίγο πιο γρήγορα». Σήκωσα τα φρύδια μου. «Τα είπα όλα; Αυτή είναι μια βαρβάτη λίστα».

«Μόνο το πρώτο είναι απαίτηση». Έμοιαζε να δυσκολεύεται να μη γελάσει. «Τα άλλα είναι απλώς παρακλήσεις».

«Και η δική μου, μοναδική μικρή απαίτηση είναι—»

«Απαίτηση;» διέκοψε ξαφνικά σοβαρός πάλι.

«Ναι, απαίτηση».

Τα μάτια του ζάρωσαν.

«Το να παντρευτώ είναι μεγάλη παραχώρηση για 'μένα. Δε θα υποκύψω, εκτός κι αν πάρω κάτι σε αντάλλαγμα».

Έσκυψε κάτω για να ψιθυρίσει στο αυτί μου. «Όχι», μουρμούρισε μελιστάλαχτα. «Δεν είναι δυνατό τώρα. Αργότερα, όταν θα είσαι λιγότερο εύθραυστη. Κάνε υπομονή, Μπέλλα».

Προσπάθησα να διατηρήσω τη φωνή μου αποφασιστική και λογική. «Μα αυτό είναι το πρόβλημα. Δε θα είναι το *ίδιο*, όταν θα είμαι λιγότερο εύθραυστη. Δε θα είμαι εγώ η ίδια! Δεν ξέρω *ποια* θα είμαι τότε».

«Θα είσαι ακόμα η Μπέλλα», υποσχέθηκε.

Μούτρωσα. «Αν έχω φτάσει στο σημείο να θέλω να σκοτώσω τον Τσάρλι –αν θα έπινα το αίμα του Τζέικομπ ή της Άντζελα, αν μου δινόταν η ευκαιρία– πώς μπορεί αυτό να είναι αλήθεια;»

«Θα περάσει. Κι αμφιβάλλω ότι θα θέλεις να πιεις το αίμα του σκύλου». Έκανε πως τον διαπέρασε ένα ρίγος στη σκέψη. «Ακόμα και ως νεογέννητη, θα έχεις καλύτερο γούστο».

Αγνόησα την προσπάθεια να με αποπροσανατολίσει. «Αλλά αυτό θα είναι, αυτό που θα θέλω πιο πολύ πάντα, έτσι δεν είναι;» τον προκάλεσα. «Αίμα, αίμα, όλο και πιο πολύ αίμα!»

«Το γεγονός ότι είσαι ακόμα ζωντανή αποδεικνύει ότι αυτό δεν είναι αλήθεια», επισήμανε.

«Πάνω από ογδόντα χρόνια αργότερα», του θύμισα. «Αυτό που εννοώ είναι *σωματικά*, όμως. Πνευματικά, το ξέρω ότι θα μπορώ να είμαι ο εαυτός μου... μετά από λίγο. Αλλά καθαρά σωματικά –πάντα θα διψάω, περισσότερο απ' οτιδήποτε άλλο».

Δεν απάντησε.

«Άρα θα είμαι *πράγματι* διαφορετική», κατέληξα αφού δε

μου έφερε καμία αντίρρηση. «Επειδή αυτή τη στιγμή, σωματικά, δεν υπάρχει τίποτα που να θέλω περισσότερο από εσένα. Περισσότερο κι από το φαγητό ή το νερό ή το οξυγόνο. Πνευματικά, οι προτεραιότητές μου είναι σε μια κάπως πιο λογική σειρά. Αλλά σωματικά...»

Γύρισα το κεφάλι μου για να φιλήσω την παλάμη του.

Πήρε μια βαθιά ανάσα. Με εξέπληξε το γεγονός ότι ακούστηκε κάπως ασταθής.

«Μπέλλα, θα μπορούσα να σε σκοτώσω», ψιθύρισε.

«Δε νομίζω ότι θα μπορούσες».

Τα μάτια του Έντουαρντ σφίχτηκαν. Πήρε το χέρι του από το πρόσωπό μου και το άπλωσε γρήγορα πίσω του για να πιάσει κάτι που δεν έβλεπα. Ακούστηκε ένας πνιχτός ήχος από κάτι που έσπασε, και το κρεβάτι σείστηκε από κάτω μας.

Κάτι σκούρο ήταν στο χέρι του˙ το σήκωσε ψηλά για να το δω. Ήταν ένα μεταλλικό λουλούδι, ένα από τα τριαντάφυλλα που διακοσμούσαν τις σφυρήλατες σιδερένιες κολόνες και το θόλο του κρεβατιού. Το χέρι του έκλεισε για ένα δευτερόλεπτο, τα δάχτυλά του έσφιξαν απαλά, και μετά το άνοιξε.

Χωρίς λέξη, μου πρόσφερε τον κατεστραμμένο, ακανόνιστο όγκο του μαύρου μετάλλου. Ήταν ένα εκμαγείο του εσωτερικού του χεριού του, σαν ένα κομμάτι πλαστελίνης που είχε ζουλήξει η γροθιά ενός παιδιού. Μισό δευτερόλεπτο πέρασε, και το σχήμα κατέρρευσε κι έγινε μαύρη σκόνη μέσα στην παλάμη του.

Τον αγριοκοίταξα. «Δεν εννοούσα αυτό. Το *ξέρω* ήδη πόσο δυνατός είσαι. Δεν ήταν ανάγκη να σπας τα έπιπλα».

«Τι *εννοούσες* τότε;» ρώτησε με μια ζοφερή φωνή, ρίχνοντας τη χούφτα της μεταλλικής σκόνης στη γωνία του δωματίου˙ χτύπησε στον τοίχο κάνοντας ένα ήχο σαν βροχή.

Τα μάτια του ήταν προσηλωμένα στο πρόσωπό μου, καθώς πάσχιζα να εξηγήσω.

«Προφανώς όχι ότι δεν είσαι σωματικά ικανός να μου κάνεις κακό, αν το ήθελες... Εννοούσα περισσότερο ότι δε θέλεις να μου κάνεις κακό... σε τέτοιο σημείο που δε νομίζω ότι θα μπορούσες ποτέ».

Άρχισε να κουνάει το κεφάλι του πριν προλάβω να τελειώσω.

«Μπορεί και να μη γίνουν έτσι τα πράγματα, Μπέλλα».

«*Μπορεί*», είπα κοροϊδευτικά. «Δεν έχεις ιδέα για τι πράγμα μιλάς, όχι περισσότερο από 'μένα».

«Ακριβώς. Φαντάζεσαι ότι θα έπαιρνα ποτέ αυτό το ρίσκο όταν πρόκειται για 'σένα;»

Κοίταξα μέσα στα μάτια του. Δεν υπήρχε κανένα σημάδι συμβιβασμού, καμία ένδειξη αναποφασιστικότητας μέσα τους.

«Σε παρακαλώ», ψιθύρισα τελικά, απεγνωσμένη. «Είναι το μόνο που θέλω. Σε παρακαλώ». Έκλεισα τα μάτια μου ηττημένη, περιμένοντας το γρήγορο και οριστικό όχι.

Αλλά δεν απάντησε αμέσως. Δίστασα νιώθοντας δυσπιστία, σαστισμένη στο άκουσμα της αναπνοής του που ήταν ακανόνιστη και πάλι.

Άνοιξα τα μάτια μου και το πρόσωπό του ήταν διχασμένο.

«Σε παρακαλώ;» ψιθύρισα ξανά, καθώς ο χτύπος της καρδιάς μου γινόταν ολοένα και πιο γρήγορος. Τα λόγια μου ξεχύνονταν, καθώς βιαζόμουν να εκμεταλλευτώ την ξαφνική αβεβαιότητα στα μάτια του. «Δεν είναι ανάγκη να μου δώσεις εγγυήσεις. Αν δεν τα καταφέρουμε, τότε εντάξει. Απλώς ας *προσπαθήσουμε*... μόνο να προσπαθήσουμε. Και θα σου δώσω αυτό που θέλεις», υποσχέθηκα αβασάνιστα. «Θα σε παντρευτώ. Θα σε αφήσω να μου πληρώσεις τα δίδακτρα για το Ντάρτμουθ και δε θα διαμαρτυρηθώ για τη δωροδοκία για να με δεχτούν. Μπορείς ακόμα και να μου αγοράσεις ένα γρήγορο αμάξι, αν αυτό σε χαροποιεί! Μόνο... *σε παρακαλώ*».

Τα παγωμένα του μπράτσα σφίχτηκαν γύρω μου, και τα χείλη του ήταν στο αυτί μου· η δροσερή του ανάσα με έκανε να τρέμω. «Αυτό είναι αβάσταχτο. Είναι τόσα πολλά αυτά που ήθελα να σου δώσω –κι εσύ αποφασίζεις να απαιτήσεις *αυτό*. Έχεις την παραμικρή ιδέα πόσο οδυνηρό είναι το να προσπαθώ να σου αρνηθώ, όταν με παρακαλάς έτσι;»

«Τότε μην αρνηθείς», πρότεινα με κομμένη την ανάσα.

Δεν απάντησε.

«Σε παρακαλώ», προσπάθησα ξανά.

«Μπέλλα...» Κούνησε το κεφάλι του αργά, αλλά δεν έμοιαζε με άρνηση, καθώς το πρόσωπό του, τα χείλη του μετακινήθηκαν στο λαιμό μου. Έμοιαζε περισσότερο με παράδοση. Η καρδιά μου, που ήδη χτυπούσε γρήγορα, άρχισε να σφυροκοπάει σαν τρελή.

Πάλι προσπάθησα να εκμεταλλευτώ ό,τι μπορούσα. Όταν το πρόσωπό του γύρισε προς το δικό μου, αργά με αναποφασιστικότητα, συστράφηκα γρήγορα μέσα στην αγκαλιά του, μέχρι που τα χείλη μου άγγιξαν τα δικά του. Τα χέρια του άρπαξαν το πρόσωπό μου, και νόμιζα ότι θα με έσπρωχνε μακριά.

Έκανα λάθος.

Το στόμα του δεν ήταν απαλό˙ υπήρχε μια εντελώς καινούρια αίσθηση σύγκρουσης και απόγνωσης στον τρόπο που κινήθηκαν τα χείλη του. Κλείδωσα τα χέρια μου γύρω από το λαιμό του, και ένιωσα το κορμί του πιο κρύο από ποτέ πάνω στο δέρμα μου, που ξαφνικά είχε ανάψει. Με διαπέρασε ένα ρίγος, αλλά δεν ήταν από την ψύχρα.

Δε σταμάτησε να με φιλάει. Εγώ ήμουν αυτή που αναγκάστηκε να τραβηχτεί μακριά, αγκομαχώντας. Ακόμα και τότε τα χείλη του δεν έφυγαν από το δέρμα μου, απλώς προχώρησαν στο λαιμό μου. Ο ενθουσιασμός της νίκης ήταν ένα παράξενο συναίσθημα που με ανέβαζε˙ με έκανε να νιώθω δυνατή. Γενναία. Τα χέρια μου δεν ήταν ασταθή πια˙ ξεμπέρδεψα με τα κουμπιά του πουκαμίσου του εύκολα αυτή τη φορά, και τα δάχτυλά μου σκιαγράφησαν τις άψογες γραμμές του παγωμένου του στήθους. Ήταν υπερβολικά όμορφος. Ποια λέξη είχε χρησιμοποιήσει μόλις τώρα; Αβάσταχτο –αυτό ήταν. Η ομορφιά του ήταν πάρα πολλή για να την αντέξω…

Τράβηξα το στόμα του πάλι κοντά μου κι εκείνος φαινόταν εξίσου ενθουσιώδης μ' εμένα. Το ένα του χέρι ακόμα κρατούσε το πρόσωπό μου, ενώ το άλλο ήταν σφιχτό γύρω από τη μέση μου, πιέζοντάς με πιο κοντά του. Αυτό με δυσκόλευε ελαφρώς περισσότερο, καθώς προσπαθούσα να φτάσω το μπροστινό μέρος του πουκαμίσου μου, αλλά όχι ότι ήταν αδύνατο.

Παγωμένα σιδερένια δεσμά κλείδωσαν γύρω από τους καρπούς μου και τράβηξαν τα χέρια μου πάνω από το κεφάλι μου, που βρέθηκε ξαφνικά πάνω σε ένα μαξιλάρι.

Τα χείλη του ήταν πάλι στο αυτί μου. «Μπέλλα», μουρμούρισε, με φωνή ζεστή και βελούδινη. «Θα σταματήσεις *σε παρακαλώ* να προσπαθείς να βγάλεις τα ρούχα σου;»

«Θέλεις να το κάνεις εσύ αυτό;» ρώτησα μπερδεμένη.

«Όχι απόψε», απάντησε απαλά. Τα χείλη του ήταν πιο αργά τώρα πάνω στο μάγουλό μου και το πιγούνι μου, όλη η βιασύνη είχε χαθεί.

«Έντουαρντ, μη—», πήγα να διαφωνήσω.

«Δε λέω όχι», με διαβεβαίωσε. «Απλώς λέω *όχι απόψε*».

Το σκέφτηκα, ενώ η αναπνοή μου έγινε πιο αργή.

«Δώσε μου έναν καλό λόγο για τον οποίο η αποψινή βραδιά δεν είναι εξίσου καλή με οποιαδήποτε άλλη βραδιά». Ήμουν ακόμα ξέπνοη˙ αυτό έκανε την απογοήτευση στη φωνή μου λιγότερο εντυπωσιακή.

«Δε γεννήθηκα χθες». Γέλασε πνιχτά στο αυτί μου. «Από τους δυο μας, ποιος νομίζεις πως είναι απρόθυμος να δώσει στον άλλο αυτό που θέλει; Μόλις υποσχέθηκες να με παντρευτείς πριν μεταμορφωθείς, αλλά αν ενδώσω απόψε, ποια εγγύηση έχω ότι δε θα πας τρέχοντας στον Κάρλαϊλ το πρωί; Εγώ είμαι –ολοφάνερα– πιο πρόθυμος να σου δώσω αυτό που θες. Άρα… εσύ πρώτη».

Εξέπνευσα με ένα δυνατό ξεφύσημα. «Πρέπει να σε παντρευτώ πρώτα;» ρώτησα με δυσπιστία.

«Αυτή είναι η συμφωνία –θέλεις ή όχι;. Συμβιβασμός, θυμάσαι;»

Τα χέρια του τυλίχτηκαν γύρω μου, κι άρχισε να με φιλάει με έναν τρόπο που θα έπρεπε να είναι παράνομος. Υπερβολικά πειστικός –ήταν εξαναγκασμός. Προσπάθησα να κρατήσω το κεφάλι μου καθαρό... και απέτυχα γρήγορα και εντελώς.

«Νομίζω ότι αυτή είναι μια πολύ κακή ιδέα», είπα αγκομαχώντας όταν με άφησε να αναπνεύσω.

«Δεν εκπλήσσομαι που νιώθεις έτσι». Χαμογέλασε υπεροπτικά. «Είσαι αγύριστο κεφάλι».

«Πώς συνέβη αυτό;» γκρίνιαξα. «Νόμιζα ότι θα περνούσε το δικό μου απόψε –για μια φορά– και τώρα, ξαφνικά–»

«Είσαι αρραβωνιασμένη», τελείωσε την πρότασή μου.

«Μπλιαξ! Μην το λες αυτό δυνατά *σε παρακαλώ*».

«Μήπως σκοπεύεις να αθετήσεις το λόγο σου;» απαίτησε να μάθει. Τραβήχτηκε μακριά για να διαβάσει το πρόσωπό μου. Από την έκφρασή του φαινόταν σαν να το έβρισκε αστείο. Το διασκέδαζε.

Τον αγριοκοίταξα, προσπαθώντας να αγνοήσω τον τρόπο που το χαμόγελό του έκανε την καρδιά μου να αντιδρά.

«Θα τον αθετήσεις;» επέμεινε.

«Ωχ!» έβγαλα ένα βαθύ αναστεναγμό. «Όχι. Όχι, δε θα τον αθετήσω. Χάρηκες τώρα;»

Το χαμόγελό του ήταν εκτυφλωτικό. «Εξαιρετικά».

Έβγαλα ξανά ένα βαθύ αναστεναγμό.

«Εσύ δε χάρηκες καθόλου;»

Με φίλησε ξανά πριν προλάβω να απαντήσω. Άλλο ένα υπερβολικά πειστικό φιλί.

«Λιγάκι», παραδέχτηκα, όταν μπόρεσα να μιλήσω. «Αλλά όχι επειδή θα παντρευτούμε».

Με φίλησε άλλη μια φορά. «Έχεις κι εσύ μήπως την αίσθηση ότι όλα είναι ανάποδα;» Γέλασε στο αυτί μου. «Παραδοσιακά, εσύ δε θα έπρεπε να είσαι αυτή που θα υποστήριζε την άποψή μου, κι εγώ τη δική σου;»

«Δεν υπάρχουν και πολλά παραδοσιακά στοιχεία, όταν πρόκειται για εσένα κι εμένα».

«Πράγματι».

Με φίλησε πάλι και συνέχισε μέχρι που η καρδιά μου άρχισε να χτυπάει γρήγορα και το δέρμα μου αναψοκοκκίνισε.

«Κοίτα, Έντουαρντ», μουρμούρισα, με φωνή που προσπαθούσε να τον καλοπιάσει, όταν σταμάτησε για να φιλήσει την παλάμη μου. «Είπα ότι θα σε παντρευτώ και θα το κάνω. Στο υπόσχομαι. Στ' ορκίζομαι. Αν θέλεις, θα υπογράψω συμβόλαιο με το αίμα μου».

«Καθόλου αστείο», μουρμούρισε ακουμπώντας τα χείλη του στο μέσα μέρος του καρπού μου.

«Αυτό που θέλω να πω είναι το εξής –δεν πρόκειται να προσπαθήσω να σε ξεγελάσω ή κάτι τέτοιο. Ξέρεις ότι δε θα το έκανα αυτό. Άρα δεν υπάρχει κανένας λόγος στην πραγματικότητα να περιμένουμε. Είμαστε εντελώς μόνοι –πόσο συχνά συμβαίνει αυτό;– κι αγόρασες αυτό το πολύ μεγάλο κι άνετο κρεβάτι ... »

«Όχι απόψε», είπε ξανά.

«Δε μου έχεις εμπιστοσύνη;»

«Φυσικά και σου έχω».

Χρησιμοποιώντας το χέρι που φιλούσε ακόμα, τράβηξα το πρόσωπό του πάλι προς τα πάνω, όπου μπορούσα να δω την έκφρασή του.

«Τότε πού είναι το πρόβλημα; Δεν είναι ότι δεν ήξερες πως θα κέρδιζες στο τέλος». Κατσούφιασα και μουρμούρισα: «Πάντα κερδίζεις».

«Απλώς προσπαθώ να στοιχηματίζω συνετά», είπε ήρεμα.

«Υπάρχει κάτι άλλο», μάντεψα, ενώ τα μάτια μου ζάρωσαν. Υπήρχε μια αμυντικότητα στο πρόσωπό του, μια αμυδρή ένδειξη κάποιου κρυφού κινήτρου που προσπαθούσε να κρύψει πίσω από την αδιάφορη συμπεριφορά του. «Μήπως *εσύ* σκοπεύεις να αθετήσεις το λόγο σου;»

«Όχι», υποσχέθηκε σοβαρά. «Σου ορκίζομαι, *αλήθεια* θα προσπαθήσουμε. Αφού με παντρευτείς».

Κούνησα το κεφάλι μου και γέλασα. «Με κάνεις να νιώθω σαν τον κακό ενός μελοδράματος –που στρίβει το μουστάκι του, ενώ προσπαθεί να κλέψει την αγνότητα ενός κακόμοιρου κοριτσιού».

Τα μάτια του ήταν ανήσυχα, καθώς πέρασαν αστραπιαία από το πρόσωπό μου, μετά έσκυψε γρήγορα κάτω το κεφάλι για να πιέσει τα χείλη του πάνω στο θώρακά μου.

«Αυτό είναι, έτσι;» Το σύντομο γέλιο που μου ξέφυγε ήταν περισσότερο επειδή ξαφνιάστηκα παρά επειδή το έβρισκα διασκεδαστικό. «Προσπαθείς να προστατέψεις την αγνότητά σου!» Σκέπασα το στόμα μου με το χέρι μου για να πνίξω το γελάκι που ακολούθησε. Οι λέξεις ήταν τόσο... ντεμοντέ.

«Όχι, ανόητο κορίτσι», μουρμούρισε ακουμπώντας τα χείλη του στον ώμο μου. «Προσπαθώ να προστατέψω τη *δική σου*. Κι εσύ το κάνεις απίστευτα δύσκολο».

«Απ' όλα τα γελοία—»

«Να σε ρωτήσω κάτι», διέκοψε γρήγορα. «Έχουμε κάνει ξανά αυτή την κουβέντα, αλλά κάνε μου τη χάρη. Πόσοι άνθρωποι σ' αυτό το δωμάτιο έχουν ψυχή; Μια ευκαιρία να πάνε στον παράδεισο ή ό,τι κι αν είναι αυτό που υπάρχει μετά από αυτή τη ζωή;»

«Δύο», απάντησα αμέσως, με φωνή θυμωμένη.

«Εντάξει. Μπορεί αυτό να είναι αλήθεια. Βέβαια, υπάρχει μια τεράστια διχογνωμία σχετικά με αυτό, αλλά η συντριπτική πλειοψηφία των ανθρώπων φαίνεται να πιστεύουν ότι υπάρχουν κάποιοι κανόνες που πρέπει να ακολουθεί κανείς».

«Οι κανόνες των βρικολάκων δε σου αρκούν; Θέλεις να ανησυχείς και για τους ανθρώπινους;»

«Δε βλάπτει σε τίποτα». Ανασήκωσε τους ώμους. «Για καλό και για κακό».

Τον αγριοκοίταξα μέσα από τα ζαρωμένα μάτια μου.

«Τώρα, βέβαια, μπορεί να είναι πολύ αργά για 'μένα, ακόμα κι αν έχεις δίκιο για την ψυχή μου».

«Όχι, δεν είναι», διαφώνησα θυμωμένα.

«Το "ου φονεύσεις" *είναι* γενικά αποδεκτό από τα περισσότερο θρησκευτικά συστήματα. Κι εγώ έχω σκοτώσει πολλούς ανθρώπους, Μπέλλα».

«Μόνο τους κακούς».

Ανασήκωσε τους ώμους. «Μπορεί αυτό να μετράει, μπορεί και όχι. Αλλά εσύ δεν έχεις σκοτώσει κανένα—»

«Απ' όσο γνωρίζεις *εσύ*», μουρμούρισα.

Χαμογέλασε, αλλά κατά τα άλλα δεν έδωσε σημασία στη διακοπή. «Και θα κάνω ό,τι μπορώ για να σε κρατήσω μακριά από το δρόμο του πειρασμού».

«Εντάξει. Αλλά δεν τσακωνόμασταν σχετικά με το αν πρέπει να διαπράττει κανείς φόνους», του υπενθύμισα.

«Η ίδια αρχή ισχύει –η μόνη διαφορά είναι ότι αυτός είναι ο μόνος τομέας στον οποίο είμαι εξίσου άψογος όσο κι εσύ. Δεν μπορώ να αφήσω έναν κανόνα που να μην τον έχω σπάσει;»

«Ένα;»

«Ξέρεις ότι έχω κλέψει, έχω πει ψέματα, έχω ποθήσει κάτι που δε μου ανήκε... η αγνότητά μου είναι το μόνο που μου έχει απομείνει». Χαμογέλασε στραβά.

«Εγώ λέω ψέματα όλη την ώρα».

«Ναι, μα είσαι τόσο κακή ψεύτρα που δε μετράει. Κανένας δε σε πιστεύει».

«Πραγματικά ελπίζω να κάνεις λάθος –γιατί αλλιώς ο Τσάρλι όπου να 'ναι θα ορμήσει από την πόρτα με γεμάτο όπλο».

«Ο Τσάρλι είναι πιο χαρούμενος, όταν κάνει πως χάβει τα

παραμύθια σου. Προτιμά να λέει ψέματα στον εαυτό του παρά να κοιτάξει την αλήθεια κατάματα». Χαμογέλασε μια φορά.

«Μα τι πόθησες που δε σου ανήκε;» ρώτησα με δυσπιστία. «Έχεις τα πάντα».

«Πόθησα εσένα». Το χαμόγελό του σκοτείνιασε. «Δεν είχα κανένα δικαίωμα να σε ποθήσω –αλλά άπλωσα το χέρι μου και σε πήρα, έτσι κι αλλιώς. Και τώρα κοίτα πώς κατάντησες! Προσπαθείς να αποπλανήσεις ένα βρικόλακα». Κούνησε το κεφάλι του με προσποιητή φρίκη.

«Δεν είναι κακό να ποθείς αυτό που είναι ήδη δικό σου», τον πληροφόρησα. «Εξάλλου, νόμιζα ότι ανησυχούσες για τη *δική μου* αγνότητα».

«Μα βέβαια. Μπορεί να είναι πολύ αργά για 'μένα… αλλά, θα με πάρει ο διάολος –δεν είναι σκόπιμο το λογοπαίγνιο– αν τους αφήσω να σε κρατήσουν κι εσένα έξω».

«Δεν μπορείς να με αναγκάσεις να πάω κάπου όπου δε θα είσαι εσύ», ορκίστηκα. «Αυτός είναι ο δικός μου ορισμός της κόλασης. Όπως και να 'χει, έχω μια εύκολη λύση για όλα αυτά: ας μην πεθάνουμε ποτέ, εντάξει;»

«Ακούγεται αρκετά απλό. Γιατί δεν το σκέφτηκα;»

Μου χαμογέλασε, μέχρι που τα παράτησα με ένα θυμωμένο *χμ*! «Πάει και τελείωσε, λοιπόν. Δε θα κοιμηθείς μαζί μου μέχρι να *παντρευτούμε*».

«Στην κυριολεξία δεν μπορώ να *κοιμηθώ* μαζί σου ποτέ».

Στριφογύρισα τα μάτια μου. «Πολύ ώριμο, Έντουαρντ».

«Αλλά, εκτός από αυτή τη λεπτομέρεια, ναι, σωστά το κατάλαβες».

«Νομίζω πως έχεις κάποιο απώτερο κίνητρο».

Τα μάτια του γούρλωσαν αθώα. «Κι άλλο;»

«Ξέρεις ότι αυτό θα επιταχύνει τις εξελίξεις», τον κατηγόρησα.

Προσπάθησε να μη χαμογελάσει. «Υπάρχει ένα μόνο πράγμα που θέλω να γίνει πιο γρήγορα, κι όλα τα υπόλοιπα μπορούν να περιμένουν για πάντα... αλλά είναι αλήθεια, οι ανυπόμονες ανθρώπινες ορμόνες σου είναι ο πιο δυνατός μου σύμμαχος σ' αυτό το θέμα».

«Δεν μπορώ να το πιστέψω ότι συμφώνησα μ' αυτό. Όταν σκέφτομαι τον Τσάρλι... και τη Ρενέ! Φαντάζεσαι τι θα σκεφτεί η Άντζελα; Ή η Τζέσικα; Πω πω! Ακούω από τώρα τα κουτσομπολιά».

Σήκωσε το ένα του φρύδι, και ήξερα το γιατί. Τι σημασία είχε τι έλεγαν για' μένα, όταν θα έφευγα τόσο σύντομα και δε θα ξαναγύριζα; Ήμουν στ' αλήθεια τόσο υπερβολικά ευαίσθητη που δεν μπορούσα ν' αντέξω μερικές βδομάδες πλάγιων βλεμμάτων και ερωτήσεων με υπονοούμενα;

Μπορεί και να μη μ' ενοχλούσε τόσο πολύ, αν δεν ήξερα ότι κι εγώ πιθανότατα θα κουτσομπόλευα εξίσου συγκαταβατικά με όλους τους υπόλοιπους, αν παντρευόταν κάποια άλλη αυτό το καλοκαίρι.

Ωχ! Θα παντρευόμουν αυτό το καλοκαίρι! Με διαπέρασε ένα ρίγος.

Και ύστερα, μπορεί να μη με ενοχλούσε τόσο πολύ, αν δε με είχαν μεγαλώσει, έτσι ώστε η ιδέα του γάμου να με κάνει να τρέμω.

Ο Έντουαρντ διέκοψε τις ανήσυχες σκέψεις μου. «Δεν είναι ανάγκη να είναι καμιά μεγάλη παραγωγή. Δε χρειάζομαι φανφάρες. Δεν είναι ανάγκη να το πεις σε όλους ή να κάνεις καμιά αλλαγή. Θα πάμε στο Βέγκας –μπορείς να φορέσεις ένα παλιό τζιν, και να πάμε σ' εκείνο το παρεκκλήσι που είναι ντράιβ-ιν. Απλώς θέλω να το επισημοποιήσουμε –ότι ανήκεις σ' εμένα και σε *κανέναν άλλο*».

«Δε θα μπορούσε να γίνει πιο επίσημο απ' ό,τι είναι ήδη», διαμαρτυρήθηκα. Αλλά η περιγραφή του δεν ακουγόταν και τόσο άσχημη. Μόνο η Άλις θα απογοητευόταν.

«Θα το δούμε αυτό». Χαμογέλασε αυτάρεσκα. «Υποθέτω ότι δε θέλεις τώρα το δαχτυλίδι σου;»

Χρειάστηκε να καταπιώ, πριν μπορέσω να μιλήσω. «Υποθέτεις σωστά».

Γέλασε με την έκφρασή μου. «Δεν πειράζει. Θα το περάσω στο δάχτυλό σου πολύ σύντομα».

Τον αγριοκοίταξα. «Μιλάς σαν να έχεις ήδη δαχτυλίδι».

«Έχω», είπε χωρίς ντροπή. «Είμαι έτοιμος να σου το φορέσω με τη βία στο πρώτο σημάδι αδυναμίας».

«Είσαι απίστευτος».

«Θέλεις να το δεις;» ρώτησε. Τα υγρά σαν τοπάζι μάτια του ξαφνικά έλαμπαν από τον ενθουσιασμό.

«Όχι!» είπα σχεδόν φωνάζοντας, με μια αυτόματη αντίδραση. Μετάνιωσα αμέσως γι' αυτή. Το πρόσωπό του συννέφιασε ανεπαίσθητα. «Εκτός κι αν θέλεις πολύ να μου δείξεις», διόρθωσα. Έτριξα τα δόντια μου για να εμποδίσω τον παράλογο τρόμο μου να φανεί.

«Δεν πειράζει», είπε σηκώνοντας τους ώμους του. «Μπορεί να περιμένει».

Αναστέναξα. «Δείξε μου το δαχτυλίδι, Έντουαρντ».

Κούνησε το κεφάλι του. «Όχι».

Μελέτησα την έκφρασή του.

«Σε παρακαλώ;» ρώτησα χαμηλόφωνα πειραματιζόμενη με το όπλο που μόλις είχα ανακαλύψει. Άγγιξα το πρόσωπό του ελαφρά με τις άκρες των δαχτύλων μου. «Σε παρακαλώ, μπορώ να το δω;»

Τα μάτια του ζάρωσαν. «Είσαι το πιο επικίνδυνο πλάσμα που έχω γνωρίσει ποτέ», μουρμούρισε. Αλλά σηκώθηκε και κινήθηκε με μια ασυναίσθητη χάρη, για να γονατίσει δίπλα στο μικρό κομοδίνο. Γύρισε στο κρεβάτι δίπλα μου σε μια στιγμή, και κάθισε με το ένα χέρι γύρω από τον ώμο μου. Στο άλλο του χέρι είχε ένα μικρό μαύρο κουτάκι. Το ισορρόπησε πάνω στο αριστερό μου γόνατο.

«Ορίστε, ρίξε μια ματιά, λοιπόν», είπε.

Ήταν πιο δύσκολο απ' όσο έπρεπε, το να πάρω στα χέρια

μου το άκακο κουτάκι, αλλά δεν ήθελα να τον πληγώσω ξανά, έτσι προσπάθησα να εμποδίσω το χέρι μου από το να τρέμει. Η επιφάνεια ήταν καλυμμένη με ένα απαλό μαύρο σατέν. Το χάιδεψα με τα δάχτυλά μου, διστάζοντας.

«Δεν ξόδεψες *πολλά* χρήματα, έτσι; Πες μου ψέματα, αν το έκανες».

«Δεν ξόδεψα τίποτα», με διαβεβαίωσε. «Είναι κι αυτό κάτι από τα παλιά. Αυτό είναι το δαχτυλίδι που έδωσε ο πατέρας μου στη μητέρα μου».

«Ω». Έκπληξη χρωμάτισε τη φωνή μου. Τσίμπησα το καπάκι με τον αντίχειρα και το δείκτη μου, αλλά δεν το άνοιξα.

«Υποθέτω ότι είναι λίγο παρωχημένο». Το ύφος του ήταν απολογητικό με ένα παιχνιδιάρικο τρόπο. «Παλιομοδίτικο σαν κι εμένα. Μπορώ να σου πάρω κάτι πιο μοντέρνο. Κάτι από τα Τίφανις;»

«Μου αρέσουν τα παλιομοδίτικα πράγματα», ψέλλισα, καθώς σήκωσα διστακτικά το καπάκι.

Φωλιασμένο μέσα στο μαύρο σατέν, το δαχτυλίδι της Ελίζαμπεθ Μέισεν λαμποκοπούσε στο αχνό φως. Η πρόσοψη ήταν ένα μακρύ οβάλ σχήμα, διακοσμημένη με λοξές σειρές από αστραφτερά στρογγυλά πετράδια. Ο δακτύλιος ήταν χρυσός –λεπτοδουλεμένος και στενός. Ο χρυσός σχημάτιζε ένα εύθραυστο πλέγμα γύρω από τα διαμάντια. Δεν είχα δει ποτέ κάτι τέτοιο.

Ασυναίσθητα, χάιδεψα τους πολύτιμους λίθους που τρεμόφεγγαν.

«Είναι τόσο *όμορφο*», μουρμούρισα στον εαυτό μου, έκπληκτη.

«Σου αρέσει;»

«Είναι πανέμορφο». Σήκωσα τους ώμους προσποιούμενη έλλειψη ενδιαφέροντος. «Υπάρχει κάτι πάνω του που θα μπορούσε να μη μου αρέσει;»

Γέλασε πνιχτά. «Δες αν σου κάνει».

Το αριστερό μου χέρι σφίχτηκε σχηματίζοντας γροθιά.

«Μπέλλα», αναστέναξε. «Δεν πρόκειται να σου το κολλήσω πάνω στο δάχτυλο. Απλώς δοκίμασέ το για να δω αν χρειάζεται να το μικρύνουμε ή να το μεγαλώσουμε. Και μετά μπορείς να το βγάλεις αμέσως».

«Ωραία», γκρίνιαξα.

Άπλωσα το χέρι μου να πιάσω το δαχτυλίδι, αλλά τα μακριά του δάχτυλα με πρόλαβαν. Πήρε το αριστερό μου χέρι μέσα στο δικό του και έσπρωξε το δαχτυλίδι στο τρίτο μου δάχτυλο. Τέντωσε το χέρι μου, και περιεργαστήκαμε και οι δυο μας το οβάλ σχήμα που άστραφτε πάνω στο δέρμα μου. Δεν ήταν τόσο φριχτό όσο φοβόμουν το να το έχω εκεί.

«Ταιριάζει τέλεια», είπε αδιάφορα. «Ωραία –με γλιτώνει από τον κόπο να πάω στο κοσμηματοπωλείο».

Άκουγα μια δυνατή συγκίνηση να καίει κάτω από τον αδιάφορο τόνο της φωνής του, και σήκωσα ψηλά τα μάτια για να κοιτάξω το πρόσωπό του. Η ίδια συγκίνηση υπήρχε και μέσα στα μάτια του, ορατή παρά την προσεχτική του έκφραση.

«Σου αρέσει, έτσι δεν είναι;» ρώτησα καχύποπτα, κουνώντας τα δάχτυλά μου εναλλάξ πάνω-κάτω και σκεφτόμενη ότι ήταν κρίμα που δεν είχα σπάσει το *αριστερό* μου χέρι.

Ανασήκωσε τους ώμους του. «Βέβαια», είπε, ακόμα σαν να μην έτρεχε τίποτα. «Δείχνει πολύ ωραίο πάνω σου».

Κοίταξα μέσα στα μάτια του, προσπαθώντας να αποκρυπτογραφήσω το συναίσθημα που σιγόκαιγε κάτω από την επιφάνεια. Μου ανταπόδωσε το βλέμμα και η προσποίηση της αδιαφορίας ξαφνικά χάθηκε. Έλαμπε –το αγγελικό του πρόσωπο είχε φωτιστεί από τη χαρά και τη νίκη. Ήταν τόσο λαμπερός που μου κόπηκε η ανάσα.

Πριν προλάβω να αναπνεύσω ξανά, με φιλούσε, πανευτυχής. Ήμουν ζαλισμένη, όταν τα χείλη του απομακρύνθηκαν για να ψιθυρίσουν στο αυτί μου –αλλά η ανάσα του ήταν εξίσου ακανόνιστη με τη δική μου.

«Ναι, μου αρέσει. Δεν έχεις την *παραμικρή* ιδέα πόσο».

Γέλασα, κοντανασαίνοντας κάπως. «Σε πιστεύω».

«Σε πειράζει να κάνω κάτι;» μουρμούρισε, ενώ τα μπράτσα του σφίχτηκαν γύρω μου.

«Ό,τι θες».

Αλλά με άφησε και έφυγε.

«Οτιδήποτε εκτός απ' αυτό», παραπονέθηκα.

Δε μου έδωσε σημασία, πιάνοντας το χέρι μου και τραβώντας με από το κρεβάτι κι εμένα. Στάθηκε μπροστά μου, με τα χέρια του στους ώμους μου, πρόσωπο σοβαρό.

«Τώρα, θέλω να το κάνω σωστά. Σε παρακαλώ, σε παρακαλώ, να θυμάσαι ότι έχεις ήδη συμφωνήσει και μη μου το χαλάσεις».

«Ωχ, όχι», ξεφώνησα πνιχτά, καθώς γλίστρησε κάτω στο ένα του γόνατο.

«Να είσαι ευγενική», μουρμούρισε.

Πήρα μια βαθιά ανάσα.

«Ιζαμπέλλα Σουάν;» Κοίταξε προς τα πάνω μέσα από τις απίστευτα μακριές του βλεφαρίδες, με τα χρυσαφί του μάτια τρυφερά, αλλά και πάλι, με κάποιο τρόπο φλογερά. «Υπόσχομαι να σε αγαπάω για πάντα –κάθε μέρα του πάντα. Θα με παντρευτείς;»

Υπήρχαν πολλά πράγματα που ήθελα να πω, μερικά εκ των οποίων δεν ήταν καθόλου ευγενικά, κι άλλα που ήταν πιο σαχλά και ρομαντικά απ' ό,τι φανταζόταν ότι θα ήμουν ικανή. Αντί, όμως, να εξευτελιστώ είτε με το ένα είτε με το άλλο, ψιθύρισα: «Ναι».

«Σ' ευχαριστώ», είπε απλά. Έπιασε το αριστερό μου χέρι και φίλησε μια-μια τις άκρες των δαχτύλων μου, πριν φιλήσει το δαχτυλίδι που τώρα μου ανήκε.

21. ΙΧΝΗ

Δε μου άρεσε καθόλου η ιδέα να σπαταλήσω έστω κι ένα μέρος της νύχτας για ύπνο, αλλά ήταν αναπόφευκτο. Ο ήλιος έλαμπε έξω από τον τοίχο-παράθυρο, όταν ξύπνησα, ενώ μικρά σύννεφα διέσχιζαν τον ουρανό τρέχοντας υπερβολικά γρήγορα. Ο άνεμος ταρακουνούσε τις κορυφές των δέντρων, μέχρι που ολόκληρο το δάσος έμοιαζε σαν να ήταν έτοιμο να διαλυθεί.

Με άφησε μόνη μου για να ντυθώ, κι εγώ εκτίμησα την ευκαιρία που μου δόθηκε να σκεφτώ. Με κάποιο τρόπο, το σχέδιό μου την περασμένη νύχτα είχε πάει τρομερά στραβά, και είχα ανάγκη να συνειδητοποιήσω τις συνέπειες. Αν και είχα δώσει πίσω το δαχτυλίδι της μητέρας του αμέσως μόλις ήταν δυνατό χωρίς να πληγώσω τα συναισθήματά του, ένιωθα το αριστερό μου χέρι πιο βαρύ, λες και το φορούσα ακόμα, αλλά ήταν απλώς αόρατο.

Δε θα έπρεπε να με ενοχλεί, προσπαθούσα να σκεφτώ με τη λογική. Δεν ήταν τίποτα σπουδαίο –ένα ταξίδι στο Λας Βέγκας. Θα φορούσα κάτι καλύτερο από ένα παλιό τζιν– θα φορούσα μια παλιά φόρμα. Η τελετή σίγουρα δε θα διαρκούσε πολύ˙ όχι περισσότερο από δεκαπέντε λεπτά το μέγιστο, σωστά; Άρα μπορούσα να το αντέξω αυτό.

Και μετά, όταν θα τελείωνε, θα έπρεπε να εκπληρώσει τη δική του μεριά της συμφωνίας. Θα επικεντρωνόμουν σ' αυτό και θα ξεχνούσα τα υπόλοιπα.

Είπε ότι δεν ήταν ανάγκη να το πω σε κανένα, και σκόπευα να το ακολουθήσω αυτό. Φυσικά, ήταν μεγάλη ανοησία εκ μέρους μου να μη σκεφτώ την Άλις.

Οι Κάλεν έφτασαν σπίτι γύρω στο μεσημέρι. Υπήρχε μια καινούρια αίσθηση σοβαρότητας στην ατμόσφαιρα και αυτό με έκανε να σκεφτώ ξανά το πόσο τεράστιο ήταν αυτό που θα επακολουθούσε.

Η Άλις φαινόταν να έχει ασυνήθιστα κακή διάθεση. Το απέδωσα στην απογοήτευσή της επειδή ένιωθε φυσιολογική, καθώς το πρώτο πράγμα που είπε στον Έντουαρντ ήταν ένα παράπονο σχετικά με τη συνεργασία με τους λύκους.

«*Νομίζω*» –έκανε μια γκριμάτσα, όταν χρησιμοποίησε την αβέβαιη λέξη– «ότι πρέπει να πάρετε πράγματα για το κρύο, Έντουαρντ. Δεν μπορώ να δω ακριβώς πού βρίσκεστε, επειδή θα πάτε μ' εκείνο το *σκυλί* το απόγευμα. Αλλά η καταιγίδα που έρχεται φαίνεται εξαιρετικά άσχημη στην ευρύτερη περιοχή».

Ο Έντουαρντ έγνεψε.

«Θα χιονίσει στα βουνά», τον προειδοποίησε.

«Μπλιαξ, χιόνι!» μουρμούρισα στον εαυτό μου. Ήταν Ιούνιος, για όνομα του Θεού.

«Φόρα κανένα μπουφάν», μου είπε η Άλις. Η φωνή της ήταν εχθρική, κι αυτό με εξέπληξε. Προσπάθησα να διαβάσω το πρόσωπό της, αλλά γύρισε από την άλλη.

Κοίταξα τον Έντουαρντ, και χαμογελούσε˙ ό,τι κι αν ήταν αυτό που ενοχλούσε την Άλις εκείνος το έβρισκε αστείο.

Ο Έντουαρντ είχε περισσότερο από αρκετό εξοπλισμό για

κάμπινγκ για να διαλέξουμε –διακοσμητικά αντικείμενα που χρειάζονταν για να υποστηρίζουν το ρόλο του στην ανθρώπινη κωμωδία˙ οι Κάλεν ήταν καλοί πελάτες στο μαγαζί των Νιούτον. Άρπαξε έναν υπνόσακο για το έδαφος, μια μικρή σκηνή κι αρκετά πακέτα αποξηραμένης τροφής –χαμογελώντας, όταν έκανα μια γκριμάτσα κοιτώντας τον– και τα έχωσε όλα σε ένα σακίδιο πλάτης.

Η Άλις μπήκε στο γκαράζ με αργά απρόθυμα βήματα, ενώ ήμασταν εκεί, παρακολουθώντας τις ετοιμασίες του Έντουαρντ χωρίς ούτε μια λέξη. Εκείνος την αγνόησε.

Όταν τελείωσε με τα πράγματα, ο Έντουαρντ μου έδωσε το τηλέφωνό του. «Γιατί δεν παίρνεις τον Τζέικομπ να του πεις ότι θα είμαστε έτοιμοι σε καμιά ώρα; Ξέρει πού να μας συναντήσει».

Ο Τζέικομπ δεν ήταν σπίτι, αλλά ο Μπίλι υποσχέθηκε να κάνει μερικά τηλεφωνήματα, μέχρι να βρει κάποιο διαθέσιμο λυκάνθρωπο για να του μεταφέρει τα νέα.

«Μην ανησυχείς για τον Τσάρλι, Μπέλλα», είπε ο Μπίλι. «Το δικό μου μερίδιο ευθύνης είναι υπό έλεγχο».

«Ναι, το ξέρω ότι ο Τσάρλι θα είναι μια χαρά». Δεν ήμουν τόσο πεπεισμένη για την ασφάλεια του γιου του, αλλά αυτό δεν το πρόσθεσα.

«Μακάρι να μπορούσα να βρίσκομαι με τους υπόλοιπους αύριο». Ο Μπίλι γέλασε πνιχτά μετά λύπης. «Είναι πολύ σκληρό να είσαι γέρος, Μπέλλα».

Η επιθυμία για μάχη πρέπει να είναι καθοριστικό χαρακτηριστικό του χρωμοσώματος Υ. Ήταν όλοι τους ίδιοι.

«Καλά να περάσετε με τον Τσάρλι».

«Καλή τύχη, Μπέλλα», απάντησε. «Και... πες το ίδιο και στους... εε... στους Κάλεν εκ μέρους μου».

«Θα το πω», υποσχέθηκα, έκπληκτη από την κίνηση αυτή.

Καθώς έδωσα το τηλέφωνο πίσω στον Έντουαρντ, είδα ότι

εκείνος κι η Άλις είχαν κάποιου είδους σιωπηλή συζήτηση. Εκείνη τον κοίταζε επίμονα, με μάτια παρακλητικά. Εκείνος ήταν κατσουφιασμένος, καθόλου ευχαριστημένος με ότι κι αν ήταν αυτό που ήθελε.

«Ο Μπίλι είπε να σας πω "καλή τύχη"».

«Γενναιόδωρο εκ μέρους του», είπε ο Έντουαρντ παίρνοντας το βλέμμα του από την Άλις.

«Μπέλλα, μπορώ σε παρακαλώ να σου μιλήσω μόνη;» ρώτησε η Άλις γρήγορα.

«Θα μου κάνεις τη ζωή πιο δύσκολη απ' ό,τι είναι απαραίτητο, Άλις», την προειδοποίησε ο Έντουαρντ μέσα από τα δόντια του. «Θα προτιμούσα πραγματικά να μην το έκανες».

«Αυτό δεν έχει σχέση μ' εσένα, Έντουαρντ», του αντιγύρισε.

Εκείνος γέλασε. Βρήκε κάτι αστείο στην απάντησή της.

«Δεν έχει», επέμεινε η Άλις. «Είναι γυναικείο θέμα».

Εκείνος συνοφρυώθηκε.

«Άσ' τη να μου μιλήσει», του είπα. Ήμουν περίεργη.

«Εσύ το ζήτησες», μουρμούρισε. Γέλασε ξανά –μισοθυμωμένος και μισο-διασκεδάζοντάς το– και βγήκε από το γκαράζ με μεγάλες δρασκελιές.

Γύρισα στην Άλις, ανήσυχη τώρα, αλλά εκείνη δε με κοίταζε. Η κακή της διάθεση δεν είχε περάσει ακόμα.

Πήγε να κάτσει στο καπό της Πόρσε της, με πρόσωπο αποκαρδιωμένο. Την ακολούθησα και ακούμπησα πάνω στον προφυλακτήρα δίπλα της.

«Μπέλλα;» ρώτησε η Άλις με θλιμμένη φωνή, μετατοπίζοντας το βάρος της, ενώ ταυτοχρόνως κουλουριάστηκε πλάι μου. Η φωνή της ακουγόταν τόσο δυστυχισμένη, που τύλιξα τα χέρια μου γύρω από τους ώμους της για να την παρηγορήσω.

«Τι συμβαίνει, Άλις;»

«Δε με αγαπάς;» ρώτησε με τον ίδιο θλιμμένο τόνο.

«Φυσικά και σ' αγαπάω. Το ξέρεις αυτό».

«Τότε γιατί σε βλέπω να φεύγεις κρυφά για το Βέγκας για να παντρευτείς χωρίς να με καλέσεις;»

«Ω», μουρμούρισα, ενώ τα μάγουλά μου έγιναν ροζ. Καταλάβαινα ότι την είχα πληγώσει σοβαρά και βιάστηκα να υπερασπίσω τον εαυτό μου. «Ξέρεις πόσο δε μου αρέσει να γίνεται μεγάλο ζήτημα για κάποια πράγματα. Ήταν ιδέα του Έντουαρντ, έτσι κι αλλιώς».

«Δε με νοιάζει ποιανού ήταν η ιδέα. Πώς μπόρεσες *εσύ* να μου το κάνεις αυτό; Περιμένω αυτού του είδους τη συμπεριφορά από τον *Έντουαρντ*, αλλά όχι από εσένα. Σε αγαπάω σαν να ήσουν η ίδια μου η αδερφή».

«Για 'μένα, Άλις, *είσαι* η αδερφή μου».

«Λόγια!» γρύλισε.

«Ωραία, μπορείς να έρθεις. Δε θα έχει και τίποτα να δεις».

Ακόμα είχε μια γκριμάτσα.

«Τι;» απαίτησα να μάθω.

«*Πόσο* με αγαπάς, Μπέλλα;»

«Γιατί;»

Με κοίταξε με παρακλητικά μάτια. Τα μακριά μαύρα φρύδια της σηκώθηκαν προς τα πάνω και ενώθηκαν στη μέση, ενώ οι γωνίες των χειλιών της τρεμόπαιζαν. Ήταν μια σπαραξικάρδια έκφραση.

«Σε παρακαλώ, σε παρακαλώ, σε παρακαλώ», ψιθύρισε. «Σε παρακαλώ, Μπέλλα, σε παρακαλώ –αν με αγαπάς στ' αλήθεια... Σε παρακαλώ, άσε με να οργανώσω εγώ το γάμο σου».

«Αμάν, Άλις!» αναστέναξα, ενώ τραβήχτηκα μακριά και σηκώθηκα όρθια. «Όχι! Μη μου το κάνεις αυτό».

«Αν με αγαπάς πραγματικά, ειλικρινά, Μπέλλα».

Σταύρωσα τα χέρια μου στο στήθος. «Αυτό είναι *τόσο* άδικο. Κι ο Έντουαρντ κατά κάποιο τρόπο ήδη χρησιμοποίησε αυτό το επιχείρημα για να με πείσει».

«Βάζω στοίχημα ότι και του Έντουαρντ θα του άρεσε περισσότερο, αν το κάνατε με τον παραδοσιακό τρόπο, αν και δε θα στο πει ποτέ. Και η Έσμι –σκέψου τι θα σήμαινε για 'κείνη!»

Έβγαλα ένα στεναγμό. «Θα προτιμούσα να αντιμετωπίσω τους νεογέννητους μόνη μου».

«Θα σου το χρωστάω για μια ολόκληρη δεκαετία».

«Θα μου το χρωστάς για έναν ολόκληρο αιώνα!»

Τα μάτια της με κοίταξαν ξέφρενα. «Αυτό είναι ναι;»

«Όχι! Δε θέλω να το *κάνω* αυτό!»

«Δε χρειάζεται να κάνεις τίποτα εκτός από το να περπατήσεις μερικά μέτρα και μετά να επαναλάβεις τα λόγια του ιερέα».

«Αχ! Αχ, αχ!»

«Σε παρακαλώ;» Άρχισε να χοροπηδάει στο σημείο που καθόταν. «Σε παρακαλώ, σε παρακαλώ, σε παρακαλώ, σε παρακαλώ, σε παρακαλώ;»

«Δε θα συγχωρήσω ποτέ, ποτέ, ποτέ γι' αυτό, Άλις».

«Ναι!» τσίριξε χτυπώντας παλαμάκια.

«Αυτό *δεν* είναι ναι».

«Αλλά θα είναι», είπε τραγουδιστά.

«Έντουαρντ!» φώναξα, βγαίνοντας με δυνατά βήματα από το γκαράζ. «Το ξέρω ότι ακούς. Έλα εδώ». Η Άλις ήταν ακριβώς από πίσω μου, ακόμα χτυπώντας παλαμάκια.

«Σ' ευχαριστώ πολύ, Άλις», είπε ειρωνικά ο Έντουαρντ, έτσι όπως ήρθε από πίσω μου. Γύρισα για να του τα ψάλλω, αλλά η έκφρασή του ήταν τόσο ανήσυχη και ταραγμένη που δεν μπορούσα να εκφράσω τα παράπονά μου. Έτσι αντί γι' αυτό, όρμησα να τον αγκαλιάσω, κρύβοντας το πρόσωπό μου, μήπως και η θυμωμένη υγρασία στα μάτια μου με έκανε να φαίνομαι σαν να κλαίω.

«Βέγκας», μου υποσχέθηκε ο Έντουαρντ στο αυτί μου.

«Δεν υπάρχει περίπτωση», είπε θριαμβευτικά η Άλις. «Η

Μπέλλα δε θα μου το έκανε αυτό ποτέ. Ξέρεις, Έντουαρντ, ως αδερφός μου είσαι μεγάλη απογοήτευση καμιά φορά».

«Μην είσαι κακιά», της παραπονέθηκα. «Προσπαθεί να με κάνει χαρούμενη, σε αντίθεση μ' εσένα».

«Κι εγώ προσπαθώ να σε κάνω χαρούμενη, Μπέλλα. Απλώς είναι ότι ξέρω καλύτερα τι είναι αυτό που θα σε κάνει χαρούμενη... μακροπρόθεσμα. Θα με ευχαριστείς γι' αυτό. Μπορεί όχι σε πενήντα χρόνια, αλλά οπωσδήποτε κάποια μέρα».

«Ποτέ δε σκέφτηκα ότι θα ερχόταν η μέρα που θα ήμουν πρόθυμη να βάλω στοίχημα εναντίον σου, Άλις, αλλά έφτασε».

Γέλασε με ένα αργυρόηχο γέλιο. «Λοιπόν, θα μου δείξεις το δαχτυλίδι;»

Έκανα ένα μορφασμό τρόμου, καθώς άρπαξε το αριστερό μου χέρι και μετά το άφησε να πέσει εξίσου γρήγορα.

«Χα. Τον είδα να σου το φοράει... Μήπως έχασα κάτι;» ρώτησε. Συγκεντρώθηκε για μισό δευτερόλεπτο, ενώ το μέτωπό της γέμισε ζάρες, πριν προλάβει να απαντήσει την ίδια της την ερώτηση. «Όχι. Ο γάμος ισχύει ακόμα».

«Η Μπέλλα δεν τα πάει καλά με τα κοσμήματα», εξήγησε ο Έντουαρντ.

«Τι ρόλο παίζει άλλο ένα διαμάντι; Εντάξει, μάλλον το δαχτυλίδι έχει πολλά διαμάντια, αλλά το θέμα μου είναι ότι σου έχει ήδη–»

«Αρκετά, Άλις!» την έκοψε ξαφνικά ο Έντουαρντ. Ο τρόπος που την αγριοκοίταξε... την κοίταξε σαν βρικόλακας. «Βιαζόμαστε».

«Δεν καταλαβαίνω. Τι ήταν αυτό που είπε για τα διαμάντια;» ρώτησα.

«Θα τα πούμε αργότερα», είπε η Άλις. «Ο Έντουαρντ έχει δίκιο –καλύτερα να ξεκινήσετε. Πρέπει να στήσετε την παγίδα και να κατασκηνώσετε πριν έρθει η καταιγίδα». Συνοφρυώθηκε, και η έκφρασή της ήταν γεμάτη αγωνία, σχεδόν νευρική. «Μην ξεχάσεις το μπουφάν σου, Μπέλλα. Φαίνεται ότι… θα είναι ασυνήθιστα κρύα».

«Το έχω ήδη πάρει», τη διαβεβαίωσε ο Έντουαρντ.

«Καληνύχτα», μας είπε αποχαιρετώντας μας.

Η απόσταση ως το ξέφωτο ήταν δυο φορές πιο μεγάλη απ' ό,τι συνήθως˙ ο Έντουαρντ έκανε μια μεγάλη παράκαμψη για να βεβαιωθεί ότι η μυρωδιά μου δε θα βρισκόταν πουθενά κοντά στο μονοπάτι με τα ίχνη, που θα έκρυβε αργότερα ο Τζέικομπ. Με κουβαλούσε στα χέρια του, το ογκώδες σακίδιο πλάτης στη συνηθισμένη μου θέση.

Σταμάτησε στο πιο μακρινό άκρο του ξέφωτου και με άφησε κάτω.

«Εντάξει. Απλώς περπάτα προς τα βόρεια για λίγο, αγγίζοντας όσο το δυνατόν περισσότερα πράγματα. Η Άλις μου έδωσε μια ξεκάθαρη εικόνα της πορείας τους, και δε θα μας πάρει πολλή ώρα να διασταυρωθούμε με αυτή».

«Προς τα βόρεια;»

Χαμογέλασε κι έδειξε προς τη σωστή κατεύθυνση.

Περιπλανήθηκα μέσα στο δάσος, αφήνοντας το καθαρό, κίτρινο φως της παράξενα ηλιόλουστης μέρας στο ξέφωτο πίσω μου. Μπορεί το θολό όραμα της Άλις να έκανε λάθος για το χιόνι. Το ήλπιζα. Ο ουρανός ήταν κατά κύριο λόγο καθαρός, αν και ο άνεμος φυσούσε μανιασμένα μέσα από τα κενά. Μέσα στα δέντρα ήταν πιο ήρεμα, αλλά έκανε υπερβολικό κρύο για Ιούνιο μήνα –ακόμα και φορώντας μακρυμάνικη μπλούζα με ένα χοντρό πουλόβερ από πάνω, ένιωθα τα μπράτσα μου να ανατριχιάζουν. Περπατούσα αργά, περνώντας τα δάχτυλά μου πάνω από οτιδήποτε ήταν αρκετά κοντά: τους τραχείς κορμούς των δέντρων, τις υγρές φτέρες, τις σκεπασμένες με βρύα πέτρες.

Ο Έντουαρντ έμεινε μαζί μου, περπατώντας σε μια παράλληλη γραμμή καμιά εικοσαριά μέτρα πιο πέρα.

«Καλά το κάνω;» φώναξα.

«Τέλεια».

Μου ήρθε μια ιδέα. «Αυτό θα βοηθήσει;» ρώτησα, καθώς πέρασα τα δάχτυλά μου μέσα από τα μαλλιά μου κι έπιασα μερικές τρίχες. Τις έριξα πάνω από τις φτέρες.

«Ναι, αυτό κάνει τα ίχνη σου πιο έντονα. Αλλά δεν είναι ανάγκη να βγάλεις τα μαλλιά σου, Μπέλλα. Αρκούν και τα υπόλοιπα».

«Έχω μερικές επιπλέον τρίχες που μπορώ να θυσιάσω».

Ήταν σκοτεινά κάτω από τα δέντρα, κι ευχόμουν να μπορούσα να περπατήσω πιο κοντά στον Έντουαρντ κρατώντας του το χέρι.

Τοποθέτησα άλλη μια τρίχα σε ένα σπασμένο κορμό που βρισκόταν στη μέση του δρόμου μου.

«Δεν είναι ανάγκη να αφήσεις να γίνει το χατίρι της Άλις, ξέρεις», είπε ο Έντουαρντ.

«Μην ανησυχείς γι' αυτό, Έντουαρντ. Δε θα σε αφήσω μόνο σου στα σκαλιά της εκκλησίας, ανεξάρτητα απ' αυτό». Είχα ένα αίσθημα απογοήτευσης ότι η Άλις θα έκανε αυτό που ήθελε, κυρίως επειδή ήταν εντελώς αδίστακτη, όταν ήθελε κάτι, κι επίσης επειδή ήταν άπαιχτη στο να σε κάνει να νιώθεις ενοχές.

«Δεν είναι αυτό που με ανησυχεί. Θέλω να γίνει όπως θέλεις εσύ να γίνει».

Κατέπνιξα έναν αναστεναγμό. Θα πληγωνόταν αν του έλεγα την αλήθεια –ότι δεν έπαιζε ιδιαίτερο ρόλο, επειδή επρόκειτο, έτσι κι αλλιώς, για διαβαθμίσεις του φριχτού.

«Λοιπόν, ακόμα κι αν γίνει το δικό της τελικά, μπορούμε να είμαστε μεταξύ μας. Εμείς μονάχα. Ο Έμετ μπορεί να βγάλει άδεια ιερέα από το διαδίκτυο».

Χαχάνισα. «Αυτό ακούγεται πράγματι καλύτερο». Δε θα έμοιαζε πολύ επίσημο, αν ο Έμετ διάβαζε τους γαμήλιους όρκους, πράγμα που ήταν ένα θετικό. Αλλά θα δυσκολευόμουν να μη γελάσω.

«Βλέπεις», είπε με ένα χαμόγελο. «Υπάρχει πάντα κάποιος συμβιβασμός».

Μου πήρε αρκετή ώρα για να φτάσω στο σημείο όπου ο στρατός των νεογέννητων ήταν βέβαιο ότι θα συναντούσε τα ίχνη μου, αλλά ο Έντουαρντ ποτέ δεν έδειχνε ανυπομονησία με το ρυθμό μου.

Έπρεπε να με καθοδηγεί λίγο παραπάνω στο γυρισμό για να με κρατήσει στην ίδια πορεία. Όλα μου φαίνονταν ίδια.

Είχαμε σχεδόν φτάσει στο ξέφωτο, όταν έπεσα. Έβλεπα το μεγάλο άνοιγμα μπροστά, και πιθανότατα αυτός ήταν ο λόγος που με κατέκλυσε ο ενθουσιασμός και ξέχασα να προσέξω πού πήγαινα. Κατάφερα να πιαστώ, προτού κοπανήσω το κεφάλι μου στο πιο κοντινό δέντρο, αλλά ένα κλαδάκι έσπασε κάτω από το αριστερό μου χέρι και έσκισε την παλάμη μου.

«Άου! Ωχ, υπέροχα», μουρμούρισα.

«Είσαι καλά;»

«Είμαι μια χαρά. Μείνε εκεί που είσαι. Τρέχει αίμα. Θα σταματήσει σε ένα λεπτό».

Με αγνόησε. Βρέθηκε κοντά μου πριν προλάβω να τελειώσω τη φράση.

«Έχω μαζί μου κουτί πρώτων βοηθειών», είπε βγάζοντας το σακίδιο από την πλάτη του. «Είχα ένα προαίσθημα ότι μπορεί να το χρειαζόμουν».

«Δεν είναι άσχημο. Μπορώ να το φροντίσω εγώ –δεν είναι ανάγκη να αναγκάζεις τον εαυτό σου να νιώθει άβολα».

«Δε νιώθω άβολα», είπε ήρεμα. «Ορίστε –για φέρε μου να το καθαρίσω».

«Για περίμενε, μόλις μου ήρθε κι άλλη ιδέα».

Χωρίς να κοιτάζω το αίμα και αναπνέοντας από το στόμα, μήπως και το στομάχι μου αντιδρούσε, πίεσα το χέρι μου πάνω σε μια πέτρα που ήταν κοντά μου.

«Τι κάνεις;»

«Ο Τζάσπερ θα το λατρέψει αυτό», μουρμούρισα στον

εαυτό μου. Άρχισα να προχωράω πάλι προς το ξέφωτο, πιέζοντας την παλάμη μου πάνω σε ότι έβρισκα στο δρόμο μου. «Βάζω στοίχημα ότι αυτό θα τους τρελάνει».

Ο Έντουαρντ αναστέναξε.

«Κράτα την αναπνοή σου», του είπα.

«Είμαι μια χαρά. Απλώς νομίζω ότι το παρακάνεις».

«Αυτό είναι το μόνο που έχω την ευκαιρία να κάνω. Θέλω να κάνω καλή δουλειά».

Περάσαμε μέσα από τα τελευταία δέντρα, καθώς μιλούσα. Άφησα το τραυματισμένο μου χέρι να περάσει ξυστά από τις φτέρες.

«Λοιπόν, έκανες», με διαβεβαίωσε ο Έντουαρντ. «Οι νεογέννητοι θα τρελαθούν, κι ο Τζάσπερ θα εντυπωσιαστεί με την αφοσίωσή σου. Τώρα άσε με να σου φροντίσω το χέρι –έχεις λερώσει την πληγή».

«Άσε με να το κάνω εγώ, σε παρακαλώ».

Πήρε το χέρι μου και χαμογέλασε, καθώς το εξέταζε. «Δε με ενοχλεί πια».

Τον παρακολούθησα προσεχτικά, καθώς καθάριζε την πληγή, ψάχνοντας για κάποιες ενδείξεις δυσφορίας. Συνέχισε να αναπνέει κανονικά, με το ίδιο χαμόγελο στα χείλη του.

«Γιατί όχι;» ρώτησα τελικά, καθώς έβαζε έναν επίδεσμο πάνω στην παλάμη μου.

Ανασήκωσε τους ώμους. «Το ξεπέρασα».

«Το... ξεπέρασες; Πότε; Πώς;» Προσπάθησα να θυμηθώ την τελευταία φορά που είχε κρατήσει την αναπνοή του κοντά μου. Το μόνο που μου ερχόταν στο νου ήταν το άθλιο πάρτι των γενεθλίων μου τον περασμένο Σεπτέμβρη.

Ο Έντουαρντ σούφρωσε τα χείλη του, δείχνοντας να ψάχνει λέξεις. «Έζησα είκοσι τέσσερις ολόκληρες ώρες πιστεύοντας πως ήσουν νεκρή, Μπέλλα. Αυτό άλλαξε τον τρόπο που βλέπω πολλά πράγματα».

«Άλλαξε τον τρόπο που σου μυρίζω;»

«Καθόλου. Αλλά... έχοντας νιώσει πώς είναι να σε έχω χάσει... οι αντιδράσεις μου άλλαξαν. Όλο μου το είναι αντιδρά σε οποιαδήποτε πράξη που μπορεί να μου προκαλέσει αυτό τον πόνο ξανά».

Δεν ήξερα τι να απαντήσω σ' αυτό.

Χαμογέλασε με την έκφρασή μου. «Υποθέτω ότι θα μπορούσες να πεις πως ήταν μια πολύ εκπαιδευτική εμπειρία».

Ο άνεμος φύσηξε μανιασμένα μέσα από το ξέφωτο τότε, μαστιγώνοντας το πρόσωπό μου με τα μαλλιά μου και κάνοντάς με να τρέμω.

«Εντάξει», είπε, απλώνοντας το χέρι μέσα στο σακίδιό του ξανά. «Έκανες το μερίδιό σου». Έβγαλε έξω το βαρύ χειμωνιάτικο μπουφάν μου και το κράτησε για να μου το φορέσει. «Τώρα δεν εξαρτάται από εμάς. Πάμε για κάμπινγκ!»

Γέλασα με τον ψεύτικο ενθουσιασμό στη φωνή του.

Έπιασε το δεμένο μου χέρι –το άλλο ήταν σε χειρότερη κατάσταση, ακόμα με το νάρθηκα– κι άρχισε να προχωρά προς την άλλη μεριά του ξέφωτου.

«Πού θα συναντήσουμε τον Τζέικομπ;» ρώτησα.

«Εδώ». Έκανε μια χειρονομία δείχνοντας προς τα δέντρα μπροστά μας, τη στιγμή ακριβώς που ο Τζέικομπ έβγαινε επιφυλακτικά από τους ίσκιους τους.

Δεν έπρεπε να με ξαφνιάσει που τον είδα με την ανθρώπινη μορφή του. Δεν ήμουν σίγουρη γιατί έψαχνα το μεγάλο καστανοκόκκινο λύκο.

Ο Τζέικομπ φαινόταν ακόμα πιο μεγάλος –δεν υπήρχε αμφιβολία ότι αυτό ήταν προϊόν των προσδοκιών μου˙ πρέπει να ήλπιζα υποσυνείδητα να δω το μικρότερο Τζέικομπ που θυμόμουν, τον καλόβολο φίλο που δεν έκανε τα πάντα τόσο δύσκολα. Είχε τα χέρια του σταυρωμένα στο γυμνό του στήθος και κρατούσε σφιχτά ένα μπουφάν στη μια του γροθιά. Το πρόσωπό του ήταν ανέκφραστο, καθώς μας κοίταζε.

Τα χείλη του Έντουαρντ καμπύλωσαν προς τα κάτω στις

άκρες. «Πρέπει να υπήρχε κάποιος καλύτερος τρόπος να γίνει αυτό».

«Πολύ αργά πια», μουρμούρισα.

Αναστέναξε.

«Γεια σου, Τζέικ», τον χαιρέτησα, όταν πλησιάσαμε πιο πολύ.

«Γεια σου, Μπέλλα».

«Γεια σου, Τζέικομπ», είπε ο Έντουαρντ.

Ο Τζέικομπ προσπέρασε γρήγορα τα τυπικά, και έγινε απόλυτα επαγγελματικός. «Πού θα την πάω;»

Ο Έντουαρντ έβγαλε ένα χάρτη από την πλάγια τσέπη του σάκου του και του τον έδωσε. Ο Τζέικομπ τον ξεδίπλωσε.

«Είμαστε εδώ τώρα», είπε ο Έντουαρντ απλώνοντας το χέρι του στο σωστό σημείο. Ο Τζέικομπ τραβήχτηκε μακριά από το χέρι του αυτόματα και μετά σταθεροποιήθηκε. Ο Έντουαρντ προσποιήθηκε πως δεν το πρόσεξε.

«Και θα την πας εδώ πάνω», συνέχισε ο Έντουαρντ, ακολουθώντας ένα φιδίσιο σχήμα γύρω από τις γραμμές του υψομέτρου πάνω στο χαρτί. «Περίπου δεκαπέντε χιλιόμετρα».

Ο Τζέικομπ έγνεψε μια φορά.

«Όταν θα φτάσετε στο ενάμισι περίπου χιλιόμετρο από το σημείο, θα διασταυρωθείτε με τα δικά μου ίχνη. Αυτό θα σας οδηγήσει στο σωστό μέρος. Χρειάζεσαι το χάρτη;»

«Όχι, ευχαριστώ. Την ξέρω αυτή την περιοχή πολύ καλά. Νομίζω πως ξέρω πού θα πάω».

Ο Τζέικομπ έμοιαζε να δυσκολεύεται περισσότερο από τον Έντουαρντ να διατηρήσει ένα ευγενικό ύφος.

«Εγώ θα ακολουθήσω μια μεγαλύτερη διαδρομή», είπε ο Έντουαρντ. «Και θα σας δω σε μερικές ώρες».

Ο Έντουαρντ με κοίταξε δυστυχισμένα. Δεν του άρεσε αυτό το μέρος του σχεδίου.

«Τα λέμε», μουρμούρισα.

Ο Έντουαρντ χάθηκε μέσα στα δέντρα, κατευθυνόμενος

προς την αντίθετη κατεύθυνση.

Μόλις έφυγε, ο Τζέικομπ έγινε κεφάτος.

«Πώς πάει, Μπέλλα;» ρώτησε με ένα πλατύ χαμόγελο.

Στριφογύρισα τα μάτια μου. «Τα ίδια και τα ίδια».

«Ναι», συμφώνησε. «Ένα μάτσο βρικόλακες προσπαθούν να σε σκοτώσουν. Τα συνηθισμένα».

«Τα συνηθισμένα».

«Λοιπόν», είπε, καθώς σήκωσε τους ώμους του για να φορέσει το μπουφάν και να μείνουν ελεύθερα τα χέρια του. «Πάμε».

Κάνοντας μια γκριμάτσα, έκανα ένα βήμα πιο κοντά του.

Εκείνος έσκυψε κάτω και έβαλε το χέρι του πίσω από τα γόνατά μου, σπρώχνοντάς τα για να πέσω. Το άλλο του χέρι με έπιασε πριν το κεφάλι μου χτυπήσει κάτω.

«Ηλίθιε», μουρμούρισα.

Ο Τζέικομπ γέλασε πνιχτά, ήδη τρέχοντας μέσα από τα δέντρα. Είχε ένα σταθερό ρυθμό, ένα ζωηρό τροχάδην που ένας άνθρωπος με καλή φυσική κατάσταση θα μπορούσε να ακολουθήσει... σε επίπεδο έδαφος... αν δεν ήταν φορτωμένος με πενήντα κιλά επιπλέον, όπως εκείνος.

«Δεν είναι ανάγκη να τρέχεις. Θα κουραστείς».

«Το τρέξιμο δε με κουράζει», είπε. Η αναπνοή του ήταν ομαλή –όπως ο σταθερός ρυθμός ενός μαραθωνοδρόμου. «Εξάλλου, σύντομα θα κάνει περισσότερη ψύχρα. Ελπίζω να έχει στήσει τη σκηνή πριν φτάσουμε εκεί».

Χτύπησα το δάχτυλό μου ελαφρά στη χοντρή επένδυση του πανωφοριού του με την κουκούλα. «Νόμιζα ότι δεν κρυώνεις τώρα πια».

«Εγώ δεν κρυώνω. Το έφερα γιά' σένα, σε περίπτωση που δεν ήσουν προετοιμασμένη». Κοίταξε το μπουφάν μου, σχεδόν σαν να ήταν απογοητευμένος που είχα προετοιμαστεί. «Δε μου αρέσει έτσι όπως δείχνει ο καιρός. Μου προκαλεί νευρικότητα. Το πρόσεξες ότι δεν έχουμε δει καθόλου ζώα;»

«Εεε, δε θα το έλεγα».

«Μάλλον δε θα το πρόσεχες. Οι αισθήσεις σου είναι υπερβολικά αδύναμες».

Το άφησα αυτό να περάσει. «Και η Άλις ανησυχούσε για την καταιγίδα».

«Χρειάζεται κάτι πολύ μεγάλο για να σιωπήσει έτσι το δάσος. Διάλεξες φοβερή νύχτα για να πάμε για κάμπινγκ».

«Δεν ήταν εντελώς δική μου η ιδέα».

Ο δρόμος χωρίς μονοπάτι που πήρε άρχισε να ανηφορίζει όλο και πιο απότομα, αλλά αυτό δεν τον έκανε να επιβραδύνει. Πηδούσε με ευκολία από τον ένα βράχο στον άλλο, χωρίς να φαίνεται να χρειάζεται καθόλου τα χέρια του. Η τέλεια ισορροπία του μου θύμιζε αγριοκάτσικο.

«Τι είναι αυτό το καινούριο φυλαχτό στο βραχιόλι σου;» ρώτησε.

Κοίταξα προς τα κάτω και συνειδητοποίησα ότι η κρυστάλλινη καρδιά κοιτούσε προς τα πάνω στον καρπό μου.

Σήκωσα τους ώμους ένοχα. «Άλλο ένα δώρο για την αποφοίτησή μου».

Ρουθούνισε. «Ένα πετράδι. Φυσικά».

Ένα πετράδι; Ξαφνικά θυμήθηκα την ανολοκλήρωτη πρόταση της Άλις έξω από το γκαράζ. Κοίταξα το λαμπερό λευκό κρύσταλλο και προσπάθησα να θυμηθώ τι έλεγε νωρίτερα η Άλις... σχετικά με τα διαμάντια. Ήταν δυνατόν να προσπαθούσε να πει ότι *σου έχει ήδη δώσει ένα διαμάντι*; Σαν να λέμε ότι ήδη φορούσα ένα διαμάντι από τον Έντουαρντ; Όχι, αυτό ήταν αδύνατον. Η καρδιά πρέπει να ήταν πέντε καράτια ή κάτι τέτοιο τρελό! Ο Έντουαρντ δε θα –

«Λοιπόν, έχεις αρκετό καιρό να κατέβεις στο Λα Πους», είπε ο Τζέικομπ διακόπτοντας τις ενοχλητικές εικασίες μου.

«Ήμουν απασχολημένη», του είπα. «Και... πιθανότατα δε θα σε είχα επισκεφτεί, έτσι κι αλλιώς».

Έκανε μια γκριμάτσα. «Νόμιζα ότι εσύ υποτίθεται πως

ήσουν αυτή που συγχωρεί, κι εγώ αυτός που κρατάει κακία».

Ανασήκωσα τους ώμους.

«Σκεφτόσουν πολύ την τελευταία φορά;»

«Όχι».

Γέλασε. «Ή λες ψέματα ή είσαι το πιο πεισματάρικο πλάσμα στη γη».

«Δεν ξέρω για το δεύτερο, αλλά ψέματα δε λέω».

Δε μου άρεσε αυτή η συζήτηση υπό τις δεδομένες συνθήκες –με τα υπερβολικά ζεστά του χέρια τυλιγμένα σφιχτά γύρω μου και τίποτα που να μπορώ να κάνω γι' αυτό. Το πρόσωπό του ήταν πιο κοντά απ' όσο θα ήθελα. Μακάρι να μπορούσα να κάνω ένα βήμα πίσω.

«Οι έξυπνοι άνθρωποι εξετάζουν μια απόφαση απ' όλες τις πλευρές της».

«Το έχω κάνει», ανταπάντησα.

«Αν δεν έχεις σκεφτεί καθόλου την... εε, τη συζήτησή μας την τελευταία φορά που ήρθες, τότε αυτό δεν είναι αλήθεια».

«Εκείνη η *συζήτηση* δεν έχει καμία σχέση με την απόφασή μου».

«Μερικοί άνθρωποι κάνουν ό,τι μπορούν για να ξεγελούν τον εαυτό τους».

«Έχω παρατηρήσει ότι οι λυκάνθρωποι ιδιαίτερα έχουν την τάση να κάνουν αυτό το λάθος –πιστεύεις πως είναι γενετικό;»

«Αυτό σημαίνει ότι εκείνος φιλάει καλύτερα από 'μένα;» ρώτησε ο Τζέικομπ, ξαφνικά κατηφής.

«Πραγματικά δεν μπορώ να πω, Τζέικ. Ο Έντουαρντ είναι το μοναδικό άτομο που έχω φιλήσει».

«Εκτός από 'μένα».

«Μα αυτό δεν το μετράω ως φιλί. Τζέικ. Το θεωρώ περισσότερο ως επίθεση».

«Άου! Αυτό έτσουξε».

Ανασήκωσα τους ώμους. Δε σκόπευα να το πάρω πίσω.

«Ζήτησα συγνώμη γι' αυτό», μου θύμισε.

«Και σε συγχώρησα... κατά βάση. Αυτό δεν αλλάζει τον τρόπο που το θυμάμαι».

Μουρμούρισε κάτι ακατανόητο.

Επικράτησε σιωπή για λίγο˙ ακουγόταν μόνο ο ήχος της σταθερής αναπνοής του και του ανέμου που λυσσομανούσε ψηλά από πάνω μας μέσα στις κορυφές των δέντρων. Η πρόσοψη μιας απότομης βουνοπλαγιάς δέσποζε απόκρημνη δίπλα μας, ένας γυμνός, τραχύς, γκρίζος βράχος. Ακολουθήσαμε τη βάση, καθώς ανηφόριζε βγαίνοντας από το δάσος.

«Και πάλι πιστεύω ότι είναι ανεύθυνο», είπε ξαφνικά ο Τζέικομπ.

«Ό,τι κι αν είναι αυτό στο οποίο αναφέρεσαι, κάνεις λάθος».

«Σκέψου το, Μπέλλα. Σύμφωνα μ' αυτά που λες, έχεις φιλήσει έναν άνθρωπο μόνο –που δεν είναι καν άνθρωπος στην πραγματικότητα– σε ολόκληρη τη ζωή σου, και τα παρατάς; Πώς ξέρεις ότι αυτό είναι που θέλεις; Δεν πρέπει να εξερευνήσεις λίγο το πεδίο;»

Διατήρησα την ψυχραιμία της φωνής μου. «Ξέρω ακριβώς τι θέλω».

«Τότε δε βλάπτει να κάνεις μια ακόμα δοκιμή. Μπορεί να πρέπει να δοκιμάσεις να φιλήσεις και κάποιον άλλο –απλώς για χάρη της σύγκρισης... εφόσον αυτό που συνέβη τις προάλλες δε μετράει. Θα μπορούσες να φιλήσεις *εμένα*, για παράδειγμα. Δε με πειράζει, αν θέλεις να με χρησιμοποιήσεις για να πειραματιστείς».

Με τράβηξε πιο σφιχτά στο στήθος του, έτσι ώστε το πρόσωπό του να βρίσκεται πιο κοντά στο δικό μου. Χαμογελούσε με το αστείο του, αλλά δε σκόπευα να το διακινδυνεύσω.

«Μην τα βάζεις μαζί μου, Τζέικ. Ορκίζομαι ότι δε θα τον σταματήσω αν θέλει να σου σπάσει το σαγόνι».

Η απόχρωση του πανικού στη φωνή μου τον έκανε να χαμογελάσει πιο πλατιά. «Αν μου ζητήσεις να σε φιλήσω, δε θα έχει κανένα λόγο να θυμώσει. Είπε ότι δεν πειράζει».

«Καλά ναι, μη φας, Τζέικ –όχι, περίμενε, άλλαξα γνώμη. Φάε. Συνέχισε να τρως μέχρι να σκάσεις, ώσπου να σου ζητήσω να με φιλήσεις».

«Έχεις κακή διάθεση σήμερα».

«Αναρωτιέμαι γιατί!»

«Μερικές φορές νομίζω ότι με προτιμάς σαν λύκο».

«Μερικές φορές σε προτιμώ. Πιθανότατα έχει να κάνει με το γεγονός ότι *δεν μπορείς να μιλήσεις*».

Σούφρωσε τα μεγάλα του χείλη σκεφτικά. «Όχι, δε νομίζω ότι είναι αυτό. Νομίζω πως σου είναι πιο εύκολο να είσαι κοντά μου, όταν δεν είμαι άνθρωπος, επειδή δεν είναι ανάγκη να προσποιείσαι ότι δε σε ελκύω».

Το στόμα μου άνοιξε με ένα μικρό ξερό ήχο. Το έκλεισα απότομα αμέσως τρίζοντας τα δόντια μου.

Το άκουσε αυτό. Τα χείλη του τραβήχτηκαν κι απλώθηκαν σε όλο του το πρόσωπο σχηματίζοντας ένα θριαμβευτικό χαμόγελο.

Πήρα μια αργή ανάσα πριν μιλήσω. «Όχι. Είμαι πολύ σίγουρη πως είναι επειδή δεν μπορείς να μιλήσεις».

Αναστέναξε. «Δε βαριέσαι ποτέ να λες ψέματα στον εαυτό σου; Πρέπει να ξέρεις πόσο έντονα αντιλαμβάνεσαι την παρουσία μου. Σωματικά, θέλω να πω».

«Πώς θα μπορούσε κανείς να *μην* αντιλαμβάνεται την παρουσία σου σωματικά, Τζέικομπ;» απαίτησα να μάθω. «Είσαι ένα θηριώδες τέρας που αρνείται να σεβαστεί τον προσωπικό χώρο οποιουδήποτε άλλου».

«Σου προκαλώ νευρικότητα. Αλλά μόνο όταν είμαι άνθρωπος. Όταν είμαι λύκος, νιώθεις πιο άνετα μαζί μου».

«Η νευρικότητα και ο εκνευρισμός δεν είναι το ίδιο πράγμα».

Με κοίταξε για ένα λεπτό, επιβραδύνοντας το βήμα του ώστε να περπατά, ενώ το κέφι στράγγιζε από το πρόσωπό του. Τα μάτια του ζάρωσαν, επέστρεψαν ξανά στη σκιά των φρυδιών του. Η αναπνοή του, τόσο σταθερή καθώς έτρεχε, άρχισε να γίνεται πιο γρήγορη. Αργά, έσκυψε το πρόσωπό του πιο κοντά σ' εμένα.

Τον κοίταξα μέσα στα μάτια αποδοκιμαστικά, ξέροντας ακριβώς τι προσπαθούσε να κάνει.

«Δικό σου είναι το πρόσωπο», του υπενθύμισα.

Γέλασε δυνατά κι άρχισε να τρέχει ξανά. «Δε θέλω να τσακωθώ με το βρικόλακά σου απόψε –θέλω να πω, οποιοδήποτε άλλο βράδυ, πολύ ευχαρίστως. Αλλά έχουμε και οι δυο δουλειά να κάνουμε αύριο, και δε θα ήθελα να τους στερήσω ένα από τους Κάλεν».

Η ξαφνική, απρόσμενη ντροπή που φούσκωσε μέσα μου παραμόρφωσε την έκφρασή μου.

«Το ξέρω, το ξέρω», απάντησε, χωρίς να καταλαβαίνει. «Νομίζεις ότι θα με νικούσε».

Δεν μπορούσα να μιλήσω. Εγώ τους στερούσα έναν. Κι αν κάποιος πληγωνόταν επειδή εγώ ήμουν τόσο αδύναμη; Αλλά τι θα γινόταν αν ήμουν γενναία κι ο Έντουαρντ... δεν μπορούσα ούτε καν να το σκεφτώ.

«Τι έπαθες, Μπέλλα;» Το χιουμοριστικό νταηλίκι εξαφανίστηκε από το πρόσωπό του, αποκαλύπτοντας το δικό μου Τζέικομπ από κάτω, σαν να έπεφτε μια μάσκα. «Αν κάτι που είπα σε τάραξε, το ξέρεις ότι απλώς έκανα πλάκα. Δεν εννοούσα τίποτα –ε, είσαι καλά; Μην κλαις, Μπέλλα», με παρακάλεσε.

Προσπάθησα να κρατήσω την ψυχραιμία μου. «Δεν πρόκειται να κλάψω».

«Τι είπα;»

«Δεν είναι κάτι που είπες. Είναι, να, εγώ. Έκανα κάτι... κακό».

Με κοίταξε, με μάτια γουρλωμένα από τη σύγχυση.

«Ο Έντουαρντ δεν πρόκειται να πολεμήσει αύριο», εξήγησα ψιθυριστά. «Τον ανάγκασα να κάτσει μαζί μου. Είμαι απίστευτα δειλή».

Κατσούφιασε. «Πιστεύεις ότι δε θα πετύχει; Ότι θα σε βρουν εδώ πέρα; Ξέρεις κάτι που δεν ξέρω εγώ;»

«Όχι, όχι, δεν είναι αυτό που φοβάμαι. Απλώς... *δεν μπορώ* να τον αφήσω να φύγει. Αν δε γύριζε πίσω...», με διαπέρασε ένα ρίγος, ενώ έκλεισα τα μάτια μου για να δραπετεύσω από τη σκέψη αυτή.

Ο Τζέικομπ ήταν σιωπηλός.

Συνέχισα να ψιθυρίζω, με τα μάτια μου κλειστά. «Αν οποιοσδήποτε πάθει κάτι, θα είναι πάντα δικό μου το φταίξιμο. Κι ακόμα κι αν κανένας δεν πάθει τίποτα... ήμουν απαίσια. Έπρεπε να είμαι, για να τον πείσω να κάτσει μαζί μου. *Εκείνος* δε θα μου κρατήσει κακία, αλλά εγώ πάντα θα ξέρω για τι είμαι ικανή». Ένιωθα έστω και ελάχιστα καλύτερα που το έβγαλα από μέσα μου. Κι ας μπορούσα να το ομολογήσω μόνο στον Τζέικομπ.

Ρουθούνισε. Τα μάτια μου άνοιξαν αργά, και με θλίψη είδα ότι η σκληρή μάσκα είχε επιστρέψει.

«Δεν μπορώ να το πιστέψω ότι σε άφησε να τον πείσεις να μην πάει στη μάχη. Εγώ δε θα το έχανα αυτό με τίποτα».

Αναστέναξα. «Το ξέρω».

«Αυτό δε σημαίνει τίποτα, παρ' όλα αυτά». Ξαφνικά έκανε πίσω. «Αυτό δε σημαίνει ότι εκείνος σε αγαπάει περισσότερο απ' ό,τι εγώ».

«Μα εσύ δε θα έμενες μαζί μου, ακόμα κι αν σε ικέτευα».

Σούφρωσε τα χείλη του για μια στιγμή, κι αναρωτήθηκα αν θα προσπαθούσε να το αρνηθεί. Ξέραμε και οι δυο την αλήθεια. «Μόνο επειδή σε ξέρω καλύτερα», είπε τελικά. «Όλα θα κυλήσουν χωρίς κανένα πρόβλημα. Ακόμα κι αν μου το ζητούσες, κι εγώ έλεγα όχι, δε θα ήσουν θυμωμένη μαζί μου μετά».

«Αν όλα κυλήσουν πράγματι χωρίς κανένα πρόβλημα, τότε πιθανότατα έχεις δίκιο. Δε θα ήμουν θυμωμένη. Αλλά όση ώρα θα λείπεις, θα αρρωσταίνω από το άγχος μου, Τζέικ. Θα με τρελαίνει».

«Γιατί;» ρώτησε με βραχνή φωνή. «Τι σε νοιάζει αν μου συμβεί κάτι;»

«Μην το λες αυτό. Ξέρεις τι σημαίνεις για 'μένα. Λυπάμαι που δεν είναι τα πράγματα έτσι όπως τα θες, αλλά αυτή είναι η αλήθεια. Είσαι ο καλύτερός μου φίλος. Τουλάχιστον, ήσουν παλιά. Και είσαι ακόμα μερικές φορές… όταν αφήνεις τις άμυνες να πέσουν».

Χαμογέλασε με το παλιό χαμόγελο που αγαπούσα. «Πάντα είμαι ο καλύτερός σου φίλος», υποσχέθηκε. «Ακόμα κι όταν δεν… συμπεριφέρομαι όσο καλά θα έπρεπε. Κάτω από την επιφάνεια, είμαι πάντα εδώ μέσα».

«Το ξέρω. Για ποιον άλλο λόγο θα ανεχόμουν όλες σου τις αηδίες;»

Γέλασε μαζί μου και μετά τα μάτια του γέμισαν θλίψη. «*Πότε* θα καταλάβεις επιτέλους ότι είσαι κι εσύ ερωτευμένη μαζί μου;»

«Ήμουν σίγουρη ότι θα κατάφερνες να καταστρέψεις τη στιγμή».

«Δε λέω ότι δεν τον αγαπάς. Δεν είμαι χαζός. Αλλά είναι δυνατόν να αγαπάς περισσότερα από ένα άτομα ταυτόχρονα, Μπέλλα. Το έχω δει στην πράξη».

«Δεν είμαι κανένας αλλόκοτος λυκάνθρωπος, Τζέικομπ».

Σούφρωσε τη μύτη του, και ετοιμαζόμουν να ζητήσω συγνώμη για το τελευταίο αυτό χτύπημα, αλλά άλλαξε θέμα.

«Δεν απέχουμε και πολύ τώρα, τον μυρίζω».

Αναστέναξα με ανακούφιση.

Εκείνος παρερμήνευσε αυτό που εννοούσα. «Με χαρά θα πήγαινα πιο αργά, Μπέλλα, αλλά θα θέλεις να βρίσκεσαι κάπου προστατευμένη πριν έρθει *αυτό*».

Και οι δυο κοιτάξαμε ψηλά στον ουρανό.

Ένας συμπαγής τοίχος από μαβιά και μαύρα σύννεφα ερχόταν βιαστικά από τη δύση, μαυρίζοντας το δάσος από κάτω του, καθώς πλησίαζε.

«Πω πω», μουρμούρισα. «Καλύτερα να βιαστείς, Τζέικ. Θα θέλεις να βρίσκεσαι σπίτι πριν φτάσει εδώ».

«Δε θα πάω σπίτι».

Τον κοίταξα εξαγριωμένη. «Δε θα κατασκηνώσεις μαζί μας».

«Όχι από τεχνική άποψη –δηλαδή δε θα μοιραστώ την ίδια σκηνή μαζί σας. Προτιμώ την καταιγίδα από τη μυρωδιά. Αλλά είμαι βέβαιος ότι η βδέλλα σου θα θέλει να βρίσκεται σε επαφή με την αγέλη για σκοπούς συντονισμού, κι έτσι πολύ ευγενικά θα προσφέρω αυτή την υπηρεσία».

«Νόμιζα ότι αυτό ήταν δουλειά του Σεθ».

«Θα αναλάβει αύριο, κατά τη διάρκεια της μάχης».

Η υπενθύμιση με έκανε να σωπάσω για ένα δευτερόλεπτο. Τον κοίταξα επίμονα, με την ανησυχία να ξεπηδά ξανά με ξαφνική αγριότητα.

«Δεν πιστεύω να υπάρχει καμιά περίπτωση να μείνεις αφού ήδη βρίσκεσαι εδώ;» πρότεινα. «Αν *πράγματι* σε ικέτευα; Ή να ανταλλάξω την αιωνιότητα σκλαβιάς ή κάτι τέτοιο;»

«Δελεαστικό, αλλά όχι. Από την άλλη, μπορεί να ήταν ενδιαφέρον να σε δω να ικετεύεις. Μπορείς να δοκιμάσεις αν θέλεις».

«Δεν υπάρχει τίποτα, *τίποτα* απολύτως που να μπορώ να πω;»

«Όχι. Όχι, εκτός αν μπορείς να μου υποσχεθείς μια καλύτερη μάχη. Όπως και να 'χει, ο Σαμ είναι αυτός που κάνει κουμάντο, όχι εγώ».

Αυτό μου θύμισε.

«Ο Έντουαρντ μου είπε κάτι τις προάλλες... σχετικά μ'

εσένα».

Τσιτώθηκε. «Πιθανότατα είναι ψέμα».

«Α, αλήθεια; Δεν είσαι δεύτερος τη τάξη στην αγέλη, λοιπόν;»

Ανοιγόκλεισε τα μάτια, καθώς το πρόσωπό του σάστισε από την έκπληξη. «Α. Αυτό».

«Πώς και δε μου το είπες ποτέ;»

«Γιατί να στο πω; Δεν είναι και τίποτα σπουδαίο».

«Δεν ξέρω. Γιατί όχι; Είναι ενδιαφέρον. Λοιπόν, πώς γίνεται αυτό; Πώς κατέληξε ο Σαμ να είναι ο Άλφα κι εσύ να είσαι ο… Βήτα;»

Ο Τζέικομπ γέλασε πνιχτά με τον όρο που επινόησα. «Ο Σαμ ήταν ο πρώτος, ο μεγαλύτερος. Ήταν λογικό να γίνει επικεφαλής».

Κατσούφιασα. «Μα δεν έπρεπε ο Τζάρεντ ή ο Πολ να είναι δεύτεροι, τότε; Αυτοί ήταν οι επόμενοι που μεταμορφώθηκαν».

«Κοίτα… είναι δύσκολο να το εξηγήσω», είπε ο Τζέικομπ προσπαθώντας να με αποφύγει.

«Προσπάθησε».

Αναστέναξε. «Έχει να κάνει περισσότερο με το γενεαλογικό δέντρο, ξέρεις; Κάπως παλιομοδίτικο. Γιατί να παίζει ρόλο ποιος ήταν ο παππούς σου, σωστά;»

Θυμήθηκα κάτι που ο Τζέικομπ μου είχε πει πριν πολύ καιρό, τότε που κανένας από τους δυο μας δεν ήξερε τίποτα για τους λυκάνθρωπους.

«Εσύ δεν είχες πει ότι ο Έφρεμ Μπλακ ήταν ο τελευταίος αρχηγός που είχαν οι Κουιλαγιούτ;»

«Ναι, σωστά. Επειδή αυτός ήταν ο Άλφα. Ήξερες ότι, από τεχνικής απόψεως, ο Σαμ είναι ο αρχηγός ολόκληρης τη φυλής τώρα;» Γέλασε. «Παλαβές παραδόσεις».

Το σκέφτηκα ένα δευτερόλεπτο προσπαθώντας να κάνω όλα τα κομμάτια του παζλ να ταιριάξουν μεταξύ τους. «Μα είπες επίσης ότι οι άνθρωποι ακούν τον μπαμπά σου περισσότερο από οποιονδήποτε άλλο στο συμβούλιο, επειδή ήταν ο εγγονός του Έφρεμ;»

«Ε και;»

«Ναι, αν έχει να κάνει με το γενεαλογικό δέντρο... δε θα έπρεπε να ήσουν εσύ ο αρχηγός, τότε;»

Ο Τζέικομπ δε μου απάντησε. Κάρφωσε το βλέμμα στο δάσος που σκοτείνιαζε, λες και ξαφνικά χρειαζόταν να συγκεντρωθεί στο πού θα πήγαινε.

«Τζέικ;»

«Όχι. Αυτή είναι δουλειά του Σαμ». Συνέχισε να έχει τα μάτια του στην πορεία μας.

«Γιατί; Ο δικός του προ-πάππους ήταν ο Λέβι Γιούλεϊ, σωστά; Ήταν κι ο Λέβι Άλφα;»

«Υπάρχει μόνο ένας Άλφα», απάντησε αυτόματα.

«Τότε τι ήταν ο Λέβι;»

«Κατά κάποιο τρόπο Βήτα, μάλλον». Ρουθούνισε χρησιμοποιώντας τον όρο μου. «Σαν κι εμένα».

«Αυτό δεν ακούγεται λογικό».

«Δεν πειράζει».

«Απλώς θέλω να καταλάβω».

Το βλέμμα του Τζέικομπ διασταυρώθηκε τελικά με το δικό μου, και μετά αναστέναξε. «Ναι. Εγώ θα έπρεπε να είμαι ο Άλφα».

Τα φρύδια μου έσμιξαν. «Ο Σαμ δεν ήθελε να κάνει πίσω;»

«Και βέβαια ήθελε. *Εγώ* δεν ήθελα να πάρω τη θέση του».

«Γιατί όχι;»

Κατσούφιασε, νιώθοντας άβολα με τις ερωτήσεις μου. Λοιπόν, είχε έρθει η σειρά του να νιώσει άβολα.

«Δεν ήθελα τίποτα απ' όλα αυτά, Μπέλλα. Δεν ήθελα τίποτα ν' αλλάξει. Δεν ήθελα να γίνω κανένας θρυλικός αρχηγός. Δεν ήθελα να είμαι καν μέλος της αγέλης, πόσο μάλλον αρχηγός της. Δεν ήθελα να πάρω τη θέση, όταν την πρόσφερε ο Σαμ».

Το σκέφτηκα για λίγο. Ο Τζέικομπ δε διέκοψε. Κοίταζε με το βλέμμα καρφωμένο μέσα στο δάσος ξανά.

«Μα νόμιζα ότι ήσουν πιο χαρούμενος πια. Ότι δεν είχες πια πρόβλημα μ' αυτό», ψιθύρισα τελικά.

Ο Τζέικομπ χαμήλωσε το βλέμμα και μου χαμογέλασε καθησυχαστικά. «Ναι. Δεν είναι και τόσο άσχημα. Είναι συναρπαστικό μερικές φορές, όπως με αυτή την ιστορία αύριο. Αλλά στην αρχή ένιωθα σαν να με είχαν επιστρατεύσει σε έναν πόλεμο που δεν ήξερα ότι υπήρχε. Δεν υπήρχε καμία επιλογή, ξέρεις; Και ήταν τόσο οριστικό». Ανασήκωσε τους ώμους. «Όπως και να 'χει, χαίρομαι τώρα. Πρέπει να γίνει, και θα μπορούσα να εμπιστευτώ κάποιον άλλο να το κάνει σωστά; Είναι καλύτερα να βεβαιωθώ ο ίδιος».

Τον κοίταξα επίμονα, νιώθοντας ένα απρόσμενο είδος δέους για το φίλο μου. Ήταν περισσότερο ενήλικας απ' ό,τι του είχα αναγνωρίσει ποτέ. Όπως και με τον Μπίλι εκείνο το βράδυ στο πάρτι γύρω από τη φωτιά, υπήρχε μια μεγαλοπρέπεια εδώ που δεν είχα ποτέ υποψιαστεί.

«Αρχηγός Τζέικομπ», ψιθύρισα, χαμογελώντας με τον τρόπο που ακούγονταν οι λέξεις μαζί.

Στριφογύρισε τα μάτια του.

Εκείνη ακριβώς την ώρα, ο άνεμος φύσηξε πιο άγρια μέσα από τα δέντρα γύρω μας, κι ένιωσα σαν να ερχόταν κατευθείαν από παγετώνα. Ο διαπεραστικός ήχος του ξύλου που έσπαζε αντήχησε στο βουνό. Αν και το φως χανόταν, καθώς το αποκρουστικό σύννεφο σκέπασε τον ουρανό, έβλεπα ακόμα τις μικρές λευκές κουκκίδες που περνούσαν πλάι μας στον αέρα.

Ο Τζέικομπ επιτάχυνε το ρυθμό του, κρατώντας τα μάτια του στο έδαφος τώρα, καθώς έτρεχε πια γρήγορα. Κουλουριάστηκα με μεγαλύτερη προθυμία στο στήθος του, θέλοντας να αποφύγω το ανεπιθύμητο χιόνι.

Μόνο μερικά λεπτά αργότερα όρμησε για να στρίψει στην προστατευμένη από τον αέρα πλευρά της πέτρινης κορυφής, και είδαμε τη μικρή σκηνή κουρνιασμένη στην πρόσοψη του βράχου που παρείχε καταφύγιο από τον άνεμο. Περισσότερες νιφάδες έπεφταν γύρω μας, αλλά ο άνεμος ήταν υπερβολικά άγριος για να τις αφήσει να παραμείνουν κάπου.

«Μπέλλα!» φώναξε ο Έντουαρντ με μια έντονη ανακούφιση. Τον βρήκαμε να περπατάει μπρος-πίσω στο μικρό άνοιγμα.

Βρέθηκε σαν αστραπή πλάι μου, κάπως θολός, καθώς κινήθηκε τόσο γρήγορα. Ο Τζέικομπ τραβήχτηκε πίσω από την αηδία και με άφησε κάτω. Ο Έντουαρντ αγνόησε την αντίδρασή του και με έκλεισε σε μια σφιχτή αγκαλιά.

«Σ' ευχαριστώ», είπε ο Έντουαρντ πάνω από το κεφάλι μου. Ο τόνος του ήταν ολοφάνερα ειλικρινής. «Ήρθατε πιο γρήγορα απ' ό,τι περίμενα, και πραγματικά το εκτιμώ».

Γύρισα για να δω την αντίδραση του Τζέικομπ.

Ο Τζέικομπ απλώς σήκωσε τους ώμους, ενώ όλη του η φιλικότητα είχε χαθεί από το πρόσωπό του. «Πήγαινέ τη μέσα. Τα πράγματα θα είναι άσχημα –οι τρίχες στο δέρμα του κεφαλιού μου έχουν σηκωθεί. Εκείνη η σκηνή είναι ασφαλής;»

«Μόνο ηλεκτροκόλληση δεν της έκανα στο βράχο».

«Ωραία».

Ο Τζέικομπ σήκωσε ψηλά το βλέμμα στον ουρανό –που ήταν τώρα μαύρος από την καταιγίδα, πασπαλισμένος με τις μικρές νιφάδες του χιονιού που στροβιλίζονταν. Τα ρουθούνια του ήταν διεσταλμένα.

«Πάω να αλλάξω», είπε. «Θέλω να μάθω τι γίνεται».

Κρέμασε το μπουφάν του σε ένα χαμηλό, κουτσουρεμένο κλαδί και μπήκε μέσα στο κατασκότεινο δάσος χωρίς να ρίξει ούτε μια ματιά πίσω του.

22. ΦΩΤΙΑ ΚΑΙ ΠΑΓΟΣ

Ο άνεμος έκανε τη σκηνή να τρέμει για άλλη μια φορά, κι εγώ έτρεμα μαζί της.

Η θερμοκρασία έπεφτε. Το ένιωθα μέσα από τον υπνόσακο, μέσα από το μπουφάν μου. Ήμουν ντυμένη γερά, οι μπότες μου για την πεζοπορία ήταν ακόμα δεμένες στα πόδια μου. Δεν έπαιζε κανένα ρόλο. Πώς ήταν δυνατόν να κάνει τόσο κρύο; Πώς ήταν δυνατόν να κάνει όλο και *περισσότερο* κρύο; Λογικά η θερμοκρασία κάποια στιγμή θα έφτανε σε κάποιο κατώτατο σημείο, σωστά;

«Τ-τ-τ-τ-τ-τ-τι ώρα π-π-π-π-π-πήγε;» Με κόπο πρόφερα τις λέξεις μέσα από τα δόντια μου που χτυπούσαν.

«Δύο», απάντησε ο Έντουαρντ.

Ο Έντουαρντ καθόταν όσο γινόταν πιο μακριά μου στον υπερβολικά στριμωγμένο χώρο, φοβούμενος ακόμα και να ανασάνει πάνω μου, αφού κρύωνα ήδη τόσο πολύ. Ήταν πολύ σκοτεινά για να μπορώ να δω το πρόσωπό του, αλλά η φωνή του ήταν τρελή από ανησυχία, αναποφασιστικότητα και σύγχυση.

«Ίσως...»

«Όχ-χ-χ-χ-χι, είμαι μια χ-χ-χ-χ-χαρά, αλήθεια. Δε θ-θ-θ-θ-θέλω να βγω ε-ε-ε-ε-ε-έξω».

Είχε ήδη προσπαθήσει καμιά δεκαριά φορές να με πείσει να φύγουμε τρέχοντας για να προλάβουμε να γυρίσουμε πίσω, αλλά με τρόμαζε η ιδέα του να φύγω από το καταφύγιό μου. Αν έκανε τόσο κρύο εδώ μέσα, όπου ήμουν προστατευμένη από το μανιασμένο άνεμο, φανταζόμουν πόσο άσχημα θα ήταν αν τρέχαμε, με τον άνεμο να μας φυσάει.

Κι έτσι θα πήγαιναν τζάμπα όλες οι προσπάθειές μας αυτό το απόγευμα. Θα είχαμε αρκετό χρόνο να εγκατασταθούμε ξανά, όταν θα τελείωνε η καταιγίδα; Κι αν δεν τελείωνε; Δεν είχε κανένα νόημα να μετακινηθούμε τώρα. Μπορούσα να περάσω μία νύχτα τρέμοντας.

Ανησυχούσα ότι τα ίχνη που είχα αφήσει θα χάνονταν, αλλά εκείνος μου υποσχέθηκε ότι ακόμα θα ήταν ξεκάθαρα για τα τέρατα που έρχονταν.

«Τι μπορώ να κάνω;» είπε σχεδόν ικετευτικά.

Κούνησα απλώς το κεφάλι μου.

Έξω στο χιόνι, ο Τζέικομπ κλαψούρισε δυστυχισμένα.

«Φύγ-γ-γ-γ-γε από δ-δ-δ-δ-δω», πρόσταξα ξανά.

«Απλώς ανησυχεί για 'σένα», μετέφρασε ο Έντουαρντ. «Εκείνος είναι μια χαρά. *Το δικό του* σώμα είναι εφοδιασμένο για να αντέχει τέτοια πράγματα».

«Κ-κ-κ-κ-κ». Ήθελα να πω ότι και πάλι θα έπρεπε να φύγει, αλλά δεν κατάφερα να το βγάλω μέσα από τα δόντια μου. Παραλίγο να δαγκώσω τη γλώσσα μου στην προσπάθεια. Τουλάχιστον ο Τζέικομπ *πράγματι* έμοιαζε να είναι καλύτερα εφοδιασμένος για το χιόνι, ακόμα καλύτερα κι από τους υπόλοιπους στην αγέλη του με το παχύ του, μακρύτερο, πιο μαλλιαρό καστανοκόκκινο τρίχωμα. Αναρωτήθηκα γιατί συνέβαινε αυτό.

Ο Τζέικομπ κλαψούρισε, βγάζοντας έναν ήχο διαπεραστικό, τραχύ, παραπονιάρικο.

«Τι θέλεις να κάνω;» γρύλισε ο Έντουαρντ, πολύ ανήσυχος για να μπει στον κόπο να είναι ευγενικός πια. «Να τη μεταφέρω μέσα απ' αυτό; Δε βλέπω κι εσύ να κάνεις κάτι για να φανείς χρήσιμος. Γιατί δεν πας να φέρεις κανένα καλοριφέρ ή κάτι τέτοιο;»

«Είμαι εντάξ-ξ-ξ-ξ-ξ-ξει», διαμαρτυρήθηκα. Κρίνοντας από το μουγκρητό του Έντουαρντ και το πνιχτό γρύλισμα έξω από τη σκηνή, δεν είχα πείσει κανένα. Ο άνεμος ταρακούνησε τη σκηνή άγρια, κι εγώ συνέχισα να τρέμω σε συμφωνία με τη σκηνή.

Ένα ξαφνικό αλύχτημα έσκισε το βουητό του ανέμου, κι εγώ σκέπασα τ' αυτιά μου για να τα προστατέψω από το θόρυβο. Ο Έντουαρντ κατσούφιασε.

«Αυτό δεν ήταν καθόλου απαραίτητο», μουρμούρισε. «Κι αυτή είναι η χειρότερη ιδέα που έχω ακούσει ποτέ», φώναξε πιο δυνατά.

«Καλύτερη απ' οτιδήποτε έχεις σκεφτεί εσύ», απάντησε ο Τζέικομπ, ενώ η ανθρώπινη φωνή του με αιφνιδίασε. «"*Δεν πας να φέρεις κανένα καλοριφέρ*"», γκρίνιαξε. «Δεν είμαι σκύλος του Αγίου Βερνάρδου».

Άκουσα τον ήχο του φερμουάρ γύρω από την πόρτα της σκηνής που τραβήχτηκε γρήγορα προς τα κάτω.

Ο Τζέικομπ γλίστρησε μέσα από το πιο μικρό άνοιγμα, απ' όπου μπορούσε να μπει, ενώ ο αρκτικός αέρας μπήκε μέσα γύρω του, με μερικές νιφάδες χιονιού να πέφτουν στο έδαφος της σκηνής. Με διαπέρασε ένα τόσο δυνατό ρίγος που ήταν σπασμός.

«Δε μου αρέσει αυτό», είπε ο Έντουαρντ μέσα από τα δόντια του, καθώς ο Τζέικ έκλεισε το φερμουάρ της πόρτας της σκηνής. «Απλώς δώσε της το παλτό και βγες έξω».

Τα μάτια μου είχαν προσαρμοστεί αρκετά ώστε να βλέπω φιγούρες –ο Τζέικομπ κουβαλούσε το πανωφόρι με την κουκούλα που κρεμόταν σε ένα δέντρο δίπλα στη σκηνή.

Προσπάθησα να ρωτήσω για τι πράγμα μιλούσαν, αλλά το μόνο που βγήκε απ' το στόμα μου ήταν «Γ-γ-γ-γ-γ-γ-γ-γ», καθώς το τρέμουλο με έκανε να τραυλίζω ανεξέλεγκτα.

«Το πανωφόρι είναι για αύριο –κρυώνει παρά πολύ για να το ζεστάνει από μόνη της. Είναι παγωμένο». Το άφησε δίπλα στην πόρτα. «Είπες ότι χρειαζόταν καλοριφέρ, και να 'μαι». Ο Τζέικομπ τέντωσε τα χέρια του όσο του επέτρεπε η σκηνή. Ως συνήθως όταν έτρεχε εδώ κι εκεί με τη μορφή του λύκου, είχε φορέσει μόνο τα απολύτως βασικά –μόνο μια φόρμα, καθόλου μπλουζάκι, καθόλου παπούτσια.

«Τζ-τζ-τζ-τζ-Τζέικ, θα ξεπ-π-π-π-παγιάσεις», προσπάθησα να διαμαρτυρηθώ.

«Όχι εγώ», είπε κεφάτα. «Αυτή την περίοδο έχω μια ευχάριστα ψηλή θερμοκρασία που φτάνει στους σαράντα-δύο βαθμούς. Θα σε κάνω να ιδρώσεις στο πι και φι».

Ο Έντουαρντ γρύλισε, αλλά ο Τζέικομπ ούτε καν που τον κοίταξε. Αντί γι' αυτό, σύρθηκε πλάι μου και άρχισε να κατεβάζει το φερμουάρ του υπνόσακού μου.

Το χέρι του Έντουαρντ βρέθηκε ξαφνικά σκληρό πάνω στον ώμο του, για να τον εμποδίσει, κατάλευκο σαν το χιόνι πάνω στο σκούρο δέρμα του Τζέικομπ. Το σαγόνι του Τζέικομπ σφίχτηκε, ενώ τα ρουθούνια του είχαν ανοίξει διάπλατα, το σώμα του τραβήχτηκε πίσω από το κρύο άγγιγμα. Οι μακριοί μύες στα μπράτσα του τεντώθηκαν αυτόματα.

«Πάρε το χέρι σου από πάνω μου», γρύλισε μέσα από τα δόντια του.

«Κράτα τα χέρια σου μακριά της», απάντησε ο Έντουαρντ ανέκφραστα.

«Μ-μ-μ-μ-μην τσακ-κ-κ-κ-κώνεστε», παρακάλεσα. Άλλο ένα ρίγος με ταρακούνησε. Ένιωθα λες και τα δόντια μου θα γίνονταν τρίμματα, τόσο δυνατά χτυπούσαν μεταξύ τους.

«Είμαι σίγουρος ότι θα σε ευχαριστήσει γι' αυτό, όταν τα

δάχτυλα των ποδιών της γίνουν μαύρα και πέσουν», είπε κοφτά ο Τζέικομπ.

Ο Έντουαρντ δίστασε, μετά το χέρι του έπεσε από τον ώμο του και σύρθηκε πάλι πίσω στη θέση του στη γωνία.

Η φωνή του ήταν κατηγορηματική και τρομακτική. «Πρόσεχε».

Ο Τζέικομπ γέλασε πνιχτά.

«Κάνε πιο 'κει, Μπέλλα», είπε, ανοίγοντας πιο πολύ το φερμουάρ του υπνόσακου.

Τον κοίταξα έξαλλη από θυμό. Δεν ήταν ν' απορεί κανείς που ο Έντουαρντ αντέδρασε έτσι.

«Ο-ο-ο-ο-ο-ο-όχι», προσπάθησα να διαμαρτυρηθώ.

«Μην είσαι χαζή», είπε φουρκισμένος. «Δε σου *αρέσει* να έχεις δέκα δάχτυλα;»

Στρίμωξε το κορμί του στον ανύπαρκτο χώρο, ανεβάζοντας το φερμουάρ πίσω του.

Και μετά δεν μπορούσα να φέρω αντίρρηση –δεν ήθελα πια. Ήταν τόσο ζεστός. Τα χέρια του με έσφιξαν, κρατώντας με ζεστά κοντά στο γυμνό του στήθος. Η ζέστη ήταν ακαταμάχητη, όπως ο αέρας για κάποιον που έμεινε πολλή ώρα κάτω από την επιφάνεια του νερού. Τραβήχτηκε πίσω, όταν ακούμπησα τα παγωμένα μου δάχτυλα στο δέρμα του.

«Χριστέ μου, Μπέλλα, είσαι παγάκι», παραπονέθηκε.

«Σ-σ-σ-σ-σ-συγνώμη», τραύλισα.

«Προσπάθησε να χαλαρώσεις», πρότεινε, καθώς άλλο ένα ρίγος με διαπέρασε βίαια. «Θα ζεσταθείς σε ένα λεπτό. Φυσικά, θα ζεσταινόσουν πιο γρήγορα, αν έβγαζες τα ρούχα σου».

Ο Έντουαρντ γρύλισε διαπεραστικά.

«Αυτό είναι απλά ένα γεγονός», ο Τζέικομπ υπερασπίστηκε τον εαυτό του. «Απλοί κανόνες επιβίωσης».

«Κόφ' το, Τζ-τζ-Τζέικ», είπα θυμωμένα, αν και το σώμα μου αρνείτο έστω και να προσπαθήσει να τραβηχτεί μακριά του. «Καν-ν-ν-νένας δε χρειάζεται στ' αλήθεια κ-κ-κ-και τα δέκα του δ-δ-δ-δάχτυλα των π-π-π-ποδιών».

«Μην ανησυχείς για την αιμορουφήχτρα», πρότεινε ο Τζέικομπ, και το ύφος του ήταν αυτάρεσκο. «Απλώς ζηλεύει».

«Φυσικά και ζηλεύω». Η φωνή του Έντουαρντ ήταν βελούδινη ξανά, υπό έλεγχο, ένα μελωδικό μουρμουρητό μέσα στο σκοτάδι. «Δεν έχεις την παραμικρή ιδέα πόσο θα ήθελα να μπορώ να κάνω αυτό που κάνεις εσύ γι' αυτή, μπασταρδόσκυλο».

«Έτσι είναι η τύχη», είπε ο Τζέικομπ ανάλαφρα, αλλά μετά το ύφος του ξίνισε. «Τουλάχιστον εσύ ξέρεις ότι θα προτιμούσε να ήσουν εσύ στη θέση μου».

«Πράγματι», συμφώνησε ο Έντουαρντ.

Το τρέμουλο έγινε πιο αργό, έγινε υποφερτό, ενώ εκείνοι διαπληκτίζονταν.

«Ορίστε», είπε ο Τζέικομπ ευχαριστημένος. «Νιώθεις καλύτερα;»

Επιτέλους μπορούσα να μιλήσω καθαρά. «Ναι».

«Τα χείλη σου είναι ακόμα μπλε», αναλογίστηκε. «Θέλεις να σου τα ζεστάνω κι αυτά; Το μόνο που χρειάζεται να κάνεις είναι να το ζητήσεις».

Ο Έντουαρντ αναστέναξε βαριά.

«Συγκρατήσου», μουρμούρισα, στριμώχνοντας το πρόσωπό μου στον ώμο του. Τραβήχτηκε πάλι πίσω, όταν το κρύο μου δέρμα ακούμπησε το δικό του, κι εγώ χαμογέλασα με μια ελαφρώς εκδικητική ικανοποίηση.

Έκανε ήδη ζέστη και ήταν άνετα μέσα στον υπνόσακο. Η ζέστη από το σώμα του Τζέικομπ έμοιαζε να εκπέμπεται από κάθε μεριά –ίσως επειδή υπήρχε τόσος *πολύς* Τζέικομπ. Έβγαλα τις μπότες μου κλοτσώντας τις κι έσπρωξα τα δάχτυλα των ποδιών μου στα πόδια του. Τινάχτηκε ελαφρά και μετά έσκυψε κάτω το κεφάλι του για να πιέσει το ζεστό του μάγουλο στο μουδιασμένο μου αυτί.

Παρατήρησα ότι το δέρμα του Τζέικομπ είχε μια μυρωδιά που θύμιζε δάσος και μοσχοβολούσε –ταίριαζε με το περιβάλλον εδώ, στη μέση του δάσους. Ήταν ωραία. Αναρωτήθηκα αν οι Κάλεν και οι Κουιλαγιούτ δεν το έκαναν επίτηδες όλο αυτό το θέμα με τη μυρωδιά εξαιτίας των προκαταλήψεών τους. Όλοι μύριζαν μια χαρά σ' εμένα.

Η καταιγίδα ούρλιαζε σαν ζώο που επιτίθετο στη σκηνή, αλλά δε με ανησυχούσε τώρα. Ο Τζέικομπ είχε βγει από το κρύο και το ίδιο κι εγώ. Επιπλέον, ήμουν τόσο εξαντλημένη που δεν μπορούσα να ανησυχώ για οτιδήποτε –κουρασμένη που είχα μείνει ξύπνια μέχρι τόσο αργά και πονεμένη από τους σπασμούς των μυών μου. Το σώμα μου χαλάρωσε αργά, καθώς ξεπάγωνα, ένα-ένα τα παγωμένα μέλη του σώματός μου, και μετά άρχισα να νιώθω μια κομμάρα.

«Τζέικ;» ψέλλισα νυσταγμένα. «Μπορώ να σε ρωτήσω κάτι; Δεν προσπαθώ να φερθώ σαν ηλίθια ή κάτι τέτοιο, είμαι ειλικρινά περίεργη». Ήταν τα ίδια λόγια που είχε χρησιμοποιήσει στην κουζίνα μου... πόσος καιρός είχε περάσει από τότε;

«Βέβαια», είπε γελώντας πνιχτά, καθώς θυμήθηκε.

«Γιατί είσαι τόσο πολύ πιο τριχωτός από τους φίλους σου; Δεν είναι ανάγκη να απαντήσεις, αν είμαι αγενής». Δεν ήξερα τους κανόνες του πρωτοκόλλου, όπως εφαρμόζονταν στην κουλτούρα των λυκανθρώπων.

«Επειδή τα μαλλιά μου είναι πιο μακριά», είπε, βρίσκοντάς το αστείο –η ερώτησή μου δεν τον είχε προσβάλλει ούτε στο ελάχιστο. Κούνησε το κεφάλι του, έτσι που τα ατημέλητα μαλλιά του –που είχαν μακρύνει ως το πιγούνι του τώρα– γαργάλησαν το μάγουλό μου.

«Α». Ήμουν έκπληκτη, αλλά ήταν λογικό. Γι' αυτό, λοιπόν, είχαν κόψει όλοι τα μαλλιά τους κοντά στην αρχή, όταν είχαν πρωτογίνει μέλη της αγέλης. «Τότε γιατί δεν τα κόβεις; Σου αρέσει να είσαι μαλλιαρός;»

Δεν απάντησε αμέσως αυτή τη φορά, κι ο Έντουαρντ γέλασε μουρμουριστά.

«Συγνώμη», είπα, κάνοντας μια παύση για να χασμουρηθώ. «Δεν ήθελα να γίνω αδιάκριτη. Δε χρειάζεται να μου πεις».

Ο Τζέικομπ έβγαλε έναν ήχο ενόχλησης. «Ω, θα σου το πει εκείνος έτσι κι αλλιώς, άρα καλύτερα να στο πω εγώ... άφησα τα μαλλιά μου να μακρύνουν, επειδή μου φάνηκε ότι σου άρεσαν πιο πολύ μακριά».

«Α». Ένιωσα αμηχανία. «Εε, μου αρέσουν όπως και να 'ναι, Τζέικ. Δεν είναι ανάγκη να... δυσκολεύεις τον εαυτό σου».

Ανασήκωσε τους ώμους. «Αποδεικνύεται ότι απόψε με διευκολύνει πολύ, γ' αυτό μην ανησυχείς».

Δεν είχα τίποτα άλλο να πω. Καθώς η σιωπή παρατεινόταν, τα βλέφαρά μου άρχισαν να βαραίνουν και να κλείνουν και η αναπνοή μου έγινε πιο αργή, πιο σταθερή.

«Έτσι, γλυκιά μου, κοιμήσου», ψιθύρισε ο Τζέικομπ.

Αναστέναξα, ευχαριστημένη, ήδη μισοκοιμισμένη.

«Ήρθε ο Σεθ», μουρμούρισε ο Έντουαρντ στον Τζέικομπ, κι εγώ ξαφνικά κατάλαβα το νόημα του ουρλιαχτού.

«Τέλεια. Τώρα μπορείς να έχεις το νου σου σε όλα τα υπόλοιπα, ενώ εγώ θα φροντίζω το κορίτσι σου για 'σένα».

Ο Έντουαρντ δεν απάντησε, αλλά εγώ στέναξα εξασθενημένα. «Σταμάτα», μουρμούρισα.

Τότε επικράτησε σιωπή, μέσα τουλάχιστον. Έξω, ο άνεμος σφύριζε μανιασμένα μέσα από τα δέντρα. Το ταρακούνημα της σκηνής με δυσκόλευε να κοιμηθώ. Οι ξύλινοι στύλοι ξαφνικά τραντάζονταν κι έτρεμαν, τραβώντας με πίσω την ώρα ακριβώς που ήμουν έτοιμη να περάσω τα όρια και να παραδοθώ στον ύπνο. Ένιωθα τόσο άσχημα για το λύκο, το αγόρι που είχε ξεμείνει έξω στο χιόνι.

Το μυαλό μου περιπλανήθηκε, καθώς περίμενα τον ύπνο

να με βρει. Αυτός ο ζεστός μικρός χώρος με έκανε να σκεφτώ τις πρώτες μέρες με τον Τζέικομπ, και θυμήθηκα πώς ήταν τα πράγματα όταν εκείνος ήταν το υποκατάστατο του ήλιου για μένα, η ζεστασιά που έκανε την άδεια μου ζωή υποφερτή. Είχε περάσει αρκετός καιρός από τότε που σκέφτηκα τελευταία φορά τον Τζέικομπ με αυτό τον τρόπο, αλλά ήταν εδώ τώρα, και με ζέσταινε ξανά.

«*Σε παρακαλώ*!» είπε ο Έντουαρντ μέσα από τα δόντια του. «*Σταμάτα*».

«Τι;» απάντησε ο Τζέικομπ ψιθυριστά, με ύφος έκπληκτο.

«Πιστεύεις πως θα μπορούσες να κάνεις μια προσπάθεια να συγκρατήσεις τις σκέψεις σου;» το χαμηλό ψιθύρισμα του Έντουαρντ ήταν εξοργισμένο.

«Κανένας δεν είπε ότι πρέπει να ακούς», μουρμούρισε ο Τζέικομπ, περιφρονητικός, και πάλι, όμως νιώθοντας αμηχανία. «Βγες από το κεφάλι μου».

«Μακάρι να *μπορούσα*. Δεν έχεις ιδέα πόσο δυνατά ακούγονται οι μικρές σου φαντασιώσεις. Είναι σαν να μου τις φωνάζεις».

«Θα προσπαθήσω να κατεβάσω την ένταση», ψιθύρισε ο Τζέικομπ σαρκαστικά.

Ακολούθησε μια σύντομη στιγμή σιωπής.

«Ναι», απάντησε ο Έντουαρντ σε μια ανείπωτη σκέψη με ένα μουρμουρητό τόσο χαμηλόφωνο που μετά βίας το άκουσα. «Ζηλεύω και γι' αυτό».

«Το είχα καταλάβει πως ήταν έτσι τα πράγματα», ψιθύρισε ο Τζέικομπ αυτάρεσκα. «Κατά κάποιο τρόπο έτσι ερχόμαστε ισοπαλία, σωστά;»

Ο Έντουαρντ γέλασε πνιχτά. «Στον ύπνο σου».

«Ξέρεις, θα μπορούσε ακόμα ν' αλλάξει γνώμη», τον κορόιδεψε ο Τζέικομπ. «Δεδομένων *όλων* των πραγμάτων που θα μπορούσα εγώ να κάνω γι' αυτήν κι εσύ δεν μπορείς. Δηλαδή, όχι χωρίς να τη σκοτώσεις, τουλάχιστον».

«Κοιμήσου, Τζέικομπ», μουρμούρισε ο Έντουαρντ. «Αρχίζεις να μου δίνεις στα νεύρα».

«Νομίζω πως αυτό θα κάνω. Νιώθω πάρα πολύ άνετα».

Ο Έντουαρντ δεν απάντησε.

Ήμουν πολύ μακριά χαμένη για να τους ζητήσω να σταματήσουν να μιλάνε για 'μένα σαν να μην ήμουν εκεί. Η κουβέντα είχε αρχίσει να μοιάζει με όνειρο και δεν ήμουν σίγουρη ότι ήμουν πραγματικά ξύπνια.

«Μπορεί και να το έκανα», είπε ο Έντουαρντ μετά από μια στιγμή, απαντώντας σε μια ερώτηση που δεν είχα ακούσει.

«Θα ήσουν, όμως, ειλικρινής;»

«Μπορείς να ρωτήσεις για να το διαπιστώσεις». Ο τόνος του Έντουαρντ με έκανε να αναρωτηθώ αν μου είχε ξεφύγει κάποιο αστείο.

«Λοιπόν, εσύ βλέπεις μέσα στο κεφάλι μου –άσε με να δω κι εγώ μέσα στο δικό σου απόψε, δεν είναι δίκαιο;» είπε ο Τζέικομπ.

«Το κεφάλι σου είναι γεμάτο ερωτήσεις. Ποια απ' όλες θέλεις να απαντήσω;»

«Η ζήλια… *πρέπει* να σε τρώει. Δεν είναι δυνατόν να είσαι τόσο σίγουρος για τον εαυτό σου όσο φαίνεσαι. Εκτός κι αν δεν έχεις καθόλου συναισθήματα».

«Φυσικά και με τρώει», συμφώνησε ο Έντουαρντ, χωρίς να το βρίσκει διασκεδαστικό πια. «Αυτή τη στιγμή είναι τόσο χάλια που μετά βίας συγκρατούμαι. Φυσικά, είναι ακόμα χειρότερα όταν είναι μακριά μου, μαζί σου, και δεν μπορώ να τη δω».

«Το σκέφτεσαι όλη την ώρα;» ψιθύρισε ο Τζέικομπ. «Δυσκολεύεσαι να συγκεντρωθείς όταν δεν είναι μαζί σου;»

«Και ναι και όχι», είπε ο Έντουαρντ˙ φαινόταν αποφασισμένος να απαντήσει με ειλικρίνεια. «Το μυαλό μου δε λειτουργεί με τον ίδιο τρόπο όπως το δικό σου. Μπορώ να σκέφτομαι πολλά περισσότερα διαφορετικά πράγματα ταυτοχρόνως. Φυσικά, αυτό σημαίνει ότι *πάντα* μπορώ να σκέφτομαι εσένα, πάντα μπορώ να αναρωτιέμαι αν το μυαλό της είναι σ' εσένα, όταν είναι σιωπηλή και σκεφτική».

Και οι δυο έμειναν σιωπηλοί για ένα λεπτό.

«Ναι, μάλλον σε σκέφτεται συχνά», μουρμούρισε ο Έντουαρντ απαντώντας στις σκέψεις του Τζέικομπ. «Πιο συχνά απ' όσο θα ήθελα. Ανησυχεί ότι είσαι δυστυχισμένος. Όχι ότι δεν το ξέρεις. Όχι ότι δεν το *εκμεταλλεύεσαι*».

«Πρέπει να εκμεταλλευτώ ό,τι μπορώ», μουρμούρισε ο Τζέικομπ. «Δεν έχω τα δικά σου πλεονεκτήματα –πλεονεκτήματα όπως το γεγονός ότι εκείνη ξέρει πως είναι ερωτευμένη μαζί σου».

«Αυτό βοηθάει», συμφώνησε ο Έντουαρντ με έναν ήπιο τόνο.

Ο Τζέικομπ ήταν περιφρονητικός. «Είναι ερωτευμένη και μαζί μου, ξέρεις».

Ο Έντουαρντ δεν απάντησε.

Ο Τζέικομπ αναστέναξε. «Αλλά *δεν το ξέρει*».

«Δεν μπορώ να πω αν έχεις δίκιο».

«Σε ενοχλεί αυτό; Θα ήθελες να ξέρεις τι σκέφτεται κι εκείνη;»

«Και ναι... και όχι, πάλι. Της αρέσει περισσότερο έτσι, και αν και μερικές φορές με τρελαίνει, προτιμώ να είναι χαρούμενη εκείνη».

Ο άνεμος φύσηξε μανιασμένα γύρω από τη σκηνή, ταρακουνώντας τη σαν σεισμός. Τα χέρια του Τζέικομπ σφίχτηκαν πιο δυνατά γύρω μου προστατευτικά.

«Σ' ευχαριστώ», ψιθύρισε ο Έντουαρντ. «Όσο παράξενο κι αν σου ακούγεται αυτό, μάλλον χαίρομαι που είσαι εδώ, Τζέικομπ».

«Θες να πεις, "όσο κι αν θα ήθελα να σε σκοτώσω, χαίρομαι που την κρατάς ζεστή", έτσι;»

«Είναι μια ενοχλητική ανακωχή, έτσι;»

Ο ψίθυρος του Τζέικομπ ξαφνικά έγινε αυτάρεσκος. «Το ήξερα ότι ζήλευες το ίδιο τρελά όπως κι εγώ».

«Δεν είμαι τόσο ανόητος ώστε να το έχω καρφιτσωμένο στο μέτωπο όπως εσύ. Δε βοηθάει την περίπτωσή σου, ξέρεις».

«Έχεις περισσότερη υπομονή από 'μένα».

«Θα έπρεπε. Έκανα υπομονή εκατό χρόνια. Εκατό χρόνια που *την* περίμενα».

«Λοιπόν... σε ποιο σημείο αποφάσισες να το παίξεις καλός;»

«Όταν είδα πόσο πολύ την πλήγωνε το να πρέπει να διαλέξει. Συνήθως δεν είναι τόσο δύσκολο να συγκρατηθώ. Μπορώ να καταπνίξω τα... λιγότερο πολιτισμένα συναισθήματα που μπορεί να έχω για 'σένα αρκετά εύκολα τον περισσότερο καιρό. Μερικές φορές πιστεύω ότι δεν την ξεγελάω, αλλά δεν μπορώ να είμαι σίγουρος».

«Εγώ πιστεύω ότι απλώς ανησυχούσες πως αν την ανάγκαζες να διαλέξει, μπορεί και να μη διάλεγε εσένα».

Ο Έντουαρντ δεν απάντησε αμέσως. «Αυτό ισχύει εν μέρει», παραδέχτηκε τελικά. «Αλλά μόνο σε μικρό βαθμό. Όλοι έχουμε τις στιγμές αμφιβολίας μας. Κυρίως ανησυχούσα ότι θα πάθαινε κάτι κακό στην προσπάθειά της να φύγει κρυφά για να σε δει. Αφού είχα δεχτεί το γεγονός ότι ήταν σχετικά ασφαλής μαζί σου –όσο ασφαλής μπορεί να είναι ποτέ η Μπέλλα– μου φάνηκε καλύτερο να σταματήσω να την εξωθώ στα άκρα».

Ο Τζέικομπ αναστέναξε. «Της τα έλεγα κι εγώ όλα αυτά, αλλά δε με πίστευε ποτέ».

«Το ξέρω». Ακούστηκε λες κι ο Έντουαρντ χαμογελούσε.

«Νομίζεις ότι τα ξέρεις όλα», μουρμούρισε ο Τζέικομπ.

«Δεν ξέρω το μέλλον», είπε ο Έντουαρντ, με φωνή ξαφνικά αβέβαιη.

Ακλούθησε μια μεγάλη παύση.

«Τι θα έκανες αν άλλαζε γνώμη;» ρώτησε ο Τζέικομπ.

«Ούτε κι αυτό το ξέρω».

Ο Τζέικομπ γέλασε πνιχτά. «Θα προσπαθούσες να με σκοτώσεις;» Σαρκαστικός ξανά, σαν να αμφισβητούσε την ικανότητα του Έντουαρντ να το κάνει.

«Όχι».

«Γιατί όχι;» ο τόνος του Τζέικομπ ήταν ακόμα κοροϊδευτικός.

«Στ' αλήθεια πιστεύεις πως θα την πλήγωνα μ' αυτό τον τρόπο;»

Ο Τζέικομπ δίστασε ένα δευτερόλεπτο και μετά αναστέναξε. «Ναι, έχεις δίκιο. Το ξέρω ότι αυτό είναι σωστό. Αλλά μερικές φορές...»

«Μερικές φορές είναι θελκτική ιδέα».

Ο Τζέικομπ πίεσε το πρόσωπό του στον υπνόσακο για να πνίξει το γέλιο του. «Ακριβώς», συμφώνησε τελικά.

Τι παράξενο όνειρο που ήταν αυτό. Αναρωτιόμουν αν ήταν ο άνεμος που δεν έλεγε να κοπάσει που με έκανε να φαντάζομαι όλους αυτούς τους ψιθύρους. Μόνο που ο άνεμος ούρλιαζε, δεν ψιθύριζε.

«Πώς είναι; Να τη χάνεις;» ρώτησε ο Τζέικομπ μετά από μια σιωπηλή στιγμή, και δεν υπήρχε κανένα ίχνος χιούμορ στην ξαφνικά βραχνή φωνή του. «Όταν νόμιζες πως την είχες χάσει για πάντα; Πώς... τα έβγαλες πέρα;»

«Είναι πολύ δύσκολο για 'μένα να μιλάω γι' αυτό».

Ο Τζέικομπ περίμενε.

«Υπήρξαν δυο διαφορετικές στιγμές που το νόμιζα αυτό». Ο Έντουαρντ πρόφερε κάθε λέξη πιο αργά από το φυσιολογικό. «Την πρώτη φορά, όταν νόμιζα πως μπορούσα να την αφήσω... ήταν... σχεδόν υποφερτό. Επειδή νόμιζα πως θα με ξεχνούσε και θα ήταν σαν να μην είχα αγγίξει καθόλου τη ζωή της. Για πάνω από έξι μήνες κατάφερα να μείνω μακριά, να κρατήσω την υπόσχεσή μου ότι δε θα έμπαινα ξανά στη ζωή της. Παραλίγο να συμβεί αυτό –πάλευα, αλλά ήξερα ότι δε θα κέρδιζα˙ θα είχα γυρίσει... μόνο και μόνο για να ελέγξω την κατάσταση. Αυτό θα έλεγα στον εαυτό μου, τουλάχιστον. Κι αν την είχα βρει ευτυχισμένη σε λογικά πλαίσια... θέλω να πιστεύω ότι θα μπορούσα να φύγω ξανά.

»Αλλά δεν ήταν ευτυχισμένη. Και θα έμενα. Έτσι με έπεισε να μείνω μαζί της αύριο, φυσικά. Ξέρω ότι αναρωτιόσουν σχετικά μ' αυτό νωρίτερα, τι ήταν αυτό που μπορούσε να με ωθήσει... αυτό που την έκανε να νιώθει τόσες ενοχές χωρίς λόγο. Μου θύμισε τι επίδραση είχε πάνω της, όταν έφυγα– τι επίδραση έχει ακόμα επάνω της, όταν φεύγω. Νιώθει απαίσια που το ανέφερε, αλλά έχει δίκιο. Δε θα μπορέσω ποτέ να επανορθώσω γι' αυτό, αλλά δε θα σταματήσω ποτέ να προσπαθώ».

Ο Τζέικομπ δεν απάντησε για μια στιγμή, ακούγοντας την καταιγίδα ή χωνεύοντας αυτά που είχε ακούσει, δεν ήξερα ποιο από τα δύο.

«Και την άλλη φορά –όταν νόμιζες ότι είχε πεθάνει;» ψιθύρισε τραχιά ο Τζέικομπ.

«Ναι». Ο Έντουαρντ απάντησε σε μια διαφορετική ερώτηση. «Πιθανότατα θα νιώθεις κάπως έτσι, σωστά; Με τον τρόπο που μας αντιλαμβάνεσαι, μπορεί να μην μπορείς να τη βλέπεις σαν την *Μπέλλα* πια. Όμως αυτή θα είναι».

«Δε ρώτησα αυτό».

Η φωνή του Έντουαρντ επέστρεψε γρήγορη και σκληρή. «Δεν μπορώ να σου πω πώς ένιωθα. Δεν υπάρχουν λόγια».

Τα χέρια του Τζέικομπ σφίχτηκαν γύρω μου.

«Αλλά έφυγες επειδή δεν ήθελες να την κάνεις βδέλλα. Θέλεις να μείνει άνθρωπος».

Ο Έντουαρντ μίλησε αργά. «Τζέικομπ, από το δευτερόλεπτο που κατάλαβα ότι την αγαπώ, ήξερα ότι υπήρχαν τέσσερις επιλογές. Η πρώτη επιλογή, η καλύτερη για την Μπέλλα, θα ήταν αν δεν είχε εξίσου δυνατά αισθήματα για 'μένα –αν με ξεπερνούσε και προχωρούσε παρακάτω. Θα το δεχόμουν αυτό, αν και ποτέ δε θα άλλαζε τον τρόπο που νιώθω εγώ. Με θεωρείς ένα... ζωντανό βράχο –σκληρό και ψυχρό. Αυτό είναι αλήθεια. Είμαστε έτσι όπως είμαστε, και είναι πολύ σπάνιο να μας συμβεί κάποια πραγματική αλλαγή. Όταν αυτό συμβεί, όπως όταν η Μπέλλα μπήκε στη ζωή μου, η αλλαγή είναι μόνιμη. Δεν υπάρχει επιστροφή...

»Η δεύτερη επιλογή, αυτή που είχα επιλέξει αρχικά, ήταν να μείνω μαζί της όσο θα διαρκούσε η ανθρώπινη ζωή της. Δεν ήταν καλή επιλογή γι' αυτή να σπαταλήσει τη ζωή της με κάποιον που δε θα μπορούσε να είναι άνθρωπος μαζί της, αλλά ήταν η εναλλακτική που μπορούσα να αντιμετωπίσω με τη μεγαλύτερη ευκολία. Γνωρίζοντας από την αρχή ότι όταν θα πέθαινε, θα έβρισκα κι εγώ έναν τρόπο να πεθάνω. Εξήντα χρόνια, εβδομήντα χρόνια –εμένα θα μου φαίνονταν ένα πολύ, πολύ μικρό χρονικό διάστημα... Αλλά μετά αποδείχτηκε υπερβολικά επικίνδυνο για εκείνη να ζει τόσο κοντά στον κόσμο μου. Έμοιαζε λες και ό,τι μπορούσε να πάει στραβά πήγε. Ή περίμενε απειλητικά από πάνω μας... για να πάει στραβά. Ήμουν έντρομος ότι δε θα μπορούσα να έχω ούτε αυτά τα εξήντα χρόνια αν έμενα κοντά της, όσο ήταν άνθρωπος.

»Έτσι διάλεξα την τρίτη επιλογή. Που αποδείχτηκε το χειρότερο λάθος της πολύ μακριάς ζωής μου, όπως γνωρίζεις. Διάλεξα να φύγω από τον κόσμο της, ελπίζοντας να της επιβάλλω την πρώτη επιλογή. Δεν είχε αποτέλεσμα, και παραλίγο να σκοτωθούμε και οι δυο εξαιτίας αυτής της επιλογής.

»Τι μου έμεινε πέρα από την τέταρτη επιλογή; Είναι αυτό που θέλει –τουλάχιστον, νομίζει ότι το θέλει. Προσπαθώ να την καθυστερήσω, να της δώσω λίγο χρόνο για να βρει κάποιο λόγο να αλλάξει γνώμη, αλλά είναι πολύ... πεισματάρα. *Αυτό* το ξέρεις. Θα είμαι πολύ τυχερός αν καταφέρω να το παρατείνω αυτό για λίγους μήνες ακόμα. Την έχει καταβάλει ο τρόμος της ηλικίας, και τα γενέθλιά της είναι το Σεπτέμβριο....»

«Εμένα μου αρέσει η εναλλακτική νούμερο ένα», μουρμούρισε ο Τζέικομπ.

Ο Έντουαρντ δεν απάντησε.

«Ξέρεις *ακριβώς* πόσο δε θέλω να το δεχτώ αυτό», ψιθύρισε ο Τζέικομπ αργά, «αλλά βλέπω ότι πράγματι την αγαπάς... με τον τρόπο σου. Δεν μπορώ να διαφωνώ μ' αυτό πια.

»Με δεδομένο αυτό, δε νομίζω πως θα έπρεπε να εγκαταλείψεις την πρώτη επιλογή, όχι ακόμα. Νομίζω πως υπάρχει μεγάλη πιθανότητα να συνέλθει. Με τον καιρό. Ξέρεις, αν δεν είχε πηδήξει από 'κείνον το βράχο τον Μάρτιο... και αν περίμενες έξι μήνες ακόμα για να έρθεις να ελέγξεις την κατάσταση... Να, μπορεί να την έβρισκες αρκετά χαρούμενη. Είχα το σχέδιό μου».

Ο Έντουαρντ γέλασε πνιχτά. «Μπορεί και να πετύχαινε. Ήταν ένα καλά οργανωμένο σχέδιο».

«Ναι», αναστέναξε ο Τζέικομπ. «Αλλά...», ξαφνικά ψιθύριζε τόσο γρήγορα που οι λέξεις μπερδεύτηκαν, «δώσε μου ένα χρόνο, βδ- Έντουαρντ. Στ' αλήθεια πιστεύω πως θα μπορούσα να την κάνω ευτυχισμένη. Είναι πεισματάρα, κανένας δεν το ξέρει αυτό καλύτερα από 'μένα, αλλά μπορεί να γιατρευτεί. Θα είχε γιατρευτεί και τότε. Και θα μπορούσε να είναι άνθρωπος, με τον Τσάρλι και τη Ρενέ, και θα μπορούσε να μεγαλώσει και να κάνει παιδιά και... να είναι η Μπέλλα.

»Την αγαπάς αρκετά ώστε να πρέπει να μπορείς να δεις τα πλεονεκτήματα αυτού του σχεδίου. Νομίζει ότι δεν είσαι καθόλου εγωιστής... είναι έτσι πραγματικά; Μπορείς να σκεφτείς την ιδέα ότι εγώ μπορεί να είμαι καλύτερος γι' αυτή από 'σένα;»

«Την έχω σκεφτεί», απάντησε ο Έντουαρντ χαμηλόφωνα. «Σε κάποια θέματα, θα ήσουν πιο κατάλληλος γι' αυτή απ' οποιονδήποτε άλλο άνθρωπο. Η Μπέλλα χρειάζεται φροντίδα, κι εσύ είσαι αρκετά δυνατός ώστε να την προστατέψεις από τον εαυτό της κι απ' όλα όσα συνωμοτούν εναντίον της.

Το *έχεις* ήδη κάνει, και θα σου το χρωστάω όσο ζω –για πάντα– όποιο από τα δύο έρθει πρώτο…

»Ρώτησα ακόμα και την Άλις αν μπορούσε να το δει αυτό –να δει αν η Μπέλλα θα ήταν καλύτερα μαζί σου. Φυσικά, δεν μπορούσε. Δεν μπορεί να σας δει, και η Μπέλλα είναι βέβαιη για τη πορεία της, για την ώρα.

»Αλλά δεν είμαι αρκετά ηλίθιος, ώστε να επαναλάβω το ίδιο λάθος που έκανα και παλιά, Τζέικομπ. Δε θα προσπαθήσω να της επιβάλλω ξανά εκείνη την πρώτη εναλλακτική. Όσο καιρό με θέλει, θα είμαι εδώ».

«Και αν αποφάσιζε ότι θέλει εμένα;» τον προκάλεσε ο Τζέικομπ. «Εντάξει, είναι τραβηγμένο, το παραδέχομαι».

«Θα την άφηνα να φύγει».

«Έτσι απλά;»

«Με την έννοια ότι δε θα της έδειχνα ποτέ πόσο δύσκολο θα ήταν για 'μένα, ναι. Αλλά θα παρακολουθούσα. Βλέπεις, Τζέικομπ, κι *εσύ* μπορεί να την αφήσεις μια μέρα. Όπως ο Σαμ κι η Έμιλι, δε θα μπορούσες να κάνεις αλλιώς. Πάντα θα περίμενα στα παρασκήνια, ελπίζοντας να συμβεί αυτό».

Ο Τζέικομπ ρουθούνισε χαμηλά. «Εντάξει, ήσουν πολύ πιο ειλικρινής απ' όσο είχα δικαίωμα να περιμένω… Έντουαρντ. Σ' ευχαριστώ που με άφησες μέσα στο μυαλό σου».

«Όπως είπα, νιώθω παραδόξως ευγνωμοσύνη για την παρουσία σου στη ζωή της απόψε. Ήταν το λιγότερο που μπορούσα να κάνω… Ξέρεις, Τζέικομπ, αν δε λάβει κανείς υπόψη το γεγονός ότι είμαστε εχθροί εκ φύσεως και επίσης ότι προσπαθείς να μου κλέψεις το λόγο της ύπαρξής μου, μπορεί και να σε συμπαθούσα».

«Ίσως… αν δεν ήσουν ένας αηδιαστικός βρικόλακας που σκοπεύει να ρουφήξει τη ζωή από το κορίτσι που αγαπάω… λοιπόν, όχι, ούτε και τότε».

Ο Έντουαρντ γέλασε πνιχτά.

«Μπορώ να σε ρωτήσω κάτι;» είπε ο Έντουαρντ μετά από

μια στιγμή.

«Γιατί είναι ανάγκη να ρωτήσεις;»

«Μπορώ να το ακούσω μόνο όταν το σκέφτεσαι. Είναι απλώς μια ιστορία που η Μπέλλα δε φαινόταν πρόθυμη να μου πει τις προάλλες. Κάτι για μια τρίτη σύζυγο…;»

«Τι θέλεις να σου πω γι' αυτή την ιστορία;»

Ο Έντουαρντ δεν απάντησε, καθώς άκουγε την ιστορία στο κεφάλι του Τζέικομπ. Άκουσα το χαμηλόφωνο σύριγμά του μέσα στο σκοτάδι.

«Τι;» απαίτησε να μάθει ο Τζέικομπ ξανά.

«Φυσικά», είπε ο Έντουαρντ σε αναβρασμό. «Φυσικά! Θα προτιμούσα οι γέροντές σας να είχαν κρατήσει *αυτή* την ιστορία για τον εαυτό τους, Τζέικομπ».

«Δε σου αρέσει που τα παράσιτα παρουσιάζονται σαν κακοί;» κορόιδεψε ο Τζέικομπ. «Ξέρεις, *είναι* κακοί. *Και* τότε *και* τώρα».

«Πραγματικά δε δίνω δεκάρα τσακιστή γι' αυτό. Δεν μπορείς να μαντέψεις με ποιο χαρακτήρα θα ταυτιζόταν η Μπέλλα;»

Ο Τζέικομπ χρειάστηκε ένα λεπτό. «Α. Ωχ. Την τρίτη σύζυγο. Εντάξει, κατάλαβα πού το πας».

«Θέλει να είναι εκεί στο ξέφωτο. Να κάνει αυτά τα ελάχιστα που μπορεί, όπως το θέτει». Αναστέναξε. «Αυτός ήταν ο δεύτερος λόγος που θα μείνω μαζί της αύριο. Είναι αρκετά επινοητική, όταν θέλει κάτι».

«Ξέρεις, ο αδερφός σου, ο στρατιωτικός της έδωσε την ιδέα εξίσου με την ιστορία».

«Καμία πλευρά δεν το έκανε σκόπιμα», ψιθύρισε ο Έντουαρντ, τώρα ειρηνευτικός.

«Και πότε τελειώνει *αυτή* η μικρή ανακωχή;» ρώτησε ο Τζέικομπ. «Με το πρώτο φως της μέρας; Ή περιμένουμε μετά τη μάχη;»

Ακολούθησε μια παύση, καθώς και οι δύο ήταν συλλογισμένοι.

«Με το πρώτο φως», ψιθύρισαν μαζί και μετά γέλασαν χαμηλόφωνα.

«Καλό ύπνο, Τζέικομπ», μουρμούρισε ο Έντουαρντ. «Απόλαυσε τη στιγμή».

Ακολούθησε σιωπή ξανά, και η σκηνή έμεινε ακίνητη για λίγα λεπτά. Ο άνεμος έμοιαζε να έχει αποφασίσει ότι δε θα μας ισοπέδωνε τελικά και εγκατέλειψε τη μάχη.

Ο Έντουαρντ αναστέναξε απαλά. «Δεν το εννοούσα τόσο κυριολεκτικά».

«Συγνώμη», ψιθύρισε ο Τζέικομπ. «Ξέρεις, θα μπορούσες να φύγεις –να μας αφήσεις λιγάκι μόνους».

«Θέλεις μήπως να σε *βοηθήσω* να κοιμηθείς, Τζέικομπ;» προσφέρθηκε ο Έντουαρντ.

«Θα μπορούσες να προσπαθήσεις», είπε ο Τζέικομπ χωρίς ανησυχία. «Θα ήταν ενδιαφέρον να δούμε ποιος θα έφευγε, τι λες;»

«Μη με εξωθείς στα άκρα, λύκε. Η υπομονή μου δεν είναι και *τόσο* τέλεια».

Ο Τζέικομπ γέλασε ψιθυριστά. «Θα προτιμούσα να μην κουνηθώ αυτή τη στιγμή, αν δε σε πειράζει».

Ο Έντουαρντ άρχισε να σιγοτραγουδά στον εαυτό του –πιο δυνατά απ' ό,τι συνήθως– προσπαθώντας να πνίξει τις σκέψεις του Τζέικομπ, υπέθεσα. Αλλά αυτό που σιγοτραγουδούσε ήταν το νανούρισμά μου, και, παρά την αυξανόμενη δυσφορία μου με αυτό το ψιθυριστό όνειρο, βούλιαξα πιο βαθιά στην αναισθησία... σε άλλα όνειρα που έβγαζαν περισσότερο νόημα...

23. ΤΕΡΑΣ

Όταν ξύπνησα το πρωί, είχε πολύ φως –ακόμα και μέσα στη σκηνή, το φως του ήλιου πονούσε τα μάτια μου. Και όντως ίδρωνα, όπως είχε προβλέψει ο Τζέικομπ. Ο Τζέικομπ ροχάλιζε στο αυτί μου, με τα χέρια του ακόμα τυλιγμένα γύρω μου.

Τράβηξα το κεφάλι μου μακριά από το πυρετώδες στήθος του κι ένιωσα το τσούξιμο του πρωινού κρύου πάνω στο ιδρωμένο μου μάγουλο. Ο Τζέικομπ αναστέναξε μέσα στον ύπνο του˙ τα χέρια του σφίχτηκαν ασυναίσθητα.

Γύριζα από δω κι από 'κει, ανίκανη να ξεσφίξω την αγκαλιά του, πασχίζοντας να σηκώσω το κεφάλι μου αρκετά για να δω...

Το βλέμμα του Έντουαρντ διασταυρώθηκε με το δικό μου στο ίδιο ύψος. Η έκφρασή του ήταν ψύχραιμη, αλλά ο πόνος στα μάτια του δεν κρυβόταν.

«Ζέστανε καθόλου εκεί έξω;» ψιθύρισα.

«Ναι. Δε νομίζω πως το καλοριφέρ θα είναι απαραίτητο σήμερα».

Προσπάθησα να φτάσω το φερμουάρ, αλλά δεν μπορούσα

να ελευθερώσω τα χέρια μου. Ζοριζόμουν, παλεύοντας ενάντια στην αδρανή δύναμη του Τζέικομπ. Ο Τζέικομπ μουρμούριζε, ακόμα κοιμισμένος, ενώ τα χέρια του ήταν και πάλι σφιχτά.

«Λίγη βοήθεια;» ρώτησα χαμηλόφωνα.

Ο Έντουαρντ χαμογέλασε. «Θα ήθελες μήπως να του βγάλω εντελώς τα χέρια;»

«Όχι, ευχαριστώ. Απλώς ελευθέρωσέ με. Θα πάθω θερμοπληξία».

Ο Έντουαρντ κατέβασε το φερμουάρ του υπνόσακου με μια γρήγορη, απότομη κίνηση. Ο Τζέικομπ έπεσε έξω, ενώ η γυμνή του πλάτη χτύπησε πάνω στο παγωμένο πάτωμα της σκηνής.

«Ε!» διαμαρτυρήθηκε, καθώς τα μάτια του άνοιξαν διάπλατα ξαφνικά. Ενστικτωδώς τραβήχτηκε μακριά από το κρύο και κυλίστηκε πάνω μου. Εγώ έβγαλα μια πνιχτή κραυγή, καθώς το βάρος του μου έκοψε την ανάσα.

Και μετά το βάρος του εξαφανίστηκε. Ένιωσα τη σύγκρουση, την ώρα που ο Τζέικομπ χτυπούσε πάνω σε έναν από τους στύλους της σκηνής, και η σκηνή ρίγησε.

Τα γρυλίσματα ξέσπασαν από όλες τις μεριές. Ο Έντουαρντ είχε συσπειρωθεί μπροστά μου έτοιμος να ορμήσει, και δεν μπορούσα να δω το πρόσωπό του, αλλά τα γρυλίσματα έβγαιναν οργισμένα από το στήθος του. Ο Τζέικομπ ήταν κι αυτός μισοσκυμμένος, κι αυτός έτοιμος να ορμήσει, με όλο του το σώμα να τρέμει, ενώ γρυλίσματα έβγαιναν βροντερά μέσα από τα σφιγμένα του δόντια. Έξω από τη σκηνή, τα άγρια γρυλίσματα του Σεθ Κλίαργουοτερ αντηχούσαν στα βράχια.

«Σταματήστε! Σταματήστε!» φώναξα, ενώ προσπαθούσα να σηκωθώ αδέξια για να μπω ανάμεσά τους. Ο χώρος ήταν τόσο μικρός που δε χρειάστηκε να τεντωθώ πολύ για να βάλω κάθε ένα από τα χέρια μου στο στήθος του ενός και του άλλου. Ο Έντουαρντ τύλιξε το χέρι του γύρω από τη μέση μου, έτοιμος να με κάνει στην άκρη.

«Σταμάτα, τώρα», τον προειδοποίησα.

Με το άγγιγμά μου, ο Τζέικομπ άρχισε να ηρεμεί. Το τρέμουλο έγινε πιο αργό, αλλά τα δόντια του ήταν ακόμα γυμνά, τα μάτια του εστιασμένα πάνω στον Έντουαρντ γεμάτα οργή. Ο Σεθ συνέχισε να γρυλίζει, ένας μακρύς αδιάκοπος ήχος, ένα βίαιο φόντο στην ξαφνική σιωπή μέσα στη σκηνή.

«Τζέικομπ;» ρώτησα, μέχρι που τελικά χαμήλωσε το άγριο βλέμμα του για να κοιτάξει εμένα. «Χτύπησες;»

«Φυσικά και όχι!» είπε μέσα από τα δόντια του.

Γύρισα προς τον Έντουαρντ. Με κοίταζε, με μια έκφραση σκληρή και θυμωμένη. «Αυτό δεν ήταν ευγενικό. Καλό θα ήταν να ζητήσεις συγνώμη», είπα.

Τα μάτια του γούρλωσαν αηδιασμένα. «Πρέπει να αστειεύεσαι –θα σε έλιωνε!»

«Επειδή τον πέταξες στο πάτωμα! Δεν το έκανε επίτηδες, και δε μου έκανε κακό».

Ο Έντουαρντ μούγκρισε με αποστροφή. Αργά, σήκωσε το βλέμμα του για να κοιτάξει άγρια τον Τζέικομπ με εχθρικά μάτια. «Συγνώμη, σκύλε».

«Δεν έγινε τίποτα», είπε ο Τζέικομπ, ειρωνικά.

Έκανε ακόμα κρύο, αν και όχι τόσο κρύο όσο πριν. Τύλιξα τα μπράτσα μου γύρω από το στήθος μου.

«Ορίστε», είπε ο Έντουαρντ, ψύχραιμος ξανά. Σήκωσε το πανωφόρι με την κουκούλα από το πάτωμα και το τύλιξε πάνω από το παλτό μου.

«Αυτό είναι του Τζέικομπ», διαφώνησα.

«Ο Τζέικομπ έχει γούνα», είπε ο Έντουαρντ.

«Θα χρησιμοποιήσω ξανά τον υπνόσακο, αν δε σας πειράζει», είπε ο Τζέικομπ αγνοώντας τον, και αφού μας προσπέρασε γλίστρησε μέσα στο σάκο. «Δεν ήμουν έτοιμος να ξυπνήσω. Δεν ήταν κι ο καλύτερος ύπνος που έκανα ποτέ».

«Δική σου ιδέα ήταν», είπε ο Έντουαρντ με απάθεια.

Ο Τζέικομπ είχε κουλουριαστεί, με τα μάτια του ήδη κλειστά. Χασμουρήθηκε. «Δεν είπα ότι δεν ήταν η καλύτερη νύχτα που πέρασα ποτέ. Απλώς ότι δεν κοιμήθηκα πολύ. Νόμιζα ότι η Μπέλλα δε θα το βούλωνε ποτέ».

Έκανα ένα μορφασμό, αναρωτώμενη τι μπορεί να βγήκε από το στόμα μου στον ύπνο μου. Οι πιθανότητες ήταν τρομακτικές.

«Χαίρομαι που το διασκέδασες», μουρμούρισε ο Έντουαρντ.

Τα σκούρα μάτια του Τζέικομπ τρεμόπαιξαν ανοίγοντας. «Εσύ δεν πέρασες ωραία τη νύχτα, λοιπόν;» ρώτησε αυτάρεσκα.

«Δεν ήταν και η χειρότερη νύχτα της ζωής μου».

«Είναι μέσα στις δέκα χειρότερες;» ρώτησε ο Τζέικομπ με μια ξεροκέφαλη απόλαυση.

«Πιθανόν».

Ο Τζέικομπ χαμογέλασε και έκλεισε τα μάτια.

«Αλλά», συνέχισε ο Έντουαρντ, «ακόμα κι αν ήμουν εγώ στη θέση σου χθες βράδυ, πάλι δε θα ήταν μια από τις δέκα *καλύτερες* νύχτες της ζωής μου. Ονειρέψου».

Τα μάτια του Τζέικομπ άνοιξαν για να τον αγριοκοιτάξουν. Ανακάθισε μουδιασμένα, με τους ώμους του τσιτωμένους.

«Ξέρεις κάτι; Νομίζω πως έχει πολύ κόσμο εδώ μέσα».

«Συμφωνώ απολύτως».

Έριξα μια αγκωνιά στα πλευρά του Έντουαρντ –πιθανότατα προκαλώντας μελανιά στον εαυτό μου.

«Μάλλον θα αναπληρώσω τον ύπνο μου αργότερα, τότε». Ο Τζέικομπ έκανε μια γκριμάτσα. «Έτσι κι αλλιώς, πρέπει να μιλήσω στον Σαμ».

Κυλίστηκε στα γόνατά του και άρπαξε το φερμουάρ της πόρτας.

Ένας πόνος διαπέρασε τη σπονδυλική μου στήλη δονώντας την και καρφώθηκε στο στομάχι μου, καθώς συνειδητοποίησα απότομα ότι αυτή θα μπορούσε να είναι η τελευταία φορά που τον έβλεπα. Θα γύριζε πίσω στον Σαμ, πίσω για να πολεμήσει την ορδή των διψασμένων για αίμα νεογέννητων βρικολάκων.

«Τζέικ, περίμενε—» Άπλωσα το χέρι μου για να τον φτάσω, και γλίστρησε κατά μήκος του μπράτσου του.

Τίναξε το μπράτσο του μακριά, πριν τα δάχτυλά μου τον πιάσουν γερά.

«Σε παρακαλώ, Τζέικ; Δε θα μείνεις;»

«Όχι».

Η λέξη ήταν σκληρή και ψυχρή. Ήξερε πως το πρόσωπό μου πρόδιδε τον πόνο μου, επειδή ξεφύσηξε και ένα μισό χαμόγελο μαλάκωσε την έκφρασή του.

«Μην ανησυχείς για 'μένα, Μπελς. Θα είμαι μια χαρά, όπως πάντα». Πίεσε τον εαυτό του να γελάσει. «Εξάλλου, πιστεύεις πως θ' αφήσω το Σεθ να πάει στη θέση μου –να διασκεδάσει αυτός και να κλέψει τη δόξα μου; Καλά, ναι». Ρουθούνισε.

«Πρόσεχε–»

Βγήκε με ένα σπρώξιμο από τη σκηνή, πριν προλάβω να τελειώσω.

«Χαλάρωσε, Μπέλλα», τον άκουσα να μουρμουρίζει, καθώς ανέβαζε ξανά το φερμουάρ της πόρτας.

Έστησα αυτί για να ακούσω τον ήχο των βημάτων του που θα αποχωρούσαν, αλλά υπήρχε απόλυτη ησυχία. Δε φύσαγε πια. Άκουγα το πρωινό τραγούδι των πουλιών πέρα μακριά στο βουνό, και τίποτα άλλο. Ο Τζέικομπ κουνιόταν αθόρυβα τώρα.

Χώθηκα μέσα στα παλτά μου και έγειρα πάνω στον ώμο του Έντουαρντ. Ήμασταν σιωπηλοί για πολλή ώρα.

«Πόση ώρα ακόμα;» ρώτησα.

«Η Άλις είπε στον Σαμ ότι θα πρέπει να έρθουν σε καμιά ώρα περίπου», είπε ο Έντουαρντ.

«Εμείς θα μείνουμε μαζί. Ό,τι κι αν γίνει».

«Ό,τι κι αν γίνει», συμφώνησε εκείνος, με μάτια κλειστά.

«Το ξέρω», είπα. «Φοβάμαι τόσο πολύ και γι' αυτούς».

«Ξέρουν πώς να φροντίσουν τον εαυτό τους», με διαβεβαίωσε ο Έντουαρντ, σκόπιμα κάνοντας τη φωνή του πιο ανάλαφρη. «Απλώς δε μου αρέσει καθόλου που θα χάσω τη διασκέδαση».

Πάλι τα ίδια με τη *διασκέδαση*. Τα ρουθούνια μου άνοιξαν διάπλατα.

Έβαλε το χέρι του γύρω από τον ώμο μου. «Μην ανησυχείς», με προέτρεψε, και μετά με φίλησε στο μέτωπο.

Λες και υπήρχε κανένας τρόπος να το αποφύγω. «Καλά, καλά».

«Θέλεις να σε κάνω να ξεχαστείς;» Χάιδεψε το μάγουλό μου με τα κρύα του δάχτυλα.

Αναρίγησα άθελά μου˙ το πρωινό ήταν ακόμα παγωμένο.

«Ίσως όχι αυτή τη στιγμή», απάντησε στον εαυτό του, τραβώντας το χέρι του.

«Υπάρχουν άλλοι τρόποι να με κάνεις να ξεχαστώ».

«Τι θα ήθελες;»

«Θα μπορούσες να μου πεις για τις δέκα καλύτερες νύχτες σου», πρότεινα. «Είμαι περίεργη».

Γέλασε. «Προσπάθησε να μαντέψεις».

Κούνησα το κεφάλι μου. «Είναι πάρα πολλές νύχτες για τις οποίες δεν ξέρω. Ένας αιώνας».

«Θα περιορίσω τον αριθμό τους. Όλες οι καλύτερες νύχτες μού έχουν συμβεί από τότε που σε γνώρισα».

«Αλήθεια;»

«Ναι, αλήθεια –και με μεγάλη διαφορά, μάλιστα».

Σκέφτηκα για ένα λεπτό. «Εγώ μπορώ μόνο να σκεφτώ τις δικές μου», παραδέχτηκα.

«Μπορεί να είναι οι ίδιες», με ενθάρρυνε.

«Λοιπόν, η πρώτη νύχτα. Η νύχτα που έμεινες».

«Ναι, είναι κι αυτή μια από τις δικές μου. Φυσικά, εσύ κοιμόσουνα κατά τη διάρκεια του αγαπημένου μου μέρους εκείνης της νύχτας».

«Σωστά», θυμήθηκα. «Μιλούσα κι εκείνη τη νύχτα».

«Ναι», συμφώνησε.

Το πρόσωπό μου φούντωσε, καθώς αναρωτήθηκα τι μπορεί να είπα όσο κοιμόμουν στην αγκαλιά του Τζέικομπ. Δε θυμόμουν τι είχα ονειρευτεί ή αν είχα ονειρευτεί καθόλου, άρα αυτό δε με βοηθούσε καθόλου.

«Τι έλεγα χθες βράδυ;» ψιθύρισα πιο χαμηλόφωνα από πριν.

Σήκωσε τους ώμους αντί να απαντήσει κι έκανε ένα μορφασμό.

«Τόσο χάλια;»

«Τίποτα πολύ φριχτό», είπε αναστενάζοντας.

«Σε παρακαλώ, πες μου».

«Κυρίως έλεγες το όνομά μου, όπως συνήθως».

«Αυτό δεν είναι κακό», συμφώνησα επιφυλακτικά.

«Προς το τέλος, όμως, άρχισες να ψελλίζεις κάτι ανοησίες. "Δικέ μου Τζέικομπ, δικέ μου Τζέικομπ"». Άκουγα τον πόνο, ακόμα και στον ψίθυρο. «Ο δικός σου Τζέικομπ το χάρηκε *αυτό πολύ*».

Τέντωσα ψηλά το λαιμό μου, πασχίζοντας να ακουμπήσω με τα χείλη μου την άκρη του σαγονιού του. Δεν μπορούσα να δω μέσα στα μάτια του. Κοίταζε ψηλά στο ταβάνι της σκηνής.

«Συγνώμη», μουρμούρισα. «Αυτός είναι απλώς ένα τρόπος να κάνω το διαχωρισμό».

«Το διαχωρισμό;»

«Ανάμεσα στο Δόκτορα Τζέκιλ και τον κύριο Χάιντ. Ανάμεσα στον Τζέικομπ που συμπαθώ και σ' εκείνον που μου σπάει τα νεύρα», εξήγησα.

«Αυτό ακούγεται λογικό». Ακούστηκε ελαφρώς κατευνασμένος. «Πες μου άλλη μια αγαπημένη σου νύχτα».

«Τότε που γυρίζαμε με το αεροπλάνο από την Ιταλία».

Συνοφρυώθηκε.

«Αυτή δεν είναι μια από τις δικές σου;» αναρωτήθηκα.

«Όχι, είναι μια από τις δικές μου, αλλά εκπλήσσομαι που είναι στη λίστα σου. Δεν είχες τη γελοία εντύπωση πως ό,τι έκανα το έκανα επειδή ήμουν γεμάτος ενοχές, κι ότι θα το έσκαγα μόλις άνοιγαν οι πόρτες του αεροπλάνου;»

«Ναι». Χαμογέλασα. «Αλλά, και πάλι, ήσουν εκεί».

Φίλησε τα μαλλιά μου. «Με αγαπάς περισσότερο απ' όσο αξίζω».

Γέλασα με το πόσο αδύνατο ήταν να ισχύει η ιδέα αυτή. «Η επόμενη είναι η νύχτα μετά την Ιταλία», συνέχισα.

«Ναι, κι αυτή είναι στη λίστα. Ήσουν τόσο αστεία».

«Αστεία;» διαμαρτυρήθηκα.

«Δεν είχα ιδέα ότι τα όνειρά σου είναι τόσο ζωντανά. Μου πήρε μια αιωνιότητα για να σε πείσω ότι ήσουν ξύπνια».

«Ακόμα δεν είμαι σίγουρη», μουρμούρισα. «Πάντα έμοιαζες περισσότερο με όνειρο παρά με πραγματικότητα. Πες μου μια από τις δικές σου, τώρα. Μάντεψα τη νούμερο ένα σου;»

«Όχι –αυτή ήταν πριν δυο νύχτες, όταν επιτέλους δέχτηκες να με παντρευτείς».

Έκανα μια γκριμάτσα.

«Αυτή δεν είναι μέσα στη δική σου λίστα;»

Σκέφτηκα τον τρόπο που με είχε φιλήσει, την παραχώρηση που είχα κερδίσει, κι άλλαξα γνώμη. «Ναι… είναι. Αλλά με επιφυλάξεις. Δεν καταλαβαίνω γιατί είναι τόσο σημαντική για 'σένα. Με είχες ήδη για πάντα».

«Σε εκατό χρόνια από τώρα, όταν θα έχεις αποκτήσει αρκετή αντίληψη για να εκτιμήσεις την απάντηση, θα σου το εξηγήσω».

«Θα σου θυμίσω να μου το εξηγήσεις –σε εκατό χρόνια».

«Ζεστάθηκες αρκετά;» ρώτησε ξαφνικά.

«Είμαι μια χαρά», τον διαβεβαίωσα. «Γιατί;»

Πριν προλάβει να απαντήσει, η σιωπή έξω από τη σκηνή σκίστηκε από ένα εκκωφαντικό ουρλιαχτό πόνου. Ο ήχος εξοστρακίστηκε πάνω στη γυμνή βραχώδη πρόσοψη του βουνού και γέμισε τον αέρα, έτσι ώστε να καίει από κάθε κατεύθυνση.

Το ουρλιαχτό διαπέρασε βίαια το μυαλό μου σαν ανεμοστρόβιλος, ταυτόχρονα ξένο και γνωστό. Ξένο επειδή δεν είχα ακούσει ποτέ μια τόσο βασανισμένη κραυγή ξανά. Γνωστό επειδή κατάλαβα τη φωνή αμέσως –αναγνώρισα τον ήχο και κατάλαβα το νόημα τόσο τέλεια σαν να τον είχα ξεστομίσει εγώ η ίδια. Δεν έπαιζε κανένα ρόλο που ο Τζέικομπ δεν ήταν άνθρωπος, όταν έβγαλε την κραυγή. Δε χρειαζόμουν μετάφραση.

Ο Τζέικομπ ήταν κοντά. Ο Τζέικομπ είχε ακούσει κάθε λέξη που είχαμε πει. Ο Τζέικομπ υπέφερε.

Το ουρλιαχτό πνίγηκε σε ένα παράξενο λυγμό, που ήταν ταυτόχρονα γουργουρητό και μετά επικράτησε ξανά σιωπή.

Δεν άκουσα την αθόρυβη φυγή του, αλλά την ένιωσα –ένιωθα την απουσία που είχα λανθασμένα υποθέσει νωρίτερα, το κενό που άφησε πίσω του.

«Επειδή το καλοριφέρ σου έφτασε στα όριά του», απάντησε ο Έντουαρντ χαμηλόφωνα. «Ανακωχή τέλος», πρόσθεσε, τόσο χαμηλόφωνα που δεν μπορούσα να είμαι σίγουρη ότι αυτό ήταν που είπε πραγματικά.

«Ο Τζέικομπ άκουγε», ψιθύρισα. Δεν ήταν ερώτηση.

«Ναι».

«Το ήξερες».

«Ναι».

Κάρφωσα το βλέμμα στο κενό, χωρίς να βλέπω τίποτα.

«Ποτέ δεν υποσχέθηκα να παλέψω δίκαια», μου υπενθύμισε ήσυχα. «Και έχει το δικαίωμα να ξέρει».

Το κεφάλι μου έπεσε μέσα στα χέρια μου.

«Θύμωσες μαζί μου;» ρώτησε.

«Όχι μ' εσένα», ψιθύρισα. «Νιώθω φρίκη με τον *εαυτό μου*».

«Μη βασανίζεσαι», παρακάλεσε.

«Ναι», συμφώνησα πικραμένα. «Καλύτερα να κρατήσω την ενέργειά μου για να βασανίσω τον Τζέικομπ λίγο ακόμα. Δε θα ήθελα να αφήσω ούτε ένα κομμάτι του απείραχτο».

«Ήξερε τι έκανε».

«Πιστεύεις ότι αυτό έχει σημασία;» Ανοιγόκλεινα τα μάτια για να καταπνίξω τα δάκρυα, κι αυτό ακουγόταν εύκολα στη φωνή μου. «Πιστεύεις ότι μ' ενδιαφέρει αν είναι δίκαιο ή αν τον είχα προειδοποιήσει επαρκώς; Τον *πληγώνω*. Κάθε φορά που γυρίζω, τον πληγώνω ξανά». Η φωνή μου γινόταν πιο δυνατή, πιο υστερική. «Είμαι ένα φριχτό άτομο».

Τύλιξε τα χέρια του γύρω μου σφιχτά. «Όχι, δεν είσαι».

«Είμαι! Τι έχω πάθει;» Πάσχιζα να ελευθερωθώ από τα χέρια του κι αυτός τα άφησε να πέσουν. «Πρέπει να τον βρω».

«Μπέλλα, βρίσκεται ήδη χιλιόμετρα μακριά, και κάνει κρύο».

«Δε με νοιάζει. Δεν μπορώ να κάτσω εδώ έτσι». Ανασήκωσα τους ώμους για να βγάλω το πανωφόρι με την κουκούλα του Τζέικομπ, έσπρωξα τα πόδια μου μέσα στις μπότες μου και σύρθηκα πιασμένη ως την πόρτα˙ τα πόδια μου τα ένιωθα μουδιασμένα. «Πρέπει –πρέπει…» Δεν ήξερα πώς να τελειώσω τη φράση, δεν ήξερα τι να κάνω, αλλά άνοιξα το φερμουάρ της πόρτας έτσι κι αλλιώς, και βγήκα έξω στο φωτεινό, παγωμένο πρωινό.

Υπήρχε λιγότερο χιόνι απ' όσο περίμενα μετά από τη μανία της χθεσινοβραδινής καταιγίδας. Το πιθανότερο ήταν να το είχε φυσήξει ο άνεμος μακριά παρά να είχε λιώσει από τον ήλιο που τώρα έλαμπε χαμηλά στα νοτιοανατολικά, αντανακλώντας το χιόνι που είχε μείνει, και προκαλούσε έναν οξύ πόνο στα απροσάρμοστα μάτια μου. Ο αέρας ήταν ακόμα τσουχτερός, αλλά ήταν πολύ ήρεμος και γινόταν σιγά-σιγά πιο ταιριαστός με την εποχή, καθώς ο ήλιος ανέβαινε ψηλότερα.

Ο Σεθ Κλίαργουοτερ ήταν κουλουριασμένος σε μια μικρή έκταση σκεπασμένη με ξερές πευκοβελόνες στη σκιά ενός πυκνού ελάτου, με το κεφάλι του στα πόδια του. Το τρίχωμά του στο χρώμα της άμμου ήταν σχεδόν αόρατο πάνω στις μουντές βελόνες, αλλά μπορούσα να δω το λαμπερό χιόνι να αντανακλάται στα ανοιχτά του μάτια. Με κοίταζε επίμονα με κάτι που φανταζόμουν ότι ήταν μια κατηγορία.

Ήξερα ότι ο Έντουαρντ με ακολουθούσε, καθώς πήγαινα σκοντάφτοντας προς τα δέντρα. Δεν τον άκουγα, αλλά ο ήλιος αντανακλούσε στο δέρμα του σχηματίζοντας ουράνια τόξα που λαμπύριζαν χορεύοντας μπροστά μου. Δεν άπλωσε το χέρι του να με σταματήσει, μέχρι που βρέθηκα αρκετά βήματα μέσα στις σκιές του δάσους.

Το χέρι του έπιασε τον αριστερό μου καρπό. Με αγνόησε, όταν προσπάθησα να τινάξω μακριά το χέρι του για να απελευθερωθώ.

«Δεν μπορείς να πας να τον βρεις. Όχι σήμερα. Κοντεύει η ώρα. Και το να χαθείς δε θα βοηθούσε κανέναν, όπως και να 'χει».

Έστρεψα τον καρπό μου τραβώντας μάταια.

«Συγνώμη, Μπέλλα», ψιθύρισε. «Συγνώμη που το έκανα αυτό».

«Εσύ δεν έκανες τίποτα. Εγώ φταίω. Εγώ το έκανα αυτό. Εγώ τα έκανα όλα λάθος. Θα μπορούσα να… Όταν εκείνος… Κακώς εγώ… εγώ…» Έκλαιγα με λυγμούς.

«Μπέλλα, Μπέλλα».

Τα χέρια του τυλίχτηκαν γύρω μου και τα δάκρυά μου μούσκεψαν την μπλούζα του.

«Έπρεπε να –του είχα πει– έπρεπε να –είχα πει–» Τι; Τι θα μπορούσε να το κάνει αυτό λιγότερο άσχημο; «Δεν έπρεπε να –το μάθει έτσι».

«Θέλεις να δω αν μπορώ να τον φέρω πίσω, για να του μιλήσεις; Έχουμε ακόμα λίγο χρόνο», μουρμούρισε ο Έντουαρντ, με έναν κρυφό πόνο μέσα στη φωνή του.

Έγνεψα στο στήθος του, φοβούμενη να τον αντικρίσω.

«Μείνε κοντά στη σκηνή. Θα γυρίσω σύντομα».

Τα χέρια του εξαφανίστηκαν. Έφυγε τόσο γρήγορα που, μέσα στο δευτερόλεπτο που χρειάστηκα για να σηκώσω το βλέμμα, είχε ήδη χαθεί. Ήμουν μόνη.

Ένας νέος λυγμός ξέσπασε μέσα από το στήθος μου. Πλήγωνα τους πάντες σήμερα. Υπήρχε τίποτα που να άγγιζα και να μην καταστρεφόταν;

Δεν ήξερα γιατί πονούσα τόσο πολύ τώρα. Δεν ήταν ότι δεν ήξερα πως αυτό θα ερχόταν κάποια στιγμή. Αλλά ο Τζέικομπ δεν είχε αντιδράσει ποτέ τόσο έντονα –δεν είχε χάσει τη γεμάτη θράσος, υπερβολική του αυτοπεποίθηση και δεν είχε δείξει ποτέ την ένταση του πόνου του. Ο ήχος της οδύνης του ακόμα με έσκιζε, κάπου βαθιά μέσα στο στήθος μου. Ακριβώς δίπλα υπήρχε ο άλλος πόνος. Ο πόνος που ένιωθα πόνο για τον Τζέικομπ. Ο πόνος που πλήγωνα και τον Έντουαρντ. Που δεν κατάφερα να δω με ψυχραιμία τον Τζέικομπ να φεύγει, ενώ ήξερα πως αυτό ήταν το σωστό, ο μόνος τρόπος.

Ήμουν εγωίστρια, πλήγωνα τον κόσμο. Βασάνιζα αυτούς που αγαπούσα.

Ήμουν σαν την Κάθι, σαν τα *Ανεμοδαρμένα Ύψη*, μόνο που οι δικές μου εναλλακτικές ήταν τόσο πολύ καλύτερες από τις δικές της, κανένας από τους δύο δεν ήταν κακός, κανένας δεν ήταν αδύναμος. Κι εγώ καθόμουν εδώ, κλαίγοντας γι' αυτό, χωρίς να κάνω τίποτα παραγωγικό για να διορθώσω την κατάσταση. Ακριβώς όπως η Κάθι.

Δεν μπορούσα να επιτρέψω σ' αυτό που πλήγωνε *εμένα* να επηρεάζει τις αποφάσεις μου πια. Ήταν πολύ λίγο, ήταν πολύ αργά, αλλά έπρεπε να κάνω αυτό που ήταν σωστό τώρα. Ίσως είχε ήδη γίνει για 'μένα. Ίσως ο Έντουαρντ να μην μπορούσε να τον φέρει πίσω. Και τότε θα το δεχόμουν αυτό και θα συνέχιζα τη ζωή μου. Ο Έντουαρντ δε θα με έβλεπε ποτέ να χύνω ούτε ένα δάκρυ για τον Τζέικομπ Μπλακ. Δε θα υπήρχαν άλλα δάκρυα. Σκούπιζα το τελευταίο με τα κρύα μου δάχτυλα τώρα.

Αλλά αν ο Έντουαρντ επέστρεφε με τον Τζέικομπ, αυτό ήταν. Έπρεπε να του πω να φύγει και να μη γυρίσει ποτέ ξανά.

Γιατί ήταν τόσο δύσκολο; Τόσο πολύ πιο δύσκολο από το να αποχαιρετήσω τους άλλους μου φίλους, την Άντζελα, τον Μάικ; Γιατί αυτό *πονούσε*; Δεν ήταν σωστό. Δεν έπρεπε να με πονάει. Είχα αυτό που ήθελα. Δεν μπορούσα να τους έχω και τους δύο, επειδή ο Τζέικομπ δεν μπορούσε να είναι απλώς φίλος μου. Είχε έρθει η ώρα να σταματήσω να εύχομαι ότι αυτό θα συνέβαινε. Πόσο εξωφρενικά άπληστος μπορούσε να είναι κανείς;

Έπρεπε να ξεπεράσω αυτό το παράλογο συναίσθημα ότι ο Τζέικομπ ανήκε στη ζωή μου. Δεν μπορούσε να μου ανήκει, δεν μπορούσε να είναι ο *δικός μου* Τζέικομπ, όταν εγώ ανήκα σε κάποιον άλλο.

Γύρισα με αργά βήματα πίσω στο μικρό ξέφωτο, σέρνοντας τα πόδια μου. Όταν βγήκα στον ανοιχτό χώρο, ανοιγοκλείνοντας τα μάτια για να τα προστατέψω από το δυνατό φως, έριξα μια γρήγορη ματιά προς τον Σεθ –δεν είχε κουνηθεί από το κρεβάτι του από πευκοβελόνες– και μετά γύρισα από την άλλη, αποφεύγοντας τα μάτια του.

Ένιωθα τα μαλλιά μου ανακατεμένα, να έχουν μπλεχτεί σε κόμπους σαν τα φίδια της Μέδουσας. Προσπάθησα να τα ξεμπλέξω με τα δάχτυλά μου και μετά τα παράτησα γρήγορα. Ποιος ενδιαφερόταν αν ήμουν περιποιημένη, έτσι και αλλιώς;

Άρπαξα το παγούρι που κρεμόταν δίπλα από την πόρτα της σκηνής και το κούνησα. Το υγρό που είχε μέσα πάφλασε, έτσι ξεβίδωσα το καπάκι και ήπια μια γουλιά για να ξεπλύνω το στόμα μου με το παγωμένο νερό. Υπήρχε φαγητό κάπου εκεί κοντά, αλλά δεν ήμουν αρκετά πεινασμένη για να το ψάξω. Άρχισα να περπατάω πάνω-κάτω στο φωτεινό μικρό χώρο, νιώθοντας τα μάτια του Σεθ πάνω μου όλη την ώρα. Επειδή εγώ δεν τον κοίταζα, μέσα στο κεφάλι μου είχε ξαναγίνει το αγόρι, αντί για το γιγαντιαίο λύκο. Που έμοιαζε τόσο πολύ με έναν πιο νεαρό Τζέικομπ.

Ήθελα να ζητήσω από τον Σεθ να γαβγίσει ή να μου δώσει κάποιο άλλο σημάδι, αν γύριζε ο Τζέικομπ, αλλά σταμάτησα. Δεν είχε σημασία αν θα γύριζε ο Τζέικομπ. Μπορεί να ήταν πιο εύκολο αν δε γύριζε. Μακάρι να είχα κάποιον τρόπο να φωνάξω τον Έντουαρντ.

Ο Σεθ κλαψούρισε εκείνη τη στιγμή και σηκώθηκε όρθιος.

«Τι είναι;» τον ρώτησα χαζά.

Δε μου έδωσε σημασία, καλπάζοντας ελαφρά ως την άκρη των δέντρων και δείχνοντας με τη μύτη του προς τη δύση. Άρχισε να κλαψουρίζει.

«Είναι οι άλλοι, Σεθ;» ρώτησα. «Στο ξέφωτο;»

Με κοίταξε και έβγαλε μια χαμηλόφωνη κραυγή και μετά γύρισε τη μύτη του ζωηρά προς τη δύση. Τα αυτιά ήταν γερμένα προς τα πίσω, και κλαψούρισε ξανά.

Γιατί ήμουν τόσο ανόητη; Τι σκεφτόμουν όταν έδιωξα τον Έντουαρντ; Πώς θα ήξερα τι συνέβαινε; Δε μιλούσα τη γλώσσα των λύκων.

Κρύος ιδρώτας από φόβο άρχισε να στάζει κατά μήκος της σπονδυλικής μου στήλης. Κι αν δεν υπήρχε άλλος χρόνος; Κι αν ο Τζέικομπ κι ο Έντουαρντ είχαν πλησιάσει υπερβολικά; Κι αν ο Έντουαρντ είχε αποφασίσει να πάρει μέρος στη μάχη;

Ο παγωμένος φόβος συγκεντρώθηκε στο στομάχι μου. Κι αν η θλίψη του Σεθ δεν είχε καμία σχέση με το ξέφωτο και η κραυγή του ήταν μια άρνηση; Κι αν ο Τζέικομπ με τον Έντουαρντ τσακώνονταν μεταξύ τους, κάπου πέρα μακριά μέσα στο δάσος; Δε θα το έκαναν αυτό, έτσι δεν είναι;

Με μια ξαφνική, παγερή βεβαιότητα συνειδητοποίησα ότι θα μπορούσαν –αν λέγονταν οι λάθος λέξεις. Σκέφτηκα τη γεμάτη ένταση αναμέτρηση στη σκηνή σήμερα το πρωί, κι αναρωτήθηκα αν είχα υποτιμήσει πόσο πολύ πλησίασε στο να γίνει μάχη.

Δε θα συνέβαινε τίποτα περισσότερο απ' αυτό που άξιζα αν με κάποιο τρόπο τους έχανα και τους δύο.

Ο πάγος μάγκωσε την καρδιά μου.

Πριν προλάβω να καταρρεύσω από το φόβο, ο Σεθ γουργούρισε ελαφρά, βαθιά μέσα στο στήθος του, και μετά γύρισε από την άλλη μεριά μακριά από το σημείο όπου στεκόταν φύλακας και γύρισε πίσω με νωχελικά βήματα προς το μέρος όπου καθόταν πριν. Αυτό με έκανε να ηρεμήσω, αλλά με εκνεύρισε κιόλας. Δεν μπορούσε να γράψει κανένα μήνυμα ξύνοντας το χώμα;

Το περπάτημα είχε αρχίσει να με κάνει να ιδρώνω κάτω από όλα τα στρώματα των ρούχων μου. Έριξα το μπουφάν μου μέσα στη σκηνή και μετά άρχισα πάλι να περπατάω πέρα-δώθε στο κέντρο του ανοίγματος.

Ο Σεθ πετάχτηκε όρθιος ξανά ξαφνικά, με τις τρίχες στο σβέρκο του να σηκώνονται ψηλά και να μένουν αγκυλωμένες εκεί. Κοίταξα ολόγυρα, αλλά δεν είδα τίποτα. Αν ο Σεθ δεν το έκοβε, θα του πετούσα κανένα κουκουνάρι.

Γρύλισε, με ένα χαμηλό προειδοποιητικό ήχο, γλιστρώντας προς τα πίσω, προς τη δυτική παρυφή, κι εγώ αναθεώρησα την ανυπομονησία μου.

«Εμείς είμαστε, Σεθ», φώναξε ο Τζέικομπ από κάποια απόσταση.

Προσπάθησα να εξηγήσω στον εαυτό μου γιατί η καρδιά μου πήρε μπρος με τετάρτη όταν τον άκουσα. Ήταν απλώς από το φόβο για το τι θα έπρεπε να κάνω τώρα, αυτό ήταν όλο. Δεν μπορούσα να επιτρέψω στον εαυτό μου να νιώσει ανακούφιση που είχε γυρίσει. Αυτό κάθε άλλο παρά θα βοηθούσε την κατάσταση.

Ο Έντουαρντ φάνηκε πρώτος, με πρόσωπο ανέκφραστο και ήρεμο. Όταν βγήκε μέσα από τις σκιές, ο ήλιος τρεμόφεξε πάνω στο δέρμα του, όπως έκανε και πάνω στο χιόνι. Ο Σεθ πήγε να τον χαιρετήσει, κοιτάζοντας με προσήλωση μέσα στα μάτια του. Ο Έντουαρντ έγνεψε αργά, και ανησυχία ρυτίδωσε το μέτωπό του.

«Ναι, μόνο αυτό μας έλειπε», μουρμούρισε στον εαυτό του πριν απευθυνθεί στο μεγάλο λύκο. «Υποθέτω ότι δεν έπρεπε να μας ξαφνιάσει. Αλλά τα περιθώρια χρόνου είναι πολύ στενά. Σε παρακαλώ πες στον Σαμ να ζητήσει από την Άλις να προσδιορίσει το πρόγραμμα με μεγαλύτερη λεπτομέρεια».

Ο Σεθ έσκυψε το κεφάλι του μια φορά γνέφοντας κατάφαση, κι εγώ ευχήθηκα να μπορούσα να γρυλίσω. Βέβαια, *τώρα* μπορούσε να γνέφει. Γύρισα το κεφάλι μου, εκνευρισμένη, και συνειδητοποίησα ότι ο Τζέικομπ ήταν εκεί.

Μου είχε γυρισμένη την πλάτη, με το πρόσωπο στραμμένο προς την κατεύθυνση απ' όπου είχε έρθει. Περίμενα φοβισμένη να γυρίσει προς το μέρος μου.

«Μπέλλα», μουρμούρισε ο Έντουαρντ, ξαφνικά ακριβώς δίπλα μου. Χαμήλωσε το βλέμμα για να με κοιτάξει χωρίς τίποτα άλλο εκτός από ανησυχία να φαίνεται μέσα στα μάτια του. Η γενναιοδωρία του δεν είχε τέλος. Μου άξιζε τώρα λιγότερο απ' οποιαδήποτε άλλη φορά.

«Υπάρχει ένα μικρό πρόβλημα», μου είπε, προσέχοντας η φωνή του να μη φανεί ανήσυχη. «Θα πάρω τον Σεθ να πάμε λίγο πιο πέρα και να το ξεκαθαρίσουμε. Δε θα είμαι πολύ μακριά, αλλά δε θα ακούω κιόλας. Ξέρω ότι δε θέλεις κοινό, όποιο δρόμο κι αν αποφασίσεις να ακολουθήσεις».

Μόνο στο τέλος φάνηκε ο πόνος στη φωνή του.

Έπρεπε να μην τον πληγώσω ποτέ ξανά. Αυτή θα ήταν η αποστολή μου στη ζωή. Ποτέ ξανά δε θα γινόμουν εγώ η αιτία γι' αυτό το βλέμμα στα μάτια του.

Ήμουν υπερβολικά αναστατωμένη για να τον ρωτήσω καν ποιο ήταν το καινούριο πρόβλημα. Δε χρειαζόμουν τίποτα άλλο αυτή τη στιγμή.

«Γύρνα πίσω γρήγορα», ψιθύρισα.

Με φίλησε ελαφρά στα χείλη και μετά εξαφανίστηκε μέσα στο δάσος με τον Σεθ στο πλάι του.

Ο Τζέικομπ ήταν ακόμα μέσα στις σκιές των δέντρων˙ δεν μπορούσα να δω την έκφρασή του καθαρά.

«Βιάζομαι, Μπέλλα», είπε με φωνή άτονη. «Γιατί δε μου λες γρήγορα τι έχεις να πεις;»

Κατάπια, ενώ ο λαιμός μου ξαφνικά ήταν τόσο ξερός που δεν ήμουν σίγουρη αν μπορούσα να βγάλω κανέναν ήχο.

«Απλώς πες τις λέξεις και τελείωνε».

Πήρα μια βαθιά ανάσα.

«Λυπάμαι που είμαι τόσο άθλιος άνθρωπος», ψιθύρισα. «Λυπάμαι που ήμουν τόσο εγωίστρια. Μακάρι να μη σε είχα γνωρίσει ποτέ, για να μη σε πληγώσω έτσι όπως σε πλήγωσα. Δε θα το κάνω ξανά, στο υπόσχομαι. Θα μείνω μακριά σου. Θα φύγω από την πολιτεία. Δε θα χρειαστεί να με ξαναδείς ποτέ».

«Αυτό δεν είναι και καμιά σπουδαία συγνώμη», είπε πικραμένα.

Δεν μπορούσα να μιλήσω πιο δυνατά από το να ψιθυρίζω. «Πες μου πώς να το κάνω σωστά».

«Κι αν δε θέλω να φύγεις; Κι αν προτιμώ να μείνεις, είτε είσαι εγωίστρια είτε όχι; Εμένα δε μου πέφτει λόγος αν προσπαθείς να επανορθώσεις για χάρη μου;»

«Αυτό δε θα βοηθήσει σε τίποτα, Τζέικ. Έκανα λάθος που έμεινα κοντά σου, όταν θέλαμε τόσο διαφορετικά πράγματα. Δεν πρόκειται να φτιάξει η κατάσταση. Απλώς θα συνεχίσω να σε πληγώνω. Δε θέλω να σε πληγώνω πια. Το μισώ». Η φωνή μου έσπασε.

Αναστέναξε. «Σταμάτα. Δε χρειάζεται να πεις τίποτα άλλο.

Καταλαβαίνω».

Ήθελα να του πω πόσο θα μου έλειπε, αλλά δάγκωσα τη γλώσσα μου. Ούτε κι αυτό θα βοηθούσε σε τίποτα.

Στάθηκε σιωπηλός μια στιγμή, με το βλέμμα καρφωμένο στο έδαφος, κι εγώ αντιστάθηκα στην επιθυμία να πάω και να τον αγκαλιάσω. Να τον παρηγορήσω.

Και τότε το κεφάλι του σηκώθηκε απότομα.

«Λοιπόν, δεν είσαι η μόνη ικανή για αυτοθυσία», είπε, με φωνή πιο δυνατή. «Αυτό το παιχνίδι παίζεται και με δύο παίκτες».

«Τι;»

«Και η δική μου συμπεριφορά ήταν πολύ άσχημη. Σε έχω δυσκολέψει πολύ περισσότερο απ' όσο έπρεπε. Θα μπορούσα να τα είχα παρατήσει με τη θέλησή μου στην αρχή. Αλλά σε πλήγωσα κι εγώ».

«Εγώ φταίω».

«Δε θα σε αφήσω να διεκδικήσεις όλο το μερίδιο της ευθύνης, Μπέλλα. Ούτε κι όλη τη δόξα. Ξέρω πώς να εξιλεωθώ».

«Τι είναι αυτά που λες;» απαίτησα να μάθω. Η ξαφνική ξέφρενη λάμψη στα μάτια του με τρόμαξε.

Σήκωσε ψηλά τα μάτια στον ήλιο και μετά μου χαμογέλασε. «Εκεί κάτω ετοιμάζεται βαρβάτη μάχη. Δε νομίζω ότι θα είναι πολύ δύσκολο να βγάλω τον εαυτό μου από τη μέση».

Τα λόγια του κατακάθισαν στο μυαλό μου, αργά, μία-μία λέξη, και δεν μπορούσα ν' αναπνεύσω. Παρά τις προθέσεις μου να διώξω τον Τζέικομπ εντελώς από τη ζωή μου, δεν είχα συνειδητοποιήσει μέχρι εκείνο το συγκεκριμένο δευτερόλεπτο ακριβώς πόσο βαθιά θα έπρεπε να μπει το μαχαίρι για να το κάνω αυτό.

«Ω, όχι, Τζέικ! Όχι όχι όχι όχι», είπα και η φωνή μου πνιγόταν από τον τρόμο. «Όχι, Τζέικ, όχι. Σε παρακαλώ, όχι». Τα γόνατά μου άρχισαν να τρέμουν.

«Ποια η διαφορά, Μπέλλα; Αυτό απλώς θα είναι πιο βολικό για 'σένα. Δε θα χρειαστείς καν να μετακομίσεις».

«Όχι!» Η φωνή μου έγινε πιο δυνατή. «Όχι, Τζέικομπ! Δε θα σε αφήσω!»

«Πώς θα με σταματήσεις;» είπε ελαφρώς κοροϊδευτικά, χαμογελώντας για να μη φανεί έντονη η πίκρα στη φωνή του.

«Τζέικομπ, σε ικετεύω. Μείνε μαζί μου». Θα είχα πέσει στα γόνατα, αν μπορούσα να κουνηθώ έστω και λίγο.

«Για δεκαπέντε λεπτά, ίσα-ίσα για να χάσω μια καλή μάχη; Ώστε να μπορέσεις να το βάλεις στα πόδια, αμέσως μόλις νομίζεις ότι είμαι ασφαλής ξανά; Πρέπει να αστειεύεσαι».

«Δε θα το βάλω στα πόδια. Άλλαξα γνώμη. Θα βρούμε μια λύση, Τζέικομπ. Πάντα υπάρχει ένας συμβιβασμός. Μη φύγεις!»

«Λες ψέματα».

«Όχι, δε λέω. Ξέρεις πόσο φριχτή ψεύτρα είμαι. Κοίτα με στα μάτια. Θα μείνω, αν μείνεις κι εσύ».

Το πρόσωπό του σκλήρυνε. «Και μπορώ να γίνω ο κουμπάρος σου στο γάμο;»

Πέρασε μια στιγμή για να μπορέσω να μιλήσω και πάλι η μόνη απάντηση που μπορούσα να του δώσω ήταν: «Σε παρακαλώ».

«Αυτό πίστευα ότι θα μου έλεγες», είπε, καθώς το πρόσωπό του ηρέμησε ξανά, εκτός από το φως του αναβρασμού μέσα στα μάτια του.

«Σ' αγαπάω, Μπέλλα», μουρμούρισε.

«Κι εγώ σ' αγαπάω, Τζέικομπ», ψιθύρισα με σπασμένη φωνή.

Χαμογέλασε. «Το ξέρω καλύτερα από 'σένα».

Γύρισε από την άλλη μεριά για να φύγει.

«Οτιδήποτε», του φώναξα με φωνή πνιγμένη. «Ό,τι θέλεις, Τζέικομπ. Μόνο μην το κάνεις αυτό!»

Σταμάτησε, γυρίζοντας αργά.

«Δεν πιστεύω ότι το εννοείς πραγματικά αυτό».

«Μείνε», ικέτεψα.

Κούνησε το κεφάλι του. «Όχι, φεύγω». Σταμάτησε σαν να αποφάσιζε κάτι. «Αλλά θα μπορούσα να το αφήσω στη μοίρα».

«Τι εννοείς;» είπα σαν να πνιγόμουν.

«Δεν είναι ανάγκη να κάνω κάτι σκόπιμα –θα μπορούσα απλώς να δώσω τον καλύτερό μου εαυτό για την αγέλη μου και να αφήσω να γίνει ό,τι είναι να γίνει». Ανασήκωσε τους ώμους. «Αν μπορούσες να με πείσεις ότι θα ήθελες πραγματικά να επιστρέψω –όχι ότι δεν έχεις εγωισμό».

«Πώς;» ρώτησα.

«Θα μπορούσες να μου το ζητήσεις», πρότεινε.

«Γύρνα πίσω», ψιθύρισα. Πώς μπορούσε να αμφιβάλλει ότι το εννοούσα;

Κούνησε το κεφάλι του, χαμογελώντας πάλι. «Δεν εννοώ αυτό».

Μου πήρε ένα δευτερόλεπτο για να καταλάβω τι έλεγε, και εντωμεταξύ εκείνος με κοίταζε με αυτή την υπεροπτική έκφραση –την τόσο σίγουρη για την αντίδρασή μου. Αμέσως μόλις συνειδητοποίησα τι εννοούσε, παρ' όλα αυτά, ξεφούρνισα τις λέξεις χωρίς να σταματήσω για να μετρήσω το κόστος.

«Θα με φιλήσεις, Τζέικομπ;»

Τα μάτια του γούρλωσαν από την έκπληξη, μετά ζάρωσαν καχύποπτα. «Μπλοφάρεις».

«Φίλα με, Τζέικομπ. Φίλα με και μετά γύρνα πίσω».

Δίστασε μέσα στη σκιά, παλεύοντας με τον εαυτό του. Μισογύρισε προς τη δύση πάλι, με τον κορμό του να στρέφεται μακριά από 'μένα, ενώ τα πόδια του έμειναν ριζωμένα εκεί που ήταν. Ακόμα κοιτάζοντας από την άλλη μεριά, έκανε ένα αβέβαιο βήμα προς την κατεύθυνσή μου και μετά άλλο ένα. Έστρεψε το πρόσωπό του για να με κοιτάξει, με μάτια γεμάτα αμφιβολία.

Εγώ του ανταπόδωσα το βλέμμα. Δεν είχα ιδέα τι έκφραση είχα στο πρόσωπό μου.

Ο Τζέικομπ έπεσε πίσω στις φτέρνες του και μετά έγειρε προς τα μπρος, διανύοντας την απόσταση μεταξύ μας με τρεις μεγάλες δρασκελιές.

Ήξερα ότι θα εκμεταλλευόταν την κατάσταση. Το περίμενα. Έμεινα εντελώς ακίνητη –με τα μάτια κλειστά, τα δάχτυλα κουλουριασμένα σχηματίζοντας γροθιές στα πλευρά μου– καθώς τα χέρια του έπιασαν το πρόσωπό μου και τα χείλη του βρήκαν τα δικά μου με έναν ενθουσιασμό που ήταν σχεδόν βίαιος.

Ένιωθα το θυμό του, καθώς το στόμα του ανακάλυπτε την παθητική μου αντίσταση. Το ένα χέρι πήγε στο σβέρκο μου, σχηματίζοντας μια γροθιά που σφίχτηκε γύρω από τις ρίζες των μαλλιών μου. Το άλλο χέρι άρπαξε βίαια τον ώμο μου, ταρακουνώντας με, μετά τραβώντας με προς αυτόν. Το χέρι του συνέχισε προς τα κάτω κατά μήκος του μπράτσου μου, βρίσκοντας τον καρπό μου και τραβώντας το χέρι μου πάνω γύρω από το λαιμό του. Το άφησα εκεί, με την παλάμη μου ακόμα σφιγμένη σε γροθιά, χωρίς να είμαι σίγουρη πού θα μπορούσα να φτάσω μέσα στην απόγνωσή μου να τον κρατήσω ζωντανό. Όλη αυτή την ώρα τα χείλη του, ανησυχητικά απαλά και ζεστά, προσπαθούσαν να αποσπάσουν με τη βία κάποια ανταπόκριση από τα δικά μου.

Αμέσως μόλις βεβαιώθηκε ότι δε θα έπαιρνα το χέρι μου, ελευθέρωσε τον καρπό μου, ενώ το χέρι του ψηλαφούσε όλη την απόσταση μέχρι κάτω στη μέση μου. Το φλεγόμενο χέρι του βρήκε το δέρμα στη βάση της ραχοκοκαλιάς μου, και με έσπρωξε μπροστά, λυγίζοντας το σώμα μου, ώστε να ακουμπάει στο δικό του.

Τα χείλη του σταμάτησαν να πιέζουν τα δικά μου για μια στιγμή, αλλά ήξερα ότι ούτε κατά διάνοια δεν είχε τελειώσει. Το στόμα του ακολούθησε το περίγραμμα του πιγουνιού μου και μετά εξερεύνησε το λαιμό μου σε όλο του το μήκος. Ελευθέρωσε τα μαλλιά μου, απλώνοντας το χέρι του για να πιάσει το άλλο μου χέρι και να το τραβήξει γύρω από το λαιμό του, όπως και το πρώτο.

Μετά και τα δυο του χέρια σφίχτηκαν γύρω από τη μέση μου και τα χείλη του βρήκαν το αυτί μου.

«Μπορείς και καλύτερα, Μπέλλα», ψιθύρισε βραχνά. «Το σκέφτεσαι υπερβολικά».

Αναρίγησα, όταν ένιωσα τα δόντια του να χαϊδεύουν το λοβό μου.

«Έτσι μπράβο», μουρμούρισε. «Μια φορά, άσε τον εαυτό σου να νιώσει αυτό που νιώθεις».

Κούνησα το κεφάλι μου μηχανικά, μέχρι που ένα από τα χέρια του μπλέχτηκε πάλι μέσα στα μαλλιά μου και με σταμάτησε.

Η φωνή του έγινε σαρκαστική. «Είσαι σίγουρη ότι θέλεις να ξαναγυρίσω; Ή ήθελες μήπως να πεθάνω;»

Θυμός με συντάραξε σαν τον πόνο που σε μαστιγώνει μετά από μια δυνατή γροθιά. Αυτό πήγαινε πολύ –δεν πολεμούσε δίκαια.

Τα χέρια μου ήταν ήδη γύρω από το λαιμό του, έτσι άρπαξα δυο τούφες μαλλιά στις χούφτες μου –αγνοώντας τον τσουχτερό πόνο στο δεξί μου χέρι– και αντιστάθηκα, πασχίζοντας να τραβήξω το πρόσωπό μου μακριά από το δικό του.

Κι ο Τζέικομπ παρεξήγησε.

Ήταν πολύ δυνατός για να αναγνωρίσει ότι τα χέρια μου, που προσπαθούσαν να του βγάλουν τα μαλλιά από τη ρίζα, είχαν πρόθεση να του προκαλέσουν πόνο. Αντί για θυμό, φαντάστηκε πάθος. Νόμισε ότι επιτέλους ανταποκρινόμουν.

Με ένα άγριο αγκομαχητό, έφερε το στόμα του ξανά κοντά στο δικό μου, ενώ τα δάχτυλά του έσφιγγαν με μανία το δέρμα στη μέση μου.

Το έντονο ξάφνιασμα του θυμού ταρακούνησε τον ισχνό

μου αυτοέλεγχο˙ η απρόσμενη, εκστατική ανταπόκρισή του τον ανέτρεψε εντελώς. Αν υπήρχε μόνο θρίαμβος, μπορεί και να κατάφερνα να του αντισταθώ. Αλλά η χωρίς άμυνες ξαφνική χαρά του ράγισε την αποφασιστικότητά μου, την παρέλυσε. Το μυαλό μου αποσυνδέθηκε από το σώμα μου, και του ανταπέδιδα το φιλί. Ενάντια σε κάθε λογική, τα χείλη μου κινούνταν μαζί με τα δικά του με παράξενους τρόπους που μου προκαλούσαν σύγχυση, τρόπους με τους οποίους δεν είχαν κινηθεί ξανά – επειδή δεν ήταν ανάγκη να είμαι προσεχτική με τον Τζέικομπ, κι εκείνος σίγουρα δεν ήταν προσεχτικός μαζί μου.

Τα δάχτυλά μου σφίχτηκαν στα μαλλιά του, αλλά τώρα τον τραβούσα πιο κοντά.

Ήταν παντού. Το διαπεραστικό φως του ήλιου έκανε τα βλέφαρά μου κόκκινα, και το ξέσπασμα του χρώματος ταίριαζε με τη θέρμη. Η θέρμη ήταν παντού. Δεν μπορούσα να δω ή να ακούσω ή να νιώσω τίποτα που να μην ήταν ο Τζέικομπ.

Το μικρό κομμάτι του μυαλού μου που παρέμενε λογικό μου έκανε ερωτήσεις ουρλιάζοντας.

Γιατί δεν το σταματούσα αυτό; Χειρότερα ακόμα, γιατί δεν μπορούσα να βρω μέσα μου ούτε καν την επιθυμία να *θέλω* να σταματήσω; Τι σήμαινε το ότι δεν ήθελα *εκείνος* να σταματήσει; Ότι τα χέρια μου είχαν γαντζωθεί στους ώμους του και τους άρεσε που εκείνοι ήταν φαρδιοί και δυνατοί; Ότι τα χέρια του με τραβούσαν υπερβολικά σφιχτά πάνω στο σώμα του, κι όμως δεν ήταν αρκετά σφιχτά για 'μένα;

Οι ερωτήσεις ήταν ανόητες, επειδή ήξερα την απάντηση: έλεγα ψέματα στον εαυτό μου.

Ο Τζέικομπ είχε δίκιο. Είχε δίκιο από την αρχή. Ήταν παραπάνω από απλός φίλος. Γι' αυτό ήταν τόσο αδύνατο να του πω αντίο –επειδή ήμουν ερωτευμένη μαζί του. *Και* μαζί του. Τον αγαπούσα, πολύ περισσότερο απ' ό,τι έπρεπε, κι όμως, δεν έφτανε ούτε κατά διάνοια. Ήμουν ερωτευμένη μαζί του, αλλά δεν ήταν αρκετό για να αλλάξει τίποτα˙ ήταν μόνο αρκετό για να μας πληγώσει και τους δυο περισσότερο. Για να τον πληγώσει χειρότερα από ποτέ άλλοτε.

Δε με ένοιαζε για τίποτα άλλο –μόνο για το δικό του πόνο. Εμένα μου άξιζε περισσότερο όποιος πόνος κι αν μου προκαλούσε αυτό. Ήλπιζα να ήταν μεγάλος. Ήλπιζα να υποφέρω πολύ.

Αυτή τη στιγμή, ένιωθα σαν να ήμασταν ο ίδιος άνθρωπος. Ο δικός του πόνος πάντα ήταν και πάντα θα ήταν και δικός μου πόνος –τώρα η χαρά του ήταν δικιά μου χαρά.

Ένιωθα κι εγώ χαρά, κι όμως η ευτυχία του ήταν ταυτοχρόνως και πόνος κατά κάποιο τρόπο. Σχεδόν απτός –έκαιγε το δέρμα μου σαν οξύ, ένα αργό βασανιστήριο.

Για ένα σύντομο, ατελείωτο δευτερόλεπτο, ένας εντελώς διαφορετικός δρόμος ανοίχτηκε πίσω από τα βλέφαρα των υγρών από τα δάκρυα ματιών μου. Σαν να κοίταζα μέσα από το φίλτρο των σκέψεων του Τζέικομπ, έβλεπα ακριβώς τι θα εγκατέλειπα, ακριβώς τι δε θα κατάφερνε ούτε αυτή η καινούρια αυτογνωσία να διασώσει. Έβλεπα τον Τσάρλι και τη Ρενέ μπλεγμένους σε ένα παράξενο κολάζ με τον Μπίλι και τον Σαμ και το Λα Πους. Έβλεπα τα χρόνια να περνούν και να σημαίνουν κάτι καθώς περνούσαν, αλλάζοντάς με. Έβλεπα τον τεράστιο καστανοκόκκινο λύκο που αγαπούσα, πάντα να μου στέκεται προστάτης, αν τον χρειαζόμουν. Για το πιο μικρό κλάσμα εκείνου του δευτερολέπτου, είδα τα κεφάλια δύο μικρών μελαχρινών παιδιών που ανεβοκατέβαιναν, να τρέχουν μακριά μου μέσα στο γνωστό δάσος. Όταν εξαφανίστηκαν, πήραν και το υπόλοιπο όραμα μαζί τους.

Και μετά, ξεκάθαρα, ένιωσα να θρυμματίζεται το σημείο στη ρωγμή που υπήρχε στην καρδιά μου, καθώς το πιο μικρό κομμάτι αποσπάστηκε βίαια από το σύνολο.

Τα χείλη του Τζέικομπ έμειναν ακίνητα πριν από τα δικά μου. Άνοιξα τα μάτια μου και εκείνος με κοίταζε με απορία και ενθουσιασμό.

«Πρέπει να φύγω», ψιθύρισε.

«Όχι».

Χαμογέλασε, ευχαριστημένος από την αντίδρασή μου. «Δε θα αργήσω», υποσχέθηκε. «Αλλά κάθε πράγμα στην ώρα του...»

Έσκυψε για να με φιλήσει ξανά, και δεν υπήρχε κανένας λόγος να αντισταθώ. Ποιο το νόημα;

Αυτή τη φορά ήταν διαφορετικό. Τα χέρια του ήταν μαλακά πάνω στο πρόσωπό μου και τα ζεστά του χείλη ήταν απαλά, απροσδόκητα διστακτικά. Ήταν σύντομο και πολύ, πολύ γλυκό.

Τα χέρια του κουλουριάστηκαν γύρω μου και με αγκάλιασε δυνατά καθώς ψιθύριζε στο αυτί μου.

«Αυτό έπρεπε να είναι το πρώτο μας φιλί. Κάλλιο αργά παρά ποτέ».

Ακούμπησα στο στήθος του, που δεν μπορούσε να με δει, και τα δάκρυα ανάβλυσαν και ξεχείλισαν.

24. ΑΙΦΝΙΔΙΑ ΑΠΟΦΑΣΗ

Ήμουν ξαπλωμένη μπρούμυτα απέναντι από τον υπνόσακο περιμένοντας να με βρει η δικαιοσύνη. Μπορεί να με έθαβε εκεί καμιά χιονοστιβάδα. Μακάρι να γινόταν αυτό. Δεν ήθελα να χρειαστεί ποτέ ξανά να δω το πρόσωπό μου στον καθρέφτη.

Δεν ακούστηκε κανένας ήχος για να με προειδοποιήσει. Από το πουθενά, τα ψυχρά χέρια του Έντουαρντ χάιδεψαν τα μπλεγμένα σε κόμπους μαλλιά μου. Αναρίγησα ένοχα στο άγγιγμά του.

«Είσαι καλά;» μουρμούρισε με φωνή ανήσυχη.

«Όχι. Θέλω να πεθάνω».

«Αυτό δε θα συμβεί ποτέ. Δε θα το επιτρέψω».

Αναστέναξα και μετά ψιθύρισα: «Μπορεί και ν' αλλάξεις γνώμη».

«Πού είναι ο Τζέικομπ;»

«Πήγε να πολεμήσει», ψέλλισα με το κεφάλι χωμένο στο πάτωμα.

Ο Τζέικομπ είχε φύγει γεμάτος χαρά –με ένα κεφάτο "Θα

γυρίσω αμέσως"– τρέχοντας με όλη του την ταχύτητα προς το ξέφωτο, ήδη τρέμοντας, καθώς ετοιμαζόταν να αλλάξει μορφή. Μέχρι τώρα όλη η αγέλη θα είχε μάθει τα πάντα. Ο Σεθ Κλίαργουοτερ, που τώρα πηγαινοερχόταν έξω από τη σκηνή, υπήρξε μάρτυρας του εξευτελισμού μου από πολύ κοντά.

Ο Έντουαρντ παρέμεινε σιωπηλός για λίγο. «Α», είπε τελικά.

Ο τόνος της φωνής του με ανησύχησε ότι η χιονοστιβάδα μου δε θα ερχόταν αρκετά γρήγορα. Του έριξα μια κλεφτή ματιά, και ήταν αρκετά σίγουρο ότι τα μάτια του δεν ήταν εστιασμένα κάπου συγκεκριμένα, καθώς άκουγε κάτι που θα προτιμούσα να πεθάνω παρά να ακούσει. Χαμήλωσα το πρόσωπό μου ξανά στο έδαφος.

Σάστισα, όταν ο Έντουαρντ γέλασε πνιχτά απρόθυμα.

«Κι εγώ που νόμιζα ότι *εγώ* πάλευα βρόμικα», είπε με θυμωμένο θαυμασμό. «Αυτός με κάνει να φαίνομαι σαν τον άγιο προστάτη της ηθικής». Τα χέρια του χάιδεψαν το μάγουλό μου εκεί που ήταν εκτεθειμένο. «Δεν είμαι θυμωμένος μαζί σου, αγάπη μου. Ο Τζέικομπ είναι πιο πονηρός απ' όσο του αναγνώριζα. Ωστόσο, μακάρι να μην του το είχες ζητήσει».

«Έντουαρντ», ψιθύρισα στο σκληρό νάιλον. «Εγώ... εγώ... είμαι—»

«Σσσς», μου έκανε να σωπάσω, ενώ τα δάχτυλά του ήταν καθησυχαστικά πάνω στο μάγουλό μου. «Δεν εννοούσα αυτό. Απλώς θα σε είχε φιλήσει έτσι κι αλλιώς –ακόμα κι αν δεν είχες πέσει στην παγίδα– και τώρα δεν έχω δικαιολογία να του σπάσω τα μούτρα. Θα το διασκέδαζα πραγματικά».

«Αν δεν είχα πέσει στην παγίδα;» ψέλλισα σχεδόν ακατάληπτα.

«Μπέλλα, πίστεψες πραγματικά ότι ήταν τόσο μεγαλόψυχος; Ότι θα χανόταν μέσα στη φλόγα της δόξας μόνο και μόνο για να μου αδειάσει τη γωνιά;»

Σήκωσα το κεφάλι μου αργά για να συναντήσω το υπομονετικό του βλέμμα. Η έκφρασή του ήταν ήρεμη˙ τα μάτια του ήταν γεμάτα κατανόηση αντί για την απέχθεια που μου άξιζε να δω.

«Ναι, το πίστεψα», μουρμούρισα και μετά γύρισα αλλού το βλέμμα. Αλλά δεν ένιωσα καθόλου θυμό για τον Τζέικομπ που με ξεγέλασε. Δεν υπήρχε αρκετός χώρος στο κορμί μου για να χωρέσει τίποτα άλλο πέρα από το μίσος που ένιωθα για τον εαυτό μου.

Ο Έντουαρντ γέλασε απαλά ξανά. «Είσαι τόσο κακή ψεύτρα που πιστεύεις οποιονδήποτε έχει έστω και το ελάχιστο ταλέντο».

«Γιατί δεν είσαι θυμωμένος μαζί μου;» ψιθύρισα. «Γιατί δε με μισείς; Ή δεν έχεις ακούσει ακόμα όλη την ιστορία;»

«Νομίζω πως έχω μια αρκετά αναλυτική εικόνα», είπε με μια ανάλαφρη, άνετη φωνή. «Ο Τζέικομπ ζωγραφίζει πολύ ζωντανές εικόνες στο μυαλό του. Εξίσου λυπάμαι την αγέλη όσο και τον εαυτό μου. Ο καημένος ο Σεθ είχε αρχίσει να νιώθει ναυτία. Αλλά τώρα ο Σαμ υποχρεώνει τον Τζέικομπ να συγκεντρωθεί».

Έκλεισα τα μάτια μου και κούνησα το κεφάλι μου γεμάτη οδύνη. Οι τραχιές ίνες από νάιλον του πατώματος της σκηνής έγδαραν το δέρμα μου.

«Άνθρωπος είσαι», ψιθύρισε, χαϊδεύοντας πάλι τα μαλλιά μου.

«Αυτό είναι η πιο αξιοθρήνητη δικαιολογία προς υπεράσπιση που έχω ακούσει ποτέ».

«Μα είσαι άνθρωπος, Μπέλλα. Και, όσο κι αν θα ευχόμουν το αντίθετο, το ίδιο κι εκείνος... Υπάρχουν κενά στη ζωή σου που δεν μπορώ να γεμίσω εγώ. Το καταλαβαίνω αυτό».

«Μα αυτό δεν είναι *αλήθεια*. Αυτό είναι που με κάνει τόσο απαίσια. Δεν υπάρχουν κενά».

«Τον αγαπάς», μουρμούρισε απαλά.

Κάθε κύτταρο του κορμιού μου λαχταρούσε να το αρνηθεί.

«Αγαπάω εσένα περισσότερο», είπα. Ήταν το καλύτερο που μπορούσα.

«Ναι, το ξέρω κι αυτό. Αλλά... όταν σε άφησα, Μπέλλα, σε άφησα να αιμορραγείς. Ο Τζέικομπ ήταν αυτός που σε έραψε ξανά. Αυτό φυσικά και θα άφηνε κάποιο σημάδι –και στους δυο σας. Δεν είμαι σίγουρος ότι αυτά τα ράμματα διαλύονται από μόνα τους. Δεν μπορώ να κατηγορήσω κανέναν από τους δυο σας για κάτι που έγινε απαραίτητο εξαιτίας μου. Μπορεί να κερδίσω τη συγχώρεσή σου, αλλά αυτό δε μου επιτρέπει να ξεφύγω από τις επιπτώσεις».

«Έπρεπε να το ξέρω ότι θα έβρισκες κάποιον τρόπο να κατηγορήσεις πάλι τον εαυτό σου. Σε παρακαλώ σταμάτα. Δεν το αντέχω».

«Τι θέλεις να πω;»

«Θέλω να με βρίσεις με όποια βρισιά μπορείς να σκεφτείς, σε όποια γλώσσα ξέρεις. Θέλω να μου πεις ότι νιώθεις αηδία για 'μένα και ότι θα φύγεις, ώστε να μπορώ να σε ικετέψω πεσμένη στα γόνατα για να μείνεις».

«Λυπάμαι». Αναστέναξε. «Δεν μπορώ να το κάνω αυτό».

«Τουλάχιστον σταμάτα να προσπαθείς να με κάνεις να νιώσω καλύτερα. Άσε με να υποφέρω. Μου αξίζει».

«Όχι», μουρμούρισε.

Έγνεψα αργά. «Έχεις δίκιο. Συνέχισε να δείχνεις υπερβολική κατανόηση. Αυτό ίσως είναι χειρότερο».

Έμεινε σιωπηλός για μια στιγμή, κι αισθάνθηκα την ατμόσφαιρα κάπως φορτισμένη, μια έλλειψη χρονικών περιθωρίων.

«Κοντεύει», είπα.

«Ναι, μένουν λίγα λεπτά ακόμα τώρα. Ίσα-ίσα αρκετός χρόνος για να πω κάτι ακόμα...»

Περίμενα. Όταν μίλησε ξανά, ψιθύριζε. «*Εγώ* μπορώ να είμαι μεγαλόψυχος, Μπέλλα. Δε θα σε αναγκάσω να διαλέξεις ανάμεσά μας. Απλώς να είσαι ευτυχισμένη, και μπορείς να έχεις όποιο κομμάτι μου θέλεις ή και κανένα, αν είναι καλύτερα έτσι. Μην αφήσεις να επηρεάσει την απόφασή σου κανένα χρέος που νιώθεις προς εμένα».

Σηκώθηκα με ένα σπρώξιμο από το πάτωμα, ακουμπώντας στα γόνατά μου.

«Να πάρει, σταμάτα το αυτό!» του φώναξα.

Τα μάτια του γούρλωσαν γεμάτα έκπληξη. «Όχι –δεν καταλαβαίνεις. Δεν προσπαθώ απλώς να σε κάνω να νιώσεις καλύτερα, Μπέλλα, πραγματικά το εννοώ».

«*Το ξέρω* ότι το εννοείς», αναστέναξα. «Τι απέγινε το "κι εγώ θα παλέψω γι' αυτή"; Μην αρχίζεις τώρα με την αυτοθυσία! Πολέμησε!»

«Πώς;» ρώτησε, και τα μάτια του ήταν γερασμένα μέσα στη θλίψη τους.

Όρμησα στην αγκαλιά του για να τον τυλίξω μέσα στα χέρια μου.

«Δε με νοιάζει που κάνει κρύο εδώ. Δε με νοιάζει που βρομάω σαν σκυλί αυτή τη στιγμή. Κάνε με να ξεχάσω πόσο απαίσια είμαι. Κάνε με να τον ξεχάσω. Κάνε με να ξεχάσω ακόμα και το όνομά μου. Πολέμησε!»

Δεν περίμενα να αποφασίσει εκείνος –ή να έχει την ευκαιρία να μου πει ότι δεν ενδιαφερόταν για ένα σκληρό, άπιστο τέρας σαν κι εμένα. Τραβήχτηκα πάνω του και πίεσα το στόμα μου βίαια πάνω στα παγωμένα σαν το χιόνι χείλη του.

«Πρόσεχε, αγάπη μου», μουρμούρισε κάτω από το επίμονο φιλί μου.

«Όχι», γρύλισα.

Έσπρωξε το πρόσωπό μου απαλά μερικούς πόντους πιο πέρα. «Δεν είναι ανάγκη να μου αποδείξεις τίποτα».

«Δεν προσπαθώ να αποδείξω τίποτα. Είπες ότι μπορώ να έχω όποιο κομμάτι σου θέλω. Θέλω αυτό το κομμάτι. Θέλω κάθε κομμάτι». Τύλιξα τα χέρια μου γύρω από το λαιμό του και τεντώθηκα για να φτάσω τα χείλη του. Έσκυψε το κεφάλι του για να μου ανταποδώσει το φιλί, αλλά το δροσερό του στόμα ήταν διστακτικό, καθώς η δική μου ανυπομονησία γινόταν όλο και πιο έκδηλη. Το σώμα μου έκανε τις προθέσεις μου φανερές, προδίδοντάς με. Αναπόφευκτα, τα χέρια του κινήθηκαν για να με συγκρατήσουν.

«Ίσως να μην είναι αυτή η κατάλληλη στιγμή γι' αυτό», πρότεινε, υπερβολικά ψύχραιμος.

«Γιατί όχι;» γκρίνιαξα. Δεν υπήρχε κανένα νόημα να παλέψω, αν εκείνος σκόπευε να φερθεί λογικά˙ άφησα τα χέρια μου να πέσουν.

«Πρώτον, επειδή κάνει *όντως* κρύο». Άπλωσε το χέρι του για να τραβήξει τον υπνόσακο από το πάτωμα˙ τον τύλιξε γύρω μου σαν κουβέρτα.

«Λάθος», είπα. «Πρώτον, επειδή είσαι παραδόξως ηθικός για βρικόλακας».

Γέλασε πνιχτά. «Εντάξει, το παραδέχομαι αυτό. Το κρύο έρχεται δεύτερο. Και τρίτον... να, εδώ που τα λέμε βρομάς, αγάπη μου».

Σούφρωσε τη μύτη του.

Αναστέναξα.

«Τέταρτον», μουρμούρισε, χαμηλώνοντας το πρόσωπό του, ώστε να ψιθυρίσει στο αυτί μου. «Θα προσπαθήσουμε *πράγματι*, Μπέλλα. Θα κρατήσω την υπόσχεσή μου. Αλλά θα προτιμούσα να μην το κάναμε ως αντίδραση στον Τζέικομπ Μπλακ».

Τραβήχτηκα πίσω κι έχωσα το πρόσωπό μου στον ώμο του.

«Και πέμπτον...»

«Είναι πολύ μακρύς ο κατάλογος», μουρμούρισα.

Γέλασε. «Ναι, αλλά ήθελες ή δεν ήθελες να ακούσεις τη μάχη;»

Την ώρα που μίλησε, έξω από τη σκηνή ο Σεθ έβγαλε ένα διαπεραστικό ουρλιαχτό.

Το σώμα μου κοκάλωσε στο άκουσμα του ήχου. Δεν κατάλαβα ότι το αριστερό μου χέρι σφίχτηκε σχηματίζοντας γροθιά, ενώ τα νύχια μου χώθηκαν στη δεμένη παλάμη μου, μέχρι που ο Έντουαρντ την πήρε και άνοιξε τα δάχτυλά μου.

«Όλα θα πάνε καλά, Μπέλλα», υποσχέθηκε. «Έχουμε τη δεξιοτεχνία, την εκπαίδευση και τον αιφνιδιασμό με το μέρος μας. Όλα θα τελειώσουν πολύ γρήγορα. Αν δεν το πίστευα αυτό στ' αλήθεια, τώρα θα βρισκόμουν εκεί κάτω –κι εσύ θα ήσουν εδώ, αλυσοδεμένη σε κάποιο δέντρο ή κάτι αντίστοιχο».

«Η Άλις είναι τόσο μικρή», αναστέναξα.

Γέλασε. «Αυτό θα μπορούσε να είναι πρόβλημα... αν ήταν δυνατόν να την πιάσει κάποιος».

Ο Σεθ άρχισε να κλαψουρίζει.

«Τι συμβαίνει;» απαίτησα να μάθω.

«Απλώς είναι θυμωμένος που έχει ξεμείνει εδώ μαζί μας. Ξέρει ότι η αγέλη τον άφησε εκτός δράσης για να τον προστατέψει. Του τρέχουν τα σάλια να πάει μαζί τους».

Κατσούφιασα προς τη κατεύθυνση του Σεθ.

«Οι νεογέννητοι έχουν φτάσει στο τέρμα του μονοπατιού με τα ίχνη σου –πέτυχε λες και είχαμε κάνει μάγια, ο Τζάσπερ είναι ιδιοφυΐα– και τώρα βρήκαν τη μυρωδιά αυτών που βρίσκονται στο λιβάδι, έτσι χωρίζονται σε δύο ομάδες, όπως είχε πει η Άλις», μουρμούρισε ο Έντουαρντ, με μάτια επικεντρωμένα σε κάτι πέρα μακριά. «Ο Σαμ μας πηγαίνει από γύρω-γύρω για να αναχαιτίσουμε την ομάδα που έχει στήσει ενέδρα». Ήταν τόσο προσηλωμένος σ' αυτά που άκουγε που χρησιμοποιούσε τον πληθυντικό της αγέλης.

Ξαφνικά χαμήλωσε το βλέμμα για να με κοιτάξει. «Πάρε ανάσα, Μπέλλα».

Πάσχισα να κάνω αυτό που μου ζήτησε. Άκουγα το βαρύ κοντανάσαμα του Σεθ ακριβώς έξω από τον τοίχο της σκηνής και προσπάθησα να κρατήσω τον ίδιο σταθερό ρυθμό, έτσι ώστε να μην αναπνέω πολύ γρήγορα.

«Η πρώτη ομάδα είναι στο ξέφωτο. Μπορούμε να ακούσουμε τη μάχη».

Τα δόντια μου σφίχτηκαν.

Γέλασε μια φορά. «Ακούμε τον Έμετ –το διασκεδάζει».

Ανάγκασα τον εαυτό μου να πάρει άλλη μια ανάσα μαζί με τον Σεθ.

«Η δεύτερη ομάδα πλησιάζει –δεν προσέχουν, δε μας έχουν ακούσει ακόμα».

Ο Έντουαρντ γρύλισε.

«Τι;» φώναξα πνιχτά.

«Μιλάνε για 'σένα». Τα δόντια του σφίχτηκαν. «Πρέπει να φροντίσουν να μη ξεφύγεις... Ωραία κίνηση, Λία! Μμμ, είναι αρκετά γρήγορη», μουρμούρισε επιδοκιμαστικά. «Ένας από τους νεογέννητους έπιασε τη μυρωδιά μας, και η Λία τον έριξε πριν προλάβει καν να κάνει στροφή. Ο Σαμ τη βοηθάει να τον αποτελειώσει. Ο Πολ κι ο Τζέικομπ έπιασαν άλλον ένα, αλλά οι άλλοι τώρα πέρασαν στην άμυνα. Δεν έχουν ιδέα πώς να μας αντιμετωπίσουν. Και οι δυο πλευρές προσποιούνται ότι θα επιτεθούν... Όχι, άσε τον Σαμ επικεφαλής. Κάτσε στην άκρη», μουρμούρισε.

Ο Σεθ κλαψούρισε.

«Καλύτερα έτσι, οδήγησέ τους προς το ξέφωτο», είπε επιδοκιμαστικά ο Έντουαρντ. Το σώμα του μετακινείτο ασυναίσθητα, καθώς παρακολουθούσε, ενώ τεντωνόταν κάνοντας τις κινήσεις που θα έκανε. Τα χέρια του ακόμα κρατούσαν τα δικά μου˙ πέρασα τα δάχτυλά μου μέσα στα δικά του. Τουλάχιστον αυτός δεν ήταν εκεί κάτω.

Η ξαφνική απουσία ήχου ήταν η μοναδική προειδοποίηση.

Η βαθιά ορμητική ανάσα του Σεθ κόπηκε, και –καθώς είχα συγχρονίσει τις δικές μου αναπνοές με τις δικές του– το πρόσεξα.

Σταμάτησα ν' ανασαίνω κι εγώ –υπερβολικά φοβισμένη για

να κάνω τα πνευμόνια μου να δουλέψουν, καθώς συνειδητοποίησα ότι ο Έντουαρντ είχε κοκαλώσει κι είχε γίνει ένα κομμάτι πάγου δίπλα μου.

Ωχ, όχι. Όχι. Όχι.

Ποιος είχε χαθεί; Δικός τους ή δικός μας; Δικός μου, μόνο δικός μου. Ποια ήταν η *δική μου* απώλεια;

Τόσο γρήγορα που δεν ήμουν ακριβώς σίγουρη πώς έγινε, βρέθηκα όρθια και η σκηνή κατέρρεε σε κουρελιασμένα κομμάτια γύρω μας. Ο Έντουαρντ την είχε σκίσει για να βγούμε έξω; Γιατί;

Ανοιγόκλεισα τα μάτια, σοκαρισμένη, μέσα στο λαμπερό φως. Το μόνο που μπορούσα να δω ήταν ο Σεθ, ακριβώς δίπλα μας, το πρόσωπό του μόλις μερικά εκατοστά από το πρόσωπο του Έντουαρντ. Κοιτάχτηκαν με απόλυτη συγκέντρωση για ένα ατελείωτο δευτερόλεπτο. Ο ήλιος θρυμματιζόταν αντανακλώντας πάνω στο δέρμα του Έντουαρντ κι έστελνε σπιθίσματα που χόρευαν πάνω στο τρίχωμα του Σεθ.

Και μετά ο Έντουαρντ ψιθύρισε με επείγοντα τόνο: «Πήγαινε, Σεθ!»

Ο τεράστιος λύκος έκανε στροφή κι εξαφανίστηκε μέσα στους ίσκιους του δάσους.

Είχαν περάσει δύο ολόκληρα δευτερόλεπτα; Ένιωθα λες και ήταν ώρες. Ήμουν έντρομη σε σημείο που να νιώθω ναυτία από τη γνώση ότι κάτι φριχτό είχε πάει στραβά στο ξέφωτο. Άνοιξα το στόμα μου για να απαιτήσω ο Έντουαρντ να με πάει εκεί, και να το κάνει τώρα. Τον χρειάζονταν και χρειάζονταν κι *εμένα*. Αν χρειαζόταν να χύσω το αίμα μου για να τον σώσω, θα το έκανα. Θα πέθαινα για να το κάνω, όπως και η τρίτη σύζυγος. Δεν είχα κανένα ασημένιο στιλέτο στο χέρι μου, αλλά θα έβρισκα κάποιον τρόπο –

Πριν προλάβω να ξεστομίσω την πρώτη συλλαβή, ένιωσα σαν να με είχαν εκσφενδονίσει στον αέρα. Αλλά τα χέρια του Έντουαρντ ποτέ δε με άφησαν –απλώς με είχε μετακινήσει, τόσο γρήγορα, που η αίσθηση ήταν σαν να έπεφτα πλάγια.

Βρέθηκα με την πλάτη κολλημένη στην απόκρημνη πρόσοψη του βράχου. Ο Έντουαρντ στεκόταν μπροστά μου, έχοντας πάρει μια στάση που γνώρισα αμέσως.

Ο νους μου πλημμύρισε ανακούφιση την ώρα ακριβώς που το στομάχι μου βούλιαξε ως τις φτέρνες μου.

Είχα παρεξηγήσει.

Ανακούφιση –τίποτα κακό δεν είχε συμβεί στο ξέφωτο.

Τρόμος –η κρίση ήταν εδώ.

Ο Έντουαρντ είχε πάρει αμυντική στάση –ήταν μισοσκυμμένος μπροστά έτοιμος να ορμήσει, με τα χέρια του ελαφρώς τεντωμένα– την οποία αναγνώρισα με μια βεβαιότητα που μου προκαλούσε ναυτία. Ο βράχος στην πλάτη μου θα μπορούσε να είναι οι αρχαίοι πλίνθινοι τοίχοι του ιταλικού σοκακιού, όπου εκείνος είχε σταθεί ανάμεσα σ' εμένα και τους πολεμιστές των Βολτούρι με τους μαύρους μανδύες.

Κάτι ερχόταν για 'μας.

«Ποιος;» ψιθύρισα.

Οι λέξεις βγήκαν μέσα από τα δόντια του με ένα γρύλισμα που ήταν πιο δυνατό απ' ό,τι περίμενα. Υπερβολικά δυνατό. Σήμαινε ότι ήταν πολύ αργά πια για να κρυφτούμε. Ήμασταν παγιδευμένοι, και δεν είχε σημασία ποιος θα άκουγε την απάντησή του.

«Η Βικτόρια», είπε, ξεστομίζοντας τη λέξη άγρια, κάνοντάς τη να ακούγεται σαν βρισιά. «Δεν είναι μόνη. Ακολουθούσε τους νεογέννητους για να παρακολουθήσει –δε σκόπευε ποτέ να πολεμήσει μαζί τους– και διασταυρώθηκε με τη δική μου μυρωδιά. Πήρε μια αιφνίδια απόφαση να με βρει, μαντεύοντας πως εσύ θα ήσουν όπου ήμουν κι εγώ. Είχε δίκιο. Είχες δίκιο. Πάντα ήταν η Βικτόρια».

Ήταν αρκετά κοντά, ώστε να μπορεί να ακούσει τις σκέψεις της.

Ανακούφιση ξανά. Αν ήταν οι Βολτούρι, ήμασταν κι οι δυο

νεκροί. Αλλά με τη Βικτόρια, δεν ήταν ανάγκη να ήμασταν κι οι *δυο*. Ο Έντουαρντ θα μπορούσε να επιβιώσει. Ήταν καλός μαχητής, εξίσου καλός με τον Τζάσπερ. Αν εκείνη δεν έφερνε μαζί πάρα πολλούς άλλους, θα μπορούσε να την αντιμετωπίσει και να επιστρέψει στην οικογένειά του. Ο Έντουαρντ ήταν πιο γρήγορος από οποιονδήποτε. Θα μπορούσε να τα καταφέρει.

Χαιρόμουν τόσο πολύ που είχε διώξει τον Σεθ. Φυσικά, δεν υπήρχε κανείς στον οποίο να μπορούσε να τρέξει ο Σεθ για βοήθεια. Η Βικτόρια είχε πάρει την απόφασή της την τέλεια χρονική στιγμή. Αλλά τουλάχιστον ο Σεθ ήταν ασφαλής˙ όταν σκεφτόμουν το όνομά του δεν έβλεπα τον τεράστιο ξανθωπό λύκο στο κεφάλι μου –μόνο το ψηλόλιγνο δεκαπεντάχρονο αγόρι.

Το σώμα του Έντουαρντ μετακινήθηκε –μόνο απειροελάχιστα, αλλά αυτό μου είπε πού να κοιτάξω. Κοίταξα μέσα στις μαύρες σκιές του δάσους.

Ήταν σαν να έρχονται οι εφιάλτες μου για να με χαιρετήσουν.

Δύο βρικόλακες προχώρησαν αργά στο μικρό άνοιγμα της κατασκήνωσής μας, με μάτια γεμάτα προσήλωση, που δεν τους διέφευγε τίποτα. Λαμποκοπούσαν σαν διαμάντια στον ήλιο.

Μόλις που μπορούσα να κοιτάξω το ξανθό αγόρι –ναι, ήταν μόνο ένα αγόρι, αν και μυώδες και ψηλό, μπορεί στην ηλικία μου, όταν μεταμορφώθηκε. Τα μάτια του –ένα πιο ζωηρό κόκκινο απ' ό,τι είχα δει ποτέ– δεν μπορούσαν να κρατήσουν τα δικά μου πάνω τους. Αν και ήταν πολύ κοντά στον Έντουαρντ, ο πιο άμεσος κίνδυνος, δεν μπορούσα να τον κοιτάζω.

Επειδή, λίγο πιο πλάγια και λίγο πιο πίσω, με κοιτούσε η Βικτόρια.

Τα πορτοκαλί μαλλιά της ήταν πιο λαμπερά απ' ό,τι τα θυμόμουν, περισσότερο σαν φλόγα. Δεν υπήρχε καθόλου άνεμος εδώ πέρα, αλλά η φωτιά γύρω από το πρόσωπό της έμοιαζε να τρεμοφέγγει ελαφρώς, σαν να ήταν ζωντανή.

Τα μάτια της ήταν μαύρα από τη δίψα. Δε χαμογελούσε, όπως έκανε πάντα στους εφιάλτες μου –τα χείλη της ήταν μια σφιχτή γραμμή. Υπήρχε ένα εντυπωσιακό αιλουροειδές χαρακτηριστικό στη στάση του συσπειρωμένου σώματός της, μια λιονταρίνα που περίμενε να βρεθεί κάποιο άνοιγμα για να ορμήσει. Το ανήσυχο, άγριο βλέμμα της τρεμόπαιζε ανάμεσα σ' εμένα και τον Έντουαρντ, αλλά ποτέ δε σταματούσε στο δικό του πρόσωπο για περισσότερο από μισό δευτερόλεπτο. Δεν μπορούσε να πάρει τα μάτια της από το δικό μου πρόσωπο, όπως ούτε κι εγώ δεν μπορούσα να πάρω τα δικά μου μάτια από το πρόσωπό της.

Ξεχείλιζε από ένταση, που ήταν σχεδόν ορατή. Ένιωθα την επιθυμία, το κυρίαρχο πάθος που την κρατούσε αιχμάλωτη. Σχεδόν σαν να μπορούσα να ακούσω κι εγώ τις σκέψεις της, ήξερα τι σκεφτόταν.

Ήταν τόσο κοντά σ' αυτό που ήθελε –το κέντρο όλης της ύπαρξής της εδώ και περισσότερο από ένα χρόνο τώρα ήταν απλά *τόσο κοντά*.

Ο θάνατός μου.

Το σχέδιό της ήταν τόσο προφανές όσο και πρακτικό. Το μεγαλόσωμο ξανθό αγόρι θα επιτίθετο στον Έντουαρντ. Μόλις η προσοχή του Έντουαρντ ήταν επαρκώς απασχολημένη, τότε η Βικτόρια θα με αποτελείωνε.

Θα ήταν γρήγορο –δεν είχε χρόνο για παιχνίδια εδώ– αλλά θα ήταν τέλειο. Κάτι από το οποίο θα ήταν αδύνατο να αναρρώσω. Κάτι που ακόμα και το δηλητήριο των βρικολάκων δε θα μπορούσε να διορθώσει.

Θα έπρεπε να σταματήσει την καρδιά μου. Ίσως θα έσπρωχνε το χέρι της μέσα στο στήθος μου, συνθλίβοντάς την. Κάτι σε αυτό το στυλ.

Η καρδιά μου χτυπούσε με μανία, δυνατά, σαν να ήθελε να γίνει πιο φανερός στόχος.

Από μια τεράστια απόσταση, μέσα από το μαύρο δάσος, το ουρλιαχτό ενός λύκου αντήχησε στον αέρα. Χωρίς τον Σεθ δεν υπήρχε κανένας τρόπος να ερμηνεύσω τον ήχο.

Το ξανθό αγόρι κοίταξε τη Βικτόρια με την άκρη του ματιού του, περιμένοντας την εντολή της.

Ήταν νεαρός με περισσότερους από έναν τρόπους. Μάντεψα από τις έντονες βυσσινί ίριδές του ότι μάλλον δεν ήταν βρικόλακας πολύ καιρό. Θα ήταν πολύ δυνατός, αλλά αδέξιος. Ο Έντουαρντ θα ήξερε πώς να τον πολεμήσει. Ο Έντουαρντ θα επιζούσε.

Η Βικτόρια τίναξε τον πιγούνι της προς τον Έντουαρντ, προστάζοντας το αγόρι να προχωρήσει μπροστά χωρίς να πει λέξη.

«Ράιλι», είπε ο Έντουαρντ με μια απαλή, παρακλητική φωνή.

Το ξανθό αγόρι κοκάλωσε, ενώ τα κόκκινα μάτια του γούρλωσαν.

«Σου λέει ψέματα, Ράιλι», του είπε ο Έντουαρντ. «Άκουσέ με. Σου λέει ψέματα, όπως είπε ψέματα και στους άλλους που τώρα πεθαίνουν στο ξέφωτο. Ξέρεις ότι τους είπε ψέματα, ότι σε έβαλε *εσένα* να τους πεις ψέματα, ότι κανένας από τους δυο σας δε θα τους βοηθούσε ποτέ. Είναι τόσο δύσκολο να πιστέψεις ότι είπε ψέματα και σ' εσένα;»

Σύγχυση απλώθηκε στο πρόσωπο του Ράιλι.

Ο Έντουαρντ μετακινήθηκε μερικούς πόντους στα πλάγια, κι ο Ράιλι αυτόματα αντιστάθμισε την κίνηση με μια προσαρμογή της δικής του θέσης.

«Δε σε αγαπάει, Ράιλι». Η απαλή φωνή του Έντουαρντ ήταν ακαταμάχητη, σχεδόν υπνωτική. «Ποτέ δε σε αγάπησε. Αγαπούσε κάποιον που τον έλεγαν Τζέιμς, κι εσύ δεν είσαι τίποτα περισσότερο από ένα εργαλείο γι' αυτή».

Όταν είπε το όνομα του Τζέιμς, τα χείλη της Βικτόρια τραβήχτηκαν πίσω κάνοντας ένα μορφασμό που γύμνωσε τα δόντια της. Τα μάτια της παρέμειναν καρφωμένα πάνω μου.

Ο Ράιλι έριξε μια ξέφρενη ματιά προς την κατεύθυνσή της.

«Ράιλι;» είπε ο Έντουαρντ.

Ο Ράιλι αυτόματα εστίασε ξανά πάνω στον Έντουαρντ.

«Ξέρει ότι θα σε σκοτώσω, Ράιλι. *Θέλει* να πεθάνεις για να μη χρειάζεται να συνεχίσει να προσποιείται πια. Ναι –το έχεις δει αυτό, έτσι δεν είναι; Έχεις διαβάσει την απροθυμία στα μάτια της, έχεις υποπτευθεί κάτι ψεύτικο στο τόνο της, όταν σου δίνει υποσχέσεις. Είχες δίκιο. Κάθε φιλί, κάθε άγγιγμα ήταν ένα ψέμα».

Ο Έντουαρντ μετακινήθηκε ξανά, μετακινήθηκε μερικά εκατοστά πιο κοντά στο αγόρι, μερικά εκατοστά πιο μακριά από 'μένα.

Το βλέμμα της Βικτόρια στόχευσε στο κενό ανάμεσά μας. Θα χρειαζόταν λιγότερο από ένα δευτερόλεπτο για να με σκοτώσει –χρειαζόταν μόνο το ελάχιστο περιθώριο μιας ευκαιρίας.

Πιο αργός αυτή τη φορά, ο Ράιλι άλλαξε πάλι θέση.

«Δεν είναι ανάγκη να πεθάνεις», υποσχέθηκε ο Έντουαρντ, κοιτάζοντας ακόμα το αγόρι στα μάτια. «Υπάρχουν κι άλλοι τρόποι να ζήσεις από αυτόν που σου έδειξε αυτή. Δεν είναι όλα ψέματα και αίμα, Ράιλι. Μπορείς να φύγεις αυτή τη στιγμή. Δεν είναι ανάγκη να πεθάνεις για τα ψέματά της».

Τα πόδια του Έντουαρντ γλίστρησαν προς τα μπρος και πλάγια. Υπήρχε τώρα μεταξύ μας μια απόσταση τριάντα πόντων. Ο Ράιλι έκανε ένα πολύ ανοιχτό κύκλο, αντισταθμίζοντας ασύμμετρα αυτή τη φορά. Η Βικτόρια έγειρε προς τα μπρος στις πατούσες της.

«Τελευταία ευκαιρία, Ράιλι», ψιθύρισε ο Έντουαρντ.

Το πρόσωπο του Ράιλι ήταν απεγνωσμένο, καθώς κοίταξε τη Βικτόρια για απαντήσεις.

«Αυτός είναι που λέει ψέματα, Ράιλι», είπε η Βικτόρια, και το στόμα μου έμεινε ανοιχτό από το σοκ που έπαθα στο άκουσμα της φωνής της. «Σου είπα για τα κόλπα που κάνουν με το μυαλό. Ξέρεις ότι αγαπάω μόνο εσένα».

Η φωνή της δεν ήταν το δυνατό, άγριο, αιλουροειδές γρύλισμα που πίστευα ότι ταίριαζε με το πρόσωπο και την κορμοστασιά της. Ήταν απαλή, ήταν οξεία –ένας μωρουδίστικος, σοπράνο κουδουνιστός ήχος. Το είδος της φωνής που ταίριαζε με ξανθές μπούκλες και ροζ τσιχλόφουσκα. Δε φαινόταν λογικό να βγαίνει μέσα από τα γυμνά, αστραφτερά της δόντια.

Το σαγόνι του Ράιλι σφίχτηκε και ίσιωσε τους ώμους του. Τα μάτια του άδειασαν –δεν υπήρχε πια καμία σύγχυση, καμία καχυποψία. Δεν υπήρχε καμία απολύτως σκέψη. Τεντώθηκε για να επιτεθεί.

Το σώμα της Βικτόρια έμοιαζε να τρέμει, τόσο σφιχτά ήταν τεντωμένη. Τα δάχτυλά της ήταν έτοιμα νύχια αρπαχτικού, που περίμεναν τον Έντουαρντ να μετακινηθεί μόνο έναν πόντο ακόμα μακριά μου.

Το γρύλισμα δεν ήρθε από κανέναν από τους δύο.

Η μορφή ενός ξανθού μεγαθήριου πέταξε μέσα στο κέντρο του ανοίγματος, ρίχνοντας τον Ράιλι στο χώμα.

«Όχι!» φώναξε η Βικτόρια, με τη μωρουδίστικη φωνή της διαπεραστική από την αδυναμία της να το πιστέψει.

Στο ενάμισι μέτρο μπροστά μου, ο τεράστιος λύκος ξέσκιζε τον ξανθό βρικόλακα από κάτω του. Κάτι λευκό και σκληρό χτύπησε στις πέτρες δίπλα στα πόδια μου. Τραβήχτηκα πέρα.

Η Βικτόρια δε σπατάλησε ούτε ένα βλέμμα για το αγόρι στο οποίο μόλις είχε ορκιστεί αγάπη. Τα μάτια της ήταν ακόμα πάνω μου, γεμάτα με μια απογοήτευση τόσο άγρια που έμοιαζε να έχει παραφρονήσει.

«Όχι», είπε πάλι, μέσα από τα δόντια της, καθώς ο Έντουαρντ άρχισε να προχωρά προς το μέρος της, εμποδίζοντάς τη να φτάσει σ' εμένα.

Ο Ράιλι είχε σηκωθεί όρθιος, μοιάζοντας παραμορφωμένος

και τσακισμένος, αλλά κατάφερε να δώσει μια βίαιη κλοτσιά στον ώμο του Σεθ. Άκουσα το κόκαλο να συνθλίβεται. Ο Σεθ οπισθοχώρησε κι άρχισε να κάνει γύρους, κουτσαίνοντας. Ο Ράιλι είχε απλώσει τα χέρια του, έτοιμα, αν και έμοιαζε να του έλειπε ένα μέρος του ενός χεριού...

Μόνο μερικά εκατοστά πιο πέρα από αυτή τη μάχη, ο Έντουαρντ και η Βικτόρια χόρευαν.

Δεν έκαναν ακριβώς κύκλους, επειδή ο Έντουαρντ δεν της επέτρεπε να πάρει θέση πιο κοντά σ' εμένα. Εκείνη οπισθοχωρούσε με πλάγια βήματα, πηγαίνοντας από τη μια άκρη στην άλλη, προσπαθώντας να βρει μια τρύπα στην άμυνά του. Τα λυγερά του βήματα ήταν η σκιά των δικών της, καθώς την ακολουθούσε άψογα συγκεντρωμένος. Άρχιζε να κουνιέται ένα κλάσμα του δευτερολέπτου *πριν* κουνηθεί εκείνη, διαβάζοντας τις προθέσεις της στις σκέψεις της.

Ο Σεθ όρμισε στον Ράιλι από τα πλάγια, και κάτι σχίστηκε με ένα φριχτό, ανατριχιαστικό σκλήρισμα. Άλλο ένα βαρύ λευκό κομμάτι έπεσε μέσα στο δάσος με ένα βαρύ γδούπο. Ο Ράιλι βρυχήθηκε οργισμένος, κι ο Σεθ έκανε ένα πηδηματάκι προς τα πίσω –απίστευτα ελαφρύς πάνω στα πόδια του για το μέγεθός του– καθώς ο Ράιλι τον χτύπησε με το κατακρεουργημένο του χέρι.

Η Βικτόρια ελισσόταν τώρα μέσα από τους κορμούς των δέντρων στην άλλη άκρη του μικρού ανοίγματος. Ήταν διχασμένη, καθώς τα πόδια της την τραβούσαν προς την ασφάλεια, ενώ τα μάτια της λαχταρούσαν για 'μένα, λες και ήμουν μαγνήτης που την τραβούσα, λες και ήταν κουβάρι που το τύλιγα. Έβλεπα τη φλογερή επιθυμία να με σκοτώσει να αντιμάχεται το ένστικτο της επιβίωσης.

Κι ο Έντουαρντ το έβλεπε αυτό.

«Μη φεύγεις, Βικτόρια», μουρμούρισε με τον ίδιο υπνωτικό τόνο όπως και πριν. «Δε θα σου δοθεί ποτέ ξανά τέτοια ευκαιρία».

Έδειξε τα δόντια της και σύριξε απειλητικά, αλλά φαινόταν ανίκανη να απομακρυνθεί κι άλλο από 'μένα.

«Θα μπορείς να το σκάσεις αργότερα», είπε ο Έντουαρντ γουργουρίζοντας. «Υπάρχει πολύς χρόνος. Αυτό είναι που κάνεις, έτσι δεν είναι; Γι' αυτό σε είχε μαζί του ο Τζέιμς. Χρήσιμο, αν σου αρέσει να παίζεις θανάσιμα παιχνίδια. Μια σύντροφος με ένα εκπληκτικό ένστικτο διαφυγής. Δεν έπρεπε να σε είχε αφήσει –θα μπορούσε να χρησιμοποιήσει τα ταλέντα σου, όταν τον πιάσαμε στο Φοίνιξ».

Ένα γρύλισμα βγήκε βίαια μέσα από τα χείλη της.

«Αυτό ήσουν όλο κι όλο για 'κείνον, όμως. Ανόητο να σπαταλάς τόση πολλή ενέργεια για να εκδικηθείς για κάποιον που ένιωθε λιγότερη τρυφερότητα για 'σένα απ' όση ο κυνηγός για το άλογό του. Δεν ήσουν ποτέ τίποτα περισσότερο από κάποια που τον εξυπηρετούσε. Εγώ μπορώ να το ξέρω».

Τα χείλη του Έντουαρντ τραβήχτηκαν προς τα πάνω από τη μια μεριά, και με το δάχτυλό του χτύπησε ελαφρά τον κρόταφό του.

Με μια πνιχτή στριγκλιά, η Βικτόρια όρμησε ξανά έξω από τα δέντρα, κινούμενη προς στα πλάγια. Ο Έντουαρντ απάντησε, κι ο χορός ξεκίνησε πάλι.

Εκείνη τη στιγμή, ο Ράιλι έπιασε πρώτος το πλευρό του Σεθ, και μια χαμηλή διαπεραστική κραυγή βγήκε σαν βήχας από το λαιμό του Σεθ. Ο Σεθ οπισθοχώρησε, με τον ώμο του να συσπάται, σαν να προσπαθούσε να διώξει τον πόνο έτσι.

Σε παρακαλώ, ήθελα να ικετέψω τον Ράιλι, αλλά δεν μπορούσα να βρω τους μύες για να κάνω το στόμα μου να ανοίξει, να τραβήξω τον αέρα από τα πνευμόνια μου προς τα πάνω. *Σε παρακαλώ, είναι μόνο ένα παιδί!*

Γιατί δεν το είχε βάλει στα πόδια ο Σεθ; Γιατί δεν το έβαζε στα πόδια τώρα;

Ο Ράιλι μείωνε την απόσταση μεταξύ τους ξανά, οδηγώντας τον Σεθ προς την πρόσοψη του βράχου δίπλα μου. Η

Βικτόρια ξαφνικά έδειξε να ενδιαφέρεται ξανά για τη μοίρα του συντρόφου της. Την έβλεπα, με την άκρη των ματιών μου, να αξιολογεί την απόσταση ανάμεσα στον Ράιλι και σ' εμένα. Ο Σεθ δάγκωσε τον Ράιλι αναγκάζοντάς τον να κάνει πίσω πάλι, και η Βικτόρια έβγαλε ένα συριστικό ήχο μέσα από τα δόντια της.

Ο Σεθ δεν κούτσαινε πια. Ο κύκλος που έκανε τον έφερε σε απόσταση λίγων εκατοστών από τον Έντουαρντ˙ η ουρά του άγγιξε ξυστά την πλάτη του Έντουαρντ, και τα μάτια της Βικτόρια γούρλωσαν.

«Όχι, δεν πρόκειται να στραφεί εναντίον μου», είπε ο Έντουαρντ, απαντώντας στην ερώτηση μέσα στο κεφάλι της Βικτόρια. Χρησιμοποίησε τον περισπασμό της προσοχής της για να γλιστρήσει πιο κοντά της. «Μας έδωσες έναν κοινό εχθρό. Μας έκανες συμμάχους».

Εκείνη έσφιξε τα δόντια της, προσπαθώντας να κρατήσει την προσοχή της συγκεντρωμένη μόνο πάνω στον Έντουαρντ.

«Κοίτα πιο προσεχτικά, Βικτόρια», μουρμούρισε εκείνος, τραβώντας τα νήματα της συγκέντρωσής της. «Μοιάζει στ' αλήθεια τόσο πολύ με το τέρας που ακολούθησε τα ίχνη του ο Τζέιμς στη Σιβηρία;»

Τα μάτια της άνοιξαν διάπλατα και μετά άρχισαν να τρεμοπαίζουν άγρια από τον Έντουαρντ στον Σεθ και σ' εμένα, γύρω-γύρω συνέχεια. «Είναι το ίδιο;» γρύλισε με την κοριτσίστικη σοπράνο φωνούλα της. «Αδύνατο!»

«Τίποτα δεν είναι αδύνατο», μουρμούρισε ο Έντουαρντ, με φωνή απαλή σαν βελούδο, καθώς μετακινήθηκε ένα πόντο πιο κοντά της. «Εκτός από αυτό που θέλεις. Δε θα την αγγίξεις ποτέ».

Εκείνη κούνησε το κεφάλι της, γρήγορα και σπασμωδικά, παλεύοντας ενάντια στους περισπασμούς του, και προσπάθησε να τον αποφύγει σκύβοντας γύρω του, αλλά εκείνος βρέθηκε στη σωστή θέση για να την εμποδίσει ξανά, αμέσως μόλις εκείνη σκέφτηκε το σχέδιο. Το πρόσωπό της συσπάστηκε από την απογοήτευση, και μετά έσκυψε πιο χαμηλά σε στάση εφόρμησης ξανά, μια λιονταρίνα που κινήθηκε μπροστά.

Η Βικτόρια δεν ήταν καμιά άπειρη νεογέννητη για να την παρασύρει το ένστικτο. Ήταν θανάσιμη. Ακόμα κι εγώ καταλάβαινα τη διαφορά ανάμεσα σ' εκείνη και τον Ράιλι και ήξερα ότι ο Σεθ δε θα άντεχε τόσο πολύ, αν πολεμούσε μ' *εκείνη*.

Ο Έντουαρντ μετακινήθηκε κι αυτός, καθώς πλησίαζαν ο ένας τον άλλο, και ήταν ένα λιοντάρι εναντίον μιας λιονταρίνας.

Ο χορός απέκτησε πιο γρήγορο ρυθμό.

Ήταν σαν την Άλις με τον Τζάσπερ στο λιβάδι, ένας θολός στρόβιλος κινήσεων, μόνο που αυτός ο χορός δεν ήταν εξίσου τέλεια χορογραφημένος. Διαπεραστικά τριξίματα και κρότοι αντηχούσαν στην πρόσοψη του βράχου, κάθε φορά που κάποιος έβγαινε έξω από τα όρια του σχηματισμού τους. Αλλά κινούνταν υπερβολικά γρήγορα για να μπορέσω να δω ποιος έκανε τα λάθη…

Η προσοχή του Ράιλι είχε αποσπαστεί από το βίαιο μπαλέτο, ενώ τα μάτια του ήταν γεμάτα αγωνία για τη σύντροφό του. Ο Σεθ χτύπησε πάλι, κόβοντας με θόρυβο ένα ακόμα μικρό κομμάτι από το βρικόλακα. Ο Ράιλι μούγκρισε και τον χτύπησε με δύναμη με την ανάστροφη του χεριού του στη μέση του φαρδιού του στήθους. Το τεράστιο σώμα του Σεθ σηκώθηκε τρία μέτρα ψηλά και έπεσε πάνω στο βραχώδη τοίχο πάνω από το κεφάλι μου με μια δύναμη που έμοιαζε να ταρακουνά ολόκληρη την κορυφή. Άκουσα την ανάσα να βγαίνει σφυριχτή από τα πνευμόνια του, κι έσκυψα για να βγω από τη μέση, καθώς εκείνος έκανε γκελ πάνω στο βράχο και κατρακύλησε στο έδαφος λίγα μέτρα πιο πέρα, μπροστά μου.

Ένα χαμηλό κλαψούρισμα ξέφυγε από τα δόντια του Σεθ.

Τραχιά θραύσματα γκρίζας πέτρας έπεσαν πάνω στο κεφάλι

μου βροχή, γδέρνοντας το εκτεθειμένο μου δέρμα. Ένα αιχμηρό κομμάτι βράχου σαν καρφί κύλησε κατά μήκος του δεξιού μου χεριού και το έπιασα ενστικτωδώς. Τα δάχτυλά μου σφίχτηκαν γύρω από το μακρύ θραύσμα, καθώς τα ένστικτα της επιβίωσης που είχα πήραν μπρος˙ κι εφόσον δεν υπήρχε καμία περίπτωση φυγής, το σώμα μου –χωρίς να νοιάζεται πόσο αναποτελεσματική ήταν η κίνηση– ετοιμάστηκε για μάχη.

Η αδρεναλίνη τινάχτηκε στα ύψη μέσα στις φλέβες μου. Ήξερα ότι ο νάρθηκας μου έκοβε την παλάμη. Ήξερα ότι το ράγισμα στην άρθρωσή μου διαμαρτυρόταν. Το ήξερα, αλλά δεν ένιωθα τον πόνο.

Πίσω από τον Ράιλι, το μόνο που μπορούσα να δω ήταν η φλόγα των μαλλιών της Βικτόρια κι ένα θολό λευκό. Οι όλο και πιο συχνοί μεταλλικοί κρότοι και οι ήχοι ξεσκίσματος, τα αγκομαχητά και οι έκπληκτοι συριστικοί ήχοι έκαναν φανερό ότι ο χορός γινόταν θανάσιμος για κάποιον.

Αλλά για *ποιον*;

Ο Ράιλι τρέκλισε προς εμένα, τα κόκκινα μάτια του έλαμπαν από μανία. Αγριοκοίταξε το ξανθό βουνό που κούτσαινε ανάμεσά μας, και τα χέρια του –κατακρεουργημένα, σπασμένα χέρια– κουλουριάστηκαν σχηματίζοντας νύχια αρπακτικού. Το στόμα του άνοιξε, έγινε πιο φαρδύ, τα δόντια του λαμποκοπούσαν, καθώς ετοιμαζόταν να ξεσκίσει το λαιμό του Σεθ.

Ένα δεύτερο ξέσπασμα αδρεναλίνης χτύπησε σαν ηλεκτροσόκ, κι όλα έγιναν ξαφνικά ξεκάθαρα.

Και οι δύο μάχες ήταν υπερβολικά αμφίρροπες. Ο Σεθ όπου να 'ναι θα έχανε τη δική του, και δεν είχα ιδέα αν ο Έντουαρντ κέρδιζε ή έχανε. Χρειάζονταν βοήθεια. Έναν περισπασμό. Κάτι που θα τους έδινε ένα προβάδισμα.

Το χέρι μου έσφιξε τόσο δυνατά το πέτρινο καρφί που ένα στήριγμα στο νάρθηκά μου έσπασε.

Ήμουν αρκετά δυνατή; Ήμουν αρκετά γενναία; Πόσο δυνατά θα μπορούσα να χώσω την τραχιά πέτρα μέσα στο σώμα μου; Αυτό θα έδινε αρκετό χρόνο στο Σεθ να σταθεί πάλι όρθιος; Θα θεραπευόταν αρκετά γρήγορα, ώστε η θυσία μου να τον ωφελούσε;

Έξυσα με την αιχμή του θραύσματος πάνω στο μπράτσο μου, τραβώντας βίαια το πουλόβερ μου προς τα πάνω για να ξεσκεπάσω το δέρμα και μετά πίεσα τη σουβλερή άκρη στην πτύχωση του αγκώνα μου. Ήδη είχα μια μακριά ουλή εκεί από τα περασμένα μου γενέθλια. Εκείνη τη νύχτα, το αίμα μου που έρεε ήταν αρκετό για να τραβήξει την προσοχή όλων των βρικολάκων, να τους κάνει να κοκαλώσουν όλοι για μια στιγμή. Προσευχήθηκα να είχε και πάλι το ίδιο αποτέλεσμα. Έκανα τον εαυτό μου ατσάλι και τράβηξα μια βαθιά ανάσα.

Η προσοχή της Βικτόρια αποσπάστηκε από τον ήχο του ξεφυσήματός μου. Τα μάτια της, που έμειναν ακίνητα για ένα κλάσμα του δευτερολέπτου, διασταυρώθηκαν με τα δικά μου. Οργή και περιέργεια μπερδεύονταν παράξενα στη έκφρασή της.

Δεν ήμουν σίγουρη πώς άκουσα το χαμηλό ήχο ανάμεσα σε τόσους άλλους θορύβους που αντηχούσαν στον πέτρινο τοίχο και σφυροκοπούσαν μέσα στο κεφάλι μου. Ο ίδιος ο χτύπος της καρδιάς μου θα έπρεπε να αρκούσε για να τον πνίξει. Αλλά, στο κλάσμα του δευτερολέπτου που το βλέμμα μου καρφώθηκε μέσα στα μάτια της Βικτόρια, μου φάνηκε ότι άκουσα ένα γνωστό, εξοργισμένο αναστεναγμό.

Μέσα σ' εκείνο το ίδιο δευτερόλεπτο, ο χορός σταμάτησε βίαια. Συνέβη τόσο γρήγορα που τελείωσε, πριν προλάβω να ακολουθήσω τη σειρά των γεγονότων. Προσπάθησα να προφτάσω τα γεγονότα μέσα στο κεφάλι μου.

Η Βικτόρια είχε πεταχτεί έξω από το θολό σχηματισμό και είχε χτυπήσει πάνω σε ένα ψηλό έλατο, σχεδόν στα μισά του ύψους του δέντρου. Έπεσε πίσω στο έδαφος ήδη έτοιμη σε στάση εφόρμησης.

Ταυτόχρονα, ο Έντουαρντ –σχεδόν αόρατος από την ταχύτητα– είχε στρίψει προς τα πίσω και είχε πιάσει τον ανυποψίαστο Ράιλι από το μπράτσο. Έμοιαζε λες και ο Έντουαρντ είχε φυτέψει το πόδι του στην πλάτη του Ράιλι, κι έσπρωξε–

Το άνοιγμα γέμισε με τη διαπεραστική κραυγή πόνου του Ράιλι.

Ταυτόχρονα, ο Σεθ σηκώθηκε όρθιος με ένα πήδημα, κόβοντας το μεγαλύτερο μέρος της θέας μου.

Αλλά ακόμα έβλεπα τη Βικτόρια. Και, παρόλο που έδειχνε παράξενα παραμορφωμένη –σαν να μην μπορούσε να ισιώσει εντελώς– έβλεπα το χαμόγελο που είχα ονειρευτεί να αστράφτει στο άγριο πρόσωπό της.

Συσπειρώθηκε και πήδηξε.

Κάτι μικρό και άσπρο πέταξε σφυρίζοντας στον αέρα και συγκρούστηκε μαζί της στη μέση της πτήσης της. Η σύγκρουση ακούστηκε σαν έκρηξη και την έριξε πάνω σε ένα άλλο δέντρο –αυτό κόπηκε στη μέση. Προσγειώθηκε πάλι στα πόδια της, σε στάση συσπείρωσης κι έτοιμη, αλλά ο Έντουαρντ ήταν ήδη στη σωστή θέση. Ανακούφιση πλημμύρισε την καρδιά μου, όταν είδα ότι στεκόταν ολόρθος και τέλειος.

Η Βικτόρια κλότσησε κάτι στην άκρη με ένα τίναγμα του γυμνού ποδιού της –αυτό που είχε αχρηστέψει την επίθεσή της. Κύλησε προς εμένα, και συνειδητοποίησα τι ήταν.

Το στομάχι μου ανακατεύτηκε.

Τα δάχτυλα είχαν ακόμα σπασμούς˙ το χέρι του Ράιλι προσπαθούσε να συρθεί στο έδαφος, πιάνοντας γερά το χορτάρι.

Ο Σεθ έκανε πάλι κύκλους γύρω από τον Ράιλι, και τώρα ο Ράιλι υποχωρούσε. Οπισθοχωρούσε από τον επιτιθέμενο λυκάνθρωπο, το πρόσωπό του άκαμπτο από τον πόνο. Σήκωσε το ένα του χέρι αμυντικά.

Ο Σεθ χίμηξε στον Ράιλι, κι ο βρικόλακας έχασε την ισορροπία του. Είδα τον Σεθ να χώνει τα δόντια του στον ώμο του Ράιλι και να τον σκίζει, κάνοντας πάλι ένα πήδημα προς τα πίσω.

Με ένα εκκωφαντικό μεταλλικό σκλήρισμα, ο Ράιλι έχασε και το άλλο του χέρι.

Ο Σεθ κούνησε το κεφάλι του, εκτοξεύοντας το χέρι μέσα στο δάσος. Ο σπαστός συριστικός ήχος που βγήκε μέσα από τα δόντια του Σεθ ακούστηκε σαν κοροϊδευτικό γέλιο.

Ο Ράιλι έβγαλε μια βασανισμένη ικεσία ουρλιάζοντας. «Βικτόρια!»

Η Βικτόρια δεν τραβήχτηκε καν πίσω στο άκουσμα του ονόματός της. Τα μάτια της δεν τρεμόπαιξαν ούτε μια φορά προς το σύντροφό της.

Ο Σεθ όρμησε μπροστά με τη δύναμη μιας τεράστιας σφαίρας κατεδάφισης. Η επίθεση έριξε και τον Σεθ και τον Ράιλι μέσα στα δέντρα, όπου το μεταλλικό σκλήρισμα συνοδεύτηκε από τις στριγκλιές του Ράιλι. Στριγκλιές που σταμάτησαν απότομα, ενώ ο ήχος του βράχου που κοβόταν σε κομμάτια συνεχίστηκε.

Αν και δεν της περίσσεψε ούτε μια αποχαιρετιστήρια ματιά για τον Ράιλι, η Βικτόρια έμοιαζε να έχει συνειδητοποιήσει ότι ήταν μόνη της. Άρχισε να οπισθοχωρεί απομακρυνόμενη από τον Έντουαρντ, με τα μάτια της να φλέγονται από ένα παραλήρημα απογοήτευσης. Μου έριξε ένα σύντομο, αγωνιώδες βλέμμα γεμάτο λαχτάρα και μετά άρχισε να υποχωρεί πιο γρήγορα.

«Όχι», είπε ο Έντουαρντ με ένα τραγουδιστό μουρμουρητό, με φωνή σαγηνευτική. «Μείνε λίγο ακόμα».

Εκείνη έκανε στροφή και πέταξε προς το καταφύγιο του δάσους σαν βέλος που έφυγε από ένα τόξο.

Αλλά ο Έντουαρντ ήταν πιο γρήγορος –μια σφαίρα που έφυγε από ένα όπλο.

Έπιασε την απροστάτευτη πλάτη της στην άκρη των δέντρων και, με ένα τελευταίο, απλό βήμα, ο χορός τελείωσε.

Το στόμα του Έντουαρντ πέρασε ξυστά από το λαιμό της, σαν χάδι. Η τσιριχτή βοή που προερχόταν από τις προσπάθειες του Σεθ κάλυψε κάθε άλλο θόρυβο, έτσι δεν ακούστηκε τίποτα που να κάνει την εικόνα μια εικόνα βίας. Θα μπορούσε να ήταν ένα φιλί.

Και μετά, το φλογερό κουβάρι των μαλλιών δεν ήταν πια συνδεδεμένο με το υπόλοιπο σώμα της. Τα τρεμάμενα πορτοκαλί κύματα έπεσαν στο έδαφος κι αναπήδησαν μια φορά, πριν κυλήσουν προς τα δέντρα.

25. ΚΑΘΡΕΦΤΗΣ

Υποχρέωσα τα μάτια μου –που είχαν κοκαλώσει γουρλωμένα από το σοκ– να κινηθούν, έτσι ώστε να μην μπορώ να παρατηρήσω πολύ προσεκτικά το οβάλ αντικείμενο που ήταν τυλιγμένο σε μπούκλες από τρεμάμενα, φλογισμένα μαλλιά.

Ο Έντουαρντ βρισκόταν πάλι σε κίνηση. Γρήγορα και με έναν ψύχραιμο επαγγελματισμό, διαμέλισε το ακέφαλο πτώμα.

Δεν μπορούσα να πάω κοντά του –δεν μπορούσα να αναγκάσω τα πόδια μου να ανταποκριθούν˙ είχαν βιδωθεί στην πέτρα από κάτω τους. Αλλά παρατηρούσα κάθε του πράξη με σχολαστικότητα, ψάχνοντας για οποιαδήποτε ένδειξη ότι είχε πάθει κάτι. Η καρδιά μου άρχισε να χτυπάει πιο αργά, με έναν πιο υγιή ρυθμό, όταν δε βρήκα τίποτα. Ήταν λυγερός και γεμάτος χάρη, όπως πάντα. Δεν έβλεπα ούτε καν κάποιο σκίσιμο στα ρούχα του.

Εκείνος δε με κοίταξε –εκεί που στεκόμουν ακίνητη στο βραχώδη τοίχο, έντρομη– ενώ στοίβαζε τα τρεμάμενα άκρα και μετά τα σκέπασε με ξερές πευκοβελόνες. Και το βλέμμα του εξακολουθούσε να μη διασταυρώνεται με το δικό μου σοκαρισμένο βλέμμα, καθώς όρμησε μέσα στο δάσος ψάχνοντας τον Σεθ.

Δεν είχα προλάβει να συνέλθω, όταν επέστρεψαν μαζί με τον Σεθ, και ο Έντουαρντ είχε τα χέρια του γεμάτα από Ράιλι. Ο Σεθ κουβαλούσε ένα μεγάλο κομμάτι –τον κορμό– στο στόμα του. Πρόσθεσαν το φορτίο τους στο σωρό, κι ο Έντουαρντ έβγαλε ένα ασημένιο ορθογώνιο παραλληλόγραμμο από την τσέπη του. Άνοιξε τον αναπτήρα βουτανίου και κράτησε τη φλόγα κοντά στο ξερό προσάναμμα. Άρπαξε αμέσως˙ μακριές γλώσσες πορτοκαλί φωτιάς έγλυψαν γρήγορα το σωρό στην πυρά.

«Βρες όλα τα κομμάτια», είπε ο Έντουαρντ χαμηλόφωνα γυρίζοντας προς τον Σεθ.

Μαζί, ο βρικόλακας και ο λυκάνθρωπος όργωσαν την κατασκήνωση, περιστασιακά πετώντας μικρούς όγκους λευκής πέτρας μέσα στη φλόγα. Ο Σεθ κουβαλούσε τα κομμάτια με τα δόντια του. Ο εγκέφαλός μου δε λειτουργούσε αρκετά καλά, ώστε να καταλάβω γιατί ο Σεθ δε μεταμορφωνόταν ξανά σε μια μορφή με χέρια.

Ο Έντουαρντ δε σήκωνε τα μάτια από τη δουλειά.

Και μετά τελείωσαν, και η φωτιά που μαινόταν έστελνε μια ασφυκτική μοβ στήλη προς τον ουρανό. Ο πυκνός καπνός ανέβαινε προς τα πάνω κουλουριαστά, δείχνοντας υπερβολικά συμπαγής˙ μύριζε σαν λιβάνι που καιγόταν, και η μυρωδιά ήταν δυσάρεστη. Ήταν βαριά, υπερβολικά δυνατή.

Ο Σεθ έκανε πάλι εκείνον τον ήχο που έμοιαζε με κοροϊδευτικό γέλιο, βαθιά μέσα στο στήθος του.

Ένα χαμόγελο τρεμόπαιξε στο γεμάτο ένταση πρόσωπο του Έντουαρντ.

Ο Έντουαρντ τέντωσε το μπράτσο του, το χέρι του κουλουριασμένο σε γροθιά. Ο Σεθ χαμογέλασε πλατιά, αποκαλύπτοντας τη μακριά σειρά από δόντια που έμοιαζαν με στιλέτα και σκούντηξε τη μύτη του στο χέρι του Έντουαρντ.

«Καλή ομάδα», μουρμούρισε ο Έντουαρντ.

Ο Σεθ γέλασε βήχοντας.

Τότε ο Έντουαρντ πήρε μια βαθιά ανάσα και γύρισε αργά για να με κοιτάξει κατά πρόσωπο.

Δεν κατάλαβα την έκφρασή του. Τα μάτια του ήταν εξίσου ανήσυχα σαν να ήμουν ακόμα ένας εχθρός – περισσότερο από ανήσυχα, ήταν φοβισμένα. Κι όμως δεν είχε δείξει κανένα φόβο, όταν αντιμετώπισε τη Βικτόρια και τον Ράιλι... Το μυαλό μου είχε κολλήσει, ήταν σαστισμένο και εξίσου άχρηστο με το σώμα μου. Τον κοίταζα άναυδη.

«Μπέλλα, αγάπη μου», είπε με τον πιο απαλό του τόνο, περπατώντας προς εμένα με μια υπερβολική βραδύτητα, με τα χέρια του σηκωμένα ψηλά, τις παλάμες του να κοιτάζουν μπροστά. Παραζαλισμένη καθώς ήμουν, μου θύμισε παραδόξως έναν ένοχο που πλησιάζει έναν αστυνομικό, δείχνοντας ότι δεν είναι οπλισμένος...

«Μπέλλα, μπορείς να αφήσεις την πέτρα, σε παρακαλώ; Προσεχτικά. Μην τραυματιστείς».

Είχα ξεχάσει τελείως το χονδροειδές όπλο μου, αν και συνειδητοποιούσα τώρα ότι το κρατούσα τόσο σφιχτά που η άρθρωσή μου ούρλιαζε διαμαρτυρόμενη. Είχε σπάσει ξανά; Ο Κάρλαϊλ θα μου έβαζε σίγουρα γύψο αυτή τη φορά.

Ο Έντουαρντ εξακολουθούσε να διστάζει, ένα-δυο μέτρα μακριά μου, τα χέρια του ακόμα ψηλά στον αέρα, τα μάτια του ακόμα γεμάτα φόβο.

Χρειάστηκα μερικά δευτερόλεπτα για να θυμηθώ πώς να κουνήσω τα δάχτυλά μου. Μετά η πέτρα έπεσε με έναν κρότο στο έδαφος, ενώ τα χέρια μου έμειναν κοκαλωμένα στην ίδια θέση.

Ο Έντουαρντ χαλάρωσε ελαφρώς, όταν τα χέρια μου έμειναν άδεια, αλλά δεν πλησίασε καθόλου.

«Δε χρειάζεται να φοβάσαι, Μπέλλα», μουρμούρισε ο

Έντουαρντ. «Είσαι ασφαλής. Δε θα σε πειράξω».

Η μυστήρια υπόσχεση μόνο περισσότερη σύγχυση μου προκάλεσε. Τον κοίταξα σαν ηλίθια, προσπαθώντας να καταλάβω.

«Όλα θα πάνε καλά, Μπέλλα. Το ξέρω ότι φοβάσαι τώρα, αλλά όλα τελείωσαν. Κανένας δε θα σε πειράξει. Δε θα σε αγγίξω. Δε θα σε πειράξω», είπε ξανά.

Τα μάτια μου ανοιγόκλεισαν με δύναμη, και ξαναβρήκα τη φωνή μου. «Γιατί το λες αυτό συνέχεια;»

Έκανα ένα ασταθές βήμα προς εκείνον, κι εκείνος απομακρύνθηκε από την προσέγγισή μου.

«Τι συμβαίνει;» ψιθύρισα. «Τι εννοείς;»

«Με...» Τα χρυσαφί του μάτια ήταν ξαφνικά το ίδιο μπερδεμένα όσο ένιωθα κι εγώ. «Δε με φοβάσαι;»

«Να φοβάμαι εσένα; *Γιατί;*»

Έκανα άλλο ένα βήμα προς τα μπρος τρεκλίζοντας και μετά σκόνταψα πάνω σε κάτι –πιθανότατα στα δικά μου πόδια. Ο Έντουαρντ με έπιασε, κι εγώ έχωσα το πρόσωπό μου στο στήθος του κι άρχισα να κλαίω με λυγμούς.

«Μπέλλα, Μπέλλα, συγνώμη. Τελείωσε, τελείωσε».

«Είμαι μια χαρά», είπα αγκομαχώντας. «Είμαι καλά. Απλώς. Έχω φρικάρει. Δώσε μου. Ένα λεπτό».

Τα χέρια του σφίχτηκαν γύρω μου. «Συγνώμη τόσο πολύ», μουρμούριζε ξανά και ξανά.

Έμεινα γαντζωμένη πάνω του, μέχρι που κατάφερα να ανασάνω ξανά, και μετά τον φιλούσα –το στήθος του, τον ώμο του, το λαιμό του– κάθε κομμάτι του που ήταν αρκετά κοντά για να αγγίξω. Αργά, ο εγκέφαλός μου άρχιζε να λειτουργεί ξανά.

«Είσαι καλά;» απαίτησα να μάθω ανάμεσα στα φιλιά. «Σε τραυμάτισε καθόλου;»

«Είμαι μια χαρά», ορκίστηκε, χώνοντας το πρόσωπό του μέσα στα μαλλιά μου.

«Ο Σεθ;»

Ο Έντουαρντ γέλασε πνιχτά. «Καλύτερα κι από καλά. Πολύ ευχαριστημένος με τον εαυτό του, μάλιστα».

«Οι άλλοι; Η Άλις, η Έσμι; Οι λύκοι;»

«Όλοι καλά. Τελείωσε κι εκεί. Όλα πήγαν τόσο ομαλά όσο σου είχα υποσχεθεί. Το χειρότερο συνέβη εδώ».

Άφησα τον εαυτό μου να το χωνέψει αυτό για μια στιγμή, το άφησα να μπει μέσα στο κεφάλι μου και να κατασταλάξει.

Η οικογένειά μου και οι φίλοι μου ήταν ασφαλείς. Η Βικτόρια δε θα με κυνηγούσε ποτέ ξανά. Η ιστορία αυτή είχε τελειώσει.

Όλοι θα ήμασταν μια χαρά.

Αλλά δεν μπορούσα να χωνέψω εντελώς τα καλά νέα, όσο ήμουν ακόμα τόσο μπερδεμένη.

«Πες μου γιατί», επέμεινα. «Γιατί νόμισες ότι θα σε φοβόμουν;»

«Συγνώμη», είπε, απολογούμενος για μια ακόμα φορά –για ποιο πράγμα; Δεν είχα ιδέα. «Συγνώμη. Δεν ήθελα να το δεις αυτό. Να με δεις *εμένα* έτσι. Ξέρω ότι πρέπει να σε τρόμαξα πολύ».

Χρειάστηκε να το σκεφτώ αυτό γι' ακόμα μια στιγμή, να σκεφτώ το διστακτικό τρόπο με τον οποίο με πλησίασε, τα χέρια του σηκωμένα ψηλά. Σαν να ήμουν έτοιμη να τρέξω αν κουνιόταν πολύ γρήγορα…

«Σοβαρά;» ρώτησα τελικά. «Εσύ… τι; Νόμισες ότι με είχες τρομάξει;» Ρουθούνισα. Το ρουθούνισμα ήταν καλό˙ η φωνή δεν μπορεί να τρέμει ή να σπάσει, όταν κάποιος ρουθουνίζει. Ακουγόταν εντυπωσιακά αδιάφορο.

Έβαλε το χέρι του κάτω από το πιγούνι μου και έγειρε το κεφάλι μου προς τα πίσω για να μπορεί να διαβάσει το πρόσωπό μου.

«Μπέλλα, μόλις» –δίστασε και μετά ξεστόμισε τις λέξεις με το ζόρι– «μόλις αποκεφάλισα και διαμέλισα ένα πλάσμα που είχε τις αισθήσεις του, ούτε καν είκοσι μέτρα μακριά σου. Αυτό δε σε *ενοχλεί;*»

Με κοίταξε συνοφρυωμένος.

Ανασήκωσα τους ώμους. Το ανασήκωμα των ώμων ήταν καλό κι αυτό. Πολύ μπλαζέ. «Όχι ιδιαίτερα. Φοβόμουν μόνο ότι εσύ κι ο Σεθ θα τραυματιζόσασταν. Ήθελα να βοηθήσω, αλλά δεν μπορούσα να κάνω και πολλά…»

Η ξαφνικά κατάχλωμη έκφρασή του έκανε τη φωνή μου να σβήσει.

«Ναι», είπε, με τόνο κοφτό. «Το κόλπο με την πέτρα. Ξέρεις ότι παραλίγο να πάθω καρδιακή προσβολή εξαιτίας σου; Και ξέρεις, αυτό δεν είναι και το ευκολότερο πράγμα στον κόσμο».

Το οργισμένο του βλέμμα το έκανε δύσκολο να απαντήσω.

«Ήθελα να βοηθήσω… Ο Σεθ είχε πληγωθεί…»

«Ο Σεθ έκανε πως είχε πληγωθεί, Μπέλλα. Ήταν κόλπο. Και μετά εσύ…!» Κούνησε το κεφάλι του, ανίκανος να συνεχίσει. «Ο Σεθ δεν μπορούσε να δει τι έκανες εσύ, έτσι αναγκάστηκα να επέμβω εγώ. Και τώρα είναι λιγάκι δυσαρεστημένος που δεν μπορεί να διεκδικήσει όλη τη δόξα για την κατατρόπωση του εχθρού από μόνος του».

«Ο Σεθ… το έκανε στα ψέματα;»

Ο Έντουαρντ έγνεψε αυστηρά.

«Α».

Κοιτάξαμε κι οι δυο τον Σεθ, που μας αγνοούσε επιμελώς, παρακολουθώντας τις φλόγες. Εξέπεμπε υπερηφάνεια από κάθε τρίχα της γούνας του.

«Ε, λοιπόν, δεν το ήξερα», είπα, θιγμένη τώρα. «Και δεν είναι εύκολο να είναι κανείς το μόνο ανήμπορο άτομο εδώ γύρω. Περίμενε μόνο να γίνω βρικόλακας και θα δεις! Δε θα κάθομαι στα μετόπισθεν την επόμενη φορά».

Ένα σωρό συναισθήματα πέρασαν φευγαλέα από το πρόσωπό του, πριν καταλήξει στο ότι βρήκε αυτό που είπα διασκεδαστικό. «Την επόμενη φορά; Ανυπομονείς για άλλη μια μάχη σύντομα;»

«Με τη δική μου τύχη; Ποιος ξέρει;»

Στριφογύρισε τα μάτια του, αλλά έβλεπα ότι πετούσε –η ανακούφιση μας είχε ελαφρύνει την καρδιά και των δύο. Όλα είχαν τελειώσει.

Ή... μήπως όχι;

«Για περίμενε. Δεν είχες πει κάτι πριν –;» Ζάρωσα, καθώς θυμήθηκα πριν από *τι* ακριβώς. Τι θα έλεγα στον Τζέικομπ; Η ραγισμένη μου καρδιά χτύπησε με πόνο. Ήταν δύσκολο να το πιστέψω, σχεδόν αδύνατον, αλλά το πιο δύσκολο μέρος της μέρας δεν είχε περάσει –και μετά συνέχισα με πείσμα. «Για κάποιο πρόβλημα; Και η Άλις έπρεπε να προσδιορίσει το πρόγραμμα με περισσότερη λεπτομέρεια για τον Σαμ. Είπες ότι τα περιθώρια χρόνου είναι πολύ στενά. Ποια περιθώρια χρόνου είναι πολύ στενά;»

Τα μάτια του Έντουαρντ τρεμόπαιξαν πίσω στον Σεθ, κι αντάλλαξαν ένα φορτισμένο βλέμμα.

«Λοιπόν;» ρώτησα.

«Δεν είναι τίποτα, εδώ που τα λέμε», είπε ο Έντουαρντ γρήγορα. «Αλλά πράγματι πρέπει να πηγαίνουμε...»

Πήγε να με τραβήξει στη θέση μου πάνω στην πλάτη του, αλλά εγώ έμεινα άκαμπτη και τραβήχτηκα μακριά.

«Ανάλυσε το τίποτα».

Ο Έντουαρντ πήρε το πρόσωπό μου ανάμεσα στις παλάμες του. «Έχουμε μόνο ένα λεπτό, γι' αυτό μην πανικοβληθείς, εντάξει; Σου είπα ότι δεν έχεις κανένα λόγο να φοβάσαι. Έχε μου εμπιστοσύνη, σε παρακαλώ;»

Έγνεψα προσπαθώντας να κρύψω τον ξαφνικό πανικό –πόσα ακόμα μπορούσα να αντέξω πριν λιποθυμήσω; «Κανένας λόγος να φοβάμαι. Το έπιασα».

Έσφιξε τα χείλη του, αποφασίζοντας τι να πει. Και μετά κοίταξε απότομα τον Σεθ, λες και ο λύκος τον είχε φωνάξει.

«Μα τι κάνει;» ρώτησε ο Έντουαρντ;

Ο Σεθ κλαψούρισε˙ ήταν ένας ήχος γεμάτος αγωνία, ανήσυχος. Έκανε τις τρίχες στο σβέρκο μου να σηκωθούν.

Επικράτησε νεκρική σιγή για ένα ατελείωτο δευτερόλεπτο.

Και μετά ο Έντουαρντ έβγαλε μια πνιχτή κραυγή, «Όχι!» και το ένα του χέρι τεντώθηκε σαν να ήθελε να αρπάξει κάτι που δεν μπορούσα να δω εγώ. «Μη –!»

Ένας σπασμός ταρακούνησε το σώμα του Σεθ, κι ένα ουρλιαχτό, γεμάτο αφόρητη αγωνία, βγήκε βίαια μέσα από τα πνευμόνια του.

Ο Έντουαρντ έπεσε στα γόνατα την ίδια ακριβώς στιγμή, κρατώντας σφιχτά τα πλάγια του κεφαλιού του με τα δυο του χέρια, με πρόσωπο σκαμμένο από τον πόνο.

Ούρλιαξα με σαστισμένο τρόμο κι έπεσα στα γόνατα κι εγώ δίπλα του. Ανόητα προσπάθησα να τραβήξω τα χέρια του από το πρόσωπό του˙ οι παλάμες μου, υγρές από τον ιδρώτα, γλίστρησαν από το μαρμάρινο δέρμα του.

«Έντουαρντ! Έντουαρντ!»

Τα μάτια του επικεντρώθηκαν πάνω μου˙ με προφανή προσπάθεια, άνοιξε τα σφιγμένα του δόντια.

«Όλα καλά. Θα είμαστε μια χαρά. Είναι–» Διέκοψε απότομα και έκανε πάλι ένα μορφασμό.

«Τι συμβαίνει;» φώναξα, ενώ ο Σεθ ούρλιαξε με αγωνία.

«Είμαστε μια χαρά. Θα είμαστε μια χαρά», είπε ο Έντουαρντ αγκομαχώντας. «Σαμ –βοήθησέ τον–»

Και κατάλαβα εκείνη τη στιγμή, όταν είπε το όνομα του Σαμ, ότι δε μιλούσε για τον εαυτό του ούτε για τον Σεθ. Καμία αόρατη δύναμη δεν επιτίθετο σ' αυτούς. Αυτή τη φορά, η κρίση δεν ήταν εδώ.

Χρησιμοποιούσε τον πληθυντικό της αγέλης.

Είχα κάψει όλη μου την αδρεναλίνη. Δεν είχε απομείνει άλλη στο σώμα μου. Υποχώρησα πέφτοντας, κι ο Έντουαρντ με έπιασε πριν προλάβω να χτυπήσω στα βράχια. Τινάχτηκε όρθιος, μ' εμένα στην αγκαλιά του.

«Σεθ!» φώναξε ο Έντουαρντ.

Ο Σεθ ήταν συσπειρωμένος, ακόμα τσιτωμένος από την αγωνία, μοιάζοντας σαν να επρόκειτο να ορμήσει μέσα στο δάσος.

«Όχι!» πρόσταξε ο Έντουαρντ. «Πήγαινε *κατευθείαν σπίτι*. Τώρα. Όσο πιο γρήγορα μπορείς!»

Ο Σεθ κλαψούρισε, κουνώντας το μεγάλο του κεφάλι από τη μια ως την άλλη μεριά.

«Σεθ. Έχε μου εμπιστοσύνη».

Ο τεράστιος λύκος κοίταξε μέσα στα γεμάτα αγωνία μάτια του Έντουαρντ και μετά ίσιωσε το κορμί του και πέταξε μέσα στα δέντρα, χάθηκε σαν φάντασμα.

Ο Έντουαρντ με κράτησε αγκαλιάζοντάς με σφιχτά μέσα στο στήθος του, και μετά κι εμείς διασχίζαμε σαν αστραπή το γεμάτο σκιές δάσος, ακολουθώντας ένα άλλο δρόμο από το λύκο.

«Έντουαρντ». Πάλευα για να βγάλω τις λέξεις μέσα από το λαιμό μου που είχε σφιχτεί. «Τι συνέβη, Έντουαρντ; Τι συνέβη στον Σαμ; Πού πάμε; Τι γίνεται;»

«Πρέπει να γυρίσουμε στο ξέφωτο», μου είπε με μια χαμηλή φωνή. «Ξέραμε ότι ήταν πολύ πιθανό να γίνει. Νωρίτερα σήμερα το πρωί, η Άλις το είδε και μέσα από τον Σαμ το πέρασε στον Σεθ.

»Οι Βολτούρι αποφάσισαν ότι είχε έρθει η ώρα να επέμβουν».

Οι Βολτούρι.

Πάρα πολύ. Το μυαλό μου αρνιόταν να βγάλει νόημα από τα λόγια, προσποιήθηκε ότι δεν μπορούσε να καταλάβει.

Τα δέντρα σείονταν, ενώ τα προσπερνούσαμε. Κατέβαινε από το λόφο τόσο γρήγορα που ένιωθα λες και κατρακυλούσαμε, λες και πέφταμε ανεξέλεγκτα.

«Μην πανικοβάλλεσαι. Δεν έρχονται για 'μας. Είναι απλώς η ομάδα της φρουράς που συνήθως καθαρίζει όλο αυτό το χάλι. Τίποτα κοσμοϊστορικό, απλώς κάνουν τη δουλειά τους. Φυσικά, φαίνεται πως κανόνισαν με πολύ προσοχή την ώρα της άφιξής τους. Πράγμα που με κάνει να πιστεύω ότι κανένας στην Ιταλία δε θα θρηνούσε αν αυτοί οι νεογέννητοι είχαν πράγματι συρρικνώσει την οικογένεια των Κάλεν». Οι λέξεις βγήκαν μέσα από τα δόντια του, σκληρές και ζοφερές. «Θα ξέρω στα σίγουρα τι σκέφτονται όταν φτάσουν στο ξέφωτο».

«Γι' αυτό επιστρέφουμε;» ψιθύρισα. Μπορούσα να το αντέξω αυτό; Εικόνες από μαύρους μανδύες που ανέμιζαν γλίστρησαν στο απρόθυμο μυαλό μου, κι εγώ τραβήχτηκα μακριά τους. Κόντευα να διαλυθώ.

«Εν μέρει, ναι. Κυρίως, θα είναι πιο ασφαλές για 'μας να παρουσιάσουμε ένα ενωμένο μέτωπο σ' αυτό το σημείο. Δεν έχουν κανένα λόγο να μας παρενοχλήσουν, αλλά... η Τζέιν είναι μαζί τους. Αν πίστευε ότι ήμασταν μόνοι μας κάπου μακριά από τους άλλους, αυτό μπορεί να τη δελέαζε. Όπως η Βικτόρια, η Τζέιν θα μαντέψει πιθανότατα ότι είμαι μαζί σου. Ο Ντιμίτρι, φυσικά, είναι μαζί της. Θα μπορούσε να με βρει, αν η Τζέιν του το ζητούσε».

Δεν ήθελα να σκεφτώ αυτό το όνομα. Δεν ήθελα να δω εκείνο το εκτυφλωτικά εξαίσιο πρόσωπο μέσα στο κεφάλι μου. Ένας παράξενος ήχος βγήκε από το λαιμό μου.

«Σσσς, Μπέλλα, σσσς. Όλα θα πάνε καλά. Η Άλις το βλέπει».

Η Άλις μπορούσε να δει; Μα... τότε πού ήταν οι λυκάνθρωποι; Πού ήταν η αγέλη;

«Κι η αγέλη;»

«Έπρεπε να φύγουν γρήγορα. Οι Βολτούρι δεν τιμούν συμφωνίες ανακωχής με λυκάνθρωπους».

Άκουγα την ανάσα μου να γίνεται πιο γρήγορη, αλλά δεν μπορούσα να την ελέγξω. Άρχισα να αγκομαχώ.

«Σου ορκίζομαι ότι θα είναι μια χαρά», μου υποσχέθηκε ο Έντουαρντ. «Οι Βολτούρι δε θα αναγνωρίσουν τη μυρωδιά –δε θα καταλάβουν ότι οι λύκοι είναι εδώ˙ δεν είναι είδος που να τους είναι γνωστό. Η αγέλη θα είναι μια χαρά».

Δεν μπορούσα να επεξεργαστώ την εξήγησή του. Η συγκέντρωσή μου έγινε κομμάτια από τους φόβους μου. *Θα είμαστε μια χαρά*, είχε πει πριν... κι ο Σεθ που ούρλιαζε με αγωνία... Ο Έντουαρντ είχε αποφύγει την πρώτη μου ερώτηση, είχε αποσπάσει την προσοχή μου με τους Βολτούρι...

Ήμουν πολύ κοντά στην άκρη–κρατιόμουν μόνο με τις άκρες των δαχτύλων μου.

Τα δέντρα ήταν ένα θολό περίγραμμα που κυλούσε τρέχοντας γύρω μας σαν νερό στο χρώμα του νεφρίτη.

«Τι έγινε;» ψιθύρισα ξανά. «Πριν. Όταν ο Σεθ ούρλιαζε; Όταν δεν ήσουν καλά».

Ο Έντουαρντ δίστασε.

«Έντουαρντ! Πες μου!»

«Όλα είχαν τελειώσει», ψιθύρισε. Μόλις που μπορούσα να τον ακούσω μέσα από τον αέρα που σήκωνε η ταχύτητά του. «Οι λύκοι δεν είχαν μετρήσει τους δικούς τους μισούς... νόμιζαν ότι τους είχαν εξοντώσει όλους. Φυσικά, η Άλις δεν μπορούσε να δει...»

«Τι έγινε;!»

«Ένας από τους νεογέννητους κρυβόταν... Η Λία τον βρήκε –φέρθηκε ανόητα, αλαζονικά, προσπαθώντας να αποδείξει κάτι. Του επιτέθηκε μόνη της...»

«Η Λία», επανέλαβα κι ήμουν υπερβολικά αδύναμη για να νιώσω ντροπή για την ανακούφιση που με πλημμύρισε. «Θα γίνει καλά;»

«Δεν έπαθε τίποτα η Λία», ψέλλισε ο Έντουαρντ.

Τον κοίταξα για ένα δευτερόλεπτο που κράτησε πολύ.

Σαμ –βοήθησέ τον– είχε φωνάξει πνιχτά ο Έντουαρντ. Τον, όχι την.

«Σχεδόν φτάσαμε», είπε ο Έντουαρντ και κοίταξε κάτι στον ουρανό.

Αυτόματα, τα μάτια μου ακολούθησαν τα δικά του. Υπήρχε ένα σκοτεινό μοβ σύννεφο που αιωρείτο χαμηλά πάνω από τα δέντρα. Ένα σύννεφο; Μα ήταν τόσο αφύσικα ηλιόλουστη η μέρα... Όχι, δεν ήταν σύννεφο –αναγνώρισα την πυκνή στήλη καπνού, ακριβώς όπως και η δική μας.

«Έντουαρντ», είπα, ενώ η φωνή μου ήταν σχεδόν αδύνατο ν' ακουστεί. «Έντουαρντ, κάποιος τραυματίστηκε».

Είχα ακούσει τον πόνο του Σεθ, είχα δει το μαρτύριο στο πρόσωπο του Έντουαρντ.

«Ναι», ψιθύρισε.

«Ποιος;» ρώτησα, αν και, φυσικά, ήξερα ήδη την απάντηση.

Φυσικά και την ήξερα. Φυσικά.

Τα δέντρα κινούνταν πιο αργά γύρω μας, καθώς φτάναμε στον προορισμό μας.

Χρειάστηκε μια στιγμή για να μου απαντήσει.

«Ο Τζέικομπ», είπε.

Κατάφερα να γνέψω μια φορά.

«Φυσικά», ψιθύρισα.

Και μετά γλίστρησα από την άκρη απ' όπου κρατιόμουν μέσα στο κεφάλι μου.

Όλα έγιναν μαύρα.

Στην αρχή κατάλαβα τα δροσερά χέρια που με άγγιζαν. Περισσότερα από ένα ζευγάρι χέρια. Μπράτσα που με κρατούσαν, μια παλάμη που σχημάτιζε μια καμπύλη ώστε να μπορεί να χωράει εκεί ακριβώς το μάγουλό μου, δάχτυλα που χάιδευαν το μέτωπό μου και περισσότερα δάχτυλα που πίεζαν ελαφρά τον καρπό μου.

Μετά κατάλαβα τις φωνές. Στην αρχή ήταν απλώς ένας βόμβος και μετά αυξήθηκε η έντασή τους και η ευκρίνειά τους σαν να ανέβαζε κάποιος το ραδιόφωνο.

«Κάρλαϊλ –πέρασαν πέντε λεπτά». Η φωνή του Έντουαρντ, γεμάτη ανησυχία.

«Θα συνέλθει όταν είναι έτοιμη, Έντουαρντ». Η φωνή του Κάρλαϊλ, πάντα ψύχραιμη και σίγουρη. «Πέρασε πάρα πολλά μέσα σε μια μέρα για να μπορεί να τα αντέξει. Άσε το μυαλό της να προστατευθεί».

Αλλά το μυαλό μου δεν ήταν προστατευμένο. Ήταν παγιδευμένο στη γνώση που δε με είχε αφήσει, ακόμα κι όσο ήμουν αναίσθητη –τον πόνο που ήταν μέρος της μαυρίλας.

Ένιωθα εντελώς αποσυνδεδεμένη από το υπόλοιπο σώμα μου. Σαν να ήμουν φυλακισμένη σε κάποια μικρή γωνιά του κεφαλιού μου, χωρίς να έχω πια τον έλεγχο. Αλλά δεν μπορούσα να κάνω τίποτα γι' αυτό. Δεν μπορούσα να σκεφτώ. Ο πόνος ήταν υπερβολικά δυνατός για κάτι τέτοιο. Δεν υπήρχε κανένας τρόπος να ξεφύγω απ' αυτό.

Ο Τζέικομπ.

Ο Τζέικομπ.

Όχι, όχι, όχι, όχι, όχι…

«Άλις, πόση ώρα έχουμε;» απαίτησε να μάθει ο Έντουαρντ, με φωνή ακόμα γεμάτη ένταση· οι καθησυχαστικές λέξεις του Κάρλαϊλ δεν είχαν βοηθήσει.

Από κάπως πιο μακριά, η φωνή της Άλις. Ήταν κεφάτη, γεμάτη ελπίδα. «Άλλα πέντε λεπτά. Και η Μπέλλα θα ανοίξει τα μάτια της σε τριάντα-επτά δευτερόλεπτα. Δε θα μου έκανε εντύπωση αν μπορεί ήδη να μας ακούσει».

«Μπέλλα, γλυκιά μου;» Αυτή ήταν η απαλή, παρηγορητική φωνή της Έσμι. «Με ακούς; Είσαι ασφαλής τώρα, καλή μου».

Ναι, *ήμουν* ασφαλής. Είχε αλήθεια καμία σημασία;

Τότε δροσερά χείλη βρέθηκαν στ' αυτί μου, κι ο Έντουαρντ έλεγε τις λέξεις που μου επέτρεψαν να ξεφύγω από το μαρτύριο που με είχε φυλακισμένη μέσα στο ίδιο μου το κεφάλι.

«Θα ζήσει, Μπέλλα. Αυτή τη στιγμή που σου μιλάω ο Τζέικομπ Μπλακ αναρρώνει. Θα γίνει καλά».

Καθώς ο πόνος και ο τρόμος κόπασαν, βρήκα το δρόμο του γυρισμού στο σώμα μου. Τα βλέφαρά μου πετάρισαν.

«Αχ, Μπέλλα», είπε αναστενάζοντας με ανακούφιση ο Έντουαρντ και τα χείλη του άγγιξαν τα δικά μου.

«Έντουαρντ», ψιθύρισα.

«Ναι, εδώ είμαι».

Κατάφερα ν' ανοίξω τα βλέφαρά μου και κοίταξα μέσα στο ζεστό χρυσαφί.

«Είναι καλά ο Τζέικομπ;» ρώτησα.

«Ναι», μου υποσχέθηκε.

Παρατήρησα με προσοχή τα μάτια του για κάποια ένδειξη ότι προσπαθούσε να με κατευνάσει, αλλά ήταν απολύτως καθαρά.

«Τον εξέτασα εγώ ο ίδιος», είπε τότε ο Κάρλαϊλ· γύρισα το κεφάλι μου για να βρω το πρόσωπό του, μόλις μερικά μέτρα πιο πέρα. Η έκφραση του Κάρλαϊλ ήταν σοβαρή και καθησυχαστική συγχρόνως. Ήταν αδύνατον να αμφιβάλλω γι' αυτά που έλεγε. «Η ζωή του δε διατρέχει κανέναν κίνδυνο. Τα τραύματά του επουλώνονται με απίστευτο ρυθμό, αν και ήταν αρκετά εκτεταμένα, ώστε να χρειαστεί μερικές μέρες πριν επανέλθει στη φυσιολογική του κατάσταση, ακόμα κι αν ο ρυθμός επούλωσης μείνει σταθερός. Μόλις τελειώσουμε εδώ, θα κάνω ό,τι μπορώ για να τον βοηθήσω. Ο Σαμ προσπαθεί να τον κάνει να πάρει ξανά την ανθρώπινη μορφή του. Αυτό θα με διευκολύνει να τον κουράρω». Ο Κάρλαϊλ χαμογέλασε ελαφρώς. «Δεν έχω πάει ποτέ στην κτηνιατρική σχολή».

«Τι του συνέβη;» ψιθύρισα. «Πόσο άσχημα είναι τα τραύματά του;»

Το πρόσωπο του Κάρλαϊλ σοβάρεψε ξανά. «Ένας άλλος λύκος βρέθηκε σε δύσκολη φάση—»

«Η Λία», ψιθύρισα.

«Ναι. Την έκανε στην άκρη, αλλά δεν είχε χρόνο για να υπερασπίσει τον εαυτό του. Ο νεογέννητος κατάφερε να τυλίξει τα χέρια του γύρω του. Τα περισσότερα από τα κόκαλα στο δεξιό μισό του σώματός του Τζέικομπ θρυμματίστηκαν».

Τραβήχτηκα προς τα πίσω.

«Ο Σαμ κι ο Πολ έφτασαν εκεί εγκαίρως. Ήδη καλυτέρευε, όταν τον πήγαιναν πίσω στο Λα Πους».

«Θα επανέλθει στη φυσιολογική του κατάσταση;» ρώτησα.

«Ναι, Μπέλλα. Δε θα του μείνει καμία μόνιμη ζημιά».

Πήρα μια βαθιά ανάσα.

«Τρία λεπτά», είπε η Άλις χαμηλόφωνα.

Πάλεψα προσπαθώντας να σηκωθώ σε κάθετη θέση. Ο Έντουαρντ κατάλαβε τι έκανα και με βοήθησε να σηκωθώ όρθια.

Κοίταξα το σκηνικό μπροστά μου.

Οι Κάλεν στέκονταν σε ένα χαλαρό ημικύκλιο γύρω από τη φωτιά. Δεν υπήρχαν σχεδόν καθόλου ορατές φλόγες πια, μόνο ο πυκνός, μοβ-μαύρος καπνός που αιωρείτο σαν αρρώστια πάνω στο ζωηρόχρωμο χορτάρι. Ο Τζάσπερ στεκόταν πιο κοντά στην αχλή που έμοιαζε συμπαγής, στη σκιά της, έτσι ώστε το δέρμα του να μη λαμπυρίζει έντονα κάτω από τον ήλιο, όπως γινόταν με τους άλλους. Μου είχε γυρισμένη την πλάτη, με τα χέρια του ελαφρώς τεντωμένα. Υπήρχε κάτι εκεί, στη σκιά του. Κάτι πάνω από το οποίο στεκόταν σκυμμένος με ανήσυχη ένταση…

Ήμουν υπερβολικά μουδιασμένη για να νιώσω περισσότερο από ένα ελαφρύ σοκ, όταν συνειδητοποίησα τι ήταν.

Οι βρικόλακες ήταν οκτώ.

Το κορίτσι ήταν κουλουριασμένο σχηματίζοντας μια μικρή

μπάλα δίπλα στις φλόγες, τα χέρια της ήταν τυλιγμένα γύρω από τα πόδια της. Ήταν πολύ νέα. Πιο νέα από 'μένα –έμοιαζε ίσως δεκαπέντε, μελαχρινή και λεπτοκαμωμένη. Τα μάτια της ήταν εστιασμένα πάνω μου, και οι ίριδες ήταν ένα εντυπωσιακό, λαμπερό κόκκινο. Πολύ πιο έντονο από του Ράιλι. Γύριζαν γύρω-γύρω ξέφρενα.

Ο Έντουαρντ είδε την απορημένη μου έκφραση.

«Παραδόθηκε», μου είπε χαμηλόφωνα. «Αυτό είναι κάτι που δεν έχω ξαναδεί ποτέ. Μόνο ο Κάρλαϊλ θα σκεφτόταν να κάνει την πρόταση. Ο Τζάσπερ δεν εγκρίνει».

Δεν μπορούσα να πάρω το βλέμμα μου από τη σκηνή δίπλα στη φωτιά. Ο Τζάσπερ έτριβε αφηρημένα τον αριστερό του πήχη.

«Ο Τζάσπερ είναι καλά;» ψιθύρισα.

«Είναι μια χαρά. Το δηλητήριο τσούζει».

«Τον δάγκωσαν;» ρώτησα έντρομη.

«Προσπαθούσε να βρίσκεται παντού ταυτοχρόνως. Προσπαθούσε να βεβαιωθεί ότι η Άλις δε θα είχε τίποτα να κάνει, εδώ που τα λέμε». Ο Έντουαρντ κούνησε το κεφάλι του. «Η Άλις δε χρειάζεται τη βοήθεια κανενός».

Η Άλις έκανε μια γκριμάτσα προς την αληθινή της αγάπη. «Υπερπροστατευτικέ ανόητε».

Η νεαρή θηλυκή ξαφνικά έγειρε απότομα το κεφάλι προς τα πίσω σαν ζώο κι έβγαλε μια διαπεραστική κραυγή.

Ο Τζάσπερ της γρύλισε κι εκείνη μαζεύτηκε, αλλά τα δάχτυλά της έσκαψαν στο χώμα σαν νύχια αρπακτικού, και το κεφάλι της κουνήθηκε απότομα μπρος-πίσω με αγωνία. Ο Τζάσπερ έκανε ένα βήμα προς εκείνη, Χαμηλώνοντας σε στάση εφόρμησης. Ο Έντουαρντ κινήθηκε με μια υπερβολική απλότητα, γυρίζοντας τα σώματά μας, έτσι ώστε να βρίσκεται αυτός ανάμεσα στο κορίτσι και σ' εμένα. Κρυφοκοίταξα γύρω από το μπράτσο του για να παρατηρήσω το κορίτσι που χτυπιόταν και τον Τζάσπερ.

Ο Κάρλαϊλ βρέθηκε αμέσως στο πλευρό του Τζάσπερ. Ακούμπησε ένα χέρι πάνω στο μπράτσο του πιο πρόσφατου γιου του που ήθελε να τον συγκρατήσει.

«Άλλαξες γνώμη, νεαρή;» ρώτησε ο Κάρλαϊλ, ψύχραιμος όπως πάντα. «Δεν είναι ανάγκη να σε καταστρέψουμε, αλλά θα το κάνουμε αν δεν μπορείς να συγκρατηθείς».

«Πώς το αντέχετε;» μούγκρισε το κορίτσι με μια ψηλή, καθαρή φωνή. «Τη θέλω». Οι λαμπερές βυσσινί ίριδές της εστίασαν στον Έντουαρντ, πέρασαν μέσα από αυτόν, πέρα απ' αυτόν, σ' εμένα, και τα νύχια της όργωσαν πάλι το σκληρό χώμα.

«Πρέπει να το αντέξεις», της είπε ο Κάρλαϊλ σοβαρά. «Πρέπει να εξασκήσεις τον αυτοέλεγχό σου. Είναι δυνατόν και είναι το μόνο πράγμα που θα σε σώσει αυτή τη στιγμή».

Το κορίτσι έσφιξε δυνατά το κεφάλι της με τα καλυμμένα με χώμα χέρια της, βγάζοντας χαμηλόφωνα ουρλιαχτά.

«Δε θα έπρεπε να φύγουμε μακριά της;» ψιθύρισα, τραβώντας το χέρι του Έντουαρντ. Τα χείλη του κοριτσιού τραβήχτηκαν προς τα πίσω πάνω από τα δόντια της, όταν άκουσε τη φωνή μου, και πήρε μια έκφραση μαρτυρική.

«Πρέπει να μείνουμε εδώ», μουρμούρισε ο Έντουαρντ. «Έρχονται *αυτοί* στο βόρειο άκρο του ξέφωτου τώρα».

Η καρδιά μου ξέσπασε σε ένα βιαστικό σφυροκόπημα, καθώς σάρωνα το ξέφωτο, αλλά δεν μπορούσα να δω τίποτα πίσω από το πυκνό πέπλο του καπνού.

Μετά από ένα δευτερόλεπτο άκαρπου ψαξίματος, το βλέμμα μου σύρθηκε πίσω στο νεαρό θηλυκό βρικόλακα. Με κοίταζε ακόμα με μάτια μισότρελα.

Το βλέμμα μου διασταυρώθηκε με το δικό της. Σκούρα μαλλιά στο ύψος του πιγουνιού περιστοίχιζαν το πρόσωπό της, που ήταν χλωμό σαν αλάβαστρο. Ήταν δύσκολο να πεις αν τα χαρακτηριστικά της ήταν όμορφα, έτσι όπως ήταν παραμορφωμένα από την παραφορά και τη δίψα. Τα άγρια κόκκινα μάτια δέσποζαν –ήταν δύσκολο να πάρω το βλέμμα μου από πάνω τους. Με κοίταζε μοχθηρά, τρέμοντας και σφάδαζε κάθε λίγα δευτερόλεπτα.

Την κοίταζα, υπνωτισμένη, αναρωτώμενη αν κοίταζα μέσα σε έναν καθρέφτη του μέλλοντός μου.

Τότε ο Κάρλαϊλ κι ο Τζάσπερ άρχισαν να κινούνται προς τα πίσω που ήμασταν εμείς οι υπόλοιποι. Ο Έμετ, η Ρόζαλι κι η Έσμι όλοι άρχισαν να έρχονται προς το ίδιο σημείο βιαστικά, γύρω από εκεί που στεκόταν ο Έντουαρντ με την Άλις κι εμένα. Ένα ενωμένο μέτωπο, όπως είχε πει ο Έντουαρντ, με εμένα στην καρδιά του, στο πιο ασφαλές μέρος.

Τράβηξα με το ζόρι την προσοχή μου από το άγριο κορίτσι για να ψάξω τα τέρατα που πλησίαζαν.

Ακόμα δεν υπήρχε τίποτα να δω. Έριξα μια γρήγορη ματιά στον Έντουαρντ, και τα μάτια του ήταν καρφωμένα ευθεία μπροστά. Προσπάθησα να ακολουθήσω το βλέμμα του, αλλά υπήρχε μόνο καπνός –πυκνός, λιπαρός καπνός που στροβιλιζόταν χαμηλά στο έδαφος και ανέβαινε τεμπέλικα, κυματίζοντας πάνω από το χορτάρι.

Σχημάτιζε τολύπη προχωρώντας προς τα μπρος, πιο σκοτεινός στο κέντρο.

«Χμμμ», μουρμούρισε μια ανέκφραστη φωνή μέσα από την ομίχλη. Αναγνώρισα την απάθεια αμέσως.

«Καλώς ήρθες, Τζέιν». Ο τόνος του Έντουαρντ ήταν ψυχρά ευγενικός.

Οι σκοτεινές μορφές πλησίασαν, καθώς χωρίστηκαν από την ομίχλη, και έγιναν συμπαγείς. Ήξερα ότι θα ήταν η Τζέιν μπροστά –ο πιο σκούρος μανδύας, σχεδόν μαύρος, και η πιο κοντή σιλουέτα κατά περισσότερο από μισό μέτρο. Μετά βίας ξεχώριζα τα αγγελικά χαρακτηριστικά της Τζέιν στη σκιά της κουκούλας του μανδύα της.

Οι τέσσερις τυλιγμένες στα γκρίζα μεγαλόσωμες μορφές που δέσποζαν πίσω της ήταν κι αυτές κάπως γνωστές. Ήμουν σίγουρη ότι αναγνώριζα την πιο μεγαλόσωμη, κι ενώ κοίταζα, προσπαθώντας να επιβεβαιώσω την υποψία μου, ο Φέλιξ σήκωσε τα μάτια. Άφησε την κουκούλα του να πέσει πίσω ελαφρώς, και τον είδα να μου χαμογελάει και να μου κλείνει το μάτι. Ο Έντουαρντ ήταν εντελώς ακίνητος δίπλα μου, πολύ συγκρατημένος.

Το βλέμμα της Τζέιν κινήθηκε αργά στα φωτεινά πρόσωπα των Κάλεν και μετά σταμάτησε στο νεογέννητο κορίτσι δίπλα στη φωτιά· η νεογέννητη είχε το κεφάλι της ξανά μέσα στα χέρια της.

«Δεν καταλαβαίνω». Η φωνή της Τζέιν ήταν άτονη, αλλά όχι το ίδιο αδιάφορη με πριν.

«Παραδόθηκε», εξήγησε ο Έντουαρντ, απαντώντας στη σύγχυση μέσα στο μυαλό της.

Τα σκοτεινά μάτια της Τζέιν στράφηκαν σαν αστραπή στο πρόσωπό του. «Παραδόθηκε;»

Ο Φέλιξ κι άλλη μια σκιά αντάλλαξαν ένα γρήγορο βλέμμα.

Ο Έντουαρντ σήκωσε τους ώμους. «Ο Κάρλαϊλ της έδωσε την επιλογή».

«Δεν υπάρχουν επιλογές για όσους παραβαίνουν τους νόμους», είπε η Τζέιν άτονα.

Ο Κάρλαϊλ μίλησε τότε, με φωνή ήπια. «Αυτό είναι στα δικά σας χέρια. Εφόσον ήταν πρόθυμη να σταματήσει την επίθεσή της εναντίον μας, δεν το θεώρησα απαραίτητο να την καταστρέψω. Δεν τη δίδαξαν ποτέ».

«Αυτό είναι άσχετο», επέμεινε η Τζέιν.

«Όπως επιθυμείτε».

Η Τζέιν κοίταξε τον Κάρλαϊλ με μια έντονη απογοήτευση. Κούνησε το κεφάλι της απειροελάχιστα, και μετά η ψυχραιμία απλώθηκε ξανά στα χαρακτηριστικά της.

«Ο Άρο ήλπιζε ότι θα φτάναμε αρκετά δυτικά, ώστε να σας δούμε, Κάρλαϊλ. Στέλνει τους χαιρετισμούς του».

Ο Κάρλαϊλ έγνεψε. «Θα το εκτιμούσα αν του μεταφέρατε και τους δικούς μου».

«Φυσικά». Η Τζέιν χαμογέλασε. Το πρόσωπό της ήταν σχεδόν υπερβολικά ευχάριστο όταν ήταν ζωηρό. Γύρισε για να κοιτάξει τον καπνό. «Φαίνεται ότι κάνατε εσείς τη δουλειά μας για 'μας σήμερα... ως επί το πλείστον». Τα μάτια της τρεμόπαιξαν προς την όμηρο. «Απλώς από επαγγελματική περιέργεια, πόσοι ήταν; Άφησαν πίσω τους μεγάλη καταστροφή στο Σιάτλ».

«Δεκαοχτώ, συμπεριλαμβανομένης κι αυτής εδώ», απάντησε ο Κάρλαϊλ.

Τα μάτια της Τζέιν γούρλωσαν, και κοίταξε πάλι τη φωτιά, δείχνοντας να επανεκτιμά το μέγεθός της. Ο Φέλιξ και η άλλη σκιά αντάλλαξαν ένα πιο παρατεταμένο βλέμμα.

«Δεκαοχτώ;» επανέλαβε, με φωνή που ακούστηκε αβέβαιη για πρώτη φορά.

«Όλοι εντελώς καινούριοι», είπε ο Κάρλαϊλ . «Δεν είχαν καμία επιδεξιότητα».

«Όλοι;» Η φωνή της έγινε ζωηρή. «Τότε ποιος ήταν ο δημιουργός τους;»

«Το όνομά της ήταν Βικτόρια», απάντησε ο Έντουαρντ, χωρίς κανένα συναίσθημα στη φωνή του.

«Ήταν;» ρώτησε η Τζέιν.

Ο Έντουαρντ έγειρε το κεφάλι του προς το ανατολικό δάσος. Τα μάτια της Τζέιν σηκώθηκαν απότομα και επικεντρώθηκαν σε κάτι πέρα μακριά. Την άλλη στήλη του καπνού; Δεν κοίταξα για να ελέγξω.

Η Τζέιν κοίταξε προς την ανατολή και μετά εξέτασε τη φωτιά που ήταν πιο κοντά ξανά.

«Αυτή η Βικτόρια –ήταν επιπλέον εκτός από τους δεκαοχτώ εδώ;»

«Ναι. Είχε άλλον ένα μόνο μαζί της. Δεν ήταν τόσο νέος όσο αυτή εδώ, αλλά όχι μεγαλύτερος από ενός έτους».

«Είκοσι», ψιθύρισε η Τζέιν. «Ποιος κανόνισε τη δημιουργό τους;»

«Εγώ», της είπε ο Έντουαρντ.

Τα μάτια της Τζέιν ζάρωσαν, και μετά γύρισε προς το κορίτσι δίπλα στη φωτιά.

«Εσύ εκεί πέρα», είπε, και η ανέκφραστη φωνή της ήταν πιο τραχιά από πριν. «Το όνομά σου».

Η νεογέννητη έριξε μια εχθρική ματιά στην Τζέιν, τα χείλη της σφίχτηκαν.

Η Τζέιν της χαμογέλασε αγγελικά.

Το ουρλιαχτό του νεογέννητου κοριτσιού που ήρθε ως απάντηση ήταν διαπεραστικό˙ το σώμα της κύρτωσε άκαμπτο σε μια παραμορφωμένη, αφύσικη στάση. Γύρισα το βλέμμα μου από την άλλη, αντιστεκόμενη στη επιθυμία να καλύψω τα αυτιά μου. Έτριξα τα δόντια μου, ελπίζοντας να ελέγξω το στομάχι μου. Το ουρλιαχτό έγινε πιο έντονο. Προσπάθησα να συγκεντρωθώ στο πρόσωπο του Έντουαρντ, ήρεμο και χωρίς κανένα συναίσθημα, αλλά αυτό με έκανε να θυμηθώ τότε που ο Έντουαρντ ήταν υπό το βασανιστικό βλέμμα της Τζέιν, κι ένιωσα ακόμα πιο άσχημα. Κοίταξα αντί γι' αυτόν την Άλις και την Έσμι δίπλα της. Τα πρόσωπά τους ήταν εξίσου άδεια με το δικό του.

Επιτέλους, επικράτησε ησυχία.

«Το όνομά σου», είπε πάλι η Τζέιν, με φωνή χωρίς διακυμάνσεις.

«Μπρι», είπε αγκομαχώντας το κορίτσι.

Η Τζέιν χαμογέλασε και το κορίτσι ούρλιαξε ξανά. Κράτησα την ανάσα μου μέχρι που ο ήχος του μαρτυρίου της σταμάτησε.

«Θα σου πει ό,τι θες να μάθεις», είπε ο Έντουαρντ μέσα από τα δόντια του. «Δεν είναι ανάγκη να το κάνεις αυτό».

Η Τζέιν σήκωσε το βλέμμα με ξαφνική διάθεση αστεϊσμού στα συνήθως ανέκφραστα της μάτια. «Ω, το ξέρω», είπε στον Έντουαρντ, χαμογελώντας του πριν στραφεί πάλι προς τη νεαρή θηλυκιά, την Μπρι.

«Μπρι», είπε η Τζέιν, με φωνή ψυχρή ξανά. «Είναι αλήθεια η ιστορία του; Ήσασταν είκοσι;»

Το κορίτσι καθόταν εκεί λαχανιασμένο, η μια πλευρά του προσώπου της κολλημένη στο χώμα. Μίλησε γρήγορα. «Δεκαεννιά ή είκοσι, ίσως και παραπάνω. Δεν ξέρω!» Τραβήχτηκε πίσω, έντρομη ότι η άγνοιά της μπορεί να προκαλούσε άλλο ένα γύρο βασανιστηρίων. «Η Σάρα κι εκείνος που δεν ξέρω πώς το λένε τσακώθηκαν στο δρόμο…»

«Κι αυτή η Βικτόρια –εκείνη σε δημιούργησε;»

«Δεν ξέρω», είπε, ενώ τραβήχτηκε πάλι πίσω. «Ο Ράιλι δεν έλεγε ποτέ το όνομά της. Δεν έβλεπα εκείνη τη νύχτα… ήταν τόσο σκοτεινά, και πονούσα…» Η Μπρι αναρίγησε. «Δεν ήθελε να μπορούμε να τη σκεφτόμαστε. Έλεγε ότι οι σκέψεις μας δεν ήταν ασφαλείς…»

Τα μάτια της Τζέιν τρεμόπαιξαν προς τον Έντουαρντ και μετά πάλι πίσω στο κορίτσι.

Η Βικτόρια το είχε σχεδιάσει καλά. Αν δεν είχε ακολουθήσει τον Έντουαρντ, δε θα υπήρχε κανένας τρόπος να ξέρουμε στα σίγουρα ότι είχε κάποια σχέση…

«Πες μου για τον Ράιλι», είπε η Τζέιν. «Γιατί σας έφερε εδώ;»

«Ο Ράιλι μας είπε ότι έπρεπε να καταστρέψουμε τα παράξενα κίτρινα μάτια εδώ», είπε μιλώντας γρήγορα με ακατάληπτο τρόπο, γεμάτη προθυμία. «Είπε ότι θα ήταν εύκολο. Είπε ότι η πόλη ήταν δική τους κι ότι έρχονταν για να μας επιτεθούν. Είπε ότι μόλις χανόντουσαν εκείνοι, τότε το αίμα θα ήταν όλο δικό μας. Μας έδωσε τη μυρωδιά της». Η Μπρι σήκωσε το ένα χέρι της κι έδειξε με το δάχτυλο προς την κατεύθυνσή μου. «Είπε πως θα καταλαβαίναμε ότι βρήκαμε τη σωστή ομάδα, επειδή εκείνη θα ήταν μαζί τους. Είπε ότι όποιος την έβρισκε πρώτος θα ήταν δικιά του».

Άκουσα το σαγόνι του Έντουαρντ να σφίγγεται πλάι μου.

«Φαίνεται πως ο Ράιλι έκανε λάθος όταν σας είπε ότι θα ήταν εύκολο», επισήμανε η Τζέιν.

Η Μπρι έγνεψε, δείχνοντας ανακουφισμένη που η κουβέντα είχε πάρει αυτή την καθόλου οδυνηρή τροπή. Ανακάθισε προσεχτικά. «Δεν ξέρω τι έγινε. Χωριστήκαμε, αλλά οι άλλοι δεν επέστρεψαν ποτέ. Κι ο Ράιλι μας άφησε και δεν ήρθε να βοηθήσει, όπως είχε υποσχεθεί. Και μετά ήταν όλα τόσο μπερδεμένα, κι όλοι έγιναν κομμάτια». Αναρίγησε ξανά. «Φοβόμουν. Ήθελα να το βάλω στα πόδια. Εκείνος» –κοίταξε τον Κάρλαϊλ– «είπε ότι δε θα μου έκανε κακό αν σταματούσα να πολεμάω».

«Α, μα αυτό δεν ήταν δικό του δώρο για να το προσφέρει, νεαρή μου», μουρμούρισε η Τζέιν, με φωνή παράδοξα μειλίχια τώρα. «Οι κανόνες όταν καταπατούνται απαιτούν συνέπειες».

Η Μπρι την κοίταξε χωρίς να καταλαβαίνει.

Η Τζέιν κοίταξε τον Κάρλαϊλ. «Είσαι σίγουρος ότι τους καταστρέψατε όλους; Τους άλλους μισούς που χωρίστηκαν;»

Το πρόσωπο του Κάρλαϊλ ήταν πολύ ήρεμο, καθώς έγνεψε. «Κι εμείς χωριστήκαμε».

Η Τζέιν μισοχαμογέλασε. «Δεν μπορώ να αρνηθώ πως είμαι εντυπωσιασμένη. Οι μεγάλες σκιές πίσω της μουρμούρισαν συμφωνώντας. «Δεν έχω δει ποτέ μια ομάδα να γλιτώνει από μια επίθεση τέτοιου μεγέθους και να βγαίνει αλώβητη. Τι κρύβεται πίσω απ' αυτή; Μου φαίνεται ακραία συμπεριφορά, δεδομένου του τρόπου με τον οποίο ζείτε εσείς εδώ. Και γιατί το κορίτσι ήταν το κλειδί;» Τα μάτια της στάθηκαν με απροθυμία πάνω μου για ένα σύντομο δευτερόλεπτο.

Με διαπέρασε ένα ρίγος.

«Η Βικτόρια είχε προηγούμενα με την Μπέλλα», της είπε ο Έντουαρντ, με φωνή απαθή.

Η Τζέιν γέλασε –ο ήχος ήταν χρυσός, το κελαρυστό γέλιο

ενός ευτυχισμένου παιδιού. «Τούτη εδώ φαίνεται να προκαλεί παραδόξως έντονες αντιδράσεις στο είδος μας», παρατήρησε, χαμογελώντας κατευθείαν σ' εμένα, με μακάριο πρόσωπο.

Ο Έντουαρντ τσιτώθηκε. Τον κοίταξα εγκαίρως για να δω το πρόσωπό του να γυρίζει από την άλλη μεριά, ξανά στην Τζέιν.

«Θα μπορούσες σε παρακαλώ να μην το κάνεις αυτό;» ρώτησε με σφιγμένη φωνή.

Η Τζέιν γέλασε ξανά ανάλαφρα. «Απλώς έκανα μια δοκιμή. Προφανώς, δεν έγινε τίποτα κακό».

Αναρίγησα, βαθιά ευγνώμων που η παράξενη ανωμαλία στον οργανισμό μου –που με είχε προστατέψει από την Τζέιν την τελευταία φορά που είχαμε συναντηθεί– ίσχυε ακόμα. Τα χέρια του Έντουαρντ έγιναν πιο σφιχτά γύρω μου.

«Λοιπόν, φαίνεται πως δεν υπάρχουν και πολλά να κάνουμε εμείς. Παράξενο», είπε η Τζέιν, καθώς η απάθεια ξαναγύρισε ύπουλα στη φωνή της. «Δεν είμαστε συνηθισμένοι στο να μας καθιστούν αχρείαστους. Κρίμα που χάσαμε τη μάχη. Φαίνεται πως θα ήταν διασκεδαστικό να την παρακολουθήσουμε».

«Ναι», απάντησε ο Έντουαρντ γρήγορα, με κοφτή φωνή. «Και ήσασταν τόσο κοντά. Κρίμα που δε φτάσατε μισή ώρα νωρίτερα. Ίσως τότε να μπορούσατε να εκπληρώσετε το σκοπό σας εδώ».

Το σταθερό βλέμμα της Τζέιν διασταυρώθηκε με το βλέμμα του Έντουαρντ. «Ναι. Κρίμα που κατέληξαν έτσι τα πράγματα, έτσι δεν είναι;»

Ο Έντουαρντ έγνεψε μια φορά στον εαυτό του, καθώς οι υποψίες του είχαν επαληθευτεί.

Η Τζέιν γύρισε να κοιτάξει τη νεογέννητη Μπρι πάλι, με πρόσωπο που έδειχνε να βαριέται τελείως. «Φέλιξ;» είπε συρτά.

«Περίμενε», παρενέβη ο Έντουαρντ.

Η Τζέιν σήκωσε το ένα της φρύδι, αλλά ο Έντουαρντ κοίταζε τον Κάρλαϊλ, και μιλούσε με έναν επείγοντα τόνο στη φωνή του. «Θα μπορούσαμε να εξηγήσουμε τους κανόνες στη νεαρή. Φαίνεται πρόθυμη να μάθει. Δεν ήξερε τι έκανε».

«Φυσικά», απάντησε ο Κάρλαϊλ. «Σίγουρα θα ήμασταν πρόθυμοι να αναλάβουμε την ευθύνη για την Μπρι».

Η έκφραση της Τζέιν διχάστηκε, καθώς φάνηκε από τη μια να το βρίσκει αστείο κι από την άλλη να δυσπιστεί.

«Δεν κάνουμε εξαιρέσεις», είπε. «Και δε δίνουμε δεύτερες ευκαιρίες. Είναι κακό για τη φήμη μας. Πράγμα που μου θυμίζει...» Ξαφνικά, τα μάτια της ήταν πάνω μου ξανά, και το μωρουδίστικο πρόσωπό της γέμισε ζάρες. «Ο Κάιος θα το βρει πολύ ενδιαφέρον, όταν μάθει πως είσαι ακόμα άνθρωπος, Μπέλλα. Ίσως αποφασίσει να σας κάνει μια επίσκεψη».

«Η ημερομηνία έχει οριστεί», είπε η Άλις στην Τζέιν, μιλώντας για πρώτη φορά. «Ίσως να έρθουμε εμείς να σας επισκεφτούμε σε μερικούς μήνες».

Το χαμόγελο της Τζέιν ξεθώριασε και ανασήκωσε τους ώμους αδιάφορα, χωρίς να κοιτάξει καθόλου την Άλις. Γύρισε για να κοιτάξει κατά πρόσωπο τον Κάρλαϊλ. «Χάρηκα που σε γνώρισα, Κάρλαϊλ –νόμιζα πως ο Άρο υπερέβαλλε. Λοιπόν, μέχρι να συναντηθούμε ξανά...»

Ο Κάρλαϊλ έγνεψε, με έκφραση γεμάτη πόνο.

«Φρόντισε το θέμα, Φέλιξ», είπε η Τζέιν, δείχνοντας με το κεφάλι προς την Μπρι, με φωνή που ξεχείλιζε από ανία. «Θέλω να πάω σπίτι».

«Μην κοιτάς», ψιθύρισε ο Έντουαρντ στο αυτί μου.

Ήμουν υπερβολικά πρόθυμη να ακολουθήσω τη συμβουλή του. Είχα δει παραπάνω από αρκετά για μια μέρα –παραπάνω από αρκετά για μια ολόκληρη ζωή. Έκλεισα τα μάτια μου σφιχτά και γύρισα το πρόσωπό μου στο στήθος του Έντουαρντ.

Αλλά και πάλι άκουγα.

Ακούστηκε ένα βαθύ, βροντερό γρύλισμα και μετά ένας διαπεραστικός θρήνος που ήταν φριχτά γνωστός. Αυτός ο ήχος σταμάτησε απότομα, και μετά ο μόνος ήχος ήταν ένα τρίξιμο κι ένας ξερός κρότος σπασίματος που μου προκαλούσαν ναυτία.

Το χέρι του Έντουαρντ έτριβε με αγωνία τους ώμους μου.

«Ελάτε», είπε η Τζέιν, κι εγώ σήκωσα το κεφάλι εγκαίρως για να δω το πίσω μέρος των ψηλών γκρίζων μανδυών να απομακρύνονται προς τον καπνό που στροβιλιζόταν. Η μυρωδιά του λιβανιού ήταν έντονη ξανά –φρέσκια.

Οι γκρίζοι μανδύες εξαφανίστηκαν μέσα στην πυκνή ομίχλη.

26. ΑΡΧΕΣ

Ο πάγκος στο μπάνιο της Άλις ήταν σκεπασμένος με χίλια διαφορετικά προϊόντα που όλα ισχυρίζονταν ότι ομόρφαιναν την επιδερμίδα. Εφόσον όλοι σ' αυτό το σπίτι ήταν και άψογοι και αδιαπέραστοι, μπορούσα μόνο να υποθέσω ότι είχε αγοράσει τα περισσότερα από αυτά τα πράγματα έχοντας εμένα υπόψη. Διάβασα τις ετικέτες μουδιασμένα, κατάπληκτη από τη σπατάλη.

Πρόσεχα πολύ να μην κοιτάξω καθόλου στο μακρύ καθρέφτη.

Η Άλις χτένιζε τα μαλλιά μου με μια αργή, ρυθμική κίνηση.

«Φτάνει, Άλις», είπα άτονα. «Θέλω να ξαναπάω στο Λα Πους».

Πόσες ώρες περίμενα τον Τσάρλι να φύγει επιτέλους από το σπίτι του Μπίλι για να δω τον Τζέικομπ; Κάθε λεπτό, χωρίς να ξέρω αν ο Τζέικομπ ανέπνεε ακόμα ή όχι, έμοιαζε με δέκα ολόκληρες ζωές. Και τότε, όταν επιτέλους μου επέτρεψαν να πάω, να δω με τα ίδια μου τα μάτια ότι ο Τζέικομπ ήταν ζωντανός, η ώρα είχε περάσει τόσο γρήγορα. Ένιωθα σαν να είχα προλάβει ίσα-ίσα να πάρω μια ανάσα, πριν η Άλις να πάρει τηλέφωνο τον Έντουαρντ, επιμένοντας ότι έπρεπε να συνεχίσω να προσποιούμαι με ένα γελοίο τρόπο ότι θα έμενα να κοιμηθώ σπίτι τους. Έμοιαζε τόσο ανόητο...

«Ο Τζέικομπ είναι ακόμα αναίσθητος», απάντησε η Άλις. «Ο Κάρλαϊλ ή ο Έντουαρντ θα πάρουν τηλέφωνο, όταν θα ξυπνήσει. Έτσι κι αλλιώς, πρέπει να πας να δεις τον Τσάρλι. Ήταν εκεί στο σπίτι του Μπίλι, είδε ότι ο Κάρλαϊλ κι ο Έντουαρντ έχουν επιστρέψει από την εκδρομή τους, και είναι σίγουρο ότι θα του μπουν υποψίες, όταν φτάσεις σπίτι».

Είχα αποστηθίσει το παραμύθι μου και το είχα τεκμηριώσει. «Δε με νοιάζει. Θέλω να είμαι εκεί, όταν ξυπνήσει ο Τζέικομπ».

«Πρέπει να σκεφτείς τον Τσάρλι τώρα. Πέρασες μια μεγάλη μέρα –συγνώμη, αυτή η λέξη ούτε καν πλησιάζει στο να εκφράσει την πραγματικότητα– όμως, αυτό δε σημαίνει ότι μπορείς να αποφύγεις τις ευθύνες σου». Η φωνή της ήταν σοβαρή, σχεδόν επιτιμητική. «Είναι πιο σημαντικό τώρα από ποτέ ο Τσάρλι να μείνει μακριά νυχτωμένος. Παίξε το ρόλο σου πρώτα, Μπέλλα, και μετά μπορείς να κάνεις ό,τι θες. Ένα μέρος του να είσαι Κάλεν είναι και το να είσαι σχολαστικά υπεύθυνος».

Φυσικά είχε δίκιο. Κι αν δεν υπήρχε ακριβώς αυτός ο λόγος –ένας λόγος που ήταν πιο δυνατός από κάθε φόβο και πόνο και ενοχή μου– ο Κάρλαϊλ δε θα είχε καταφέρει ποτέ να με πείσει να φύγω από το πλευρό του Τζέικομπ, είτε ήταν αναίσθητος είτε όχι.

«Πήγαινε σπίτι», πρόσταξε η Άλις. «Μίλα με τον Τσάρλι. Ανάπτυξε το άλλοθί σου. Κράτα τον ασφαλή».

Σηκώθηκα όρθια, και το αίμα κύλησε κάτω ως στα πόδια μου, τσιμπώντας με όπως οι αιχμηρές άκρες χιλιάδων βελονών. Καθόμουν ακίνητη πάρα πολλή ώρα.

«Αυτό το φόρεμα είναι αξιολάτρευτο πάνω σου», γουργούρισε η Άλις.

«Ε; Α. Εεε – ευχαριστώ και πάλι για τα ρούχα», ψέλλισα από ευγένεια παρά από πραγματική ευγνωμοσύνη.

«Χρειάζεσαι αποδεικτικά στοιχεία», είπε η Άλις, με μάτια αθώα και διάπλατα ανοιχτά. «Τι θα ήταν μια εξόρμηση για ψώνια χωρίς ένα καινούριο σύνολο; Είναι πολύ κολακευτικό, πάντως».

Ανοιγόκλεισα τα μάτια, ανίκανη να θυμηθώ τι μου είχε φορέσει. Δεν μπορούσα να εμποδίσω τις σκέψεις μου από το να τρέχουν μακριά κάθε λίγα δευτερόλεπτα…

«Ο Τζέικομπ είναι μια χαρά, Μπέλλα», είπε η Άλις, ερμηνεύοντας με ευκολία την έγνοια μου. «Δεν υπάρχει λόγος βιασύνης. Αν συνειδητοποιούσες πόση μορφίνη χρειάστηκε να του δώσει ο Κάρλαϊλ –τόσο γρήγορα που την καίει– θα ήξερες ότι δε θα ξυπνήσει για αρκετή ώρα ακόμα».

Τουλάχιστον δεν πονούσε. Όχι ακόμα.

«Υπάρχει κάτι που θέλεις να συζητήσουμε πριν φύγεις;» ρώτησε η Άλις με συμπόνια. «Η εμπειρία σου πρέπει να ήταν κάτι παραπάνω από λίγο τραυματική».

Ήξερα για ποιο πράγμα ήταν περίεργη. Αλλά είχα άλλες ερωτήσεις.

«Έτσι θα είμαι;» τη ρώτησα, με φωνή χαμηλωμένη. «Σαν εκείνο το κορίτσι στο λιβάδι, την Μπρι;»

Υπήρχαν πολλά πράγματα που έπρεπε να σκεφτώ, αλλά δε φαινόταν να μπορώ να τη βγάλω από το νου μου, τη νεογέννητη που η άλλη της ζωή είχε –απότομα– τελειώσει τώρα. Το πρόσωπό της, παραμορφωμένο από τον πόθο για το αίμα μου, παρέμενε πίσω από τα βλέφαρά μου.

Η Άλις μου χάιδεψε το χέρι. «Ο καθένας είναι διαφορετικός. Αλλά κάπως έτσι, ναι».

Έμεινα εντελώς ακίνητη, προσπαθώντας να φανταστώ.

«Περνάει», μου υποσχέθηκε.

«Πόσο γρήγορα;»

Ανασήκωσε τους ώμους της. «Σε λίγα χρόνια, ίσως και πιο σύντομα. Μπορεί να είναι αλλιώς για 'σένα. Δεν έχω δει ποτέ κανένα να περνάει κάτι τέτοιο έχοντας το επιλέξει από πριν. Θα πρέπει να είναι ενδιαφέρον να δούμε πώς θα σε επηρεάσει αυτό».

«Ενδιαφέρον», επανέλαβα.

«Δε θα σε αφήσουμε να μπλέξεις».

«Το ξέρω. Σας εμπιστεύομαι». Η φωνή μου ήταν μονότονη, χωρίς συναίσθημα.

Το μέτωπο της Άλις γέμισε ζάρες. «Αν ανησυχείς για τον Κάρλαϊλ και τον Έντουαρντ, είμαι σίγουρη ότι θα είναι μια χαρά. Πιστεύω πως ο Σαμ αρχίζει να μας εμπιστεύεται... δηλαδή, να εμπιστεύεται τον Κάρλαϊλ, τουλάχιστον. Αυτό είναι καλό. Φαντάζομαι ότι θα υπήρξε κάποια ένταση στην ατμόσφαιρα, όταν ο Κάρλαϊλ έπρεπε να ξανασπάσει τα σημεία όπου υπήρχαν κατάγματα–»

«Σε παρακαλώ, Άλις».

«Συγνώμη».

Πήρα μια βαθιά ανάσα για να σταθεροποιηθώ. Ο Τζέικομπ είχε αρχίσει να επουλώνεται υπερβολικά γρήγορα και μερικά κόκαλα είχαν κολλήσει λάθος. Ήταν αναίσθητος για τη διαδικασία αυτή, αλλά και πάλι ήταν δύσκολο να το σκέφτομαι.

«Άλις, μπορώ να σε ρωτήσω κάτι; Για το μέλλον;»

Ξαφνικά ανησύχησε. «Ξέρεις ότι δε βλέπω τα πάντα».

«Δεν είναι αυτό, ακριβώς. Αλλά *βλέπεις* το δικό μου μέλλον, μερικές φορές. Γιατί συμβαίνει αυτό, λες, όταν τίποτα άλλο δε δουλεύει πάνω μου; Ούτε αυτό που κάνει η Τζέιν, ούτε ο Έντουαρντ, ούτε ο Άρο...» Η πρότασή μου αργόσβησε μαζί με το ενδιαφέρον μου. Η περιέργειά μου πάνω σ' αυτό το θέμα ήταν στιγμιαία, καθώς επισκιαζόταν βαριά από περισσότερο επείγοντα συναισθήματα.

Η Άλις, παρ' όλα αυτά, βρήκε την ερώτηση πολύ ενδιαφέρουσα. «Κι ο Τζάσπερ, Μπέλλα –το χάρισμά του δουλεύει εξίσου καλά πάνω στο σώμα σου, όπως σε όλους τους άλλους. Αυτή είναι η διαφορά, το καταλαβαίνεις; Οι ικανότητες του Τζάσπερ επηρεάζουν το σώμα. Πραγματικά ηρεμεί τον οργανισμό σου ή τον εξάπτει. Δεν είναι ψευδαίσθηση. Κι εγώ βλέπω οράματα με τα αποτελέσματα, όχι τις αιτίες και τις σκέψεις πίσω από τις αποφάσεις που τα δημιουργούν. Είναι κάτι έξω από το μυαλό, ούτε κι αυτό είναι ψευδαίσθηση˙ είναι πραγματικότητα ή τουλάχιστον μια εκδοχή της. Αλλά η Τζέιν κι ο Έντουαρντ κι ο Άρο κι ο Ντιμίτρι –εκείνοι δουλεύουν *μέσα* στο μυαλό. Η Τζέιν δημιουργεί μόνο μια ψευδαίσθηση του πόνου. Δεν πονάει πραγματικά το σώμα σου, νομίζεις μόνο ότι νιώθεις έτσι. Βλέπεις, Μπέλλα; Είσαι ασφαλής μέσα στο μυαλό σου. Κανένας δεν μπορεί να σε αγγίξει εκεί. Δεν είναι ν' απορεί κανείς που ο Άρο ήταν τόσο περίεργος σχετικά με τις μελλοντικές σου ικανότητες».

Παρατήρησε το πρόσωπό μου για να δει αν παρακολουθούσα τη λογική της. Στην πραγματικότητα, τα λόγια της είχαν αρχίσει να τρέχουν όλα μαζί, με τις συλλαβές και τους ήχους να χάνουν το νόημά τους. Δεν μπορούσα να συγκεντρωθώ σ' αυτά. Και πάλι, έγνεψα. Προσπαθώντας να φανώ σαν να το είχα καταλάβει.

Δεν ξεγελάστηκε. Χάιδεψε το μάγουλό μου και μουρμούρισε: «Θα γίνει καλά, Μπέλλα. Δε χρειάζομαι κανένα όραμα για να το ξέρω αυτό. Είσαι έτοιμη να φύγεις;»

«Και κάτι άλλο. Μπορώ να σου κάνω άλλη μια ερώτηση για το μέλλον; Δε θέλω λεπτομέρειες, απλώς μια γενική εικόνα».

«Θα βάλω τα δυνατά μου», είπε ξανά γεμάτη αμφιβολία.

«Ακόμα με βλέπεις να γίνομαι βρικόλακας;»

«Α, αυτό είναι εύκολο. Και βέβαια σε βλέπω».

Κούνησα το κεφάλι μου αργά.

Εξέτασε το πρόσωπό μου, με μάτια ανεξιχνίαστα. «Δεν ξέρεις τι γίνεται ούτε στο ίδιο σου το μυαλό, Μπέλλα;»

«Ξέρω. Απλώς ήθελα να βεβαιωθώ».

«Είμαι μόνο τόσο σίγουρη όσο είσαι κι εσύ, Μπέλλα. Το ξέρεις. Αν άλλαζες γνώμη, αυτό που θα έβλεπα εγώ θα άλλαζε... ή θα εξαφανιζόταν, στη δική σου περίπτωση».

Αναστέναξα. «Αυτό, όμως, δεν πρόκειται να συμβεί».

Με αγκάλιασε. «Λυπάμαι. Δεν μπορώ να ταυτιστώ συναισθηματικά μαζί σου. Η πρώτη δική μου ανάμνηση είναι το πρόσωπο του Τζάσπερ στο μέλλον μου˙ πάντα ήξερα ότι αυτός ήταν εκεί όπου κατευθυνόταν η ζωή μου. Αλλά μπορώ να σε *συμπονέσω*. Λυπάμαι τόσο πολύ που πρέπει να διαλέξεις μεταξύ δύο καλών επιλογών».

Έδιωξα τα χέρια της με ένα τίναγμα. «Μη με λυπάσαι». Υπήρχαν άνθρωποι που τους άξιζε συμπόνια. Εγώ δεν ήμουν ένας απ' αυτούς. Και δεν υπήρχε καμία επιλογή να κάνω –υπήρχε μόνο μια καλή καρδιά που έπρεπε να τη ραγίσω.

«Πάω να φροντίσω το θέμα του Τσάρλι».

Γύρισα σπίτι με το φορτηγάκι μου, όπου περίμενε ο Τσάρλι τόσο καχύποπτος όσο είχε προβλέψει η Άλις.

«Γεια σου, Μπέλλα. Πώς ήταν η εξόρμησή σας για ψώνια;» με χαιρέτησε, όταν μπήκα στην κουζίνα. Είχε τα χέρια του σταυρωμένα στο στήθος, τα μάτια του πάνω στο πρόσωπό μου.

«Ατελείωτη», είπα άτονα. «Μόλις γυρίσαμε».

Ο Τσάρλι αξιολόγησε τη διάθεσή μου. «Μάλλον έμαθες ήδη για τον Τζέικ, τότε;»

«Ναι. Οι υπόλοιποι Κάλεν γύρισαν πριν από 'μας σπίτι. Η Έσμι μας είπε πού ήταν ο Κάρλαϊλ κι ο Έντουαρντ».

«Είσαι καλά;»

«Ανησυχώ για τον Τζέικ. Αφού ετοιμάσω βραδινό, θα κατέβω στο Λα Πους».

«Σου το είχα πει ότι αυτές οι μοτοσικλέτες ήταν επικίνδυνες. Ελπίζω αυτό να σε κάνει να καταλάβεις ότι δεν αστειευόμουν».

Έγνεψα, καθώς άρχισα να βγάζω πράγματα από το ψυγείο. Ο Τσάρλι βολεύτηκε στο τραπέζι. Φαινόταν να έχει περισσότερη διάθεση για κουβέντα απ' ό,τι συνήθως.

«Δε νομίζω πως χρειάζεται ν' ανησυχείς για τον Τζέικ πάρα πολύ. Οποιοσδήποτε μπορεί να βρίζει με τέτοια ενέργεια θα γίνει καλά».

«Ο Τζέικ είχε ξυπνήσει όταν τον είδες;» ρώτησα γυρίζοντας από την άλλη για να τον κοιτάξω.

«Α, ναι, ξύπνησε. Έπρεπε να τον είχες ακούσει –εδώ που τα λέμε, καλύτερα που δεν τον άκουσες. Δε νομίζω ότι υπάρχει κανείς στο Λα Πους που δεν τον άκουσε. Δεν ξέρω από πού έμαθε αυτό το λεξιλόγιο, αλλά ελπίζω να μη χρησιμοποιούσε τέτοια γλώσσα μαζί σου».

«Είχε καλή δικαιολογία σήμερα. Πώς ήταν;»

«Χάλια. Οι φίλοι του τον έφεραν σπίτι. Καλά που είναι μεγαλόσωμα αγόρια, γιατί αυτό το παλικάρι είναι τεράστιο. Ο Κάρλαϊλ είπε ότι έσπασε το δεξί του πόδι και το δεξί του χέρι. Σχεδόν ολόκληρη η δεξιά πλευρά του σώματός του διαλύθηκε, όταν σμπαράλιασε εκείνο το καταραμένο το μηχανάκι». Ο Τσάρλι κούνησε το κεφάλι του. «Αν μάθω ότι καβάλησες ξανά μηχανή, Μπέλλα—»

«Κανένα πρόβλημα, μπαμπά. Δε θα μάθεις κάτι τέτοιο. Πιστεύεις αλήθεια ότι ο Τζέικ είναι καλά;»

«Βέβαια, Μπέλλα, μην ανησυχείς. Ήταν αρκετά στα συγκαλά του για να με πειράξει».

«Να σε πειράξει;» επανέλαβα σαν αντίλαλος, έκπληκτη.

«Ναι –μεταξύ του να βρίσει τη μητέρα κάποιου και να χρησιμοποιήσει το όνομα του Κυρίου επί ματαίω, είπε: "Βάζω στοίχημα ότι χαίρεσαι που αγαπάει τον Κάλεν αντί για 'μένα σήμερα, ε, Τσάρλι;"»

Γύρισα πάλι προς το ψυγείο ώστε να μην μπορεί να δει το πρόσωπό μου.

«Και δεν μπορούσα να διαφωνήσω. Ο Έντουαρντ είναι πιο

ώριμος από τον Τζέικομπ στο θέμα της ασφάλειάς σου, αυτό του το αναγνωρίζω».

«Ο Τζέικομπ είναι αρκετά ώριμος», μουρμούρισα υπερασπίζοντάς τον. «Είμαι σίγουρη ότι δεν έφταιγε αυτός γι' αυτό που έγινε».

«Παράξενη μέρα σήμερα», συλλογίστηκε ο Τσάρλι μετά από ένα λεπτό. «Ξέρεις, δε δίνω και μεγάλη βάση σ' αυτές τις προληπτικές αηδίες, αλλά ήταν περίεργο... Ήταν λες κι ο Μπίλι ήξερε ότι κάτι κακό θα συνέβαινε στον Τζέικ. Ήταν νευρικός σαν να καθόταν σ' αναμμένα κάρβουνα όλο το πρωί. Δε νομίζω ότι άκουσε τίποτα απ' όσα του έλεγα.

»Και μετά, πράγμα ακόμα πιο περίεργο –θυμάσαι τον Φλεβάρη και τον Μάρτη, τότε που είχαμε όλη αυτή τη φασαρία με τους λύκους;»

Έσκυψα για να πάρω ένα τηγάνι από το ντουλάπι και κρύφτηκα εκεί για ένα-δυο επιπλέον δευτερόλεπτα.

«Ναι», ψέλλισα.

«Ελπίζω να μην έχουμε κι άλλα προβλήματα μ' αυτό το θέμα. Σήμερα το πρωί ήμασταν έξω με τη βάρκα, κι ο Μπίλι δεν πρόσεχε ούτε εμένα ούτε τα ψάρια, όταν εντελώς ξαφνικά άκουσα λύκους να ουρλιάζουν μέσα στο δάσος. Περισσότερους από έναν, και, πίστεψέ με, ήταν δυνατά τα ουρλιαχτά. Ακούγονταν σαν να ήταν εκεί ακριβώς, μέσα στο χωριό. Και το πιο περίεργο απ' όλα, ο Μπίλι γύρισε τη βάρκα από την άλλη μεριά και κατευθύνθηκε κατευθείαν πίσω στο λιμάνι, λες και του φώναζαν εκείνου προσωπικά. Δε με άκουσε καν που τον ρώτησα τι έκανε.

»Ο θόρυβος σταμάτησε, πριν δέσουμε τη βάρκα στην αποβάθρα. Αλλά ξαφνικά τον Μπίλι τον έπιασε τρομερή βιασύνη να μη χάσουμε τον αγώνα, αν και είχαμε ακόμα ώρες μπροστά μας. Μουρμούριζε κάτι ανοησίες για κάποια προβολή νωρίτερα... ενός ζωντανού αγώνα; Σου λέω, Μπέλλα, ήταν περίεργο.

»Λοιπόν, βρήκε έναν αγώνα που είπε ότι ήθελε να παρακολουθήσει, αλλά μετά δεν του έδινε καμία σημασία. Ήταν στο τηλέφωνο όλη την ώρα, μιλώντας με τη Σου και την Έμιλι και τον παππού του φίλου σας του Κουίλ. Δεν μπορούσα να καταλάβω ακριβώς τι έψαχνε –απλώς φλυαρούσε πολύ φιλικά μαζί τους.

»Τότε άρχισαν πάλι τα ουρλιαχτά ακριβώς έξω από το σπίτι. Δεν έχω ακούσει ποτέ κάτι παρόμοιο –μου σηκώθηκαν οι τρίχες στα χέρια μου. Ρώτησα τον Μπίλι –αναγκάστηκα να φωνάξω για να ακουστώ με αυτόν το θόρυβο– αν είχε στήσει παγίδες στην αυλή του. Ακουγόταν σαν να πονούσε πολύ το ζώο».

Έκανα ένα μορφασμό, αλλά ο Τσάρλι ήταν τόσο απορροφημένος στην ιστορία του που δεν το πρόσεξε.

«Φυσικά, όλα αυτά τώρα τα θυμήθηκα, γιατί εκείνη τη στιγμή είναι που ήρθε ο Τζέικ και όλη η προσοχή μου στράφηκε σ' αυτόν. Τη μια στιγμή ακουγόταν εκείνος ο λύκος που ούρλιαζε, και την άλλη δεν άκουγες τίποτα πια –οι βλαστήμιες του Τζέικ έπνιξαν καθετί άλλο. Έχει δυνατά πνευμόνια αυτό το αγόρι».

Ο Τσάρλι έκανε μια παύση για ένα λεπτό, με πρόσωπο σκεφτικό. «Παράξενο που βγήκε κάτι καλό απ' όλη αυτή τη φασαρία. Δεν πίστευα ότι θα ξεπερνούσαν ποτέ αυτή την ανόητη προκατάληψη που έχουν ενάντια στους Κάλεν εκεί κάτω. Αλλά κάποιος φώναξε τον Κάρλαϊλ, κι ο Μπίλι ήταν πραγματικά ευγνώμων, όταν ήρθε. Εγώ πίστευα ότι έπρεπε να πάμε τον Τζέικ στο νοσοκομείο, αλλά ο Μπίλι ήθελε να τον κρατήσει σπίτι, κι ο Κάρλαϊλ συμφώνησε. Μάλλον ο Κάρλαϊλ ξέρει ποιο είναι το καλύτερο. Γενναιόδωρο εκ μέρους του να συμφωνήσει να αναλάβει τόσες πολλές επισκέψεις κατ' οίκον».

«Και...» σταμάτησε, λες και ήταν απρόθυμος να πει κάτι. Αναστέναξε και μετά συνέχισε. «Κι ο Έντουαρντ ήταν πολύ... καλός. Έμοιαζε να ανησυχεί για τον Τζέικ όσο κι εσύ –λες και ήταν ο αδερφός του που ήταν ξαπλωμένος εκεί. Το βλέμμα στα μάτια του...» Ο Τσάρλι κούνησε το κεφάλι του. «Είναι παιδί της προκοπής, Μπέλλα. Θα προσπαθήσω να το θυμάμαι αυτό. Δεν υπόσχομαι τίποτα, όμως». Μου χαμογέλασε.

«Δε θα σε υποχρεώσω να τηρήσεις καμία υπόσχεση», ψέλλισα.

Ο Τσάρλι τέντωσε τα πόδια του και αναστέναξε. «Χαίρομαι που γύρισα σπίτι. Δε θα το πίστευες πόσο πολύ στριμώχνεται με κόσμο το μικρό σπιτάκι του Μπίλι. Επτά από τους φίλους του Τζέικ στριμώχτηκαν όλοι τους σ' εκείνο το μικρό καθιστικό –μετά βίας ανέπνεα. Έχεις προσέξει ποτέ πόσο μεγαλόσωμα γίνονται αυτά τα παιδιά των Κουιλαγιούτ;»

«Ναι, το πρόσεξα».

Ο Τσάρλι με κοίταξε επίμονα, ξαφνικά τα μάτια του πιο προσηλωμένα. «Αλήθεια, Μπέλλα, ο Κάρλαϊλ είπε ότι ο Τζέικ θα γίνει καλά στο πι και φι. Είπε ότι έδειχνε πιο σοβαρό απ' ό,τι ήταν στην πραγματικότητα. Θα είναι μια χαρά».

Εγώ απλώς κούνησα το κεφάλι.

Ο Τζέικομπ μου είχε φανεί τόσο... παράδοξα ευπαθής, όταν είχα τρέξει κάτω να τον δω μόλις έφυγε ο Τσάρλι από το σπίτι του Μπίλι. Είχε νάρθηκες παντού –ο Κάρλαϊλ είπε ότι δεν είχε κανένα νόημα να βάλει γύψο, τόσο γρήγορα που ανάρρωνε. Το πρόσωπό του ήταν χλωμό και εξαντλημένο, αν και κοιμόταν βαθιά εκείνη την ώρα. Εύθραυστος. Όσο τεράστιος κι αν ήταν, μου είχε φανεί πολύ εύθραυστος. Μπορεί να ήταν απλώς στη φαντασία μου, καθώς το συνδύαζα με το γεγονός ότι θα έπρεπε να του ραγίσω την καρδιά.

Μακάρι να έπεφτε πάνω μου κεραυνός και να με χώριζε στα δύο. Κατά προτίμηση με τρόπο επώδυνο. Για πρώτη φορά, ένιωθα ότι εγκαταλείποντας την ανθρώπινη υπόστασή μου έκανα μια αληθινή θυσία. Σαν να ήταν κάτι πάρα πολύ μεγάλο για να το χάσω.

Ακούμπησα το βραδινό του Τσάρλι στο τραπέζι δίπλα στον

αγκώνα του και κατευθύνθηκα προς την πόρτα.

«Ε, Μπέλλα; Μπορείς να περιμένεις μια στιγμούλα;»

«Ξέχασα κάτι;» ρώτησα ρίχνοντας μια ματιά στο πιάτο του.

«Όχι, όχι. Απλώς... ήθελα να σου ζητήσω μια χάρη». Ο Τσάρλι συνοφρυώθηκε και κοίταξε στο πάτωμα. «Κάτσε –δε θα πάρει πολλή ώρα».

Κάθισα απέναντί του λιγάκι μπερδεμένη. Προσπάθησα να συγκεντρωθώ. «Τι είναι, μπαμπά;»

«Η ουσία είναι η εξής, Μπέλλα». Ο Τσάρλι κοκκίνισε. «Μπορεί να νιώθω απλώς... προληπτικός, αφού πέρασα τόση ώρα μαζί με τον Μπίλι, ενώ ήταν τόσο παράξενος όλη μέρα. Αλλά έχω αυτό... το προαίσθημα. Νιώθω σαν... να πρόκειται να σε χάσω σύντομα».

«Μη λες ανοησίες, μπαμπά», ψέλλισα ένοχα. «Θέλεις να πάω στο πανεπιστήμιο, έτσι δεν είναι;»

«Απλώς υποσχέσου μου ένα πράγμα».

Ήμουν διστακτική, έτοιμη να ανακαλέσω. «Εντάξει...»

«Θα μου το πεις πριν κάνεις κάτι μεγάλο; Πριν το σκάσεις μ' εκείνον ή κάτι τέτοιο;»

«Μπαμπά...», αναστέναξα.

«Σοβαρολογώ. Δε θα κάνω φασαρία. Απλώς προειδοποίησέ με. Δώσε μου την ευκαιρία να σε αποχαιρετήσω με μια αγκαλιά».

Ζαρώνοντας μέσα στο μυαλό μου, σήκωσα ψηλά το χέρι. «Αυτό είναι ανόητο. Αλλά, αν σε κάνει χαρούμενο,... σου το υπόσχομαι».

«Σ' ευχαριστώ, Μπέλλα», είπε. «Σ' αγαπάω, μικρή».

«Κι εγώ σ' αγαπάω, μπαμπά». Άγγιξα τον ώμο του και μετά έσπρωξα το σώμα μου μακριά από το τραπέζι. «Αν χρειαστείς τίποτα, θα είμαι στου Μπίλι».

Δεν κοίταξα πίσω, καθώς βγήκα έξω τρέχοντας. Τέλεια, αυτό ακριβώς χρειαζόμουν τώρα. Γκρίνιαζα από μέσα μου σε όλη τη διαδρομή ως το Λα Πους.

Η μαύρη Μερσεντές του Κάρλαϊλ δεν ήταν μπροστά στο σπίτι του Μπίλι. Αυτό ήταν και καλό και κακό. Προφανώς, είχα ανάγκη να μιλήσω στον Τζέικομπ μόνη μου. Κι όμως, και πάλι ευχόμουν να μπορούσα να κρατήσω το χέρι του Έντουαρντ με κάποιο τρόπο, όπως το είχα κάνει και πριν, όταν ο Τζέικομπ δεν είχε τις αισθήσεις του. Αδύνατον. Αλλά μου έλειπε ο Έντουαρντ –μου είχε φανεί πολύ μακρύ το απόγευμα μόνη με την Άλις. Υποθέτω ότι αυτό έκανε την απάντησή μου αρκετά προφανή. Ήδη ήξερα πως δεν μπορούσα να ζήσω χωρίς τον Έντουαρντ. Το γεγονός αυτό δε θα το έκανε αυτό καθόλου λιγότερο οδυνηρό.

Χτύπησα αθόρυβα την πόρτα.

«Πέρασε, Μπέλλα», είπε ο Μπίλι. Ο βρυχηθμός του φορτηγού μου ήταν εύκολα αναγνωρίσιμος.

Μπήκα μέσα.

«Γεια σου, Μπίλι. Έχει ξυπνήσει;» ρώτησα.

«Ξύπνησε πριν μισή ώρα, λίγο πριν φύγει ο γιατρός. Μπες. Νομίζω πως σε περιμένει».

Τραβήχτηκα πίσω και μετά πήρα μια βαθιά ανάσα. «Ευχαριστώ».

Δίστασα στην πόρτα του δωματίου του Τζέικομπ, αβέβαιη αν έπρεπε να χτυπήσω ή όχι. Αποφάσισα να κρυφοκοιτάξω πρώτα, ελπίζοντας –δειλή καθώς ήμουν– ότι ίσως να είχε ξανακοιμηθεί. Ένιωθα ότι θα μου χρησίμευαν λίγα λεπτά ακόμα.

Άνοιξα ελάχιστα την πόρτα και έσκυψα μέσα διστακτικά.

Ο Τζέικομπ με περίμενε, με πρόσωπο ψύχραιμο και ήρεμο. Το καταβεβλημένο, έρημο βλέμμα είχε χαθεί, αλλά το είχε αντικαταστήσει μόνο ένα προσεχτικό ανέκφραστο κενό. Δεν υπήρχε καμία ζωντάνια στα σκούρα του μάτια.

Ήταν δύσκολο να κοιτάξω το πρόσωπό του, γνωρίζοντας πως τον αγαπούσα. Έπαιζε σημαντικότερο ρόλο απ' ό,τι περίμενα. Αναρωτήθηκα αν ήταν πάντα τόσο δύσκολο για 'κείνον, όλον αυτό τον καιρό.

Ευτυχώς, κάποιος τον είχε σκεπάσει με ένα πάπλωμα. Ήταν μεγάλη ανακούφιση το να μη χρειαστεί να δω το μέγεθος της ζημιάς.

Έκανα ένα βήμα μέσα κι έκλεισα την πόρτα ήσυχα πίσω μου.

«Γεια σου, Τζέικ», μουρμούρισα.

Δεν απάντησε στην αρχή. Κοίταξε το πρόσωπό μου για μια στιγμή που φάνηκε να κρατάει πολύ. Μετά, με κάποια προσπάθεια, άλλαξε την έκφρασή του, ώστε να έχει ένα ελαφρώς κοροϊδευτικό χαμόγελο.

«Ναι, έτσι περίπου πίστευα ότι θα ήταν τα πράγματα». Αναστέναξε. «Σήμερα σίγουρα όλα πήγαν από το κακό στο χειρότερο. Πρώτα διαλέγω το λάθος σημείο, χάνω την καλή μάχη, κι ο Σεθ παίρνει όλη τη δόξα. Μετά η Λία έπρεπε να φερθεί σαν χαζή, προσπαθώντας να αποδείξει ότι είναι σκληρή όσο και οι υπόλοιποι, κι εγώ πρέπει να είμαι ο βλάκας που θα τη σώσει. Και τώρα αυτό». Κούνησε το αριστερό του χέρι προς εμένα, εκεί όπου δίσταζα δίπλα στην πόρτα.

«Πώς νιώθεις;» ψέλλισα. Τι χαζή ερώτηση.

«Λιγάκι μαστουρωμένος. Ο δόκτωρ Φαρμακοδόντης δεν είναι σίγουρος πόσα παυσίπονα χρειάζομαι, έτσι το πάει με τη μέθοδο της δοκιμής για να δει αν θα του βγει σωστά. Νομίζω πως το παράκανε».

«Αλλά δεν πονάς».

«Όχι. Τουλάχιστον, δε νιώθω τα τραύματά μου», είπε, χαμογελώντας κοροϊδευτικά ξανά.

Δάγκωσα τα χείλη μου. Δε θα τα κατάφερνα ποτέ να ξεμπερδέψω μ' αυτό. Γιατί δεν προσπαθούσε ποτέ κανείς να με σκοτώσει, όταν *ήθελα* να πεθάνω;

Η ειρωνική διάθεση έφυγε από το πρόσωπό του και τα μάτια του ζέσταναν. Το μέτωπό του γέμισε ζάρες, σαν να ανησυχούσε.

«Εσύ;» ρώτησε, δείχνοντας πραγματικά ανήσυχος. «Είσαι καλά;»

«*Εγώ;*» Τον κοίταξα επίμονα. Μπορεί και να είχε *όντως* πάρει πάρα πολλά φάρμακα. «*Γιατί;*»

«Να, θέλω να πω, ήμουν σίγουρος ότι δε θα σου έκανε *κακό*, αλλά δεν ήμουν σίγουρος πόσο άσχημα θα ήταν τα πράγματα. Έχω τρελαθεί από την ανησυχία μου για 'σένα από τη στιγμή που ξύπνησα. Δεν ήξερα αν θα σου επιτρεπόταν να με επισκεφτείς. Η αγωνία ήταν απαίσια. Πώς πήγε; Ήταν κακός μαζί σου; Λυπάμαι αν ήταν άσχημη η κατάσταση. Δεν ήθελα να το περάσεις αυτό μόνη σου. Νόμιζα ότι θα ήμουν εκεί...»

Μου πήρε ένα λεπτό για να καταλάβω. Εκείνος συνέχιζε να φλυαρεί, δείχνοντας να νιώθει όλο και πιο άβολα, μέχρι που κατάλαβα τι έλεγε. Τότε βιάστηκα να τον καθησυχάσω.

«Όχι, όχι, Τζέικ! Είμαι καλά. Υπερβολικά καλά, για να λέμε την αλήθεια. Φυσικά και δεν ήταν κακός. Μακάρι!»

Τα μάτια του γούρλωσαν με μια έκφραση που έμοιαζε με φρίκη. «*Τι;*»

«Δε μου θύμωσε καν –δε θύμωσε καν μ' *εσένα*! Είναι τόσο ανιδιοτελής που με κάνει να νιώθω χειρότερα. Μακάρι να μου φώναζε ή κάτι τέτοιο τελοσπάντων. Δεν είναι ότι δε μου αξίζει... δηλαδή, και πολύ χειρότερα μου αξίζουν από το να μου φωνάξει κανείς. Αλλά δεν τον νοιάζει. Θέλει απλώς να είμαι εγώ *ευτυχισμένη*».

«Δε θύμωσε;» ρώτησε ο Τζέικομπ με δυσπιστία.

«Όχι. Ήταν... υπερβολικά καλός».

Ο Τζέικομπ με κοίταξε και μετά ξαφνικά κατσούφιασε. «*Να πάρει!*» γρύλισε.

«Τι συμβαίνει, Τζέικ! Πονάς;» Τα χέρια μου κινήθηκαν αλαφιασμένα χωρίς να μπορώ να κάνω κάτι, καθώς κοίταξα ολόγυρα για να βρω τα φάρμακά του.

«Όχι», γκρίνιαξε με έναν τόνο αηδίας. «Δεν το πιστεύω!

Δε σου έδωσε κανένα τελεσίγραφο;»

«Ούτε κατά διάνοια –τι έπαθες;»

Συνοφρυώθηκε και κούνησε το κεφάλι του. «Κατά κάποιο τρόπο βασιζόμουν στην αντίδρασή του. Να πάρει. Είναι καλύτερος απ' ό,τι πίστευα».

Με τον τρόπο που το είπε, αν και πιο θυμωμένος, μου θύμισε το εγκώμιο που έπλεξε ο Έντουαρντ για την έλλειψη ηθικής του Τζέικομπ σήμερα το πρωί στη σκηνή. Πράγμα που σήμαινε ότι ο Τζέικομπ είχε ακόμα ελπίδες, ακόμα πάλευε. Έκανα ένα μορφασμό, καθώς αυτό το ένιωσα σαν μαχαιριά βαθιά μέσα μου.

«Δεν παίζει κανένα παιχνίδι, Τζέικ», είπα χαμηλόφωνα.

«Σίγουρα παίζει. Παίζει το ίδιο σκληρά μ' εμένα, μόνο που αυτός ξέρει τι κάνει, ενώ εγώ δεν ξέρω. Μη με κατηγορείς επειδή εκείνος είναι πολύ καλύτερος στο να σε χειρίζεται απ' ό,τι εγώ –δεν είχα αρκετό χρόνο για να μάθω τα κόλπα».

«Δε με χειρίζεται!»

«Ναι, το κάνει! Πότε θα ξυπνήσεις και θα καταλάβεις ότι δεν είναι τόσο τέλειος όσο πιστεύεις;»

«Τουλάχιστον αυτός δεν απείλησε να σκοτωθεί για να με αναγκάσει να τον φιλήσω», είπα κοφτά. Αμέσως μόλις ξεστόμισα τα λόγια, κοκκίνισα από τη στενοχώρια μου. «Στάσου. Κάνε πως αυτό δε μου ξέφυγε. Ορκίστηκα στον εαυτό μου ότι δε θα έλεγα τίποτα γι' αυτό».

Πήρε μια βαθιά ανάσα. Όταν μίλησε, ήταν πιο ψύχραιμος. «Γιατί όχι;»

«Επειδή δεν ήρθα εδώ για να σε κατηγορήσω για τίποτα».

«Είναι αλήθεια, ωστόσο», είπε σταθερά. «Πράγματι το έκανα αυτό».

«Δε με νοιάζει, Τζέικ. Δεν έχω θυμώσει».

Χαμογέλασε. «Ούτε κι εμένα με νοιάζει. Ήξερα ότι θα με συγχωρούσες, και χαίρομαι που το έκανα. Θα το έκανα ξανά.

Τουλάχιστον έχω αυτό. Τουλάχιστον σε έκανα να καταλάβεις ότι *όντως* με αγαπάς. Κάτι αξίζει κι αυτό».

«Αλήθεια; Είναι πράγματι καλύτερα απ' ό,τι αν είχα μαύρα μεσάνυχτα;»

«Δε νομίζεις ότι θα έπρεπε να ξέρεις πώς νιώθεις –απλώς για να μην ξαφνιαστείς κάποια μέρα, όταν θα είναι πολύ αργά και θα είσαι παντρεμένη και βρικόλακας;»

Κούνησα το κεφάλι μου. «Όχι –δεν εννοούσα καλύτερα για 'μένα. Εννοούσα καλύτερα για 'σένα. Τα πράγματα είναι καλύτερα ή χειρότερα για 'σένα τώρα που ξέρω ότι είμαι ερωτευμένη μαζί σου; Όταν δεν παίζει κανένα ρόλο έτσι κι αλλιώς. Θα ήταν μήπως καλύτερα, θα ήταν ευκολότερο για 'σένα αν δεν είχα ποτέ την παραμικρή ιδέα;»

Πήρε την ερώτησή μου όσο σοβαρά την εννοούσα, σκεφτόμενος προσεχτικά πριν απαντήσει. «Ναι, είναι καλύτερα που ξέρεις», αποφάσισε τελικά. «Αν δεν το είχες καταλάβει... πάντα θα αναρωτιόμουν αν η απόφασή σου θα ήταν διαφορετική αν το είχες. Τώρα ξέρω. Έκανα ό,τι μπορούσα». Πήρε μια ασταθή ανάσα κι έκλεισε τα μάτια του.

Αυτή τη φορά δεν αντιστάθηκα –δεν μπορούσα να αντισταθώ στην παρόρμηση να τον παρηγορήσω. Διέσχισα το μικρό δωμάτιο και γονάτισα δίπλα στο κεφάλι του, φοβούμενη να κάτσω στο κρεβάτι, μήπως και τον στριμώξω και τον κάνω να πονέσει, και έγειρα για να ακουμπήσω το μέτωπό μου στο μάγουλό του.

Ο Τζέικομπ αναστέναξε κι έβαλε το χέρι του πάνω στα μαλλιά μου, κρατώντας με εκεί.

«Λυπάμαι τόσο πολύ, Τζέικ».

«Πάντα ήξερα ότι δεν είχα πολλές πιθανότητες. Δε φταις εσύ, Μπέλλα».

«Όχι κι εσύ», παραπονέθηκα. «Σε παρακαλώ».

Τραβήχτηκε μακριά για να με κοιτάξει. «Τι;»

«*Εγώ* φταίω. Και έχω βαρεθεί να μου λένε όλοι ότι δε

φταίω».

Χαμογέλασε. Το χαμόγελο δεν έφτασε ως τα μάτια του. «Θέλεις να σου τα ψάλω;»

«Να σου πω την αλήθεια... νομίζω πως ναι».

Σούφρωσε τα χείλη του, καθώς εκτιμούσε κατά πόσο το εννοούσα αυτό. Ένα χαμόγελο άστραψε στο πρόσωπό του για λίγο, όμως μετά παραμόρφωσε την έκφρασή του ένα θυμωμένο κατσούφιασμα.

«Το να μου ανταποδώσεις το φιλί μ' αυτό τον τρόπο ήταν αδικαιολόγητο». Μου πέταξε τις λέξεις κατάμουτρα. «Αν ήξερες ότι θα το έπαιρνες πίσω, ίσως δεν έπρεπε να ήσουν τόσο πειστική».

Έκανα ένα μορφασμό και κούνησα το κεφάλι. «Λυπάμαι τόσο πολύ».

«Το ότι λυπάσαι δεν κάνει τα πράγματα καλύτερα, Μπέλλα. Τι σκεφτόσουν;»

«Δε σκεφτόμουν», ψιθύρισα.

«Έπρεπε να μου είχες πει να πάω να πεθάνω. Αυτό θέλεις».

«Όχι, Τζέικομπ», κλαψούρισα, παλεύοντας ενάντια στα δάκρυα που πρόβαλλαν στα μάτια μου. «Όχι! Ποτέ».

«Κλαις;» απαίτησε να μάθει, με φωνή ξαφνικά πάλι φυσιολογική. Το σώμα του συσπάστηκε ανυπόμονα πάνω στο κρεβάτι.

«Ναι», μουρμούρισα, γελώντας αδύναμα με τον εαυτό μου μέσα από τα δάκρυα που ξαφνικά είχαν γίνει λυγμοί.

Το βάρος του μετατοπίστηκε, κι έριξε το καλό του πόδι από το κρεβάτι, σαν να ήταν έτοιμος να προσπαθήσει να σηκωθεί όρθιος.

«Τι κάνεις;» απαίτησα να μάθω μέσα από τα δάκρυά μου. «Ξάπλωσε, χαζέ, θα χειροτερέψεις!» Πετάχτηκα όρθια και πίεσα τον καλό του ώμο κάτω με τα δυο μου χέρια.

Εκείνος παραδόθηκε, γέρνοντας προς τα πίσω με ένα αγκομαχητό πόνου, αλλά με άρπαξε από τη μέση και με τράβηξε κάτω στο κρεβάτι, να ακουμπάω πάνω στην καλή του μεριά. Κουλουριάστηκα εκεί, προσπαθώντας να καταπνίξω τους ανόητους λυγμούς πάνω στο καυτό του δέρμα.

«Δεν μπορώ να το πιστέψω ότι κλαις», ψέλλισε. «Ξέρεις ότι τα είπα αυτά μόνο επειδή ήθελες να τα πω. Δεν τα εννοούσα». Τα χέρια του έτριψαν τους ώμους μου.

«Το ξέρω». Πήρα μια βαθιά, ακανόνιστη ανάσα, προσπαθώντας να συγκρατηθώ. Πώς κατέληξα να είμαι εγώ αυτή που έκλαιγε, ενώ εκείνος με παρηγορούσε; «Παρ' όλα αυτά, είναι όλα αλήθεια. Σ' ευχαριστώ που τα είπες δυνατά».

«Κερδίζω πόντους που σε έκανα να κλάψεις;»

«Βέβαια, Τζέικ». Προσπάθησα να χαμογελάσω. «Όσους θέλεις».

«Μην ανησυχείς, Μπέλλα, γλυκιά μου. Όλα θα πάνε καλά».

«Δε βλέπω πώς», μουρμούρισα.

Χτύπησε χαϊδευτικά την κορυφή του κεφαλιού μου. «Θα υποχωρήσω και θα είμαι καλός».

«Κι άλλα παιχνίδια;» αναρωτήθηκα, γέρνοντας το πιγούνι μου, έτσι ώστε να βλέπω το πρόσωπό του.

«Μπορεί». Γέλασε με κάποιο κόπο και μετά έκανε ένα μορφασμό. «Αλλά θα προσπαθήσω».

Κατσούφιασα.

«Μην είσαι τόσο απαισιόδοξη», διαμαρτυρήθηκε. «Έχε λιγάκι πίστη σ' εμένα».

«Τι εννοείς όταν λες ότι θα είσαι "καλός";»

«Θα είμαι φίλος σου, Μπέλλα», είπε ήσυχα. «Δε θα ζητήσω περισσότερα απ' αυτό».

«Νομίζω πως είναι πολύ αργά γι' αυτό, Τζέικ. Πώς μπορούμε να είμαστε φίλοι, όταν αγαπιόμαστε έτσι;»

Κοίταξε το ταβάνι, με βλέμμα προσηλωμένο, λες και διάβαζε κάτι που ήταν γραμμένο εκεί. «Μπορεί... θα πρέπει να είναι μια φιλία εξ' αποστάσεως».

Έσφιξα τα δόντια μου, χαρούμενη που δεν κοίταζε το πρόσωπό μου, παλεύοντας ενάντια στους λυγμούς που απειλούσαν να με κατακλύσουν ξανά. Έπρεπε να είμαι δυνατή και δεν είχα ιδέα πώς...

«Ξέρεις αυτή την ιστορία στη Βίβλο;» ρώτησε ξαφνικά ο Τζέικομπ, ακόμα διαβάζοντας το άδειο ταβάνι. «Αυτή με το βασιλιά και τις δυο γυναίκες που τσακώνονταν για το μωρό;»

«Βέβαια. Ήταν ο βασιλιάς Σολομώντας».

«Σωστά. Ο βασιλιάς Σολομώντας», επανέλαβε. «Και είπε, κόψτε το παιδί στη μέση... αλλά ήταν μόνο μια δοκιμασία. Για να δει απλώς ποια θα θυσίαζε το δικαίωμά της για να το προστατέψει».

«Ναι, τη θυμάμαι».

Κοίταξε το πρόσωπό μου. «Δε θα σε κόψω άλλο πια στη μέση, Μπέλλα».

Κατάλαβα τι εννοούσε. Μου έλεγε ότι με αγαπούσε πιο πολύ, ότι η παράδοσή του το αποδείκνυε. Ήθελα να υπερασπιστώ τον Έντουαρντ, να πω στον Τζέικομπ ότι ο Έντουαρντ θα έκανε κι αυτός το ίδιο αν το ήθελα, αν τον *άφηνα*. Εγώ ήμουν αυτή που δεν εννοούσε να απαρνηθεί την αξίωσή μου στην προκειμένη περίπτωση. Αλλά δεν είχε κανένα νόημα να αρχίσω έναν τσακωμό που θα τον πλήγωνε ακόμα περισσότερο.

Έκλεισα τα μάτια μου, θέλοντας να ελέγξω τον πόνο. Δεν μπορούσα να του φορτώσω αυτό το πράγμα.

Μείναμε σιωπηλοί για μια στιγμή. Έμοιαζε να περιμένει να πω κάτι˙ προσπαθούσα να σκεφτώ κάτι να πω.

«Μπορώ να σου πω ποιο είναι το χειρότερο απ' όλα;» ρώτησε διστακτικά όταν δεν είπα τίποτα. «Σε πειράζει; Θα *είμαι* καλός».

«Θα βοηθήσει;» ψιθύρισα.

«Μπορεί. Δε θα βλάψει πάντως».

«Ποιο είναι το χειρότερο πράγμα, λοιπόν;»

«Το χειρότερο είναι το ότι ξέρω πώς θα ήταν τα πράγματα».

«Πώς θα *μπορούσαν* να είναι». Αναστέναξα.

«Όχι». Ο Τζέικομπ κούνησε το κεφάλι του. «Είμαι απόλυτα κατάλληλος για 'σένα, Μπέλλα. Θα ήταν άκοπο για 'μας –άνετο, εύκολο όπως η αναπνοή. Εγώ ήμουν ο φυσικός δρόμος που θα έπαιρνε η ζωή σου...» Κοίταξε το κενό για μια στιγμή, κι εγώ περίμενα. «Αν ο κόσμος ήταν έτσι όπως θα έπρεπε να είναι, αν δεν υπήρχαν τέρατα και δεν υπήρχε μαγεία...»

Έβλεπα αυτό που έβλεπε και ήξερα πως είχε δίκιο. Αν ο κόσμος ήταν το λογικό μέρος που υποτίθεται ότι ήταν, ο Τζέικομπ κι εγώ θα ήμασταν μαζί. Και θα ήμασταν ευτυχισμένοι. Ήταν η αδερφή ψυχή μου σ' εκείνο τον κόσμο –και θα ήταν ακόμα η αδερφή ψυχή μου, αν η αξίωσή του δεν είχε επισκιαστεί από κάτι πιο δυνατό, κάτι τόσο δυνατό που δεν μπορούσε να υπάρχει σε έναν ορθολογικό κόσμο.

Υπήρχε κάτι εκεί έξω και για τον Τζέικομπ; Η μοίρα θα του έριχνε το χαρτί μιας αδερφής ψυχής; Έπρεπε να πιστεύω πως ναι.

Δύο μέλλοντα, δύο αδερφές ψυχές... πάρα πολλά για να τα αντέξει οποιοσδήποτε άνθρωπος. Και τόσο άδικο που δε θα ήμουν εγώ η μόνη που θα πλήρωνε γι' αυτό. Ο πόνος του Τζέικομπ έμοιαζε υπερβολικά μεγάλο τίμημα. Ζαρώνοντας στη σκέψη αυτού του τιμήματος, αναρωτήθηκα αν θα αμφιταλαντευόμουν, αν δεν είχα χάσει τον Έντουαρντ μια φορά. Αν δεν ήξερα πώς ήταν να ζω χωρίς αυτόν. Δεν ήμουν σίγουρη. Αυτή η γνώση είχε γίνει τόσο βαθύ κομμάτι μου, που δεν μπορούσα να φανταστώ πώς θα ένιωθα χωρίς αυτή.

«Είναι σαν ναρκωτικό για 'σένα, Μπέλλα». Η φωνή του ήταν ακόμα ευγενική, καθόλου επικριτική. «Βλέπω ότι δεν μπορείς να ζήσεις χωρίς αυτόν τώρα. Είναι πολύ αργά. Αλλά εγώ θα ήμουν πιο υγιής επιλογή για 'σένα. Δε θα ήμουν ναρκωτικό˙ θα ήμουν ο αέρας, ο ήλιος».

Η άκρη του στόματός μου κύρτωσε προς τα πάνω σε ένα νοσταλγικό μισό χαμόγελο. «Παλιά σε θεωρούσα αυτό ακριβώς, ξέρεις. Σαν τον ήλιο. Τον προσωπικό μου ήλιο. Η παρουσία σου αντιστάθμιζε τα σύννεφα».

Αναστέναξε. «Τα σύννεφα μπορώ να τα αντιμετωπίσω. Αλλά δεν μπορώ να παλέψω με μια έκλειψη».

Άγγιξα το πρόσωπό του, ακουμπώντας το χέρι μου στο μάγουλό του. Ξεφύσηξε, όταν τον ακούμπησα, κι έκλεισε τα μάτια. Επικρατούσε πολλή ησυχία. Για ένα λεπτό άκουγα το χτύπο της καρδιάς του, αργό και σταθερό.

«Πες μου ποιο είναι το χειρότερο για 'σένα», ψιθύρισε.

«Νομίζω πως μπορεί να μην είναι καλή ιδέα».

«Σε παρακαλώ».

«Νομίζω πως θα πονέσει».

«Σε παρακαλώ».

Πώς μπορούσα να του αρνηθώ οτιδήποτε σ' αυτό το σημείο;

«Το χειρότερο...» δίστασα και μετά άφησα τις λέξεις να κυλήσουν σαν ένας χείμαρρος αλήθειας. «Το χειρότερο είναι ότι το είδα όλο –όλη μας τη ζωή. Και τη θέλω πολύ, Τζέικ, τα θέλω όλα. Θέλω να μείνω εδώ πέρα και να μη φύγω ποτέ. Θέλω να σε αγαπήσω και να σε κάνω ευτυχισμένο. Και δεν μπορώ, και αυτό με σκοτώνει. Είναι σαν τον Σαμ με την Έμιλι, Τζέικ –δεν είχα ποτέ επιλογή. Πάντα ήξερα ότι τίποτα δε θα άλλαζε. Μπορεί γι' αυτό να σου αντιστεκόμουν τόσο πολύ».

Φάνηκε να συγκεντρώνεται στο να αναπνεύσει σταθερά.

«Ήξερα ότι δεν έπρεπε να σου το πω αυτό».

Κούνησε το κεφάλι του αργά. «Όχι. Χαίρομαι που μου το είπες. Σ' ευχαριστώ». Φίλησε την κορυφή του κεφαλιού μου και μετά αναστέναξε. «Τώρα θα είμαι καλός».

Σήκωσα τα μάτια, και εκείνος χαμογελούσε.

«Λοιπόν, παντρεύεσαι, ε;»

«Δεν είναι ανάγκη να μιλήσουμε γι' αυτό».

«Θα ήθελα να μάθω μερικές λεπτομέρειες. Δεν ξέρω πότε θα ξαναμιλήσουμε».

Έπρεπε να περιμένω ένα λεπτό πριν μπορέσω να μιλήσω. Όταν ήμουν αρκετά σίγουρη ότι η φωνή μου δε θα έσπαγε, απάντησα στην ερώτησή του.

«Δεν είναι δική μου ιδέα εδώ που τα λέμε... αλλά, ναι. Έχει μεγάλη σημασία γι' αυτόν. Σκέφτηκα, γιατί όχι;»

Ο Τζέικ έγνεψε. «Αυτό είναι αλήθεια. Δεν είναι και τόσο σπουδαίο πράγμα –συγκριτικά».

Η φωνή του ήταν πολύ ψύχραιμη, πολύ πρακτική. Τον κοίταξα επίμονα, περίεργη για το πώς τα κατάφερνε, κι αυτό τα χάλασε όλα. Το βλέμμα του διασταυρώθηκε με το δικό μου, και μετά γύρισε το κεφάλι του από την άλλη μεριά. Περίμενα για να μιλήσω, μέχρι που κατάφερε να ανακτήσει τον έλεγχο της αναπνοής του.

«Ναι. Συγκριτικά», συμφώνησα.

«Πόσος καιρός σου μένει;»

«Αυτό εξαρτάται από το πόσο καιρό θα χρειαστεί η Άλις για να οργανώσει ένα γάμο». Κατέπνιξα ένα στεναγμό, καθώς φαντάστηκα τι θα έκανε η Άλις.

«Πριν ή μετά;» ρώτησε χαμηλόφωνα.

Ήξερα τι εννοούσε. «Μετά».

Έγνεψε. Αυτό ήταν ανακούφιση για 'κείνον. Αναρωτήθηκα πόσες άγρυπνες νύχτες του είχε δώσει η σκέψη της αποφοίτησής μου.

«Φοβάσαι;» ψιθύρισε.

«Ναι», απάντησα κι εγώ ψιθυριστά.

«Τι φοβάσαι;» Μετά βίας άκουγα τη φωνή μου τώρα. Κοίταξε κάτω τα χέρια μου.

«Πολλά πράγματα». Προσπάθησα να κάνω τη φωνή μου πιο ανάλαφρη, αλλά παρέμεινα ειλικρινής. «Ποτέ δεν ήμουν ιδιαίτερα μαζοχίστρια, άρα δεν ανυπομονώ για τον πόνο. Και μακάρι να υπήρχε κάποιος τρόπος να τον κρατήσω εκείνον μακριά –δε θέλω να υποφέρει μαζί μου, αλλά δεν πιστεύω ότι υπάρχει κανένας τρόπος να το αποφύγω. Υπάρχει και το θέμα του Τσάρλι και της Ρενέ… Και ύστερα μετά, ελπίζω να μπορώ να συγκρατηθώ *σύντομα*. Μπορεί να είμαι τέτοια απειλή, που η αγέλη να χρειαστεί να με σκοτώσει».

Σήκωσε το κεφάλι για να με κοιτάξει με μια αποδοκιμαστική έκφραση. «Θα σακάτευα οποιοδήποτε από τ' αδέρφια μου δοκίμαζε».

«Σ' ευχαριστώ».

Χαμογέλασε με μισή καρδιά. Μετά κατσούφιασε. «Μα δεν είναι πιο επικίνδυνο απ' ό,τι λες; Σε όλες τις ιστορίες, λένε ότι είναι πολύ δύσκολο… χάνουν τον έλεγχο… οι άνθρωποι πεθαίνουν…» Ξεροκατάπιε.

«Όχι, δεν το φοβάμαι αυτό. Χαζέ Τζέικομπ –μη μου πεις ότι πιστεύεις σε ιστορίες με βρικόλακες;»

Προφανώς δεν εκτίμησε την προσπάθειά μου για χιούμορ.

«Εντάξει, εν πάση περιπτώσει, υπάρχουν πολλά πράγματα για τα οποία ανησυχώ. Αλλά αξίζει τον κόπο, τελικά».

Έγνεψε απρόθυμα, και ήξερα ότι με κανέναν τρόπο δε συμφωνούσε μαζί μου.

Τέντωσα το λαιμό μου για να ψιθυρίσω στο αυτί του, ακουμπώντας το μάγουλό μου πάνω στο ζεστό του δέρμα. «Ξέρεις ότι σε αγαπάω».

«Το ξέρω», είπε ψιθυριστά, ενώ τα χέρια του σφίχτηκαν αυτόματα γύρω από τη μέση μου. «Ξέρεις πόσο πολύ θα ήθελα αυτό να ήταν αρκετό».

«Ναι».

«Πάντα θα περιμένω κάπου εκεί στην άκρη, Μπέλλα», υποσχέθηκε, κάνοντας τον τόνο του πιο ανάλαφρο και χαλαρώνοντας το χέρι του. Τραβήχτηκα με μια βαριά και μακρά αίσθηση απώλειας, νιώθοντας το βίαιο χωρισμό, καθώς άφηνα ένα κομμάτι μου πίσω, εκεί πάνω στο κρεβάτι πλάι του. «Πάντα θα έχεις αυτή την επιπλέον επιλογή, αν τη θέλεις».

Έκανα μια προσπάθεια να χαμογελάσω. «Μέχρι να σταματήσει να χτυπάει η καρδιά μου».

Μου ανταπόδωσε το χαμόγελο. «Ξέρεις, νομίζω ότι μπορεί να σε δεχόμουν έτσι κι αλλιώς –μπορεί. Μάλλον εξαρτάται από το πόσο θα βρομάς».

«Να έρθω να σε ξαναδώ; Ή θα προτιμούσες να μην έρθω;»

«Θα το σκεφτώ και θα επικοινωνήσω μαζί σου», είπε. «Μπορεί να μου χρειαστεί η παρέα για να μην τρελαθώ. Η ιδιοφυΐα σου, ο βρικόλακας γιατρός λέει ότι δεν μπορώ να αλλάξω μορφή μέχρι να μου δώσει το πράσινο φως –μπορεί να στραβώσουν τα κόκαλα». Ο Τζέικομπ έκανε μια γκριμάτσα.

«Να είσαι καλός και να κάνεις αυτό που σου λέει ο Κάρλαϊλ. Θα γίνεις καλά πιο γρήγορα».

«Καλά, καλά».

«Αναρωτιέμαι πότε θα συμβεί», είπα. «Πότε το σωστό κορίτσι θα τραβήξει την προσοχή σου».

«Μην ελπίζεις και πολύ, Μπέλλα». Η φωνή του Τζέικομπ έγινε απότομα ξινή. «Αν και είμαι σίγουρος ότι αυτό θα ήταν ανακούφιση για 'σένα».

«Μπορεί, μπορεί και όχι. Πιθανότατα δε θα τη θεωρώ αρκετά καλή για 'σένα. Αναρωτιέμαι πόσο θα ζηλεύω».

«Αυτό μπορεί και να έχει πλάκα», παραδέχτηκε.

«Πες μου αν θέλεις να ξανάρθω, και θα είμαι εδώ», υποσχέθηκα.

Με έναν αναστεναγμό, μου γύρισε το μάγουλό του.

Έσκυψα και φίλησα το πρόσωπό του απαλά. «Σ' αγαπώ, Τζέικομπ».

Γέλασε απαλά. «Εγώ σ' αγαπώ περισσότερο».

Με μια ανεξιχνίαστη έκφραση, τα μαύρα του μάτια με ακολούθησαν καθώς βγήκα από το δωμάτιό του.

27. ΑΝΑΓΚΕΣ

Δεν πρόλαβα να προχωρήσω πολύ μακριά, πριν η οδήγηση γίνει αδύνατη.

Όταν δεν μπορούσα να δω πια, άφησα τα λάστιχά μου να βρουν το σκληρό έδαφος στην άκρη του δρόμου και σταμάτησα, με το αυτοκίνητο να τσουλάει αργά. Έπεσα στο κάθισμα κι άφησα την αδυναμία στην οποία είχα αντισταθεί στο δωμάτιο του Τζέικομπ να με διαλύσει. Ήταν χειρότερη απ' ό,τι πίστευα –η έντασή της με ξάφνιασε. Ναι, είχα δίκιο που το έκρυψα αυτό από τον Τζέικομπ. Κανένας δεν έπρεπε να το δει αυτό ποτέ.

Αλλά δεν έμεινα μόνη για πολλή ώρα –μόνο τόσο όσο χρειαζόταν η Άλις για να με δει εδώ, και μετά τα λίγα λεπτά που χρειάστηκε εκείνος για να φτάσει. Η πόρτα άνοιξε με ένα κρότο, κι εκείνος με τράβηξε στην αγκαλιά του.

Στην αρχή ήταν χειρότερα. Επειδή υπήρχε εκείνο το μικρότερο κομμάτι μου –μικρότερο, αλλά γινόταν όλο και πιο θορυβώδες και πιο θυμωμένο κάθε λεπτό, ουρλιάζοντας στο υπόλοιπο του εαυτού μου– που λαχταρούσε μια άλλη αγκαλιά. Έτσι, λοιπόν, μετά υπήρχαν νέες ενοχές να αλατίσουν τον πόνο.

Εκείνος δεν είπε τίποτα, με άφησε να κλαίω με λυγμούς, μέχρι που άρχισα να λέω το όνομα του Τσάρλι κλαψουρίζοντας.

«Είσαι αλήθεια έτοιμη να γυρίσεις σπίτι;» ρώτησε με αμφιβολία.

Κατάφερα να εκφράσω, μετά από αρκετές προσπάθειες, ότι η κατάστασή μου δε θα βελτιωνόταν σύντομα. Έπρεπε να ξεμπερδέψω με τον Τσάρλι, πριν να είναι αρκετά αργά, ώστε να πάρει τηλέφωνο τον Μπίλι.

Έτσι με πήγε σπίτι –για πρώτη φορά χωρίς να πλησιάζει καν το όριο ταχύτητας του φορτηγού μου– κρατώντας το ένα του χέρι τυλιγμένο σφιχτά γύρω μου. Σε όλη τη διαδρομή, πάσχιζα να επανακτήσω τον έλεγχο. Έμοιαζε να είναι καταδικασμένη προσπάθεια στην αρχή, αλλά δεν τα παράτησα. Μερικά δευτερόλεπτα μόνο, είπα στον εαυτό μου. Χρόνος αρκετός ίσα-ίσα για μερικές δικαιολογίες ή μερικά ψέματα, και μετά θα μπορούσα να καταρρεύσω ξανά. Έπρεπε να τα καταφέρω να το κάνω αυτό τουλάχιστον. Πάσχιζα να βρω μέσα στο κεφάλι μου κάποιο απόθεμα δύναμης, ψάχνοντας απεγνωσμένα.

Υπήρχε μόνο αρκετή για να μην ακούγονται οι λυγμοί μου πια –να τους συγκρατήσω για λίγο, αλλά όχι και να τους σταματήσω. Τα δάκρυα δε λιγόστευαν. Δε φαινόμουν να μπορώ να βρω κάποια λαβή ούτε καν για να αρχίσω να κάνω κάτι γι' αυτά.

«Περίμενέ με επάνω», ψέλλισα, όταν βρεθήκαμε μπροστά από το σπίτι.

Με αγκάλιασε πιο σφιχτά για μια στιγμή, και μετά χάθηκε.

Μόλις βρέθηκα μέσα, κατευθύνθηκα αμέσως προς τις σκάλες.

«Μπέλλα;» μου φώναξε ο Τσάρλι από το συνηθισμένο του μέρος στον καναπέ, καθώς περνούσα.

Γύρισα για να τον κοιτάξω χωρίς να μιλήσω. Τα μάτια του

γούρλωσαν, και σηκώθηκε όρθιος τρεκλίζοντας.

«Τι συνέβη; Ο Τζέικομπ είναι…;» απαίτησε να μάθει.

Κούνησα το κεφάλι μου ξέφρενα προσπαθώντας να βρω τη φωνή μου. «Είναι μια χαρά, μια χαρά», ορκίστηκα με φωνή χαμηλή και βραχνή. Κι ο Τζέικομπ ήταν *όντως* μια χαρά, σωματικά, που ήταν το μόνο πράγμα για το οποίο ανησυχούσε ο Τσάρλι αυτή τη στιγμή.

«Μα τι έγινε;» Άρπαξε τους ώμους μου, με μάτια ακόμα ανήσυχα και διάπλατα ανοιχτά. «Τι σου συνέβη εσένα;»

Πρέπει να έδειχνα χειρότερα απ' ό,τι φανταζόμουν.

«Τίποτα, μπαμπά. Απλώς… έπρεπε να μιλήσω στον Τζέικομπ για… μερικά πράγματα που ήταν δύσκολα. Καλά είμαι».

Η αγωνία ηρέμησε και αντικαταστάθηκε από αποδοκιμασία.

«Ήταν αυτή η καλύτερη στιγμή;» ρώτησε.

«Μάλλον όχι, μπαμπά, αλλά δεν είχα άλλες επιλογές –τα πράγματα έφτασαν στο σημείο που έπρεπε να διαλέξω… Μερικές φορές, δεν υπάρχει τρόπος να γίνει συμβιβασμός».

Κούνησε το κεφάλι του αργά. «Πώς το πήρε;»

Δεν απάντησα.

Κοίταξε το πρόσωπό μου για ένα λεπτό και μετά έγνεψε. Αυτό πρέπει να ήταν επαρκής απάντηση.

«Ελπίζω να μην του χάλασες την ανάρρωση».

«Αναρρώνει γρήγορα», ψέλλισα.

Ο Τσάρλι αναστέναξε.

Άρχισα να νιώθω τον έλεγχο να μου ξεφεύγει.

«Θα είμαι στο δωμάτιό μου», του είπα σηκώνοντας τους ώμους για να ελευθερωθώ από τα χέρια του.

«Ντάξει», συμφώνησε ο Τσάρλι. Πιθανότατα έβλεπε τη στάθμη του νερού που είχε αρχίσει ν' ανεβαίνει. Τίποτα δεν τρόμαζε τον Τσάρλι περισσότερο από τα δάκρυα.

Ανέβηκα στο δωμάτιό μου σκοντάφτοντας στα τυφλά.

Μόλις βρέθηκα μέσα, πάλεψα με το κούμπωμα του βραχιολιού μου προσπαθώντας να το ξεκουμπώσω με τρεμάμενα δάχτυλα.

«Όχι, Μπέλλα», ψιθύρισε ο Έντουαρντ, αιχμαλωτίζοντας τα χέρια μου. «Είναι κομμάτι αυτού που είσαι».

Με τράβηξε μέσα στο λίκνο της αγκαλιάς του, καθώς οι λυγμοί ξέσπασαν πάλι.

Αυτή η πιο μεγάλη απ' όλες τις μέρες έμοιαζε να μη φτάνει ποτέ στο τέρμα της. Αναρωτήθηκα αν θα τελείωνε ποτέ.

Αλλά, παρόλο που η νύχτα συνεχιζόταν αδυσώπητη, δεν ήταν η χειρότερη νύχτα της ζωής μου. Παρηγορήθηκα απ' αυτό. Και δεν ήμουν μόνη. Και αυτό ήταν πολύ παρηγορητικό, επίσης.

Ο φόβος του Τσάρλι για τα συναισθηματικά ξεσπάσματα τον εμπόδισε να έρθει για να με ελέγξει, παρόλο που δεν ήμουν ήσυχη –πιθανότατα δεν κοιμήθηκε περισσότερο από 'μένα.

Η πείρα που είχα αποκτήσει έμοιαζε αβάσταχτα ξεκάθαρη απόψε. Έβλεπα κάθε λάθος που είχα κάνει, κάθε τι που έκανα κι έβλαψε κάποιον, τα μικρά πράγματα και τα μεγάλα. Κάθε πόνο που είχα προκαλέσει στον Τζέικομπ, κάθε πληγή που είχα ανοίξει στον Έντουαρντ, συσσωρεύονταν σε ολόκληρες στοίβες που δεν μπορούσα να αγνοήσω ούτε να αρνηθώ.

Και συνειδητοποίησα ότι είχα άδικο από την αρχή για τους μαγνήτες. Δεν ήταν ο Έντουαρντ κι ο Τζέικομπ που προσπαθούσα να ενώσω, ήταν τα δύο κομμάτια του εαυτού μου, την Μπέλλα του Έντουαρντ και την Μπέλλα του Τζέικομπ. Αλλά δεν μπορούσαν να συνυπάρξουν, και δεν έπρεπε να το είχα προσπαθήσει ποτέ.

Είχα κάνει τόση ζημιά.

Σε κάποιο σημείο μέσα στη νύχτα, θυμήθηκα την υπόσχεση που είχα δώσει στον εαυτό μου νωρίς το πρωί –ότι δε θα έκανα τον Έντουαρντ να με ξαναδεί να χύνω ούτε ένα δάκρυ πια για τον Τζέικομπ Μπλακ. Η σκέψη έφερε άλλον ένα γύρο υστερίας, που τρόμαξε τον Έντουαρντ περισσότερο από το κλάμα. Αλλά πέρασε κι αυτό, όταν ολοκλήρωσε την πορεία του.

Ο Έντουαρντ είπε λίγα πράγματα˙ απλώς με κρατούσε στο κρεβάτι και με άφησε να καταστρέψω την μπλούζα του λεκιάζοντάς το με αρμυρό νερό.

Εκείνο το μικρότερο, σπασμένο κομμάτι του εαυτού μου χρειάστηκε περισσότερη ώρα απ' ό,τι φανταζόμουν, μέχρι να στερέψουν τα δάκρυά του. Παρ' όλα αυτά, έγινε, και τελικά εξουθενώθηκα αρκετά, ώστε να κοιμηθώ. Η αναισθησία του ύπνου δεν έφερε την απόλυτη ανακούφιση από τον πόνο, μόνο μια χαλάρωση που συνοδευόταν από αίσθημα παράλυσης και εξασθένησης του πόνου, όπως ένα φάρμακο. Τον έκανε πιο υποφερτό. Αλλά ήταν ακόμα εκεί˙ τον ένιωθα, ακόμα και κοιμισμένη, κι αυτό με βοήθησε να κάνω τις προσαρμογές που έπρεπε.

Το πρωί έφερε μαζί του, αν όχι μια πιο θετική προοπτική, τουλάχιστον κάποιο μέτρο ελέγχου, κάποια αποδοχή. Ενστικτωδώς, ήξερα ότι το καινούριο σχίσιμο στην καρδιά μου θα πονούσε πάντα. Θα ήταν ένα κομμάτι μου τώρα πια. Ο χρόνος θα το έκανε πιο εύκολο –αυτό έλεγαν όλοι πάντα. Αλλά δε με ένοιαζε αν ο χρόνος θα γιάτρευε εμένα ή όχι, αρκεί ο Τζέικομπ να γινόταν καλύτερα. Να μπορούσε να γίνει ξανά ευτυχισμένος.

Όταν ξύπνησα, δεν υπήρχε κανένας αποπροσανατολισμός. Άνοιξα τα μάτια μου –επιτέλους στεγνά– και συνάντησα το ανήσυχο βλέμμα του.

«Γεια σου», είπα. Η φωνή μου ήταν βραχνή. Καθάρισα το λαιμό μου.

Δεν απάντησε. Με κοίταζε, περιμένοντάς την κρίση να ξεκινήσει.

«Όχι, είμαι καλά», υποσχέθηκα. «Αυτό δεν πρόκειται να ξανασυμβεί».

Τα μάτια του σφίχτηκαν στο άκουσμα των λέξεών μου.

«Συγνώμη που αναγκάστηκες να το δεις αυτό», είπα. «Δεν ήταν δίκαιο για 'σένα».

Έβαλε τα χέρια του από τη μια και την άλλη μεριά του προσώπου μου.

«Μπέλλα... είσαι *σίγουρη*; Έκανες τη σωστή επιλογή; Δε σε έχω δει ποτέ ξανά να έχεις τόσο πολύ πόνο—» Η φωνή του ράγισε στην τελευταία λέξη.

Αλλά είχα βιώσει και χειρότερο πόνο.

Άγγιξα τα χείλη του. «Ναι».

«Δεν ξέρω...» Το μέτωπό του γέμισε ρυτίδες. «Αν σε πονάει τόσο πολύ, πώς είναι δυνατόν να είναι το σωστό για 'σένα;»

«Έντουαρντ, ξέρω ποιος είναι αυτός χωρίς τον οποίο δεν μπορώ να ζήσω».

«Μα...»

Κούνησα το κεφάλι μου. «Δεν καταλαβαίνεις. Μπορεί εσύ να είσαι αρκετά γενναίος ή δυνατός για να ζήσεις χωρίς εμένα, αν αυτό είναι το καλύτερο. Αλλά εγώ δε θα μπορούσα να δείξω τόση αυτοθυσία. Πρέπει να είμαι μαζί σου. Μόνο έτσι μπορώ να ζήσω».

Ακόμα έδειχνε αβέβαιος. Δεν έπρεπε να τον είχα αφήσει ποτέ να μείνει μαζί μου το περασμένο βράδυ. Αλλά τον χρειαζόμουν τόσο πολύ...

«Φέρε μου εκείνο το βιβλίο, μπορείς;» ρώτησα, δείχνοντας πάνω από τον ώμο του.

Τα φρύδια του έσμιξαν μπερδεμένα, αλλά μου το έδωσε γρήγορα.

«Πάλι αυτό;» ρώτησε.

«Απλώς ήθελα να βρω αυτό το κομμάτι που θυμήθηκα... για να δω πώς το έλεγε...» Γύρισα τις σελίδες, βρίσκοντας τη σελίδα που έψαχνα εύκολα. Η γωνία ήταν τσακισμένη από τις πολλές φορές που είχα σταματήσει εκεί. «Η Κάθι είναι ένα τέρας, αλλά υπάρχουν μερικά πράγματα που τα είχε πιάσει σωστά», ψέλλισα. Διάβασα τις γραμμές χαμηλόφωνα, κυρίως στον εαυτό μου. "Αν όλα τα υπόλοιπα χάνονταν κι έμενε εκείνος, εγώ και πάλι θα συνέχιζα να υπάρχω˙ και αν όλα τα υπόλοιπα συνέχιζαν να υπάρχουν, και εκείνος αφανιζόταν, το σύμπαν θα γινόταν κάτι τελείως ξένο". Έγνεψα, πάλι στον εαυτό μου. «Ξέρω ακριβώς τι εννοεί. Και ξέρω ποιος είναι αυτός χωρίς τον οποίο δεν μπορώ να ζήσω».

Ο Έντουαρντ πήρε το βιβλίο από τα χέρια μου και το πέταξε στην άλλη μεριά του δωματίου –προσγειώθηκε με έναν ελαφρύ γδούπο πάνω στο γραφείο μου. Τύλιξε τα χέρια του γύρω από τη μέση μου.

Ένα μικρό χαμόγελο φώτισε το τέλειο πρόσωπό του, αν και η ανησυχία ακόμα αυλάκωνε το μέτωπό του. «Κι ο Χίθκλιφ είχε τις στιγμές του», είπε. Δε χρειαζόταν το βιβλίο για να πει τα λόγια επακριβώς. Με τράβηξε πιο κοντά και ψιθύρισε στο αυτί μου, «Δεν *μπορώ* να ζήσω χωρίς τη ζωή μου! Δεν *μπορώ* να ζήσω χωρίς την ψυχή μου».

«Ναι», είπα ήσυχα. «Αυτό ακριβώς λέω κι εγώ».

«Μπέλλα, δεν αντέχω να είσαι δυστυχισμένη. Ίσως…»

«Όχι, Έντουαρντ. Τα έκανα θάλασσα και πρέπει να ζήσω μ' αυτό. Αλλά ξέρω τι θέλω και τι χρειάζομαι… και τι θα κάνω τώρα».

«Τι θα *κάνουμε* τώρα;»

Χαμογέλασα λιγάκι με τη διόρθωσή του και μετά αναστέναξα. «Θα πάμε να δούμε την Άλις».

Η Άλις καθόταν στο χαμηλότερο σκαλοπάτι της βεράντας, σε υπερβολική υπερένταση για να μας περιμένει μέσα. Έμοιαζε έτοιμη να ξεσπάσει σε έναν εορταστικό χορό, τόσο ενθουσιασμένη ήταν για τα νέα που ήξερε ότι θα της έλεγα.

«Σ' ευχαριστώ, Μπέλλα!» είπε τραγουδιστά, καθώς βγαίναμε από το φορτηγάκι.

«Στάσου, Άλις», την προειδοποίησα σηκώνοντας ένα χέρι

για να σταματήσω τη μεγάλη της ευθυμία. «Σου έχω μερικούς περιορισμούς».

«Το ξέρω, το ξέρω, το ξέρω. Έχω μόλις μέχρι τις δεκατρείς του Αυγούστου το αργότερο, μπορείς να ασκήσεις βέτο στη λίστα των καλεσμένων, και αν το παρακάνω με κάτι, δε θα μου μιλήσεις ποτέ ξανά».

«Α, εντάξει. Λοιπόν, ναι. Ξέρεις τους κανόνες, τότε».

«Μην ανησυχείς, Μπέλλα, θα είναι τέλεια. Θέλεις να δεις το νυφικό;»

Έπρεπε να πάρω μερικές βαθιές ανάσες. *Ό,τι την κάνει ευτυχισμένη*, είπα στον εαυτό μου.

«Βέβαια».

Το χαμόγελο της Άλις ήταν περήφανο.

«Εε, Άλις», είπα διατηρώντας τον αδιάφορο, ατάραχο τόνο στη φωνή μου. «Πότε μου πήρες νυφικό;»

Μάλλον δεν ήταν και σπουδαία παράσταση. Ο Έντουαρντ μου ζούληξε το χέρι.

Η Άλις μπήκε μπροστά μπαίνοντας στο σπίτι, κατευθυνόμενη προς τις σκάλες. «Αυτά τα πράγματα χρειάζονται χρόνο, Μπέλλα», εξήγησε η Άλις. Ο τόνος της ήταν σαν να προσπαθούσε... να αποφύγει την ερώτησή μου. «Θέλω να πω, δεν ήμουν βέβαιη ότι τα πράγματα θα κατέληγαν έτσι, αλλά υπήρχε μια ξεκάθαρη πιθανότητα...»

«Πότε;» ρώτησα πάλι.

«Ο Περίν Μπριέρ έχει λίστα αναμονής, ξέρεις», είπε, με αμυντικό τόνο τώρα. «Τα αριστουργήματα ραπτικής δε γίνονται εν μια νυκτί. Αν δεν είχα προνοήσει, θα φορούσες κάτι ετοιματζίδικο!»

Δε φαινόταν να μπορώ να πάρω μια ευθεία απάντηση. «Ο Περ- ποιος;»

«Δεν είναι μεγάλος σχεδιαστής, Μπέλλα, γι' αυτό δεν είναι ανάγκη να σε πιάσει κρίση υστερίας. Είναι πολλά υποσχόμενος, όμως, και εξειδικεύεται σ' αυτό που χρειαζόμουν».

«Δε με έχει πιάσει κρίση υστερίας».

«Όχι». Έριξε μια ματιά στο ψύχραιμό μου πρόσωπο καχύποπτα. Μετά, καθώς μπήκαμε στο δωμάτιό της, γύρισε προς τον Έντουαρντ.

«Εσύ –έξω».

«Γιατί;» απαίτησα να μάθω.

«Μπέλλα», διαμαρτυρήθηκε. «Ξέρεις τους κανόνες. Αυτός δεν κάνει να δει το νυφικό μέχρι τη μέρα εκείνη».

Πήρα άλλη μια βαθιά ανάσα. «Δε με πειράζει. Και ξέρεις ότι ήδη το έχει δει μέσα στο μυαλό σου. Αλλά αν έτσι το θες…»

Έσπρωξε τον Έντουαρντ έξω από την πόρτα. Εκείνος δεν την κοίταξε καν –τα μάτια του ήταν πάνω μου, φοβόταν να με αφήσει μόνη.

Κούνησα το κεφάλι, ελπίζοντας η έκφρασή μου να ήταν αρκετά γαλήνια για να τον καθησυχάσει.

Η Άλις του έκλεισε την πόρτα στα μούτρα.

«Εντάξει!» μουρμούρισε. «Έλα».

Άρπαξε τον καρπό μου και με έσυρε στην ντουλάπα –που ήταν μεγαλύτερη από το υπνοδωμάτιό μου– και μετά με τράβηξε στην πίσω γωνία, όπου μια μακριά λευκή θήκη για ρούχα καταλάμβανε ένα ολόδικό της έπιπλο-κρεμάστρα.

Άνοιξε το φερμουάρ της τσάντας με μια σαρωτική κίνηση και μετά το έβγαλε προσεχτικά από την κρεμάστρα. Έκανε ένα βήμα πίσω, τεντώνοντας το χέρι της προς το φόρεμα, λες και ήταν παρουσιάστρια κάποιου τηλεπαιχνιδιού.

«Λοιπόν;» ρώτησε ξέπνοα.

Το κοίταξα προσπαθώντας να το αξιολογήσω, παίζοντας μαζί της λιγάκι. Η έκφρασή της γέμισε ανησυχία.

«Ω», είπα και χαμογέλασα, αφήνοντάς τη να χαλαρώσει. «Κατάλαβα».

«Τι λες;» απαίτησε να μάθει.

Ήταν το όραμά μου από την *Άννα των Αγρών* ξανά από την αρχή.

«Είναι τέλειο, φυσικά. Ακριβώς το κατάλληλο. Είσαι ιδιοφυΐα».

Χαμογέλασε πλατιά. «Το ξέρω».

«Χίλια εννιακόσια δεκαοχτώ;» μάντεψα.

«Πάνω-κάτω», είπε, γνέφοντας. «Εν μέρει είναι *δικό μου* σχέδιο, η ουρά, το βέλο...» Άγγιξε το λευκό σατέν, καθώς μιλούσε. «Η δαντέλα είναι βίντατζ. Σου αρέσει;»

«Είναι πανέμορφο. Είναι ό,τι πρέπει γι' αυτόν».

«Μα είναι και για 'σένα;» επέμεινε.

«Ναι, νομίζω πως είναι, Άλις. Νομίζω πως είναι αυτό ακριβώς που χρειάζομαι. Ξέρω ότι θα κάνεις πολύ καλή δουλειά... αν μπορέσεις να συγκρατηθείς».

Χαμογέλασε πλατιά. «Μπορώ να δω το δικό σου φόρεμα;» ρώτησα.

Ανοιγόκλεισε τα μάτια, με πρόσωπο ανέκφραστο.

«Δεν παράγγειλες το φόρεμα της παρανύμφου ταυτόχρονα; Δε θα ήθελα η παράνυμφός μου να φοράει κάτι *ετοιματζίδικο*». Έκανα πως μόρφασα από φρίκη.

Όρμησε για να με αγκαλιάσει γύρω από τη μέση. «Σ' ευχαριστώ, Μπέλλα!»

«Μα πως είναι δυνατόν να μην ήσουν προετοιμασμένη γι' αυτό;» την πείραξα φιλώντας τα αγκαθωτά μαλλιά της. «Ωραίο μέντιουμ είσαι!»

Η Άλις έκανε ένα βήμα πίσω χορεύοντας, και το πρόσωπό της έλαμπε από καινούριο ενθουσιασμό. «Έχω τόσα πολλά να κάνω! Πήγαινε να παίξεις με τον Έντουαρντ. Πρέπει να πιάσω δουλειά».

Βγήκε από το δωμάτιο βιαστικά, φωνάζοντας, «Έσμι!» καθώς εξαφανιζόταν.

Εγώ ακολούθησα με το δικό μου ρυθμό. Ο Έντουαρντ με περίμενε στο διάδρομο, ακουμπώντας πάνω στον τοίχο με τα ξύλινα φατνώματα.

«Αυτό ήταν πολύ, πολύ ευγενικό εκ μέρους σου», μου

είπε.

«Φαίνεται χαρούμενη», συμφώνησα.

Άγγιξε το πρόσωπό μου˙ τα μάτια του –υπερβολικά σκούρα, είχε περάσει τόσος καιρός από τότε που με άφησε –έψαξαν την έκφρασή μου σχολαστικά.

«Ας φύγουμε από δω», πρότεινε ξαφνικά. «Πάμε στο λιβάδι μας».

Αυτό ακούστηκε πολύ ελκυστικό. «Υποθέτω ότι δε χρειάζεται να κρύβομαι πια, έτσι δεν είναι;»

«Όχι. Ο κίνδυνος πέρασε πια».

Ήταν σιωπηλός, σκεφτικός, καθώς έτρεχε. Ο αέρας φυσούσε το πρόσωπό μου, πιο ζεστός τώρα που η καταιγίδα είχε τελειώσει πια. Τα σύννεφα σκέπαζαν τον ουρανό, όπως συνήθως.

Το λιβάδι ήταν ένα γαλήνιο, χαρούμενο μέρος σήμερα. Κουκκίδες από καλοκαιρινές μαργαρίτες διέκοπταν το χορτάρι με πιτσιλιές από λευκό και κίτρινο. Ήμουν ξαπλωμένη ανάσκελα, αγνοώντας την ελαφριά υγρασία του εδάφους, κι έψαχνα για εικόνες στα σύννεφα. Ήταν υπερβολικά συμμετρικά, υπερβολικά λεία. Δε σχημάτιζαν καθόλου εικόνες, μόνο μια μαλακή, γκρίζα κουβέρτα.

Ο Έντουαρντ ήταν ξαπλωμένος πλάι μου και μου κρατούσε το χέρι.

«Δεκατρείς του Αυγούστου;» ρώτησε αδιάφορα μετά από μερικά λεπτά ήρεμης σιωπής.

«Έτσι μου απομένει ένας μήνας μέχρι τα γενέθλιά μου. Δεν ήθελα να γίνει τόσο παρά τρίχα».

Αναστέναξε. «Η Έσμι είναι τρία χρόνια μεγαλύτερη από τον Κάρλαϊλ –από τεχνικής απόψεως. Το ήξερες;»

Κούνησα το κεφάλι μου.

«Δεν έπαιξε κανένα ρόλο γι' αυτούς».

Η φωνή μου ήταν γαλήνια, ένα αντίβαρο στη δική του αγωνία. «Η ηλικία μου δεν είναι πραγματικά τόσο σημαντική. Έντουαρντ, είμαι έτοιμη. Έχω διαλέξει τη ζωή μου –τώρα θέλω να αρχίσω να τη ζω».

Χάιδεψε τα μαλλιά μου. «Και το βέτο που μπορείς να ασκήσεις στη λίστα των καλεσμένων;»

«Δε με νοιάζει ιδιαίτερα, αλλά...» Δίστασα, καθώς δεν ήθελα να το εξηγήσω αυτό. Καλύτερα να ξεμπέρδευα γρήγορα. «Δεν είμαι σίγουρη αν η Άλις θα ένιωθε την ανάγκη να καλέσει... μερικούς λυκάνθρωπους. Δεν ξέρω αν... ο Τζέικ θα ένιωθε... ότι *πρέπει* να έρθει. Ότι αυτό είναι το σωστό ή ότι θα πληγωνόμουν αν δεν ερχόταν. Δεν πρέπει να υποχρεωθεί να περάσει κάτι τέτοιο».

Ο Έντουαρντ έμεινε σιωπηλός για ένα λεπτό. Εγώ κάρφωσα το βλέμμα στις κορυφές των δέντρων, σχεδόν μαύρες με φόντο το ανοιχτό γκρίζο του ουρανού.

Ξαφνικά, ο Έντουαρντ με άρπαξε από τη μέση μου και με τράβηξε πάνω στο στήθος του.

«Πες μου γιατί το κάνεις αυτό, Μπέλλα. Γιατί αποφάσισες τώρα να δώσεις στην Άλις την άδεια να κάνει ό,τι θέλει;»

Επανέλαβα για χάρη του τη συζήτηση που έκανα με τον Τσάρλι το περασμένο βράδυ, πριν πάω να δω τον Τζέικομπ.

«Δε θα ήταν δίκαιο να κρατήσω τον Τσάρλι έξω απ' όλο αυτό», κατέληξα. «Κι αυτό σημαίνει και τη Ρενέ και τον Φιλ. Μπορώ να αφήσω την Άλις να διασκεδάσει κι αυτή. Μπορεί να είναι πιο εύκολο για τον Τσάρλι, αν τον αποχαιρετήσω όπως πρέπει. Ακόμα κι αν πιστεύει ότι είναι πολύ νωρίς, δε θα μου άρεσε να του κλέψω την ευκαιρία να με παραδώσει στην εκκλησία». Έκανα ένα μορφασμό στο άκουσμα των λέξεων, μετά πήρα άλλη μια βαθιά ανάσα. «Τουλάχιστον η μαμά μου κι ο μπαμπάς μου κι οι φίλοι μου θα μάθουν το καλύτερο κομμάτι της επιλογής μου, το περισσότερο που μου επιτρέπεται να τους πω. Θα ξέρουν ότι διάλεξα εσένα, και θα ξέρουν πως είμαστε μαζί. Θα ξέρουν ότι είμαι ευτυχισμένη, όπου κι αν είμαι. Νομίζω πως αυτό είναι το καλύτερο που μπορώ να κάνω γι' αυτούς».

Ο Έντουαρντ κράτησε το πρόσωπό μου, εξερευνώντας το για λίγο.

«Άκυρη η συμφωνία!» είπε απότομα.

«*Τι;*» είπα ξέπνοα. «Κάνεις πίσω; Όχι!»

«Δεν κάνω πίσω, Μπέλλα. Θα τηρήσω το δικό μου μέρος της συμφωνίας. Αλλά εσύ απαλλάσσεσαι. Ό,τι θέλεις εσύ, χωρίς δεσμεύσεις».

«Γιατί;»

«Μπέλλα, βλέπω τι κάνεις. Προσπαθείς να κάνεις όλους τους άλλους ευτυχισμένους. Και δε με νοιάζει για τα αισθήματα κανενός άλλου. Εγώ θέλω μόνο *εσύ* να είσαι ευτυχισμένη. Μην ανησυχείς για το πώς θα πούμε στην Άλις τα νέα. Θα το φροντίσω εγώ αυτό. Υπόσχομαι ότι δε θα σε κάνει να νιώσεις ένοχη».

«Μα εγώ—»

«Όχι. Θα το κάνουμε με το δικό σου τρόπο. Επειδή ο δικός μου τρόπος δε δουλεύει. Σε λέω πεισματάρα, αλλά κοίτα τι έκανα *εγώ*. Είχα μείνει κολλημένος με τέτοια ανόητη επιμονή στην ιδέα που είχα για το τι είναι το καλύτερο για 'σένα, αν και το μόνο που κατάφερα ήταν να σε πληγώσω. Σε πλήγωσα τόσο βαθιά, τόσες και τόσες φορές. Δεν εμπιστεύομαι τον εαυτό μου περισσότερο απ' ό,τι εμπιστεύομαι εσένα. Μπορείς να γίνεις ευτυχισμένη με το δικό σου τρόπο. Ο δικός μου είναι πάντα λάθος. Λοιπόν». Κουνήθηκε από κάτω μου, ισιώνοντας τους ώμους του. «Θα το κάνουμε με το *δικό σου* τρόπο, Μπέλλα. Απόψε. Σήμερα. Όσο πιο σύντομα, τόσο το καλύτερο. Θα μιλήσω με τον Κάρλαϊλ. Σκεφτόμουν ότι ίσως αν σου δίναμε αρκετή μορφίνη, δε θα ήταν τόσο άσχημα. Αξίζει να δοκιμάσουμε». Έτριξε τα δόντια του.

«Έντουαρντ, όχι—»

Έβαλε το δάχτυλό του στα χείλη μου. «Μην ανησυχείς, Μπέλλα, αγάπη μου. Δεν έχω ξεχάσει τις υπόλοιπες απαιτήσεις σου».

Τα χέρια του ήταν πάνω στους ώμους μου, τα χείλη του κινούνταν απαλά –αλλά πολύ σοβαρά– πάνω στα δικά μου, πριν συνειδητοποιήσω τι έλεγε. Τι έκανε.

Δεν υπήρχε πολύς χρόνος για να ενεργήσω. Αν περίμενα πολλή ώρα, δε θα μπορούσα να θυμηθώ γιατί έπρεπε να τον σταματήσω. Ήδη δεν μπορούσα να αναπνεύσω σωστά. Τα χέρια μου έσφιγγαν τα μπράτσα του, τραβώντας τον εαυτό μου πιο κοντά του, το στόμα μου είχε κολλήσει στο δικό του και ανταποκρινόταν σε κάθε του κίνηση.

Προσπάθησα να καθαρίσω το κεφάλι μου, για να βρω έναν τρόπο να μιλήσω.

Στριφογύρισε κυλώντας απαλά, πιέζοντάς με πάνω στο δροσερό χορτάρι.

Ω, δεν πειράζει! πανηγύριζε η λιγότερο ενάρετη πλευρά μου. Το κεφάλι μου ήταν γεμάτο από τη γλυκύτητα της ανάσας του.

Όχι, όχι, όχι, διαφώνησα με τον εαυτό μου. Κούνησα το κεφάλι μου, και το στόμα του μετακινήθηκε προς το λαιμό μου, δίνοντάς μου την ευκαιρία να αναπνεύσω.

«Σταμάτα, Έντουαρντ. Περίμενε». Η φωνή μου ήταν τόσο αδύναμη όσο και η θέλησή μου.

«Γιατί;» ψιθύρισε στην κοιλότητα του λαιμού μου.

Πάσχισα να βάλω λίγη αποφασιστικότητα στο ύφος μου. «Δε θέλω να το κάνω αυτό τώρα».

«Δε θέλεις;» ρώτησε, με ένα χαμόγελο στη φωνή του. Έφερε τα χείλη του πάλι στα δικά μου κι ήταν αδύνατο να μιλήσω. Πυρετός έτρεξε μέσα στις φλέβες μου, καίγοντάς με εκεί όπου το δέρμα μου ακουμπούσε πάνω στο δικό του.

Πίεσα τον εαυτό μου να συγκεντρωθεί. Χρειάστηκε μεγάλη προσπάθεια για να αναγκάσω τα χέρια μου να ελευθερωθούν από τα μαλλιά του, να μετακινηθούν στο στήθος του. Αλλά το έκανα. Και μετά τον έσπρωξα προσπαθώντας να τον διώξω μακριά. Δε θα μπορούσα να το πετύχω μόνη μου, αλλά εκείνος ανταποκρίθηκε, όπως ήξερα ότι θα έκανε.

Τραβήχτηκε πίσω μερικά εκατοστά για να με κοιτάξει, και τα μάτια του δεν έκαναν τίποτα για να βοηθήσουν την αποφασιστικότητά μου. Ήταν μαύρη φωτιά. Σιγόκαιγαν.

«Γιατί;» ρώτησε πάλι, με φωνή χαμηλή και βραχνή. «Σ' αγαπάω. Σε θέλω. Αυτή τη στιγμή».

Ο κόμπος στο στομάχι μου ανέβηκε στο λαιμό μου. Εκμεταλλεύτηκε το γεγονός ότι είχα μείνει άφωνη.

«Περίμενε, περίμενε», προσπάθησα να πω γύρω από τα χείλη του.

«Όχι για χάρη μου», μουρμούρισε διαφωνώντας.

«*Σε παρακαλώ;*» είπα αγκομαχώντας.

Στέναξε και τραβήχτηκε μακριά μου, γυρνώντας ανάσκελα ξανά.

Και οι δυο μείναμε ξαπλωμένοι εκεί για ένα λεπτό, προσπαθώντας να κάνουμε την ανάσα μας πιο αργή.

«Πες μου γιατί όχι, Μπέλλα», απαίτησε να μάθει. «Το καλό που σου θέλω να μην έχει να κάνει μ' εμένα».

Τα πάντα στον κόσμο μου είχαν να κάνουν μ' εκείνον. Τι ανόητη προσδοκία.

«Έντουαρντ, αυτό είναι πολύ σημαντικό για 'μένα. Θα το κάνω όντως σωστά».

«Σωστά σύμφωνα με τον ορισμό ποιανού;»

«Το δικό μου».

Στριφογύρισε κυλώντας για να ακουμπήσει πάνω στον αγκώνα του και με κοίταξε επίμονα, με έκφραση αποδοκιμαστική.

«*Πώς* θα το κάνεις αυτό σωστά;»

Πήρα μια βαθιά ανάσα. «Υπεύθυνα. Όλα με τη σειρά τους. Δε θα αφήσω τον Τσάρλι και τη Ρενέ χωρίς την καλύτερη λύση που μπορώ να τους δώσω. Δε θα αρνηθώ στην Άλις την ευκαιρία της να διασκεδάσει, αν είναι να κάνω γάμο, έτσι κι αλλιώς. Και *πράγματι* θα ενωθώ με δεσμά μαζί σου με κάθε δυνατό ανθρώπινο τρόπο, πριν σου ζητήσω να με κάνεις αθάνατη. Θα ακολουθήσω όλους τους κανόνες, Έντουαρντ. Η ψυχή σου είναι πολύ, πολύ σημαντική για 'μένα για να ρισκάρω μ' αυτή. Δεν πρόκειται να με μεταπείσεις».

«Βάζω στοίχημα ότι θα μπορούσα», μουρμούρισε με μάτια που φλέγονταν ξανά.

«Αλλά δε θα το έκανες», είπα, προσπαθώντας να διατηρήσω τη σταθερότητα στη φωνή μου. «Όχι ξέροντας ότι αυτό είναι που χρειάζομαι πραγματικά».

«Δεν παίζεις δίκαια», με κατηγόρησε.

Του χαμογέλασα ειρωνικά. «Δεν είπα ποτέ ότι θα το έκανα».

Μου ανταπόδωσε το χαμόγελο, με λαχτάρα. «Αν αλλάξεις γνώμη ...»

«Θα είσαι ο πρώτος που θα το μάθει ...», υποσχέθηκα.

Η βροχή άρχισε να στάζει από τα σύννεφα εκείνη ακριβώς τη στιγμή, μερικές διάσπαρτες σταγόνες που έκαναν αμυδρούς ήχους, καθώς έπεφταν στο χορτάρι.

Αγριοκοίταξα τον ουρανό.

«Θα σε πάω σπίτι». Σκούπισε τις μικροσκοπικές σταγόνες νερού από τα μάγουλά μου.

«Η βροχή δεν είναι πρόβλημα», διαμαρτυρήθηκα. «Απλώς σημαίνει ότι είναι ώρα να πάμε να κάνουμε κάτι που θα είναι πολύ δυσάρεστο και πιθανόν ακόμα και εξαιρετικά επικίνδυνο».

Τα μάτια του γούρλωσαν ανήσυχα.

«Ευτυχώς που είσαι αλεξίσφαιρος». Αναστέναξα. «Θα χρειαστώ εκείνο το δαχτυλίδι. Είναι καιρός να το πούμε στον Τσάρλι».

Γέλασε με την έκφραση στο πρόσωπό μου. «Εξαιρετικά επικίνδυνο», συμφώνησε. Γέλασε πάλι και μετά έβαλε το χέρι του μέσα στην τσέπη του τζιν του. «Αλλά τουλάχιστον δεν είναι ανάγκη να κάνουμε καμία παράκαμψη».

Άλλη μια φορά γλίστρησε το δαχτυλίδι στη θέση του, στο τρίτο δάχτυλο του αριστερού μου χεριού.

Εκεί όπου θα έμενε –θεωρητικά για το υπόλοιπο της αιωνιότητας.

ΕΠΙΛΟΓΟΣ: ΕΠΙΛΟΓΗ

ΤΖΕΪΚΟΜΠ ΜΠΛΑΚ

«Τζέικομπ, πιστεύεις ότι αυτό θα κρατήσει πολύ καιρό ακόμα;» απαίτησε να μάθει η Λία. Ανυπόμονη. Γκρινιάρα.

Τα δόντια μου σφίχτηκαν.

Όπως και οποιοσδήποτε άλλος μέσα στην αγέλη, η Λία ήξερε τα πάντα. Ήξερε γιατί ήρθα εδώ –στην άκρη της γης και του ουρανού και της θάλασσας. Για να είμαι μόνος. Ήξερε ότι αυτό ήταν το μόνο που ήθελα. Απλώς να είμαι μόνος.

Αλλά η Λία σκόπευε να μου επιβάλει την παρέα της με το ζόρι, έτσι και αλλιώς.

Πέρα από το γεγονός ότι μου είχε σπάσει τα νεύρα, προς στιγμή ένιωσα περήφανος. Γιατί δε χρειαζόταν καν να σκεφτώ για να συγκρατήσω τα νεύρα μου. Ήταν εύκολο τώρα, κάτι που έκανα απλά, φυσικά. Η κόκκινη παραζάλη δεν πλημμύριζε τα μάτια μου. Η σπονδυλική μου στήλη δεν έτρεμε εξαιτίας της έξαψης. Η φωνή μου ήταν ψύχραιμη, καθώς απάντησα.

«Δεν πας να πηδήξεις από κανένα βράχο, Λία». Έδειξα

προς εκείνον που ήταν στα πόδια μου.

«Στ' αλήθεια, φίλε». Με αγνόησε, πέφτοντας στο έδαφος για να ξαπλώσει δίπλα μου. «Δεν έχεις ιδέα πόσο δύσκολο είναι αυτό για 'μένα».

«Για *'σένα;*» Μου πήρε ένα λεπτό για να πιστέψω ότι σοβαρολογούσε. «Πρέπει να είσαι το πιο εγωκεντρικό άτομο στον κόσμο, Λία. Δε θα ήθελα να σου γκρεμίσω τον ονειρεμένο κόσμο στον οποίο ζεις –αυτόν όπου ο ήλιος γυρίζει γύρω από το σημείο όπου στέκεσαι εσύ– γι' αυτό δε θα σου πω πόσο λίγο με νοιάζει ποιο είναι το πρόβλημά σου. *Φύγε. Μακριά*».

«Δες το απλώς από τη δική μου οπτική για ένα λεπτό, εντάξει;» συνέχισε, σαν να μην είχα πει τίποτα.

Αν αυτό που προσπαθούσε ήταν να μου αλλάξει τη διάθεση, το κατάφερνε. Άρχισα να γελάω. Ο ήχος πονούσε με παράξενους τρόπους.

«Σταμάτα να ρουθουνίζεις και πρόσεξέ με», είπε κοφτά.

«Αν κάνω πως ακούω, θα φύγεις;» ρώτησα, ρίχνοντας ένα γρήγορο βλέμμα στο μόνιμο μούτρωμα στο πρόσωπό της. Δεν ήμουν καν σίγουρος αν είχε άλλη έκφραση πλέον.

Θυμήθηκα τότε παλιά που πίστευα ότι η Λία ήταν χαριτωμένη, ακόμα και όμορφη. Αυτό ήταν πριν πολύ καιρό. Κανένας δεν την έβλεπε έτσι τώρα πια. Εκτός από τον Σαμ. Δε θα συγχωρούσε ποτέ τον εαυτό του. Λες και ήταν δικό του φταίξιμο που είχε γίνει αυτή η κυνική μέγαιρα.

Το μούτρωμά της έγινε πιο έντονο, λες και μάντευε τι σκεφτόμουν. Πιθανότατα μπορούσε.

«Αυτό το πράγμα με αηδιάζει, Τζέικομπ. Μπορείς να φανταστείς πώς νιώθω *εγώ;* Δε *συμπαθώ* καν τη Μπέλλα Σουάν. Κι εσύ με έχεις κάνει να θρηνώ για αυτή την αγαπητικιά της βδέλλας, λες και είμαι κι εγώ ερωτευμένη μαζί της. Καταλαβαίνεις ότι αυτό μπορεί να μου προκαλεί κάποια σύγχυση; Χθες το βράδυ ονειρεύτηκα ότι τη φιλούσα! Τι στο διάολο να κάνω μ' *αυτό;*»

«Τι με νοιάζει;»

«Δεν αντέχω να είμαι στο κεφάλι σου πια! Ξεπέρασέ την επιτέλους! *Παντρεύεται* αυτό το πράγμα. Θα προσπαθήσει να την κάνει μια από εκείνους! Καιρός να πας παρακάτω, αγόρι μου».

«Σκάσε!» μούγκρισα.

Θα ήταν λάθος να της ανταποδώσω την κακία. Το ήξερα αυτό. Δάγκωνα τη γλώσσα μου. Αλλά θα μετάνιωνε αν δεν έφευγε. Τώρα.

«Το πιθανότερο είναι, έτσι κι αλλιώς, να τη σκοτώσει», είπε η Λία. Κάνοντας ένα σαρκαστικό μορφασμό. «Όλες οι ιστορίες λένε ότι αυτό συμβαίνει τις περισσότερες φορές. Μπορεί μια κηδεία να είναι καλύτερο τέλος από ένα γάμο. Χα».

Αυτή τη φορά δυσκολεύτηκα. Έκλεισα τα μάτια μου και πάλεψα ενάντια στην καυτή γεύση μέσα στο στόμα μου. Αντιμαχόμουν κι έσπρωχνα ενάντια στη φωτιά που γλιστρούσε στην πλάτη μου, πασχίζοντας να κρατήσω τη μορφή μου, ενώ το σώμα μου προσπαθούσε να διαλυθεί τρέμοντας.

Όταν ανέκτησα τον έλεγχο, την αγριοκοίταξα. Παρατηρούσε τα χέρια μου, καθώς τα ρίγη γίνονταν πιο αργά. Χαμογελώντας.

Ωραίο αστείο.

«Αν σε ενοχλεί η σύγχυση των φύλων, Λία ... », είπα. Αργά, δίνοντας έμφαση σε κάθε λέξη. «Πώς νομίζεις ότι νιώθουν οι υπόλοιποι, όταν βλέπουν τον Σαμ μέσα από τα δικά σου μάτια; Είναι ήδη αρκετά άσχημο που η Έμιλι πρέπει να αντιμετωπίσει τη *δική σου* εμμονή. Το μόνο που της λείπει είναι να βαριανασαίνουμε κι εμείς για χάρη του».

Παρόλο που ήμουν τσαντισμένος, ένιωσα και πάλι ένοχος όταν είδα το σπασμό του πόνου που πέρασε από το πρόσωπό της.

Σηκώθηκε με κόπο όρθια –σταματώντας μόνο για να φτύσει προς την κατεύθυνσή μου– κι έτρεξε προς τα δέντρα με το σώμα της να δονείται.

Γέλασα με πίκρα. «Αστόχησες».

Ο Σαμ θα μου έκανε μεγάλη φασαρία γι' αυτό, αλλά άξιζε τον κόπο. Η Λία δε θα με ενοχλούσε άλλο. Και θα το έκανα ξανά, αν είχα την ευκαιρία.

Επειδή τα λόγια της ήταν ακόμα εδώ, γρατζουνώντας το μυαλό μου για να μπουν μέσα του, ο πόνος ήταν τόσο δυνατός που μετά βίας μπορούσα να αναπνεύσω.

Δεν είχε τόση σημασία που η Μπέλλα είχε διαλέξει κάποιον άλλο αντί για 'μένα. Αυτός ο πόνος δεν ήταν τίποτα απολύτως. Αυτόν τον πόνο μπορούσα να τον αντέξω για το υπόλοιπο της ανόητης, υπερβολικά τραβηγμένης, μακροχρόνιας ζωής μου.

Αλλά είχε σημασία που εγκατέλειπε τα πάντα –που θα άφηνε την καρδιά της να σταματήσει και το δέρμα της να παγώσει και το μυαλό της να παραμορφωθεί και να γίνει το κρυσταλλωμένο κεφάλι ενός αρπακτικού. Ενός τέρατος. Μιας ξένης.

Πίστευα ότι δεν υπήρχε τίποτα χειρότερο από αυτό, τίποτα πιο οδυνηρό σ' ολόκληρο τον κόσμο.

Αλλά, αν τη σκότωνε...

Και πάλι, έπρεπε να παλέψω με την οργή. Ίσως, αν δεν ήταν η Λία, να ήταν καλύτερο να αφήσω την έξαψη να με μεταμορφώσει σε ένα πλάσμα που θα μπορούσε να την αντιμετωπίσει καλύτερα. Ένα πλάσμα με ένστικτα τόσο πολύ πιο δυνατά από τα ανθρώπινα συναισθήματα. Ένα ζώο που δε θα ένιωθε τον πόνο με τον ίδιο τρόπο. Ένα διαφορετικό πόνο. Κάποια άλλη εκδοχή του, τουλάχιστον. Αλλά η Λία είχε μεταμορφωθεί τώρα, και δεν ήθελα να μοιραστώ τις σκέψεις της. Την έβρισα μέσα από τα δόντια μου που μου αφαίρεσε και αυτό τον τρόπο διαφυγής.

Τα χέρια μου έτρεμαν παρά τη θέλησή μου. Τι τα έκανε να τρέμουν; Θυμός; Πόνος; Δεν ήμουν σίγουρος ενάντια σε τι πάλευα τώρα.

Έπρεπε να πιστεύω ότι η Μπέλλα θα επιζούσε. Αλλά αυτό

απαιτούσε εμπιστοσύνη –μια εμπιστοσύνη που δεν ήθελα να νιώσω, μια εμπιστοσύνη στην ικανότητα εκείνης της βδέλλας να την κρατήσει στη ζωή.

Θα ήταν διαφορετική, κι αναρωτιόμουν πώς θα επηρέαζε εμένα αυτό. Θα ήταν το ίδιο σαν να είχε πεθάνει, να τη βλέπω να στέκεται εκεί σαν πέτρα; Σαν πάγος; Όταν η μυρωδιά της θα έκαιγε τα ρουθούνια μου και θα πυροδοτούσε το ένστικτο να ξεσκίσω, να κατασπαράξω... Πώς θα ήταν αυτό; Θα ήταν δυνατό να θέλω να σκοτώσω *αυτή*; Θα ήταν δυνατό να μη θέλω να σκοτώσω έναν από *εκείνους*;

Παρατήρησα τα κύματα που φούσκωναν να κυλάνε προς την παραλία. Εξαφανίζονταν από τα μάτια μου κάτω από την άκρη του βράχου, αλλά τα άκουγα να σκάνε πάνω στην άμμο. Τα παρατηρούσα, μέχρι που νύχτωσε, πολλή ώρα αφού είχε σκοτεινιάσει.

Το να γυρίσω σπίτι πιθανότατα δεν ήταν καλή ιδέα. Αλλά πεινούσα και δεν μπορούσα να σκεφτώ κάποιο άλλο σχέδιο.

Έκανα μια γκριμάτσα, καθώς τράβηξα το χέρι μου μέσα από τον αναρτήρα και άρπαξα τις πατερίτσες μου. Μακάρι ο Τσάρλι να μη με είχε δει εκείνη τη μέρα και να μην είχε διαδώσει τη φήμη του "ατυχήματός μου με τη μοτοσικλέτα". Ηλίθια ψέματα. Τα μισούσα.

Η πείνα μου άρχισε να φαίνεται προτιμότερη, όταν μπήκα στο σπίτι και έριξα μια ματιά στο πρόσωπό του πατέρα μου. Κάτι τον απασχολούσε. Το καταλάβαινα εύκολα –πάντα το παράκανε. Συμπεριφερόταν σαν να μην έτρεχε απολύτως τίποτα.

Επίσης μιλούσε πάρα πολύ. Είχε αρχίσει να φλυαρεί για τη μέρα του, πριν προλάβω να φτάσω στο τραπέζι. Ποτέ δεν τον έπιανε τέτοια λογοδιάρροια, εκτός κι αν υπήρχε κάτι που δεν ήθελε να πει. Τον αγνόησα όσο καλύτερα μπορούσα επικεντρώνοντας την προσοχή μου στο φαγητό. Όσο πιο γρήγορα το κατάπινα...

«…και πέρασε η Σου σήμερα». Η φωνή του πατέρα μου ήταν δυνατή. Δύσκολο να την αγνοήσεις. Όπως πάντα. «Καταπληκτική γυναίκα. Είναι πιο ζόρικη από τις αρκούδες γκρίζλι. Δεν ξέρω πώς τα καταφέρνει μ' εκείνη την κόρη της, παρ' όλα αυτά. Η Σου θα γινόταν τρομερός λύκος. Η Λία μοιάζει πιο πολύ με Γούλβεριν*». Γέλασε με το δικό του αστείο.

Περίμενε για λίγο την απάντησή μου, αλλά δε φάνηκε να βλέπει την κενή, βαριέμαι-σε-βαθμό-τρέλας έκφραση που είχα. Τις περισσότερες φορές τον ενοχλούσε. Μακάρι να σταματούσε σχετικά με τη Λία. Προσπαθούσα να μην τη σκέφτομαι.

«Ο Σεθ είναι πολύ πιο βολικός. Φυσικά, κι εσύ ήσουν πιο βολικός από τις αδερφές σου, μέχρι… βέβαια, έχεις πιο πολλά να αντιμετωπίσεις από 'κείνες».

Έβγαλα έναν αναστεναγμό, μακρύ και βαθύ, και κοίταξα έξω από το παράθυρο.

Ο Μπίλι έμεινε σιωπηλός για μια στιγμή. «Ήρθε γράμμα σήμερα».

Κατάλαβα ότι αυτό ήταν το θέμα που απέφευγε.

«Γράμμα;»

«Μια… πρόσκληση σε γάμο».

Κάθε μυς του σώματός μου σφίχτηκε. Ένα φτερό έξαψης έμοιαζε να χαϊδεύει την πλάτη μου προς τα κάτω. Κρατήθηκα στο τραπέζι για να διατηρήσω τα χέρια μου σταθερά.

Ο Μπίλι συνέχισε σαν να μην το είχε προσέξει. «Υπάρχει ένα σημείωμα μέσα που απευθύνεται σ' εσένα. Δεν το διάβασα».

Έβγαλε ένα χοντρό κρεμ φάκελο από εκεί όπου ήταν σφηνωμένος ανάμεσα στο πόδι του και την άκρη της αναπηρικής του καρέκλας. Τον ακούμπησε στο τραπέζι ανάμεσά μας.

«Μάλλον δε χρειάζεται να το διαβάσεις. Δεν έχει σημασία τι λέει».

---

*Γούλβεριν: (Wolverine) Ήρωας των X-Men του διάσημου κόμικ της Μάρβελ Κόμικς (Σ.τ.Ε.)

Ηλίθια αντίστροφη ψυχολογία. Τράβηξα το φάκελο απότομα από το τραπέζι.

Ήταν κάποιο βαρύ, σκληρό χαρτί. Ακριβό. Υπερβολικά φανταχτερό για το Φορκς. Η κάρτα μέσα ήταν ίδια, υπερβολικά στολισμένη και επίσημη. Η Μπέλλα δε θα είχε καμία σχέση μ' αυτό. Δεν υπήρχε κανένα σημάδι του προσωπικού της γούστου στις στρώσεις των διαφανών διακοσμημένων με πέταλα σελίδων. Θα έβαζα στοίχημα ότι δεν της άρεσε καθόλου. Δε διάβασα τις λέξεις, ούτε καν για να δω την ημερομηνία. Δε με ένοιαζε.

Υπήρχε ένα χοντρό κρεμ χαρτί διπλωμένο στη μέση, με το όνομά μου γραμμένο χειρόγραφα με μαύρο μελάνι στο πίσω μέρος. Δεν αναγνώρισα το γραφικό χαρακτήρα, αλλά ήταν εξίσου φανταχτερός με όλα τα υπόλοιπα. Για μισό δευτερόλεπτο, αναρωτήθηκα αν η βδέλλα ήθελε να μου το τρίψει στα μούτρα.

Το άνοιξα.

Τζέικομπ,
Παραβαίνω τους κανόνες στέλνοντάς σου αυτό. Φοβόταν ότι θα σε πληγώσει και δεν ήθελε να σε κάνει να νιώσεις υποχρεωμένος με κανέναν τρόπο. Αλλά ξέρω ότι αν τα πράγματα είχαν συμβεί αντίστροφα, εγώ θα ήθελα να έχω τη δυνατότητα επιλογής.

Υπόσχομαι ότι θα τη φροντίζω, Τζέικομπ.

Σ' ευχαριστώ εκ μέρους της -για όλα.

Έντουαρντ

«Τζέικ, έχουμε μόνο ένα τραπέζι», είπε ο Μπίλι. Κοίταζε επίμονα το αριστερό μου χέρι.

Τα δάχτυλά μου κρατούσαν το ξύλο τόσο δυνατά που πραγματικά κινδύνευε. Τα χαλάρωσα ένα-ένα, επικεντρώνοντας την προσοχή μου μόνο σ' αυτή την πράξη, και μετά έδεσα τα χέρια μου το ένα με το άλλο, ώστε να μη σπάσω τίποτα.

«Ναι, δεν έχει σημασία, έτσι κι αλλιώς», μουρμούρισε ο Μπίλι.

Σηκώθηκα από το τραπέζι, σηκώνοντας τους ώμους για να βγάλω το φανελάκι μου, καθώς σηκωνόμουν. Ήλπιζα ότι η Λία θα είχε γυρίσει σπίτι ως τώρα.

«Όχι πολύ αργά», ψέλλισε ο Μπίλι, καθώς έδιωξα την πόρτα από μπροστά μου με μια γροθιά.

Έτρεχα ήδη πριν φτάσω στα δέντρα, τα ρούχα μου ήταν σκορπισμένα πίσω μου σαν ένα μονοπάτι από ψίχουλα –σαν να ήθελα να βρω το δρόμο για να γυρίσω πίσω. Ήταν σχεδόν υπερβολικά εύκολο τώρα να αλλάζω μορφή. Δε χρειαζόταν να σκεφτώ. Το σώμα μου ήδη ήξερε που πήγαινα, πριν του το ζητήσω, μου έδινε αυτό που ήθελα.

Είχα τέσσερα πόδια τώρα και πετούσα.

Τα δέντρα είχαν γίνει θολά σχηματίζοντας μια θάλασσα μαύρου που κυλούσε γύρω μου. Οι μύες μου μαζεύονταν και τεντώνονταν με έναν άκοπο ρυθμό. Μπορούσα να τρέχω έτσι για μέρες και δε θα κουραζόμουν. Ίσως, αυτή τη φορά, να μη σταματούσα.

Αλλά δεν ήμουν μόνος.

Λυπάμαι πολύ, ψιθύρισε ο Έμπρι μέσα στο κεφάλι μου.

Έβλεπα μέσα από τα δικά του μάτια. Ήταν μακριά, στο βορρά, αλλά είχε κάνει στροφή και έτρεχε για να με προφτάσει. Γρύλισα και πίεσα τον εαυτό μου να πάει πιο γρήγορα.

Περίμενέ μας, διαμαρτυρήθηκε ο Κουίλ. Ήταν πιο κοντά, ξεκινούσε μόλις από το χωριό.

Αφήστε με ήσυχο, γρύλισα.

Ένιωθα την ανησυχία τους μέσα στο κεφάλι μου, όσο σκληρά κι αν προσπαθούσα να την πνίξω στον ήχο του ανέμου και του δάσους. Αυτό ήταν που μισούσα περισσότερο από καθετί –το να βλέπω τον εαυτό μου μέσα από τα δικά τους μάτια, κι ήταν χειρότερα τώρα που τα μάτια τους ήταν γεμάτα οίκτο.

Έβλεπαν το μίσος, αλλά συνέχισαν να τρέχουν πίσω μου.

Μια καινούρια φωνή ήχησε μέσα στο κεφάλι μου.

Αφήστε τον να φύγει. Η σκέψη του Σαμ ήταν απαλή, αλλά και πάλι μια διαταγή. Ο Έμπρι κι ο Κουίλ επιβράδυναν σε σημείο που ν' αρχίσουν να περπατάνε.

Μακάρι να μπορούσα να σταματήσω να ακούω, να σταματήσω να βλέπω αυτό που έβλεπαν εκείνοι. Το κεφάλι μου ήταν τόσο γεμάτο, αλλά ο μόνος τρόπος για να βρεθώ μόνος πάλι ήταν να ξαναγίνω άνθρωπος, και δεν μπορούσα να αντέξω τον πόνο.

Αλλάξτε μορφή, τους καθοδήγησε ο Σαμ. *Θα έρθω να σε πάρω, Έμπρι.*

Πρώτα η μια, μετά κι η άλλη συνείδηση ξεθώριασαν σε μια σιωπή. Έμεινε μόνο ο Σαμ.

Σ' ευχαριστώ, κατάφερα να σκεφτώ.

Γύρνα πίσω όταν μπορέσεις. Οι λέξεις ήταν αδύναμες, αργόσβηναν αφήνοντας πίσω ένα μαύρο κενό, καθώς έφευγε κι εκείνος. Και ήμουν μόνος.

Πολύ καλύτερα. Τώρα άκουγα το αμυδρό θρόισμα που έκανε το χαλί από πεσμένα φύλλα κάτω από τις πατούσες μου, τον ψίθυρο των φτερών μιας κουκουβάγιας από πάνω μου, τον ωκεανό –πέρα μακριά, μακριά προς τη δύση– που στέναζε, καθώς άγγιζε την παραλία. Άκουγα αυτό και τίποτα άλλο. Δεν ένιωθα τίποτα πέρα από την ταχύτητα, τίποτα άλλο εκτός από το τράβηγμα των μυών, των τενόντων και των οστών, που δούλευαν μαζί αρμονικά, καθώς τα χιλιόμετρα εξαφανίζονταν πίσω μου.

Αν η σιωπή μέσα στο κεφάλι μου διαρκούσε, δε θα γύριζα ποτέ πίσω. Δε θα ήμουν ο πρώτος που θα επέλεγε αυτή τη μορφή παρά την άλλη. Μπορεί, αν έτρεχα αρκετά μακριά, να μη χρειαζόταν να ακούσω ξανά…

Πίεσα τα πόδια μου να πάνε πιο γρήγορα, αφήνοντας τον Τζέικομπ Μπλακ να χαθεί πίσω μου.

η συνέχεια και το τέλος

ΧΑΡΑΥΓΗ

Σεπτέμβριος 2009

Όλα ξεκίνησαν με το *Λυκόφως*. Το βιβλίο που προκάλεσε τη φαντασία...

Η *Νέα Σελήνη* έκανε τους αναγνώστες να διψάνε για περισσότερο...

Έκλειψη.
Το βιβλίο που
μετέτρεψε
τη σειρά σε
παγκόσμιο
φαινόμενο...

Η *Χαραυγή*,
το τελευταίο
βιβλίο του
Έπους, θα
σας κόψει την
ανάσα.

Σεπτέμβριος 2009

Το Σώμα

(The Host)

"Ένα φανταστικό, εφευρετικό, βαθυστόχαστο, δυνατό μυθιστόρημα. Το Σώμα θα έπρεπε να συνοδεύεται από την προειδοποίηση: Θα σας γραπώσει και θα σας υποχρεώσει να διαβάζετε μέχρι τις μεταμεσονύχτιες ώρες. Θα σας βάλει να σκεφτείτε, βαθιά, στοιχειωμένα πολύ μετά την τελευταία λέξη. Η Stephenie Meyer συλλαμβάνει τους χαρακτήρες και χειρίζεται την πλοκή σαν αριστοτέχνης -ένας υβριδικός συνδυασμός Stephen King και Isaac Asimov".

Ridley Pearson